SOURCES FOR
GREEK HISTORY

SOURCES FOR

GREEK HISTORY

BETWEEN THE PERSIAN AND PELOPONNESIAN WARS

COLLECTED AND ARRANGED BY

G. F. HILL

A NEW EDITION BY

R. MEIGGS

AND

A. ANDREWES

OXFORD
AT THE CLARENDON PRESS

Oxford University Press, Ely House, London W. 1

GLASGOW NEW YORK TORONTO MELBOURNE WELLINGTON
CAPE TOWN SALISBURY IBADAN NAIROBI LUSAKA ADDIS ABABA
BOMBAY CALCUTTA MADRAS KARACHI LAHORE DACCA
KUALA LUMPUR HONG KONG

FIRST PUBLISHED 1897
REISSUED 1907
NEW EDITION 1951
REPRINTED LITHOGRAPHICALLY IN GREAT BRITAIN
AT THE UNIVERSITY PRESS, OXFORD
FROM CORRECTED SHEETS OF THE NEW EDITION
1962, 1966

PREFACE TO THE NEW EDITION

It is now just over fifty years since Sir George Hill published the first edition of his *Sources for Greek History, B.C. 478–431*, and in that time it has most amply proved its value both in teaching and in research. Since the war many of the literary sources for the Pentekontaetia are harder to buy than they were, and Hill's selection has become more useful than ever at a time when it too is becoming a scarce book. The main need for revision (rather than reprinting) lies in the epigraphic field, where much new material has been discovered since Hill's second issue of 1907, and some of the inscriptions cited have been worked over by later epigraphists till Hill's texts are barely recognizable. The Delegates of the Clarendon Press have therefore agreed to the present revision, which was begun in 1946 with the kindly encouragement of Sir George Hill himself: among the many reasons for which we regret our slow progress not least is that we were unable to complete the work before his death. Following in his steps we can more fully than others appreciate the labour involved in his original compilation and the skill which he brought to it.

We have made one major change in arrangement. Hill in his preface of 1897 expressed the fear that the best authors would suffer from being presented in excerpt, but teaching experience has shown rather the opposite danger, that extracts from inferior authors gain more currency than they deserve by being isolated from their context. Accordingly, we have taken our authors in alphabetical order and printed our extracts in the order in which they stand in the usual editions of the author's works, while in place of Hill's arrangement by subject we have given very full indexes at the end, five dealing with the historical subject-matter, one giving personal, and one geographical, proper names.

Statements by Plutarch or Diodoros or Justin will thus generally appear in their context, or, in the case of authors whom we quote more disconnectedly, other extracts on the same page will often show something of the author's character. What is lost is the convenience of having all the references to a single event gathered together on one page; and following out the references in our index to the battle of Tanagra will certainly be a more cumbrous procedure than looking up Tanagra in the original version. But even in the original, cross-reference was often needed where the same extract referred to more than one subject, and in general we believe that our indexes are a more flexible instrument than Hill's arrangement.

It is impossible, as Hill pointed out, to present the evidence entirely without partiality, and our indexes may be found tendentious, though we have tried to be fair to theories with which we disagree and we intend the entries of indexes I–V to be purely descriptive of the passages cited. Thus at index I. 2^2 we do not mean to express any opinion about the historicity of Sparta's proposal to the Amphiktyony: on the other hand, at I. 6^{15} it was beyond our contrivance to present the evidence for the Peace of Kallias with complete detachment. Some forms of evidence—for example, the negative criterion that something is not mentioned in a context where it might be expected—cannot be presented at all in a source-book, others are too complicated to be presented easily, and considerations of space have throughout weighed heavily with us. It would have been pleasant to include some of the ingeniously forged *Letters* of Themistokles, but one would need to quote a good deal to show the character of the source and there is no easy way of judging where it uses genuine material; or to refer to the Athenian-Amphipolite geographer Euktemon and his views on the Pillars of Herakles, but it is impossible to do so without lengthy quotation of Avienus; or to give more indications of the fragmentary and conjectural history of Thessaly. Within the limits necessarily imposed on us we have tried to be both reasonably comprehensive and reasonably fastidious; we have added much that was not in Hill's selection and cut out some material that seemed purely repetitive (e.g. many of the repetitions of the story of Themistokles and the Walls of Athens). But naturally no user of the book will entirely agree with our choices.

Our other main change has been to extend the scope of the

book down to the actual outbreak of the war in 431 B.C. (cf. preface to Hill, 1st ed., p. vi). This was mainly for the sake of completeness, and the chief texts added, from Plutarch's *Pericles* and Diodoros xii, deal with matters which are not included by Thucydides. We have added also sections on Kyrene and Macedon and various other minor matters: but substantially the selection of literary sources is very little altered.

We owe great thanks throughout to Professor H. T. Wade-Gery, whose constructive and ingenious criticism has often unsettled us and everywhere improved our book; to Mr. E. S. G. Robinson, who not only checked and added to the original selection of coins but worked out the presentation of this evidence in detail; to Mr. T. J. Dunbabin, who gave much help with the Sicilian and Italian sections and with the Periklean buildings; to Dr. J. Hondius and Mr. A. E. Raubitschek, who allowed us to use in advance *SEG* x and *Dedications from the Athenian Akropolis*; to Professor B. D. Meritt, who allowed us to use his unpublished transcript of *IG*. i², 40/41; and to Dr. F. Jacoby, who allowed us to consult the manuscript of *FGrH* iii B and to use his numeration of the fragments in that volume. We gratefully acknowledge suggestions from Mr. M. N. Tod, Professor F. E. Adcock, Mr. M. Holroyd, and others. Lastly, we wish to express our gratitude to the Delegates of the Clarendon Press for making the enterprise possible.

R. M.

OXFORD A. A.

FROM THE PREFACE TO HILL'S FIRST EDITION

THE object of this book is primarily educational. The student of history is too apt to study it not in the light of ancient authorities, but in the reflections of modern writers. He is hardly to blame. His time as a rule is short, and the vast majority of the ancient authorities are only accessible at a considerable expenditure of trouble, and sometimes of money. Yet it is only by a careful balancing of these authorities (even the most worthless) that the mind can be trained to form an accurate estimate of their value. Doubtless it is unfair to judge the best of them in the excerpted form in which they appear in this collection; yet it has seemed better to have them thus than not at all.

Secondarily, this book may perhaps be of some use to the more advanced scholar, who is able to explore his sources for himself, but who may be glad to have a certain number of them at hand for ready reference.

G. F. HILL

CONTENTS

INTRODUCTION

A. *Literary texts.* The authors cited are in alphabetical order, and within each author's work we follow the order of the edition we name. The alphabetical series of authors is intended to be a complete *index auctorum,* including the names of those whose statements are only quoted or referred to by other authors. In the treatment of these fragments we have not attempted to be rigidly consistent, but have put them under the name of the original Ephoros or the retailer Plutarch as seemed in each case convenient: but under the heading of Ephoros we refer to all the fragments in our selection of texts.

To avoid any doubt about the authority of the text provided, we have adhered mechanically to the editions named, at the cost of sometimes printing an inferior reading, and once at least pure nonsense (Schol. Ar. *Pax* 605). Where we seriously dissent, we have indicated our preference in the apparatus, which has in general been kept to a minimum and restricted to variations which seriously affect historical interpretation.

Thucydides, Herodotus, Aristotle's *Ἀθηναίων πολιτεία,* and Xenophon's *Hellenika* are referred to *in italics* but not cited. Pseudo-Demosthenes, Pseudo-Xenophon, etc. appear under Demosthenes, Xenophon, etc. with an asterisk, e.g. *Dem. lix. 97; we have been very sparing with these asterisks. Scholia to Aristophanes, Pindar, etc. are given under Aristophanes, Pindar, etc. with the texts to which they refer, for convenience of comparison.

B. *Inscriptions* have been divided into two sections, Attic and non-Attic, and within each section are listed in approximate chronological order. In using the change from the earlier ϟ to the later Σ we have modified the convention which takes 446/5 as the date of transition, and use the formulae "before 445" where ϟ is used and "after 450" where Σ is used. The inscriptions referred to in the indexes are all listed in this section and numbered continuously: in the indexes they are referred to by these numbers, e.g. B 49. The text given is that of the latest authority named, but we include a restricted apparatus criticus and a few brief notes.

We have not printed texts of the tribute quota lists, for which we refer to Meritt, Wade-Gery, and McGregor, *The Athenian Tribute Lists*, vol. ii; nor texts given in Tod, *A Selection of Greek Historical Inscriptions*, except where significant changes have been proposed since the first edition of vol. i (1933). We omit also some texts which are particularly fragmentary or of less historical significance, and from some we quote only extracts.

C. *Coins* are arranged geographically, beginning with Boiotia and moving clockwise round the Mediterranean. Our groups of coins are numbered continuously, and individual coins distinguished by a letter: in the index, C 2 (*b*) refers to coin (*b*) in our group 2.

References are always to an illustration; where possible to the *Traité*, which contains references to previous publications, for some later western items to *SNG*, which does not. For the coins of Boiotia we refer throughout to Head's *Coinage of Boeotia*: the *Traité* gives some though not all of these coins, but does not date them correctly.

Indexes. Throughout, we refer to literary texts by their author and title, to inscriptions and coins by their serial numbers in our sections B and C.

References *in italics* are to texts not cited by us.

Entries in square brackets [ ] are to events or conditions outside our period, which we nevertheless think necessary to the understanding of it: particularly, it was impossible in dealing with the Athenian Empire to confine ourselves exclusively to the years 478–431 B.C.

" Cf." introduces references which have an indirect bearing on the event or question concerned.

(?) means that it is to some extent conjectural whether the text, etc. cited refers to the event or question concerned, *or* whether the event is in its correct chronological place. It does not imply that we think the conjecture a bad one.

Index I deals in roughly chronological order with the external history of Athens and the Athenian sphere of influence; and, since these concerned Athens more intimately than Sparta, with Persia and the barbarian North. It corresponds to the opening of Hill's chap. i and his chap. iii.

Index II deals with the internal history of Athens, and corresponds to Hill's chaps. iv–v. The latter, as he recognized in his preface of 1907, particularly needed reconstruction. We have taken it in six chronological phases, not attempting a comprehensive account of the fifth-century constitution (which would have been very bulky and must have included a great deal of material from outside the period) but trying to illustrate changes which occurred within the Pentekontaetia. A cultural history of Athens would again have taken too much space, but we illustrate the building history, which is intimately bound up with politics: we give a few references to archaeological discussions, where possible to a single recent full-scale discussion, and where possible to photographs.

Index III, dealing with the Athenian Empire, corresponds to the greater part of Hill's chap. i. We take the various aspects of the development of the Empire in an analytical, not a chronological, order. It was impossible to be reasonably comprehensive without including documents which relate to the period after 431 B.C., but we have kept these to a minimum.

Index IV deals with Peloponnesian history, and corresponds to Hill's chap. vii. We have added short sections on Crete and Kyrene, whose relations are mainly with the Peloponnese rather than with Athens.

Index V, the Western Greeks, corresponds to Hill's chap. viii. We have continued political history down to 431 B.C., and have rejected a fair quantity of material dealing with Empedokles and Sicilian rhetoric. It was, again, impossible to attempt a cultural history, but we have included some bare references to Hieron's court poets, who amount to a political phenomenon.

The *indexes of proper names* replace Hill's chap. vi and *index nominum*. To save space, we have not mechanically included all names in the texts, but excluded some categories of names irrelevant to the period: for example, we omit persons whose effective lives fall after 431 B.C., such as Agesilaos, though for completeness' sake we include some detail of the earlier careers of such men as Aristeides; and we omit many whose sole interest is their relationship to a known figure—we note under Aspasia that she was the daughter of Axiochos of Miletos, but do not include this Axiochos in our index.

Table 1, the Athenian archons from 481 to 403 B.C., is a revision of Hill's table. *Table 2*, the known Athenian generals from 441 to 429 B.C., illustrates the peculiarities of election in the period of Perikles' full power, and stops at his death. *Table 3*, the lists of tribute annually received by Athens, is based closely on the Register in *ATL* (vol. i, 216–441, with amendments in vol. ii, 79–83) to which reference must be made for a detailed statement of the evidence. It is intended primarily to give a survey of the changes made by Athens in successive assessments rather than to give precise information for individual years. The states in each district have been arranged in roughly geographical order so that the relation between assessment changes in neighbouring states may be more clearly seen: an alphabetical list of states, however, is added by means of which any particular state can be quickly found. Assessment periods are divided by thickened lines. For our year headings we have chosen the year in which the tribute was received (normally at the Dionysia in the spring) rather than the Attic year.

Nearly all entries in the Quota Lists are incompletely preserved, but it is impossible, without paralysing printer and reader, to indicate in our tables the degree of restoration involved. The following principles have been adopted. Where sufficient remains on the stone to make a restoration of the normal tribute highly probable no mark of restoration is shown. Where a state's assessment is known in a period the normal tribute is restored for those years in that period in which there is no evidence of the amount paid, unless historical reasons are known which might suggest a different payment. Where, however, there is no evidence from the same period, no figure is restored, unless the state's assessment is the same in the period before and in the period after. So, for example, no figures are restored in the first period (454–450) for states whose quotas are first preserved in 449 or later; on the other hand, a tribute of 3,000 drachmai may reasonably be restored for Kaunos in the second and third periods, for which there is no evidence, since a tribute of 3,000 drachmai is well attested for the first and fourth periods.

In restoring states on the basis of correspondence with other lists, even when no direct evidence survives, *ATL* has been followed. In cases where it is impossible to indicate the evidence, even in the rough manner we have adopted, a question-mark is used, and brief notes are given on these entries at the end of each district.

ABBREVIATIONS

Aelian, *VH* = Aelian, *Varia Historia*.
Aesch. = Aeschylus.
Agam., *Eum.*, *Pers.*, *Sept.* = *Agamemnon*, *Eumenides*, *Persae*, *Septem contra Thebas*.
Aeschin. = Aeschines.
Aeschin. Socr. = Aeschines Socraticus.
AJA = *American Journal of Archaeology*.
AJP = *American Journal of Philology*.
AM = *Athenische Mitteilungen* (Mitteilungen des deutschen archäologischen Instituts, Athenische Abteilung).
Andok. = Andokides.
Anon. Argent. = Anonymus Argentinensis (see Dem. xxii. 13).
Anth. Pal. = Anthologia Palatina.
Appian, *Bell. Mithr.* = Appian, *Bellum Mithridaticum*.
Ar. = Aristophanes.
Ach., *Av.*, *Eccl.*, *Eq.*, *Lys.*, *Nub.*, *Plut.*, *Ran.*, *Vesp.* = *Acharnenses*, *Aves*, *Ecclesiazusae*, *Equites*, *Lysistrata*, *Nubes*, *Plutus*, *Ranae*, *Vespae*.
Arist. = Aristoteles.
Ἀθπ., *Eth.*, *Hist. An.*, *Poet.*, *Pol.*, *Rhet.* = *Ἀθηναίων πολιτεία*, *Ethica Nicomachea*, *Historia Animalium*, *de Arte Poetica*, *Politica*, *Rhetorica*.
Aristid. = Aelius Aristides.
Aristod. = Aristodemos.
Ἀρχ. Δελτ. = Ἀρχαιολογικὸν Δελτίον.
Athen. = Athenaios.
Athenian Studies = *Athenian Studies presented to W. S. Ferguson*, Harvard Studies in Classical Philology, Special Volume I (1940).
ATL i, ii, iii = Meritt, Wade-Gery, and McGregor, *The Athenian Tribute Lists*, vol. i, 1939, vol. ii, 1949, vol. iii, 1950.
B, followed by a number, refers to the inscription listed in Part B under that number.
Bacchyl. = Bacchylides.
BCH = *Bulletin de correspondance hellénique*.
Bekker, *Anecd.* = Bekker, *Anecdota Graeca*.
BMC = *British Museum Catalogue*.
BSA = *Annual of the British School of Archaeology at Athens*.
Buck = Buck, *Greek Dialects* (2nd edit.), Boston 1928.
C, followed by a number, refers to the coin listed in part C under that number.
Cic. = Cicero.
de Amic., *Brut.*, *de Leg.*, *de Off.*, *de Or.* = *de Amicitia*, *Brutus*, *de Legibus*, *de Officiis*, *de Oratore*.
Com. adesp. = Comicorum fragmenta adespota.
CP = *Classical Philology*.

CQ = *Classical Quarterly.*
CR = *Classical Review.*
D, followed by a number, refers to the inscription of that number in Raubitschek, *Dedications from the Athenian Akropolis*, 1949.
Dem. = Demosthenes.
DGE = Schwyzer, *Dialectorum Graecorum exempla epigraphica potiora*, Leipzig 1923.
Diod. = Diodoros Sikeliotes.
Diod. Per. = Diodoros Periegetes.
Diog. Laert. = Diogenes Laertius.
Dion. Hal. = Dionysios Halikarnasseus.
AR, *Isokr. Lys.* = *Antiquitates Romanae*, *Isokrates*, *Lysias*.
Eur. = Euripides.
Alc., *Hippol.*, *Med.*, *Or.* = *Alcestis*, *Hippolytos*, *Medea*, *Orestes.*
Euseb. = Eusebius.
Chr. Pasc., Jer., Sync., Vers. Arm. = Chronicon Paschale, Jerome, Syncellus, Versio Armenia.
Ἐφ. Ἀρχ. = Ἐφημερὶς Ἀρχαιολογική.
FGrH = Jacoby, *Die Fragmente der griechischen Historiker*, 1923– .
FHG = *Fragmenta Historicorum Graecorum*, ed. C. et T. Müller, 1841–72.
Harpokr. = Harpokration.
Hell. Oxy. = Hellenica Oxyrhynchia.
Her. = Herodotus.
Hesp. = *Hesperia*; suppl. = supplement.
Hesych. = Hesychius.
Hicks and Hill = Hicks and Hill, *A Manual of Greek Historical Inscriptions*, 1901.
Hiller = Hiller von Gaertringen, *Historische griechische Epigramme*, 1926.
Iamblichos, *Vita Pyth.* = Iamblichos, *de Vita Pythagorica.*
IG = *Inscriptiones Graecae*; *IG* i^2, ii^2 = Editio Minor.
IGA = Roehl, *Inscriptiones Graecae antiquissimae praeter Atticas in Attica repertas*, 1882.
Isokr. = Isokrates.
IvO = Dittenberger and Purgold, *Die Inschriften von Olympia*, 1896.
JHS = *Journal of Hellenic Studies.*
Kirchner, *PA* = Kirchner, *Prosopographia Attica*, 1901–3.
Lex. Rhet. Cant. = Lexicon Rhetoricum Cantabrigiense.
Lucian, *Catapl.*, *Hermot.*, *Philops.*, *Tim.* = *Cataplus*, *Hermotimus*, *Philopseudes*, *Timon.*
MA = *Monumenti Antichi.*
Marm. Par. = Marmor Parium.
Meritt, *AFD* = Meritt, *Athenian Financial Documents*, 1932.
Metr. Mus. Stud. = *Metropolitan Museum Studies.*

Nepos = Cornelius Nepos.
Arist., *Cim.*, *Paus.*, *Them.*, *Tim.* = *Aristides*, *Cimon*, *Pausanias*, *Themistocles*, *Timotheus*.
Num. Chron. = *Numismatic Chronicle.*
Pap. Oxy. = Papyri Oxyrhynchii.
Paus. = Pausanias.
Paus. Att. = Pausanias Atticista.
Pindar, *Ol.*, *Nem.*, *Pyth.* = *Olympia*, *Nemea*, *Pythia*.
Plato, *Alc. mai.*, *Charm.*, *Ep.*, *Euthyd.*, *Gorg.*, *Menex.*, *Phaedr.*, *Protag.*, *Symp.* = *Alcibiades maior*, *Charmides*, *Epistulae*, *Euthydemus*, *Gorgias*, *Menexenus*, *Phaedrus*, *Protagoras*, *Symposium*.
Plato Com. = Plato Comicus.
Pliny, *NH* = Pliny, *Naturalis Historia.*
Plut. = Plutarch (references by pages are to *Moralia*).
Ages., *Alc.*, *Arist.*, *Cim.*, *Comp. Arist. cum Cat.*, *Nic.*, *Per.*, *Them.*, *Thes.*, *Timol.* = *Agesilaus*, *Alcibiades*, *Aristides*, *Cimon*, *Comparatio Aristidis cum Catone*, *Nicias*, *Pericles*, *Themistocles*, *Theseus*, *Timoleon*.
Rev. Arch. = *Revue Archéologique.*
Sb. Ak. München = *Sitzungsberichte der bayerischen Akademie der Wissenschaften:* Philosophisch-philologische und historische Klasse.
Sb. Ak. Wien = *Sitzungsberichte der Akademie der Wissenschaften in Wien*: Philosophisch-historische Klasse.
Scr. Alex. Magni = *Scriptores Alexandri Magni*, ed. Müller, 1846.
SEG = *Supplementum Epigraphicum Graecum.*
*SIG*³ = Dittenberger, *Sylloge Inscriptionum Graecarum* (3rd edit.), 1915–24.
SNG = *Sylloge Numorum Graecorum.*
Soph. = Sophokles.
Oed. Col., *Phil.* = *Oedipus Coloneus*, *Philoctetes*.
Steph. Byz. = Stephanus Byzantinus.
TAPA = *Transactions of the American Philological Association.*
Thuc. = Thucydides.
Tod = Tod, *A Selection of Greek Historical Inscriptions* (2nd edit.), 1946; Tod ii = Volume ii, 1948.
Traité = Babelon, *Traité des monnaies grecques et romaines*, 1901–
Vita anon. Thuc. = Vita anonyma Thucydidis (see under Thucydides).
Xen. = Xenophon.
**Ἀθπ.*, *Anab.*, *Hell.*, *Mem.*, *Resp. Lac.*, *de Vect.* = **Ἀθηναίων πολιτεία*, *Anabasis*, *Hellenika*, *Memorabilia*, *Respublica Lacedaemoniorum*, *de Vectigalibus*.

A. LITERARY SOURCES

AELIAN. *Varia Historia*, ed. Hercher, Leipzig (Teubner) 1887.

ii. 9: *τούς γε μὴν ἁλισκομένους αἰχμαλώτους Σαμίων στίζειν κατὰ τοῦ προσώπου καὶ εἶναι τὸ στίγμα γλαῦκα, καὶ τοῦτο Ἀττικὸν ψήφισμα.*

iii. 17: *τίς δὲ ἀντιφήσει καὶ Περικλέα τὸν Ξανθίππου φιλόσοφον γενέσθαι καὶ . . . καὶ Ἀριστείδην τὸν Λυσιμάχου καὶ Ἐφιάλτην τὸν Σοφωνίδου . . . ;*

iv. 15: *Ἱέρωνά φασι τὸν Σικελίας τύραννον τὰ πρῶτα ἰδιώτην εἶναι καὶ ἀνθρώπων ἀμουσότατον, καὶ τὴν ἀγροικίαν ἀλλὰ μηδὲ κατ' ὀλίγον τοῦ ἀδελφοῦ διαφέρειν τοῦ Γέλωνος· ἐπεὶ δὲ αὐτῷ συνηνέχθη νοσῆσαι, μουσικώτατος ἀνθρώπων ἐγένετο, τὴν σχολὴν τὴν ἐκ τῆς ἀρρωστίας ἐς ἀκούσματα πεπαιδευμένα καταθέμενος. ῥωσθεὶς οὖν Ἱέρων συνῆν Σιμωνίδῃ τῷ Κείῳ καὶ Πινδάρῳ τῷ Θηβαίῳ καὶ Βακχυλίδῃ τῷ Ἰουλιήτῃ. ὁ δὲ Γέλων ἄνθρωπος ἄμουσος.*

v. 10: *νηίτην στόλον Ἀθηναῖοι εἰργάζοντο ἑαυτοῖς ἀεὶ φιλοπόνως. κατὰ χρόνους δὲ τὰ μὲν κατορθοῦντες τὰ δὲ ἡττώμενοι ἀπώλεσαν τριήρεις μὲν ἐν Αἰγύπτῳ διακοσίας σὺν τοῖς πληρώμασι, περὶ Κύπρον δὲ πεντήκοντα καὶ ἑκατόν . . ..*

vi. 1: *Ἀθηναῖοι κρατήσαντες Χαλκιδέων κατεκληρούχησαν αὐτῶν τὴν γῆν ἐς δισχιλίους κλήρους, τὴν Ἱππόβοτον καλουμένην χώραν, τεμένη δὲ ἀνῆκαν τῇ Ἀθηνᾷ ἐν τῷ Ληλάντῳ ὀνομαζομένῳ τόπῳ, τὴν δὲ λοιπὴν ἐμίσθωσαν κατὰ τὰς στήλας τὰς πρὸς τῇ βασιλείῳ στοᾷ ἑστηκυίας, αἵπερ οὖν τὰ τῶν μισθώσεων ὑπομνήματα εἶχον. τοὺς δὲ αἰχμαλώτους ἔδησαν, καὶ οὐδὲ ἐνταῦθα ἔσβεσαν τὸν κατὰ Χαλκιδέων θυμόν.*

vi. 7: *ὅτε οἱ Λακεδαιμόνιοι τοὺς ἐκ Ταινάρου ἱκέτας παρασπονδήσαντες ἀνέστησαν καὶ ἀπέκτειναν (ἦσαν δὲ οἱ ἱκέται τῶν εἱλώτων), κατὰ μῆνιν τοῦ Ποσειδῶνος σεισμὸς ἐπιπεσὼν τῇ Σπάρτῃ τὴν πόλιν ἀνδρειότατα κατέσεισεν, ὡς πέντε μόνας ἀπολειφθῆναι οἰκίας ἐξ ἁπάσης τῆς πόλεως.*

vi. 10: *Περικλῆς στρατηγῶν Ἀθηναίοις νόμον ἔγραψεν, ἐὰν μὴ τύχῃ τις ἐξ ἀμφοῖν ὑπάρχων ἀστῶν, τούτῳ μὴ μετεῖναι τῆς πολιτείας. μετῆλθε δὲ ἄρα αὐτὸν ἡ ἐκ τοῦ νόμου νέμεσις. οἱ γὰρ δύο παῖδες, οἵπερ οὖν ἤστην αὐτῷ, Πάραλός τε καὶ Ξάνθιππος, ἀλλὰ οὗτοι μὲν κατὰ τὴν νόσον τὴν δημοσίαν ἀπέθανον, κατελείφθη δὲ ὁ Περικλῆς*

vi. 1, ll. 3–4: τὸ δὲ λοιπόν Meritt.

ἐπὶ τοῖς νόθοις, οἵπερ οὖν οὐ μετέσχον τῆς πολιτείας κατὰ τὸν πατρῷον νόμον.

vi. 11: Γέλων ἐν Ἱμέρᾳ νικήσας Καρχηδονίους, πᾶσαν ὑφ' ἑαυτὸν τὴν Σικελίαν ἐποιήσατο. εἶτα ἐλθὼν ἐς τὴν ἀγορὰν γυμνὸς ἔφατο ἀποδιδόναι τοῖς πολίταις τὴν ἀρχήν· οἱ δὲ οὐκ ἤθελον, δηλονότι πεπειραμένοι αὐτοῦ δημοτικωτέρου ἢ κατὰ τὴν τῶν μονάρχων ἐξουσίαν. διὰ ταῦτά τοι καὶ ἐν τῷ τῆς Σικελίας Ἥρας νεῷ ἕστηκεν αὐτοῦ εἰκὼν γυμνὸν αὐτὸν δεικνῦσα, καὶ ὁμολογεῖ τὴν πρᾶξιν τοῦ Γέλωνος τὸ γράμμα.

vii. 14: τί δέ; οὐκ ἦσαν καὶ οἱ φιλόσοφοι τὰ πολέμια ἀγαθοί; ἐμοὶ μὲν δοκοῦσιν, εἴγε Ἀρχύταν μὲν εἵλοντο ἑξάκις στρατηγὸν Ταραντῖνοι, Μέλισσος δὲ ἐναυάρχησε, . . .

ix. 1: Ἱερωνά φασι τὸν Συρακόσιον φιλέλληνα γενέσθαι καὶ τιμῆσαι παιδείαν ἀνδρειότατα. καὶ ὡς ἦν προχειρότατος ἐς τὰς εὐεργεσίας λέγουσι· προθυμότερον γὰρ αὐτόν φασι χαρίζεσθαι ἢ τοὺς αἰτοῦντας λαμβάνειν. ἦν δὲ καὶ τὴν ψυχὴν ἀνδρειότατος. ἀβασανίστως δὲ καὶ τοῖς ἀδελφοῖς συνεβίωσε τρισὶν οὖσι, πάνυ σφόδρα ἀγαπήσας αὐτοὺς καὶ ὑπ' αὐτῶν φιληθεὶς ἐν τῷ μέρει. τούτῳ φασὶ καὶ Σιμωνίδης συνεβίωσε καὶ Πίνδαρος, καὶ οὐκ ὤκνησέ γε Σιμωνίδης βαρὺς ὢν ὑπὸ γήρως πρὸς αὐτὸν ἀφικέσθαι· ἦν μὲν γὰρ καὶ φύσει φιλάργυρος ὁ Κεῖος, προύτρεπε δὲ αὐτὸν καὶ πλέον ἡ τοῦ Ἱέρωνος φιλοδωρία φασίν.

x. 15: τὰς Ἀριστείδου θυγατέρας ἔτι αὐτοῦ περιόντος ἐμνηστεύοντο οἱ τῶν Ἑλλήνων δοκοῦντες διαφέρειν. ἔβλεπον δὲ ἄρα οὐκ ἐς τὸν βίον Ἀριστείδου, οὐδὲ ἐθαύμαζον αὐτοῦ τὴν δικαιοσύνην, ἐπεὶ τούτων γε εἰ ἦσαν ζηλωταί, κἂν μετὰ ταῦτα ἐπέμειναν τῇ μνηστείᾳ. νῦν δὲ ὁ μὲν ἀπέθανεν, οἱ δὲ οὐδὲν ἡγήσαντο εἶναι πρᾶγμα πρὸς τὰς κόρας· ἀποθανὼν γὰρ ἐγνώσθη ὁ παῖς Λυσιμάχου ὅτι πένης ἦν. ὅπερ καὶ ἀνέστειλεν ἐκείνους τοὺς κακοδαίμονας ἐνδόξου τε ἅμα καὶ σεμνοτάτου γάμου, παρά γε ἐμοὶ κριτῇ.

x. 17: see Kritias, fr. B 45.

xi. 9: οἱ τῶν Ἑλλήνων ἄριστοι πενίᾳ διέζων παρὰ πάντα τὸν βίον. ἐπαινούντων οὖν πλοῦτόν τινες ἔτι μετὰ τοὺς τῶν Ἑλλήνων ἀρίστους, οἷς ἡ πενία παρὰ πάντα τὸν βίον συνεκληρώθη. εἰσὶ δὲ οὗτοι, οἷον Ἀριστείδης ὁ Λυσιμάχου, ἀνὴρ πολλὰ μὲν ἐν πολέμῳ κατορθώσας, καὶ τοὺς φόρους δὲ τοῖς Ἕλλησι τάξας. ἀλλ' οὗτός γε ὁ τοιοῦτος οὐδὲ ἐντάφια ἑαυτῷ κατέλιπεν ἱκανά.

. . . ὅτι Ἐφιάλτης ὁ Σοφωνίδου πενέστατος ἦν. δέκα δὲ τάλαντα διδόντων αὐτῷ τῶν ἑταίρων, ὁ δὲ οὐ προσήκατο εἰπὼν "ταῦτά με ἀναγκάσει αἰδούμενον ὑμᾶς καταχαρίσασθαί τι τῶν δικαίων, μὴ αἰδούμενον δὲ μηδὲ χαριζόμενον ὑμῖν ἀχάριστον δόξαι".

xiii. 37 : *Γέλων ὁ τῶν Συρακοσίων τύραννος τὴν τῆς ἀρχῆς κατάστασιν πραότατα εἶχε· στασιώδεις δέ τινες ἐπεβούλευον αὐτῷ. ἃ πυθόμενος ὁ Γέλων ἐς ἐκκλησίαν συγκαλέσας τοὺς Συρακοσίους ἐσῆλθεν ὡπλισμένος, καὶ διεξελθὼν ὅσα ἀγαθὰ αὐτοῖς εἰργάσατο, καὶ τὴν ἐπιβουλὴν ἐξεκάλυψε καὶ ἀπεδύσατο τὴν πανοπλίαν, εἰπὼν πρὸς πάντας* " *ἰδοὺ τοίνυν ὑμῖν ἐν χιτωνίσκῳ γυμνὸς τῶν ὅπλων παρέστηκα, καὶ δίδωμι χρῆσθαι ὅ τι βούλεσθε* ". *καὶ ἐθαύμασαν αὐτοῦ τὴν γνώμην οἱ Συρακόσιοι, οἱ δὲ καὶ τοὺς ἐπιβουλεύοντας παρέδοσαν αὐτῷ κολάσαι καὶ τὴν ἀρχὴν ἔδωκαν. ὁ δὲ καὶ τούτους εἴασε τῷ δήμῳ τιμωρήσασθαι. καὶ εἰκόνα αὐτοῦ οἱ Συρακόσιοι ἔστησαν ἐν ἀζώστῳ χιτῶνι· καὶ ἦν τοῦτο τῆς δημαγωγίας αὐτοῦ ὑπόμνημα καὶ τοῖς ἐς τὸν μετὰ ταῦτα αἰῶνα μέλλουσιν ἄρχειν δίδαγμα.*

xiii. 39 : *Ἐφιάλτης στρατηγοῦ ὀνειδίσαντος αὐτῷ τινος τὴν πενίαν* " *τὸ δὲ ἕτερον* " *ἔφη* " *διὰ τί οὐ λέγεις, ὅτι δίκαιός εἰμι ;* "

AELIUS ARISTIDES. See ARISTIDES.

AESCHINES. *Orationes*, ed. Blass, Leipzig (Teubner) 1896.
Scholia Graeca in Aeschinem et Isocratem, ed. Dindorf, Oxford 1852.

II. *περὶ παραπρεσβείας*

Schol. ii. 31 (34 Dindorf) : *Ἐννέα ὁδῶν· ἠτύχησαν Ἀθηναῖοι ἐννάκις περὶ τὰς Ἐννέα καλουμένας ὁδούς, ὅς ἐστι τόπος τῆς Θρᾴκης, ἡ νῦν καλουμένη Χερρόνησος. ἠτύχησαν δὲ διὰ τὰς Φυλλίδος ἀράς, ἣ Δημοφῶντος ἐρασθεῖσα καὶ προσδοκῶσα αὐτὸν ἐπανήξειν ἀποτελέσοντα τὰς πρὸς αὐτὴν συνθήκας καὶ ἐννάκις ἐπὶ τὸν τόπον ἐλθοῦσα, ὡς οὐχ ἧκε, κατηράσατο τοῖς Ἀθηναίοις τοσαυτάκις ἀτυχῆσαι περὶ τὸν τόπον. τὰ δὲ ἀτυχήματα ἐγένοντο τάδε· τὸ πρῶτον μὲν Λυσιστράτου καὶ Λυκούργου καὶ Κρατίνου στρατευόντων ἐπ' Ἠϊόνα τὴν ἐπὶ Στρυμόνι διεφθάρησαν ὑπὸ*
Θρᾳκῶν, εἰληφότες Ἠϊόνα, ἐπὶ ἄρχοντος Ἀθήνησι Φαίδωνος· 476/5
δεύτερον οἱ μετὰ Λεάγρου κληροῦχοι ἐπὶ Λυσικράτους· . . . τὰς δὲ 453/2
Ἐννέα ὁδοὺς Ἅγνων συνοικίσας Ἀθηναῖος ἐκάλεσεν Ἀμφίπολιν, 437/6
ἐπὶ ἄρχοντος Εὐθυμένους.

ii. 75 : . . . *καὶ τὴν Τολμίδου ζηλοῦν στρατηγίαν κελεύων, ὃς χιλίους ἐπιλέκτους ἔχων Ἀθηναίων, διὰ μέσης Πελοποννήσου πολεμίας οὔσης ἀδεῶς διεξῄει,* . . .

Aeschin. schol. ii. 31, l. 11 : *Λεάγρου* Clinton, *Λεογόρου* vel *Λεωγόρου* codd. *Λυσικράτους* codd., *Λυσιθέου* (465/4) Clinton, *Λυσανίου* (466/5) vel *Λυσιστράτου* (467/6) alii.

Schol. ii. 75 (78 Dindorf): *Τολμίδου· οὗτος περιπλεύσας Πελοπόννησον μετ' Ἀθηναίων ηὐδοκίμησε λαμπρῶς καὶ Βοιὰς*
456/5 *καὶ Κύθηρα εἷλεν ἄρχοντος Ἀθήνησι Καλλίου. ἐνέπρησε δὲ ὁ Τολμίδης καὶ τὰ νεώρια Λακεδαιμονίων.*

ii. 172: *πρότερον ἡ πόλις ἡμῶν εὐδόξησε μετὰ τὴν ἐν Σαλαμῖνι*
ναυμαχίαν πρὸς τὸν Πέρσην, καὶ τῶν τειχῶν ὑπὸ τῶν βαρβάρων πεπτω-
κότων, εἰρήνης δ' ὑπαρχούσης πρὸς Λακεδαιμονίους, διέμεινεν ἡμῖν τὸ
τῆς δημοκρατίας πολίτευμα. συνταραχθέντες δὲ ὑπό τινων, καὶ κατα-
στάντες πρὸς Λακεδαιμονίους εἰς πόλεμον, πολλὰ καὶ παθόντες κακὰ καὶ
ποιήσαντες, Μιλτιάδου τοῦ Κίμωνος προκηρυκευσαμένου πρὸς Λακε-
δαιμονίους, ὄντος προξένου, σπονδὰς [τοῦ πολέμου] πεντηκονταετεῖς
ἐποιησάμεθα, ἐχρησάμεθα δὲ ἔτη τριακαίδεκα. ἐν δὲ τούτῳ τῷ χρόνῳ 173
ἐτειχίσαμεν ⟨μὲν⟩ τὸν Πειραιᾶ καὶ τὸ βόρειον τεῖχος ᾠκοδομήσαμεν,
ἑκατὸν δὲ τριήρεις πρὸς ταῖς ὑπαρχούσαις ἐναυπηγησάμεθα, τριακοσίους
δ' ἱππέας προσκατεσκευασάμεθα, καὶ τριακοσίους Σκύθας ἐπριάμεθα,
καὶ τὴν δημοκρατίαν βεβαίως εἴχομεν. παρεμπεσόντων δ' εἰς τὴν
πολιτείαν ἡμῶν οὐκ ἐλευθέρων ἀνθρώπων καὶ τοῖς τρόποις οὐ μετρίων,
πάλιν πρὸς ⟨Λακεδαιμονίους δι'⟩ Αἰγινήτας εἰς πόλεμον κατέστημεν,
κἀνταῦθα οὐκ ὀλίγα βλαβέντες, τῆς μὲν εἰρήνης ἐπεθυμήσαμεν, Ἀνδο- 174
κίδην δ' ἐκπέμψαντες πρὸς τοὺς Λακεδαιμονίους καὶ τοὺς συμπρέσβεις,
εἰρήνην ἔτη τριάκοντα ἠγάγομεν, ἣ τὸν δῆμον ὑψηλὸν ἦρεν· χίλια μὲν
γὰρ τάλαντα ἀνηνέγκαμεν νομίσματος εἰς τὴν ἀκρόπολιν, ἑκατὸν δὲ
τριήρεις ἑτέρας ἐναυπηγησάμεθα καὶ νεωσοίκους ᾠκοδομήσαμεν,
χιλίους δὲ καὶ διακοσίους ἱππέας κατεστήσαμεν καὶ τοξότας ἑτέρους
τοσούτους, καὶ τὸ μακρὸν τεῖχος τὸ νότιον ἐτειχίσθη, καὶ τὸν δῆμον
οὐδεὶς ἐνεχείρησε καταλῦσαι. πάλιν δὲ εἰς πόλεμον διὰ Μεγαρέας 175
πεισθέντες καταστῆναι, καὶ τὴν χώραν τμηθῆναι προέμενοι καὶ πολλῶν
ἀγαθῶν στερηθέντες, εἰρήνης ἐδεήθημεν, καὶ ἐποιησάμεθα διὰ Νικίου
τοῦ Νικηράτου. καὶ πάλιν ἐν τῷ χρόνῳ τούτῳ . . . καὶ Χερρόνησον καὶ
Νάξον καὶ Εὔβοιαν εἴχομεν, πλείστας δ' ἀποικίας ἐν τοῖς χρόνοις
τούτοις ἀπεστείλαμεν.

III. *κατὰ Κτησιφῶντος*

iii. 13: . . . *ἀρχὰς δὲ φήσουσιν ἐκείνας εἶναι, ἃς οἱ θεσμοθέται κληροῦσιν ἐν τῷ Θησείῳ, κἀκείνας, ἃς ὁ δῆμος εἴωθε χειροτονεῖν ἐν ἀρχαιρεσίαις, [στρατηγοὺς καὶ ἱππάρχους καὶ τὰς μετὰ τούτων ἀρχάς,]* . . .

---

schol. ii. 75, l. 2: *Βοιάς* Sauppe conl. Paus. i. 27[5], *εὔβοιαν* codd.

iii. 183: ἦσάν τινες ὦ ἄνδρες Ἀθηναῖοι κατὰ τοὺς τότε καιρούς, οἳ
πολὺν πόνον ὑπομείναντες καὶ μεγάλους κινδύνους ἐπὶ τῷ Στρυμόνι
ποταμῷ ἐνίκων μαχόμενοι Μήδους· οὗτοι δεῦρο ἀφικόμενοι τὸν δῆμον
ᾔτησαν δωρεάν, καὶ ἔδωκεν αὐτοῖς ὁ δῆμος τιμὰς μεγάλας, ὡς τότ'
ἐδόκει, τρεῖς λιθίνους Ἑρμᾶς στῆσαι ἐν τῇ στοᾷ τῇ τῶν Ἑρμῶν, ἐφ'
ᾧτε μὴ ἐπιγράφειν τὸ ὄνομα τὸ ἑαυτῶν, ἵνα μὴ τῶν στρατηγῶν, ἀλλὰ
184 τοῦ δήμου δοκῇ εἶναι τὸ ἐπίγραμμα. ὅτι δ' ἀληθῆ λέγω, ἐξ αὐτῶν τῶν
ποιημάτων εἴσεσθε. ἐπιγέγραπται γὰρ ἐπὶ τῷ μὲν πρώτῳ τῶν Ἑρμῶν

ἦν ἄρα κἀκεῖνοι ταλακάρδιοι, οἵ ποτε Μήδων
παισὶν ἐπ' Ἠϊόνι, Στρυμόνος ἀμφὶ ῥοάς,
λιμόν τ' αἴθωνα κρατερόν τ' ἐπάγοντες Ἄρηα
πρῶτοι δυσμενέων εὗρον ἀμηχανίην.

ἐπὶ δὲ τῷ δευτέρῳ

ἡγεμόνεσσι δὲ μισθὸν Ἀθηναῖοι τάδ' ἔδωκαν
ἀντ' εὐεργεσίης καὶ μεγάλης ἀρετῆς.
μᾶλλόν τις τάδ' ἰδὼν καὶ ἐπεσσομένων ἐθελήσει
ἀμφὶ ξυνοῖσι πράγμασι μόχθον ἔχειν.

185 ἐπὶ δὲ τῷ τρίτῳ [ἐπιγέγραπται Ἑρμῇ]

ἔκ ποτε τῆσδε πόληος ἅμ' Ἀτρείδῃσι Μενεσθεὺς
ἡγεῖτο ζάθεον Τρωικὸν ἂμ πεδίον,
ὅν ποθ' Ὅμηρος ἔφη Δαναῶν πύκα χαλκοχιτώνων
κοσμητῆρα μάχης ἔξοχον ἄνδρα μολεῖν.
οὕτως οὐδὲν ἀεικὲς Ἀθηναίοισι καλεῖσθαι
κοσμητὰς πολέμου τ' ἀμφὶ καὶ ἠνορέης.

ἔστι που τὸ τῶν στρατηγῶν ὄνομα; οὐδαμοῦ, ἀλλὰ τὸ τοῦ δήμου.

iii. 258: . . . Ἀριστείδην δὲ τὸν τοὺς φόρους τάξαντα τοῖς Ἕλλησιν,
οὗ τελευτήσαντος τὰς θυγατέρας ἐξέδωκεν ὁ δῆμος, σχετλιάζοντα ἐπὶ
τῷ τῆς δικαιοσύνης προπηλακισμῷ καὶ ἐπερωτῶντα, εἰ οὐκ αἰσχύνεσθε,
εἰ οἱ μὲν πατέρες ὑμῶν Ἄρθμιον τὸν Ζελείτην κομίσαντα εἰς τὴν
Ἑλλάδα τὸ ἐκ Μήδων χρυσίον, ἐπιδημήσαντα εἰς τὴν πόλιν, πρόξενον
ὄντα τοῦ δήμου τοῦ Ἀθηναίων, παρ' οὐδὲν μὲν ἦλθον ἀποκτεῖναι,
ἐξεκήρυξαν δ' ἐκ τῆς πόλεως καὶ ἐξ ἁπάσης ἧς ἄρχουσιν Ἀθηναῖοι, ὑμεῖς
259 δὲ Δημοσθένην, οὐ κομίσαντα τὸ ἐκ Μήδων χρυσίον, ἀλλὰ δωροδοκή-
σαντα καὶ ἔτι καὶ νῦν κεκτημένον, χρυσῷ στεφάνῳ μέλλετε στεφανοῦν.

---

iii. 184–5: de ordine carminum v. Jacoby, *Hesperia*, xiv (1945), 198. 184 l. 5: κρατερόν codd., κρυερόν Plut. *Cim.* 7^4. l. 9: μεγάλων ἀγαθῶν Plut. l. 11: ἀμφὶ περὶ ξυνοῖς πράγμασι δῆριν Plut. 185, ll. 2, 3, 4, 6: ἔς ποτε . . . θωρηκτάων . . . ἔξοχον ὄντα . . . κοσμηταῖς ll. 6–7: οὕτως . . . ἠνορέης non fuisse in monumento censet Jacoby.

Θεμιστοκλέα δὲ καὶ τοὺς ἐν Μαραθῶνι τελευτήσαντας καὶ τοὺς ἐν Πλαταιαῖς καὶ αὐτοὺς τοὺς τάφους τοὺς τῶν προγόνων οὐκ οἴεσθε στενάξειν, εἰ ὁ μετὰ τῶν βαρβάρων ὁμολογῶν τοῖς Ἕλλησιν ἀντιπράττειν στεφανωθήσεται;

AESCHINES SOCRATICUS. *Reliquiae*, ed. Krauss, Leipzig (Teubner) 1911.

Ἀσπασία

viii (p. 46): see Plutarch, *Per.* 24[6].
ix (p. 46): see Harpokration s.v. *Ἀσπασία*.
x (p. 46): see Schol. Plato *Menex.* 235e.
xi (p. 48): see Plutarch, *Per.* 32[5].

Καλλίας

xvii (p. 51): see Plutarch, *Arist.* 25[9].

AESCHYLUS. *Tragoediae, Vita*, ed. Murray, Oxford (OCT) 1947

Persae

473/2 Hypothesis: . . . *ἐπὶ Μένωνος τραγῳδῶν Αἰσχύλος ἐνίκα Φινεῖ, Πέρσαις, Γλαύκῳ Ποτνιεῖ, Προμηθεῖ.*

353: *Ἄγγελος*— *ἦρξεν μέν, ὦ δέσποινα, τοῦ παντὸς κακοῦ*
φανεὶς ἀλάστωρ ἢ κακὸς δαίμων ποθέν.
ἀνὴρ γὰρ Ἕλλην ἐξ Ἀθηναίων στρατοῦ
ἐλθὼν ἔλεξε παιδὶ σῷ Ξέρξῃ τάδε,
ὡς εἰ μελαίνης νυκτὸς ἵξεται κνέφας,
Ἕλληνες οὐ μενοῖεν, ἀλλὰ σέλμασιν
ναῶν ἐπανθορόντες ἄλλος ἄλλοσε
δρασμῷ κρυφαίῳ βίοτον ἐκσωσοίατο.
ὁ δ᾽ εὐθὺς ὡς ἤκουσεν, οὐ ξυνεὶς δόλον
Ἕλληνος ἀνδρὸς οὐδὲ τὸν θεῶν φθόνον,
πᾶσιν προφωνεῖ τόνδε ναυάρχοις λόγον, . . .

852: *Χορός*— *ὦ πόποι ἦ μεγάλας ἀγαθᾶς τε πο-* [*στρ. α.*
λισσονόμου βιοτᾶς ἐπεκύρσαμεν,
εὖθ᾽ ὁ γηραιὸς
πανταρκὴς ἀκάκας ἄμαχος βασι-
λεὺς ἰσόθεος Δα-
ρεῖος ἆρχε χώρας.

πρῶτα μὲν εὐδοκίμους στρατιὰς ἀπε- [*ἀντ. α.*
φαινόμεθ', ἠδὲ νομίσματα πύργινα
πάντ' ἐπηύθυνεν.
νόστοι δ' ἐκ πολέμων ἀπόνους ἀπα-
θεῖς ⟨πάλιν⟩ εὖ πράσ-
σοντας ἆγον [ἐς] οἴκους.

ὅσσας δ' εἷλε πόλεις πόρον οὐ διαβὰς Ἅλυος ποτα-
μοῖο [*στρ. β.*
οὐδ' ἀφ' ἑστίας συθείς,
οἷαι Στρυμονίου πελάγους Ἀχελωΐδες εἰσὶ πάροικοι
Θρηΐκων ἐπαύλεις,

λίμνας τ' ἔκτοθεν αἳ κατὰ χέρσον ἐληλαμέναι πέρι
πύργον [*ἀντ. β.*
τοῦδ' ἄνακτος ἄιον,
Ἕλλας τ' ἀμφὶ πόρον πλατὺν εὐχόμεναι, μυχία τε
Προποντίς,
καὶ στόμωμα Πόντου·

νᾶσοί θ' αἳ κατὰ πρῶν' ἅλιον περίκλυστοι [*στρ. γ.*
τᾷδε γᾷ προσήμεναι
οἵα Λέσβος ἐλαιόφυτός τε Σάμος,
Χίος, ἠδὲ Πάρος,
Νάξος, Μύκονος, Τήνῳ τε συνάπτουσ'
Ἄνδρος ἀγχιγείτων.

καὶ τὰς ἀγχιάλους ἐκράτυνε μεσάκτους, [*ἀντ. γ.*
Λῆμνον, Ἰκάρου θ' ἕδος
καὶ Ῥόδον ἠδὲ Κνίδον Κυπρίας τε πόλεις,
Πάφον ἠδὲ Σόλους,
Σαλαμῖνά τε, τᾶς νῦν ματρόπολις τῶνδ'
αἰτία στεναγμῶν.

καὶ τὰς εὐκτεάνους κατὰ κλῆρον Ἰαόνιον πολυ-
άνδρους [*ἐπῳδός.*
†Ἑλλάνων ἐκράτυνε σφετέραις† φρεσίν.
ἀκάματον δὲ παρῆν σθένος ἀνδρῶν τευχηστήρων
παμμείκτων τ' ἐπικούρων.
νῦν δ' οὐκ ἀμφιλόγως θεότρεπτα τάδ' αὖ φέρομεν,
πολέμοισι
δμαθέντες μεγάλως πλαγαῖσι ποντίαισιν.

Septem contra Thebas

468/7 Hypothesis: . . . ἐδιδάχθη ἐπὶ Θεαγένους ὀλυμπιάδι οη'. ἐνίκα Λαΐῳ, Οἰδίποδι, Ἑπτὰ ἐπὶ Θήβας, Σφιγγὶ σατυρικῇ.

Agamemnon

459/8 Hypothesis: . . . ἐδιδάχθη τὸ δρᾶμα ἐπὶ ἄρχοντος Φιλοκλέους Ὀλυμπιάδι πη ἔτει β. πρῶτος Αἰσχύλος Ἀγαμέμνονι, Χοηφόροις, Εὐμενίσι, Πρωτεῖ σατυρικῷ. ἐχορήγει Ξενοκλῆς Ἀφιδναῖος.

Eumenides

287: Ὀρέστης— καὶ νῦν ἀφ' ἁγνοῦ στόματος εὐφήμως καλῶ
χώρας ἄνασσαν τῆσδ' Ἀθηναίαν ἐμοὶ
μολεῖν ἀρωγόν· κτήσεται δ' ἄνευ δορὸς
αὐτόν τε καὶ γῆν καὶ τὸν Ἀργεῖον λεὼν
πιστὸν δικαίως ἐς τὸ πᾶν τε σύμμαχον.
ἀλλ' εἴτε χώρας ἐν τόποις Λιβυστικῆς,
Τρίτωνος ἀμφὶ χεῦμα γενεθλίου πόρου,
τίθησιν ὀρθὸν ἢ κατηρεφῆ πόδα,
φίλοις ἀρήγουσ', εἴτε Φλεγραίαν πλάκα
θρασὺς ταγοῦχος ὡς ἀνὴρ ἐπισκοπεῖ,
ἔλθοι—κλύει δὲ καὶ πρόσωθεν ὢν θεός—
ὅπως γένοιτο τῶνδ' ἐμοὶ λυτήριος.

397: Ἀθηνᾶ— πρόσωθεν ἐξήκουσα κληδόνος βοὴν
ἀπὸ Σκαμάνδρου, γῆν καταφθατουμένη,
ἣν δῆτ' Ἀχαιῶν ἄκτορές τε καὶ πρόμοι,
τῶν αἰχμαλώτων χρημάτων λάχος μέγα,
ἔνειμαν αὐτόπρεμνον ἐς τὸ πᾶν ἐμοί,
ἐξαίρετον δώρημα Θησέως τόκοις· . . .

681: Ἀθηνᾶ— κλύοιτ' ἂν ἤδη θεσμόν, Ἀττικὸς λεώς,
πρώτας δίκας κρίνοντες αἵματος χυτοῦ.
ἔσται δὲ καὶ τὸ λοιπὸν Αἰγέως στρατῷ
αἰεὶ δικαστῶν τοῦτο βουλευτήριον.
πάγον δ' †Ἄρειον τόνδ', Ἀμαζόνων ἕδραν
σκηνάς θ', ὅτ' ἦλθον Θησέως κατὰ φθόνον
στρατηλατοῦσαι, καὶ πόλει νεόπτολιν
τήνδ' ὑψίπυργον ἀντεπύργωσαν τότε,

Agam. Hypoth., l. 2: πη (h.e. ὀγδοηκοστῇ) Meursius, κη codd. *Eum.* 685: Ἄρειον vix sanum, ἑδοῦνται Weil.

Ἄρει δ' ἔθυον, ἔνθεν ἔστ' ἐπώνυμος
πέτρα πάγος τ' Ἄρειος· ἐν δὲ τῷ σέβας
ἀστῶν φόβος τε ξυγγενὴς τὸ μὴ ἀδικεῖν
σχήσει τόδ', ἦμαρ καὶ κατ' εὐφρόνην ὁμῶς,
αὐτῶν πολιτῶν μὴ πικραινόντων νόμους
κακαῖς ἐπιρροαῖσι· βορβόρῳ δ' ὕδωρ
λαμπρὸν μιαίνων οὔποθ' εὑρήσεις ποτόν.
τὸ μήτ' ἄναρχον μήτε δεσποτούμενον
ἀστοῖς περιστέλλουσι βουλεύω σέβειν,
καὶ μὴ τὸ δεινὸν πᾶν πόλεως ἔξω βαλεῖν.
τίς γὰρ δεδοικὼς μηδὲν ἔνδικος βροτῶν;
τοιόνδε τοι ταρβοῦντες ἐνδίκως σέβας
ἔρυμά τε χώρας καὶ πόλεως σωτήριον
ἔχοιτ' ἄν, οἷον οὔτις ἀνθρώπων ἔχει,
οὔτ' ἐν Σκύθῃσιν οὔτε Πέλοπος ἐν τόποις,
κερδῶν ἄθικτον τοῦτο βουλευτήριον,
αἰδοῖον, ὀξύθυμον, εὑδόντων ὕπερ
ἐγρηγορὸς φρούρημα γῆς καθίσταμαι.
ταύτην μὲν ἐξέτειν' ἐμοῖς παραίνεσιν
ἀστοῖσιν ἐς τὸ λοιπόν· ὀρθοῦσθαι δὲ χρὴ
καὶ ψῆφον αἴρειν καὶ διαγνῶναι δίκην
αἰδουμένους τὸν ὅρκον. εἴρηται λόγος.

861 : Ἀθηνᾶ— . . . μήτ', ἐξελοῦσ' ὡς καρδίαν ἀλεκτόρων,
ἐν τοῖς ἐμοῖς ἀστοῖσιν ἱδρύσῃς Ἄρη
ἐμφύλιόν τε καὶ πρὸς ἀλλήλους θρασύν.
θυραῖος ἔστω πόλεμος, οὐ μόλις παρών,
ἐν ᾧ τις ἔσται δεινὸς εὐκλείας ἔρως·
ἐνοικίου δ' ὄρνιθος οὐ λέγω μάχην.

Vita

8: ἀπῆρε δὲ ὡς Ἱέρωνα, κατά τινας μὲν ὑπὸ Ἀθηναίων κατα-
σπουδασθεὶς καὶ ἡσσηθεὶς νέῳ ὄντι Σοφοκλεῖ, κατὰ δὲ ἐνίους ἐν τῷ
εἰς τοὺς ἐν Μαραθῶνι τεθνηκότας ἐλεγείῳ ἡσσηθεὶς Σιμωνίδῃ· τὸ γὰρ
ἐλεγεῖον πολὺ τῆς περὶ τὸ συμπαθὲς λεπτότητος μετέχειν θέλει, ὃ
9 τοῦ Αἰσχύλου, ὡς ἔφαμεν, ἐστὶν ἀλλότριον. . . . ἐλθὼν τοίνυν ἐς Σικε-
λίαν, Ἱέρωνος τότε τὴν Αἴτνην κτίζοντος, ἐπεδείξατο τὰς Αἴτνας,

---

Eum. 693: πικραινόντων Valckenaer, 'πικαινόντων codd., 'πικαινούντων, μιαινόντων, 'πιχραινόντων alii. 694: post ἐπιρροαῖσι punctum M Tri. et qui laudant paroemiographi, post νόμους F. δ' Pearson, θ' codd.

οἰωνιζόμενος βίον ἀγαθὸν τοῖς συνοικίζουσι τὴν πόλιν. καὶ σφόδρα 10
τῷ τυράννῳ Ἱέρωνι καὶ τοῖς Γελῴοις τιμηθείς, ἐπιζήσας τρίτον ἔτος
γηραιὸς ἐτελεύτα τοῦτον τὸν τρόπον. ἀετὸς γὰρ χελώνην ἁρπάσας,
ὡς ἐγκρατὴς γενέσθαι τῆς ἄγρας οὐκ ἴσχυεν, ἀφίησι κατὰ πετρῶν
αὐτὴν συνθλάσων τὸ δέρμα, ἡ δὲ ἐνεχθεῖσα κατὰ τοῦ ποιητοῦ φονεύει
αὐτόν. χρηστηριασθεὶς δὲ ἦν· οὐράνιόν σε βέλος κατακτενεῖ.
ἀποθανόντα δὲ Γελῷοι πολυτελῶς ἐν τοῖς δημοσίοις μνήμασι θάψαντες 11
ἐτίμησαν μεγαλοπρεπῶς, ἐπιγράψαντες οὕτω·

Αἰσχύλον Εὐφορίωνος Ἀθηναῖον τόδε κεύθει
μνῆμα καταφθίμενον πυροφόροιο Γέλας·
ἀλκὴν δ' εὐδόκιμον Μαραθώνιον ἄλσος ἂν εἴποι
καὶ βαθυχαιτήεις Μῆδος ἐπιστάμενος.

εἰς τὸ μνῆμα δὲ φοιτῶντες ὅσοις ἐν τραγῳδίαις ἦν ὁ βίος ἐνήγιζόν τε καὶ τὰ δράματα ὑπεκρίνοντο.

18: φασὶν ὑπὸ Ἱέρωνος ἀξιωθέντα ἀναδιδάξαι τοὺς Πέρσας ἐν Σικελίᾳ καὶ λίαν εὐδοκιμεῖν.

Fragmenta, ed. Sidgwick, Oxford (OCT) 1902.

Aitnaiai

fr. 6 (Macrobius, *Sat.* v. 19. 17, 24):

— τί δῆτ' ἐπ' αὐτοῖς ὄνομα θήσονται βροτοί;
— σεμνοὺς Παλικοὺς Ζεὺς ἐφίεται καλεῖν.
— ἦ καὶ Παλικῶν εὐλόγως μενεῖ φάτις;
— πάλιν γὰρ ἥξουσ' ἐκ σκότου τόδ' ἐς φάος.

fr. 7 (Steph. Byz. s.v. Παλική): . . . Παλικῶν . . . οὓς Αἰσχύλος ἐν Αἰτναίαις γενεαλογεῖ Διὸς καὶ Θαλείας τῆς Ἡφαίστου.

ALEXANDROS POLYHISTOR. *FGrH* 273 (*FHG* iii, pp. 206 ff.).

Φιλοσόφων Διαδοχαί fr. 86 (141): see Diogenes Laertius ii. 5. 19.

ALEXIS. *FGrH* 539 (*FHG* iv, pp. 299 f.).

Σαμίων Ὧροι

fr. 1 (1) (Athen. xiii. 572f): Ἄλεξις δ' ὁ Σάμιος ἐν δευτέρῳ Ὥρων Σαμιακῶν τὴν ἐν Σάμῳ Ἀφροδίτην, ἣν οἱ μὲν ἐν καλάμοις καλοῦσιν, οἱ δὲ ἐν ἕλει, "Ἀττικαὶ" φησίν, "ἑταῖραι ἱδρύσαντο αἱ συνακολουθήσασαι Περικλεῖ ὅτε ἐπολιόρκει τὴν Σάμον, ἐργασάμεναι ἱκανῶς ἀπὸ τῆς ὥρας".

AMMONIOS. *FGrH* 350.

fr. 1: see Schol. Aristophanes, *Vesp.* 947.

ANAKREON. Diehl, *Anthologia Lyrica*^{2}, i. 4, pp. 160 ff. (Edmonds, *Lyra Graeca*, ii, pp. 120 ff.).

fr. 16 (96): see Chamaileon, fr. 11; Plutarch, *Per.* 27^4 (Herakleides Pontikos, p. 89).

ANAXIMENES. *FGrH* 72 (*Scr. Alex. Magn.*, pp. 33 ff.).

περὶ Φιλίππου ἱστορίαι

fr. 13 (14): see Harpokration s.v. ὁ κάτωθεν νόμος (Didymos, p. 313).

ANDOKIDES. *Orationes*, edd. Blass and Fuhr, Leipzig (Teubner) 1913.

I. περὶ τῶν μυστηρίων

i. 84 (Psephism of Teisamenos, 403/2 B.C.): ἐπειδὰν δὲ τεθῶσιν οἱ νόμοι, ἐπιμελείσθω ἡ βουλὴ ἡ ἐξ Ἀρείου πάγου τῶν νόμων, ὅπως ἂν αἱ ἀρχαὶ τοῖς κειμένοις νόμοις χρῶνται.

III. περὶ τῆς πρὸς Λακεδαιμονίους εἰρήνης

iii. 3: ἡνίκα τοίνυν ἦν μὲν ὁ πόλεμος ἡμῖν ἐν Εὐβοίᾳ, Μέγαρα δὲ
εἴχομεν καὶ Πηγὰς καὶ Τροζῆνα, εἰρήνης ἐπεθυμήσαμεν, καὶ Μιλτιάδην
τὸν Κίμωνος ὠστρακισμένον καὶ ὄντα ἐν Χερρονήσῳ κατεδεξάμεθα δι'
αὐτὸ τοῦτο, πρόξενον ὄντα Λακεδαιμονίων, ὅπως πέμψαιμεν εἰς
4 Λακεδαίμονα προκηρυκευσόμενον περὶ σπονδῶν. καὶ τότε ἡμῖν εἰρήνη
ἐγένετο πρὸς Λακεδαιμονίους ἔτη πεντήκοντα, καὶ ἐνεμείναμεν ἀμφό-
τεροι ταύταις ταῖς σπονδαῖς ἔτη τριακαίδεκα. ἓν δὴ τοῦτο ὦ ⟨ἄνδρες⟩
Ἀθηναῖοι πρῶτον σκεψώμεθα. ἐν ταύτῃ τῇ εἰρήνῃ ὁ δῆμος ὁ [τῶν]
Ἀθηναίων ἔσθ' ὅπου κατελύθη; οὐδεὶς ἀποδείξει. ἀγαθὰ δὲ ὅσα
5 ἐγένετο διὰ ταύτην τὴν εἰρήνην, ἐγὼ ὑμῖν φράσω. πρῶτον μὲν τὸν
Πειραιᾶ ἐτειχίσαμεν ἐν τούτῳ τῷ χρόνῳ, εἶτα τὸ μακρὸν τεῖχος τὸ
βόρειον· ἀντὶ δὲ τῶν τριήρων αἳ τότε ἡμῖν ἦσαν παλαιαὶ καὶ ἄπλοι, αἷς
βασιλέα καὶ τοὺς βαρβάρους καταναυμαχήσαντες ἠλευθερώσαμεν τοὺς
Ἕλληνας, ἀντὶ τούτων τῶν νεῶν ἑκατὸν τριήρεις ἐναυπηγησάμεθα, καὶ
πρῶτον τότε τριακοσίους ἱππέας κατεστησάμεθα, καὶ τοξότας τριακο-
σίους Σκύθας ἐπριάμεθα. καὶ ταῦτα ἐκ τῆς εἰρήνης τῆς πρὸς Λακεδαι-
μονίους ἀγαθὰ τῇ πόλει καὶ δύναμις τῷ δήμῳ τῷ Ἀθηναίων ἐγένετο.

Andok. iii. 4, l. 2: πεντήκοντα edd. conl. Aeschin. ii. 172, πέντε codd.

μετὰ δὲ ταῦτα δι' Αἰγινήτας εἰς πόλεμον κατέστημεν, καὶ πολλὰ κακὰ 6
παθόντες πολλὰ δὲ ποιήσαντες ἐπεθυμήσαμεν πάλιν τῆς εἰρήνης, καὶ
ᾑρέθησαν δέκα ἄνδρες ἐξ Ἀθηναίων ἁπάντων πρέσβεις εἰς Λακεδαίμονα
περὶ εἰρήνης αὐτοκράτορες, ὧν ἦν καὶ Ἀνδοκίδης ὁ πάππος ὁ ἡμέτερος.
οὗτοι ἡμῖν εἰρήνην ἐποίησαν πρὸς Λακεδαιμονίους ἔτη τριάκοντα. καὶ
ἐν τοσούτῳ χρόνῳ ἔστιν ὅπου, ὦ ⟨ἄνδρες⟩ Ἀθηναῖοι, ὁ δῆμος κατελύθη;
τί δέ; πράττοντές τινες δήμου κατάλυσιν ἐλήφθησαν; οὐκ ἔστιν ὅστις
ἀποδείξει. ἀλλ' αὐτὸ τὸ ἐναντιώτατον· αὕτη γὰρ ἡ εἰρήνη τὸν δῆμον 7
τὸν Ἀθηναίων ὑψηλὸν ἦρε καὶ κατέστησεν ἰσχυρὸν οὕτως, ὥστε πρῶτον
μὲν ἐν τούτοις τοῖς ἔτεσιν εἰρήνην λαβόντες ἀνηνέγκαμεν χίλια τάλαντα
εἰς τὴν ἀκρόπολιν, καὶ νόμῳ κατεκλῄσαμεν ἐξαίρετα εἶναι τῷ δήμῳ,
τοῦτο δὲ τριήρεις ἄλλας ἑκατὸν ἐναυπηγησάμεθα, καὶ ταύτας ἐξαιρέ-
τους ἐψηφισάμεθα εἶναι, νεωσοίκους τε ᾠκοδομησάμεθα, χιλίους τε
καὶ διακοσίους ἱππέας καὶ τοξότας τοσούτους ἑτέρους κατεστήσαμεν,
καὶ τὸ τεῖχος τὸ μακρὸν τὸ νότιον ἐτειχίσθη. ταῦτα ἐκ τῆς εἰρήνης τῆς
πρὸς Λακεδαιμονίους ἀγαθὰ τῇ πόλει καὶ δύναμις τῷ δήμῳ τῷ
Ἀθηναίων ἐγένετο. πάλιν δὲ διὰ Μεγαρέας πολεμήσαντες καὶ τὴν 8
χώραν τμηθῆναι προέμενοι, πολλῶν ἀγαθῶν στερηθέντες αὖθις τὴν
εἰρήνην ἐποιησάμεθα, ἣν ἡμῖν Νικίας ὁ Νικηράτου κατηργάσατο. . . .
καὶ Χερρόνησόν τε εἴχομεν καὶ Νάξον καὶ Εὐβοίας πλέον ἢ τὰ δύο μέρη· 9
τάς τε ἄλλας ἀποικίας καθ' ἕκαστον διηγεῖσθαι μακρὸς ἂν εἴη λόγος.

iii. 37: *ἦν γάρ ποτε χρόνος, ὦ ⟨ἄνδρες⟩ Ἀθηναῖοι, ὅτε τείχη καὶ*
ναῦς οὐκ ἐκεκτήμεθα· γενομένων δὲ τούτων τὴν ἀρχὴν ἐποιησάμεθα
τῶν ἀγαθῶν. ὧν εἰ καὶ νῦν ἐπιθυμεῖτε, ταῦτα κατεργάσασθε. ταύτην
δὲ λαβόντες ἀφορμὴν οἱ πατέρες ἡμῶν κατηργάσαντο τῇ πόλει δύναμιν
τοσαύτην ὅσην οὔπω τις ἄλλη πόλις ἐκτήσατο, τὰ μὲν πείσαντες τοὺς
Ἕλληνας, τὰ δὲ λαθόντες, τὰ δὲ πριάμενοι, τὰ δὲ βιασάμενοι· πείσαντες 38
μὲν οὖν Ἀθήνησι ποιήσασθαι τῶν κοινῶν χρημάτων Ἑλληνοταμίας, καὶ τὸν σύλλογον τῶν νεῶν παρ' ἡμῖν γενέσθαι, ὅσαι δὲ τῶν πόλεων τριήρεις μὴ κέκτηνται, ταύταις ἡμᾶς παρέχειν· λαθόντες δὲ Πελοποννησίους τειχισάμενοι τὰ τείχη· πριάμενοι δὲ παρὰ Λακεδαιμονίων μὴ δοῦναι τούτων δίκην· βιασάμενοι δὲ τοὺς ἐναντίους τὴν ἀρχὴν τῶν Ἑλλήνων κατηργασάμεθα. καὶ ταῦτα τὰ ἀγαθὰ ἐν ὀγδοήκοντα καὶ πέντε ἡμῖν ἔτεσιν ἐγένετο.

πρὸς τοὺς ἑταίρους

fr. 3: see Plutarch, *Them.* 32[4].

*IV. *κατὰ Ἀλκιβιάδου*

*iv. 11: *πρῶτον μὲν οὖν πείσας* (sc. Alkibiades) *ὑμᾶς τὸν φόρον* ταῖς πόλεσιν ἐξ ἀρχῆς τάξαι τὸν ὑπ' Ἀριστείδου πάντων δικαιότατα τεταγμένον, αἱρεθεὶς ἐπὶ τούτῳ δέκατος αὐτὸς μάλιστα διπλάσιον αὐτὸν ἑκάστοις τῶν συμμάχων ἐποίησεν, . . .

*iv. 32: αἴσχιστον δὲ φανήσεσθε ποιοῦντες, εἰ τοῦτον μὲν ἀγαπᾶτε τὸν ἀπὸ τῶν ὑμετέρων χρημάτων ταῦτα κατεργασάμενον, Καλλίαν δὲ τὸν Διδυμίου, τῷ σώματι νικήσαντα πάντας τοὺς στεφανηφόρους ἀγῶνας, ἐξωστρακίσατε πρὸς τοῦτο οὐδὲν ἀποβλέψαντες, ὃς ἀπὸ τῶν ἑαυτοῦ πόνων ἐτίμησε τὴν πόλιν.

ANDROTION. *FGrH* 324 (*FHG* i, pp. 371 ff.; iv, p. 645).

fr. 33 (27): see Harpokration s.v. Ἀμφίπολις.

fr. 37 (43): see Schol. Aristophanes, *Vesp.* 947.

fr. 38 (44a) (Schol. Aristid. XLVI. iii, p. 485): τῶν δέκα στρατηγῶν τῶν ἐν Σάμῳ τὰ ὀνόματα κατὰ Ἀνδροτίωνα· Σωκράτης Ἀναγυράσιος, Σοφοκλῆς ἐκ Κολωνοῦ ὁ ποιητής, Ἀνδοκίδης Κυδαθηναιεύς, Κρέων Σκαμβωνίδης, Περικλῆς Χολαργεύς, Γλαύκων ἐκ Κεραμέων, Καλλίστρατος Ἀχαρνεύς, Ξενοφῶν Μελιτεύς, †Λαμπίδης Πειραιεύς, Γλαυκέτης † Ἀθηναῖος, Κλειτοφῶν Θοραιεύς.

ANONYMUS ARGENTINENSIS. See DEMOSTHENES xxii. 13.

ANTHOLOGIA PALATINA. See SIMONIDES.

ANTIOCHOS. *FGrH* 555 (*FHG* i, pp. 181 ff.).

περὶ Ἰταλίας

fr. 11 (12) (Strabo vi. 1[14]. 264): φησὶ δ' Ἀντίοχος τοὺς Ταραντίνους Θουρίοις καὶ Κλεανδρίδᾳ τῷ στρατηγῷ φυγάδι ἐκ Λακεδαίμονος πολεμοῦντας περὶ τῆς Σιρίτιδος συμβῆναι, καὶ συνοικῆσαι μὲν κοινῇ, τὴν δ' ἀποικίαν κριθῆναι Ταραντίνων, Ἡράκλειαν δ' ὕστερον κληθῆναι, μεταβαλοῦσαν καὶ τοὔνομα καὶ τὸν τόπον.

ANTIPHON. *Orationes*, ed. Thalheim, Leipzig (Teubner) 1914.

V. περὶ τοῦ Ἡρῴδου φόνου

v. 47: νῦν δὲ πριάμενοι τὸν ἄνδρα, ἰδίᾳ ἐπὶ σφῶν αὐτῶν ἀπέκτειναν,

---

Andr. fr. 38: " Λαμπίδης Πειραιεύς ' alternative suggestions for Ἀθηναῖος ' Wade-Gery", Λαμπίδης corruptum ex Λαμπτρεύς coni. Jacoby. Γλαυκέτης Wilamowitz, Κλαυκέτης M. Ἀθηναῖος M, Ἀζηνιεύς (trib. viii) Wilamowitz, Ἀφιδναῖος (trib. ix) Lenz, *TAPA* lxxii (1941), 226.

τὸν μηνυτήν, οὔτε τῆς πόλεως ψηφισαμένης, οὔτε αὐτόχειρα ὄντα τοῦ ἀνδρός. ὃν ἐχρῆν δεδεμένον αὐτοὺς φυλάσσειν, ἢ τοῖς φίλοις τοῖς ἐμοῖς ἐξεγγυῆσαι, ἢ τοῖς ἄρχουσι τοῖς ὑμετέροις παραδοῦναι, καὶ ψῆφον περὶ αὐτοῦ γενέσθαι. νῦν δὲ αὐτοὶ καταγνόντες τὸν θάνατον τοῦ ἀνδρὸς ἀπεκτείνατε· ὃ οὐδὲ πόλει ἔξεστιν, ἄνευ Ἀθηναίων οὐδένα θανάτῳ ζημιῶσαι.

v. 68: *αὐτίκα Ἐφιάλτην τὸν ὑμέτερον πολίτην οὐδέπω νῦν ηὕρηνται οἱ ἀποκτείναντες.*

v. 69: *τοῦτο δὲ περὶ χρημάτων αἰτίαν ποτὲ σχόντες οὐκ οὖσαν,
ὥσπερ ἐγὼ νῦν, οἱ Ἑλληνοταμίαι οἱ ὑμέτεροι, ἐκεῖνοι μὲν ἅπαντες
⟨ἔτυχον⟩ ἀποθανόντες ὀργῇ μᾶλλον ἢ γνώμῃ, πλὴν ἑνός, τὸ δὲ πρᾶγμα
ὕστερον καταφανὲς ἐγένετο. τοῦ δ' ἑνὸς τούτου—Σωσίαν ὄνομά φασιν* 70
*αὐτῷ εἶναι—κατέγνωστο μὲν ἤδη θάνατος, ἐτεθνήκει δὲ οὔπω· καὶ
ἐν τούτῳ ἐδηλώθη τῷ τρόπῳ ἀπολώλει τὰ χρήματα, καὶ ὁ ἀνὴρ ἀπ-
ελύθη ὑπὸ τοῦ δήμου τοῦ ὑμετέρου παραδεδομένος ἤδη τοῖς ἕνδεκα, οἱ
δ' ἄλλοι ἐτέθνασαν οὐδὲν αἴτιοι ὄντες. ταῦθ' ὑμῶν αὐτῶν ἐγὼ οἶμαι με-* 71
μνῆσθαι τοὺς πρεσβυτέρους, τοὺς δὲ νεωτέρους πυνθάνεσθαι ὥσπερ ἐμέ.

v. 78: *εἰ δ' ἐν Αἴνῳ χωροφιλεῖ, τοῦτο ⟨ποιεῖ⟩ οὐκ ἀποστερῶν γε τῶν εἰς τὴν πόλιν ἑαυτὸν οὐδενὸς οὐδ' ἑτέρας πόλεως πολίτης γεγενημένος, ὥσπερ ἑτέρους ὁρῶ τοὺς μὲν εἰς τὴν ἤπειρον ἰόντας, καὶ οἰκοῦντας ἐν τοῖς πολεμίοις τοῖς ὑμετέροις ⟨τοὺς δὲ⟩ καὶ δίκας ἀπὸ ξυμβόλων ὑμῖν δικαζομένους, οὐδὲ φεύγων τὸ πλῆθος τὸ ὑμέτερον, τοὺς δ' οἵους ὑμεῖς μισῶν συκοφάντας.*

κατὰ Λαισποδίου

fr. 23: see Harpokration s.v. *ἐπίσκοπος*.

περὶ τοῦ Λινδίων φόρου

fr. 30: see Harpokration s.v. *ἐπίσκοπος*.

περὶ τοῦ Σαμοθρᾳκῶν φόρου

fr. 50 (* Demetr. *de eloc.* 53): *ἡ ⟨μὲν⟩ γὰρ νῆσος, ἣν ἔχομεν, δήλη μὲν καὶ πόρρωθεν ⟨ὅτι⟩ ἐστὶν ὑψηλὴ καὶ τραχεῖα· καὶ τὰ μὲν χρήσιμα καὶ ἐργάσιμα μικρὰ αὐτῆς ἐστι, τὰ δ' ἀργὰ πολλά, μικρᾶς αὐτῆς οὔσης.*

fr. 52: see Harpokration s.v. *ἐκλογεῖς*.

fr. 55: see Harpokration (= Suidas) s.v. *ἀπόταξις*.

fr. 56: see Harpokration s.v. *συντελεῖς*.

---

v. 78 l. 4: post *ὑμετέροις* suppl. Reiske ⟨*τοὺς δὲ*⟩, alii alia, sed cf. Hopper, *JHS* lxiii (1943), 45–7: lacuna fere 35–40 litterarum statuenda est, cf. *Antiphon vi. 6, ii α 4.*

ANTISTHENES. See ATHENAEUS xiii. 589e; PLUTARCH, *Alc.* 1[3].

APOLLODOROS. *FGrH* 244 (*FHG* i, pp. 428 ff.).
Χρονικά, fr. 32 (87): see Diogenes Laertius viii. 2. 52.

APPIAN. *Historia Romana*, edd. Viereck and Roos, Leipzig (Teubner) 1939.

Bell. Mithr. 83 (373): *Λούκουλλος δὲ καὶ Ἀμισὸν ἐπὶ τῇ Σινώπῃ συνῴκιζεν, ἐκφυγόντων μὲν ὁμοίως τῶν Ἀμισέων διὰ θαλάσσης, πυνθανόμενος δ' ὑπ' Ἀθηναίων αὐτοὺς θαλασσοκρατούντων συνῳκίσθαι καὶ, δημοκρατίᾳ χρησαμένους ἐπὶ πολύ, τοῖς Περσικοῖς βασιλεῦσιν ὑπακοῦσαι, ἀναγαγόντος δ' αὐτοὺς ἐς τὴν δημοκρατίαν ἐκ προστάγματος Ἀλεξάνδρου πάλιν δουλεῦσαι τοῖς Ποντικοῖς.*

ARCHELAOS. Edmonds, *Elegy and Iambus*, i, pp. 446 f.
p. 446: see Plutarch, *Cim.* 4[1, 10] (Panaitios, fr. 46).

ARCHILOCHOS. Diehl, *Anthologia Lyrica*[2], i. 3, pp. 3 ff. (Edmonds, *Elegy and Iambus*, ii, pp. 82 ff.).
fr. 27 (31): see Plutarch, *Per.* 28[7].

ARISTIDES. *Orationes, Scholia*, ed. Dindorf, Leipzig 1829.

XIII. *Παναθηναϊκός*

i, p. 255: *αὖθις δ' ἐπὶ Φωκέας Λακεδαιμονίων παρελθόντων ἐκέ-*
256 *κλειστο μὲν ὁ Κρισαῖος κόλπος, ἀπήντων δ' ἐπὶ τοὺς ὅρους. χωρὶς δ' ὑπὲρ Μεγάρων ἦσαν ἐν Γερανείᾳ· ὥστε μὴ ἔχειν Λακεδαιμονίους ὅ τι χρήσονται, ἀλλ' ἀπορεῖν ἑστῶτας ἐν Βοιωτοῖς ὅποι σωθήσονται· οὕτω περιέπτυξεν αὐτοὺς ἡ πόλις. τέλος δὲ συμβάλλουσιν ἐν Τανάγρᾳ τῆς Βοιωτίας, καὶ γενομένων ἀμφοτέρων ἀνδρῶν τοῦ τολμήματος ἀξίων ἔδοξαν καθ' ἓν τοῦτο Λακεδαιμόνιοι πλέον ἐσχηκέναι, πῶς ἂν εἴποιμι εὐπρεπῶς; ὀκνῶ γὰρ εἰπεῖν ὅτι οὐκ ἀπώλοντο. καὶ γὰρ ἦν ὅρος οὗτος Ἀθηναίοις μὲν κλεῖσαι τὴν πάροδον, Λακεδαιμονίοις δὲ σωθῆναι οἴκαδε. καὶ κινδυνεύει μόνον τοῦτο τὸ ἔργον τὴν φυγὴν σύμβολον τῆς νίκης ἐσχηκέναι, ἐπεὶ τούς γε καὶ παρὰ τὴν μάχην κρείττους καὶ τοῖς ὅλοις ἄνευ πολλῶν τῶν καὶ πρότερον κρινάντων τὰ ἐφεξῆς εὐθὺς ἔδειξε. τρεῖς γάρ εἰσιν οἱ μαρτυρήσαντες παραχρῆμα Ἀθηναίων εἶναι τὴν νίκην, Ἀθηναῖοι, Λακεδαιμόνιοι, Βοιωτοί. Λακεδαιμόνιοι μὲν γὰρ ἠγάπησαν ἀναχωρήσαντες, Ἀθηναῖοι δὲ προῆλθον κατὰ πόδας τῆς μάχης, Βοιωτοὶ*

δὲ οὐκ ἀντέσχον, ἀλλ' ἡττηθέντες ἐν Οἰνοφύτοις ὑπέκυψαν, καὶ μετ' αὐτῶν Φωκεῖς καὶ Λοκροὶ νίκῃ μιᾷ.

XLVI. ὑπὲρ τῶν τεττάρων

Schol. iii, p. 446 (ad ii, p. 159): δύο δὲ ἦσαν Ἀθήνησι πολιτεῖαι· οἱ μὲν γὰρ ἦσαν καλοὶ καὶ ἀγαθοί, οἱ καλούμενοι ὀλιγαρχικοί, οἱ δὲ δημοτικοί· καὶ τούτων μὲν προΐστατο Κίμων, πολλὰ διανέμων καὶ συγχωρῶν ὀπωρίσασθαι τοῖς βουλομένοις, καὶ ἱμάτια διανέμων τοῖς πένησι· τῶν δὲ ὀλιγαρχικῶν προΐστατο Περικλῆς· κατηγορηθεὶς δὲ ὁ Κίμων ὑπὸ Περικλέους ἐπὶ Λανίκῃ τῇ ἀδελφῇ καὶ ἐπὶ Σκύρῳ τῇ νήσῳ, ὡς ὑπ' αὐτοῦ προδιδομένου ἐξεβλήθη. δεδιὼς δὲ ὁ Περικλῆς μὴ ζητηθῇ ὑπὸ τῶν δημοτικῶν, πρὸς αὐτοὺς ἐχώρησεν· οἱ δὲ ὀλίγοι γαμβρὸν ὄντα Θουκυδίδην τὸν Μελισίου τοῦ Κίμωνος ἐπεσπάσαντο, σκυλακώδη ὄντα καὶ ὀλιγαρχικόν.

ii, pp. 159–60: πράττων ὑπὲρ τοῦ πλήθους ἐναντία Θουκυδίδῃ . . ..

Schol. iii, p. 446 (ad loc.): οὐ τὸν συγγραφέα Θουκυδίδην φησίν, ἀλλὰ ἄλλον τινά, ᾧ ποτε Ἀθηναῖοι τὰ πολιτικὰ ἐπιτρέψαντες ἐπείθοντο πάντες, ἅτε εὐθυνουμένης τῆς πόλεως . . ..

οὐ τὸν συγγραφέα λέγει, ἀλλὰ ἄλλον τινὰ διάστροφον τῆς 447
πόλεως, ᾧ καὶ ὁ δῆμος ἅπας ἐπείθετο. αὔξει δὲ τὸν Θουκυδίδην, ἵνα πλέον αὐξήσῃ τὸν Περικλέα, ὅτι καὶ πρὸς τοῦτον ἀντιπολιτευόμενος ἀπεῖχε τῆς πρὸς τὸν δῆμον κολακείας.

Schol. iii, p. 485 (ad ii, p. 183): see Androtion, fr. 38.

ii, p. 199: οὔτε γὰρ τοὺς φόρους Περικλῆς εἰς ἄπειρόν ἐστιν ὁ ἐξαγαγών, ἀλλὰ καὶ ταύτης τῆς ἀμετρίας, ὦ φίλε Σώκρατες, εἰ ζητοίης τὸν αἴτιον, τὸν ἑταῖρον εὑρήσεις τὸν σεαυτοῦ.

Schol. iii, p. 510 (ad loc.): εἰς Ἀλκιβιάδην δὲ ἀποτείνεται, τὸν μαθητὴν τοῦ Σωκράτους, ὡς τοῖς φόροις προσθέντα.

ii, p. 209: ἐπὶ δὲ Εὐρυμέδοντι ποταμῷ ναυμαχίας καὶ πεζομαχίας μνημεῖα ἔστησεν ἀμφότερα ἡμέρᾳ μιᾷ νικῶν. ὥστε τοῖς προτέροις ἔργοις ἐκπεπληγμένων τῶν ποιητῶν τοῖς ὅτ' ἐπῄεσαν οἱ βάρβαροι πραχθεῖσιν, ὅμως τις ὕμνησεν αὐτῶν εἰς ταῦτα ὕστερον, οὐ πάντα, ἀλλὰ μιᾶς τινος ἡμέρας ἔργα (Simonides, fr. 103, q.v.)·

Schol. iii, p. 528 (ad ii, p. 212): see Theopompos, fr. 88.

Schol. ad ii, p. 287 (Wilamowitz, *Coniectanea*, p. 10): see Krateros, fr. 14.

---

schol. iii, p. 446, l. 7: προδιδομένους D, προδιδομένου B.

Schol. iii, p. 688 (ad ii, p. 315): ὕστερον δὲ λιμοῦ κατασχόντος Ἀθήνας, ἔχρησεν ὁ Ἀπόλλων, οὐκ ἂν ἄλλως παύσασθαι τὸν λιμόν, εἰ μὴ Ἀθήνησι μετενέγκειεν τὰ Θησέως ὀστᾶ· οὗ γενομένου ὁ λιμὸς ἔπαυσεν. ἐξ ἐκείνου δὲ Ἀθηναῖοι ἦγον μεγίστην καὶ δημοτελῆ ἑορτήν, ἣν ἐκάλουν Θήσεια.

XLIX. περὶ τοῦ παραφθέγματος

ii, p. 511: ἆρά σοι καὶ τὰ τοιάδε δόξει ἀλαζονία τις εἶναι;

Ἑλλήνων προμαχοῦντες Ἀθηναῖοι Μαραθῶνι
ἔκτειναν Μήδων ἐννέα μυριάδας.

καὶ (Simonides, fr. 89)

ἀμφί τε Βυζάντειον ὅσοι θάνον, ἰχθυόεσσαν
ῥυόμενοι χώραν ἄνδρες ἀρηίθοοι·

512 καὶ πάντα ἐκεῖνα καλλίω τῶν σῶν οἶμαι λόγων ἐπιγράμματα, καὶ ἔτι γε μᾶλλον (Simonides, fr. 103, q.v.).

ARISTODEMOS. *FGrH* 104 (*FHG* v, pp. 1 ff.).

4: ἀπὸ δὲ τῆς Περσικῆς στρατείας ἐπὶ τὸν Πελοποννησ⟨ιακὸν πόλεμον ὑπὸ τῶν Ἑλλήνων (?)⟩ ἐπράχθη τάδε.

1 ἐπειδὴ ἐξήλασαν τοὺς Πέρσας οἱ Ἕλληνες ⟨ἐκ τῆς Εὐρώπης, ἀπο⟩φυγόν⟨των⟩ τῶν ἀπολει⟨φθέντων β⟩α⟨ρβά⟩ρων εἰς Σηστόν, οἱ Ἀθηναῖοι προσέμενον προσπολεμοῦντες, ** καὶ Παυσανίας ὁ Κλεομβρότου, ὁ τῶν Λακεδαιμονίων στρατηγός, ⟨οὐ⟩ κατὰ φιλοτιμίαν τὴν ὑπὲρ τῶν Ἑλλήνων, ἀλλὰ διὰ προδοσίαν· συντεθειμένος γὰρ ἦν Ξέρξῃ προδώσεσθαι αὐτῷ τοὺς Ἕλληνας ἐπὶ τῷ λαβεῖν θυγατέρα παρ' αὐτοῦ πρὸς γάμον. ὃς ἐπηρμένος τῇ τε ἐλπίδι ταύτῃ καὶ τῷ εὐτυχήματι τῷ ἐν Πλαταιαῖς οὐκ ἐμετρ⟨ι⟩οπάθει ἀλλὰ πρῶτον μὲν τρίποδα ἀναθεὶς τῷ ἐν Δελφοῖς Ἀπόλλωνι ἐπίγραμμα ἔγραψε πρὸς αὐτὸν τοιοῦτον (Simonides, fr. 105)·

Ἑλλήνων ἀρχηγὸς ἐπεὶ στρατὸν ὤλεσε Μήδων
Παυσανίας Φοίβῳ μνῆμ' ἀνέθηκε τόδε.

2 τῶν δὲ ὑποτεταγμένων αὐτῷ πικρῶς ἦρχε καὶ τυραννικῶς, τὴν μὲν Λακωνικὴν δίαιταν ἀποτεθειμένος, ἐπιτετηδευκὼς δὲ τὰς τῶν Περσῶν ἐσθῆτας φορεῖν καὶ Περσικὰς τραπέζας παρατεθειμένος πολυτελεῖς, ὡς ἔθος ἐκείνοις.

5 κατὰ δὲ τοῦτον τὸν χρόνον Ἀθηναῖοι, ἐμπεπρησμένης αὐτῶν τῆς πόλεως ὑπὸ Ξέρξου καὶ Μαρδονίου, ἐβουλεύοντο τειχίζειν αὐτήν, οἱ δὲ Λακεδαιμόνιοι οὐκ ἐπέτρεπον αὐτοῖς, πρόφασιν μὲν ποιούμενοι

ὁρμητήριον εἶναι τὰς Ἀθήνας τῶν ἐπιπλεόντων βαρβάρων, τὸ δὲ
ἀληθὲς φθονοῦντες καὶ μὴ βουλόμενοι πάλιν αὐξηθῆναι· οὓς Θεμι-
στοκλῆς συνέσει διαφέρων κατεστρατήγησεν, ⟨ἀκριβῶς γιγνώσκων⟩
αὐτῶν τὸν φθόνον. ἐγκελευσάμενος γὰρ τοῖς Ἀθηναίοις τειχίζειν τὴν 2
πόλιν ᾤχετο εἰς Λακεδαίμονα ὡς πρεσβεύων, λόγων τε γιγνομένων
παρὰ τοῖς Λακεδαιμονίοις ὅτι Ἀθηναῖοι τειχίζουσι τὴν πόλιν, ἀντέλεγεν
Θεμιστοκλῆς. ὡς δὲ οὐκ ἐπίστευον οἱ Λακεδαιμόνιοι, ἔπεισεν αὐτοὺς
πρέσβεις πέμψαι τινὰς ἐξ αὐτῶν εἰς τὰς Ἀθήνας τοὺς γνωσομένους
εἰ κτίζοιτο ἡ πόλις. τῶν δὲ Λακεδαιμονίων ἑλομένων ἄνδρας καὶ
πεμψάντων, Θεμιστοκλῆς κρύφα ὑπέπεμπε τοῖς Ἀθηναίοις κατέχειν
παρ' ἑαυτοῖς τοὺς ἀπεσταλμένους τῶν Λακεδαιμονίων ἄνδρας, ἕως
ἂν αὐτὸς ὑποστρέψῃ εἰς τὰς Ἀθήνας. πραξάντων δὲ τοῦτο τῶν Ἀθη- 3
ναίων, οἱ Λακεδαιμόνιοι αἰσθόμενοι τὴν ἀπάτην Θεμιστοκλέους, οὐδὲν
διέθεσαν αὐτὸν δεινόν, δεδοικότες περὶ τῶν ἰδίων, ἀλλ' ἀποδόντες αὐτὸν
ἐκομίσαντο τοὺς ἰδίους. ἐν δὲ τῷ μεταξὺ χρόνῳ ἐτειχίσθησαν αἱ 4
Ἀθῆναι τὸν τρόπον τοῦτον. ὁ μὲν τοῦ ἄστεως περίβολος ἑξήκοντα
σταδίων ἐτειχίσθη, τὰ δὲ μακρὰ τείχη φέροντα ἐπὶ τὸν Πειραιᾶ ἐξ
ἑκατέρου μέρους σταδίων μ̄, ὁ δὲ τοῦ Πειραιῶς περίβολος σταδίων π̄
(ἔστι δὲ ὁ Πειραιεὺς λιμὴν εἰς δύο διῃρημένος, κέκληται δὲ αὐτοῦ τὸ
μέν τι μέρος Μουνυχία, τὰ δεξιὰ δὲ ἄκρα τοῦ Πειραιῶς Ἠετιώνεια
καλεῖται· ὄχθος δέ ἐστιν ἐν Πειραιεῖ, ἐφ' οὗ τὸ τῆς Ἀρτέμιδος ἱερὸν
ἵδρυται). τὸ δὲ Φαληρικὸν τεῖχος ἐκτίσθη σταδίων λ̄· πλατὺ δὲ ὥστε
δύο ἅρματα ἀλλήλοις συναντᾶν. καὶ ἡ μὲν τῶν Ἀθηναίων πόλις οὕτως
ἐτειχίσθη.

ὁ δὲ Θεμιστοκλῆς διὰ τὴν ὑπερβάλλουσαν σύνεσιν καὶ ἀρετὴν **6**
φθονηθεὶς ἐξεδιώχθη ὑπὸ τῶν Ἀθηναίων καὶ παρεγένετο εἰς Ἄργος.
Λακεδαιμόνιοι δὲ ἀκούσαντες τὰ περὶ τῆς ἐγκεχειρισμένης προδοσίας 2
Παυσανίᾳ, πέμψαντες αὐτῷ τὴν σκυτάλην μετεκαλοῦντο αὐτὸν ὡς
ἀπολογησόμενον. ὁ δὲ Παυσανίας ἐλθὼν εἰς τὴν Σπάρτην ἀπελογήσατο, 3
καὶ ἀπατήσας τοὺς Λακεδαιμονίους, ἀπολυθεὶς τῆς αἰτίας ὑπεξῆλθεν
καὶ πάλιν ἐνήργει τὴν προδοσίαν. ἐν δὲ τούτῳ οἱ Ἕλληνες ἀφιστάμενοι **7**
ἀπὸ τῶν Λακεδαιμονίων διὰ τὸ πικρῶς τυραννεῖσθαι ὑπὸ τοῦ Παυ-
σανίου προσετίθεντο τοῖς Ἀθηναίοις, καὶ οὕτως ἤρξαντο πάλιν οἱ
Ἀθηναῖοι φόρους λαμβάνοντες αὔξεσθαι· ναῦς τε γὰρ κατεσκεύαζον
⟨καὶ κοινὸν τῶν Ἑλληνικῶν χ⟩ρημάτων θησαυροφυλάκιον ἐποιήσαντο
ἐν Δήλῳ, ⟨ὕστερον δὲ (?) *** τάλ⟩αντα ἐκ τῆς Δήλου τὰ συναχθέντα
μετεκόμισαν εἰς τὰς Ἀθήνας καὶ κατέθεντο ἐντὸς ἐν ἀκροπόλει.

ὁ δὲ Παυσανίας ὑπάρχων ἐν Βυζαντίῳ ἀναφανδὸν ἐμήδιζεν καὶ κακὰ **8**
διετίθει τοὺς Ἕλληνας. διεπράξατο δέ τι καὶ τοιοῦτον. ἦν ἐπιχωρίου
τινὸς θυγάτηρ Κορωνίδου ὄνομα, ἐφ' ἣν ἔπεμψεν ὁ Παυσανίας ἐξαιτῶν

τὸν πατέρα· ὁ δὲ Κορωνίδης δεδοικὼς τὴν ὠμότητα τοῦ Παυσανίου
ἔπεμψεν αὐτῷ τὴν παῖδα. ἧς καὶ παραγενομένης νυκτὸς ἐς τὸ οἴκημα,
κοιμωμένου τοῦ Παυσανίου, καὶ παραστάσης, περίυπνος γενόμενος ὁ
Παυσανίας δόξας τε κατ' ἐπιβουλήν τινα εἰσεληλυθέναι ἐπαράμενος τὸ
ξιφίδιον ἐπερόνησε τὴν κόρην καὶ ἀπέκτεινε. καὶ διὰ τοῦτο εἰς μανίαν
περιέστη, καὶ γενόμενος φρενομανὴς ἐκεκράγει, ὡς δὴ μαστιγούμενος
ὑπὸ τῆς κόρης· πολλοῦ δὲ χρόνου διαγενομένου ἐξιλάσατο τοὺς
2 δαίμονας τῆς παιδὸς καὶ οὕτως ἀποκατέστη. τῆς δὲ προδοσίας οὐκ
ἐπαύετο ἀλλὰ γράψας ἐπιστολὰς Ξέρξῃ Ἀργιλίῳ ἀγαπωμένῳ ἑαυτοῦ
δίδωσι ταύτας, ἐγκελευσάμενος κομίζειν πρὸς Ξέρξην. ὁ δὲ Ἀργίλιος
δεδοικὼς περὶ αὐτοῦ, ἐπειδὴ γὰρ οὐδὲ οἱ πρότεροι πεμφθέντες ἀπ-
ενόστησαν, πρὸς Ξέρξην οὐ παρεγένετο, ἐλθὼν δὲ εἰς Σπάρτην τοῖς
ἐφόροις ἐμήνυσε τὴν προδοσίαν, ὑπέσχετο δὲ κατάφωρον δείξειν τὸν
Παυσανίαν. καὶ συνθέμενος περὶ τούτων ἦλθεν εἰς Ταίναρον ἔν τε τῷ
τοῦ Ποσειδῶνος τεμένει ἱκέτευεν· οἱ δὲ ἔφοροι παραγενόμενοι καὶ
αὐτοὶ εἰς τὸ αὐτὸ τέμενος καὶ διπλῆν σκηνὴν κατασκευάσαντες ἐν αὐτῇ
3 ἔκρυψαν ἑαυτούς. οὐκ ἐπιστάμενος δὲ ὁ Παυσανίας ταῦτα, ἀκούσας
δὲ τὸν Ἀργίλιον ἱκετεύοντα, παρεγένετο πρὸς αὐτὸν καὶ ἀπεμέμφετο
ἐπὶ τῷ μὴ κομίσαι τὰς ἐπιστολὰς πρὸς Ξέρξην, ἄλλα τέ τινα τεκμήρια
διεξῄει τῆς προδοσίας. οἱ δὲ ἔφοροι ἀκούσαντες τῶν ῥηθέντων παρα-
χρῆμα μὲν οὐ συνελάβοντο αὐτὸν διὰ τὸ εἶναι ἅγιον τὸ τέμενος ἀλλ'
εἴασαν ἀπελθεῖν, ὕστερον δὲ αὐτὸν ἐλθόντα εἰς Σπάρτην ἐβούλοντο
συλλαμβάνεσθαι· ὁ δὲ ὑπονοήσας εἰσέδραμεν εἰς τὸ τῆς Χαλκιοίκου
4 Ἀθηνᾶς τέμενος καὶ ἱκέτευεν. τῶν δὲ Λακεδαιμονίων ἐν ἀπόρῳ ὄντων
διὰ τὴν εἰς τὸν θεὸν θρησκείαν, ἡ μήτηρ τοῦ Παυσανίου βαστάσασα
πλίνθον ἔθηκεν ἐπὶ τῆς εἰσόδου τοῦ τεμένους, προκαταρχομένη τῆς
κατὰ τοῦ παιδὸς κολάσεως· οἱ δὲ Λακεδαιμόνιοι κατακολουθήσαντες
αὐτῇ ἐνῳκοδόμησαν τὸ τέμενος, καὶ λιμῷ διαφθαρέντος τοῦ Παυ-
σανίου, ἀνελόντες τὴν στέγην, ἐξείλκυσαν τοῦ ναοῦ ἔτι ἐμπνέοντα τὸν
5 Παυσανίαν καὶ ἐξέρριψαν. διὰ δὲ τοῦτο λοιμὸς αὐτοὺς κατέσχεν· θεοῦ
δὲ χρήσαντος, ἐπὰν ἐξιλάσωνται τοὺς δαίμονας τοῦ Παυσανίου, παύ-
σασθαι τὸν λοιμόν, ἀνδριάντα αὐτῷ ἀνέστησαν, καὶ ἐπαύσατο ὁ λοιμός.

9 ζητήσεως δὲ οὔσης παρὰ τοῖς Ἕλλησι τίνας δεῖ προγραφῆναι αὐτῶν
τῶν συμμεμαχηκότων ἐν τῷ Μηδικῷ πολέμῳ, ἐξεῦρον οἱ Λακεδαι-
μόνιοι τὸν δίσκον, ἐφ' οὗ κυκλοτερῶς ἐπέγραψαν τὰς ἠγωνισμένας
πόλεις, ὡς μήτε πρώτους τινὰς γεγράφθαι μήθ' ὑστέρους.

10 Λακεδαιμόνιοι δέ, ἐπειδὴ τὰ τοῦ Παυσανίου ἐπονειδίστως ἐκεχωρή-
κει, τοὺς Ἀθηναίους ἔπειθον λέγοντες ἐν ταῖς Παυσανίου ἐπιστολαῖς
κοινωνὸν εὑρηκέναι τῆς προδοσίας Θεμιστοκλέα. ὁ δὲ Θεμιστοκλῆς δε-
δοικὼς τοὺς Λακεδαιμονίους οὐκ ἔμεινεν ἐν τῷ Ἄργει ἀλλὰ παρεγένετο

εἰς Κέρκυραν κἀκεῖθεν εἰς Μολοσσοὺς πρὸς Ἄδμητον βασιλέα, ὄντα
καὶ ἐχθρὸν αὐτῷ πρότερον. τῶν δὲ Λακεδαιμονίων παραγενομένων 2
πρὸς τὸν Ἄδμητον καὶ ἐξαιτούντων αὐτόν, ἡ γυνὴ τοῦ Ἀδμήτου
ὑπέθετο Θεμιστοκλεῖ ἁρπάσαι τὸν τοῦ βασιλέως παῖδα καὶ καθεσθῆναι
ἐπὶ τῆς ἑστίας ἱκετεύοντα. πράξαντος δὲ τοῦ Θεμιστοκλέους, ὁ
Ἄδμητος κατελεήσας αὐτὸν οὐκ ἐξέδωκεν ἀλλ' ἀπεκρίθη τοῖς Πελο-
ποννησίοις μὴ ὅσιον εἶναι ἐκδοῦναι τὸν ἱκέτην. ὁ δὲ Θεμιστοκλῆς οὐκ 3
ἔχων ὅπου ὑποστρέψει ἐπὶ τὴν Περσίδα ἔπλει. ἐκινδύνευσε δὲ καὶ
πλέων ἁλῶναι καὶ παραληφθῆναι. Νάξον γὰρ πολιορκούντων τῶν
Ἀθηναίων ἡ ναῦς τοῦ Θεμιστοκλέους χειμῶνος ἐπιγενομένου προσήγετο
τῇ Νάξῳ· ὁ δὲ Θεμιστοκλῆς δεδοικὼς μήποτε συλληφθῇ ὑπὸ τῶν
Ἀθηναίων ἠπείλησε τῷ κυβερνήτῃ ἀναιρήσειν αὐτόν, εἰ μὴ ἀντέχοι τοῖς
πνεύμασιν. ὁ δὲ κυβερνήτης δείσας τὴν ἀπειλὴν ὥρμησεν ἐπὶ σάλου
νύκτα καὶ ἡμέραν καὶ ἀντέσχε τοῖς ἀνέμοις· καὶ οὕτω Θεμιστοκλῆς δια-
σωθεὶς παρεγένετο εἰς τὴν Περσίδα. καὶ Ξέρξην μὲν οὐ κατέλαβε 4
ζῶντα, Ἀρταξέρξην δὲ τὸν υἱὸν αὐτοῦ· ᾧ οὐκ ἐνεφανίσθη ἀλλὰ δια-
τρίψας ἐνιαυτὸν καὶ μαθὼν τὴν Περσικὴν γλῶσσαν, τότε παρεγένετο
πρὸς τὸν Ἀρταξέρξην, καὶ ὑπέμνησεν αὐτὸν τῶν εὐεργεσιῶν, ἃς ἐδόκει
κατατεθεῖσθαι εἰς τὸν πατέρα αὐτοῦ Ξέρξην, λέγων καὶ τῆς σωτηρίας
αὐτῷ γεγενῆσθαι αἴτιος, ὑ̣π̣ο̣δείξας λύ⟨σο⟩ντας τοὺς ⟨Ἕλλ⟩ηνας τὸ
ζεῦγμα. ὑπέσχετο δέ, εἰ λάβοι στρατὸν παρ' αὐτοῦ, χειρώσασθαι τοὺς
Ἕλληνας. ὁ δὲ Ἀρταξέρξης προσσχὼν τοῖς εἰρημένοις ἔδωκεν αὐτῷ 5
στρατὸν καὶ τρεῖς πόλεις εἰς χορηγίαν, Μαγνησίαν μὲν εἰς σῖτον,
Λάμψακον δὲ εἰς οἶνον, Μυοῦντα δὲ εἰς ὄψον. λαβὼν δὲ Θεμιστοκλῆς
καὶ παραγενόμενος εἰς Μαγνησίαν, ἔγγυς ἤδη γενόμενος τῆς Ἑλλάδος
μετενόησεν, οὐχ ἡγησάμενος δεῖν πολεμεῖν τοῖς ὁμοφύλοις· θύων δὲ
τῇ Λευκοφρύνῃ Ἀρτέμιδι, σφαττομένου ταύρου ὑποσχὼν φιάλην καὶ
πληρώσας αἵματος ἔπιεν καὶ ἐτελεύτησεν.

οἱ δὲ Ἕλληνες ⟨οὐ⟩ γνόντες ταῦτα ἐξεδίωκον τὸν στρατὸν τὸν ἅμα **11**
τῷ Θεμιστοκλεῖ, καὶ παραγενόμενοι δὲ ἔγνωσαν καὶ ἀντεπεστράτευον
τῷ Ἀρταξέρξῃ εὐθέως τε τὰς Ἰωνικὰς καὶ τὰς λοιπὰς πόλεις Ἑλληνίδας
ἠλευθέρουν Ἀθηναῖοι. Κίμωνος δὲ τοῦ Μιλτιάδου στρατηγοῦντος 2
ἀνέπλευσαν ἐπὶ τὴν Παμφυλίαν κατὰ τὸν λεγόμενον Εὐρυμέδοντα
ποταμὸν καὶ ἐναυμάχησαν Φοίνιξι καὶ Πέρσαις καὶ λαμπρὰ ἔργα
ἐπεδείξαντο, ἑκατόν τε ναῦς ἑλόντες αὐτάνδρους ἐπεζομάχησαν· καὶ
δύο τρόπαια ἔστησαν, τὸ μὲν κατὰ γῆν τὸ δὲ κατὰ θάλατταν. ἔπλευσαν 3
δὲ καὶ κατὰ Κύπρον καὶ ἐπ' Αἴγυπτον. ἐβασίλευσε δὲ τῆς Αἰγύπτου
Ἴναρος υἱὸς Ψαμμητίχου, ὃς ἀποστὰς Ἀρταξέρξου βοηθοὺς ἐπηγάγετο
αὐτῷ τοὺς Ἀθηναίους, οἵτινες ἔχοντες σ̅ ναῦς ἐπολέμησαν ἐπὶ ἔτη ἓξ
τοῖς βαρβάροις. μετὰ δὲ ταῦτα Μεγάβυξος ὁ Ζωπύρου καταπεμφθεὶς 4

ὑπὸ Ἀρταξέρξου, ὡρμημένων τῶν Ἀθηναίων ἐν τῇ καλουμένῃ Προσω-
πίτιδι νήσῳ ἐπί τινος ποταμοῦ, ἐκτρέπει τὸ ῥεῖθρον τοῦ ποταμοῦ
ἐποίησέ τε τὰς ναῦς ἐπὶ τῆς γῆς ἀπολειφθῆναι. †ἐκτραπεισῶν δὲ ν̄ νεῶν
Ἀττικῶν προσπλεουσῶν τῇ Αἰγύπτῳ οἱ περὶ τὸν Μεγάβυξον καὶ
ταύτας παρέλαβον καὶ ἃς μὲν διέφθειραν, ἃς δὲ κατέσχον. τῶν δὲ
ἀνδρῶν οἱ μὲν πλείους διεφθάρησαν, ὀλίγοι δὲ παντάπασιν ὑπέστρεψαν
εἰς τὴν οἰκείαν.

12 μετὰ δὲ ταῦτα Ἑλληνικὸς πόλεμος ἐγένετο Ἀθηναίων καὶ Λακεδαι-
μονίων ἐν Τανάγρᾳ. καὶ οἱ μὲν Λακεδαιμόνιοι ἦσαν τὸν ἀριθμὸν
μύριοι τρισχίλιοι, οἱ δὲ Ἀθηναῖοι μύριοι ἑξακισχίλιοι· καὶ νικῶσιν
2 Ἀθηναῖοι. παραταξάμενοι δὲ πάλιν ἐν Οἰνοφύτοις, στρατηγοῦντος
αὐτῶν Τολμίδου καὶ Μυρωνίδου, ἐνίκησαν Βοιωτοὺς καὶ κατέσχον
Βοιωτίαν.

13 εὐθὺς ἐστράτευσαν ἐπὶ Κύπρον, στρατηγοῦντος αὐτῶν Κίμωνος τοῦ
Μιλτιάδου. ἐνταῦθα λιμῷ συνεσχέθησαν, καὶ Κίμων νοσήσας ἐν
Κιτίῳ πόλει τῆς Κύπρου τελευτᾷ. οἱ δὲ Πέρσαι ὁρῶντες κεκακω-
μένους τοὺς Ἀθηναίους, περιφρονήσαντες αὐτῶν ἐπῆλθον ταῖς ναυσίν·
2 καὶ ἀγὼν γίνεται κατὰ θάλατταν, ἐν ᾧ νικῶσιν Ἀθηναῖοι. καὶ στρατη-
γὸν αἱροῦνται Καλλίαν τὸν ἐπίκλην Λακκόπλουτον, ἐπεὶ θησαυρὸν
εὑρὼν ἐν Μαραθῶνι ἀνελόμενος αὐτὸν ἐπλούτησεν. οὗτος ὁ Καλλίας
ἐσπείσατο πρὸς Ἀρταξέρξην καὶ τοὺς λοιποὺς Πέρσας. ἐγένοντο δὲ
αἱ σπονδαὶ ἐπὶ τοῖσδε· ἐφ᾽ ᾧ ἐντὸς Κυανέων καὶ Νέσσου (?) ποταμοῦ
καὶ Φασήλιδος, ἥτις ἐστὶν πόλις Παμφυλίας, καὶ Χελιδονέων μὴ
μακροῖς πλοίοις καταπλέωσι Πέρσαι, καὶ ἐντὸς τριῶν ἡμερῶν ὁδόν,
ἣν ἂν ἵππος ἀνύσῃ διωκόμενος, μὴ κατίωσιν. καὶ σπονδαὶ οὖν ἐγένοντο
τοιαῦται.

14 μετὰ δὲ ταῦτα Ἑλληνικὸς πόλεμος ἐγένετο ἐξ αἰτίας τοιαύτης.
Λακεδαιμόνιοι ἀφελόμενοι Φωκέων τὸ ἐν Δελφοῖς ἱερὸν παρέδοσαν
Λοκροῖς, καὶ ⟨ὕστερον Ἀθηναῖοι⟩ ἀφελόμενοι αὐτοὺς ἀπέδοσαν πάλιν
2 τοῖς Φωκεῦσιν. ὑποστρεφόντων δὲ τῶν Ἀθηναίων ἀπὸ τῆς μάχης,
στρατηγοῦντος αὐτῶν Τολμίδου, καὶ γενομένων κατὰ Κορώνειαν,
ἐπιθέμενοι αὐτοῖς ἄφνω Βοιωτοὶ οὖσιν ἀπαρασκεύοις ἐτρέψαντο αὐτοὺς
καί τινας ἐξ αὐτῶν ἐζώγρησαν, οὕστινας ἀπαιτούντων Ἀθηναίων οὐ
πρότερον ἀπέδοσαν ἢ τὴν Βοιωτίαν ἀπολαβεῖν.

15 καὶ μετὰ ταῦτα εὐθὺς Ἀθηναῖοι περιπλεύσαντες τὴν Πελοπόννησον
Γύθειον εἷλον· καὶ Τολμίδης χιλίους ἔχων Ἀθηναίους ἐπιλέκτους
2 διῆλθε τὴν Πελοπόννησον. καὶ πάλιν Εὔβοιαν ἀποστᾶσαν εἷλον
3 Ἀθηναῖοι. ἐν δὲ τούτῳ τοῖς Ἕλλησι σπονδαὶ τριακοντούτεις ἐγένοντο.

11^{4} οὐκ ἐντραπεισῶν coni. Bücheler, ἐκπεμφθεισῶν Jacoby. 13^{2} Νέσσου corruptum Müller.

τῷ τεσσαρεσκαιδεκάτῳ δὲ ἔτει Ἀθηναῖοι Σάμον πολιορκήσαντες 4
εἷλον, στρατηγοῦντος αὐτῶν Περικλέους καὶ Σοφοκλέους. ἐν δὲ τῷ
αὐτῷ ἔτει οὕτω λύονται αἱ τῶν λ̄ ἐτῶν σπονδαί, καὶ ἐνίσταται ὁ Πελο-
ποννησιακὸς πόλεμος.

αἰτίαι δὲ καὶ πλείονες φέρονται περὶ τοῦ πολέμου· πρώτη δὲ ἡ κατὰ **16**
Περικλέα. φασὶ γὰρ ὅτι τῶν Ἀθηναίων κατασκευαζόντων τὴν ἐλεφαν-
τίνην Ἀθηνᾶν καὶ ἀποδειξάντων ἐργεπιστάτην τὸν Περικλέα, τεχνίτην
δὲ Φειδίαν, ἁλόντος τοῦ Φειδίου ἐπὶ νοσφισμῷ, εὐλαβηθεὶς ὁ Περικλῆς
μὴ καὶ αὐτὸς εὐθύνας ἀπαιτηθῇ, βουλόμενος ἐκκλῖναι τὰς κρίσεις
ἐπολιτεύσατο τὸν πόλεμον τοῦτον, γράψας τὸ κατὰ Μεγαρέων ψήφισμα.
διαπιστοῦται δὲ ταῦτα καὶ ὁ τῆς ἀρχαίας κωμῳδίας ποιητὴς λέγων 2
οὕτως (Ar. *Pax* 603)·

ὦ ⟨λι⟩περνῆτες γεωργοί, τἀμὰ δὴ συνίετε
ῥήματ', εἰ βούλεσθ' ἀκοῦσαι τήνδ' ὅπως ἀπώλετο.
605 πρῶτα μὲν γὰρ †ἤρξατ' αὐτῆς Φειδίας πράξας κακῶς·
εἶτα Περικλέης φοβηθεὶς μὴ μετάσχοι τῆς τύχης,
607 τὰς φύσεις ὑμῶν δεδοικὼς καὶ τὸν αὐθάδη τρόπον,
609 ἐμβαλὼν σπινθῆρα μικρὸν Μεγαρικοῦ ψηφίσματος
610 ἐξεφύσησεν τοσοῦτον πόλεμον ὥστ' ἐκ τοῦ καπνοῦ
πάντας Ἕλληνας δακρῦσαι τούς τ' ἐκεῖ τούς τ' ἐνθάδε.

καὶ πάλιν ὑποβάς (*Ach.* 524)· 3

πόρνην †εἰς μέθην ἰοῦσαν Μεγαρίδα
525 νεανίαι κλέπτουσι μεθυσοκότταβοι·
κἄπειθ' οἱ Μεγαρῆς ὀδύναις πεφυσιγγωμένοι
ἀντ⟨εξ⟩έκλεψαν Ἀσπασίας πόρνας δύο.
ἐνθένδ' ὁ πόλεμος ἐμφανῶς κατερράγη
Ἕλλησι πᾶσιν ἐκ τριῶν λαικαστριῶν.
530 ἐνθένδε μέντοι Περικλέης Ὀλύμπιος
ἤστραπτ', ἐβρόντα, συνεκύκα τὴν Ἑλλάδα,
ἐτίθει νόμους ὥσπερ σκόλια γεγραμμένους,
ὡς χρὴ Μεγαρέας μήτ' ἐν ἀγορᾷ ⟨μήτε γῇ
μήτ' ἐν θαλάττῃ⟩ μήτ' ἐν ἠπείρῳ μένειν.

φασὶ δὲ ὅτι τοῦ Περικλέους σκεπτομένου περὶ τῆς ἀποδόσεως τῶν 4
λόγων ὑπὲρ τῆς ἐργεπιστασίας Ἀλκιβιάδης ὁ Κλεινίου, ἐπιτροπευό-

---

16[2], l. 3: ὦ λιπερνῆτες Diod. xii. 40[6] (Eph. fr. 196), ὦ σοφώτατοι Ar. l. 5: αὐτῆς ἦρξεν Ar., αὐτῆς ἦρχε Diod. l. 7: αὐτοδὰξ Ar., om. Diod. l. 9: ὥστε τῷ καπνῷ Ar. Diod. 16[3] πόρνην δὲ Σιμαίθαν ἰόντες Μεγαράδε Ar. l. 4: κᾆθ' Ar. l. 6: κἀντεῦθεν ἀρχὴ τοῦ πολέμου Ar. l. 8: ἐντεῦθεν ὀργῇ, οὑλύμπιος Ar. ll. 11–12: μήτ' ἐν γῇ μήτ' ἐν ἀγορᾷ μήτ' ἐν θαλάττῃ μήτ' ἐν οὐρανῷ codd. Ar.

μενος ὑπ' αὐτοῦ εἶπεν· "μὴ σκέπτου πῶς ἀποδῷς τοὺς λόγους Ἀθηναίοις, ἀλλὰ πῶς μὴ ἀποδῷς."

17 *δευτέρα δὲ αἰτία φέρεται καὶ Κερκυραίων καὶ Ἐπιδαμνίων τοιαύτη.
Ἐπίδαμνος ἦν πόλις Κερκυραίων ἄποικος, ἡ δὲ Κέρκυρα Κορινθίων.
πλημμελούμενοι οὖν κατ' ἐκεῖνον τὸν καιρὸν καὶ ὑπερηφανευόμενοι ὑπὸ
τῶν Κερκυραίων οἱ Ἐπιδάμνιοι, προσποιησάμενοι συμμάχους τοὺς
Κορινθίους ὡς μητροπολίτας, ἐστράτευσαν ἐπὶ Κέρκυραν καὶ ἐπολέ-*
2 *μουν. πιεζόμενοι δὲ Κερκυραῖοι τῷ πολέμῳ ἔπεμψαν περὶ συμμαχίας
πρὸς Ἀθηναίους, ἔχοντες πολὺ ναυτικόν. ὁμοίως δὲ καὶ οἱ Κορίνθιοι
ἔπεμψαν πρὸς Ἀθηναίους, ἀξιοῦντες ἑαυτοῖς καὶ μὴ τοῖς Κερκυραίοις
βοηθεῖν αὐτούς. οἱ δὲ Ἀθηναῖοι εἵλοντο μᾶλλον βοηθεῖν τοῖς Κερκυ-
ραίοις· καὶ ἐναυμάχησαν τοῖς Κορινθίοις οὖσιν ἐνσπόνδοις. καὶ διὰ
τοῦτο αἱ σπονδαὶ ἐλύθησαν.*

18 *τρίτη αἰτία φέρεται τοιαύτη. Ποτίδαια πόλις ἄποικος Κορινθίων ἦν ἐπὶ Θρᾴκης. ἐπὶ ταύτην ἔπεμψαν Ἀθηναῖοι, βουλόμενοι παραλαβεῖν αὐτήν. οἱ δὲ Ποτιδαιᾶται προσέθεντο τοῖς Κορινθίοις, καὶ διὰ τοῦτο μάχη ἐγένετο Ἀθηναίων καὶ Κορινθίων, καὶ ἐξεπολιόρκησαν ⟨τὴν Ποτίδαιαν⟩ οἱ Ἀθηναῖοι.*

19 *τετάρτη αἰτία φέρεται ἡ καὶ ἀληθεστάτη. οἱ Λακεδαιμόνιοι ὁρῶντες αὐξανομένους τοὺς Ἀθηναίους καὶ ναυσὶ καὶ χρήμασι καὶ ξυμμάχοις* ***

ARISTODEMOS ELEIOS *FGrH* 414 (*FHG* iii, p. 308).

fr. 2 (p. 308): see Harpokration s.v. *Ἑλλανοδίκαι*; Schol. Pindar, *Ol.* iii. 12 (22)a.

ARISTON. See PLUTARCH, *Them.* 3^2, *Arist.* 2^3.

ARISTOPHANES. *Comoediae*, edd. Hall and Geldart, Oxford (OCT) 1906–7. *Scholia*, ed. Dindorf, Oxford 1838.

Acharnenses

65: *Πρέσβυς*— *ἐπέμψαθ' ἡμᾶς ὡς βασιλέα τὸν μέγαν*
μισθὸν φέροντας δύο δραχμὰς τῆς ἡμέρας
ἐπ' Εὐθυμένους ἄρχοντος. 437/6

Schol. 67: *οὗτος ὁ ἄρχων, ἐφ' οὗ κατελύθη τὸ ψήφισμα τὸ περὶ τοῦ
μὴ κωμῳδεῖν, γραφὲν ἐπὶ Μορυχίδου. ἴσχυσε δὲ ἐκεῖνόν τε τὸν* 440/39
ἐνιαυτὸν καὶ δύο τοὺς ἑξῆς ἐπὶ Γλαυκίνου τε καὶ Θεοδώρου, μεθ' οὓς 439/8 438/7
ἐπ' Εὐθυμένους κατελύθη. 437/6

186: *Δικαιόπολις*— *ἀλλὰ τὰς σπονδὰς φέρεις;*
Ἀμφίθεος— *ἔγωγέ φημι, τρία γε ταυτὶ γεύματα.*

αὗται μέν εἰσι πεντέτεις. γεῦσαι λαβών.
Δι. αἰβοῖ. Ἀμ. τί ἔστιν; Δι. οὐκ ἀρέσκουσίν μ' ὅτι
ὄζουσι πίττης καὶ παρασκευῆς νεῶν.
Ἀμ. σὺ δ' ἀλλὰ τασδὶ τὰς δεκέτεις γεῦσαι λαβών.
Δι. ὄζουσι χαὖται πρέσβεων ἐς τὰς πόλεις
ὀξύτατον ὥσπερ διατριβῆς τῶν ξυμμάχων.
Ἀμ. ἀλλ' αυταιὶ σπονδαὶ τριακοντούτιδες
κατὰ γῆν τε καὶ θάλατταν.

377: Δικαιόπολις— αὐτός τ' ἐμαυτὸν ὑπὸ Κλέωνος ἅπαθον
ἐπίσταμαι διὰ τὴν πέρυσι κωμῳδίαν.

Schol. 378 (377 Dindorf): . . . εἶπε γὰρ δρᾶμα τοὺς Βαβυλωνίους τῇ τῶν Διονυσίων ἑορτῇ, ἥτις ἐν τῷ ἔαρι ἐπιτελεῖται, ἐν ᾧ ἔφερον τοὺς φόρους οἱ σύμμαχοι.

502: Δικαιόπολις— οὐ γάρ με νῦν γε διαβαλεῖ Κλέων ὅτι
ξένων παρόντων τὴν πόλιν κακῶς λέγω.
αὐτοὶ γάρ ἐσμεν οὑπὶ Ληναίῳ τ' ἀγών,
κοὔπω ξένοι πάρεισιν· οὔτε γὰρ φόροι
ἥκουσιν οὔτ' ἐκ τῶν πόλεων οἱ ξύμμαχοι.

Schol. 504 (503 D): . . . εἰς δὲ τὰ Διονύσια ἐτέτακτο Ἀθήναζε κομίζειν τὰς πόλεις τοὺς φόρους, ὡς Εὔπολίς φησιν ἐν Πόλεσιν (fr. 240).

509: Δικαιόπολις— ἐγὼ δὲ μισῶ μὲν Λακεδαιμονίους σφόδρα,
καὐτοῖς ὁ Ποσειδῶν οὑπὶ Ταινάρῳ θεὸς
σείσας ἅπασιν ἐμβάλοι τὰς οἰκίας·
κἀμοὶ γάρ ἐστ' ἀμπέλια διακεκομμένα.
ἀτὰρ φίλοι γὰρ οἱ παρόντες ἐν λόγῳ,
τί ταῦτα τοὺς Λάκωνας αἰτιώμεθα;
ἡμῶν γὰρ ἄνδρες, κοὐχὶ τὴν πόλιν λέγω,
μέμνησθε τοῦθ' ὅτι οὐχὶ τὴν πόλιν λέγω,
ἀλλ' ἀνδράρια μοχθηρά, παρακεκομμένα,
ἄτιμα καὶ παράσημα καὶ παράξενα,
ἐσυκοφάντει Μεγαρέων τὰ χλανίσκια·
κεἴ που σίκυον ἴδοιεν ἢ λαγῴδιον
ἢ χοιρίδιον ἢ σκόροδον ἢ χόνδρους ἅλας,
ταῦτ' ἦν Μεγαρικὰ κἀπέπρατ' αὐθημερόν.
καὶ ταῦτα μὲν δὴ σμικρὰ κἀπιχώρια,
πόρνην δὲ Σιμαίθαν ἰόντες Μεγαράδε
νεανίαι κλέπτουσι μεθυσοκότταβοι·
κᾆθ' οἱ Μεγαρῆς ὀδύναις πεφυσιγγωμένοι

ἀντεξέκλεψαν Ἀσπασίας πόρνα δύο·
κἀντεῦθεν ἀρχὴ τοῦ πολέμου κατερράγη
Ἕλλησι πᾶσιν ἐκ τριῶν λαικαστριῶν.
ἐντεῦθεν ὀργῇ Περικλέης οὑλύμπιος
ἤστραπτ' ἐβρόντα ξυνεκύκα τὴν Ἑλλάδα,
ἐτίθει νόμους ὥσπερ σκόλια γεγραμμένους,
ὡς χρὴ Μεγαρέας μήτε γῇ μήτ' ἐν ἀγορᾷ
μήτ' ἐν θαλάττῃ μήτ' ἐν οὐρανῷ μένειν.
ἐντεῦθεν οἱ Μεγαρῆς, ὅτε δὴ 'πείνων βάδην,
Λακεδαιμονίων ἐδέοντο τὸ ψήφισμ' ὅπως
μεταστραφείη τὸ διὰ τὰς λαικαστρίας·
κοὐκ ἠθέλομεν ἡμεῖς δεομένων πολλάκις.
κἀντεῦθεν ἤδη πάταγος ἦν τῶν ἀσπίδων.

Schol. 510 (509 D): . . . *τοῦτο δὲ εἶπεν, ἐπειδὴ τοὺς εἵλωτας οἰκέτας καθεσθέντας ἐν τῷ ἱερῷ τοῦ Ποσειδῶνος τοῦ Ταιναρίου οὐδὲν δείσαντες ἀνεῖλον Λακεδαιμόνιοι, καὶ διὰ τοῦτο ἐδόκουν ἐναγεῖς εἶναι.*

Schol. 530 (529 D): see Eupolis, fr. 94.

Schol. 532 (531 D): *μιμούμενος τὸν τῶν σκολίων ποιητήν. Τιμοκρέων δὲ ὁ Ῥόδιος μελοποιὸς τοιοῦτον ἔγραψε σκόλιον κατὰ τοῦ πλούτου, οὗ ἡ ἀρχὴ* (fr. 5)

ὤφελες, ὦ τυφλὲ Πλοῦτε,
μήτε γῇ μήτ' ἐν θαλάττῃ
μήτ' ἐν ἠπείρῳ φανῆναι,
ἀλλὰ Τάρταρόν τε ναίειν
κἀχέροντα. διὰ σὲ γὰρ
πάντ' ἐν ἀνθρώποις κακά.

τούτοις ἔοικε καὶ τὰ ὑπὸ Περικλέους εἰσηγηθέντα, ἐπεὶ ὁ Περικλῆς γράφων τὸ ψήφισμα εἶπε Μεγαρέας μήτε ἀγορᾶς μήτε θαλάττης μήτ' ἠπείρου μετέχειν. ἐπεὶ οὖν ὅμοια τοῖς Τιμοκρέοντος ἔγραψε, διὰ τοῦτο εἶπεν ὅτι ἐτίθει νόμους ὥσπερ σκόλια γεγραμμένους. ἐνεκάλεσε δὲ ὁ Περικλῆς τοῖς Μεγαρεῦσιν ὅτι τὴν ἱερὰν γῆν τὴν ὀργάδα ἐγεώργησαν.

548: *Δικαιόπολις— στοᾶς στεναχούσης, σιτίων μετρουμένων.*

Schol. 548 (547 D): *τῆς λεγομένης ἀλφιτοπώλιδος, ἣν ᾠκοδόμησε Περικλῆς· ὅπου καὶ σῖτος ἐπέκειτο τῆς πόλεως. ἦν δὲ περὶ τὸν Πειραιᾶ.*

641: *Χορός—ταῦτα ποιήσας πολλῶν ἀγαθῶν αἴτιος ὑμῖν γεγένηται, καὶ τοὺς δήμους ἐν ταῖς πόλεσιν δείξας ὡς δημοκρατοῦνται.*

Schol. 532, l. 4: *ὤφελες*, codd., *ὤφελέν σ'* edd.

850: *Χορός— . . . ὁ περιπόνηρος Ἀρτέμων . . .*

Schol. 850: *ὡσεὶ ἔλεγεν ὁ περιφόρητος Ἀρτέμων . . . συνεχρόνισε δὲ τῷ δικαίῳ Ἀριστείδῃ οὗτος ὁ Ἀρτέμων, ὃς ἦν ἄριστος μηχανητής. διὰ δὲ τὸ χωλὸν αὐτὸν εἶναι, ὅπου ἂν κατειλήφει πόλεμος καὶ χρεία μηχανῆς ἦν ἐπὶ τὸ τεῖχος καταβληθῆναι, ἢ τὸ τοιοῦτον, μετεπέμποντο αὐτὸν φερόμενον. ἀπὸ τούτου οὖν ἡ παροιμία.*

Equites

83: *Νικίας— βέλτιστον ἡμῖν αἷμα ταύρειον πιεῖν.*
ὁ Θεμιστοκλέους γὰρ θάνατος αἱρετώτερος.

Schol. 84: *Θεμιστοκλῆς ὁ καταναυμαχήσας ἐν τῇ περὶ Σαλαμῖνα ναυμαχίᾳ τοὺς βαρβάρους, εἶθ' ὕστερον φυγαδευθεὶς ὑπὸ τῶν Ἀθηναίων ἐπὶ προδοσίας αἰτίᾳ ψευδεῖ, καταφυγὼν πρὸς Ἀρταξέρξην τὸν Ξέρξου παῖδα, καὶ τιμηθεὶς τὰ μέγιστα παρ' αὐτοῦ, ὡς καὶ τρεῖς πόλεις εἰς ὄψον καὶ ἄρτον καὶ ποτὸν λαβεῖν, Μαγνησίαν, Μυοῦντα, Λάμψακον, ἐπηγγείλατο αὐτῷ καταδουλώσασθαι τὴν Ἑλλάδα, δύναμιν εἰ λάβοι. παραγενόμενος δὲ ἅμα τῷ στρατεύματι εἰς Μαγνησίαν, καὶ καταγνοὺς ἑαυτοῦ, εἰ δι' αὐτὸν σωθέντες Ἕλληνες δι' αὐτοῦ δουλεύσουσι βαρβάροις, προφάσει χρησάμενος ὡς θυσίαν ἐπιτελέσαι βούλοιτο καὶ ἱερουργῆσαι τῇ Λευκόφρυϊ Ἀρτέμιδι καλουμένῃ, τῷ ταύρῳ ὑποθεὶς τὴν φιάλην, καὶ ὑποδεξάμενος τὸ αἷμα καὶ χανδὸν πιὼν ἐτελεύτησεν εὐθέως. οἱ δέ φασιν ὅτι συνειδὼς ὁ Θεμιστοκλῆς ὅτι οὐχ οἷός τε ἦν διαπράξασθαι τῷ βασιλεῖ ἅπερ ἐπηγγείλατο, οὕτως ἐπὶ τὴν τοῦ θανάτου αἵρεσιν παρεγένετο. τοῦτον οὖν τὸν τρόπον βέλτιον εἶναί φασι καὶ αὐτοὺς ἀποθανεῖν, κατὰ ζῆλον τοῦ Θεμιστοκλέους. διαβάλλει δὲ τοὺς Ἀθηναίους ὡς κακοὺς περὶ τοὺς εὐεργέτας.*

ἄλλως· μετὰ τὴν Ξέρξου φυγὴν Λακεδαιμόνιοι προδοσίας κρίνουσι καὶ φονεύουσι Παυσανίαν τὸν ἴδιον βασιλέα, Κλεομβρότου καὶ Ἀλκαθόας υἱόν. ἐπικότως δὲ διακείμενοι πρὸς Θεμιστοκλέα διὰ τὸν τειχισμὸν τῆς Ἀττικῆς, μεταστέλλονται αὐτὸν εἰς κρίσιν, φάσκοντες Παυσανίαν ὡμολογηκέναι καὶ αὐτὸν κοινωνεῖν ἐν τῇ προδοσίᾳ. Ἀθηναίων δὲ βουλομένων ἀποστέλλειν αὐτόν, φυγὼν ἧκε πρὸς Ἀρταξέρξην, καὶ Μηδικὴν φωνὴν μαθὼν ἐδίδαξεν αὐτὸν πῶς ἔσωσε τὸν πατέρα Ξέρξην μὴ συγχωρήσας τοῖς Ἕλλησι διαλῦσαι τὰ ἐπὶ Σηστοῦ καὶ Ἀβύδου διαζεύγματα. ἐφ' οἷς εὐχαριστήσας ὁ βασιλεὺς δωρεῖται αὐτῷ τρεῖς πόλεις, Μαγνησίαν εἰς σῖτον, Λάμψακον εἰς οἶνον, Μυοῦντα εἰς ὄψα, ὡς δὲ Νεάνθης (fr. 17), *καὶ Περκώτην εἰς στρωμνὴν καὶ Παλαίσκηψιν*

Schol. *Eq.* 84, l. 1: *Θεμιστοκλῆς . . .* (l. 11) *ἐτελεύτησεν εὐθέως*: fere eadem habet Suidas s.v. *Θεμιστοκλῆς*.

εἰς στολήν. στρατὸν δὲ λαβὼν αὐτοῦ ἐπὶ πορθήσει τῆς Ἑλλάδος, περὶ τὴν Ἰωνίαν ἐν Μαγνησίᾳ γενόμενος, θύων, ὡς εἴρηται ἄνω, τελευτᾷ, καὶ μετὰ θάνατον τὸν μισοβάρβαρον ἐνδεικνύμενος τρόπον. λοιμωξάντων δὲ Ἀθηναίων, ὁ θεὸς εἶπε μετάγειν τὰ ὀστᾶ Θεμιστοκλέους. Μαγνήτων δὲ μὴ συγχωρούντων, ᾐτήσαντο ἐπὶ λʹ ἡμέραις ἐναγίσαι τῷ τάφῳ. καὶ περισκηνώσαντες τὸ χωρίον λάθρᾳ κομίζουσιν ἀνορύξαντες τὰ ὀστᾶ. Σύμμαχος δέ φησι ψεύδεσθαι περὶ Θεμιστοκλέους. οὔτε γὰρ Ἡρόδοτος οὔτε Θουκυδίδης ἱστορεῖ. ἔστι γοῦν ἀπὸ Σοφοκλέους Ἑλένης (fr. 178)

ἐμοὶ δὲ λῷστον αἷμα ταύρειον πιεῖν,
καὶ μή γε πλείους τῶνδ' ἔχειν δυσφημίας.

τινὲς δέ φασιν ὅτι Σοφοκλῆς περὶ Θεμιστοκλέους τοῦτό φησι. ψεύδονται δέ, οὐ γάρ ἐστι πιθανόν.

813: *Ἀλλαντοπώλης*— *ὦ πόλις Ἄργους κλύεθ' οἷα λέγει. σὺ Θεμιστοκλεῖ ἀντιφερίζεις;*
ὃς ἐποίησεν τὴν πόλιν ἡμῶν μεστὴν εὑρὼν ἐπιχειλῆ,
καὶ πρὸς τούτοις ἀριστώσῃ τὸν Πειραιᾶ προσέμαξεν,
ἀφελών τ' οὐδὲν τῶν ἀρχαίων ἰχθῦς καινοὺς παρέθηκεν.

Schol. 855 (851 D): . . . *οὐ μόνον δὲ Ἀθηναῖοι ὠστρακοφόρουν, ἀλλὰ καὶ Ἀργεῖοι καὶ Μιλήσιοι καὶ Μεγαρεῖς.*

884: *Δῆμος*— *τοιουτονὶ Θεμιστοκλῆς οὐπώποτ' ἐπενόησεν.*
καίτοι σοφὸν κἀκεῖν' ὁ Πειραιεύς.

1070: *Ἀλλαντοπώλης*— *οὐ τοῦτό φησιν, ἀλλὰ ναῦς ἑκάστοτε*
αἰτεῖ ταχείας ἀργυρολόγους οὑτοσί·
ταύτας ἀπαυδᾷ μὴ διδόναι σ' ὁ Λοξίας.

Schol. 1070 (1067 D): *τὰς ἐκπεμπομένας ἀπὸ τῶν νήσων ἀναπράττεσθαι τοὺς φόρους. οἱ δὲ ἐκπεμπόμενοι πολλὰ ἐκέρδαναν.*

Nubes

202: *Μαθητής*— *γεωμετρία.*
Στρεψιάδης— *τοῦτ' οὖν τί ἐστι χρήσιμον;*
Μα. *γῆν ἀναμετρῆσαι. Στ. πότερα τὴν κληρουχικήν;*

Schol. 203: . . . *ἐπεὶ οἱ Ἀθηναῖοι λαμβάνοντες πόλιν πολεμίαν καὶ τοὺς ἐνοικοῦντας ἐκβάλλοντες, πολίτας ἑαυτῶν ἀποστέλλοντες τὴν γῆν αὐτοῖς διένεμον.*

211: *Μαθητής*— ἡ δέ γ' Εὔβοι', ὡς ὁρᾷς,
ἡδὶ παρατέταται μακρὰ πόρρω πάνυ.
Στρεψιάδης— οἶδ'· ὑπὸ γὰρ ἡμῶν παρετάθη καὶ Περικλέους.

Schol. 213: εἰς φόρον ἐξετάθη, πλείονα φόρον παρέχουσα. . . . ἐκληρούχησαν δὲ αὐτὴν Ἀθηναῖοι, κρατήσαντες αὐτῆς. . . . ἐπολιόρκησαν δὲ αὐτὴν Ἀθηναῖοι μετὰ Περικλέους, καὶ μάλιστα Χαλκιδέας καὶ Ἐρετριέας. . . . Περικλέους δὲ στρατηγοῦντος καταστρέψασθαι αὐτοὺς πᾶσάν φησι Φιλόχορος (fr. 118)· καὶ τὴν μὲν ἄλλην ἐπὶ ὁμολογίᾳ κατασταθῆναι, Ἑστιαιέων δὲ ἀποικισθέντων αὐτοὺς τὴν χώραν ἔχειν.

331: *Σωκράτης*— οὐ γὰρ μὰ Δί' οἶσθ' ὁτιὴ πλείστους αὗται βόσκουσι σοφιστάς,
θουριομάντεις ἰατροτέχνας σφραγιδονυχαργοκομήτας.

Schol. 332 (331 D): . . . θουριομάντεις δὲ οὐ τοὺς ἀπὸ Θουρίου μάντεις, ἀλλὰ τοὺς εἰς Θούριον πεμφθέντας ἐπὶ τὸ κτίσαι αὐτήν. ἐπέμφθησαν δὲ δέκα ἄνδρες· ὧν καὶ Λάμπων ἦν ὁ μάντις, ὃν ἐξηγητὴν ἐκάλουν. ἦν δὲ καὶ τῶν πολιτευομένων πολλάκις. λόγους δὲ συνεχῶς εἰσάγειν ἐφαίνετο περὶ τῆς εἰς Θούριον ἀποικίας.

859: *Στρεψιάδης*— ὥσπερ Περικλέης ἐς τὸ δέον ἀπώλεσα.

Schol. 859 (857 D): Περικλῆς πολλῶν ὄντων χρημάτων ἐν τῇ ἀκροπόλει, εἰς τὸν πόλεμον τὰ πλεῖστα ἀνάλωσε. φασὶ δὲ ὅτι καὶ λογισμοὺς διδούς, τάλαντα εἴκοσιν ἁπλῶς εἶπεν εἰς τὸ δέον ἀνηλωκέναι. φησὶ δὲ Ἔφορος (fr. 193) ὅτι μετὰ ταῦτα μαθόντες οἱ Λακεδαιμόνιοι Κλεανδρίδην μὲν ἐδήμευσαν, Πλειστοάνακτα δὲ ιε' ταλάντοις ἐζημίωσαν, ὑπολαβόντες δωροδοκήσαντας αὐτούς, διὰ τὸ φείσασθαι τῆς λοιπῆς Ἀθηναίων γῆς, ὑπὸ τῶν περὶ τὸν Περικλέα, μὴ θελήσαντα γυμνῶς εἰπεῖν ὅτι δέδωκα τοῖς Λακεδαιμονίων βασιλεῦσι τὸ ἐνδεές.

Vespae

Schol. 88: . . . ἦσαν δὲ ἡλιασταὶ τὸν ἀριθμὸν φ'. ἐδίδοτο δ' αὐτοῖς χρόνον μέν τινα δύο ὀβολοί, ὕστερον δὲ Κλέων στρατηγήσας τριώβολον ἐποίησε ἀκμάζοντος τοῦ πολέμου τοῦ πρὸς Λακεδαιμονίους.

235: *Χορός* — πάρεσθ' ὃ δὴ λοιπόν γ' ἔτ' ἐστίν, ἀππαπαῖ παπαίαξ,
ἥβης ἐκείνης ἡνίκ' ἐν Βυζαντίῳ ξυνῆμεν
φρουροῦντ' ἐγώ τε καὶ σύ.

281: *Χορός* — τάχα δ' ἂν διὰ τὸν χθιζινὸν ἄνθρωπον, ὃς ἡμᾶς διεδύετ'

Schol. *Nub.* 859: cf. Suidas s.v. δέον.

ἐξαπατῶν καὶ λέγων
ὡς φιλαθήναιος ἦν καὶ
τἀν Σάμῳ πρῶτος κατείποι,
διὰ τοῦτ' ὀδυνηθεὶς
εἶτ' ἴσως κεῖται πυρέττων.

Schol. 283: τὰ περὶ Σάμου ἐννεακαιδεκάτῳ ἔτει πρότερον ἐπὶ
Τιμοκλέους ἄρχοντος γέγονε. Μιλησίων γάρ ποτε καὶ Σαμίων μαχο- 441/0
μένων Ἀθηναῖοι παρακληθέντες ὑπὸ Μιλησίων εἰς συμμαχίαν ἐπεστράτευσαν κατὰ τῶν Σαμίων, Περικλέους ἡγουμένου τοῦ Ξανθίππου. κακῶς δὲ διατεθέντες Σάμιοι ἐπεχείρησαν πρὸς τὸν βασιλέα τῶν Περσῶν ἐπελθεῖν. καὶ δὴ τοῦτο μαθόντες Ἀθηναῖοι τριήρεις πολεμικὰς κατ' αὐτῶν κατεσκεύασαν, Περικλέους εἰσηγησαμένου αὐτῶν. τοῦτο δὲ μαθόντες Σάμιοι μηχανήν τινα κατεσκεύασαν κατ' αὐτῶν, ἣν μαθόντες Ἀθηναῖοι ὑπό τινος Καρυστίωνος ἐφυλάξαντο, καὶ Σαμίους μὲν κακῶς διέθηκαν, τὸν δὲ Καρυστίωνα ἐτίμησαν σφόδρα μετὰ τοῦ γένους καὶ τῆς αὐτῶν πολιτείας ἠξίωσαν. ὡς οὖν τινος ἐξαπατήσαντος καὶ εἰπόντος ἑαυτὸν εἶναι τὸν μηνυτὴν τοῦ σκαιωρήματος τῶν Σαμίων, καὶ διὰ τοῦτο ἀπολυθέντος, φησὶν ὠδυνῆσθαι τὸν Φιλοκλέωνα, ὡς ταῖς καταδίκαις μᾶλλον χαίροντα.

τὰ περὶ Σάμον ιθ' ἔτει πρότερον ἐπὶ Τιμοκλέους γέγονε καὶ ἐπὶ τοῦ 441/0
ἑξῆς Μορυχίδου. οὐδὲν κωλύει τὸν ἐχθὲς κρινόμενον ἀναμιμνήσκειν 440/39
τοὺς δικαστὰς ἰδίας τινὸς εὐεργεσίας παλαιᾶς γεγενημένης. Ἀθηναῖοι δὲ Μιλησίους ἐπαγαγόμενοι ἐκάκωσαν τὴν Σάμον καὶ ἔμφρουρον ἐποίησαν, τὴν δημοκρατίαν καταστήσαντες διὰ Περικλέους. Σάμιοι δὲ ἀπέστησαν πρὸς βασιλέα. καὶ τότε οἱ Ἀθηναῖοι τελέως αὐτοὺς κατεπολέμησαν, ἵνα πάλιν προσηγγέλθη Περικλεῖ ὅτι Φοίνισσαι νῆες παρεῖεν βοηθοῦσαι Σαμίοις. τοῦτον ἂν εἴη λέγειν πρὸς τοὺς δικαστὰς ἀπηγγελκέναι καὶ ὠφελῆσαι τὴν πόλιν.

300: *Χορός* — ἀπὸ γὰρ τοῦδέ με τοῦ μισθαρίου
τρίτον αὐτὸν ἔχειν ἄλφιτα δεῖ καὶ ξύλα κὤψον·
⟨ἒ ἔ.⟩ σὺ δὲ σῦκά μ' αἰτεῖς.

Schol. 300 (299 D): τοῦτό φησιν ὡς τριωβόλου τοῦ δικαστικοῦ ὄντος μισθοῦ, ἵνα ἕκαστος τούτων ὀβολοῦ λογίσηται πιπρασκόμενος. ἦν μὲν γὰρ ἄστατον τὸ τοῦ μισθοῦ. ποτὲ μὲν γὰρ διωβόλου ἦν, ἐγίνετο δὲ ἐπὶ Κλέωνος τριώβολον.

354: *Χορός* — μέμνησαι δῆθ', ὅτ' ἐπὶ στρατιᾶς κλέψας ποτὲ τοὺς ὀβελίσκους
ἵεις σαυτὸν κατὰ τοῦ τείχους ταχέως, ὅτε Νάξος ἑάλω.

684: *Βδελυκλέων*— σοὶ δ' ἤν τις δῷ τοὺς τρεῖς ὀβολούς, ἀγαπᾷς·
οὓς αὐτὸς ἐλαύνων
καὶ πεζομαχῶν καὶ πολιορκῶν ἐκτήσω πολλὰ
πονήσας.

707: *Βδελυκλέων*— εἰσίν γε πόλεις χίλιαι αἳ νῦν τὸν φόρον ἡμῖν
ἀπάγουσι.

715: *Βδελυκλέων*— ἀλλ' ὁπόταν μὲν δείσωσ' αὐτοί, τὴν Εὔβοιαν
διδόασιν
ὑμῖν καὶ σῖτον ὑφίστανται κατὰ πεντήκοντα
μεδίμνους
πόριεῖν· ἔδοσαν δ' οὐπώποτέ σοι πλὴν πρώην
πέντε μεδίμνους,
καὶ ταῦτα μόλις ξενίας φεύγων ἔλαβες κατὰ
χοίνικα κριθῶν.

Schol. 718 (716 D): τοιοῦτόν ἐστι, παρόσον ἐν ταῖς διανομαῖς τῶν πυρῶν ἐξητάζοντο πικρῶς οἵ τε πολῖται καὶ μή, ὥστε δοκεῖν ξενίας φεύγειν εἰς κρίσιν καθισταμένους. φησὶν οὖν ὁ Φιλόχορος (fr. 119) αὖθίς ποτε τετρακισχιλίους ἑπτακοσίους ξ' ὀφθῆναι παρεγγράφους, καθάπερ ἐν τῇ προκειμένῃ λέξει δεδήλωται. τὰ περὶ τὴν Εὔβοιαν δύναται καὶ αὐτὰ συνᾴδειν ταῖς διδασκαλίαις. πέρυσι γὰρ ἐπὶ ἄρχοντος
424/3 Ἰσάρχου ἐστράτευσαν ἐπ' αὐτήν, ὡς Φιλόχορος (fr. 130). μήποτε δὲ περὶ τῆς ἐξ Αἰγύπτου δωρεᾶς ὁ λόγος, ἣν Φιλόχορός φησι Ψαμμήτιχον
445/4 πέμψαι τῷ δήμῳ ἐπὶ Λυσιμαχίδου μυριάδας τρεῖς, πλὴν τὰ τοῦ ἀριθμοῦ οὐδαμῶς συμφωνεῖ, ἑκάστῳ δὲ Ἀθηναίων πέντε μεδίμνους. τοὺς γὰρ λαβόντας γενέσθαι μυρίους τετρακισχιλίους διακοσίους μ'.

ἄλλως· σιτοδείας ποτὲ γενομένης ἐν τῇ Ἀττικῇ, Ψαμμήτιχος ὁ τῆς Λιβύης βασιλεὺς ἀπέστειλε σῖτον τοῖς Ἀθηναίοις αἰτήσασιν αὐτόν. τῆς δὲ διανομῆς γενομένης τοῦ σίτου ξενηλασίαν ἐποίησαν Ἀθηναῖοι, καὶ ἐν τῷ διακρίνειν τοὺς αὐθιγενεῖς εὗρον καὶ ἑτέρους τετρακισχιλίους ἑπτακοσίους ἑξήκοντα ξένους παρεγγεγραμμένους.

946: *Βδελυκλέων*— οὔκ, ἀλλ' ἐκεῖνό μοι δοκεῖ πεπονθέναι,
ὅπερ ποτὲ φεύγων ἔπαθε καὶ Θουκυδίδης·
ἀπόπληκτος ἐξαίφνης ἐγένετο τὰς γνάθους.

Schol. 947 (941 D): Θουκυδίδην λέγει τὸν Μελησίου Ἀλωπεκῆθεν. τοῦτον δὲ ἐξωστράκισαν Ἀθηναῖοι τὰ ι' ἔτη κατὰ τὸν νόμον· οὐ ξένον δέ, ὅτι ἑτέρωθι μὲν ἐξωστρακίσθαι φησὶν αὐτόν, νῦν δὲ φεύγειν. εἶδος γάρ τι φυγῆς ἐστιν ὁ ὀστρακισμός. ἐν δὲ τοῖς εἴδεσι περιέχεται τὰ γένη. καὶ τὸ μὲν ἐξωστρακίσθαι φεύγειν ἄν τις εἰκότως εἴποι, τὸ δὲ φεύγειν οὐκέτι ἐξωστρακίσθαι. διαφέρει γὰρ φυγὴ ὀστρακισμοῦ, καθὸ τῶν μὲν φευγόντων αἱ οὐσίαι δημεύονται, τῶν δὲ ὀστρακισμῷ μεταστάντων οὐκέτι κύριος ὁ δῆμος. καὶ τοῖς μὲν καὶ τόπος ἀπεδίδοτο καὶ χρόνος, τοῖς δὲ οὐδέτερον τούτων. ὅτι δὲ ὁ Ἀθηναίων δῆμος ἀειφυγίαν αὐτοῦ καταγνοὺς ἐδήμευσε τὴν οὐσίαν, καὶ πρὸς Ἀρταξέρξην ἧκε φεύγων, σαφὲς ποιεῖ Ἰδομενεὺς διὰ τοῦ β′ (fr. 1) τὸν τρόπον τοῦτον " οἱ μέντοι Ἀθηναῖοι αὐτοῦ καὶ γένους ἀειφυγίαν κατέγνωσαν, προδιδόντος τὴν Ἑλλάδα, καὶ αὐτοῦ ἡ οὐσία ἐδημεύθη ".

ἄλλως· Θουκυδίδης Μελησίου υἱὸς Περικλεῖ ἀντιπολιτευσάμενος. τέσσαρες δέ εἰσι Θουκυδίδαι Ἀθηναῖοι, ὁ ἱστοριογράφος καὶ ὁ Γαργήττιος καὶ ὁ Θετταλὸς καὶ οὗτος ῥήτωρ ἄριστος τυγχάνων, ὃς κατηγορηθεὶς ἐν τῷ δικάζειν οὐκ ἠδυνήθη ἀπολογήσασθαι ὑπὲρ ἑαυτοῦ, ἀλλ' ὥσπερ ἐγκατεχομένην ἔσχε τὴν γλῶτταν, καὶ οὕτω κατεδικάσθη, εἶτα ἐξωστρακίσθη.

ἄλλως· πρὸς τὴν ἱστορίαν. μήποτε ὁ Περικλεῖ ἀντιπολιτευσάμενος. τοῦτο δὲ Φιλόχορος μὲν ἱστορεῖ (fr. 120). ὃς οὐδὲ πάντῃ γνώριμος ἐγένετο· ἀλλ' οὐδὲ παρὰ τοῖς κωμικοῖς, διὰ τὸ ἐπ' ὀλίγον στρατείας ἀξιωθέντα μετὰ Κλέωνος ἐπὶ Θρᾴκης φυγῇ καταψηφισθῆναι. ἔνιοι δέ, ὧν καὶ Ἀμμώνιος (fr. 1) τοῦ Στεφάνου, *** καὶ τοῦτο δὲ ὑπίδοι τις, ὥσπερ προείρηται. ὁ γενόμενος ὀστρακισμὸς ἐμφαίνει τὸν Μελησίου καὶ τὸν ὀστρακισθέντα. Θεόπομπος μέντοι ὁ ἱστορικὸς (fr. 91) τὸν Πανταίνου φησὶν ἀντιπολιτεύσασθαι Περικλεῖ, ἀλλ' οὐκ Ἀνδροτίων (fr. 37), ἀλλὰ καὶ αὐτὸς τὸν Μελησίου.

1091 : Χορός — ἆρα δεινὸς ἦ τόθ' ὥστε πάντα μὴ δεδοικέναι,
καὶ κατεστρεψάμην
τοὺς ἐναντίους, πλέων ἐκεῖσε ταῖς τριήρεσιν ;
οὐ γὰρ ἦν ἡμῖν ὅπως
ῥῆσιν εὖ λέξειν ἐμέλλομεν τότ', οὐδὲ
συκοφαντήσειν τινὰ
φροντίς, ἀλλ' ὅστις ἐρέτης ἔ-
σοιτ' ἄριστος. τοιγαροῦν πολ-
λὰς πόλεις Μήδων ἑλόντες
αἰτιώτατοι φέρεσθαι
τὸν φόρον δεῦρ' ἐσμέν, ὃν κλέ-
πτουσιν οἱ νεώτεροι.

Schol. 947, l. 21: post ἱστορεῖ lacunam indicat Jacoby. l. 24: post Στεφάνου lacunam indicavit Dindorf; ἔνιοι δέ, ὧν καὶ Ἀμμώνιος, τοῦ Στεφάνου· καὶ τοῦτο sine lacuna Jacoby. l. 27: Πανταίνου codd., Πανταιν⟨έτ⟩ου Kirchner, Jacoby.

Pax

603: *Ἑρμῆς*— *ὦ σοφώτατοι γεωργοί, τἀμὰ δὴ ξυνίετε*
ῥήματ', εἰ βούλεσθ' ἀκοῦσαι τήνδ' ὅπως ἀπώλετο.
πρῶτα μὲν γὰρ †αὐτῆς ἦρξεν† Φειδίας πράξας κακῶς·
εἶτα Περικλέης φοβηθεὶς μὴ μετάσχοι τῆς τύχης,
τὰς φύσεις ὑμῶν δεδοικὼς καὶ τὸν αὐτοδὰξ τρόπον,
πρὶν παθεῖν τι δεινὸν αὐτός, ἐξέφλεξε τὴν πόλιν.
ἐμβαλὼν σπινθῆρα μικρὸν Μεγαρικοῦ ψηφίσματος,
ἐξεφύσησεν τοσοῦτον πόλεμον ὥστε τῷ καπνῷ
πάντας Ἕλληνας δακρῦσαι, τούς τ' ἐκεῖ τούς τ' ἐνθάδε.
ὡς δ' ἅπαξ †τὸ πρῶτον ἄκουσ'† ἐψόφησεν ἄμπελος
καὶ πίθος πληγεὶς ὑπ' ὀργῆς ἀντελάκτισεν πίθῳ,
οὐκέτ' ἦν οὐδεὶς ὁ παύσων, ἥδε δ' ἠφανίζετο.
Τρυγαῖος— *ταῦτα τοίνυν μὰ τὸν Ἀπόλλω 'γὼ 'πεπύσμην οὐδενός,*
οὐδ' ὅπως αὐτῇ προσήκοι Φειδίας ἠκηκόη.
Χορός— *οὐδ' ἔγωγε πλήν γε νυνί. ταῦτ' ἄρ' εὐπρόσωπος ἦν,*
οὖσα συγγενὴς ἐκείνου. πολλά γ' ἡμᾶς λανθάνει.
Ἑρ. *κᾆτ' ἐπειδὴ 'γνωσαν ὑμᾶς αἱ πόλεις ὧν ἤρχετε*
ἠγριωμένους ἐπ' ἀλλήλοισι καὶ σεσηρότας,
πάντ' ἐμηχανῶντ' ἐφ' ὑμῖν τοὺς φόρους φοβούμεναι,
κἀνέπειθον τῶν Λακώνων τοὺς μεγίστους χρήμασιν.
οἱ δ' ἅτ' ὄντες αἰσχροκερδεῖς καὶ διειρωνόξενοι
τήνδ' ἀπορρίψαντες αἰσχρῶς τὸν πόλεμον ἀνήρπασαν.

438/7 Schol. 605 (604 D): *Φιλόχορος* (fr. 121) *ἐπὶ Θεοδώρου ἄρχοντος ταῦτά φησι. καὶ τὸ ἄγαλμα τὸ χρυσοῦν τῆς Ἀθηνᾶς ἐστάθη εἰς τὸν νεὼν τὸν μέγαν, ἔχον χρυσίου σταθμὸν ταλάντων μδ', Περικλέους ἐπιστατοῦντος, Φειδίου δὲ ποιήσαντος. καὶ Φειδίας ὁ ποιήσας, δόξας παραλογίζεσθαι τὸν ἐλέφαντα τὸν εἰς τὰς φολίδας, ἐκρίθη. καὶ φυγὼν εἰς Ἦλιν ἐργολαβῆσαι τὸ ἄγαλμα τοῦ Διὸς τοῦ ἐν Ὀλυμπίᾳ λέγεται,*
432/1 *τοῦτο δὲ ἐξεργασάμενος ἀποθανεῖν ὑπὸ Ἠλείων ἐπὶ Πυθοδώρου. ὅς ἐστιν ἀπὸ τούτου ἕβδομος, περὶ Μεγαρέων εἰπών, ὅτι καὶ αὐτοὶ κατ-*

605: *αὐτῆς ἦρχε* Diod. xii. 40[6], *ἦρξατ' αὐτῆς* Aristod. 16[2], *ἦρξεν αὐτῆς* Bentley, *ἦρξεν ἄτης* Seidler. 612: *τὸ πρῶτον ἀφθεῖσ'* Blaydes. Schol. 605, l. 1: *Θεοδώρου* Palmerius, *Πυθοδώρου* (432/1) codd. l. 7: sic interpunxit editio Dindorfiana, plane incongrue; *ὑπὸ Ἠλείων. ἐπὶ Πυθοδώρου* (vel *Πυθοδώρου* ⟨*δὲ*⟩), *ὅς* Jacoby; a verbis *ἐπὶ Πυθοδώρου . . . εἰπών* (sc. *φησι Φιλόχορος*) incipit nova Philochori citatio, cf. ll. 18–20. *Πυθοδώρου* Palmerius, *Σκυθοδώρου* codd.

εβόων Ἀθηναίων παρὰ Λακεδαιμονίοις, ἀδίκως λέγοντες εἴργεσθαι ἀγορᾶς καὶ λιμένων τῶν παρ' Ἀθηναίοις. οἱ γὰρ Ἀθηναῖοι ταῦτα ἐψηφίσαντο Περικλέους εἰπόντος, τὴν γῆν αὐτοὺς αἰτιώμενοι τὴν ἱερὰν τοῖς θεοῖς ἀπεργάζεσθαι. λέγουσι δέ τινες ὡς Φειδίου τοῦ ἀγαλματοποιοῦ δόξαντος παραλογίζεσθαι τὴν πόλιν καὶ φυγαδευθέντος, ὁ Περικλῆς φοβηθεὶς διὰ τὸ ἐπιστατῆσαι τῇ κατασκευῇ τοῦ ἀγάλματος καὶ συνεγνωκέναι τῇ κλοπῇ, ἔγραψε τὸ κατὰ Μεγαρέων πινάκιον καὶ τὸν πόλεμον ἐπήνεγκεν, ἵνα ἀπησχολημένοις Ἀθηναίοις εἰς τὸν πόλεμον μὴ δῷ τὰς εὐθύνας, ἐγκαλέσας Μεγαρεῦσιν ὡς τὴν ἱερὰν ὀργάδα ταῖν θεαῖν ἐργασαμένοις. ἄλογος δὲ φαίνεται ἡ κατὰ Περικλέους ὑπόνοια, ἑπτὰ ἔτεσι πρότερον τῆς τοῦ πολέμου ἀρχῆς τῶν περὶ Φειδίαν γενομένων.

ὁ Φειδίας, ὡς Φιλόχορός φησιν, ἐπὶ Θεοδώρου ἄρχοντος τὸ ἄγαλμα 438/7
τῆς Ἀθηνᾶς κατασκευάσας ὑφείλετο τὸ χρυσίον ἐκ τῶν δρακόντων τῆς χρυσελεφαντίνης Ἀθηνᾶς, ἐφ' ᾧ καταγνωσθεὶς ἐζημιώθη φυγῇ. γενόμενος δὲ εἰς Ἦλιν, καὶ ἐργολαβήσας παρὰ τῶν Ἠλείων τὸ ἄγαλμα τοῦ Διὸς τοῦ Ὀλυμπίου, καὶ καταγνωσθεὶς ὑπ' αὐτῶν ὡς νοσφισάμενος ἀνῃρέθη.

Schol. 606 (605 D): εἶτα ὁ Περικλῆς δεδιὼς μὴ τῆς τύχης κοινωνήσῃ αὐτῷ, τουτέστιν εὐλαβούμενος μὴ καὶ αὐτὸς ζημιωθῇ φυγῇ. ἐδόκει γὰρ ὁ Περικλῆς συνεγνωκέναι τῇ κλοπῇ, ἐπεὶ καὶ ἐργεπιστατεῖν ὑπὸ τῶν Ἀθηναίων κεχειροτόνηται. φοβηθεὶς οὖν αὐτοῦ διελεγχθῆναι τὰς κλοπάς, ἐκίνησε τὸν Πελοποννησιακὸν πόλεμον, ἐλπίσας ταραχῆς γενομένης καὶ περὶ τὸν πόλεμον ἀπασχοληθέντων τῶν Ἀθηναίων εὐθύνας μὴ παρασχεῖν.

Schol. 609 (608 D): ἐπεὶ ψήφισμα περὶ τῶν Μεγαρέων ὁ Περικλῆς ἔγραψε, μήτε γῆς μήτε λιμένων αὐτοὺς ἐπιβαίνειν Ἀττικῶν, εἰ δὲ μή, τὸν ληφθέντα ἀγώγιμον εἶναι. ἐφ' ᾧ κινηθεῖσα πᾶσα ἡ Ἑλλὰς τὸν πόλεμον ἐποίησε. τινὲς δέ φασιν ὅτι ἔπλεξεν αὐτοῖς, καὶ κατηγόρησεν αὐτῶν ὡς ἁρπασάντων γυναῖκας Ἀθηναίων ἐν ἑορτῇ, συμβουλεύσας πολεμεῖσθαι.

639: Ἑρμῆς— τῶν δὲ συμμάχων ἔσειον τοὺς παχεῖς καὶ πλουσίους,
αἰτίας ἂν προστιθέντες, ὡς φρονεῖ τὰ Βρασίδου.

697: Τρυγαῖος— ἐκ τοῦ Σοφοκλέους γίγνεται Σιμωνίδης.

Schol. 697 (696 D): . . . καὶ τὸν Σοφοκλέα οὖν διὰ φιλαργυρίαν ἐοικέναι τῷ Σιμωνίδῃ. λέγεται δὲ καὶ ὅτι ἐκ τῆς στρατηγίας τῆς ἐν Σάμῳ ἠργυρίσατο.

Schol. 605, l. 21: Θεοδώρου Palmerius, Πυθοδώρου (432/1) codd.

1046: *Οἰκέτης*— μάντις τίς ἐστιν.
Τρυγαῖος— οὐ μὰ Δί' ἀλλ' Ἱεροκλέης
οὗτός γέ πού 'σθ' ὁ χρησμολόγος οὐξ Ὠρεοῦ.

Schol. 1046: οὗτος μάντις ἦν καὶ χρησμολόγος, τοὺς προγεγενημένους χρόνους ἐξηγούμενος. . . . καὶ Εὔπολις *Πόλεσιν* (fr. 212)
Ἱερόκλεες, βέλτιστε χρησμῳδῶν ἄναξ.

Schol. 1176: see Eupolis, fr. 233.

Aves

521: *Πισθέταιρος*— Λάμπων δ' ὄμνυσ' ἔτι καὶ νυνὶ τὸν χῆν', ὅταν ἐξαπατᾷ τι.

Schol. 521: . . . ὁ δὲ Λάμπων θύτης ἦν καὶ χρησμολόγος καὶ μάντις· ᾧ καὶ τὴν εἰς Σύβαριν τῶν Ἀθηναίων ἀποικίαν ἔνιοι περιάπτουσιν, αὐτὸν ἡγήσασθαι λέγοντες Ἀθηναῖον ὄντα σὺν ἄλλοις θ'. ὤμνυε δὲ κατὰ τοῦ χηνὸς ὡς μαντικοῦ ὀρνέου. ἔτυχε δὲ καὶ τῆς ἐν πρυτανείῳ σιτήσεως.

Schol. 556 (557 D): ὁ ἱερὸς πόλεμος ἐγένετο Ἀθηναίοις πρὸς Βοιωτοὺς βουλομένους ἀφελέσθαι Φωκέων τὸ μαντεῖον. νικήσαντες δὲ Φωκεῦσι πάλιν ἀπέδωκαν, ὡς Φιλόχορος ἐν τῇ δ' λέγει (fr. 34). δύο δὲ ἱεροὶ πόλεμοι γεγόνασιν, οὗτός τε καὶ ὁπότε Φωκεῦσιν ἐπέθεντο Λακεδαιμόνιοι. ἐν ἐνίοις τῶν ὑπομνημάτων ταῦτα λέγεται· ἱερὸν πόλεμον λέγει, καθὸ πρὸς θεοὺς ἔσοιτο. ἅμα δὲ τοῦ ἱεροῦ πολέμου μνημονεύει τοῦ γενομένου Ἀθηναίοις πρὸς Φωκέας ὑπὲρ τοῦ ἐν Δελφοῖς ἱεροῦ. ἐσχεδίασται δὲ ὑπ' αὐτῶν, οὐ γὰρ πρὸς Φωκέας ὑπὲρ τούτου ἐπολέμησαν, ἀλλ' ὑπὲρ Φωκέων, διὰ τὸ πρὸς Λακεδαιμονίους ἔχθος. γεγόνασι δὲ δύο πόλεμοι ἱεροί. πρότερος μὲν Λακεδαιμονίοις πρὸς Φωκεῖς ὑπὲρ Δελφῶν. καὶ κρατήσαντες τοῦ ἱεροῦ Λακεδαιμόνιοι τὴν προμαντείαν παρὰ Δελφῶν ἔλαβον. ὕστερον δὲ τρίτῳ ἔτει τοῦ πρώτου πολέμου Ἀθηναίοις πρὸς Λακεδαιμονίους ὑπὲρ Φωκέων. καὶ τὸ ἱερὸν ἀπέδωκαν Φωκεῦσι, καθάπερ καὶ Φιλόχορος ἐν τῇ δ' λέγει (fr. 34). καλεῖται δὲ ἱερός, ὅτι περὶ τοῦ ἐν Δελφοῖς ἱεροῦ ἐγένετο. ἱστορεῖ περὶ αὐτοῦ καὶ Θουκυδίδης (*i*. 112[5]) καὶ Ἐρατοσθένης ἐν τῷ θ' (fr. 38) καὶ Θεόπομπος ἐν τῷ κε' (fr. 156).

878: *Ἱερεύς*— διδόναι Νεφελοκοκκυγιεῦσιν ὑγιείαν καὶ σωτηρίαν αὐτοῖσι καὶ Χίοισι—
Πισθέταιρος— Χίοισιν ἥσθην πανταχοῦ προσκειμένοις.

Schol. *Aves* 556, l. 12: ἔτει codd., μηνὶ Clinton.

Schol. 880 (881 D): *καὶ τοῦτο ἀφ' ἱστορίας ἔλαβεν, ηὔχοντο γὰρ Ἀθηναῖοι κοινῇ ἐπὶ τῶν θυσιῶν ἑαυτοῖς τε καὶ Χίοις, ἐπειδὴ ἔπεμπον οἱ Χῖοι συμμάχους εἰς Ἀθήνας, ὅτε χρεία πολέμου προσῆν. καθάπερ Θεόπομπος ἐν τῷ ιβ' τῶν Φιλιππικῶν* (fr. 104) *φησιν οὕτως " οἱ δὲ πολλοὶ τοῦ τοιαῦτα πράττειν ἀπεῖχον. ὥστε τὰς εὐχὰς κοινὰς καὶ περὶ ἐκείνων καὶ σφῶν αὐτῶν ἐποιοῦντο, καὶ σπένδοντες ἐπὶ ταῖς θυσίαις ταῖς δημοτελέσιν ὁμοίως ηὔχοντο τοῖς θεοῖς Χίοις διδόναι τ' ἀγαθὰ καὶ σφίσιν αὐτοῖς. λέγει δὲ περὶ τῆς Χίου καὶ Εὔπολις ἐν Πόλεσιν* (fr. 232)

αὕτη Χίος, καλὴ πόλις.
πέμπει γὰρ ὑμῖν ναῦς μακράς, ἄνδρας ὅταν δεήσῃ,
καὶ τἄλλα πειθαρχεῖ καλῶς, ἄπληκτος ὥσπερ ἵππος.

τὰ αὐτὰ τοῖς Θεοπόμπου καὶ Θρασύμαχός φησιν ἐν τῇ Μεγάλῃ Τέχνῃ (fr. B 3). *ὁ δὲ Ὑπερίδης ἐν τῷ Δηλιακῷ* (fr. 194) *καὶ ὅτι Χῖοι ηὔχοντο Ἀθηναίοις δεδήλωκεν.*

997: *Μέτων— ὅστις εἴμ' ἐγώ; Μέτων,*
ὃν οἶδεν Ἑλλὰς χὠ Κολωνός.

Schol. 997 (998 D): *Μέτων ἄριστος ἀστρονόμος καὶ γεωμέτρης. †τούτου ἐστὶν ὁ ἐνιαυτὸς ὁ λεγόμενος Μέτωνος. φησὶ δὲ Καλλίστρατος ἐν Κολωνῷ ἀνάθημά τι εἶναι αὐτοῦ ἀστρολογικόν. Εὐφρόνιος δὲ* (fr. 94), *ὅτι τῶν δήμων ἦν ἐκ Κολωνοῦ. τοῦτο δὲ ψεῦδος. Φιλόχορος γὰρ* (fr. 122) *Λευκονοέα φησὶν αὐτόν. τὸ δὲ τοῦ Καλλιστράτου δῆλον. ἴσως γὰρ ἦν τι καὶ ἐν Κολωνῷ. ὁ δὲ Φιλόχορος ἐν Κολωνῷ μὲν αὐτὸν οὐδὲν θεῖναι λέγει, ἐπὶ Ἀψεύδους δὲ ⟨τοῦ⟩ πρὸ Πυθοδώρου ἡλιοτρόπιον* 433/2
ἐν τῇ νῦν οὔσῃ ἐκκλησίᾳ, πρὸς τῷ τείχει τῷ ἐν τῇ πνυκί. . . . ἴσως δὲ ἐν Κολωνῷ κρήνην τινὰ κατεσκευάσατο. φησὶν ὁ Φρύνιχος Μονοτρόπῳ (fr. 21)

— *τίς δ' ἐστὶν ὁ μετὰ ταῦτα ταύτης φροντιῶν;*
— *Μέτων ὁ Λευκονοεύς, ὁ τὰς κρήνας ἄγων.*

καθεῖται δὲ καὶ ὁ Μονότροπος ἐπὶ τοῦ αὐτοῦ Χαβρίου, ὡς εἴρηται (= Suidas s.v. *Μέτων*).

1021: *Ἐπίσκοπος— ποῦ πρόξενοι;*
Πισθέταιρος— τίς ὁ Σαρδανάπαλλος οὑτοσί;
Ἐπ. ἐπίσκοπος ἥκω δεῦρο τῷ κυάμῳ λαχὼν
ἐς τὰς Νεφελοκοκκυγίας. Πι. ἐπίσκοπος;
ἔπεμψε δὲ τίς σε δεῦρο; Ἐπ. φαῦλον βιβλίον

Schol. 880, l. 14: *χαλκῷ* codd., *Χιακῷ* Boeckh, *Δηλιακῷ* Meursius, Dindorf.
Schol. 997, l. 5: *δῆλον* codd., *ἄδηλον* Wilamowitz.

Τελέου. Πι. *τί; βούλει δῆτα τὸν μισθὸν λαβὼν*
μὴ πράγματ' ἔχειν ἀλλ' ἀπιέναι; 'Επ. *νὴ τοὺς θεούς.*
ἐκκλησιάσαι δ' οὖν ἐδεόμην οἴκοι μένων.
ἔστιν γὰρ ἃ δι' ἐμοῦ πέπρακται Φαρνάκῃ.
Πι. *ἄπιθι λαβών· ἔστιν δ' ὁ μισθὸς οὑτοσί.*
'Επ. *τουτὶ τί ἦν;* Πι. *ἐκκλησία περὶ Φαρνάκου.*
'Επ. *μαρτύρομαι τυπτόμενος ὢν ἐπίσκοπος.*
Πι. *οὐκ ἀποσοβήσεις; οὐκ ἀποίσεις τὼ κάδω;*
οὐ δεινά; καὶ πέμπουσιν ἤδη 'πισκόπους
ἐς τὴν πόλιν, πρὶν καὶ τεθύσθαι τοῖς θεοῖς;
Ψηφισματοπώλης— *ἐὰν δ' ὁ Νεφελοκοκκυγιεὺς τὸν Ἀθηναῖον ἀδικῇ—*
Πι. *τουτὶ τί ἔστιν αὖ κακὸν τὸ βιβλίον;*
Ψη. *ψηφισματοπώλης εἰμὶ καὶ νόμους νέους*
ἥκω παρ' ὑμᾶς δεῦρο πωλήσων. Πι. *τὸ τί;*
Ψη. *χρῆσθαι Νεφελοκοκκυγιᾶς τοῖσδε τοῖς μέτροισι καὶ σταθμοῖσι καὶ ψηφίσμασι καθάπερ 'Ολοφύξιοι.*
Πι. *σὺ δέ γ' οἷσπερ ὠτοτύξιοι χρήσει τάχα.*
Ψη. *οὗτος τί πάσχεις;* Πι. *οὐκ ἀποίσεις τοὺς νόμους;*
πικροὺς ἐγώ σοι τήμερον δείξω νόμους.
'Επ. *καλοῦμαι Πισθέταιρον ὕβρεως ἐς τὸν Μουνυχιῶνα μῆνα.*
Πι. *ἄληθες οὗτος; ἔτι γὰρ ἐνταῦθ' ἦσθα σύ;*
Ψη. *ἐὰν δέ τις ἐξελαύνῃ τοὺς ἄρχοντας καὶ μὴ δέχηται κατὰ τὴν στήλην—*
Πι. *οἴμοι κακοδαίμων, καὶ σὺ γὰρ ἐνταῦθ' ἦσθ' ἔτι;*
'Επ. *ἀπολῶ σε καὶ γράφω σε μυρίας δραχμάς.*
Πι. *ἐγὼ δὲ σοῦ γε τὼ κάδω διασκεδῶ.*
Ψη. *μέμνησ' ὅτε τῆς στήλης κατέτιλας ἑσπέρας;*
Πι. *αἰβοῖ· λαβέτω τις αὐτόν.*

Schol. 1022 (1023 D): *ἐπίσκοπος ἥκω· πλάττει καινὴν ἀρχήν. οὐ γὰρ ἦν Ἀθήνησι.*

1041: *ψηφίσμασι* codd., *νομίσμασι* Bergk.

1422: *Συκοφάντης*— μὰ Δί' ἀλλὰ κλητήρ εἰμι νησιωτικὸς
καὶ συκοφάντης—
Πισθέταιρος— ὦ μακάριε τῆς τέχνης.
Συ. καὶ πραγματοδίφης. εἶτα δέομαι πτερὰ λαβὼν
κύκλῳ περισοβεῖν τὰς πόλεις καλούμενος.

Schol. 1422: κλητὴρ λέγεται ὁ καλῶν εἰς τὸ δικαστήριον πάντας. σημαίνει δὲ ἡ λέξις καὶ τὸν μάρτυρα. νησιωτικὸς δὲ ὁ τοὺς τὰς νήσους οἰκοῦντας συκοφαντῶν καὶ εἰς δικαστήριον ἄγων.

Lysistrata

1137: *Λυσιστράτη*— εἶτ' ὦ Λάκωνες, πρὸς γὰρ ὑμᾶς τρέψομαι,
οὐκ ἴσθ' ὅτ' ἐλθὼν δεῦρο Περικλείδας ποτὲ
ὁ Λάκων Ἀθηναίων ἱκέτης καθέζετο
ἐπὶ τοῖσι βωμοῖς ὠχρὸς ἐν φοινικίδι
στρατιὰν προσαιτῶν; ἡ δὲ Μεσσήνη τότε
ὑμῖν ἐπέκειτο χὠ θεὸς σείων ἅμα.
ἐλθὼν δὲ σὺν ὁπλίταισι τετρακισχιλίοις
Κίμων ὅλην ἔσωσε τὴν Λακεδαίμονα.

Schol. 1138 (1140 D): ταῦτα καὶ οἱ συντεταχότες τὰς Ἀτθίδας ἱστοροῦσιν περὶ τῶν Λακεδαιμονίων· ὁ δὲ Φιλόχορός φησι (fr. 117) καὶ τὴν ἡγεμονίαν τοὺς Ἀθηναίους λαβεῖν διὰ τὰς κατασχούσας τὴν Λακεδαίμονα συμφοράς.

Schol. 1144 (1146 D): Κίμων, μετὰ τὴν ἐν Πλαταιαῖς μάχην ιβ'
ἔτει ὕστερον. ταῦτα ἦν ἐπὶ Θεαγενίδου. καὶ γὰρ τοῦ Ταϋγέτου τι 468/7
παρερράγη καὶ τὸ ᾠδεῖον καὶ ἕτερα καὶ οἰκίαι πλεῖσται, καὶ Μεσσήνιοι
ἀποστάντες ἐπολέμουν καὶ οἱ εἵλωτες ἐπέστησαν, ἕως Κίμων ἐλθὼν
διὰ τὴν ἱκετηρίαν ἔσωσεν αὐτούς.

Ecclesiazusae

303: *Χορός*— ἀλλ' οὐχί, Μυρωνίδης
ὅτ' ἦρχεν ὁ γεννάδας,
οὐδεὶς ἂν ἐτόλμα
τὰ τῆς πόλεως διοι-
κεῖν ἀργύριον φέρων·
ἀλλ' ἧκεν ἕκαστος
ἐν ἀσκιδίῳ φέρων
πιεῖν ἅμα τ' ἄρτον αὐ-
τῷ καὶ δύο κρομμύω

Schol. *Lys.* 1144: ιβ' codd., ιϛ' Jacoby ad Philoch. fr. 117

καὶ τρεῖς ἂν ἐλάας.
νυνὶ δὲ τριώβολον
ζητοῦσι λαβεῖν, ὅταν
πράττωσί τι κοινὸν ὥσ-
περ πηλοφοροῦντες.

Plutus

Schol. 627: . . . μετὰ τὸ χαρίσασθαι τὴν δημοκρατίαν τοῖς Ἀθηναίοις τὸν Θησέα, Λύκος τις συκοφαντήσας ἐποίησεν ἐξοστρακισθῆναι τὸν ἥρωα· ὁ δὲ παραγενόμενος εἰς Σκῦρον διῆγε παρὰ Λυκομήδει τῷ δυνάστῃ τῆς νήσου, ὃς ζηλοτυπήσας ἀναιρεῖ αὐτὸν δόλῳ. Ἀθηναῖοι δὲ λοιμώξαντες καὶ κελευσθέντες ἐκδικῆσαι τῷ Θησεῖ, τὸν μὲν Λυκομήδην ἀνεῖλον, τὰ δὲ ὀστᾶ μεταστειλάμενοι καὶ τὸ Θησεῖον οἰκοδομήσαντες ἰσοθέους αὐτῷ τιμὰς νέμουσιν.

Schol. 1193 (1194 D): τὸν ὀπισθόδομον ἀεὶ φυλάττων· ὀπίσω τοῦ νεὼ τῆς καλουμένης Πολιάδος Ἀθηνᾶς διπλοῦς τοῖχος ἔχων θύραν, ὅπου ἦν θησαυροφυλάκιον.

ἄλλως· ἐπεὶ τὰ χρήματα ἐν τῷ ὀπισθοδόμῳ ἀπέκειτο. μέρος δέ ἐστι τῆς ἀκροπόλεως, ἔνθα ἦν ταμιεῖον, ὄπισθεν τοῦ τῆς Ἀθηνᾶς ναοῦ. τῆς Ἀθηνᾶς δηλονότι. εἰς τὴν ἀκρόπολιν ἀνέφερον τὰ χρήματα, κἀνταῦθα ἐφυλάττοντο, καθὰ καὶ Θουκυδίδης φησὶν ἐν τῇ δευτέρᾳ (*ii.* 13^3) οὕτως "ὑπαρχόντων δὲ ἐν τῇ ἀκροπόλει ἀεί ποτε ἀργυρίου ἐπισήμου ἑξακισχιλίων ταλάντων· τὰ γὰρ πλεῖστα τριακοσίων ἀποδέοντα περιεγένετο, ἀφ' ὧν ἔς τε τὰ προπύλαια τῆς ἀκροπόλεως καὶ ἐς καὶ τἆλλα οἰκοδομήματα, καὶ ἐς Ποτίδαιαν ἐπανηλώθη."

Fragmenta

Βαβυλώνιοι

fr. 64: see Photios s.v. *Σαμίων ὁ δῆμος*; Plutarch, *Per.* 26^4.

Τριφάλης

fr. 556: see Harpokration s.v. *διὰ μέσου τείχους*.

ARISTOTELES. *Historia Animalium*, ed. Dittmeyer, Leipzig (Teubner) 1907.

vi. 15^6, 569^b10: *γίγνονται δ' ἐν τοῖς ἐπισκίοις καὶ ἑλώδεσι τόποις, ὅταν εὐημερίας γενομένης ἀναθερμαίνηται ἡ γῆ, οἷον περὶ Ἀθήνας ἐν Σαλαμῖνι καὶ πρὸς τῷ Θεμιστοκλείῳ καὶ ἐν Μαραθῶνι.*

Schol. *Plut.* 1193, l. 8: ἀεί ποτε schol., ἔτι τότε Thuc. l. 9: περιεγένετο schol., μύρια ἐγένετο Thuc. l. 11: ἐπανηλώθη schol., ἀπανηλώθη Thuc.

Politica, ed. Immisch, Leipzig (Teubner) 1929.

1267b22: Ἱππόδαμος δὲ Εὐρυφῶντος Μιλήσιος (ὃς καὶ τὴν τῶν πόλεων διαίρεσιν εὗρε καὶ τὸν Πειραιᾶ κατέτεμεν ...) ....

1274a3: διὸ καὶ μέμφονταί τινες αὐτῷ (sc. Solon)· λῦσαι γὰρ θάτερον, κύριον ποιήσαντα τὸ δικαστήριον πάντων, κληρωτὸν ὄν. ἐπεὶ γὰρ τοῦτ' ἴσχυσεν, ὥσπερ τυράννῳ τῷ δήμῳ χαριζόμενοι τὴν πολιτείαν εἰς τὴν νῦν δημοκρατίαν κατέστησαν· καὶ τὴν μὲν ἐν Ἀρείῳ πάγῳ βουλὴν Ἐφιάλτης ἐκόλουσε καὶ Περικλῆς, τὰ δὲ δικαστήρια μισθοφόρα κατέστησε Περικλῆς, καὶ τοῦτον δὴ τὸν τρόπον ἕκαστος τῶν δημαγωγῶν προήγαγεν αὔξων εἰς τὴν νῦν δημοκρατίαν. φαίνεται δ' οὐ κατὰ τὴν Σόλωνος γενέσθαι τοῦτο προαίρεσιν, ἀλλὰ μᾶλλον ἀπὸ συμπτώματος (τῆς ναυαρχίας γὰρ ἐν τοῖς Μηδικοῖς ὁ δῆμος αἴτιος γενόμενος ἐφρονηματίσθη καὶ δημαγωγοὺς ἔλαβε φαύλους ἀντιπολιτευομένων τῶν ἐπιεικῶν), ...

1284a38: τὸ δ' αὐτὸ καὶ περὶ τὰς πόλεις καὶ τὰ ἔθνη ποιοῦσιν οἱ κύριοι τῆς δυνάμεως, οἷον Ἀθηναῖοι μὲν περὶ Σαμίους καὶ Χίους καὶ Λεσβίους (ἐπεὶ γὰρ θᾶττον ἐγκρατῶς ἔσχον τὴν ἀρχήν, ἐταπείνωσαν αὐτοὺς παρὰ τὰς συνθήκας).

1302b18: διὸ ἐνιαχοῦ εἰώθασιν ὀστρακίζειν, οἷον ἐν Ἄργει καὶ Ἀθήνησιν.

1302b25: διὰ καταφρόνησιν δὲ καὶ στασιάζουσι καὶ ἐπιτίθενται, οἷον ἔν τε ταῖς ὀλιγαρχίαις, ὅταν πλείους ὦσιν οἱ μὴ μετέχοντες τῆς πολιτείας (κρείττους γὰρ οἴονται εἶναι), καὶ ἐν ταῖς δημοκρατίαις οἱ εὔποροι καταφρονήσαντες τῆς ἀταξίας καὶ ἀναρχίας, οἷον καὶ ἐν Θήβαις μετὰ τὴν ἐν Οἰνοφύτοις μάχην κακῶς πολιτευομένοις ἡ δημοκρατία διεφθάρη.

1302b40: ... οὕτω καὶ πόλις σύγκειται (1303 a) ἐκ μερῶν, ὧν πολλάκις λανθάνει τι αὐξανόμενον, οἷον τὸ τῶν ἀπόρων πλῆθος ἐν ταῖς δημοκρατίαις καὶ πολιτείαις. συμβαίνει δ' ἐνίοτε τοῦτο καὶ διὰ τύχας, οἷον ἐν Τάραντι ἡττηθέντων καὶ ἀπολομένων πολλῶν γνωρίμων ὑπὸ τῶν Ἰαπύγων (μικρὸν ὕστερον τῶν Μηδικῶν) δημοκρατία ἐγένετο ἐκ πολιτείας, καὶ ἐν Ἄργει τῶν ἐν τῇ ἑβδόμῃ ἀπολομένων ὑπὸ Κλεομένους τοῦ Λάκωνος ἠναγκάσθησαν παραδέξασθαι τῶν περιοίκων τινάς, καὶ ἐν Ἀθήναις ἀτυχούντων πεζῇ οἱ γνώριμοι ἐλάττους ἐγένοντο διὰ τὸ ἐκ καταλόγου στρατεύεσθαι ὑπὸ τὸν Λακωνικὸν πόλεμον.

1303a27: διὸ ὅσοι ἤδη συνοίκους ἐδέξαντο ἢ ἐποίκους, οἱ πλεῖστοι διεστασίασαν· οἷον ... (a31) καὶ ἐν Θουρίοις Συβαρῖται τοῖς συνοικήσασιν

1302b30: πολιτευομένων Π² p¹.

(πλεονεκτεῖν γὰρ ἀξιοῦντες ὡς σφετέρας τῆς χώρας ἐξέπεσον)· . . . (^{a}39) καὶ Συρακούσιοι μετὰ τὰ τυραννικὰ τοὺς ξένους καὶ τοὺς μισθοφόρους (1303 ^{b}) πολίτας ποιησάμενοι ἐστασίασαν καὶ εἰς μάχην ἦλθον.

1304^{a}17: μεταβάλλουσι δὲ καὶ εἰς ὀλιγαρχίαν καὶ εἰς δῆμον καὶ εἰς πολιτείαν ἐκ τοῦ εὐδοκιμῆσαί τι ἢ αὐξηθῆναι ἢ ἀρχεῖον ἢ μόριον τῆς πόλεως, οἷον ἡ ἐν Ἀρείῳ πάγῳ βουλὴ εὐδοκιμήσασα ἐν τοῖς Μηδικοῖς ἔδοξε συντονωτέραν ποιῆσαι τὴν πολιτείαν, καὶ πάλιν ὁ ναυτικὸς ὄχλος γενόμενος αἴτιος τῆς περὶ Σαλαμῖνα νίκης καὶ διὰ ταύτης τῆς ἡγεμονίας διὰ τὴν κατὰ θάλατταν δύναμιν τὴν δημοκρατίαν ἰσχυροτέραν ἐποίησεν.

1306^{a}12: καταλύονται δὲ καὶ ὅταν ἐν τῇ ὀλιγαρχίᾳ ἑτέραν ὀλιγαρχίαν ἐμποιῶσιν. τοῦτο δ' ἔστιν ὅταν τοῦ παντὸς πολιτεύματος ὀλίγου ὄντος τῶν μεγίστων ἀρχῶν μὴ μετέχωσιν οἱ ὀλίγοι πάντες, ὅπερ ἐν Ἤλιδι συνέβη ποτέ· τῆς πολιτείας γὰρ δι' ὀλίγων οὔσης τῶν γερόντων ὀλίγοι πάμπαν ἐγίνοντο διὰ τὸ ἀιδίους εἶναι ἐνενήκοντα ὄντας, τὴν δ' αἵρεσιν δυναστευτικὴν εἶναι καὶ ὁμοίαν τῇ τῶν ἐν Λακεδαίμονι γερόντων.

1306^{b}22: ἐν δὲ ταῖς ἀριστοκρατίαις γίνονται αἱ στάσεις . . . (1307^{a}2) ἔτι ἐάν τις μέγας ᾖ καὶ δυνάμενος ἔτι μείζων εἶναι, ἵνα μοναρχῇ, ὥσπερ ἐν Λακεδαίμονι δοκεῖ Παυσανίας ὁ στρατηγήσας κατὰ τὸν Μηδικὸν πόλεμον.

1307^{b}19: πᾶσαι δ' αἱ πολιτεῖαι λύονται ὅτε μὲν ἐξ αὐτῶν ὅτε δ' ἔξωθεν, ὅταν ἐναντία πολιτεία ᾖ ἢ πλησίον ἢ πόρρω μὲν ἔχουσα δὲ δύναμιν. ὅπερ συνέβαινεν ἐπ' Ἀθηναίων καὶ Λακεδαιμονίων· οἱ μὲν γὰρ Ἀθηναῖοι πανταχοῦ τὰς ὀλιγαρχίας, οἱ δὲ Λάκωνες τοὺς δήμους κατέλυον.

1311^{b}34: καὶ ἄλλοι δὲ πολλοὶ διὰ τοιαύτας αἰτίας οἱ μὲν ἀνῃρέθησαν οἱ δ' ἐπεβουλεύθησαν. ὁμοίως δὲ καὶ διὰ φόβον· ἓν γάρ τι τοῦτο τῶν αἰτίων ἦν, ὥσπερ καὶ περὶ τὰς πολιτείας καὶ τὰς μοναρχίας· οἷον Ξέρξην Ἀρταπάνης φοβούμενος τὴν διαβολὴν τὴν περὶ Δαρεῖον, ὅτι ἐκρέμασεν οὐ κελεύσαντος Ξέρξου, ἀλλ' οἰόμενος συγγνώσεσθαι ὡς ἀμνημονοῦντα διὰ τὸ δειπνεῖν.

1312^{a}39: φθείρεται δὲ τυραννὶς ἕνα μὲν τρόπον, ὥσπερ καὶ τῶν ἄλλων ἑκάστη πολιτειῶν, ἔξωθεν, . . . (1312^{b}9) ἕνα δ' ἐξ αὑτῆς, ὅταν οἱ μετέχοντες στασιάζωσιν, ὥσπερ ἡ τῶν περὶ Γέλωνα καὶ νῦν ἡ τῶν περὶ Διονύσιον. ἡ μὲν Γέλωνος Θρασυβούλου τοῦ Ἱέρωνος ἀδελφοῦ τὸν υἱὸν τοῦ Γέλωνος δημαγωγοῦντος καὶ πρὸς ἡδονὰς ὁρμῶντος, ἵν' αὐτὸς ἄρχῃ, τῶν δὲ οἰκείων συστησάντων, ἵνα μὴ τυραννὶς ὅλως καταλυθῇ ἀλλὰ Θρασύβουλος, οἱ δὲ συστάντες αὐτῶν, ὡς καιρὸν ἔχοντες, ἐξέβαλον ἅπαντας αὐτούς.

1313^{b}11: καὶ τὸ μὴ λανθάνειν πειρᾶσθαι ὅσα τυγχάνει τις λέγων ἢ πράττων τῶν ἀρχομένων, ἀλλ' εἶναι κατασκόπους, οἷον περὶ Συρακούσας αἱ ποταγωγίδες καλούμεναι, καὶ τοὺς ὠτακουστὰς ἐξέπεμπεν Ἱέρων, ὅπου τις εἴη συνουσία καὶ σύλλογος (παρρησιάζονταί τε γὰρ ἧττον, φοβούμενοι τοὺς τοιούτους, κἂν παρρησιάζωνται, λανθάνουσιν ἧττον).

1315b34: τῶν δὲ λοιπῶν ἡ ⟨τῶν⟩ περὶ Ἱέρωνα καὶ Γέλωνα περὶ Συρακούσας. ἔτη δ' οὐδ' αὕτη πολλὰ διέμεινεν, ἀλλὰ τὰ σύμπαντα δυοῖν δέοντα εἴκοσι· Γέλων μὲν γὰρ ἑπτὰ τυραννήσας τῷ ὀγδόῳ τὸν βίον ἐτελεύτησεν, δέκα δ' Ἱέρων, Θρασύβουλος δὲ τῷ ἑνδεκάτῳ μηνὶ ἐξέπεσεν.

1318b9: βέλτιστος γὰρ δῆμος ὁ γεωργικός ἐστιν, ὥστε καὶ ποιεῖν ἐνδέχεται δημοκρατίαν ὅπου ζῇ τὸ πλῆθος ἀπὸ γεωργίας ἢ νομῆς. διὰ μὲν γὰρ τὸ μὴ πολλὴν οὐσίαν ἔχειν ἄσχολος, ὥστε μὴ πολλάκις ἐκκλησιάζειν· διὰ δὲ τὸ [μὴ] ἔχειν τἀναγκαῖα πρὸς τοῖς ἔργοις διατρίβουσι καὶ τῶν ἀλλοτρίων οὐκ ἐπιθυμοῦσιν, ἀλλ' ἥδιον αὐτοῖς τὸ ἐργάζεσθαι τοῦ πολιτεύεσθαι καὶ ἄρχειν, ὅπου ἂν μὴ ᾖ λήμματα μεγάλα ἀπὸ τῶν ἀρχῶν. οἱ γὰρ πολλοὶ μᾶλλον ὀρέγονται τοῦ κέρδους ἢ τῆς τιμῆς. . . . (b21) ἔτι δὲ τὸ κυρίους εἶναι τοῦ ἑλέσθαι καὶ εὐθύνειν ἀναπληροῖ τὴν ἔνδειαν, εἴ τι φιλοτιμίας ἔχουσιν, ἐπεὶ παρ' ἐνίοις δήμοις, κἂν μὴ μετέχωσι τῆς αἱρέσεως τῶν ἀρχῶν ἀλλά τινες αἱρετοὶ κατὰ μέρος ἐκ πάντων, ὥσπερ ἐν Μαντινείᾳ, τοῦ δὲ βουλεύεσθαι κύριοι ὦσιν, ἱκανῶς ἔχει τοῖς πολλοῖς. (καὶ δεῖ νομίζειν καὶ τοῦτ' εἶναι σχῆμά τι δημοκρατίας, ὥσπερ ἐν Μαντινείᾳ ποτ' ἦν.)

1319b19: ἔτι δὲ καὶ τὰ τοιαῦτα κατασκευάσματα χρήσιμα πρὸς τὴν δημοκρατίαν τὴν τοιαύτην, οἷς Κλεισθένης τε Ἀθήνησιν ἐχρήσατο βουλόμενος αὐξῆσαι τὴν δημοκρατίαν, καὶ περὶ Κυρήνην οἱ τὸν δῆμον καθιστάντες. φυλαί τε γὰρ ἕτεραι ποιητέαι πλείους καὶ φατρίαι, καὶ τὰ τῶν ἰδίων ἱερῶν συνακτέον εἰς ὀλίγα καὶ κοινά, καὶ πάντα σοφιστέον ὅπως ἂν ὅτι μάλιστα ἀναμειχθῶσι πάντες ἀλλήλοις, αἱ δὲ συνήθειαι διαζευχθῶσιν αἱ πρότερον.

Rhetorica, ed. Roemer, Leipzig (Teubner) 1899.

i. 7[34], 1365a32: καὶ τὸ μεγάλου μέγιστον μέρος, οἷον Περικλῆς τὸν ἐπιτάφιον λέγων, τὴν νεότητα ἐκ τῆς πόλεως ἀνῃρῆσθαι ὥσπερ τὸ ἔαρ ἐκ τοῦ ἐνιαυτοῦ εἰ ἐξαιρεθείη.

ii. 15[3], 1390b28: ἐξίσταται δὲ τὰ μὲν εὐφυᾶ γένη εἰς μανικώτερα ἤθη, οἷον οἱ ἀπ' Ἀλκιβιάδου καὶ οἱ ἀπὸ Διονυσίου τοῦ προτέρου, τὰ δὲ στάσιμα εἰς ἀβελτερίαν καὶ νωθρότητα, οἷον οἱ ἀπὸ Κίμωνος καὶ Περικλέους καὶ Σωκράτους.

iii. 4[3], 1407a1: καὶ ἡ Περικλέους εἰς Σαμίους, ἐοικέναι αὐτοὺς τοῖς παιδίοις ἃ τὸν ψωμὸν δέχεται μέν, κλαίοντα δέ. καὶ εἰς Βοιωτούς, ὅτι ὅμοιοι τοῖς πρίνοις· τούς τε γὰρ πρίνους ὑφ' αὑτῶν κατακόπτεσθαι, καὶ τοὺς Βοιωτοὺς πρὸς ἀλλήλους μαχομένους.

iii. 10[7], 1411a15: καὶ Περικλῆς τὴν Αἴγιναν ἀφελεῖν ἐκέλευσε τὴν λήμην τοῦ Πειραιέως.

De arte poetica, ed. Bywater, Oxford (OCT) 1911.

5[3], 1449b5: τὸ δὲ μύθους ποιεῖν ['Επίχαρμος καὶ Φόρμις] τὸ μὲν ἐξ ἀρχῆς ἐκ Σικελίας ἦλθε ***, τῶν δὲ Ἀθήνησιν Κράτης πρῶτος ἦρξεν ἀφέμενος τῆς ἰαμβικῆς ἰδέας καθόλου ποιεῖν λόγους καὶ μύθους.

Fragmenta, ed. Rose, Leipzig (Teubner) 1886.

fr. 66: see Diogenes Laertius viii. 2. 63.

fr. 137 (Cic. *Brut.* 12. 46): itaque ait Aristoteles cum sublatis in Sicilia tyrannis res privatae longo intervallo iudiciis repeterentur, tum primum quod esset acuta illa gens et controversa natura, artem et praecepta Siculos Coracem et Tisiam conscripsisse.

fr. 401: see Plutarch, *Per.* 4[1].

fr. 419: see Bekker, *Anecdota* i. 436[1].

fr. 486 (Γελῴων πολιτεία): see Schol. Pindar, *Pyth.* i. 46 (89)a.

fr. 492 ('Ηλείων πολιτεία): see Harpokration s.v. 'Ελλανοδίκαι.

fr. 577: see Plutarch, *Per.* 26[3].

fr. 578: see Plutarch, *Per.* 28[2].

fr. 587 (Συρακουσίων πολιτεία): see Schol. Pindar, *Pyth.* i. 46 (89)a.

fr. 611[17] (Herakleides περὶ πολιτειῶν): Βάττος δὲ ἐβασίλευσεν (sc. Κυρήνης) ὁ καλὸς καλούμενος ἕβδομος ὢν ἀπὸ τοῦ πρώτου. Ἀρκεσιλάου δὲ βασιλεύοντος λευκὸς κόραξ ἐφάνη, περὶ οὗ λόγιον ἦν χαλεπόν. δημοκρατίας δὲ γενομένης Βάττος εἰς 'Εσπερίδας ἐλθὼν ἀπέθανε, καὶ τὴν κεφαλὴν αὐτοῦ λαβόντες κατεπόντισαν.

ARTEMON. *FHG* iv, pp. 342–3.

περὶ ζωγράφων fr. 13: see Harpokration s.v. Πολύγνωτος.

ATHENAIOS. *Deipnosophistai*, ed. Kaibel, Leipzig (Teubner) 1887–90.

i. 3d: Ἀλκιβιάδης δὲ 'Ολύμπια νικήσας ἅρματι . . . (3e) θύσας 'Ολυμπίῳ Διὶ τὴν πανήγυριν πᾶσαν εἱστίασε. τὸ αὐτὸ ἐποίησε καὶ Λεώφρων 'Ολυμπίασιν, ἐπινίκιον γράψαντος τοῦ Κείου Σιμωνίδου (fr. 19 n.).

Poet. 1449b6: 'Επίχαρμος καὶ Φόρμις secl. Susemihl. b7: lacunam indicavit Bywater; "intercidisse videntur ἦσαν γὰρ 'Επίχαρμος καὶ Φόρμις ἐκεῖθεν."

i. 29f: *ὅτι Θεμιστοκλῆς ὑπὸ βασιλέως ἔλαβε δωρεὰν τὴν Λάμψακον εἰς οἶνον, Μαγνησίαν δ' εἰς ἄρτον, Μυοῦντα δ' εἰς ὄψον, Περκώτην δὲ καὶ τὴν Παλαίσκηψιν εἰς στρωμνὴν καὶ ἱματισμόν. ἐκέλευσε δὲ τούτῳ στολὴν φορεῖν βαρβαρικήν, ὡς καὶ Δημαράτῳ, δοὺς τὰ πρότερον ὑπάρχοντα καὶ ⟨εἰς⟩ στολὴν Γάμβρειον προσθεὶς ἐφ' ᾧ τε μηκέτι Ἑλληνικὸν ἱμάτιον περιβάληται.*

vi. 231e: *καὶ τὰ ἐν Δελφοῖς δὲ ἀναθήματα τὰ ἀργυρᾶ καὶ τὰ χρυσᾶ*
ὑπὸ πρώτου Γύγου τοῦ Λυδῶν βασιλέως ἀνετέθη· καὶ πρὸ τῆς τούτου
βασιλείας ἀνάργυρος, ἔτι δὲ ἄχρυσος ἦν ὁ Πύθιος, ὡς Φαινίας τέ φησιν
ὁ Ἐρέσιος (fr. 12) *καὶ Θεόπομπος ἐν τῇ τεσσαρακοστῇ τῶν Φιλιππικῶν*
f (fr. 193). *ἱστοροῦσι γὰρ οὗτοι κοσμηθῆναι τὸ Πυθικὸν ἱερὸν ὑπό τε*
τοῦ Γύγου καὶ τοῦ μετὰ τοῦτον Κροίσου, μεθ' οὓς ὑπό τε Γέλωνος καὶ
Ἱέρωνος τῶν Σικελιωτῶν, τοῦ μὲν τρίποδα καὶ Νίκην χρυσοῦ πεποιη-
μένα ἀναθέντος καθ' οὓς χρόνους Ξέρξης ἐπεστράτευε τῇ Ἑλλάδι,
232 *τοῦ δ' Ἱέρωνος τὰ ὅμοια. λέγει δ' οὕτως ὁ Θεόπομπος· "* . . . (232a)
Ἱέρων δ' ὁ Συρακόσιος βουλόμενος ἀναθεῖναι τῷ θεῷ τὸν τρίποδα καὶ
b *τὴν Νίκην ἐξ ἀπέφθου χρυσοῦ ἐπὶ πολὺν χρόνον ἀπορῶν χρυσίου*
ὕστερον ἔπεμψε τοὺς ἀναζητήσοντας εἰς τὴν Ἑλλάδα· οἵτινες μόλις
ποτ' εἰς Κόρινθον ἀφικόμενοι καὶ ἐξιχνεύσαντες εὗρον παρ' Ἀρχιτέλει
τῷ Κορινθίῳ, ὃς πολλῷ χρόνῳ συνωνούμενος κατὰ μικρὸν θησαυροὺς
εἶχεν οὐκ ὀλίγους. ἀπέδοτο γοῦν τοῖς παρὰ τοῦ Ἱέρωνος ὅσον ἠβού-
λοντο καὶ μετὰ ταῦτα πληρώσας καὶ τὴν ἑαυτοῦ χεῖρα ὅσον ἠδύνατο
χωρῆσαι ἐπέδωκεν αὐτοῖς. ἀνθ' ὧν Ἱέρων πλοῖον σίτου καὶ ἄλλα πολλὰ
δῶρα ἔπεμψεν ἐκ Σικελίας."

vi. 236a: see Epicharmos, fr. 35.

vii. 328e: see Eupolis, fr. 154.

viii. 344e: see Kratinos, fr. 57–8.

x. 436 f: *καὶ αὐτὸς δὲ* (sc. Ion, T 8) *ἐν τοῖς ἐλεγείοις ἐρᾶν μὲν ὁμολογεῖ Χρυσίλλης τῆς Κορινθίας, Τελέου δὲ θυγατρός· ἧς καὶ Περικλέα τὸν Ὀλύμπιον ἐρᾶν φησι Τηλεκλείδης ἐν Ἡσιόδοις* (fr. 17).

xii. 533a: see Theopompos, fr. 89.

xii. 533d: see Possis, fr. 1.

xii. 533e: see Chamaileon, fr. 11.

xii. 536a: see Nymphis, fr. 9.

xiii. 572f: see Alexis, fr. 1.

xiii. 589d: *Περικλῆς δὲ ὁ Ὀλύμπιος, ὥς φησι Κλέαρχος ἐν πρώτῳ Ἐρωτικῶν* (fr. 35), *οὐχ ἕνεκεν Ἀσπασίας—οὐ τῆς νεωτέρας ἀλλὰ τῆς Σωκράτει τῷ σοφῷ συγγενομένης—καίπερ τηλικοῦτον ἀξίωμα συνέσεως καὶ πολιτικῆς δυνάμεως κτησάμενος, οὐ συνετάραξε πᾶσαν τὴν Ἑλλάδα; ἦν δ' οὗτος ⟨ὁ⟩ ἀνὴρ πρὸς ἀφροδίσια πάνυ καταφερής· ὅστις*

καὶ τῇ τοῦ υἱοῦ γυναικὶ συνῆν, ὡς Στησίμβροτος ὁ Θάσιος ἱστορεῖ, κατὰ τοὺς αὐτοὺς αὐτῷ χρόνους γενόμενος καὶ ἑωρακὼς αὐτόν, ἐν τῷ e
ἐπιγραφομένῳ περὶ Θεμιστοκλέους καὶ Θουκυδίδου καὶ Περικλέους (fr. 10a). *Ἀντισθένης δ' ὁ Σωκρατικὸς ἐρασθέντα φησὶν αὐτὸν Ἀσπασίας δὶς τῆς ἡμέρας εἰσιόντα καὶ ἐξιόντα ἀπ' αὐτῆς ἀσπάζεσθαι τὴν ἄνθρωπον, καὶ φευγούσης ποτὲ αὐτῆς γραφὴν ἀσεβείας λέγων ὑπὲρ αὐτῆς πλείονα ἐδάκρυσεν ἢ ὅτε ὑπὲρ τοῦ βίου καὶ τῆς οὐσίας ἐκινδύνευε. καὶ Κίμωνος δ' Ἐλπινίκῃ τῇ ἀδελφῇ παρανόμως συνόντος, εἶθ' ὕστερον ἐκδοθείσης Καλλίᾳ, καὶ φυγαδευθέντος μισθὸν ἔλαβε τῆς καθόδου αὐτοῦ ὁ Περικλῆς τὸ τῇ Ἐλπινίκῃ μιχθῆναι.*

xiii. 603e: see Ion, fr. 6.

BACCHYLIDES. *Carmina cum fragmentis*, ed. Snell, Leipzig (Teubner) 1949.

Ἐπίνικοι

iii. 10:
ἆ τρισευδαίμ[ων ἀνήρ,
ὃς παρὰ Ζηνὸς λαχὼν
πλείσταρχον Ἑλλάνων γέρας
οἶδε πυργωθέντα πλοῦτον μὴ μελαμ-
φαρέϊ κρύπτειν σκότῳ.

v. 1:
εὔμοιρε Συρακ[οσίω]ν
ἱπποδινήτων στραταγέ,
γνώσῃ μὲν ἰοστεφάνων
Μοισᾶν γλυκύδωρον ἄγαλμα, τῶν γε νῦν
αἴ τις ἐπιχθονίων
ὀρθῶς· φρένα δ' εὐθύδικ[ο]ν
ἀτρέμ' ἀμπαύσας μεριμνᾶν
δεῦρ' ἄθρησον νόῳ.

v. 31:
τὼς νῦν καὶ ⟨ἐ⟩μοὶ μυρία πάντᾳ κέλευθος
ὑμετέραν ἀρετὰν
ὑμνεῖν, κυανοπλοκάμου θ' ἕκατι Νίκας
χαλκεοστέρνου τ' Ἄρηος,
Δεινομένευς ἀγέρωχοι
παῖδες· εὖ ἔρδων δὲ μὴ κάμοι θεός.

BEKKER. *Anecdota Graeca*, vol. i, Berlin 1814.

i, p. 245[33]: *ἐκλογεῖς· οἱ ἐκλέγοντες τοὺς φόρους, ἵνα οἱ ἄρχοντες λάβωσιν. ὠνομάσθησαν ἀπὸ τοῦ ἐκλέγειν, ὅπερ ἐστὶ πράττεσθαι καὶ ἀπαιτεῖν.*

i, p. 246[14]: εἰσαγωγεῖς· εἰσαγωγεῖς ἦσαν ἑκάστου δικαστηρίου οἱ ἄρχοντες, οἱ εἰσῆγον αὐτοῖς τὰς δίκας.

i, p. 273[33]: κρυπτή· ἀρχή τις ὑπὸ τῶν Ἀθηναίων πεμπομένη εἰς τοὺς ὑπηκόους, ἵνα κρύφα ἐπιτελέσωσι τὰ ἔξω γινόμενα. διὰ τοῦτο γὰρ καὶ κρυπτοὶ ἐκλήθησαν.

i, p. 306[7]: ταμίαι τίνες εἰσὶ καὶ πόσοι; ἄρχοντές εἰσιν Ἀθήνησι, δέκα, ἀπὸ πεντακοσιομεδίμνων, κληρωτοί, οἳ τὰ ἐν τῷ ἱερῷ τῆς Ἀθηνᾶς ἐν ἀκροπόλει χρήματα ἱερά τε καὶ δημόσια, καὶ αὐτὸ τὸ ἄγαλμα τῆς θεοῦ καὶ τὸν κόσμον φυλάττουσιν.

i, p. 436[1]: ἀπὸ συμβόλων δικάζει· Ἀθηναῖοι ἀπὸ συμβόλων ἐδίκαζον τοῖς ὑπηκόοις. οὕτως Ἀριστοτέλης (fr. 419).

CHAMAILEON. *Fragmenta*, ed. Köpke, *De Hypomnematographis Graecis*, Berlin 1856.

περὶ Ἀνακρέοντος

fr. 11 (Athen. xii. 533e): Χαμαιλέων δ' ὁ Ποντικὸς ἐν τῷ περὶ Ἀνακρέοντος προθεὶς τὸ (fr. 16)

ξανθῇ δ' Εὐρυπύλῃ μέλει
ὁ περιφόρητος Ἀρτέμων

τὴν προσηγορίαν ταύτην λαβεῖν τὸν Ἀρτέμωνα διὰ τὸ τρυφερῶς βιοῦντα περιφέρεσθαι ἐπὶ κλίνης.

CHARON. *FGrH* 262 (*FHG* i, pp. 32 ff.).

fr. 11 (5): see Plutarch, *Them.* 27[1].

CICERO. *Brutus*, ed. Wilkins, Oxford (OCT) 1903.

10. 41: denique hunc proximo saeculo Themistocles insecutus
est, ut apud nos, perantiquus, ut apud Atheniensis, non ita sane
vetus. fuit enim regnante iam Graecia, nostra autem civitate
non ita pridem dominatu regio liberata. nam bellum Volscorum
illud gravissimum, cui Coriolanus exsul interfuit, eodem fere tem-
pore quo Persarum bellum fuit, similisque fortuna clarorum
42 virorum; si quidem uterque cum civis egregius fuisset, populi
ingrati pulsus iniuria se ad hostis contulit conatumque iracundiae
suae morte sedavit. nam etsi aliter apud te est, Attice, de
Coriolano, concede tamen ut huic generi mortis potius adsentiar.
11 at ille ridens: tuo vero, inquit, arbitratu; quoniam quidem con-
cessum est rhetoribus ementiri in historiis, ut aliquid dicere
possint argutius. ut enim tu nunc de Coriolano, sic Clitarchus

(fr. 34), sic Stratocles de Themistocle finxit. nam quem Thucy- 43
dides, qui et Atheniensis erat et summo loco natus summusque vir et paulo aetate posterior, tantum ⟨morbo⟩ mortuum scripsit et in Attica clam humatum, addidit fuisse suspicionem veneno sibi conscivisse mortem: hunc isti aiunt, cum taurum immolavisset, excepisse sanguinem patera et eo poto mortuum concidisse.

12. 46: see Aristoteles, fr. 137.

Laelius de Amicitia, ed. Simbeck, Leipzig (Teubner) 1917.

12. 42: quis clarior in Graecia Themistocle, quis potentior? qui cum imperator bello Persico servitute Graeciam liberavisset propterque invidiam in exilium expulsus esset, ingratae patriae iniuriam non tulit quam ferre debuit, fecit idem quod xx annis ante apud nos fecerat Coriolanus. his adiutor contra patriam inventus est nemo; itaque mortem sibi uterque conscivit.

De Legibus, ed. Müller, Leipzig (Teubner) 1898.

ii. 25. 64: posteaquam, ut scribit Phalereus (sc. Demetrius, fr. 9), sumptuosa fieri funera et lamentabilia coepissent, Solonis lege sublata sunt; quam legem eisdem prope verbis nostri decemviri in decimam tabulam coniecerunt.

De Officiis, ed. Atzert, Leipzig (Teubner) 1949.

iii. 11. 49: Themistocles post victoriam eius belli, quod cum Persis fuit, dixit in contione se habere consilium rei publicae salutare, sed id sciri non opus esse; postulavit, ut aliquem populus daret, quicum communicaret; datus est Aristides. huic ille, classem Lacedaemoniorum, quae subducta esset ad Gytheum, clam incendi posse, quo facto frangi Lacedaemoniorum opes necesse esset. quod Aristides cum audisset, in contionem magna exspectatione venit dixitque perutile esse consilium, quod Themistocles adferret, sed minime honestum. itaque Athenienses, quod honestum non esset, id ne utile quidem putaverunt, totamque eam rem, quam ne audierant quidem, auctore Aristide repudiaverunt.

De Oratore, ed. Wilkins, Oxford (OCT) 1901.

iii. 34. 138: quid Pericles? de cuius vi dicendi sic accepimus, ut, cum contra voluntatem Atheniensium loqueretur pro salute patriae severius, tamen id ipsum, quod ille contra popularis homines diceret, populare omnibus et iucundum videretur; cuius in labris veteres comici, etiam cum illi male dicerent (quod tum Athenis fieri licebat), leporem habitasse dixerunt tantamque in eodem vim fuisse, ut in eorum mentibus, qui audissent, quasi aculeos quosdam relinqueret. at hunc non declamator aliqui ad clepsydram latrare docuerat, sed, ut accepimus, Clazomenius ille Anaxagoras vir summus in maximarum rerum scientia: itaque hic doctrina, consilio, eloquentia excellens quadraginta annis praefuit Athenis et urbanis eodem tempore et bellicis rebus.

COMICORUM ATTICORUM FRAGMENTA, ed. Kock, Leipzig (Teubner) 1880–8. See EUPOLIS, KALLIAS, KRATINOS, PHRYNICHOS, PLATO, TELEKLEIDES.

Adespota (iii, pp. 397 ff.)

fr. 10: see Plutarch, *Per.* 8^{4}.
fr. 41: see Plutarch, *Per.* 7^{8}.
fr. 59: see Plutarch, *Per.* 13^{15}.
fr. 60: see Plutarch, *Per.* 16^{1}.
fr. 63: see Plutarch, *Per.* 24^{9}.
fr. 1325: see Plutarch 811e.

CORNELIUS NEPOS. See NEPOS.

DAMASTES. *FGrH* 5 (*FHG* ii, pp. 64 ff.).
fr. 8 (p. 65): see Strabo i. 3^{1}. 47 (Eratosthenes).

DEINARCHOS. *Orationes*, ed. Blass, Leipzig (Teubner) 1888.

II. *κατ' Ἀριστογείτονος*

24: *καλῶς γὰρ ὦ Ἀθηναῖοι καλῶς οἱ πρόγονοι περὶ τούτων ψηφισά-
μενοι στήλην εἰς ἀκρόπολιν ἀνήνεγκαν, ὅτε φασὶν Ἄρθμιον τὸν Πυθώ-
νακτος τὸν Ζελείτην κομίσαι τὸ χρυσίον ⟨τὸ⟩ ἐκ Μήδων ἐπὶ διαφθορᾷ
τῶν Ἑλλήνων. πρὶν γὰρ λαβεῖν τινας καὶ δοῦναι τοῦ τρόπου πεῖραν,
φυγὴν τοῦ κομίσαντος τὸ χρυσίον καταγνόντες ἐξήλασαν αὐτὸν ἐξ
ἁπάσης τῆς χώρας. καὶ ταῦθ', ὥσπερ εἶπον, εἰς τὴν ἀκρόπολιν εἰς
στήλην χαλκῆν γράψαντες ἀνέθεσαν, παράδειγμ' ὑμῖν τοῖς ἐπιγιγνο-
μένοις καθιστάντες, καὶ νομίζοντες τὸν ὁπωσοῦν χρήματα λαμβάνοντα
25 οὐχ ὑπὲρ τῆς πόλεως ἀλλ' ὑπὲρ τῶν διδόντων βουλεύεσθαι. καὶ μόνῳ
τούτῳ προσέγραψαν τὴν αἰτίαν δι' ἣν ὁ δῆμος ἐξέβαλεν αὐτὸν ἐκ τῆς*

πόλεως, γράψαντες διαρρήδην Ἄρθμιον τὸν Πυθώνακτος τὸν Ζελείτην πολέμιον εἶναι τοῦ δήμου καὶ τῶν συμμάχων, αὐτὸν καὶ γένος, καὶ φεύγειν Ἀθήνας, ὅτι τὸν ἐκ Μήδων χρυσὸν ἤγαγεν εἰς Πελοπόννησον. καίτοι εἰ τὸν ἐν Πελοποννήσῳ χρυσὸν ὁ δῆμος πολλῶν κακῶν αἴτιον ἡγεῖτο τοῖς Ἕλλησιν εἶναι, πῶς χρὴ ῥᾳθύμως ἔχειν ὁρῶντας ἐν αὐτῇ τῇ πόλει δωροδοκίαν γιγνομένην; καί μοι σκοπεῖτε ταύτην τὴν στήλην.

DEINON. *FHG* ii, pp. 88 ff.

Περσικά fr. 20: see Plutarch, *Them.* 27[1].

DEMETRIOS PHALEREUS. *FGrH* 228 (*FHG* ii, pp. 362 ff.).

fr. 9: see Cicero, *De Leg.* ii. 25. 64.

Σωκράτης

fr. 43 (14): see Plutarch, *Arist.* 1[2].

fr. 44 (14): see Plutarch, *Arist.* 5[9–10].

DEMOSTHENES. *Orationes*, ed. Butcher and Rennie, Oxford (OCT) 1903–31. *Scholia*, ed. Dindorf (Demosthenes, vols. viii–ix), Oxford 1851.

III. *Ὀλυνθιακός γ´*

iii. 23: *καίτοι σκέψασθ᾽, ὦ ἄνδρες Ἀθηναῖοι, ἅ τις ἂν κεφάλαι᾽ εἰπεῖν ἔχοι τῶν τ᾽ ἐπὶ τῶν προγόνων ἔργων καὶ τῶν ἐφ᾽ ὑμῶν. ἔσται δὲ βραχὺς καὶ γνώριμος ὑμῖν ὁ λόγος· οὐ γὰρ ἀλλοτρίοις ὑμῖν χρωμένοις παραδείγμασιν, ἀλλ᾽ οἰκείοις, ὦ ἄνδρες Ἀθηναῖοι, εὐδαίμοσιν ἔξεστι*
γενέσθαι. ἐκεῖνοι τοίνυν, οἷς οὐκ ἐχαρίζονθ᾽ οἱ λέγοντες οὐδ᾽ ἐφίλουν 24
αὐτοὺς ὥσπερ ὑμᾶς οὗτοι νῦν, πέντε μὲν καὶ τετταράκοντ᾽ ἔτη τῶν Ἑλλήνων ἦρξαν ἑκόντων, πλείω δ᾽ ἢ μύρια τάλαντ᾽ εἰς τὴν ἀκρόπολιν ἀνήγαγον, ὑπήκουε δ᾽ ὁ ταύτην τὴν χώραν ἔχων αὐτοῖς βασιλεύς, ὥσπερ ἐστὶ προσῆκον βάρβαρον Ἕλλησι, πολλὰ δὲ καὶ καλὰ καὶ πεζῇ καὶ ναυμαχοῦντες ἔστησαν τρόπαι᾽ αὐτοὶ στρατευόμενοι, μόνοι δ᾽ ἀνθρώπων
κρείττω τὴν ἐπὶ τοῖς ἔργοις δόξαν τῶν φθονούντων κατέλιπον. ἐπὶ 25
μὲν δὴ τῶν Ἑλληνικῶν ἦσαν τοιοῦτοι· ἐν δὲ τοῖς κατὰ τὴν πόλιν αὐτὴν θεάσασθ᾽ ὁποῖοι, ἔν τε τοῖς κοινοῖς κἀν τοῖς ἰδίοις. δημοσίᾳ μὲν τοίνυν οἰκοδομήματα καὶ κάλλη τοιαῦτα καὶ τοσαῦτα κατεσκεύασαν ἡμῖν ἱερῶν καὶ τῶν ἐν τούτοις ἀναθημάτων, ὥστε μηδενὶ τῶν ἐπιγιγνομένων ὑπερβολὴν λελεῖφθαι· . . .

Schol. iii. 25: *ταῦτα πάντα ἐποίησαν καὶ ἀνέθεσαν ἀπὸ τῶν λαφύρων τῶν Περσικῶν, τὸν δίφρον τὸν ἀργυρόποδα τοῦ Ξέρξου, καὶ τὸν* ἀκινάκην τὸν Μαρδονίου, καὶ τὰ προπύλαια τῆς ἀκροπόλεως κατεσκεύασαν, καὶ τὴν χαλκῆν Ἀθηνᾶν καὶ τὴν ἐκ χρυσοῦ καὶ ἐλέφαντος.

*VII. περὶ Ἁλοννήσου

*vii. 11: ἐπεὶ ὅτι γε συμβόλων οὐδὲν δέονται Μακεδόνες πρὸς
Ἀθηναίους, ὁ παρεληλυθὼς ὑμῖν χρόνος τεκμήριον γενέσθω· οὔτε γὰρ
Ἀμύντας ὁ πατὴρ ὁ Φιλίππου οὔθ' οἱ ἄλλοι βασιλεῖς οὐδεπώποτε σύμ-
12 βολα ἐποιήσαντο πρὸς τὴν πόλιν τὴν ἡμετέραν. καίτοι πλείους γε ἦσαν
αἱ ἐπιμειξίαι τότε πρὸς ἀλλήλους ἢ νῦν εἰσίν· ὑφ' ἡμῖν γὰρ ἦν ἡ Μακε-
δονία καὶ φόρους ἡμῖν ἔφερον, καὶ τοῖς ἐμπορίοις τότε μᾶλλον ἢ
νῦν ἡμεῖς τε τοῖς ἐκεῖ κἀκεῖνοι τοῖς παρ' ἡμῖν ἐχρῶντο, καὶ ἐμπορι-
καὶ δίκαι οὐκ ἦσαν, ὥσπερ νῦν, ἀκριβεῖς, αἱ κατὰ μῆνα, ποιοῦσαι
13 μηδὲν δεῖσθαι συμβόλων τοὺς τοσοῦτον ἀλλήλων ἀπέχοντας. ἀλλ' ὅμως
οὐδενὸς τοιούτου ὄντος τότε, οὐκ ἐλυσιτέλει σύμβολα ποιησαμένους οὔτ'
ἐκ Μακεδονίας πλεῖν Ἀθήναζε δίκας ληψομένους, οὔθ' ἡμῖν εἰς Μακε-
δονίαν, ἀλλ' ἡμεῖς τε τοῖς ἐκεῖ νομίμοις ἐκεῖνοί τε τοῖς παρ' ἡμῖν τὰς
δίκας ἐλάμβανον.

IX. κατὰ Φιλίππου γ'

ix. 41: τὰ δ' ἐν τοῖς ἄνωθεν χρόνοις ὅτι τἀναντί' εἶχεν ἐγὼ δηλώσω,
οὐ λόγους ἐμαυτοῦ λέγων, ἀλλὰ γράμματα τῶν προγόνων τῶν ὑμετέρων
42 ἃ κεῖνοι κατέθεντ' εἰς στήλην χαλκῆν γράψαντες εἰς ἀκρόπολιν. . . . τί
οὖν λέγει τὰ γράμματα; "Ἄρθμιος" φησὶ "Πυθώνακτος Ζελείτης
ἄτιμος καὶ πολέμιος τοῦ δήμου τοῦ Ἀθηναίων καὶ τῶν συμμάχων αὐτὸς
καὶ γένος." εἶθ' ἡ αἰτία γέγραπται, δι' ἣν ταῦτ' ἐγένετο· "ὅτι τὸν
χρυσὸν τὸν ἐκ Μήδων εἰς Πελοπόννησον ἤγαγεν." ταῦτ' ἐστὶ τὰ
43 γράμματα. λογίζεσθε δὴ πρὸς θεῶν, τίς ἦν ποθ' ἡ διάνοια τῶν Ἀθη-
ναίων τῶν τότε, ταῦτα ποιούντων, ἢ τί τὸ ἀξίωμα. ἐκεῖνοι Ζελείτην
τινά, Ἄρθμιον, δοῦλον βασιλέως (ἡ γὰρ Ζέλειά ἐστι τῆς Ἀσίας), ὅτι τῷ
δεσπότῃ διακονῶν χρυσίον ἤγαγεν εἰς Πελοπόννησον, οὐκ Ἀθήναζε,
ἐχθρὸν αὐτῶν ἀνέγραψαν καὶ τῶν συμμάχων αὐτὸν καὶ γένος, καὶ
44 ἀτίμους. τοῦτο δ' ἐστὶν οὐχ ἣν οὑτωσί τις ἂν φήσειεν ἀτιμίαν· τί γὰρ
τῷ Ζελείτῃ, τῶν Ἀθηναίων κοινῶν εἰ μὴ μεθέξειν ἔμελλεν; ἀλλ' ἐν
τοῖς φονικοῖς γέγραπται νόμοις, ὑπὲρ ὧν ἂν μὴ διδῷ φόνου δικάσασθαι,
ἀλλ' εὐαγὲς ᾖ τὸ ἀποκτεῖναι, "καὶ ἄτιμος" φησὶ "τεθνάτω." τοῦτο
δὴ λέγει, καθαρὸν τὸν τούτων τιν' ἀποκτείναντ' εἶναι.

*XII. Ἐπιστολὴ Φιλίππου

*xii. 4: καίτοι τὸ παρανομεῖν εἰς κήρυκα καὶ πρέσβεις τοῖς ἄλ-
λοις τε πᾶσιν ἀσεβὲς εἶναι δοκεῖ καὶ μάλισθ' ὑμῖν· Μεγαρέων γοῦν

Ἀνθεμόκριτον ἀνελόντων εἰς τοῦτ' ἐλήλυθεν ὁ δῆμος ὥστε μυστηρίων μὲν εἶργον αὐτούς, ὑπομνήματα δὲ τῆς ἀδικίας ἔστησαν ἀνδριάντα πρὸ τῶν πυλῶν.

*xii. 21: εἴτε γὰρ τῶν ἐξ ἀρχῆς κρατησάντων γίγνεται (sc. Amphipolis), πῶς οὐ δικαίως ἡμεῖς αὐτὴν ἔχομεν, Ἀλεξάνδρου τοῦ προγόνου πρώτου κατασχόντος τὸν τόπον, ὅθεν καὶ τῶν αἰχμαλώτων Μήδων ἀπαρχὴν ἀνδριάντα χρυσοῦν ἀνέστησεν εἰς Δελφούς;

XV. περὶ τῆς Ῥοδίων ἐλευθερίας

xv. 29: εἰσὶ συνθῆκαι τοῖς Ἕλλησι [διτταὶ] πρὸς βασιλέα, ἃς ἐποιήσαθ' ἡ πόλις ἡ ἡμετέρα, ἃς ἅπαντες ἐγκωμιάζουσι, καὶ μετὰ ταῦθ' ὕστερον Λακεδαιμόνιοι ταύτας ὧν δὴ κατηγοροῦσι.

XIX. περὶ τῆς παραπρεσβείας

xix. 271: ἀκούετ', ὦ ἄνδρες Ἀθηναῖοι, τῶν γραμμάτων λεγόντων
Ἄρθμιον τὸν Πυθώνακτος τὸν Ζελείτην ἐχθρὸν εἶναι καὶ πολέμιον
τοῦ δήμου τοῦ Ἀθηναίων καὶ τῶν συμμάχων αὐτὸν καὶ γένος πᾶν.
διὰ τί; ὅτι τὸν χρυσὸν τὸν ἐκ τῶν βαρβάρων εἰς τοὺς Ἕλληνας ἤγαγεν
. . . νὴ Δί', ἀλλ' ὅπως ἔτυχεν ταῦτα τὰ γράμμαθ' ἕστηκεν. ἀλλ' ὅλης 272
οὔσης ἱερᾶς τῆς ἀκροπόλεως ταυτησὶ καὶ πολλὴν εὐρυχωρίαν ἐχούσης,
παρὰ τὴν χαλκῆν τὴν μεγάλην Ἀθηνᾶν ἐκ δεξιᾶς ἕστηκεν, ἣν ἀριστεῖον
ἡ πόλις τοῦ πρὸς τοὺς βαρβάρους πολέμου, δόντων τῶν Ἑλλήνων τὰ
χρήματα ταῦτα, ἀνέθηκεν.

xix. 273: ἐκεῖνοι τοίνυν, ὡς ἅπαντες εὖ οἶδ' ὅτι τὸν λόγον τοῦτον
ἀκηκόατε, Καλλίαν τὸν Ἱππονίκου ταύτην τὴν ὑπὸ πάντων θρυλου-
μένην εἰρήνην πρεσβεύσαντα, ἵππου μὲν δρόμον ἡμέρας πεζῇ μὴ
καταβαίνειν ἐπὶ τὴν θάλατταν βασιλέα, ἐντὸς δὲ Χελιδονίων καὶ
Κυανέων πλοίῳ μακρῷ μὴ πλεῖν, ὅτι δῶρα λαβεῖν ἔδοξε πρεσβεύσας,
μικροῦ μὲν ἀπέκτειναν, ἐν δὲ ταῖς εὐθύναις πεντήκοντ' ἐπράξαντο
τάλαντα. καίτοι καλλίω ταύτης εἰρήνην οὔτε πρότερον οὔθ' ὕστερον 274
οὐδεὶς ἂν εἰπεῖν ἔχοι πεποιημένην τὴν πόλιν.

XX. πρὸς Λεπτίνην

xx. 115: . . . ὅτι Λυσιμάχῳ δωρειάν, ἑνὶ τῶν τότε χρησίμων, ἑκατὸν μὲν ἐν Εὐβοίᾳ πλέθρα γῆς πεφυτευμένης ἔδοσαν, ἑκατὸν δὲ ψιλῆς, ἔτι δ' ἀργυρίου μνᾶς ἑκατόν, καὶ τέτταρας τῆς ἡμέρας δραχμάς. καὶ τούτων ψήφισμ' ἔστιν Ἀλκιβιάδου, ἐν ᾧ ταῦτα γέγραπται.

---

xv. 29: διτταὶ post Ἕλλησι SFBY, post βασιλέα A, ante τοῖς vulg., secl. Blass.

XXII. κατ' Ἀνδροτίωνος

xxii. 13: οἷον πολλὰ μὲν ἄν τις ἔχοι λέγειν καὶ παλαιὰ καὶ καινά· ἃ δ' οὖν πᾶσι μάλιστ' ἀκοῦσαι γνώριμα, τοῦτο μέν, εἰ βούλεσθε, οἱ τὰ προπύλαια καὶ τὸν παρθενῶν' οἰκοδομήσαντες ἐκεῖνοι καὶ τἄλλ' ἀπὸ τῶν βαρβάρων ἱερὰ κοσμήσαντες, ἐφ' οἷς φιλοτιμούμεθα πάντες εἰκότως, ἴστε δήπου τοῦτ' ἀκοῇ, ὅτι τὴν πόλιν ἐκλιπόντες καὶ κατακλεισθέντες εἰς Σαλαμῖνα, ἐκ τοῦ τριήρεις ἔχειν πάντα μὲν τὰ σφέτερ' αὐτῶν καὶ τὴν πόλιν τῇ ναυμαχίᾳ νικήσαντες ἔσωσαν, πολλῶν δὲ καὶ μεγάλων ἀγαθῶν τοῖς ἄλλοις Ἕλλησι κατέστησαν αἴτιοι, ὧν οὐδ' ὁ
14 χρόνος τὴν μνήμην ἀφελέσθαι δύναται. εἶεν· ἀλλ' ἐκεῖνα μὲν ἀρχαῖα καὶ παλαιά. ἀλλ' ἃ πάντες ἑοράκατε, ἴσθ' ὅτι πρώην Εὐβοεῦσιν ἡμερῶν τριῶν ἐβοηθήσατε καὶ Θηβαίους ὑποσπόνδους ἀπεπέμψατε.

Schol. xxii. 13: . . . γ' γὰρ ἀγάλματα ἦν ἐν τῇ ἀκροπόλει τῆς Ἀθηνᾶς ἐν διαφόροις τόποις . . . δεύτερον δὲ τὸ ἀπὸ χαλκοῦ μόνον, ὅπερ ἐποίησαν νικήσαντες οἱ ἐν Μαραθῶνι. ἐκαλεῖτο δὲ τοῦτο προμάχου Ἀθηνᾶς.

Schol. xxii. 13–14 (ANONYMUS ARGENTINENSIS, edd. Meritt, Wade-Gery, and McGregor, *The Athenian Tribute Lists*, i. T9, ii. D13):

[ὅτι ᾠκοδόμησαν τὰ Προπύλαι]α καὶ τὸν Παρθενῶνα· μετ' ἔ[τ]η λ̣γ̣
[τὰ μὲν ἱερὰ ὕστερον τῶν Μηδι]κῶν ἤρξαντο οἰκοδο[με]ῖν, ἐποι-
[ήσαντο δὲ καὶ τὸ̣ ἄγαλμα, ἐπ' Εὐ]θυδήμο[υ] Περικλέους γνώμη[ν] ε̣ἰ̣σ- 431/0
[ηγησαμένου Ἀθηναίους κινεῖν] τὰ ἐν δημοσί⟨ω⟩ι ἀποκείμενα τάλαν̣-
[τα τὰ ἐκ τῶν φόρων συνηγμένα̣] πεντακισ̣χείλια κατὰ τὴν Ἀριστε̣ί̣-
[δου τάξιν. ὅτι τριήρεις ἔδει ἔχ]ειν εἰς τὴν πόλιν· μετ' ἐκεῖν̣ο γ̣ι̣ν̣ο-
[μένης καὶ πάλιν συμμαχίας ἐδό]κ̣ε̣ι τὴν βουλὴν τῶν παλαιῶν τριή-
[ρων λόγον ἐν τῆι ἐκκλησίαι δ]ιδόναι, καινὰς δ' ἐπιναυπηγεῖν ἑκάσ-
[τοτε τριήρεις ἢ τετρήρεις δ]έκα. ὅτι τρίσιν ἡμέραις ἐβοή[θ]ησαν . . .

XXIII. κατ' Ἀριστοκράτους

xxiii. 22: λαβὲ δὴ τοὺς νόμους αὐτοὺς καὶ λέγε, ἵν' ἐξ αὐτῶν ἐπιδεικνύω τούτων τὸ παράνομον.

ΝΟΜΟΣ ΕΚ ΤΩΝ ΦΟΝΙΚΩΝ ΝΟΜΩΝ ΤΩΝ ΕΞ ΑΡΕΙΟΥ ΠΑΓΟΥ

Δικάζειν δὲ τὴν βουλὴν τὴν ἐν Ἀρείῳ πάγῳ φόνου καὶ τραύματος ἐκ προνοίας καὶ πυρκαϊᾶς καὶ φαρμάκων, ἐάν τις ἀποκτείνῃ δούς.

xxiii. 65: . . . τὸ ἐν Ἀρείῳ πάγῳ δικαστήριον . . . (66) . . . τοῦτο

Anon. Argent. 5: *Εὐθυδήμου* falso pro *Εὐθύνου* (450/49) scriptum censent edd. 8: supplementum valde dubium.

μόνον τὸ δικαστήριον οὐχὶ τύραννος, οὐκ ὀλιγαρχία, οὐ δημοκρατία τὰς φονικὰς δίκας ἀφελέσθαι τετόλμηκεν.

xxiii. 199: τὰς μὲν δὴ πολιτικὰς δωρειὰς οὕτως ἐκεῖνοί τε καλῶς καὶ
λυσιτελούντως αὐτοῖς ἐδίδοσαν καὶ ἡμεῖς οὐκ ὀρθῶς· τὰς δὲ τῶν ξένων
πῶς; ἐκεῖνοι Μένωνι τῷ Φαρσαλίῳ δώδεκα μὲν τάλαντ' ἀργυρίου
δόντι πρὸς τὸν ἐπ' Ἠιόνι τῇ πρὸς Ἀμφιπόλει πόλεμον, τριακοσίοις δ'
ἱππεῦσι πενέσταις ἰδίοις βοηθήσαντι, οὐκ ἐψηφίσαντο, αὐτὸν ἄν τις
ἀποκτείνῃ, ἀγώγιμον εἶναι, ἀλλὰ πολιτείαν ἔδοσαν καὶ ταύτην ἱκανὴν
ὑπελάμβανον εἶναι τὴν τιμήν. καὶ πάλιν Περδίκκᾳ τῷ κατὰ τὴν τοῦ 200
βαρβάρου ποτ' ἐπιστρατείαν βασιλεύοντι Μακεδονίας, τοὺς ἀναχω-
ροῦντας ἐκ Πλαταιῶν τῶν βαρβάρων διαφθείραντι καὶ τέλειον τἀτύχημα
ποιήσαντι τῷ βασιλεῖ, οὐκ ἐψηφίσαντ' ἀγώγιμον, ἄν τις ἀποκτείνῃ
Περδίκκαν, ᾧ βασιλεὺς ἐχθρὸς δι' ἡμᾶς ἀπεδέδεικτο, ἀλλὰ πολιτείαν
ἔδωκαν μόνον.

xxiii. 205: ἐκεῖνοι Θεμιστοκλέα λαβόντες μεῖζον ἑαυτῶν ἀξιοῦντα φρονεῖν ἐξήλασαν ἐκ τῆς πόλεως καὶ μηδισμὸν κατέγνωσαν.

xxiii. 209: τότε μὲν γὰρ τῷ κυρίῳ τῶν φόρων γενομένῳ τάξαι Ἀριστείδῃ οὐδὲ μιᾷ δραχμῇ πλείω τὰ ὑπάρχοντ' ἐγένετο, ἀλλὰ καὶ τελευτήσαντ' αὐτὸν ἔθαψεν ἡ πόλις· ὑμῖν δ', εἴ τι δέοισθε, χρήμαθ' ὑπῆρχε κοινῇ πλεῖστα τῶν πάντων Ἑλλήνων, ὥσθ' ὁπόσου χρόνου ψηφίσαισθ' ἐξιέναι, τοσούτου μισθὸν ἔχοντες ἐξῇτε.

XXIV. κατὰ Τιμοκράτους

xxiv. 154: ἀκούω δ' ἔγωγε καὶ τὸ πρότερον οὕτω καταλυθῆναι τὴν δημοκρατίαν, παρανόμων πρῶτον γραφῶν καταλυθεισῶν καὶ τῶν δικαστηρίων ἀκύρων γενομένων.

*LIX. κατὰ Νεαίρας

*lix. 96: ἐπεὶ δὲ Παυσανίας ὁ Λακεδαιμονίων βασιλεὺς ὑβρίζειν
ἐνεχείρει ὑμᾶς, καὶ οὐκ ἠγάπα ὅτι τῆς ἡγεμονίας μόνοι ἠξιώ-
θησαν Λακεδαιμόνιοι ὑπὸ τῶν Ἑλλήνων, καὶ ἡ πόλις τῇ μὲν ἀλη-
θείᾳ ἡγεῖτο τῆς ἐλευθερίας τοῖς Ἕλλησιν, τῇ δὲ φιλοτιμίᾳ οὐκ
ἠναντιοῦτο τοῖς Λακεδαιμονίοις, ἵνα μὴ φθονηθῶσιν ὑπὸ τῶν συμ-
μάχων—ἐφ' οἷς φυσηθεὶς Παυσανίας ὁ τῶν Λακεδαιμονίων βασιλεὺς 97
ἐπέγραψεν ἐπὶ τὸν τρίποδα ⟨τὸν⟩ ἐν Δελφοῖς, ὃν οἱ Ἕλληνες οἱ συμμα-
χεσάμενοι τὴν Πλαταιᾶσι μάχην καὶ τὴν ἐν Σαλαμῖνι ναυμαχίαν
ναυμαχήσαντες κοινῇ ποιησάμενοι ἀνέθηκαν ἀριστεῖον τῷ Ἀπόλλωνι
ἀπὸ τῶν βαρβάρων,

---

xxiii. 199, l. 4: *τριακοσίοις* codd., *διακοσίοις* *Dem. *xiii. 23*.

Ἑλλήνων ἀρχηγός, ἐπεὶ στρατὸν ὤλεσε Μήδων,
Παυσανίας Φοίβῳ μνῆμ' ἀνέθηκε τόδε,

ὡς αὐτοῦ τοῦ ἔργου ὄντος καὶ τοῦ ἀναθήματος, ἀλλ' οὐ κοινοῦ τῶν
98 συμμάχων· ὀργισθέντων δὲ τῶν Ἑλλήνων, οἱ Πλαταιεῖς λαγχάνουσι
δίκην τοῖς Λακεδαιμονίοις εἰς τοὺς Ἀμφικτύονας χιλίων ταλάντων ὑπὲρ τῶν συμμάχων, καὶ ἠνάγκασαν αὐτοὺς ἐκκολάψαντας τὰ ἐλεγεῖα ἐπιγράψαι τὰς πόλεις τὰς κοινωνούσας τοῦ ἔργου. δι' ὅπερ αὐτοῖς οὐχ ἥκιστα παρηκολούθει ἡ ἔχθρα ⟨ἡ⟩ παρὰ Λακεδαιμονίων καὶ ἐκ τοῦ γένους τοῦ βασιλείου.

Προοίμιον νε'

lv. 2: οἵ τε γὰρ συνεχεῖς οἵδε παραζευγνυμένων σφίσιν ἐξ ἰδιωτῶν σπουδαίων καὶ δικαίων ἀνδρῶν, εὐλαβεστέρους αὐτοὺς παρεῖχον, οἵ τε χρηστοὶ μὲν ὑμῶν καὶ δικαίως ⟨ἂν⟩ ἄρχοντες, μὴ πάνυ δ' οἷοί τ' ἐνοχλεῖν καὶ παραγγέλλειν, οὐκ ἀπηλαύνοντο τῶν τιμῶν.

DIDYMOS. *Fragmenta*, ed. Schmidt, Leipzig (Teubner) 1854.

p. 215: see Schol. Pindar, *Ol.* ii. 15 (29)b, d.
p. 229: see Schol. Pindar, *Nem.* i, inscr. a.
p. 313: see Harpokration s.v. ὁ κάτωθεν νόμος (Anaximenes, fr. 13).
See also Schol. Pindar, *Pyth.* v. 26 (34) (Theotimos, fr. 1).

DIODOROS PERIEGETES. *FGrH* 372 (*FHG* ii, pp. 353 ff.).

περὶ μνημάτων

fr. 35 (1): see Plutarch, *Them.* 32⁵.
fr. 37 (4): see Plutarch, *Cim.* 16¹.
fr. 40: see Schol. Plato, *Menex.* 235e.

DIODOROS SIKELIOTES. *Bibliotheca Historica*, ed. Vogel, Leipzig (Teubner) 1888–93 (vols. i–iii).

iv. 62⁴: Θησεὺς δὲ μετὰ ταῦτα καταστασιασθεὶς καὶ φυγὼν ἐκ τῆς πατρίδος ἐπὶ τῆς ξένης ἐτελεύτησεν. οἱ δ' Ἀθηναῖοι μεταμεληθέντες τά τε ὀστᾶ μετήνεγκαν καὶ τιμαῖς ἰσοθέοις ἐτίμησαν αὐτόν, καὶ τέμενος ἄσυλον ἐποίησαν ἐν ταῖς Ἀθήναις τὸ προσαγορευόμενον ἀπ' ἐκείνου Θησεῖον.

xi. 3³: οἱ δ' ἐν Ἰσθμῷ συνεδρεύοντες τῶν Ἑλλήνων ἐψηφίσαντο **480/79**
τοὺς μὲν ἐθελοντὶ τῶν Ἑλλήνων ἑλομένους τὰ Περσῶν δεκατεῦσαι τοῖς θεοῖς, ἐπὰν τῷ πολέμῳ κρατήσωσι, πρὸς δὲ τοὺς τὴν ἡσυχίαν ἔχοντας

480/79 ἐκπέμψαι πρέσβεις τοὺς παρακαλέσοντας συναγωνίζεσθαι περὶ τῆς κοινῆς ἐλευθερίας.

xi. 24[4]: οἱ δὲ Καρχηδόνιοι φοβούμενοι μὴ φθάσῃ διαβὰς εἰς Λιβύην Γέλων, εὐθὺς ἐξέπεμψαν πρὸς αὐτὸν πρεσβευτὰς αὐτοκράτορας τοὺς δυνατωτάτους εἰπεῖν τε καὶ βουλεύσασθαι.

ὁ δὲ Γέλων μετὰ τὴν νίκην τούς τε ἱππεῖς τοὺς ἀνελόντας τὸν **25**
Ἀμίλκαν δωρεαῖς ἐτίμησε καὶ τῶν ἄλλων τοὺς ἠνδραγαθηκότας
ἀριστείοις ἐκόσμησε. τῶν δὲ λαφύρων τὰ καλλιστεύοντα παρεφύλαξε,
βουλόμενος τοὺς ἐν ταῖς Συρακούσαις νεὼς κοσμῆσαι τοῖς σκύλοις·
τῶν δ' ἄλλων πολλὰ μὲν ἐν Ἱμέρᾳ προσήλωσε τοῖς ἐπιφανεστάτοις τῶν
ἱερῶν, τὰ δὲ λοιπὰ μετὰ τῶν αἰχμαλώτων διεμέρισε τοῖς συμμάχοις,
κατὰ τὸν ἀριθμὸν τῶν συστρατευσάντων τὴν ἀναλογίαν ποιησάμενος.
αἱ δὲ πόλεις εἰς πέδας κατέστησαν τοὺς διαιρεθέντας αἰχμαλώτους, καὶ 2
τὰ δημόσια τῶν ἔργων διὰ τούτων ἐπεσκεύαζον.. πλείστους δὲ λαβόντες
Ἀκραγαντῖνοι τήν τε πόλιν αὐτῶν καὶ τὴν χώραν ἐκόσμησαν· τοσοῦτον
γὰρ παρ' αὐτοῖς τῶν ἡλωκότων ἦν τὸ πλῆθος, ὥστε πολλοὺς τῶν
ἰδιωτῶν παρ' αὐτοῖς ἔχειν δεσμώτας πεντακοσίους. συνεβάλετο γὰρ
αὐτοῖς πρὸς τὸ πλῆθος τῶν αἰχμαλώτων οὐ μόνον ὅτι πολλοὺς στρατιώ-
τας ἀπεσταλκότες ἦσαν ἐπὶ τὴν μάχην, ἀλλὰ καὶ διότι γενομένης τῆς
τροπῆς πολλοὶ τῶν φευγόντων εἰς τὴν μεσόγειον ἀνεχώρησαν, μάλιστα
δὲ εἰς τὴν Ἀκραγαντίνων, ὧν ἁπάντων ὑπὸ τῶν Ἀκραγαντίνων
ζωγρηθέντων ἔγεμεν ἡ πόλις τῶν ἑαλωκότων. πλείστων δὲ εἰς τὸ 3
δημόσιον ἀνενεχθέντων, οὗτοι μὲν τοὺς λίθους ἔτεμνον, ἐξ ὧν οὐ μόνον
οἱ μέγιστοι τῶν θεῶν ναοὶ κατεσκευάσθησαν, ἀλλὰ καὶ πρὸς τὰς τῶν
ὑδάτων ἐκ τῆς πόλεως ἐκροὰς ὑπόνομοι κατεσκευάσθησαν τηλικοῦτοι
τὸ μέγεθος, ὥστε ἀξιοθέατον εἶναι τὸ κατασκεύασμα, καίπερ διὰ τὴν
εὐτέλειαν καταφρονούμενον. ἐπιστάτης δὲ γενόμενος τούτων τῶν
ἔργων ὁ προσαγορευόμενος Φαίαξ διὰ τὴν δόξαν τοῦ κατασκευάσματος
ἐποίησεν ἀφ' ἑαυτοῦ κληθῆναι τοὺς ὑπονόμους φαίακας. κατεσκεύασαν 4
δὲ οἱ Ἀκραγαντῖνοι καὶ κολυμβήθραν πολυτελῆ, τὴν περίμετρον
ἔχουσαν σταδίων ἑπτά, τὸ δὲ βάθος πηχῶν εἴκοσι. εἰς δὲ ταύτην
ἐπαγομένων ποταμίων καὶ κρηναίων ὑδάτων ἰχθυοτροφεῖον ἐγένετο,
πολλοὺς παρεχόμενον ἰχθῦς εἰς τροφὴν καὶ ἀπόλαυσιν· κύκνων τε
πλείστων εἰς αὐτὴν καταπταμένων συνέβη τὴν πρόσοψιν αὐτῆς ἐπιτερπῆ
γενέσθαι. ἀλλ' αὕτη μὲν ἐν τοῖς ὕστερον χρόνοις ἀμεληθεῖσα συν-
εχώσθη καὶ διὰ τὸ πλῆθος τοῦ χρόνου κατεφθάρη, τὴν δὲ χώραν ἅπασαν 5
ἀγαθὴν οὖσαν ἀμπελόφυτον ἐποίησαν καὶ δένδρεσι παντοίοις πεπυκνω-
μένην, ὥστε λαμβάνειν ἐξ αὐτῆς μεγάλας προσόδους.

Γέλων δὲ τοὺς συμμάχους ἀπολύσας τοὺς πολίτας ἀπήγαγεν εἰς τὰς Συρακούσας, καὶ διὰ τὸ μέγεθος τῆς εὐημερίας ἀποδοχῆς ἐτύγχανεν

οὐ μόνον παρὰ τοῖς πολίταις, ἀλλὰ καὶ καθ' ὅλην τὴν Σικελίαν· ἐπ- 480/79
ήγετο γὰρ αἰχμαλώτων τοσοῦτο πλῆθος, ὥστε δοκεῖν ὑπὸ τῆς νήσου
26 γεγονέναι τὴν Λιβύην ὅλην αἰχμάλωτον. εὐθὺς δὲ καὶ τῶν πρότερον ἐναντιουμένων πόλεών τε καὶ δυναστῶν παρεγένοντο πρὸς αὐτὸν πρέσβεις, ἐπὶ μὲν τοῖς ἠγνοημένοις αἰτούμενοι συγγνώμην, εἰς δὲ τὸ λοιπὸν ἐπαγγελλόμενοι πᾶν ποιήσειν τὸ προσταττόμενον. ὁ δὲ πᾶσιν ἐπιεικῶς χρησάμενος συμμαχίαν συνετίθετο, καὶ τὴν εὐτυχίαν ἀνθρωπίνως ἔφερεν οὐκ ἐπὶ τούτων μόνον, ἀλλὰ καὶ ἐπὶ τῶν πολεμιωτάτων
2 Καρχηδονίων. παραγενομένων γὰρ πρὸς αὐτὸν ἐκ τῆς Καρχηδόνος τῶν ἀπεσταλμένων πρέσβεων καὶ μετὰ δακρύων δεομένων ἀνθρωπίνως αὐτοῖς χρήσασθαι, συνεχώρησε τὴν εἰρήνην, ἐπράξατο δὲ παρ' αὐτῶν τὰς εἰς τὸν πόλεμον γεγενημένας δαπάνας, ἀργυρίου δισχίλια τάλαντα, καὶ δύο ναοὺς προσέταξεν οἰκοδομῆσαι, καθ' οὓς ἔδει τὰς συνθήκας
3 ἀνατεθῆναι. οἱ δὲ Καρχηδόνιοι παραδόξως τῆς σωτηρίας τετευχότες ταῦτά τε δώσειν προσεδέξαντο καὶ στέφανον χρυσοῦν τῇ γυναικὶ τοῦ Γέλωνος Δαμαρέτῃ προσωμολόγησαν. αὕτη γὰρ ὑπ' αὐτῶν ἀξιωθεῖσα συνήργησε πλεῖστον εἰς τὴν σύνθεσιν τῆς εἰρήνης, καὶ στεφανωθεῖσα ὑπ' αὐτῶν ἑκατὸν ταλάντοις χρυσίου, νόμισμα ἐξέκοψε τὸ κληθὲν ἀπ' ἐκείνης Δαμαρέτειον· τοῦτο δ' εἶχε μὲν Ἀττικὰς δραχμὰς δέκα, ἐκλήθη
4 δὲ παρὰ τοῖς Σικελιώταις ἀπὸ τοῦ σταθμοῦ πεντηκοντάλιτρον. ὁ δὲ Γέλων ἐχρῆτο πᾶσιν ἐπιεικῶς, μάλιστα μὲν εἰς τὸν ἴδιον τρόπον, οὐχ ἥκιστα δὲ καὶ σπεύδων ἅπαντας ἔχειν ταῖς εὐνοίαις ἰδίους· παρεσκευάζετο γὰρ πολλῇ δυνάμει πλεῖν ἐπὶ τὴν Ἑλλάδα καὶ συμμαχεῖν
5 τοῖς Ἕλλησι κατὰ τῶν Περσῶν. ἤδη δ' αὐτοῦ μέλλοντος ποιεῖσθαι τὴν ἀναγωγήν, κατέπλευσάν τινες ἐκ Κορίνθου διασαφοῦντες νενικηκέναι τῇ ναυμαχίᾳ τοὺς Ἕλληνας περὶ Σαλαμῖνα, καὶ τὸν Ξέρξην μετὰ μέρους τῆς δυνάμεως ἐκ τῆς Εὐρώπης ἀπηλλάχθαι. διὸ καὶ τῆς ὁρμῆς ἐπισχών, τὴν προθυμίαν τῶν στρατιωτῶν ἀποδεξάμενος, συνήγαγεν ἐκκλησίαν, προστάξας ἅπαντας ἀπαντᾶν μετὰ τῶν ὅπλων· αὐτὸς δὲ οὐ μόνον τῶν ὅπλων γυμνὸς εἰς τὴν ἐκκλησίαν ἦλθεν, ἀλλὰ καὶ ἀχίτων ἐν ἱματίῳ προσελθὼν ἀπελογίσατο μὲν περὶ παντὸς τοῦ βίου καὶ τῶν πεπρα-
6 γμένων αὐτῷ πρὸς τοὺς Συρακοσίους· ἐφ' ἑκάστῳ δὲ τῶν λεγομένων ἐπισημαινομένων τῶν ὄχλων, καὶ θαυμαζόντων μάλιστα ὅτι γυμνὸν ἑαυτὸν παρεδεδώκει τοῖς βουλομένοις αὐτὸν ἀνελεῖν, τοσοῦτον ἀπεῖχε τοῦ [μὴ] τυχεῖν τιμωρίας ὡς τύραννος, ὥστε μιᾷ φωνῇ πάντας ἀποκα-
7 λεῖν εὐεργέτην καὶ σωτῆρα καὶ βασιλέα. ἀπὸ δὲ τούτων γενόμενος ὁ Γέλων ἐκ μὲν τῶν λαφύρων κατεσκεύασε ναοὺς ἀξιολόγους Δήμητρος καὶ Κόρης, χρυσοῦν δὲ τρίποδα ποιήσας ἀπὸ ταλάντων ἑκκαίδεκα ἀνέθηκεν εἰς τὸ τέμενος τὸ ἐν Δελφοῖς Ἀπόλλωνι χαριστήριον. ἐπεβάλετο δὲ ὕστερον καὶ κατὰ τὴν Αἴτνην κατασκευάζειν νεὼν Δήμητρος

480/79 †ἐννηὼς δὲ οὔσης τοῦτον μὲν οὐ συνετέλεσε, μεσολαβηθεὶς τὸν βίον
ὑπὸ τῆς πεπρωμένης.

479/8 xi. 29[2]: συναχθέντων δὲ τῶν Ἑλλήνων εἰς τὸν Ἰσθμόν, ἐδόκει τοῖς
πᾶσιν ὅρκον ὀμόσαι περὶ τοῦ πολέμου, τὸν στέξοντα μὲν τὴν ὁμόνοιαν
αὐτῶν, ἀναγκάσοντα δὲ γενναίως τοὺς κινδύνους ὑπομένειν. ὁ δὲ ὅρκος 3
ἦν τοιοῦτος· οὐ ποιήσομαι περὶ πλείονος τὸ ζῆν τῆς ἐλευθερίας, οὐδὲ
καταλείψω τοὺς ἡγεμόνας οὔτε ζῶντας οὔτε ἀποθανόντας, ἀλλὰ τοὺς
ἐν τῇ μάχῃ τελευτήσαντας τῶν συμμάχων πάντας θάψω, καὶ κρατήσας
τῷ πολέμῳ τῶν βαρβάρων οὐδεμίαν τῶν ἀγωνισαμένων πόλεων
ἀνάστατον ποιήσω, καὶ τῶν ἱερῶν τῶν ἐμπρησθέντων καὶ καταβλη-
θέντων οὐδὲν ἀνοικοδομήσω, ἀλλ' ὑπόμνημα τοῖς ἐπιγινομένοις ἐάσω
καὶ καταλείψω τῆς τῶν βαρβάρων ἀσεβείας.

xi. 33[2]: οἱ δ' Ἕλληνες ἐκ τῶν λαφύρων δεκάτην ἐξελόμενοι κατ-
εσκεύασαν χρυσοῦν τρίποδα, καὶ ἀνέθηκαν εἰς Δελφοὺς χαριστήριον τῷ
θεῷ ἐπιγράψαντες ἐλεγεῖον τόδε (Simonides, fr. 102),

Ἑλλάδος εὐρυχόρου σωτῆρες τόνδ' ἀνέθηκαν,
δουλοσύνης στυγερᾶς ῥυσάμενοι πόλιας.

xi. 37[1]: οἱ δὲ περὶ Λεωτυχίδην καὶ Ξάνθιππον ἀποπλεύσαντες εἰς
Σάμον τοὺς μὲν Ἴωνας καὶ τοὺς Αἰολεῖς συμμάχους ἐποιήσαντο, μετὰ
δὲ ταῦτα ἔπειθον αὐτοὺς ἐκλιπόντας τὴν Ἀσίαν εἰς τὴν Εὐρώπην
μετοικισθῆναι. ἐπηγγέλλοντο δὲ τὰ μηδίσαντα τῶν ἐθνῶν ἀναστήσαντες
δώσειν ἐκείνοις τὴν χώραν· καθόλου γὰρ μένοντας αὐτοὺς ἐπὶ τῆς 2
Ἀσίας τοὺς μὲν πολεμίους ὁμόρους ἕξειν, πολὺ ταῖς δυνάμεσιν ὑπερ-
έχοντας, τοὺς δὲ συμμάχους ὄντας διαποντίους μὴ δυνήσεσθαι τὰς
βοηθείας εὐκαίρους αὐτοῖς ποιήσασθαι. οἱ δὲ Αἰολεῖς καὶ οἱ Ἴωνες
ἀκούσαντες τῶν ἐπαγγελιῶν ἔγνωσαν πείθεσθαι τοῖς Ἕλλησι, καὶ
παρεσκευάζοντο πλεῖν μετ' αὐτῶν εἰς τὴν Εὐρώπην. οἱ δ' Ἀθηναῖοι 3
μετανοήσαντες εἰς τοὐναντίον πάλιν μένειν συνεβούλευον, λέγοντες ὅτι
κἂν μηδεὶς αὐτοῖς τῶν ἄλλων Ἑλλήνων βοηθῇ, μόνοι Ἀθηναῖοι συγ-
γενεῖς ὄντες βοηθήσουσιν· ὑπελάμβανον δὲ ὅτι κοινῇ κατοικισθέντες
ὑπὸ τῶν Ἑλλήνων οἱ Ἴωνες οὐκέτι μητρόπολιν ἡγήσονται τὰς Ἀθήνας.
διόπερ συνέβη μετανοῆσαι τοὺς Ἴωνας καὶ κρῖναι μένειν ἐπὶ τῆς Ἀσίας.
τούτων δὲ πραχθέντων συνέβη τὴν δύναμιν τῶν Ἑλλήνων σχισθῆναι, 4
καὶ τοὺς μὲν Λακεδαιμονίους εἰς τὴν Λακωνικὴν ἀποπλεῦσαι, τοὺς δὲ
Ἀθηναίους μετὰ τῶν Ἰώνων καὶ τῶν νησιωτῶν ἐπὶ Σηστὸν ἀπᾶραι.
Ξάνθιππος δὲ ὁ στρατηγὸς εὐθὺς ἐκ κατάπλου προσβολὰς τῇ πόλει 5
ποιησάμενος εἷλε Σηστόν, καὶ φρουρὰν ἐγκαταστήσας τοὺς μὲν συμ-
μάχους ἀπέλυσεν, αὐτὸς δὲ μετὰ τῶν πολιτῶν ἀνέκαμψεν εἰς τὰς
Ἀθήνας.

26[7]: Ἐνναίας Wesseling, Ἐνναίας, εὐγήρως δ' ἤδη ὢν Reiske, alii alia.

6 ὁ μὲν οὖν Μηδικὸς ὀνομασθεὶς πόλεμος γενόμενος διετὴς τοῦτο ἔσχε 479/8
τὸ πέρας. τῶν δὲ συγγραφέων Ἡρόδοτος ἀρξάμενος πρὸ τῶν Τρωικῶν
χρόνων γέγραφε κοινὰς σχεδόν τι τὰς τῆς οἰκουμένης πράξεις ἐν βίβλοις
ἐννέα, καταστρέφει δὲ τὴν σύνταξιν εἰς τὴν περὶ Μυκάλην μάχην τοῖς
Ἕλλησι πρὸς τοὺς Πέρσας καὶ Σηστοῦ πολιορκίαν.
7 κατὰ δὲ τὴν Ἰταλίαν Ῥωμαῖοι πρὸς τοὺς Οὐολούσκους πολεμήσαντες
καὶ μάχῃ νικήσαντες πολλοὺς ἀνεῖλον. Σπόριος δὲ Κάσσιος, ὁ κατὰ τὸν
προηγούμενον ἐνιαυτὸν ὑπατεύσας, δόξας ἐπιθέσθαι τυραννίδι καὶ κατα-
γνωσθείς, ἀνῃρέθη. ταῦτα μὲν οὖν ἐπράχθη κατὰ τοῦτον τὸν ἐνιαυτόν.
38 ἐπ᾽ ἄρχοντος δ᾽ Ἀθήνησι Τιμοσθένους ἐν Ῥώμῃ τὴν ὑπατικὴν ἀρχὴν 478/7
διεδέξαντο Καίσων Φάβιος καὶ Λεύκιος Αἰμίλιος Μάμερκος. ἐπὶ δὲ
τούτων κατὰ τὴν Σικελίαν πολλή τις εἰρήνη κατεῖχε τὴν νῆσον, τῶν
μὲν Καρχηδονίων εἰς τέλος τεταπεινωμένων, τοῦ δὲ Γέλωνος ἐπιεικῶς
προεστηκότος τῶν Σικελιωτῶν καὶ πολλὴν εὐνομίαν τε καὶ πάντων
2 τῶν ἐπιτηδείων εὐπορίαν παρεχομένου ταῖς πόλεσι. τῶν δὲ Συρακοσίων
τὰς μὲν πολυτελεῖς ἐκφορὰς νόμῳ καταλελυκότων καὶ τὰς εἰωθυίας
δαπάνας εἰς τοὺς τελευτῶντας γίνεσθαι περιῃρηκότων, ἐγγεγραμμένων
δὲ ἐν τῷ νόμῳ καὶ τῶν παντελῶς ἐνταφίων ἠμεληκότων, ὁ βασιλεὺς
Γέλων βουλόμενος τὴν τοῦ δήμου σπουδὴν ἐν ἅπασι διαφυλάττειν, τὸν
3 περὶ τῆς ταφῆς νόμον ἐφ᾽ ἑαυτοῦ βέβαιον ἐτήρησεν· ὑπὸ γὰρ ἀρρωστίας
συνεχόμενος καὶ τὸ ζῆν ἀπελπίσας, τὴν μὲν βασιλείαν παρέδωκεν
Ἱέρωνι τῷ πρεσβυτάτῳ τῶν ἀδελφῶν, περὶ δὲ τῆς ἑαυτοῦ ταφῆς
ἐνετείλατο διαστελλόμενος ἀκριβῶς τηρῆσαι τὸ νόμιμον. διὸ καὶ
τελευτήσαντος αὐτοῦ τὴν ἐκφορὰν κατὰ τὴν ἐπαγγελίαν αὐτοῦ συνετέλε-
4 σεν ὁ διαδεξάμενος τὴν βασιλείαν. ἐτάφη δ᾽ αὐτοῦ τὸ σῶμα κατὰ τὸν
ἀγρὸν τῆς γυναικὸς ἐν ταῖς καλουμέναις Ἐννέα τύρσεσιν, οὔσαις τῷ
βάρει τῶν ἔργων θαυμασταῖς. ὁ δὲ ὄχλος ἐκ τῆς πόλεως ἅπας συν-
5 ηκολούθησεν, ἀπέχοντος τοῦ τόπου σταδίους διακοσίους. ἐνταῦθα δ᾽
αὐτοῦ ταφέντος ὁ μὲν δῆμος τάφον ἀξιόλογον ἐπιστήσας ἡρωικαῖς
τιμαῖς ἐτίμησε τὸν Γέλωνα, ὕστερον δὲ τὸ μὲν μνῆμα ἀνεῖλον Καρχη-
δόνιοι στρατεύσαντες ἐπὶ Συρακούσας, τὰς δὲ τύρσεις Ἀγαθοκλῆς
κατέβαλε διὰ τὸν φθόνον. ἀλλ᾽ ὅμως οὔτε Καρχηδόνιοι διὰ τὴν ἔχθραν
οὔτε Ἀγαθοκλῆς διὰ τὴν ἰδίαν κακίαν οὔτε ἄλλος οὐδὲ εἷς ἠδυνήθη τοῦ
6 Γέλωνος ἀφελέσθαι τὴν δόξαν· ἡ γὰρ τῆς ἱστορίας δικαία μαρτυρία
τετήρηκε τὴν περὶ αὐτοῦ φήμην, κηρύττουσα διαπρυσίως εἰς ἅπαντα
τὸν αἰῶνα. δίκαιον γὰρ ἅμα καὶ συμφέρον ἐστὶ τῷ κοινῷ βίῳ διὰ
τὴν ἱστορίαν τοὺς μὲν πονηροὺς τῶν ἐν ταῖς ἐξουσίαις γεγενημένων
βλασφημεῖσθαι, τοὺς δὲ εὐεργετικοὺς τυγχάνειν ἀθανάτου μνήμης· οὕτω
γὰρ μάλιστα συμβήσεται πολλοὺς ἐπὶ τὴν κοινὴν εὐεργεσίαν προτρέ-
πεσθαι τῶν μεταγενεστέρων.

478/7 Γέλων μὲν οὖν ἑπταέτη χρόνον ἐβασίλευσεν, Ἱέρων δ᾿ ὁ ἀδελφὸς αὐτοῦ διαδεξάμενος τὴν ἀρχὴν ἐβασίλευσε τῶν Συρακοσίων ἔτη ἕνδεκα καὶ μῆνας ὀκτώ.

κατὰ δὲ τὴν Ἑλλάδα Ἀθηναῖοι μὲν μετὰ τὴν ἐν Πλαταιαῖς νίκην 39
μετεκόμισαν ἐκ Τροιζῆνος καὶ Σαλαμῖνος τέκνα καὶ γυναῖκας εἰς τὰς
Ἀθήνας, εὐθὺς δὲ καὶ τὴν πόλιν ἐπεχείρησαν τειχίζειν καὶ τῶν ἄλλων
τῶν πρὸς ἀσφάλειαν ἀνηκόντων ἐπιμέλειαν ἐποιοῦντο. Λακεδαιμόνιοι 2
δ᾿ ὁρῶντες τοὺς Ἀθηναίους ἐν ταῖς ναυτικαῖς δυνάμεσι περιπεποιη-
μένους δόξαν μεγάλην, ὑπώπτευσαν αὐτῶν τὴν αὔξησιν, καὶ διέγνωσαν
κωλύειν τοὺς Ἀθηναίους ἀνοικοδομεῖν τὰ τείχη. εὐθὺς οὖν πρέσβεις 3
ἐξέπεμψαν εἰς τὰς Ἀθήνας τοὺς λόγῳ μὲν συμβουλεύσοντας κατὰ τὸ
παρὸν μὴ τειχίζειν τὴν πόλιν διὰ τὸ μὴ συμφέρειν κοινῇ τοῖς Ἕλλησι·
τὸν γὰρ Ξέρξην, εἰ πάλιν παραγενηθείη μετὰ μειζόνων δυνάμεων, ἕξειν
ἑτοίμους πόλεις τετειχισμένας ἐκτὸς Πελοποννήσου, ἐξ ὧν ὁρμώμενον
ῥᾳδίως καταπολεμήσειν τοὺς Ἕλληνας. οὐ πειθομένων δ᾿ αὐτῶν, οἱ
πρέσβεις προσιόντες τοῖς οἰκοδομοῦσι προσέταττον ἀφίστασθαι τῶν
ἔργων τὴν ταχίστην. ἀπορουμένων δὲ τῶν Ἀθηναίων ὅ τι χρὴ πράττειν, 4
Θεμιστοκλῆς, ἀποδοχῆς τότε παρ᾿ αὐτοῖς τυγχάνων τῆς μεγίστης,
συνεβούλευεν ἔχειν ἡσυχίαν· ἐὰν γὰρ βιάζωνται, ῥᾳδίως τοὺς Λακεδαι-
μονίους μετὰ τῶν Πελοποννησίων στρατεύσαντας κωλύσειν αὐτοὺς
τειχίζειν τὴν πόλιν. ἐν ἀπορρήτοις δὲ τῇ βουλῇ προεῖπεν, ὡς αὐτὸς μὲν 5
μετά τινων ἄλλων πορεύσεται πρεσβευτὴς εἰς Λακεδαίμονα, διδάξων
τοὺς Λακεδαιμονίους περὶ τοῦ τειχισμοῦ, τοῖς δὲ ἄρχουσι παρήγγειλεν,
ὅταν ἐκ Λακεδαίμονος ἔλθωσι πρέσβεις εἰς τὰς Ἀθήνας, παρακατέχειν
αὐτούς, ἕως ἂν αὐτὸς ἐκ τῆς Λακεδαίμονος ἀνακάμψῃ, ἐν τοσούτῳ δὲ
πανδημεὶ τειχίζειν τὴν πόλιν, καὶ τούτῳ τῷ τρόπῳ κρατήσειν αὐτοὺς
ἀπεφαίνετο τῆς προθέσεως. ὑπακουσάντων δὲ τῶν Ἀθηναίων, οἱ μὲν 40
περὶ τὸν Θεμιστοκλέα πρέσβεις προῆγον εἰς τὴν Σπάρτην, οἱ δὲ
Ἀθηναῖοι μετὰ μεγάλης σπουδῆς ᾠκοδόμουν τὰ τείχη, οὔτ᾿ οἰκίας
οὔτε τάφου φειδόμενοι. συνελαμβάνοντο δὲ τῶν ἔργων οἵ τε παῖδες
καὶ αἱ γυναῖκες καὶ καθόλου πᾶς ξένος καὶ δοῦλος, οὐδενὸς ἀπολειπο-
μένου τῆς προθυμίας. παραδόξως δὲ τῶν ἔργων ἀνυομένων διά τε 2
τὰς πολυχειρίας καὶ τὰς τῶν ἁπάντων προθυμίας, ὁ μὲν Θεμιστοκλῆς
ἀνακληθεὶς ὑπὸ τῶν ἀρχόντων καὶ ἐπιτιμηθεὶς περὶ τῆς τειχοποιίας
ἠρνήσατο τὴν οἰκοδομίαν, καὶ παρεκάλεσε τοὺς ἄρχοντας μὴ πιστεύειν
κεναῖς φήμαις, ἀλλ᾿ ἀποστέλλειν πρέσβεις ἀξιοπίστους εἰς τὰς Ἀθήνας·
διὰ γὰρ τούτων εἴσεσθαι τἀληθές· καὶ τούτων ἐγγυητὴν ἑαυτὸν παρ-
εδίδου καὶ τοὺς μεθ᾿ ἑαυτοῦ συμπρεσβεύοντας. πεισθέντες δὲ οἱ 3
Λακεδαιμόνιοι τοὺς μὲν περὶ τὸν Θεμιστοκλέα παρεφύλαττον, εἰς δὲ
τὰς Ἀθήνας ἀπέστειλαν τοὺς ἐπιφανεστάτους κατασκεψομένους, περὶ

ὧν ἦν χρεία πολυπραγμονῆσαι. τοῦ δὲ χρόνου διεξελθόντος, οἱ μὲν 478/7
Ἀθηναῖοι τὸ τεῖχος ἔφθασαν ἐφ' ἱκανὸν κατεσκευακότες, τοὺς δὲ τῶν
Λακεδαιμονίων πρέσβεις ἐλθόντας εἰς τὰς Ἀθήνας καὶ μετ' ἀνατάσεων
καὶ ἀπειλῶν ἐπιτιμῶντας παρέδωκαν εἰς φυλακήν, φήσαντες τότε
ἀφήσειν, ὅταν κἀκεῖνοι τοὺς περὶ Θεμιστοκλέα πρέσβεις ἀπολύσωσι.
4 τούτῳ δὲ τῷ τρόπῳ καταστρατηγηθέντες οἱ Λάκωνες ἠναγκάσθησαν
ἀπολῦσαι τοὺς Ἀθηναίων πρέσβεις, ἵνα τοὺς ἰδίους ἀπολάβωσιν. ὁ δὲ
Θεμιστοκλῆς τοιούτῳ στρατηγήματι τειχίσας τὴν πατρίδα συντόμως
καὶ ἀκινδύνως, μεγάλης ἀποδοχῆς ἔτυχε παρὰ τοῖς πολίταις.
5 ἅμα δὲ τούτοις πραττομένοις Ῥωμαίοις πρὸς Αἰκολανοὺς καὶ τοὺς τὸ
Τοῦσκλον κατοικοῦντας συνέστη πόλεμος, καὶ πρὸς μὲν Αἰκολανοὺς μάχην
συνάψαντες ἐνίκησαν καὶ πολλοὺς τῶν πολεμίων ἀνεῖλον, μετὰ δὲ ταῦτα
τὸ Τοῦσκλον ἐξεπολιόρκησαν καὶ τὴν τῶν Αἰκολανῶν πόλιν ἐχειρώσαντο.
41 τοῦ δ' ἐνιαυσίου χρόνου διεληλυθότος Ἀθήνησι μὲν ἦν ἄρχων 477/6
Ἀδείμαντος, ἐν Ῥώμῃ δὲ κατεστάθησαν ὕπατοι Μάρκος Φάβιος Οὐι-
βλανὸς καὶ Λεύκιος Οὐαλέριος Πόπλιος. ἐπὶ δὲ τούτων Θεμιστο-
κλῆς διὰ τὴν στρατηγίαν καὶ ἀγχίνοιαν ἀποδοχῆς ἔτυχεν οὐ μόνον
2 παρὰ τοῖς πολίταις, ἀλλὰ καὶ παρὰ πᾶσι τοῖς Ἕλλησι. διὸ καὶ μετ-
εωριζόμενος ἐπὶ τῇ δόξῃ πολὺ μείζοσιν ἄλλαις ἐπιβολαῖς ἐχρήσατο
πρὸς αὔξησιν ἡγεμονίας ἀνηκούσαις τῇ πατρίδι. τοῦ γὰρ καλουμένου
Πειραιῶς οὐκ ὄντος λιμένος κατ' ἐκείνους τοὺς χρόνους, ἀλλ' ἐπινείῳ
χρωμένων τῶν Ἀθηναίων τῷ προσαγορευομένῳ Φαληρικῷ, μικρῷ
παντελῶς ὄντι, ἐπενόησε τὸν Πειραιᾶ κατασκευάζειν λιμένα, μικρᾶς
μὲν προσδεόμενον κατασκευῆς, δυνάμενον δὲ γενέσθαι λιμένα κάλλιστον
3 καὶ μέγιστον τῶν κατὰ τὴν Ἑλλάδα. ἤλπιζεν οὖν τούτου προσγενο-
μένου τοῖς Ἀθηναίοις δυνήσεσθαι τὴν πόλιν ἀντιποιήσασθαι τῆς κατὰ
θάλατταν ἡγεμονίας· τριήρεις γὰρ τότε πλείστας ἐκέκτηντο, καὶ διὰ
τὴν συνέχειαν τῶν ναυμαχιῶν ἐμπειρίαν καὶ δόξαν μεγάλην τῶν
4 ναυτικῶν ἀγώνων περιεπεποίηντο. πρὸς δὲ τούτοις τοὺς μὲν Ἴωνας
ὑπελάμβανε διὰ τὴν συγγένειαν ἰδίους ἕξειν, τοὺς δὲ ἄλλους τοὺς κατὰ
τὴν Ἀσίαν Ἕλληνας δι' ἐκείνους ἐλευθερώσειν, ἀποκλινεῖν τε ταῖς
εὐνοίαις πρὸς τοὺς Ἀθηναίους διὰ τὴν εὐεργεσίαν, τοὺς δὲ νησιώτας
ἅπαντας καταπεπληγμένους τὸ μέγεθος τῆς ναυτικῆς δυνάμεως
ἑτοίμως ταχθήσεσθαι μετὰ τῶν δυναμένων καὶ βλάπτειν καὶ ὠφελεῖν
5 τὰ μέγιστα. τοὺς γὰρ Λακεδαιμονίους ἑώρα περὶ μὲν τὰς πεζὰς
δυνάμεις εὖ κατεσκευασμένους, πρὸς δὲ τοὺς ἐν ταῖς ναυσὶν ἀγῶνας
42 ἀφυεστάτους. ταῦτ' οὖν διαλογισάμενος ἔκρινε φανερῶς μὲν τὴν ἐπι-
βολὴν μὴ λέγειν, ἀκριβῶς γινώσκων τοὺς Λακεδαιμονίους κωλύσον-
τας, ἐν ἐκκλησίᾳ δὲ διελέχθη τοῖς πολίταις ὅτι μεγάλων πραγμάτων καὶ
συμφερόντων τῇ πόλει βούλεται γενέσθαι σύμβουλός τε καὶ εἰσηγητής,

477/6 ταῦτα δὲ φανερῶς μὲν λέγειν μὴ συμφέρειν, δι' ὀλίγων δὲ ἀνδρῶν
ἐπιτελεῖν προσήκειν· διόπερ ἠξίου τὸν δῆμον δύο ἄνδρας προχειρισά-
μενον οἷς ἂν μάλιστα πιστεύσῃ, τούτοις ἐπιτρέπειν περὶ τοῦ πράγματος.
πεισθέντος δὲ τοῦ πλήθους, ὁ δῆμος εἵλετο δύο ἄνδρας, Ἀριστείδην καὶ 2
Ξάνθιππον, οὐ μόνον κατ' ἀρετὴν προκρίνας αὐτούς, ἀλλὰ καὶ πρὸς τὸν
Θεμιστοκλέα τούτους ὁρῶν ἁμιλλωμένους περὶ δόξης καὶ πρωτείων,
καὶ διὰ τοῦτο ἀλλοτρίως ἔχοντας πρὸς αὐτόν. οὗτοι δὲ κατ' ἰδίαν 3
ἀκούσαντες τοῦ Θεμιστοκλέους τὴν ἐπιβολήν, ἐδήλωσαν τῷ δήμῳ
διότι καὶ μεγάλα καὶ συμφέροντα τῇ πόλει καὶ δυνατὰ καθέστηκε τὰ
λεγόμενα ὑπὸ τοῦ Θεμιστοκλέους. τοῦ δὲ δήμου θαυμάσαντος ἅμα 4
τὸν ἄνδρα καὶ ὑποπτεύσαντος μήποτε τυραννίδα τινὰ κατασκευασό-
μενος ἑαυτῷ τηλικαύταις καὶ τοιαύταις ἐπιβολαῖς ἐγχειρῇ, φανερῶς
αὐτὸν ἐκέλευον ἀποφαίνεσθαι τὰ δεδογμένα. ὁ δὲ πάλιν ἔφησε μὴ
συμφέρειν τῷ δήμῳ φανερῶς δηλοῦσθαι περὶ τῶν ἐπινοηθέντων. πολλῷ 5
δὲ μᾶλλον θαυμάσαντος τοῦ δήμου τὴν δεινότητα καὶ μεγαλοφροσύνην
τἀνδρός, ἐκέλευον ἐν ἀπορρήτοις εἰπεῖν τῇ βουλῇ τὰ δεδογμένα· κἂν
αὕτη κρίνῃ τὰ δυνατὰ λέγειν καὶ συμφέροντα, τότε ὡς ἂν συμβουλεύσῃ
πρὸς τὸ τέλος ἄξειν αὐτοῦ τὴν ἐπιβολήν. διόπερ τῆς βουλῆς πυθομένης 6
⟨τὰ⟩ κατὰ μέρος, καὶ κρινάσης λέγειν αὐτὸν τὰ συμφέροντα τῇ πόλει
καὶ δυνατά, τὸ λοιπὸν ἤδη συγχωρήσαντος τοῦ δήμου μετὰ τῆς βουλῆς
ἔλαβε τὴν ἐξουσίαν πράττειν ὅ τι βούλεται. ἕκαστος δ' ἐκ τῆς ἐκκλησίας
ἐχωρίζετο θαυμάζων μὲν τὴν ἀρετὴν τἀνδρός, μετέωρος δ' ὢν καὶ
καραδοκῶν τὸ τέλος τῆς ἐπιβολῆς. ὁ δὲ Θεμιστοκλῆς λαβὼν τὴν **43**
ἐξουσίαν τοῦ πράττειν, καὶ πᾶσαν ὑπουργίαν ἔχων ἑτοίμην τοῖς ἐγ-
χειρουμένοις, πάλιν ἐπενόησε καταστρατηγῆσαι τοὺς Λακεδαιμονίους·
ᾔδει γὰρ ἀκριβῶς ὅτι καθάπερ ἐπὶ τοῦ τῆς πόλεως τειχισμοῦ διεκώλυσαν
οἱ Λακεδαιμόνιοι, τὸν αὐτὸν τρόπον ἐπὶ τῆς κατασκευῆς τοῦ λιμένος
ἐγχειρήσουσι διακόπτειν τῶν Ἀθηναίων τὰς ἐπιβολάς. ἔδοξεν οὖν 2
αὐτῷ πρὸς μὲν τοὺς Λακεδαιμονίους πρέσβεις ἀποστεῖλαι τοὺς διδά-
ξοντας συμφέρειν τοῖς κοινοῖς τῆς Ἑλλάδος πράγμασιν ἔχειν ἀξιόχρεων
λιμένα πρὸς τὴν ἀπὸ τῶν Περσῶν ἐσομένην στρατείαν. διὰ δὲ τούτου
τοῦ τρόπου τοὺς Σπαρτιάτας ἀμβλυτέρους ποιήσας πρὸς τὸ κωλύειν,
αὐτὸς εἴχετο τῶν ἔργων, καὶ τῶν πάντων συμφιλοτιμουμένων ταχέως
συνέβη γενέσθαι καὶ παραδόξως κατασκευασθῆναι τὸν λιμένα. ἔπεισε 3
δὲ τὸν δῆμον καθ' ἕκαστον ἐνιαυτὸν πρὸς ταῖς ὑπαρχούσαις ναυσὶν
εἴκοσι τριήρεις προσκατασκευάζειν, καὶ τοὺς μετοίκους καὶ τοὺς
τεχνίτας ἀτελεῖς ποιῆσαι, ὅπως ὄχλος πολὺς πανταχόθεν εἰς τὴν πόλιν
κατέλθῃ καὶ πλείους τέχνας κατασκευάσωσιν εὐχερῶς· ἀμφότερα γὰρ
ταῦτα χρησιμώτατα πρὸς τὰς τῶν ναυτικῶν δυνάμεων κατασκευὰς
ὑπάρχειν ἔκρινεν. οἱ μὲν οὖν Ἀθηναῖοι περὶ ταῦτα ἠσχολοῦντο.

44 Λακεδαιμόνιοι δὲ Παυσανίαν τὸν ἐν Πλαταιαῖς στρατηγήσαντα κατα- 477/6
στήσαντες ναύαρχον προσέταξαν ἐλευθεροῦν τὰς Ἑλληνίδας πόλεις,
2 ὅσαι βαρβαρικαῖς φυλακαῖς διέμενον ἔτι φρουρούμεναι. οὗτος δὲ
πεντήκοντα μὲν τριήρεις ἐκ Πελοποννήσου λαβών, τριάκοντα δὲ παρ' Ἀθηναίων μεταπεμψάμενος, ὧν Ἀριστείδης ἡγεῖτο, πρῶτον μὲν εἰς τὴν Κύπρον ἔπλευσε καὶ τῶν πόλεων τὰς ἔτι φρουρὰς ἐχούσας Περσικὰς
3 ἠλευθέρωσε, μετὰ δὲ ταῦτα πλεύσας ἐπὶ τὸν Ἑλλήσποντον Βυζάντιον μὲν ὑπὸ Περσῶν κρατούμενον ἐχειρώσατο, καὶ τῶν ἄλλων βαρβάρων οὓς μὲν ἀνεῖλεν, οὓς δ' ἐκβαλὼν ἠλευθέρωσε τὴν πόλιν, πολλοὺς δ' ἐν αὐτῇ Περσῶν ἀξιολόγους ζωγρήσας ἄνδρας παρέδωκεν εἰς φυλακὴν Γογγύλῳ τῷ Ἐρετριεῖ, τῷ μὲν λόγῳ πρὸς τιμωρίαν τηρήσοντι, τῷ δ' ἔργῳ διασώσοντι πρὸς Ξέρξην· συνετέθειτο γὰρ δι' ἀπορρήτων φιλίαν πρὸς τὸν βασιλέα, καὶ τὴν θυγατέρα τοῦ Ξέρξου γαμεῖν ἔμελλεν, ἵνα
4 προδῷ τοὺς Ἕλληνας. ἦν δ' ὁ ταῦτα πραττόμενος Ἀρτάβαζος στρατηγός, καὶ χρημάτων πλῆθος ἐχορήγει λάθρᾳ τῷ Παυσανίᾳ πρὸς τὸ διὰ τούτων φθείρειν τοὺς εὐθέτους τῶν Ἑλλήνων. ἐγένετο δὲ καταφανὴς
5 καὶ τιμωρίας ἔτυχε τοιῷδέ τινι τρόπῳ. ζηλώσαντος αὐτοῦ τὴν Περσικὴν τρυφὴν καὶ τυραννικῶς προσφερομένου τοῖς ὑποτεταγμένοις, χαλεπῶς ἔφερον ἅπαντες, μάλιστα δὲ οἱ τεταγμένοι τῶν Ἑλλήνων ἐπί τινος
6 ἡγεμονίας. διόπερ τῶν κατὰ τὴν στρατιὰν καὶ κατὰ ἔθνη καὶ κατὰ πόλεις ἀλλήλοις ὁμιλούντων καὶ τοῦ Παυσανίου τῆς βαρύτητος καταλαλούντων, Πελοποννήσιοι μὲν καταλιπόντες αὐτὸν εἰς Πελοπόννησον ἀπέπλευσαν, καὶ πρέσβεις ἀποστείλαντες κατηγόρουν τοῦ Παυσανίου, Ἀριστείδης δὲ ὁ Ἀθηναῖος τῷ καιρῷ χρώμενος ἐμφρόνως ἐν ταῖς κοινολογίαις ἀνελάμβανε τὰς πόλεις καὶ διὰ τῆς ὁμιλίας προσαγόμενος ἰδίας ἐποίησε τοῖς Ἀθηναίοις. ἔτι δὲ μᾶλλον συνήργησε καὶ τὸ αὐτό-
45 ματον τοῖς Ἀθηναίοις διὰ ταύτας τὰς αἰτίας. Παυσανίας ἦν συντεθειμένος ὥστε τοὺς τὰς ἐπιστολὰς παρ' αὐτοῦ κομίζοντας πρὸς τὸν βασιλέα μὴ ἀνακάμπτειν μηδὲ γίνεσθαι μηνυτὰς τῶν ἀπορρήτων· δι' ἣν αἰτίαν ἀναιρουμένων αὐτῶν ὑπὸ τῶν ἀπολαμβανόντων τὰς ἐπιστολὰς
2 συνέβαινε μηδένα διασώζεσθαι. ἃ δὴ συλλογισάμενός τις τῶν βιβλιαφόρων ἀνέῳξε τὰς ἐπιστολάς, καὶ γνοὺς ἀληθὲς ὂν τὸ περὶ τὴν ἀναίρεσιν τῶν κομιζόντων τὰ γράμματα, ἀνέδωκε τοῖς ἐφόροις τὰς ἐπιστολάς.
3 τούτων δὲ ἀπιστούντων διὰ τὸ ἀνεῳγμένας αὐτοῖς τὰς ἐπιστολὰς ἀναδεδόσθαι, καὶ πίστιν ἑτέραν βεβαιοτέραν ζητούντων, ἐπηγγείλατο
4 παραδώσειν αὐτὸν ὁμολογοῦντα. πορευθεὶς οὖν ἐπὶ Ταίναρον καὶ καθεζόμενος ἐπὶ τῷ τοῦ Ποσειδῶνος ἱερῷ διπλῆν σκηνὴν περιεβάλετο, καὶ τοὺς μὲν ἐφόρους καὶ τῶν ἄλλων Σπαρτιατῶν τινας κατέκρυψε, τοῦ δὲ Παυσανίου παραγενομένου πρὸς αὐτὸν καὶ πυνθανομένου τὴν αἰτίαν τῆς ἱκετείας, ἐμέμψατο αὐτῷ καθ' ὅσον εἰς τὴν ἐπιστολὴν ἐνέγραψε

477/6 τὸν κατ᾽ αὐτοῦ θάνατον. τοῦ δὲ Παυσανίου φήσαντος μεταμελεῖσθαι 5
καὶ συγγνώμην αἰτουμένου τοῖς ἀγνοηθεῖσιν, ἔτι δὲ δεηθέντος ὅπως
συγκρύψῃ, καὶ δωρεὰς μεγάλας ὑπισχνουμένου, αὐτοὶ μὲν διελύθησαν,
οἱ δ᾽ ἔφοροι καὶ οἱ μετ᾽ αὐτῶν ἀκριβῶς μαθόντες τἀληθὲς τότε μὲν
ἡσυχίαν ἔσχον, ὕστερον δὲ τῶν Λακεδαιμονίων τοῖς ἐφόροις συλλαμβα-
νόντων, προαισθόμενος ἔφθασε καὶ κατέφυγεν εἰς ἱερὸν τὸ τῆς Ἀθηνᾶς
τῆς Χαλκιοίκου. ἀπορουμένων δὲ τῶν Λακεδαιμονίων εἰ τιμωρήσονται 6
τὸν ἱκέτην, λέγεται τὴν μητέρα τοῦ Παυσανίου καταντήσασαν εἰς τὸ
ἱερὸν ἄλλο μὲν μηδὲν μήτ᾽ εἰπεῖν μήτε πρᾶξαι [τι], πλίνθον δὲ βαστά-
σασαν ἀναθεῖναι κατὰ τὴν εἰς τὸ ἱερὸν εἴσοδον, καὶ τοῦτο πράξασαν
ἐπανελθεῖν εἰς τὴν ἰδίαν οἰκίαν. τοὺς δὲ Λακεδαιμονίους τῇ τῆς μητρὸς 7
κρίσει συνακολουθήσαντας ἐνοικοδομῆσαι τὴν εἴσοδον, καὶ τούτῳ τῷ
τρόπῳ συναναγκάσαι τὸν Παυσανίαν λιμῷ καταστρέψαι τὸν βίον. τὸ
μὲν οὖν σῶμα τοῦ τελευτήσαντος συνεχωρήθη τοῖς προσήκουσι κατα-
χῶσαι, τὸ δὲ δαιμόνιον τῆς τῶν ἱκετῶν σωτηρίας καταλυθείσης
ἐπεσήμηνε· τῶν γὰρ Λακεδαιμονίων περί τινων ἄλλων ἐν Δελφοῖς 8
χρηστηριαζομένων, ὁ θεὸς ἔδωκε χρησμὸν κελεύων ἀποκαταστῆσαι τῇ
θεῷ τὸν ἱκέτην. διόπερ οἱ Σπαρτιᾶται τὴν μαντείαν ἀδύνατον νομίζοντες 9
εἶναι, ἠπόρουν ἐφ᾽ ἱκανὸν χρόνον, οὐ δυνάμενοι ποιῆσαι τὸ προσταττό-
μενον ὑπὸ τοῦ θεοῦ· ὅμως δ᾽ ἐκ τῶν ἐνδεχομένων βουλευσάμενοι
κατεσκεύασαν εἰκόνας δύο τοῦ Παυσανίου χαλκᾶς, καὶ ἀνέθηκαν εἰς τὸ
ἱερὸν τῆς Ἀθηνᾶς.

ἡμεῖς δὲ παρ᾽ ὅλην τὴν ἱστορίαν εἰωθότες τῶν ἀγαθῶν ἀνδρῶν διὰ **46**
τῶν ἐπιλεγομένων ἐπαίνων αὔξειν τὴν δόξαν, τοῖς δὲ φαύλοις ἐπὶ τῆς
τελευτῆς ἐπιφθέγγεσθαι τὰς ἁρμοζούσας βλασφημίας, οὐκ ἐάσομεν τὴν
Παυσανίου κακίαν καὶ προδοσίαν ἀκατηγόρητον. τίς γὰρ οὐκ ἂν 2
θαυμάσαι τούτου τὴν ἄνοιαν, ὃς εὐεργέτης γενόμενος τῆς Ἑλλάδος καὶ
νικήσας τὴν ἐν Πλαταιαῖς μάχην, καὶ πολλὰς ἄλλας ἐπαινουμένας
πράξεις ἐπιτελεσάμενος, οὐχ ὅπως τὸ παρὸν ἀξίωμα διεφύλαξεν, ἀλλ᾽
ἀγαπήσας τῶν Περσῶν τὸν πλοῦτον καὶ τὴν τρυφήν, ἅπασαν τὴν
προϋπάρχουσαν εὐδοξίαν κατῄσχυνεν; ἐπαρθεὶς γὰρ ταῖς εὐτυχίαις τὴν 3
μὲν Λακωνικὴν ἀγωγὴν ἐστύγησε, τὴν δὲ τῶν Περσῶν ἀκολασίαν καὶ
τρυφὴν ἐμιμήσατο, ὃν ἥκιστα ἐχρῆν ζηλῶσαι τὰ τῶν βαρβάρων
ἐπιτηδεύματα· οὐ γὰρ ἑτέρων πεπυσμένος, ἀλλ᾽ αὐτὸς ἔργῳ πεῖραν
εἰληφὼς ἐγίνωσκε πόσῳ τῆς τῶν Περσῶν τρυφῆς ἡ πάτριος δίαιτα
πρὸς ἀρετὴν διέφερεν.

ἀλλὰ γὰρ αὐτὸς μὲν διὰ τὴν ἰδίαν κακίαν οὐ μόνον τῆς ἀξίας ἔτυχε 4
τιμωρίας, ἀλλὰ καὶ τοῖς πολίταις αἴτιος κατέστη τοῦ τὴν κατὰ θάλατταν
ἡγεμονίαν ἀποβαλεῖν· ἐκ παραθέσεως γὰρ ἡ Ἀριστείδου στρατηγία
παρὰ τοῖς συμμάχοις θεωρουμένη, καὶ διὰ τὴν εἰς τοὺς ὑποτεταγμένους

ὁμιλίαν καὶ τὰς ἄλλας ἀρετάς, ἐποίησε πάντας ὥσπερ ἀπὸ μιᾶς ὁρμῆς 477/6
5 ἀποκλῖναι πρὸς τοὺς Ἀθηναίους. διὸ καὶ τοῖς μὲν ἐκ τῆς Σπάρτης
πεμπομένοις ἡγεμόσιν οὐκέτι προσεῖχον, Ἀριστείδην δὲ θαυμάζοντες
καὶ πάντα προθύμως ὑπακούοντες ἐποίησαν χωρὶς κινδύνου παραλαβεῖν
47 τὴν κατὰ θάλατταν ἀρχήν. εὐθὺς οὖν ὁ μὲν Ἀριστείδης συνεβούλευε
τοῖς συμμάχοις ἅπασι κοινὴν ἄγουσι σύνοδον ἀποδεῖξαι [τὴν] Δῆλον
κοινὸν ταμιεῖον, καὶ τὰ χρήματα πάντα τὰ συναγόμενα εἰς ταύτην
κατατίθεσθαι, πρὸς δὲ τὸν ἀπὸ τῶν Περσῶν ὑποπτευόμενον πόλεμον
τάξαι φόρον ταῖς πόλεσι πάσαις κατὰ δύναμιν, ὥστε γίνεσθαι τὸ πᾶν
2 ἄθροισμα ταλάντων πεντακοσίων καὶ ἑξήκοντα. ταχθεὶς δὲ ἐπὶ τὴν
διάταξιν τῶν φόρων, οὕτως ἀκριβῶς καὶ δικαίως τὸν διαμερισμὸν
ἐποίησεν ὥστε πάσας τὰς πόλεις εὐδοκῆσαι. διὸ καὶ δοκῶν ἕν τι τῶν
ἀδυνάτων ἔργων συντετελεκέναι, μεγίστην ἐπὶ δικαιοσύνῃ δόξαν ἐκτή-
σατο καὶ διὰ τὴν ὑπερβολὴν τῆς δικαιοσύνης δίκαιος ἐπωνομάσθη.
3 ὑφ' ἕνα δὲ καὶ τὸν αὐτὸν καιρὸν ἡ μὲν τοῦ Παυσανίου κακία τῆς κατὰ
θάλατταν ἡγεμονίας ἐστέρησε τοὺς πολίτας, ἡ Ἀριστείδου δὲ κατὰ
πᾶν ἀρετὴ τὰς Ἀθήνας τὴν οὐκ οὖσαν στρατηγίαν ἐποίησε κτήσασθαι.
ταῦτα μὲν οὖν ἐπράχθη κατὰ τοῦτον τὸν ἐνιαυτόν.
48 ἐπ' ἄρχοντος δ' Ἀθήνησι Φαίδωνος ὀλυμπιὰς μὲν ἤχθη ἕκτη πρὸς 476/5
ταῖς ἑβδομήκοντα, καθ' ἣν ἐνίκα στάδιον Σκαμάνδριος Μυτιληναῖος, ἐν
Ῥώμῃ δ' ὑπῆρχον ὕπατοι Καίσων Φάβιος καὶ Σπόριος Φούριος
2 Μενέλλαιος. ἐπὶ δὲ τούτων Λεωτυχίδας ὁ τῶν Λακεδαιμονίων βασιλεὺς
ἐτελεύτησεν ἄρξας ἔτη εἴκοσι καὶ δύο, τὴν δὲ ἀρχὴν διαδεξάμενος
Ἀρχίδαμος ἐβασίλευσεν ἔτη τετταράκοντα καὶ δύο. ἐτελεύτησε δὲ καὶ
Ἀναξίλας ὁ Ῥηγίου καὶ Ζάγκλης τύραννος, δυναστεύσας ἔτη δέκα
ὀκτώ, τὴν δὲ τυραννίδα διεδέξατο Μίκυθος, πιστευθεὶς ὥστε ἀποδοῦναι
3 τοῖς τέκνοις τοῦ τελευτήσαντος οὖσι νέοις τὴν ἡλικίαν. Ἱέρων δὲ
ὁ βασιλεὺς τῶν Συρακοσίων μετὰ τὴν τοῦ Γέλωνος τελευτὴν τὸν μὲν
ἀδελφὸν Πολύζηλον ὁρῶν εὐδοκιμοῦντα παρὰ τοῖς Συρακοσίοις, καὶ
νομίζων αὐτὸν ἔφεδρον ὑπάρχειν τῆς βασιλείας, ἔσπευδεν ἐκποδὼν
ποιήσασθαι, αὐτὸς δὲ ξενολογῶν καὶ περὶ αὐτὸν σύστημα ξένων παρα-
4 σκευάζων ὑπελάμβανεν ἀσφαλῶς καθέξειν τὴν βασιλείαν. διὸ καὶ
Συβαριτῶν πολιορκουμένων ὑπὸ Κροτωνιατῶν καὶ δεομένων βοηθῆ-
σαι, στρατιώτας πολλοὺς κατέγραψεν εἰς τὴν στρατιάν, ἣν παρεδίδου
Πολυζήλῳ τἀδελφῷ νομίζων αὐτὸν ὑπὸ τῶν Κροτωνιατῶν ἀναιρε-
5 θήσεσθαι. τοῦ δὲ Πολυζήλου πρὸς τὴν στρατείαν οὐχ ὑπακούσαντος
διὰ τὴν ῥηθεῖσαν ὑποψίαν, δι' ὀργῆς εἶχε τὸν ἀδελφόν, καὶ φυγόν-
τος πρὸς Θήρωνα τὸν Ἀκραγαντίνων τύραννον, καταπολεμῆσαι τοῦτον

48^2: Ἀρχίδαμος Palmerius, Ἀρχέλαος codd.

476/5 παρεσκευάζετο. μετὰ δὲ ταῦτα Θρασυδαίου τοῦ Θήρωνος ἐπιστατοῦν- 6
τος τῆς τῶν Ἱμεραίων πόλεως βαρύτερον τοῦ καθήκοντος, συνέβη τοὺς
Ἱμεραίους ἀπαλλοτριωθῆναι παντελῶς ἀπ' αὐτοῦ. πρὸς μὲν οὖν τὸν 7
πατέρα πορεύεσθαί τε καὶ κατηγορεῖν ἀπεδοκίμαζον, νομίζοντες οὐχ
ἕξειν ἴσον ἀκουστήν· πρὸς δὲ τὸν Ἱέρωνα πρέσβεις ἀπέστειλαν κατ-
ηγοροῦντες τοῦ Θρασυδαίου καὶ ἐπαγγελλόμενοι τήν τε πόλιν ἐκείνῳ
παραδώσειν καὶ συνεπιθήσεσθαι τοῖς περὶ τὸν Θήρωνα. ὁ δὲ Ἱέρων 8
κρίνας εἰρηνικῶς διαλύσασθαι πρὸς τὸν Θήρωνα, προύδωκε τοὺς
Ἱμεραίους καὶ τὰ βεβουλευμένα λαθραίως ἐμήνυσεν. διόπερ Θήρων
ἐξετάσας τὰ κατὰ τὴν βουλήν, καὶ τὴν μήνυσιν ἀληθινὴν εὑρίσκων, πρὸς
μὲν τὸν Ἱέρωνα διελύσατο καὶ τὸν Πολύζηλον εἰς τὴν προϋπάρχουσαν
εὔνοιαν ἀποκατέστησε, τῶν δὲ Ἱμεραίων τοὺς ἐναντίους πολλοὺς ὄντας
συλλαβὼν ἀπέσφαξεν.

Ἱέρων δὲ τούς τε Ναξίους καὶ τοὺς Καταναίους ἐκ τῶν πόλεων **49**
ἀναστήσας, ἰδίους οἰκήτορας ἀπέστειλεν, ἐκ μὲν Πελοποννήσου πεντα-
κισχιλίους ἀθροίσας, ἐκ δὲ Συρακουσῶν ἄλλους τοσούτους προσθείς·
καὶ τὴν μὲν Κατάνην μετωνόμασεν Αἴτνην, τὴν δὲ χώραν οὐ μόνον τὴν
Καταναίαν, ἀλλὰ καὶ πολλὴν τῆς ὁμόρου προσθεὶς κατεκληρούχησε,
μυρίους πληρώσας οἰκήτορας. τοῦτο δ' ἔπραξε σπεύδων ἅμα μὲν ἔχειν 2
βοήθειαν ἑτοίμην ἀξιόλογον πρὸς τὰς ἐπιούσας χρείας, ἅμα δὲ καὶ ἐκ
τῆς γενομένης μυριάνδρου πόλεως τιμὰς ἔχειν ἡρωικάς. τοὺς δὲ
Ναξίους καὶ τοὺς Καταναίους ἐκ τῶν πατρίδων ἀνασταθέντας μετ-
ῴκισεν εἰς τοὺς Λεοντίνους, καὶ μετὰ τῶν ἐγχωρίων προσέταξε κατοικεῖν
τὴν πόλιν. Θήρων δὲ μετὰ τὴν Ἱμεραίων σφαγὴν ὁρῶν τὴν πόλιν 3
οἰκητόρων δεομένην, συνῴκισεν εἰς ταύτην τούς τε Δωριεῖς καὶ τῶν
ἄλλων τοὺς βουλομένους ἐπολιτογράφησεν. οὗτοι μὲν οὖν μετ' ἀλλήλων 4
καλῶς πολιτευόμενοι διετέλεσαν ἔτη πεντήκοντα καὶ ὀκτώ· τότε δὲ
τῆς πόλεως ὑπὸ Καρχηδονίων χειρωθείσης καὶ κατασκαφείσης, δι-
έμεινεν ἀοίκητος μέχρι τῶν καθ' ἡμᾶς καιρῶν.

475/4 ἐπ' ἄρχοντος δ' Ἀθήνησι Δρομοκλείδου Ῥωμαῖοι μὲν κατέστησαν **50**
ὑπάτους Μάρκον Φάβιον καὶ Γναῖον Μάλλιον. ἐπὶ δὲ τούτων Λακε-
δαιμόνιοι τὴν τῆς θαλάττης ἡγεμονίαν ἀποβεβληκότες ἀλόγως, βαρέως
ἔφερον· διὸ καὶ τοῖς ἀφεστηκόσιν ἀπ' αὐτῶν Ἕλλησι χαλεπῶς ἔχοντες,
ἠπείλουν ἐπιθήσειν αὐτοῖς τὴν προσήκουσαν τιμωρίαν. συναχθείσης δὲ 2
τῆς γερουσίας ἐβουλεύοντο περὶ τοῦ πολέμου τοῦ πρὸς τοὺς Ἀθηναίους
ὑπὲρ τῆς κατὰ θάλατταν ἡγεμονίας. ὁμοίως δὲ καὶ τῆς κοινῆς ἐκκλησίας 3
συναχθείσης, οἱ μὲν νεώτεροι καὶ τῶν ἄλλων οἱ πολλοὶ φιλοτίμως εἶχον
ἀνακτήσασθαι τὴν ἡγεμονίαν, νομίζοντες, ἐὰν αὐτὴν περιποιήσωνται,
χρημάτων τε πολλῶν εὐπορήσειν καὶ καθόλου τὴν Σπάρτην μείζονα
ποιήσεσθαι καὶ δυνατωτέραν, τούς τε τῶν ἰδιωτῶν οἴκους πολλὴν

4 ἐπίδοσιν λήψεσθαι πρὸς εὐδαιμονίαν. ἀνεμιμνήσκοντο δὲ καὶ τῆς 475/4
ἀρχαίας μαντείας, ἐν ᾗ προσέταξεν αὐτοῖς ὁ θεὸς σκοπεῖν, ὅπως μὴ
χωλὴν ἔχωσι τὴν ἡγεμονίαν, καὶ τὸν χρησμὸν ἔφασαν εἰς οὐδὲν ἕτερον
ἢ τὸ παρὸν λέγειν· χωλὴν γὰρ αὐτοῖς ὑπάρξειν τὴν ἀρχήν, ἐὰν οὐσῶν
5 δυεῖν ἡγεμονιῶν τὴν ἑτέραν ἀποβάλωσι. πάντων δὲ σχεδὸν τῶν
πολιτῶν πρὸς ταύτην τὴν ὑπόθεσιν ὡρμημένων, καὶ τῆς γερουσίας
συνεδρευούσης περὶ τούτων, οὐδεὶς ἤλπισεν οὐδένα τολμήσειν συμ-
6 βουλεῦσαι ἕτερόν τι. τῶν δὲ ἐκ τῆς γερουσίας τις, ὄνομα μὲν Ἑτοιμαρί-
δας, τὸ δὲ γένος ἀφ' Ἡρακλέους ὢν καὶ δι' ἀρετὴν ἀποδοχῆς τυγχάνων
παρὰ τοῖς πολίταις, ἐπεχείρησε συμβουλεύειν ἐᾶν τοὺς Ἀθηναίους ἐπὶ
τῆς ἡγεμονίας· μὴ συμφέρειν γὰρ τῇ Σπάρτῃ τῆς θαλάττης ἀμφισβητεῖν·
πρὸς παράδοξον δὲ ὑπόθεσιν εἰπεῖν εὐπορήσας λόγους ἁρμόζοντας,
7 παρὰ τὴν προσδοκίαν ἔπεισε τὴν γερουσίαν καὶ τὸν δῆμον. τέλος δὲ οἱ
Λακεδαιμόνιοι κρίναντες τὸν Ἑτοιμαρίδαν συμφέροντα λέγειν ἀπ-
8 έστησαν τῆς περὶ τὸν πόλεμον πρὸς τοὺς Ἀθηναίους ὁρμῆς. Ἀθηναῖοι δὲ
τὸ μὲν πρῶτον προσεδόκων μέγαν πόλεμον ἕξειν πρὸς τοὺς Λακεδαι-
μονίους περὶ τῆς κατὰ θάλατταν ἡγεμονίας, καὶ διὰ τοῦτο τριήρεις
κατεσκεύαζον πλείους καὶ χρημάτων πλῆθος ἐπορίζοντο καὶ τοῖς
συμμάχοις ἐπιεικῶς προσεφέροντο· ὡς δὲ τὰ δοχθέντα τοῖς Λακε-
δαιμονίοις ἐπύθοντο, τοῦ μὲν φόβου τοῦ κατὰ τὸν πόλεμον ἀπελύθησαν,
περὶ δὲ τὴν αὔξησιν τῆς ἰδίας πόλεως ἠσχολοῦντο.

51 ἐπ' ἄρχοντος δ' Ἀθήνησιν Ἀκεστορίδου ἐν Ῥώμῃ τὴν ὕπατον ἀρχὴν 474/3
διεδέξαντο Καίσων Φάβιος καὶ Τίτος Οὐεργίνιος. ἐπὶ δὲ τούτων Ἱέρων
μὲν ὁ βασιλεὺς τῶν Συρακοσίων, παραγενομένων πρὸς αὐτὸν πρέσβεων
ἐκ Κύμης τῆς Ἰταλίας καὶ δεομένων βοηθῆσαι πολεμουμένοις ὑπὸ
Τυρρηνῶν θαλαττοκρατούντων, ἐξέπεμψεν αὐτοῖς συμμαχίαν τριήρεις
2 ἱκανάς. οἱ δὲ τῶν νεῶν τούτων ἡγεμόνες ἐπειδὴ κατέπλευσαν εἰς
τὴν Κύμην, μετὰ τῶν ἐγχωρίων μὲν ἐναυμάχησαν πρὸς τοὺς Τυρρηνούς,
πολλὰς δὲ ναῦς αὐτῶν διαφθείραντες καὶ μεγάλῃ ναυμαχίᾳ νικήσαντες,
τοὺς μὲν Τυρρηνοὺς ἐταπείνωσαν, τοὺς δὲ Κυμαίους ἠλευθέρωσαν τῶν
φόβων, καὶ ἀπέπλευσαν ἐπὶ Συρακούσας.

52 ἐπ' ἄρχοντος δ' Ἀθήνησι Μένωνος Ῥωμαῖοι μὲν ὑπάτους κατέστησαν 473/2
Λεύκιον Αἰμίλιον Μάμερκον καὶ Γάιον Κορνήλιον Λέντουλον, κατὰ δὲ
2 τὴν Ἰταλίαν πόλεμος ἐνέστη Ταραντίνοις πρὸς τοὺς Ἰάπυγας· περὶ γὰρ
ὁμόρου χώρας ἀμφισβητούντων πρὸς ἀλλήλους, ἐπὶ μέν τινας χρόνους
διετέλουν ἀψιμαχοῦντες καὶ λεηλατοῦντες τὰς ἀλλήλων χώρας, ἀεὶ δὲ
μᾶλλον τῆς διαφορᾶς συναυξομένης καὶ πολλάκις φόνων γινομένων,
3 τὸ τελευταῖον εἰς ὁλοσχερῆ φιλοτιμίαν ὥρμησαν. οἱ μὲν οὖν Ἰάπυγες

50^{6}: Ἐτυμαρίδας P. 50^{7}: Ἐτυμαρίδαν P.

473/2 τήν τε παρ' αὐτῶν δύναμιν παρεσκευάζοντο καὶ τὴν παρὰ τῶν ὁμόρων
συμμαχίαν συνέλαβον, καὶ τοὺς σύμπαντας ἤθροισαν ὑπὲρ τοὺς δισμυ-
ρίους· οἱ δὲ Ταραντῖνοι πυθόμενοι τὸ μέγεθος τῆς ἐπ' αὐτοὺς ἠθροι-
σμένης δυνάμεως, τούς τε πολιτικοὺς στρατιώτας ἤθροισαν καὶ Ῥηγίνων
συμμάχων ὄντων πολλοὺς προσελάβοντο. γενομένης δὲ μάχης ἰσχυρᾶς 4
καὶ πολλῶν παρ' ἀμφοτέροις πεσόντων, τὸ τελευταῖον οἱ Ἰάπυγες
ἐνίκησαν. τῶν δὲ ἡττηθέντων εἰς δύο μέρη σχισθέντων κατὰ τὴν φυγήν,
καὶ τῶν μὲν εἰς Τάραντα τὴν ἀναχώρησιν ποιουμένων, τῶν δὲ εἰς τὸ
Ῥήγιον φευγόντων, παραπλησίως τούτοις καὶ οἱ Ἰάπυγες ἐμερίσθησαν.
οἱ μὲν οὖν τοὺς Ταραντίνους διώξαντες ὀλίγου διαστήματος ὄντος 5
πολλοὺς τῶν ἐναντίων ἀνεῖλον, οἱ δὲ τοὺς Ῥηγίνους διώκοντες ἐπὶ
τοσοῦτον ἐφιλοτιμήθησαν ὥστε συνεισπεσεῖν τοῖς φεύγουσιν εἰς τὸ
Ῥήγιον καὶ τῆς πόλεως κυριεῦσαι.

472/1 μετὰ δὲ ταῦτα Ἀθήνησι μὲν ἦρχε Χάρης, ἐν Ῥώμῃ δὲ ὕπατοι **53**
καθειστήκεσαν Τίτος Μινούνιος καὶ Γάιος Ὀράτιος Πολύειδος, ἤχθη
δὲ παρ' Ἠλείοις ὀλυμπιὰς ἑβδομηκοστὴ καὶ ἑβδόμη, καθ' ἣν ἐνίκα
στάδιον Δάνδης Ἀργεῖος. ἐπὶ δὲ τούτων κατὰ μὲν τὴν Σικελίαν Θήρων
ὁ Ἀκραγαντίνων δυνάστης ἐτελεύτησεν ἄρξας ἔτη δέκα καὶ ἕξ, τὴν
δὲ ἀρχὴν διεδέξατο Θρασυδαῖος ὁ υἱός. ὁ μὲν οὖν Θήρων τὴν ἀρχὴν 2
ἐπιεικῶς διῳκηκώς, καὶ ζῶν μεγάλης ἀποδοχῆς ἐτύγχανε παρὰ τοῖς
πολίταις καὶ τελευτήσας ἡρωικῶν ἔτυχε τιμῶν, ὁ δὲ υἱὸς αὐτοῦ καὶ
ζῶντος ἔτι τοῦ πατρὸς βίαιος ἦν καὶ φονικὸς καὶ τελευτήσαντος ἦρχε
τῆς πατρίδος παρανόμως καὶ τυραννικῶς. διὸ καὶ ταχέως ἀπιστηθεὶς 3
ὑπὸ τῶν ὑποτεταγμένων διετέλεσεν ἐπιβουλευόμενος καὶ βίον ἔχων
μισούμενον· ὅθεν ταχέως τῆς ἰδίας παρανομίας οἰκείαν ἔσχε τὴν
τοῦ βίου καταστροφήν. μετὰ γὰρ τὴν τοῦ πατρὸς Θήρωνος τελευτὴν
πολλοὺς μισθοφόρους ἀθροίσας καὶ τῶν Ἀκραγαντίνων καὶ Ἱμεραίων
προσκαταλέξας, τοὺς ἅπαντας ἤθροισεν ὑπὲρ τοὺς δισμυρίους ἱππεῖς
καὶ πεζούς. μετὰ δὲ τούτων μέλλοντος αὐτοῦ πολεμεῖν τοῖς Συρα- 4
κοσίοις, Ἱέρων ὁ βασιλεὺς παρασκευασάμενος δύναμιν ἀξιόλογον
ἐστράτευσεν ἐπὶ τὸν Ἀκράγαντα. γενομένης δὲ μάχης ἰσχυρᾶς πλεῖστοι
[τῶν] παραταξαμένων Ἑλλήνων πρὸς Ἕλληνας ἔπεσον. τῇ μὲν οὖν 5
μάχῃ ἐπροτέρησαν οἱ Συρακόσιοι, κατεκόπησαν δὲ τῶν μὲν Συρακοσίων
εἰς δισχιλίους, τῶν δὲ ἄλλων ὑπὲρ τοὺς τετρακισχιλίους. μετὰ δὲ
ταῦτα Θρασυδαῖος μὲν ταπεινωθεὶς ἐξέπεσεν ἐκ τῆς ἀρχῆς, καὶ φυγὼν
εἰς Μεγαρεῖς τοὺς Νισαίους καλουμένους, ἐκεῖ θανάτου καταγνωσθεὶς
ἐτελεύτησεν· οἱ δ' Ἀκραγαντῖνοι κομισάμενοι τὴν δημοκρατίαν, δια-
πρεσβευσάμενοι πρὸς Ἱέρωνα τῆς εἰρήνης ἔτυχον. κατὰ δὲ τὴν Ἰταλίαν 6
Ῥωμαίοις πρὸς Οὐηιεντανοὺς ἐνστάντος πολέμου μεγάλη μάχη συν-
έστη περὶ τὴν ὀνομαζομένην Κρεμέραν. τῶν δὲ Ῥωμαίων ἡττηθέντων

συνέβη πολλοὺς αὐτῶν πεσεῖν, ὧν φασί τινες τῶν συγγραφέων καὶ τοὺς 472/1
Φαβίους τοὺς τριακοσίους, συγγενεῖς ἀλλήλων ὄντας καὶ διὰ τοῦτο
μιᾷ περιειλημμένους προσηγορίᾳ. ταῦτα μὲν οὖν ἐπράχθη κατὰ τοῦτον
τὸν ἐνιαυτόν.

54 ἐπ' ἄρχοντος δ' Ἀθήνησι Πραξιέργου Ῥωμαῖοι μὲν ὑπάτους κατ- 471/0
έστησαν Αὖλον Οὐεργίνιον Τρίκοστον καὶ Γάιον Σερουίλιον Στροῦκτον.
ἐπὶ δὲ τούτων Ἠλεῖοι μὲν πλείους καὶ μικρὰς πόλεις οἰκοῦντες εἰς
2 μίαν συνῳκίσθησαν τὴν ὀνομαζομένην Ἦλιν. Λακεδαιμόνιοι δὲ ὁρῶν-
τες τὴν μὲν Σπάρτην διὰ τὴν Παυσανίου τοῦ στρατηγοῦ προδοσίαν τα-
πεινῶς πράττουσαν, τοὺς δὲ Ἀθηναίους εὐδοκιμοῦντας διὰ τὸ μηδένα
παρ' αὐτοῖς πολίτην ἐπὶ προδοσίᾳ κατεγνῶσθαι, ἔσπευδον τὰς Ἀθήνας
3 ταῖς ὁμοίαις περιβαλεῖν διαβολαῖς. διόπερ εὐδοκιμοῦντος παρ' αὐτοῖς
Θεμιστοκλέους καὶ μεγάλην δόξαν ἔχοντος ἐπ' ἀρετῇ, κατηγόρησαν
προδοσίαν αὐτοῦ, φάσκοντες φίλον γενέσθαι τοῦ Παυσανίου μέγιστον,
καὶ μετὰ τούτου συντεθεῖσθαι κοινῇ προδοῦναι τὴν Ἑλλάδα τῷ Ξέρξῃ.
4 διελέγοντο δὲ καὶ τοῖς ἐχθροῖς τοῦ Θεμιστοκλέους, παροξύνοντες αὐτοὺς
πρὸς τὴν κατηγορίαν, καὶ χρήματα ἔδοσαν, διδάσκοντες ὅτι Παυσανίας
μὲν κρίνας προδιδόναι τοὺς Ἕλληνας ἐδήλωσε τὴν ἰδίαν ἐπιβολὴν
Θεμιστοκλεῖ καὶ παρεκάλεσε κοινωνεῖν τῆς προθέσεως, ὁ δὲ Θεμι-
στοκλῆς οὔτε προσεδέξατο τὴν ἔντευξιν οὔτε διαβάλλειν ἔκρινε δεῖν
5 ἄνδρα φίλον. οὐ μὴν ἀλλὰ κατηγορηθεὶς ὁ Θεμιστοκλῆς τότε μὲν
ἀπέφυγε τὴν τῆς προδοσίας κρίσιν. διὸ καὶ τὸ μὲν πρῶτον μετὰ τὴν
ἀπόλυσιν μέγας ἦν παρὰ τοῖς Ἀθηναίοις· ἠγάπων γὰρ αὐτὸν ἐπὶ τοῖς
πεπραγμένοις διαφερόντως οἱ πολῖται· μετὰ δὲ ταῦτα οἱ μὲν φοβη-
θέντες αὐτοῦ τὴν ὑπεροχήν, οἱ δὲ φθονήσαντες τῇ δόξῃ, τῶν μὲν
εὐεργεσιῶν ἐπελάθοντο, τὴν δ' ἰσχὺν αὐτοῦ καὶ τὸ φρόνημα ταπεινοῦν
55 ἔσπευδον. πρῶτον μὲν οὖν αὐτὸν ἐκ τῆς πόλεως μετέστησαν, τοῦτον
τὸν ὀνομαζόμενον ὀστρακισμὸν ἐπαγαγόντες αὐτῷ, ὃς ἐνομοθετήθη μὲν
ἐν ταῖς Ἀθήναις μετὰ τὴν κατάλυσιν τῶν τυράννων τῶν περὶ Πεισί-
2 στρατον, ὁ δὲ νόμος ἐγένετο τοιοῦτος. ἕκαστος τῶν πολιτῶν εἰς
ὄστρακον ἔγραφε τοὔνομα τοῦ δοκοῦντος μάλιστα δύνασθαι καταλῦσαι
τὴν δημοκρατίαν· ᾧ δ' ἂν ὄστρακα πλείω γένηται, φεύγειν ἐκ τῆς
3 πατρίδος ἐτέτακτο πενταετῆ χρόνον. νομοθετῆσαι δὲ ταῦτα δοκοῦσιν
οἱ Ἀθηναῖοι, οὐχ ἵνα τὴν κακίαν κολάζωσιν, ἀλλ' ἵνα τὰ φρονήματα
τῶν ὑπερεχόντων ταπεινότερα γένηται διὰ τὴν φυγήν. ὁ μὲν οὖν
Θεμιστοκλῆς τὸν προειρημένον τρόπον ἐξοστρακισθεὶς ἔφυγεν ἐκ τῆς
4 πατρίδος εἰς Ἄργος· οἱ δὲ Λακεδαιμόνιοι πυθόμενοι περὶ τούτων, καὶ
νομίσαντες παρὰ τῆς τύχης εἰληφέναι καιρὸν ἐπιθέσθαι τῷ Θεμιστοκλεῖ,
πάλιν εἰς τὰς Ἀθήνας ἐξαπέστειλαν πρέσβεις κατηγοροῦντες τοῦ
Θεμιστοκλέους ὅτι τῷ Παυσανίᾳ κεκοινώνηκε τῆς προδοσίας, καὶ δεῖν

471/0 ἔφασαν τῶν κοινῶν τῆς Ἑλλάδος ἀδικημάτων εἶναι τὴν κρίσιν οὐκ ἰδίᾳ
παρὰ τοῖς Ἀθηναίοις, ἀλλ' ἐπὶ τοῦ κοινοῦ συνεδρίου τῶν Ἑλλήνων, ὅπερ
εἰώθει συνεδρεύειν [ἐν τῇ Σπάρτῃ] κατ' ἐκεῖνον τὸν χρόνον. ὁ δὲ 5
Θεμιστοκλῆς ὁρῶν τοὺς Λακεδαιμονίους σπεύδοντας διαβαλεῖν τὴν
πόλιν τῶν Ἀθηναίων καὶ ταπεινῶσαι, τοὺς δ' Ἀθηναίους βουλομένους
ἀπολογήσασθαι περὶ τῆς ἐπιφερομένης αἰτίας, ὑπέλαβεν ἑαυτὸν παρα-
δοθήσεσθαι τῷ κοινῷ συνεδρίῳ. τοῦτο δ' ᾔδει τὰς κρίσεις οὐ δικαίας 6
ἀλλὰ πρὸς χάριν ποιούμενον τοῖς Λακεδαιμονίοις, τεκμαιρόμενος ἔκ
τε τῶν ἄλλων καὶ ἐξ ὧν ἐποιήσατο περὶ τῶν ἀριστείων· οὕτω γὰρ
οἱ κύριοι τῆς ψήφου φθονερῶς διετέθησαν πρὸς τοὺς Ἀθηναίους, ὥστε
πλείους τριήρεις αὐτῶν παρεσχημένων ἢ σύμπαντες οἱ ναυμαχήσαντες
παρέσχοντο, οὐδὲν κρείττους αὐτοὺς ἐποίησαν τῶν ἄλλων Ἑλλήνων.
διὰ ταῦτα δὴ συνέβη τὸν Θεμιστοκλέα τοῖς συνέδροις ἀπιστῆσαι. καὶ 7
γὰρ ἐκ τῆς προγεγενημένης ἀπολογίας ἐν ταῖς Ἀθήναις ὑπὸ τοῦ
Θεμιστοκλέους ἀφορμὰς εἶχον οἱ Λακεδαιμόνιοι πρὸς τὴν ὕστερον
γενομένην κατηγορίαν. ὁ γὰρ Θεμιστοκλῆς ἀπολογούμενος ὡμολόγει 8
μὲν τὸν Παυσανίαν πρὸς αὐτὸν ἐπιστολὰς ἀπεσταλκέναι παρακαλοῦντα
μετασχεῖν τῆς προδοσίας, καὶ τούτῳ μεγίστῳ χρησάμενος τεκμηρίῳ
συνίστανεν, ὅτι οὐκ ἂν παρεκάλει Παυσανίας αὐτόν, εἰ μὴ πρὸς τὴν
ἀξίωσιν ἀντέλεγε. διὰ δὲ ταῦτα, καθάπερ προειρήκαμεν, ἔφυγεν ἐξ **56**
Ἄργους πρὸς Ἄδμητον τὸν Μολοττῶν βασιλέα· καταφυγὼν δὲ πρὸς τὴν
ἑστίαν ἱκέτης ἐγένετο. ὁ δὲ βασιλεὺς τὸ μὲν πρῶτον προσεδέξατο αὐτὸν
φιλοφρόνως καὶ παρεκάλει θαρρεῖν καὶ τὸ σύνολον ἐπηγγέλλετο
φροντιεῖν αὐτοῦ τῆς ἀσφαλείας· ἐπεὶ δὲ οἱ Λακεδαιμόνιοι τοὺς ἐπι- 2
φανεστάτους Σπαρτιατῶν πρέσβεις ἀποστείλαντες πρὸς τὸν Ἄδμητον
ἐξῄτουν αὐτὸν πρὸς τιμωρίαν, ἀποκαλοῦντες προδότην καὶ λυμεῶνα
τῆς ὅλης Ἑλλάδος, πρὸς δὲ τούτοις μὴ παραδιδόντος αὐτὸν πολεμήσειν
ἔφασαν μετὰ πάντων τῶν Ἑλλήνων, τὸ τηνικαῦθ' ὁ βασιλεὺς φοβηθεὶς
μὲν τὰς ἀπειλάς, ἐλεῶν δὲ τὸν ἱκέτην καὶ τὴν ἐκ τῆς παραδόσεως
αἰσχύνην ἐκκλίνων, ἔπειθε τὸν Θεμιστοκλέα τὴν ταχίστην ἀπιέναι
λάθρᾳ τῶν Λακεδαιμονίων, καὶ χρυσοῦ πλῆθος ἐδωρήσατο αὐτῷ
ἐφόδιον τῆς φυγῆς. ὁ δὲ Θεμιστοκλῆς πάντοθεν ἐλαυνόμενος καὶ τὸ 3
χρυσίον δεξάμενος ἔφυγε νυκτὸς ἐκ τῆς τῶν Μολοττῶν χώρας, συμ-
πράττοντος αὐτῷ πάντα τὰ πρὸς φυγὴν τοῦ βασιλέως· εὑρὼν δὲ δύο
νεανίσκους Λυγκηστὰς τὸ γένος, ἐμπορικαῖς δὲ ἐργασίαις χρωμένους,
καὶ διὰ τοῦτο τῶν ὁδῶν ἐμπείρως ἔχοντας, μετὰ τούτων ἔφυγε. χρώ- 4
μενος δὲ νυκτεριναῖς ὁδοιπορίαις ἔλαθε τοὺς Λακεδαιμονίους, καὶ διὰ τῆς

55[4]: ἐν τῇ Σπάρτῃ om. f, secl. Vogel. 55[6], l. 3: περὶ τῶν ἀριστείων Vogel, τὴν κρίσιν περί τε τῶν Ἀθηναίων καὶ Ἀργείων codd., Αἰγινητῶν pro Ἀργείων Wesseling.

τῶν νεανίσκων εὐνοίας τε καὶ κακοπαθείας κατήντησεν εἰς τὴν Ἀσίαν· 471/0
ἐνταῦθα δ' ἔχων ἰδιόξενον, ὄνομα μὲν Λυσιθείδην, δόξῃ δὲ καὶ πλούτῳ
5 θαυμαζόμενον, πρὸς τοῦτον κατέφυγεν. ὁ δὲ Λυσιθείδης ἐτύγχανε φίλος
ὢν Ξέρξου τοῦ βασιλέως καὶ κατὰ τὴν διάβασιν τοῦ Ξέρξου τὴν δύναμιν
τῶν Περσῶν ἅπασαν εἱστιακώς. διόπερ συνήθειαν μὲν ἔχων πρὸς τὸν
βασιλέα, τὸν δὲ Θεμιστοκλέα διὰ τὸν ἔλεον σῶσαι βουλόμενος, ἐπηγ-
6 γείλατο αὐτῷ πάντα συμπράξειν. ἀξιοῦντος δὲ τοῦ Θεμιστοκλέους
ἀγαγεῖν αὐτὸν πρὸς τὸν Ξέρξην, τὸ μὲν πρῶτον ἀντεῖπεν, ἀποφαινό-
μενος ὅτι κολασθήσεται διὰ τὰς κατὰ τῶν Περσῶν αὐτῷ γεγενημένας
πράξεις, μετὰ δὲ ταῦτα μαθὼν τὸ συμφέρον ὑπήκουσε, καὶ παραδόξως
7 καὶ ἀσφαλῶς αὐτὸν διέσωσεν εἰς τὴν Περσίδα. ἔθους γὰρ ὄντος παρὰ
τοῖς Πέρσαις τὸν ἄγοντα παλλακὴν τῷ βασιλεῖ κομίζειν ταύτην ἐπὶ
ἀπήνης κεκρυμμένης, καὶ τῶν ἀπαντώντων μηδένα πολυπραγμονεῖν
μηδὲ κατ' ὄψιν ἀπαντῆσαι τῇ ἀγομένῃ, ἀφορμῇ ταύτῃ συνέβη χρήσασθαι
8 πρὸς τὴν ἐπιβολὴν τὸν Λυσιθείδην. παρασκευασάμενος γὰρ τὴν
ἀπήνην πολυτελέσι παραπετάσμασι κεκοσμημένην, εἰς ταύτην ἐνέθηκε
τὸν Θεμιστοκλέα, καὶ μετὰ πάσης ἀσφαλείας διασώσας ἐνέτυχε τῷ
βασιλεῖ, καὶ πεφυλαγμένως ὁμιλήσας ἔλαβε παρ' αὐτοῦ πίστεις μηδὲν
ἀδικήσειν τὸν ἄνδρα. εἰσαγαγὼν δὲ αὐτὸν πρὸς τὸν βασιλέα, κἀκείνου
δόντος τῷ Θεμιστοκλεῖ λόγον καὶ μαθόντος ὡς οὐδὲν ἠδίκησεν, ἀπ-
57 ελύθη τῆς τιμωρίας. δόξας δὲ παραδόξως ὑπ' ἐχθροῦ διασεσῶσθαι, πάλιν
εἰς μείζονας κινδύνους ἐνέπεσε διὰ τοιαύτας αἰτίας· Μανδάνη Δαρείου
μὲν ἦν θυγάτηρ τοῦ φονεύσαντος τοὺς μάγους, ἀδελφὴ δὲ γνησία τοῦ
2 Ξέρξου, μεγίστης δ' ἀποδοχῆς τυγχάνουσα παρὰ τοῖς Πέρσαις. αὕτη
τῶν υἱῶν ἐστερημένη καθ' ὃν καιρὸν Θεμιστοκλῆς περὶ Σαλαμῖνα κατ-
εναυμάχησε τὸν στόλον τῶν Περσῶν, χαλεπῶς ἔφερε τὴν ἀναίρεσιν τῶν
τέκνων, καὶ διὰ τὸ μέγεθος τῆς συμφορᾶς ἠλεεῖτο παρὰ τοῖς πλήθεσιν.
3 αὕτη πυθομένη τὴν παρουσίαν τοῦ Θεμιστοκλέους, ἦλθεν εἰς τὰ βασίλεια
πενθίμην ἐσθῆτα λαβοῦσα, καὶ μετὰ δακρύων ἱκέτευε τὸν ἀδελφὸν
ἐπιθεῖναι τιμωρίαν τῷ Θεμιστοκλεῖ. ὡς δ' οὐ προσεῖχεν αὐτῇ, περιῄει
τοὺς ἀρίστους τῶν Περσῶν ἀξιοῦσα καὶ καθόλου τὰ πλήθη παροξύνουσα
4 πρὸς τὴν τοῦ Θεμιστοκλέους τιμωρίαν. τοῦ δ' ὄχλου συνδραμόντος ἐπὶ
τὰ βασίλεια καὶ μετὰ κραυγῆς ἐξαιτοῦντος ἐπὶ τιμωρίαν τὸν Θεμι-
στοκλέα, ὁ μὲν βασιλεὺς ἀπεκρίνατο δικαστήριον καταστήσειν ἐκ τῶν
5 ἀρίστων Περσῶν, καὶ τὸ κριθὲν τεύξεσθαι συντελείας· πάντων δὲ
συνευδοκησάντων, καὶ δοθέντος ἱκανοῦ χρόνου εἰς τὴν παρασκευὴν τῆς
κρίσεως, ὁ μὲν Θεμιστοκλῆς μαθὼν τὴν Περσίδα διάλεκτον, καὶ ταύτῃ
6 χρησάμενος κατὰ τὴν ἀπολογίαν, ἀπελύθη τῶν ἐγκλημάτων. ὁ δὲ
βασιλεὺς περιχαρὴς γενόμενος ἐπὶ τῇ σωτηρίᾳ τἀνδρὸς μεγάλαις
αὐτὸν δωρεαῖς ἐτίμησε· γυναῖκα γὰρ αὐτῷ πρὸς γάμου κοινωνίαν

471/0 ἔζευξε Περσίδα, εὐγενείᾳ τε καὶ κάλλει διαφέρουσαν, ἔτι δὲ κατ'
ἀρετὴν ἐπαινουμένην, οἰκετῶν τε πλῆθος πρὸς διακονίαν καὶ παντο-
δαπῶν ἐκπωμάτων καὶ τὴν ἄλλην χορηγίαν πρὸς ἀπόλαυσιν καὶ τρυφὴν
ἁρμόζουσαν. ἐδωρήσατο δ' αὐτῷ καὶ πόλεις τρεῖς πρὸς διατροφὴν καὶ 7
ἀπόλαυσιν εὐθέτους, Μαγνησίαν μὲν τὴν ἐπὶ τῷ Μαιάνδρῳ, πλεῖστον
τῶν κατὰ τὴν Ἀσίαν ἔχουσαν σῖτον, εἰς ἄρτους, Μυοῦντα δὲ εἰς ὄψον,
ἔχουσαν θάλατταν εὔιχθυν, Λάμψακον δέ, ἀμπελόφυτον ἔχουσαν χώραν
πολλήν, εἰς οἶνον. Θεμιστοκλῆς μὲν οὖν ἀπολυθεὶς τοῦ παρ' Ἕλλησι **58**
φόβου, καὶ παραδόξως ὑπὸ μὲν τῶν τὰ μέγιστα εὐεργετηθέντων
φυγαδευθείς, ὑπὸ δὲ τῶν τὰ δεινότατα παθόντων εὐεργετηθείς, ἐν
ταύταις ταῖς πόλεσι κατεβίωσε πάντων ⟨τῶν⟩ πρὸς ἀπόλαυσιν ἀγαθῶν
εὐπορούμενος, καὶ τελευτήσας ἐν τῇ Μαγνησίᾳ ταφῆς ἔτυχεν ἀξιολόγου
καὶ μνημείου τοῦ ἔτι νῦν διαμένοντος. ἔνιοι δὲ τῶν συγγραφέων φασὶ 2
τὸν Ξέρξην ἐπιθυμήσαντα πάλιν στρατεύειν ἐπὶ τὴν Ἑλλάδα παρακαλεῖν
τὸν Θεμιστοκλέα στρατηγεῖν ἐπὶ τοῦ πολέμου, τὸν δὲ συγχωρήσαντα
περὶ τούτων πίστεις λαβεῖν ἐνόρκους μὴ στρατεύσειν ἐπὶ τοὺς Ἕλληνας
ἄνευ Θεμιστοκλέους. σφαγιασθέντος δὲ ταύρου καὶ τῶν ὅρκων γενο- 3
μένων, τὸν Θεμιστοκλέα κύλικα τοῦ αἵματος πληρώσαντα ἐκπιεῖν καὶ
παραχρῆμα τελευτῆσαι. καὶ τὸν μὲν Ξέρξην ἀποστῆναι τῆς ἐπιβολῆς
ταύτης, τὸν δὲ Θεμιστοκλέα διὰ τῆς ἰδίας τελευτῆς ἀπολογίαν ἀπολιπεῖν
καλλίστην ὅτι καλῶς ἐπολιτεύθη τὰ πρὸς τοὺς Ἕλληνας.

ἡμεῖς δὲ πάρεσμεν ἐπὶ τὴν τελευτὴν ἀνδρὸς μεγίστου τῶν Ἑλλήνων, 4
περὶ οὗ πολλοὶ διαμφισβητοῦσι, πότερον οὗτος ἀδικήσας τὴν πατρίδα
καὶ τοὺς ἄλλους Ἕλληνας ἔφυγεν εἰς Πέρσας, ἢ τοὐναντίον ἥ τε πόλις
καὶ πάντες οἱ Ἕλληνες εὐρεγετηθέντες μεγάλα τῆς μὲν χάριτος ἐπελά-
θοντο, τὸν δ' εὐεργέτην ἤγαγον [αὐτῶν] ἀδίκως εἰς τοὺς ἐσχάτους κιν-
δύνους. εἰ δέ τις χωρὶς φθόνου τήν τε φύσιν τἀνδρὸς καὶ τὰς πράξεις 5
ἐξετάζοι μετ' ἀκριβείας, εὑρήσει πάντων ὧν μνημονεύομεν ἀμφοτέροις
τοῖς εἰρημένοις πεπρωτευκότα. διὸ καὶ θαυμάσειεν ἂν τις εἰκότως, εἰ
στερῆσαι σφᾶς αὐτοὺς ἀνδρὸς τοιούτου τὴν φύσιν ἠθέλησαν. τίς γὰρ **59**
ἕτερος, τῆς Σπάρτης πλέον ἰσχυούσης καὶ τοῦ ναυτικοῦ τὴν ἡγεμονίαν
ἔχοντος Εὐρυβιάδου τοῦ Σπαρτιάτου, ταῖς ἰδίαις πράξεσιν ἀφείλετο τῆς
Σπάρτης ταύτην τὴν δόξαν; τίνα δ' ἄλλον ἱστορήκαμεν μιᾷ πράξει ποιή-
σαντα διενεγκεῖν αὐτὸν μὲν τῶν ἡγεμόνων, τὴν δὲ πόλιν τῶν Ἑλληνίδων
πόλεων, τοὺς δ' Ἕλληνας τῶν βαρβάρων; ἐπὶ τίνος δὲ στρατηγοῦντος
ἐλάττονας ἀφορμὰς ἢ μείζονας κινδύνους συνέβη γενέσθαι; τίς δὲ πρὸς 2
ἅπασαν τὴν ἐκ τῆς Ἀσίας δύναμιν ἀναστάτῳ τῇ πόλει παραταχθεὶς
ἐνίκησε; τίς δὲ τοῖς ἔργοις ἐν εἰρήνῃ τὴν πατρίδα δυνατὴν κατεσκεύασε
τοιούτοις; τίς δὲ πολέμου μεγίστου κατασχόντος αὐτὴν διέσωσε, μιᾷ
δ' ἐπινοίᾳ τῇ περὶ τοῦ ζεύγματος γενομένῃ τὴν πεζὴν τῶν πολεμίων

δύναμιν ἐξ ἡμίσους μέρους ἐταπείνωσεν, ὥστ' εὐχείρωτον γενέσθαι 471/0
3 τοῖς Ἕλλησι; διόπερ ὅταν τὸ μέγεθος τῶν ἔργων αὐτοῦ θεωρήσωμεν,
καὶ σκοποῦντες τὰ κατὰ μέρος εὕρωμεν ἐκεῖνον μὲν ὑπὸ τῆς πόλεως
ἠτιμασμένον, τὴν δὲ πόλιν διὰ τὰς ἐκείνου πράξεις ἐπαιρομένην, εἰκότως
τὴν δοκοῦσαν εἶναι τῶν ἁπασῶν πόλεων σοφωτάτην καὶ ἐπιεικεστάτην
χαλεπωτάτην πρὸς ἐκεῖνον εὑρίσκομεν γεγενημένην.
4 περὶ μὲν οὖν τῆς Θεμιστοκλέους ἀρετῆς εἰ καὶ πεπλεονάκαμεν
παρεκβάντες, ἀλλ' οὖν οὐκ ἄξιον ἐκρίναμεν τὴν ἀρετὴν αὐτοῦ παρα-
λιπεῖν ἀνεπισήμαντον· ἅμα δὲ τούτοις πραττομένοις κατὰ τὴν Ἰταλίαν
Μίκυθος [μὲν] ὁ τὴν δυναστείαν ἔχων Ῥηγίου καὶ Ζάγκλης πόλιν
ἔκτισε Πυξοῦντα.

60 ἐπ' ἄρχοντος δ' Ἀθήνησι Δημοτίωνος Ῥωμαῖοι μὲν ὑπάτους κατ- 470/69
έστησαν Πούπλιον Οὐαλέριον Ποπλικόλαν καὶ Γάιον Ναύτιον Ῥοῦφον.
ἐπὶ δὲ τούτων Ἀθηναῖοι στρατηγὸν ἑλόμενοι Κίμωνα τὸν Μιλτιάδου καὶ
δύναμιν ἀξιόλογον παραδόντες, ἐξέπεμψαν ἐπὶ τὴν παράλιον τῆς Ἀσίας
βοηθήσοντα μὲν ταῖς συμμαχούσαις πόλεσιν, ἐλευθερώσοντα δὲ τὰς
2 Περσικαῖς ἔτι φρουραῖς κατεχομένας. οὗτος δὲ παραλαβὼν τὸν στόλον
ἐν Βυζαντίῳ, καὶ καταπλεύσας ἐπὶ πόλιν τὴν ὀνομαζομένην Ἠιόνα,
ταύτην μὲν Περσῶν κατεχόντων ἐχειρώσατο, Σκῦρον δὲ Πελασγῶν
ἐνοικούντων καὶ Δολόπων ἐξεπολιόρκησε, καὶ κτίστην Ἀθηναῖον κατα-
3 στήσας κατεκληρούχησε τὴν χώραν. μετὰ δὲ ταῦτα μειζόνων πράξεων
ἄρξασθαι διανοούμενος, κατέπλευσεν εἰς τὸν Πειραιᾶ, καὶ προσλαβό-
μενος πλείους τριήρεις καὶ τὴν ἄλλην χορηγίαν ἀξιόλογον παρασκευασά-
μενος, τότε μὲν ἐξέπλευσεν ἔχων τριήρεις διακοσίας, ὕστερον δὲ
μεταπεμψάμενος παρὰ τῶν Ἰώνων καὶ τῶν ἄλλων ἁπάντων τὰς
4 ἁπάσας εἶχε τριακοσίας. πλεύσας οὖν μετὰ παντὸς τοῦ στόλου πρὸς
τὴν Καρίαν, τῶν παραθαλαττίων πόλεων ὅσαι μὲν ἦσαν ἐκ τῆς Ἑλλάδος
ἀπῳκισμέναι, ταύτας παραχρῆμα συνέπεισεν ἀποστῆναι τῶν Περσῶν,
ὅσαι δ' ὑπῆρχον δίγλωττοι καὶ φρουρὰς ἔχουσαι Περσικάς, βίαν
προσάγων ἐπολιόρκει. προσαγαγόμενος δὲ τὰς κατὰ τὴν Καρίαν πόλεις,
5 ὁμοίως καὶ τὰς ἐν τῇ Λυκίᾳ πείσας προσελάβετο. παρὰ δὲ τῶν ἀεὶ
προστιθεμένων συμμάχων προσλαβόμενος ναῦς ἐπὶ πλέον ηὔξησε τὸν
στόλον. οἱ δὲ Πέρσαι τὸ μὲν πεζὸν στράτευμα δι' ἑαυτῶν κατεσκεύασαν,
τὸ δὲ ναυτικὸν ἤθροισαν ἔκ τε Φοινίκης καὶ Κύπρου καὶ Κιλικίας·
ἐστρατήγει δὲ τῶν Περσικῶν δυνάμεων Τιθραύστης, υἱὸς ὢν Ξέρξου
6 νόθος. Κίμων δὲ πυνθανόμενος τὸν στόλον τῶν Περσῶν διατρίβειν
περὶ τὴν Κύπρον, καὶ πλεύσας ἐπὶ τοὺς βαρβάρους, ἐναυμάχησε

60[2] *καὶ ἐν Βυζαντίῳ* codd., *ἐν Βυζαντίῳ καὶ* Reiske, *καὶ ἐκ Βυζαντίου* Wade-Gery conl. Eph. fr. 191[40–2]. 60[3], l. 5: *ἄλλων ἁπάντων* codd., *Αἰολέων ἑκατὸν* Wurm.

470/69 διακοσίαις καὶ πεντήκοντα ναυσὶ πρὸς τριακοσίας καὶ τετταράκοντα.
γενομένου δ' ἀγῶνος ἰσχυροῦ καὶ τῶν στόλων ἀμφοτέρων λαμπρῶς
ἀγωνιζομένων, τὸ τελευταῖον ἐνίκων οἱ Ἀθηναῖοι, καὶ πολλὰς μὲν τῶν
ἐναντίων ναῦς διέφθειραν, πλείους δὲ τῶν ἑκατὸν σὺν αὐτοῖς τοῖς
ἀνδράσιν εἷλον. τῶν δὲ λοιπῶν νεῶν καταφυγουσῶν εἰς τὴν Κύπρον, 7
οἱ μὲν ἐν αὐταῖς ἄνδρες εἰς τὴν γῆν ἀπεχώρησαν, αἱ δὲ νῆες κεναὶ τῶν
βοηθούντων οὖσαι τοῖς πολεμίοις ἐγενήθησαν ὑποχείριοι.

μετὰ δὲ ταῦτα ὁ μὲν Κίμων οὐκ ἀρκεσθεὶς τηλικαύτῃ νίκῃ παρα- **61**
χρῆμα παντὶ τῷ στόλῳ προσκατῆρεν ἐπὶ τὸ πεζὸν τῶν Περσῶν
στρατόπεδον, οὔσης τῆς παρεμβολῆς παρὰ τὸν Εὐρυμέδοντα ποταμόν.
βουλόμενος δὲ καταστρατηγῆσαι τοὺς βαρβάρους, ἐνεβίβασεν εἰς τὰς
αἰχμαλωτίδας ναῦς τῶν ἰδίων τοὺς ἀρίστους, δοὺς τιάρας καὶ τὴν ἄλλην
κατασκευὴν περιθεὶς Περσικήν. οἱ δὲ βάρβαροι προσπλέοντος ἄρτι 2
τοῦ στόλου ταῖς Περσικαῖς ναυσὶ καὶ παρασκευαῖς ψευσθέντες ὑπέλαβον
τὰς ἰδίας τριήρεις εἶναι. διόπερ οὗτοι μὲν προσεδέξαντο τοὺς Ἀθηναίους
ὡς φίλους ὄντας, ὁ δὲ Κίμων ἤδη νυκτὸς ἐπιγενομένης ἐκβιβάσας τοὺς
στρατιώτας, καὶ προσδεχθεὶς ὡς φίλος ὑπ' αὐτῶν, εἰσέπεσεν εἰς τὴν
στρατοπεδείαν τῶν βαρβάρων. ταραχῆς δὲ μεγάλης γενομένης παρὰ 3
τοῖς Πέρσαις, οἱ μὲν περὶ τὸν Κίμωνα πάντας τοὺς ἐντυγχάνοντας
ἔκτειναν, καὶ τὸν μὲν στρατηγὸν τῶν βαρβάρων τὸν ἕτερον Φερενδάτην,
ἀδελφιδοῦν τοῦ βασιλέως, ἐν τῇ σκηνῇ καταλαβόντες ἐφόνευσαν, τῶν
δ' ἄλλων οὓς μὲν ἔκτεινον, οὓς δὲ κατετραυμάτιζον, πάντας δὲ διὰ τὸ
παράδοξον τῆς ἐπιθέσεως φεύγειν ἠνάγκασαν, καθόλου δ' ἔκπληξις
ἅμα καὶ ἄγνοια τοιαύτη κατεῖχε τοὺς Πέρσας, ὥσθ' οἱ πλείους τοὺς
ἐπιτιθεμένους αὐτοῖς οἵτινες ἦσαν οὐκ ἐγίνωσκον. τοὺς μὲν γὰρ 4
Ἕλληνας οὐχ ὑπελάμβανον ἥκειν πρὸς αὐτοὺς μετὰ δυνάμεως, τὸ
σύνολον μηδ' ἔχειν αὐτοὺς πεζὴν στρατιὰν πεπεισμένοι· τοὺς δὲ
Πισίδας, ὄντας ὁμόρους καὶ τὰ πρὸς αὐτοὺς ἀλλοτρίως ἔχοντας,
ὑπελάμβανον ἥκειν μετὰ δυνάμεως. διὸ καὶ νομίσαντες ἀπὸ τῆς ἠπείρου
τὴν ἐπιφορὰν εἶναι τῶν πολεμίων, πρὸς τὰς ναῦς ὡς πρὸς φιλίας
ἔφευγον. τῆς δὲ νυκτὸς οὔσης ἀσελήνου καὶ σκοτεινῆς συνέβαινε τὴν 5
ἄγνοιαν πολὺ μᾶλλον αὔξεσθαι καὶ μηδένα τἀληθὲς δύνασθαι ἰδεῖν.
διὸ καὶ πολλοῦ φόνου γενομένου διὰ τὴν ἀταξίαν τῶν βαρβάρων, ὁ μὲν 6
Κίμων προειρηκὼς τοῖς στρατιώταις πρὸς τὸν ἀρθησόμενον πυρσὸν
συντρέχειν, ἦρε πρὸς ταῖς ναυσὶ σύσσημον, εὐλαβούμενος μὴ δι-
εσπαρμένων τῶν στρατιωτῶν καὶ πρὸς ἁρπαγὴν ὁρμησάντων γένηταί
τι παράλογον. πάντων δὲ πρὸς τὸν πυρσὸν ἀθροισθέντων καὶ παυσα- 7
μένων τῆς ἁρπαγῆς, τότε μὲν εἰς τὰς ναῦς ἀπεχώρησαν, τῇ δ' ὑστεραίᾳ
τρόπαιον στήσαντες ἀπέπλευσαν εἰς τὴν Κύπρον, νενικηκότες δύο
καλλίστας νίκας, τὴν μὲν κατὰ γῆν, τὴν δὲ κατὰ θάλατταν· οὐδέπω

γὰρ μνημονεύονται τοιαῦται καὶ τηλικαῦται πράξεις γενέσθαι κατὰ τὴν 470/69
62 αὐτὴν ἡμέραν καὶ ναυτικῷ καὶ πεζῷ στρατοπέδῳ. Κίμων δὲ διὰ τῆς
ἰδίας στρατηγίας καὶ ἀρετῆς μεγάλα κατωρθωκώς, περιβόητον ἔσχε
τὴν δόξαν οὐ μόνον παρὰ τοῖς πολίταις, ἀλλὰ καὶ παρὰ τοῖς ἄλλοις
Ἕλλησιν. αἰχμαλώτους γὰρ εἰλήφει [τριήρεις] τριακοσίας καὶ τετταρά-
κοντα ναῦς, ἄνδρας δὲ ὑπὲρ τοὺς δισμυρίους, χρημάτων δὲ πλῆθος
2 ἀξιόλογον. οἱ δὲ Πέρσαι τηλικούτοις ἐλαττώμασι περιπεπτωκότες
ἄλλας τριήρεις πλείους κατεσκεύασαν, φοβούμενοι τὴν τῶν Ἀθηναίων
αὔξησιν. ἀπὸ γὰρ τούτων τῶν χρόνων ἡ πόλις τῶν Ἀθηναίων πολλὴν
ἐπίδοσιν ἐλάμβανε, χρημάτων τε πλήθει κατασκευασθεῖσα καὶ δόξης
3 μεγάλης ἐν ἀνδρείᾳ καὶ στρατηγίᾳ τυχοῦσα. ὁ δὲ δῆμος τῶν Ἀθηναίων
δεκάτην ἐξελόμενος ἐκ τῶν λαφύρων ἀνέθηκε τῷ θεῷ, καὶ τὴν ἐπιγραφὴν
ἐπὶ τὸ κατασκευασθὲν ἀνάθημα ἐνέγραψε τήνδε (Simonides, fr. 103),

ἐξ οὗ γ' Εὐρώπην Ἀσίας δίχα πόντος ἔνειμε
 καὶ πόλιας θνητῶν θοῦρος Ἄρης ἐπέχει,
οὐδέν πω τοιοῦτον ἐπιχθονίων γένετ' ἀνδρῶν
 ἔργον ἐν ἠπείρῳ καὶ κατὰ πόντον ἅμα.
οἵδε γὰρ ἐν Κύπρῳ Μήδους πολλοὺς ὀλέσαντες
 Φοινίκων ἑκατὸν ναῦς ἕλον ἐν πελάγει
ἀνδρῶν πληθούσας, μέγα δ' ἔστενεν Ἀσὶς ὑπ' αὐτῶν
 πληγεῖσ' ἀμφοτέραις χερσὶ κράτει πολέμου.

63 ταῦτα μὲν οὖν ἐπράχθη κατὰ τοῦτον τὸν ἐνιαυτόν. ἐπ' ἄρχοντος δ' 469/8
Ἀθήνησι Φαίωνος ἐν Ῥώμῃ τὴν ὕπατον ἀρχὴν διεδέξαντο Λεύκιος
Φούριος Μεδιολανὸς καὶ Μάρκος Μανίλιος Οὐάσων. ἐπὶ δὲ τούτων
μεγάλη τις καὶ παράδοξος ἐγένετο συμφορὰ τοῖς Λακεδαιμονίοις· ἐν
γὰρ τῇ Σπάρτῃ γενομένων σεισμῶν μεγάλων συνέβη πεσεῖν τὰς οἰκίας
ἐκ θεμελίων καὶ τῶν Λακεδαιμονίων πλείους τῶν δισμυρίων φθαρῆναι.
2 ἐπὶ πολὺν δὲ χρόνον συνεχῶς τῆς πόλεως καταφερομένης καὶ τῶν
οἰκιῶν πιπτουσῶν πολλὰ σώματα τοῖς πτώμασι τῶν τοίχων ἀπο-
λαμβανόμενα διεφθάρη, οὐκ ὀλίγον δὲ τῶν κατὰ τὰς οἰκίας χρημάτων
3 ὁ σεισμὸς ἐλυμήνατο. καὶ τοῦτο μὲν τὸ κακὸν ὥσπερ δαιμονίου τινὸς
νεμεσήσαντος αὐτοῖς ἔπαθον, ἄλλους δὲ κινδύνους ὑπ' ἀνθρώπων αὐτοῖς
4 συνέβη γενέσθαι διὰ τοιαύτας αἰτίας. Εἵλωτες καὶ Μεσσήνιοι πρὸς
Λακεδαιμονίους ἀλλοτρίως ἔχοντες τὸ μὲν πρὸ τοῦ ἡσυχίαν εἶχον,
φοβούμενοι τὴν τῆς Σπάρτης ὑπεροχήν τε καὶ δύναμιν· ἐπεὶ δὲ διὰ τὸν
σεισμὸν ἑώρων τοὺς πλείους αὐτῶν ἀπολωλότας, κατεφρόνησαν τῶν
ἀπολελειμμένων, ὀλίγων ὄντων. διόπερ πρὸς ἀλλήλους συνθέμενοι κοινῇ
5 τὸν πόλεμον ἐξήνεγκαν τὸν πρὸς τοὺς Λακεδαιμονίους. ὁ δὲ βασιλεὺς

62^{3}, l. 10: αὐτῷ PAFHLK. 63^{1}: Φαίδωνος f.

469/8 τῶν Λακεδαιμονίων Ἀρχίδαμος διὰ τῆς ἰδίας προνοίας καὶ κατὰ τὸν
σεισμὸν ἔσωζε τοὺς πολίτας καὶ κατὰ τὸν πόλεμον γενναίως τοῖς
ἐπιτιθεμένοις ἀντετάξατο. τῆς μὲν γὰρ πόλεως συνεχομένης ὑπὸ τῆς 6
τοῦ σεισμοῦ δεινότητος, πρῶτος Σπαρτιατῶν ἐκ τῆς πόλεως ἁρπάσας
τὴν πανοπλίαν ἐπὶ τὴν χώραν ἐξεπήδησε, καὶ τοῖς ἄλλοις πολίταις
τὸ αὐτὸ πράττειν παρήγγειλεν. ὑπακουσάντων δὲ τῶν Σπαρτιατῶν, 7
τοῦτον τὸν τρόπον οἱ περιλειφθέντες ἐσώθησαν, οὓς συντάξας ὁ βασιλεὺς
Ἀρχίδαμος παρεσκευάζετο πολεμεῖν τοῖς ἀφεστηκόσιν. οἱ δὲ Μεσσήνιοι **64**
μετὰ τῶν Εἱλώτων συνταχθέντες τὸ μὲν πρῶτον ὥρμησαν ἐπὶ τὴν
Σπάρτην, ὑπολαμβάνοντες αὐτὴν αἱρήσειν διὰ τὴν ἐρημίαν τῶν βοηθη-
σόντων· ὡς δ' ἤκουσαν τοὺς ὑπολελειμμένους μετ' Ἀρχιδάμου τοῦ
βασιλέως συντεταγμένους ἑτοίμους εἶναι πρὸς τὸν ὑπὲρ τῆς πατρίδος
ἀγῶνα, ταύτης μὲν τῆς ἐπιβολῆς ἀπέστησαν, καταλαβόμενοι δὲ τῆς
Μεσσηνίας χωρίον ὀχυρόν, ἐκ τούτου τὴν ὁρμὴν ποιούμενοι κατέτρεχον
τὴν Λακωνικήν. οἱ δὲ Σπαρτιᾶται καταφυγόντες ἐπὶ τὴν παρὰ τῶν 2
Ἀθηναίων βοήθειαν προσελάβοντο παρ' αὐτῶν δύναμιν· οὐδὲν δ' ἧττον
καὶ παρὰ τῶν ἄλλων συμμάχων ἀθροίσαντες δυνάμεις ἀξιόμαχοι τοῖς
πολεμίοις ἐγενήθησαν. καὶ τὸ μὲν πρῶτον πολὺ προεῖχον τῶν πολε-
μίων, ὕστερον δὲ ὑποψίας γενομένης ὡς τῶν Ἀθηναίων μελλόντων
ἀποκλίνειν πρὸς τοὺς Μεσσηνίους, ἀπέλυσαν αὐτῶν τὴν συμμαχί-
αν, φήσαντες ἱκανοὺς ἔχειν πρὸς τὸν ἐφεστῶτα κίνδυνον τοὺς ἄλλους
συμμάχους. οἱ δὲ Ἀθηναῖοι δόξαντες ἑαυτοὺς ἠτιμάσθαι, τότε μὲν ἀπ- 3
ηλλάγησαν· μετὰ δὲ ταῦτα ἀλλοτρίως ἔχοντες τὰ πρὸς τοὺς Λακεδαι-
μονίους ἀεὶ μᾶλλον τὴν ἔχθραν ἐξεπύρσευον. διὸ καὶ ταύτην μὲν ἀρχὴν
ἔλαβον τῆς ἀλλοτριότητος, ὕστερον δὲ αἱ πόλεις διηνέχθησαν, καὶ
μεγάλους ἐπανελόμεναι πολέμους ἔπλησαν ἅπασαν τὴν Ἑλλάδα μεγά-
λων ἀτυχημάτων. ἀλλὰ γὰρ περὶ τούτων τὰ κατὰ μέρος ἐν τοῖς οἰκείοις
χρόνοις ἀναγράψομεν. τότε δὲ οἱ Λακεδαιμόνιοι στρατεύσαντες ἐπὶ 4
τὴν Ἰθώμην μετὰ τῶν συμμάχων ἐπολιόρκουν αὐτήν. οἱ δ' Εἵλωτες
πανδημεὶ τῶν Λακεδαιμονίων ἀφεστῶτες συνεμάχουν τοῖς Μεσσηνίοις,
καὶ ποτὲ μὲν ἐνίκων, ποτὲ δὲ ἡττῶντο. ἐπὶ δὲ ἔτη δέκα τοῦ πολέμου
μὴ δυναμένου διακριθῆναι, διετέλουν τοῦτον τὸν χρόνον ἀλλήλους
κακοποιοῦντες.

468/7 μετὰ δὲ ταῦτα Ἀθήνησι μὲν ἦν ἄρχων Θεαγενείδης, ἐν Ῥώμῃ δ' **65**
ὕπατοι καθειστήκεσαν Λεύκιος Αἰμίλιος Μάμερκος καὶ Λεύκιος
Ἰούλιος Ἴουλος, ὀλυμπιὰς δ' ἤχθη ἑβδομηκοστὴ καὶ ὀγδόη, καθ' ἣν
ἐνίκα στάδιον Παρμενίδης Ποσειδωνιάτης. ἐπὶ δὲ τούτων Ἀργείοις καὶ 2
Μυκηναίοις ἐνέστη πόλεμος διὰ τοιαύτας αἰτίας. Μυκηναῖοι διὰ τὸ
παλαιὸν ἀξίωμα τῆς ἰδίας πατρίδος οὐχ ὑπήκουον τοῖς Ἀργείοις, ὥσπερ
αἱ λοιπαὶ πόλεις αἱ κατὰ τὴν Ἀργείαν, ἀλλὰ κατ' ἰδίαν ταττόμενοι τοῖς

Ἀργείοις οὐ προσεῖχον· ἠμφισβήτουν δὲ καὶ περὶ τῶν ἱερῶν τῆς Ἥρας, 468/7
καὶ τὸν ἀγῶνα τῶν Νεμέων ἠξίουν αὐτοὶ διοικεῖν· πρὸς δὲ τούτοις
[ὅτι] τῶν Ἀργείων ψηφισαμένων μὴ συμμαχεῖν εἰς Θερμοπύλας τοῖς
Λακεδαιμονίοις, ἐὰν μὴ μέρος τῆς ἡγεμονίας αὐτοῖς παραδῶσι, μόνοι
τῶν τὴν Ἀργείαν κατοικούντων συνεμάχησαν οἱ Μυκηναῖοι τοῖς
3 Λακεδαιμονίοις. τὸ δὲ σύνολον ὑπώπτευον αὐτούς, μήποτε ἰσχύσαντες
ἐπὶ πλέον τῆς ἡγεμονίας ἀμφισβητήσωσι τοῖς Ἀργείοις διὰ τὸ παλαιὸν
φρόνημα τῆς πόλεως. διὰ δὴ ταύτας τὰς αἰτίας ἀλλοτρίως διακείμενοι,
πάλαι μὲν ἔσπευδον ἆραι τὴν πόλιν, τότε δὲ καιρὸν εὔθετον ἔχειν
ἐνόμιζον, ὁρῶντες τοὺς Λακεδαιμονίους τεταπεινωμένους καὶ μὴ δυνα-
μένους τοῖς Μυκηναίοις βοηθεῖν. ἀθροίσαντες οὖν ἀξιόλογον δύναμιν
ἔκ τε Ἄργους καὶ ἐκ τῶν συμμαχίδων πόλεων ἐστράτευσαν ἐπ' αὐτούς,
νικήσαντες δὲ μάχῃ τοὺς Μυκηναίους καὶ συγκλείσαντες ἐντὸς τειχῶν
4 ἐπολιόρκουν τὴν πόλιν. οἱ δὲ Μυκηναῖοι χρόνον μέν τινα τοὺς πολι-
ορκοῦντας εὐτόνως ἠμύνοντο, μετὰ δὲ ταῦτα λειπόμενοι τῷ πολέμῳ, καὶ
τῶν Λακεδαιμονίων μὴ δυναμένων βοηθῆσαι διὰ τοὺς ἰδίους πολέμους
καὶ τὴν ἐκ τῶν σεισμῶν γενομένην αὐτοῖς συμφοράν, ἄλλων δ' οὐκ
5 ὄντων συμμάχων, ἐρημίᾳ τῶν ἐπικουρούντων κατὰ κράτος ἥλωσαν. οἱ δὲ
Ἀργεῖοι τοὺς Μυκηναίους ἀνδραποδισάμενοι καὶ δεκάτην ἐξ αὐτῶν τῷ
θεῷ καθιερώσαντες, τὰς Μυκήνας κατέσκαψαν. αὕτη μὲν οὖν ἡ πόλις,
εὐδαίμων ἐν τοῖς ἀρχαίοις χρόνοις γενομένη καὶ μεγάλους ἄνδρας
ἔχουσα καὶ πράξεις ἀξιολόγους ἐπιτελεσαμένη, τοιαύτην ἔσχε τὴν
καταστροφήν, καὶ διέμεινεν ἀοίκητος μέχρι τῶν καθ' ἡμᾶς χρόνων.
ταῦτα μὲν οὖν ἐπράχθη κατὰ τοῦτον τὸν ἐνιαυτόν.

66 ἐπ' ἄρχοντος δ' Ἀθήνησι Λυσιστράτου Ῥωμαῖοι κατέστησαν ὑπά- 467/6
τους Λεύκιον Πινάριον Μαμερτῖνον καὶ Πούπλιον Φούριον Φίφρωνα.
ἐπὶ δὲ τούτων Ἱέρων ὁ τῶν Συρακοσίων βασιλεὺς τοὺς Ἀναξίλα
παῖδας τοῦ γενομένου τυράννου Ζάγκλης εἰς Συρακούσας μετα-
πεμψάμενος μεγάλαις δωρεαῖς ἀνεμίμνησκε τῆς Γέλωνος γενομένης
πρὸς τὸν πατέρα αὐτῶν εὐεργεσίας, καὶ συνεβούλευεν αὐτοῖς ἤδη
τὴν ἡλικίαν ἠνδρωμένοις ἀπαιτῆσαι λόγον παρὰ Μικύθου τοῦ ἐπι-
2 τροπεύοντος, καὶ τὴν δυναστείαν αὐτοὺς παραλαβεῖν. τούτων δ'
ἐπανελθόντων εἰς τὸ Ῥήγιον, καὶ τὸν ἐπίτροπον λόγον ἀπαιτούντων τῶν
διῳκημένων, ὁ Μίκυθος, ἀνὴρ ὢν ἀγαθός, συνήγαγε τοὺς πατρικοὺς
φίλους τῶν παίδων καὶ τὸν λόγον οὕτω καθαρῶς ἀπέδωκεν, ὥστε
ἅπαντας τοὺς παρόντας θαυμάζειν τήν τε δικαιοσύνην καὶ τὴν πίστιν,
τοὺς δὲ παῖδας μεταμεληθέντας ἐπὶ τοῖς πραχθεῖσιν ἀξιοῦν τὸν
Μίκυθον πάλιν τὴν ἀρχὴν παραλαβεῖν, καὶ πατρὸς ἐξουσίαν ἔχοντα καὶ
3 τάξιν διοικεῖν τὰ κατὰ τὴν δυναστείαν. οὐ μὴν ὁ Μίκυθός γε συν-
εχώρησεν, ἀλλὰ πάντα παραδοὺς ἀκριβῶς καὶ τὴν ἰδίαν οὐσίαν ἐνθέμενος

467/6 εἰς πλοῖον ἐξέπλευσεν ἐκ τοῦ Ῥηγίου, προπεμπόμενος ὑπὸ τῆς τῶν
ὄχλων εὐνοίας. οὗτος μὲν οὖν εἰς τὴν Ἑλλάδα κατάρας ἐν Τεγέαις
τῆς Ἀρκαδίας κατεβίωσεν ἐπαινούμενος. Ἱέρων δ᾽ ὁ τῶν Συρακοσίων 4
βασιλεὺς ἐτελεύτησεν ἐν τῇ Κατάνῃ, καὶ τιμῶν ἡρωικῶν ἔτυχεν, ὡς
ἂν κτίστης γεγονὼς τῆς πόλεως. οὗτος μὲν οὖν ἄρξας ἔτη ἕνδεκα
κατέλιπε τὴν βασιλείαν Θρασυβούλῳ τῷ ἀδελφῷ, ὃς ἦρξε Συρακοσίων
ἐνιαυτὸν ἕνα.

466/5 ἐπ᾽ ἄρχοντος δ᾽ Ἀθήνησι Λυσανίου Ῥωμαῖοι κατέστησαν ὑπάτους **67**
Ἄππιον Κλαύδιον καὶ Τίτον Κοΐντιον Καπιτώλιον. ἐπὶ δὲ τούτων
Θρασύβουλος ὁ τῶν Συρακοσίων βασιλεὺς ἐξέπεσεν ἐκ τῆς ἀρχῆς, περὶ
οὗ ⟨τὰ⟩ κατὰ μέρος ἀναγράφοντας ἡμᾶς ἀναγκαῖόν ἐστι βραχὺ τοῖς
χρόνοις ἀναδραμόντας ἀπ᾽ ἀρχῆς ἅπαντα καθαρῶς ἐκθεῖναι. Γέλων ὁ 2
Δεινομένους ἀρετῇ καὶ στρατηγίᾳ πολὺ τοὺς ἄλλους διενέγκας καὶ
Καρχηδονίους καταστρατηγήσας ἐνίκησε παρατάξει μεγάλῃ τοὺς βαρ-
βάρους, καθότι προείρηται· χρησάμενος δὲ ἐπιεικῶς τοῖς καταπολεμη-
θεῖσι καὶ καθόλου τοῖς πλησιοχώροις πᾶσι προσενεχθεὶς φιλανθρώπως,
μεγάλης ἔτυχεν ἀποδοχῆς παρὰ τοῖς Σικελιώταις. οὗτος μὲν οὖν ὑπὸ 3
πάντων ἀγαπώμενος διὰ τὴν πραότητα, διετέλεσε τὸν βίον εἰρηνικῶς
μέχρι τῆς τελευτῆς. τὴν δὲ βασιλείαν διαδεξάμενος Ἱέρων ὁ πρεσβύ-
τατος τῶν ἀδελφῶν οὐχ ὁμοίως ἦρχε τῶν ὑποτεταγμένων· ἦν γὰρ καὶ 4
φιλάργυρος καὶ βίαιος καὶ καθόλου τῆς ἁπλότητος καὶ καλοκἀγαθίας
[τἀδελφοῦ] ἀλλοτριώτατος. διὸ καὶ πλείονές τινες ἀφίστασθαι βουλό-
μενοι παρακατέσχον τὰς ἰδίας ὁρμὰς διὰ τὴν Γέλωνος δόξαν καὶ τὴν
εἰς τοὺς ἅπαντας Σικελιώτας εὔνοιαν. μετὰ δὲ τὴν Ἱέρωνος τελευτὴν 5
παραλαβὼν τὴν ἀρχὴν Θρασύβουλος ὁ ἀδελφὸς ὑπερέβαλε τῇ κακίᾳ τὸν
πρὸ αὐτοῦ βασιλεύσαντα. βίαιος γὰρ ὢν καὶ φονικὸς πολλοὺς μὲν τῶν
πολιτῶν ἀνῄρει παρὰ τὸ δίκαιον, οὐκ ὀλίγους δὲ φυγαδεύων ἐπὶ ψευδέσι
διαβολαῖς τὰς οὐσίας εἰς τὸ βασιλικὸν ἀνελάμβανε· καθόλου δὲ μισῶν
καὶ μισούμενος ὑπὸ τῶν ἀδικουμένων, μισθοφόρων πλῆθος ἐξενολόγη-
σεν, ἀντίταγμα κατασκευάζων ταῖς πολιτικαῖς δυνάμεσιν. ἀεὶ δὲ 6
μᾶλλον τοῖς πολίταις ἀπεχθόμενος, καὶ πολλοὺς μὲν ὑβρίζων, τοὺς δὲ
ἀναιρῶν, ἠνάγκασε τοὺς ἀδικουμένους ἀποστῆναι. διόπερ οἱ Συρα-
κόσιοι προστησάμενοι τοὺς ἡγησομένους ὥρμησαν ἐπὶ τὴν κατάλυσιν
τῆς τυραννίδος πανδημεί, καὶ συνταχθέντες ὑπὸ τῶν ἡγεμόνων ἀντ-
είχοντο τῆς ἐλευθερίας. Θρασύβουλος δὲ ὁρῶν τὴν πόλιν ὅλην ἐπ᾽ αὐτὸν 7
στρατευομένην, τὸ μὲν πρῶτον ἐπεχείρει λόγῳ καταπαύειν τὴν στάσιν·
ὡς δ᾽ ἑώρα τὴν ὁρμὴν τῶν Συρακοσίων ἀκατάπαυστον οὖσαν, συν-
ήγαγεν ἔκ τε τῆς Κατάνης τοὺς κατοικισθέντας ὑφ᾽ Ἱέρωνος καὶ τοὺς
ἄλλους συμμάχους, ἔτι δὲ [καὶ] μισθοφόρων πλῆθος, ὥστε τοὺς ἅπαντας
γενέσθαι σχεδὸν περὶ τοὺς μυρίους πεντακισχιλίους. οὗτος μὲν οὖν τῆς 8

πόλεως κατειληφὼς τὴν ὀνομαζομένην Ἀχραδινὴν καὶ τὴν Νῆσον 466/5
ὀχυρὰν οὖσαν, καὶ ἐκ τούτων ὁρμώμενος, διεπολέμει πρὸς τοὺς
68 ἀφεστῶτας. οἱ δὲ Συρακόσιοι τὸ μὲν πρῶτον μέρος τῆς πόλεως κατ-
ελάβοντο τὴν ὀνομαζομένην Τύκην, ἐκ ταύτης δὲ ὁρμώμενοι πρεσβευτὰς
ἀπέστειλαν εἰς Γέλαν καὶ Ἀκράγαντα καὶ Σελινοῦντα, πρὸς δὲ τούτοις
εἰς Ἱμέραν καὶ πρὸς τὰς τῶν Σικελῶν πόλεις τὰς ἐν τῇ μεσογείῳ
κειμένας, ἀξιοῦντες κατὰ τάχος συνελθεῖν καὶ συνελευθερῶσαι τὰς
2 Συρακούσας. πάντων δὲ προθύμως ὑπακουόντων, καὶ συντόμως
ἀποστειλάντων τῶν μὲν πεζοὺς καὶ ἱππεῖς στρατιώτας, τῶν δὲ ναῦς
μακρὰς κεκοσμημένας εἰς ναυμαχίαν, ταχὺ συνήχθη δύναμις ἀξιόχρεως
τοῖς Συρακοσίοις. διὸ καὶ τὰς ναῦς καταρτίσαντες οἱ Συρακόσιοι καὶ
τὴν πεζὴν δύναμιν ἐκτάξαντες, ἑτοίμους ἑαυτοὺς ἀπέδειξαν καὶ πεζῇ
3 καὶ κατὰ θάλατταν [βουλομένους] διαγωνίζεσθαι. ὁ δὲ Θρασύβουλος
ἐγκαταλειπόμενος ὑπὸ τῶν συμμάχων καὶ τὰς ἐλπίδας ἐν αὐτοῖς ἔχων
τοῖς μισθοφόροις, τῆς μὲν Ἀχραδινῆς καὶ τῆς Νήσου κύριος ἦν, τὸ δὲ
λοιπὸν μέρος τῆς πόλεως κατεῖχον οἱ Συρακόσιοι. μετὰ δὲ ταῦτα ὁ μὲν
Θρασύβουλος ταῖς ναυσὶν ἐπιπλεύσας ἐπὶ τοὺς πολεμίους, καὶ λειφθεὶς
τῇ ναυμαχίᾳ, συχνὰς μὲν τριήρεις ἀπέβαλε, ταῖς δ' ἄλλαις κατέφυγεν
4 εἰς τὴν Νῆσον. ὁμοίως δὲ καὶ τὴν πεζὴν δύναμιν προαγαγὼν ἐκ τῆς
Ἀχραδινῆς καὶ παραταξάμενος ἐν τοῖς προαστείοις ἡττήθη, καὶ πολλοὺς
ἀποβαλὼν ἠναγκάσθη πάλιν εἰς τὴν Ἀχραδινὴν ἀποχωρῆσαι. τέλος δὲ
ἀπογνοὺς τὴν τυραννίδα διεπρεσβεύσατο πρὸς τοὺς Συρακοσίους, καὶ
5 συνθέμενος τὰ πρὸς αὐτοὺς ὑπόσπονδος ἀπῆλθεν εἰς Λοκρούς. οἱ δὲ
Συρακόσιοι τοῦτον τὸν τρόπον ἐλευθερώσαντες τὴν πατρίδα τοῖς μὲν
μισθοφόροις συνεχώρησαν ἀπελθεῖν ἐκ τῶν Συρακουσῶν, τὰς δὲ ἄλλας
πόλεις τὰς τυραννουμένας ἢ φρουρὰς ἐχούσας ἐλευθερώσαντες ἀπο-
6 κατέστησαν ταῖς πόλεσι τὰς δημοκρατίας. ἀπὸ δὲ τούτων τῶν χρόνων
εἰρήνην ἔχουσα πολλὴν ἐπίδοσιν ἔλαβε πρὸς εὐδαιμονίαν, καὶ διεφύλαξε
τὴν δημοκρατίαν ἔτη σχεδὸν ἑξήκοντα μέχρι τῆς Διονυσίου τυραννίδος.
7 Θρασύβουλος δὲ καλῶς θεμελιωθεῖσαν βασιλείαν παραλαβών, διὰ τὴν
ἰδίαν κακίαν αἰσχρῶς ἀπέβαλε τὴν ἀρχήν, καὶ φυγὼν εἰς Λοκροὺς
ἐνταῦθα τὸν λοιπὸν χρόνον ἰδιωτεύων κατεβίωσεν.
8 ἅμα δὲ τούτοις πραττομένοις ἐν τῇ Ῥώμῃ τότε πρώτως κατεστάθη-
σαν δήμαρχοι τέτταρες, Γάιος Σικίνιος καὶ Λεύκιος Νεμετώριος, πρὸς
δὲ τούτοις Μάρκος Δουίλλιος καὶ Σπόριος Ἀκίλιος.
69 τοῦ δ' ἐνιαυσίου χρόνου διεληλυθότος Ἀθήνησι μὲν ἦρχε Λυσίθεος, 465/4
ἐν Ῥώμῃ δ' ὕπατοι καθειστήκεσαν Λεύκιος Οὐαλέριος Ποπλικόλας καὶ
Τίτος Αἰμίλιος Μάμερκος. ἐπὶ δὲ τούτων κατὰ τὴν Ἀσίαν Ἀρτάβανος,
τὸ μὲν γένος Ὑρκάνιος, δυνάμενος δὲ πλεῖστον παρὰ τῷ βασιλεῖ Ξέρξῃ
καὶ τῶν δορυφόρων ἀφηγούμενος, ἔκρινεν ἀνελεῖν τὸν Ξέρξην καὶ τὴν

465/4 βασιλείαν εἰς ἑαυτὸν μεταστῆσαι. ἀνακοινωσάμενος δὲ τὴν ἐπιβουλὴν
πρὸς Μιθριδάτην τὸν εὐνοῦχον, ὃς ἦν κατακοιμιστὴς τοῦ βασιλέως καὶ
τὴν κυριωτάτην ἔχων πίστιν, ἅμα δὲ καὶ συγγενὴς ὢν Ἀρταβάνου καὶ
φίλος ὑπήκουσε πρὸς τὴν ἐπιβουλήν. ὑπὸ τούτου δὲ νυκτὸς εἰσαχθεὶς 2
ὁ Ἀρτάβανος εἰς τὸν κοιτῶνα, καὶ τὸν Ξέρξην ἀνελών, ὥρμησεν ἐπὶ
τοὺς υἱοὺς τοῦ βασιλέως. ἦσαν δὲ οὗτοι τρεῖς τὸν ἀριθμόν, Δαρεῖος
μὲν ὁ πρεσβύτατος καὶ Ἀρταξέρξης, ἐν τοῖς βασιλείοις διατρίβοντες,
ὁ δὲ τρίτος Ὑστάσπης ἀπόδημος ὢν κατ' ἐκεῖνον τὸν καιρόν· εἶχε γὰρ
τὴν ἐν Βάκτροις σατραπείαν. ὁ δ' οὖν Ἀρτάβανος παραγενόμενος ἔτι 3
νυκτὸς οὔσης πρὸς τὸν Ἀρταξέρξην ἔφησε Δαρεῖον τὸν ἀδελφὸν αὐτοῦ
φονέα γεγονέναι τοῦ πατρὸς καὶ τὴν βασιλείαν εἰς ἑαυτὸν περισπᾶν.
συνεβούλευσεν οὖν αὐτῷ πρὸ τοῦ κατασχεῖν ἐκεῖνον τὴν ἀρχὴν σκοπεῖν 4
ὅπως μὴ δουλεύσῃ διὰ ῥᾳθυμίαν, ἀλλὰ βασιλεύσῃ τὸν φονέα τοῦ πατρὸς
τιμωρησάμενος· ἐπηγγείλατο δ' αὐτῷ συνεργοὺς παρέξεσθαι τοὺς
δορυφόρους τοῦ βασιλέως. πεισθέντος δὲ τοῦ Ἀρταξέρξου καὶ παρα- 5
χρῆμα μετὰ τῶν δορυφόρων ἀνελόντος τὸν ἀδελφὸν Δαρεῖον, ὁρῶν
αὐτῷ τὴν ἐπιβολὴν εὐροοῦσαν, καὶ παραλαβὼν τοὺς ἰδίους υἱοὺς καὶ
φήσας καιρὸν ἔχειν τὴν βασιλείαν κατακτήσασθαι, παίει τῷ ξίφει τὸν
Ἀρταξέρξην. ὁ δὲ τρωθεὶς καὶ οὐδὲν παθὼν ὑπὸ τῆς πληγῆς ἠμύνατο 6
τὸν Ἀρτάβανον καὶ κατενέγκας αὐτοῦ πληγὴν καιρίαν ἀπέκτεινε.
παραδόξως δὲ σωθεὶς ὁ Ἀρταξέρξης καὶ τὸν φονέα τοῦ πατρὸς τετιμω-
ρημένος παρέλαβε τὴν τῶν Περσῶν βασιλείαν. Ξέρξης μὲν οὖν τὸν
εἰρημένον τρόπον ἐτελεύτησε, βασιλεύσας τῶν Περσῶν ἔτη πλείω τῶν
εἴκοσι, τὴν δὲ ἀρχὴν διαδεξάμενος ὁ Ἀρταξέρξης ἐβασίλευσεν ἔτη
τετταράκοντα.

464/3 ἐπ' ἄρχοντος δ' Ἀθήνησιν Ἀρχεδημίδου Ῥωμαῖοι μὲν κατέστησαν **70**
ὑπάτους Αὗλον Οὐεργίνιον καὶ Τίτον Μινούκιον, ὀλυμπιὰς δ' ἤχθη
ἑβδομηκοστὴ καὶ ἐνάτη, καθ' ἣν ἐνίκα στάδιον Ξενοφῶν Κορίνθιος.
ἐπὶ δὲ τούτων ἀποστάντες Θάσιοι ἀπὸ Ἀθηναίων, μετάλλων ἀμφισβη-
τοῦντες, ἐκπολιορκηθέντες ὑπὸ τῶν Ἀθηναίων ἠναγκάσθησαν πάλιν
ὑπ' ἐκείνους τάττεσθαι. ὁμοίως δὲ καὶ Αἰγινήτας ἀποστάντας Ἀθηναῖοι 2
χειρωσόμενοι τὴν Αἴγιναν πολιορκεῖν ἐπεχείρησαν· αὕτη γὰρ ἡ πόλις
τοῖς κατὰ θάλατταν ἀγῶσι πολλάκις εὐημεροῦσα φρονήματός τε πλήρης
ἦν καὶ χρημάτων καὶ τριήρων εὐπορεῖτο, καὶ τὸ σύνολον ἀλλοτρίως ἀεὶ
διέκειτο πρὸς Ἀθηναίους. διόπερ στρατεύσαντες ἐπ' αὐτὴν τὴν χώραν 3
ἐδήωσαν, καὶ τὴν Αἴγιναν πολιορκοῦντες ἔσπευδον ἑλεῖν κατὰ κράτος.
καθόλου γὰρ ἐπὶ πολὺ τῇ δυνάμει προκόπτοντες οὐκέτι τοῖς συμμάχοις
ὥσπερ πρότερον ἐπιεικῶς ἐχρῶντο, ἀλλὰ βιαίως καὶ ὑπερηφάνως ἦρχον.
διόπερ οἱ πολλοὶ τῶν συμμάχων τὴν βαρύτητα φέρειν ἀδυνατοῦντες 4
ἀλλήλοις διελέγοντο περὶ ἀποστάσεως, καί τινες τοῦ κοινοῦ συνεδρίου

5 καταφρονήσαντες κατ' ἰδίαν ἐτάττοντο. ἅμα δὲ τούτοις πραττομένοις 464/3
Ἀθηναῖοι θαλαττοκρατοῦντες εἰς Ἀμφίπολιν ἐξέπεμψαν οἰκήτορας
μυρίους, οὓς μὲν ἐκ τῶν πολιτῶν, οὓς δ' ἐκ τῶν συμμάχων καταλέ-
ξαντες, καὶ τὴν χώραν κατακληρουχήσαντες μέχρι μέν τινος ἐκράτουν
τῶν Θρᾳκῶν, ὕστερον δὲ αὐτῶν ἀναβάντων εἰς Θράκην συνέβη πάντας
τοὺς εἰσβαλόντας εἰς τὴν χώραν τῶν Θρᾳκῶν ὑπὸ των Ἠδωνῶν
καλουμένων διαφθαρῆναι.

71 ἐπ' ἄρχοντος δ' Ἀθήνησι Τληπολέμου Ῥωμαῖοι κατέστησαν ὑπάτους 463/2
Τίτον Κοΐντιον καὶ Κόιντον Σερουίλιον Στροῦκτον. ἐπὶ δὲ τούτων
Ἀρταξέρξης ὁ βασιλεὺς τῶν Περσῶν ἄρτι τὴν βασιλείαν ἀνακτησά-
μενος, τὸ μὲν πρῶτον κολάσας τοὺς μετεσχηκότας τῆς τοῦ πατρὸς
2 ἀναιρέσεως διέταξε τὰ κατὰ τὴν βασιλείαν συμφερόντως αὐτῷ. τῶν
μὲν γὰρ ὑπαρχόντων σατραπῶν τοὺς ἀλλοτρίως ἔχοντας πρὸς αὐτὸν
ἀπέστησε, τῶν δὲ αὐτοῦ φίλων ἐπιλέξας τοὺς εὐθέτους παρέδωκε τὰς
σατραπείας. ἐπεμελήθη δὲ καὶ τῶν προσόδων καὶ τῆς δυνάμεων
κατασκευῆς, καὶ καθόλου τὴν βασιλείαν ὅλην ἐπιεικῶς διοικῶν μεγάλης
3 ἀποδοχῆς ἐτύγχανε παρὰ τοῖς Πέρσαις. οἱ δὲ τὴν Αἴγυπτον κατοι-
κοῦντες πυθόμενοι τὴν Ξέρξου τελευτὴν καὶ τὴν ὅλην ἐπίθεσιν καὶ
ταραχὴν ἐν τῇ βασιλείᾳ τῶν Περσῶν, ἔκριναν ἀντέχεσθαι τῆς ἐλευθερίας.
εὐθὺς οὖν ἀθροίσαντες δύναμιν ἀπέστησαν τῶν Περσῶν, καὶ τοὺς φορο-
λογοῦντας τὴν Αἴγυπτον τῶν Περσῶν ἐκβαλόντες κατέστησαν βασιλέα
4 τὸν ὀνομαζόμενον Ἰναρώ. οὗτος δὲ τὸ μὲν πρῶτον ἐκ τῶν ἐγχωρίων
κατέλεγε στρατιώτας, μετὰ δὲ ταῦτα καὶ μισθοφόρους ἐκ τῶν ἀλλο-
εθνῶν ἀθροίζων κατεσκεύαζε δύναμιν ἀξιόχρεων. ἔπεμψε δὲ καὶ πρὸς
Ἀθηναίους πρέσβεις περὶ συμμαχίας, ὑπισχνούμενος αὐτοῖς, ἐὰν ἐλευ-
θερώσωσι τοὺς Αἰγυπτίους, κοινὴν αὐτοῖς παρέξεσθαι τὴν βασιλείαν
5 καὶ πολλαπλασίους τῆς εὐεργεσίας ἀποδώσειν χάριτας. οἱ δὲ Ἀθηναῖοι
κρίναντες συμφέρειν αὐτοῖς τοὺς μὲν Πέρσας εἰς τὸ δυνατὸν ταπεινοῦν,
τοὺς δὲ Αἰγυπτίους ἰδίους ἑαυτοῖς παρασκευάσαι πρὸς τὰ παράλογα
τῆς τύχης, ἐψηφίσαντο τριακοσίαις τριήρεσι βοηθεῖν τοῖς Αἰγυπτίοις.
6 οἱ μὲν οὖν Ἀθηναῖοι μετὰ πολλῆς προθυμίας περὶ τὴν τοῦ στόλου
παρασκευὴν ἐγίνοντο. Ἀρταξέρξης δὲ πυθόμενος τὴν ἀπόστασιν τῶν
Αἰγυπτίων καὶ τὰς εἰς τὸν πόλεμον παρασκευάς, ἔκρινε δεῖν τῷ μεγέθει
τῶν δυνάμεων ὑπερᾶραι τοὺς Αἰγυπτίους. εὐθὺς οὖν ἐξ ἁπασῶν τῶν
σατραπειῶν κατέλεγε στρατιώτας καὶ ναῦς κατεσκεύαζε, καὶ τῆς ἄλλης
ἁπάσης παρασκευῆς ἐπιμέλειαν ἐποιεῖτο. καὶ τὰ μὲν κατὰ τὴν Ἀσίαν
καὶ τὴν Αἴγυπτον ἐν τούτοις ἦν.

72 κατὰ δὲ τὴν Σικελίαν ἄρτι καταλελυμένης τῆς ἐν ταῖς Συρακού-
σαις τυραννίδος καὶ πασῶν τῶν κατὰ τὴν νῆσον πόλεων ἠλευθερωμέ-
νων, πολλὴν ἐπίδοσιν ἐλάμβανεν ἡ σύμπασα Σικελία πρὸς εὐδαιμονίαν·

463/2 εἰρήνην γὰρ ἔχοντες οἱ Σικελιῶται καὶ χώραν ἀγαθὴν νεμόμενοι, διὰ
τὸ πλῆθος τῶν καρπῶν ταχὺ ταῖς οὐσίαις ἀνέτρεχον καὶ τὴν χώραν
ἐπλήρωσαν οἰκετῶν καὶ κτηνῶν καὶ τῆς ἄλλης εὐδαιμονίας, μεγάλας
μὲν λαμβάνοντες προσόδους, οὐδὲν δὲ εἰς τοὺς εἰωθότας πολέμους
ἀναλίσκοντες. μετὰ δὲ ταῦτα πάλιν εἰς πολέμους καὶ στάσεις ἐνέπεσον 2
διὰ τοιαύτας τινὰς αἰτίας. καταλύσαντες τὴν Θρασυβούλου τυραννίδα
συνήγαγον ἐκκλησίαν, καὶ περὶ τῆς ἰδίας δημοκρατίας βουλευσάμενοι
πάντες ὁμογνωμόνως ἐψηφίσαντο Διὸς μὲν ἐλευθερίου κολοττιαῖον
ἀνδριάντα κατασκευάσαι, κατ' ἐνιαυτὸν δὲ θύειν ἐλευθέρια καὶ ἀγῶνας
ἐπιφανεῖς ποιεῖν κατὰ τὴν αὐτὴν ἡμέραν, ἐν ᾗ τὸν τύραννον κατα-
λύσαντες ἠλευθέρωσαν τὴν πατρίδα· θύειν δ' ἐν τοῖς ἀγῶσι τοῖς θεοῖς
ταύρους τετρακοσίους καὶ πεντήκοντα, καὶ τούτους δαπανᾶν εἰς τὴν
τῶν πολιτῶν εὐωχίαν. τὰς δὲ ἀρχὰς ἁπάσας τοῖς ἀρχαίοις πολίταις 3
ἀπένεμον· τοὺς δὲ ξένους τοὺς ἐπὶ τοῦ Γέλωνος πολιτευθέντας οὐκ
ἠξίουν μετέχειν ταύτης τῆς τιμῆς, εἴτε οὐκ ἀξίους κρίναντες, εἴτε καὶ
ἀπιστοῦντες μήποτε συντεθραμμένοι τυραννίδι καὶ μονάρχῳ συν-
εστρατευμένοι νεωτερίζειν ἐπιχειρήσωσιν· ὅπερ καὶ συνέβη γενέσθαι.
τοῦ γὰρ Γέλωνος πλείονας τῶν μυρίων πολιτογραφήσαντος ξένους
μισθοφόρους, ἐκ τούτων περιελείποντο πλείους τῶν ἑπτακισχιλίων
κατὰ τοὺς ὑποκειμένους καιρούς. οὗτοι τῆς ἐκ τῶν ἀρχαιρεσιῶν τιμῆς **73**
ἀπελαυνόμενοι χαλεπῶς ἔφερον, καὶ συμφρονήσαντες ἀπέστησαν τῶν
Συρακοσίων, καὶ τῆς πόλεως κατελάβοντο τήν τε Ἀχραδινὴν καὶ τὴν
Νῆσον, ἀμφοτέρων τῶν τόπων τούτων ἐχόντων ἴδιον τεῖχος καλῶς
κατεσκευασμένον. οἱ δὲ Συρακόσιοι πάλιν ἐμπεσόντες εἰς ταραχὴν τὸ 2
λοιπὸν τῆς πόλεως κατεῖχον, καὶ τὸ πρὸς τὰς Ἐπιπολὰς τετραμμένον
αὐτῆς ἀπετείχισαν καὶ πολλὴν ἀσφάλειαν ἑαυτοῖς κατεσκεύασαν· εὐθὺς
γὰρ τῆς ἐπὶ τὴν χώραν ἐξόδου τοὺς ἀφεστηκότας εὐχερῶς εἶργον καὶ
ταχὺ τῶν ἐπιτηδείων ἐποίησαν ἀπορεῖν. οἱ δὲ ξένοι τοῖς μὲν πλήθεσιν 3
ἐλείποντο τῶν Συρακοσίων, ταῖς δὲ ἐμπειρίαις ταῖς κατὰ πόλεμον πολὺ
προεῖχον· διὸ καὶ γινομένων κατὰ τὴν πόλιν ἐπιθέσεων καὶ κατὰ μέρος
συμπλοκῶν, ταῖς μὲν μάχαις οἱ ξένοι ἐπροτέρουν, εἰργόμενοι δὲ τῆς
χώρας ἐλείποντο ταῖς παρασκευαῖς καὶ τροφῆς ἐσπάνιζον. καὶ τὰ μὲν
κατὰ τὴν Σικελίαν ἐν τούτοις ἦν.

462/1 ἐπ' ἄρχοντος δ' Ἀθήνησι Κόνωνος ἐν Ῥώμῃ τὴν ὕπατον ἀρχὴν εἶχον **74**
Κόιντος Φάβιος Οὐιβουλανὸς καὶ Τιβέριος Αἰμίλιος Μάμερκος. ἐπὶ
δὲ τούτων Ἀρταξέρξης μὲν ὁ βασιλεὺς τῶν Περσῶν κατέστησε
στρατηγὸν ἐπὶ τὸν πρὸς Αἰγυπτίους πόλεμον Ἀχαιμένην τὸν Δαρείου
μὲν υἱόν, ἑαυτοῦ δὲ θεῖον· τούτῳ δὲ παραδοὺς στρατιωτῶν ἱππέων τε
καὶ πεζῶν ὑπὲρ τὰς τριάκοντα μυριάδας προσέταξε καταπολεμῆσαι
τοὺς Αἰγυπτίους. οὗτος μὲν οὖν ἐπειδὴ κατήντησεν εἰς Αἴγυπτον,

κατεστρατοπέδευσε πλησίον τοῦ Νείλου, καὶ τὴν δύναμιν ἐκ τῆς ὁδοιπο- 462/1
ρίας ἀναλαβὼν παρεσκευάζετο τὰ πρὸς τὴν μάχην· οἱ δ' Αἰγύπτιοι συν-
ηθροικότες ἐκ τῆς Λιβύης καὶ τῆς Αἰγύπτου τὴν δύναμιν, ἀνέμενον τὴν
3 παρὰ τῶν Ἀθηναίων συμμαχίαν. καταπλευσάντων δὲ τῶν Ἀθηναίων εἰς
τὴν Αἴγυπτον μετὰ διακοσίων νεῶν, καὶ μετὰ τῶν Αἰγυπτίων παραταξα-
μένων πρὸς τοὺς Πέρσας, ἐγένετο μάχη καρτερά. καὶ μέχρι μέν τινος
οἱ Πέρσαι τοῖς πλήθεσι προέχοντες ἐπλεονέκτουν, μετὰ δὲ ταῦτα τῶν
Ἀθηναίων βιασαμένων καὶ τοὺς καθ' ἑαυτοὺς τεταγμένους τρεψαμένων
καὶ πολλοὺς ἀναιρούντων, τὸ λοιπὸν πλῆθος τῶν βαρβάρων πρὸς φυγὴν
4 ὥρμησε. πολλοῦ δὲ κατὰ τὴν φυγὴν γενομένου φόνου, τὸ τελευταῖον
οἱ μὲν Πέρσαι τὸ πλέον μέρος τῆς δυνάμεως ἀποβαλόντες κατέφυγον
ἐπὶ τὸ καλούμενον Λευκὸν τεῖχος, οἱ δ' Ἀθηναῖοι ταῖς ἰδίαις ἀν-
δραγαθίαις νίκημα περιπεποιημένοι συνεδίωξαν τοὺς βαρβάρους εἰς
5 τὸ προκείμενον χωρίον, καὶ οὐκ ἀφίσταντο τῆς πολιορκίας. Ἀρτα-
ξέρξης δὲ πυθόμενος τὴν τῶν ἰδίων ἧτταν, τὸ μὲν πρῶτον ἀπέστειλέ
τινας τῶν φίλων μετὰ πολλῶν χρημάτων εἰς τὴν Λακεδαίμονα, καὶ τοὺς
Λακεδαιμονίους ἠξίου πόλεμον ἐξενεγκεῖν τοῖς Ἀθηναίοις, νομίζων
οὕτω τοὺς ἐν Αἰγύπτῳ νικῶντας Ἀθηναίους ἀποπλεύσειν εἰς τὰς
6 Ἀθήνας βοηθήσοντας τῇ πατρίδι· τῶν δὲ Λακεδαιμονίων οὔτε χρήματα
δεξαμένων οὔτε ἄλλως προσεχόντων τοῖς ὑπὸ τῶν Περσῶν ἀξιουμένοις
ἀπογνοὺς τὴν ἀπὸ τῶν Λακεδαιμονίων βοήθειαν ὁ Ἀρταξέρξης ἄλλας
δυνάμεις παρεσκευάζετο· ἐπιστήσας δὲ αὐτοῖς ἡγεμόνας Ἀρτάβαζον
καὶ Μεγάβυζον, ἄνδρας ἀρετῇ διαφέροντας, ἐξέπεμψε πολεμήσοντας
τοῖς Αἰγυπτίοις.

75 ἐπ' ἄρχοντος δ' Ἀθήνησιν Εὐθίππου Ῥωμαῖοι κατέστησαν ὑπάτους 461/0
Κόιντον Σερουίλιον καὶ Σπόριον Ποστούμιον Ἀλβῖνον. ἐπὶ δὲ τούτων
κατὰ τὴν Ἀσίαν Ἀρτάβαζος καὶ Μεγάβυζος ἐκπεμφθέντες ἐπὶ τὸν πρὸς
Αἰγυπτίους πόλεμον ἀνέζευξαν ἐκ τῆς Περσίδος, ἔχοντες στρατιώτας
2 ἱππεῖς καὶ πεζοὺς πλείους τῶν τριάκοντα μυριάδων. ὡς δ' ἦλθον εἰς
Κιλικίαν καὶ Φοινίκην, τὰς μὲν πεζὰς δυνάμεις ἀνελάμβανον ἐκ τῆς
ὁδοιπορίας, ναῦς δὲ προσέταξαν κατασκευάζειν τοῖς τε Κυπρίοις καὶ
Φοίνιξι καὶ τοῖς τὴν Κιλικίαν οἰκοῦσι. καταρτισθεισῶν δὲ τριήρων
τριακοσίων, ταύτας ἐκόσμησαν ἐπιβάταις τε τοῖς κρατίστοις καὶ ὅπλοις
3 καὶ βέλεσι καὶ τοῖς ἄλλοις τοῖς πρὸς ναυμαχίαν χρησίμοις. οὗτοι μὲν
οὖν περὶ τὰς παρασκευὰς ἐγίνοντο καὶ γυμνασίας τῶν στρατιωτῶν
ἐποιοῦντο καὶ συνείθιζον ἅπαντας ταῖς πολεμικαῖς ἐμπειρίαις, καὶ περὶ
4 ταῦτα διέτριψαν σχεδόν τι τὸν ὑποκείμενον ἐνιαυτόν· οἱ δὲ κατὰ τὴν
Αἴγυπτον Ἀθηναῖοι τοὺς περὶ τὴν Μέμφιν καταφυγόντας εἰς τὸ Λευκὸν
τεῖχος ἐπολιόρκουν· ἀμυνομένων δὲ τῶν Περσῶν εὐρώστως οὐ δυνά-
μενοι τὸ χωρίον ἑλεῖν, ἔμειναν ἐπὶ τῆς πολιορκίας τὸν ἐνιαυτόν.

461/0 κατὰ δὲ τὴν Σικελίαν Συρακόσιοι μὲν πολεμοῦντες τοῖς ἀφεστηκόσι **76**
ξένοις συνεχεῖς προσβολὰς ἐποιοῦντο τῇ τε Ἀχραδινῇ καὶ τῇ Νήσῳ, καὶ
ναυμαχίᾳ μὲν ἐνίκησαν τοὺς ἀποστάντας, πεζῇ δ' οὐκ ἴσχυον ἐκβαλεῖν ἐκ
τῆς πόλεως διὰ τὴν ὀχυρότητα τῶν τόπων. μετὰ δὲ ταῦτα παρατάξεως 2
γενομένης ἐπὶ τῆς χώρας, καὶ τῶν ἀγωνιζομένων παρ' ἀμφοτέροις
ἐκθύμως κινδυνευόντων, πεσεῖν συνέβη οὐκ ὀλίγους παρ' ἀμφοτέροις,
νικῆσαι δὲ τοὺς Συρακοσίους. μετὰ δὲ τὴν μάχην οἱ Συρακόσιοι τοὺς
μὲν ἐπιλέκτους, ὄντας ἑξακοσίους, αἰτίους γενομένους τῆς νίκης,
ἐστεφάνωσαν ἀριστεῖα δόντες ἀργυρίου μνᾶν ἑκάστῳ. ἅμα δὲ τούτοις 3
πραττομένοις Δουκέτιος μὲν ὁ τῶν Σικελῶν ἡγεμών, χαλεπῶς ἔχων
τοῖς τὴν Κατάνην οἰκοῦσι διὰ τὴν ἀφαίρεσιν τῆς τῶν Σικελῶν χώρας,
ἐστράτευσεν ἐπ' αὐτούς. ὁμοίως δὲ καὶ τῶν Συρακοσίων στρατευσάν-
των ἐπὶ τὴν Κατάνην, οὗτοι μὲν κοινῇ κατεκληρούχησαν τὴν χώραν καὶ
⟨τοὺς⟩ κατοικισθέντας ὑφ' Ἱέρωνος τοῦ δυνάστου ἐπολέμουν· ἀντι-
ταχθέντων δὲ τῶν ἐν τῇ Κατάνῃ καὶ λειφθέντων πλείοσι μάχαις, οὗτοι
μὲν ἐξέπεσον ἐκ τῆς Κατάνης, καὶ τὴν νῦν οὖσαν Αἴτνην ἐκτήσαντο,
πρὸ τούτου καλουμένην Ἴνησσαν, οἱ δ' ἐξ ἀρχῆς ἐκ τῆς Κατάνης
ὄντες ἐκομίσαντο πολλῷ χρόνῳ τὴν πατρίδα. τούτων δὲ πραχθέντων 4
οἱ κατὰ τὴν Ἱέρωνος δυναστείαν ἐκπεπτωκότες ἐκ τῶν ἰδίων πόλεων
ἔχοντες τοὺς συναγωνιζομένους κατῆλθον εἰς τὰς πατρίδας, καὶ τοὺς
ἀδίκως τὰς ἀλλοτρίας πόλεις ἀφῃρημένους ἐξέβαλον ἐκ τῶν πόλεων·
τούτων δ' ἦσαν Γελῷοι καὶ Ἀκραγαντῖνοι καὶ Ἱμεραῖοι. παραπλησίως 5
δὲ τούτοις καὶ Ῥηγῖνοι μετὰ Ζαγκλαίων τοὺς Ἀναξίλου παῖδας δυνα-
στεύοντας ἐκβαλόντες ἠλευθέρωσαν τὰς πατρίδας. μετὰ δὲ ταῦτα
Καμάριναν μὲν Γελῷοι κατοικίσαντες ἐξ ἀρχῆς κατεκληρούχησαν· αἱ
δὲ πόλεις σχεδὸν ἅπασαι πρὸς τὴν κατάλυσιν τῶν πολέμων ὁρμήσασαι,
καὶ κοινὸν δόγμα ποιησάμεναι, πρὸς τοὺς κατοικοῦντας ξένους διελύθη-
σαν, καὶ τοὺς φυγάδας καταδεξάμεναι τοῖς ἀρχαίοις πολίταις τὰς πόλεις
ἀπέδοσαν, τοῖς δὲ ξένοις τοῖς διὰ τὰς δυναστείας ἀλλοτρίας τὰς πόλεις
ἔχουσι συνεχώρησαν τὰ ἑαυτῶν ἀποκομίζειν καὶ κατοικεῖν ἅπαντας
ἐν τῇ Μεσσηνίᾳ. αἱ μὲν οὖν κατὰ Σικελίαν ἐν ταῖς πόλεσι στάσεις καὶ 6
ταραχαὶ τοῦτον τὸν τρόπον κατελύθησαν, αἱ δὲ πόλεις τὰς ἀπαλλοτρίους
πολιτείας ἀποβαλοῦσαι σχεδὸν ἅπασαι τὰς ἰδίας χώρας κατεκληρούχη-
σαν τοῖς πολίταις πᾶσιν.

460/59 ἐπ' ἄρχοντος δ' Ἀθήνησι Φρασικλείδου ὀλυμπιὰς μὲν ἤχθη ὀγδοη- **77**
κοστή, καθ' ἣν ἐνίκα στάδιον Τορύλλας Θετταλός, Ῥωμαῖοι δ' ὑπάτους
κατέστησαν Κόιντον Φάβιον καὶ Τίτον Κοΐντιον Καπιτωλῖνον. ἐπὶ δὲ
τούτων κατὰ μὲν τὴν Ἀσίαν οἱ τῶν Περσῶν στρατηγοὶ διαβάντες ἐπὶ
τὴν Κιλικίαν ναῦς μὲν κατεσκεύασαν τριακοσίας κεκοσμημένας καλῶς

77[1]: Φιλοκλείδου A, Φασικλείδου cett.

πρὸς τὴν πολεμικὴν χρείαν, τὸ δὲ πεζὸν στρατόπεδον λαβόντες προῆγον 460/59
πεζῇ διὰ Συρίας καὶ Φοινίκης· συμπαραπλέοντος δὲ καὶ τοῦ στόλου
2 τῇ πεζῇ στρατιᾷ κατήντησαν εἰς Μέμφιν τῆς Αἰγύπτου. καὶ τὸ μὲν
πρῶτον τὴν πολιορκίαν τοῦ Λευκοῦ τείχους ἔλυσαν, καταπληξάμενοι
τοὺς Αἰγυπτίους καὶ τοὺς Ἀθηναίους· μετὰ δὲ ταῦτα ἐμφρόνως βου-
λευσάμενοι κατὰ στόμα μὲν παρατάττεσθαι διέκλινον, στρατηγήμασι
δὲ ἐφιλοτιμοῦντο καταλῦσαι τὸν πόλεμον. διόπερ καὶ τῶν Ἀττικῶν
νεῶν ὁρμουσῶν ἐν τῇ Προσωπίτιδι λεγομένῃ νήσῳ, τὸν περιρρέοντα
3 ποταμὸν διώρυξι διαλαβόντες ἤπειρον ἐποίησαν τὴν νῆσον. τῶν δὲ
νεῶν ἄφνω καθιζουσῶν ἐπὶ ξηρὰν τὴν γῆν, οἱ μὲν Αἰγύπτιοι κατα-
πλαγέντες ἐγκατέλιπον τοὺς Ἀθηναίους καὶ πρὸς τοὺς Πέρσας διελύ-
σαντο· οἱ δὲ Ἀθηναῖοι συμμάχων ὄντες ἔρημοι καὶ τὰς ναῦς ὁρῶντες
ἀχρήστους γεγενημένας, ταύτας μὲν ἐνέπρησαν, ὅπως μὴ τοῖς πολεμίοις
ὑποχείριοι γενηθῶσιν, αὐτοὶ δὲ οὐ καταπλαγέντες τὴν δεινότητα τῆς
περιστάσεως παρεκάλουν ἀλλήλους μηδὲν ἀνάξιον πρᾶξαι τῶν προ-
4 κατειργασμένων ἀγώνων. διόπερ ταῖς ἀρεταῖς ὑπερβαλλόμενοι τοὺς
ἐν Θερμοπύλαις ὑπὲρ τῆς Ἑλλάδος ἀποθανόντας, ἑτοίμως εἶχον δι-
αγωνίζεσθαι πρὸς τοὺς πολεμίους. οἱ δὲ στρατηγοὶ τῶν Περσῶν Ἀρτά-
βαζος καὶ Μεγάβυζος, ὁρῶντες τὴν ὑπερβολὴν τῆς εὐτολμίας τῶν
πολεμίων καὶ λογισάμενοι, διότι τούτους οὐ δυνατὸν ἀνελεῖν ἄνευ τοῦ
πολλὰς μυριάδας ἀποβαλεῖν τῶν ἰδίων, σπονδὰς ἔθεντο πρὸς τοὺς
Ἀθηναίους, καθ' ἃς ἔδει χωρὶς κινδύνων ἀπελθεῖν αὐτοὺς ἐκ τῆς
5 Αἰγύπτου. οἱ μὲν οὖν Ἀθηναῖοι διὰ τὴν ἰδίαν ἀρετὴν τυχόντες τῆς
σωτηρίας ἀπῆλθον ἐκ τῆς Αἰγύπτου, καὶ διὰ τῆς Λιβύης εἰς Κυρήνην
6 ἀπελθόντες ἐσώθησαν παραδόξως εἰς τὴν πατρίδα. ἅμα δὲ τούτοις
πραττομένοις ἐν μὲν ταῖς Ἀθήναις Ἐφιάλτης ὁ Σοφωνίδου, δημαγωγὸς
ὢν καὶ τὸ πλῆθος παροξύνας κατὰ τῶν Ἀρεοπαγιτῶν, ἔπεισε τὸν δῆμον
ψηφίσματι μειῶσαι τὴν ἐξ Ἀρείου πάγου βουλήν, καὶ τὰ πάτρια καὶ
περιβόητα νόμιμα καταλῦσαι. οὐ μὴν ἀθῷός γε διέφυγε τηλικούτοις
ἀνομήμασιν ἐπιβαλόμενος, ἀλλὰ τῆς νυκτὸς ἀναιρεθεὶς ἄδηλον ἔσχε τὴν
τοῦ βίου τελευτήν.

78 τοῦ δ' ἐνιαυσίου χρόνου διεληλυθότος Ἀθήνησι μὲν ἦν ἄρχων 459/8
Φιλοκλῆς, ἐν Ῥώμῃ δὲ τὴν ὕπατον ἀρχὴν διεδέξαντο Αὖλος Ποστούμιος
Ῥηγοῦλος καὶ Σπόριος Φούριος Μεδιολανός. ἐπὶ δὲ τούτων Κορινθίοις
καὶ Ἐπιδαυρίοις πρὸς Ἀθηναίους ἐνστάντος πολέμου, ἐστράτευσαν ἐπ'
αὐτοὺς Ἀθηναῖοι, καὶ γενομένης μάχης ἰσχυρᾶς ἐνίκησαν Ἀθηναῖοι.
2 μεγάλῳ δὲ στόλῳ καταπλεύσαντες πρὸς τοὺς ὀνομαζομένους Ἁλιεῖς,

77[6]: Σοφωνίδου Meursius, Σιμωνίδου codd. 78[1–2]: καὶ γενομένης ** (eraso δὲ) μάχης . . . Ἀθηναῖοι. μεγάλῳ δὲ στόλῳ P, γενομένης δὲ μάχης . . . Ἀθηναῖοι μεγάλῳ στόλῳ cett., καὶ post Ἁλιεῖς add. Steph.

459/8 ἀνέβησαν εἰς τὴν Πελοπόννησον, καὶ τῶν πολεμίων ἀνεῖλον οὐκ ὀλίγους.
συστραφέντων δὲ τῶν Πελοποννησίων καὶ δύναμιν ἀξιόλογον ἀθροι-
σάντων, συνέστη μάχη πρὸς τοὺς Ἀθηναίους περὶ τὴν ὀνομαζομένην
Κεκρυφάλειαν, καθ' ἣν πάλιν ἐνίκησαν Ἀθηναῖοι. τοιούτων δ' εὐημερη- 3
μάτων αὐτοῖς γενομένων, τοὺς Αἰγινήτας ὁρῶντες πεφρονηματισμένους
μὲν ταῖς προγεγενημέναις πράξεσιν, ἀλλοτρίως δὲ ἔχοντας πρὸς αὐτούς,
ἔγνωσαν καταπολεμῆσαι. διὸ καὶ στόλον ἐπ' αὐτοὺς ἀξιόλογον ἀπο- 4
στειλάντων τῶν Ἀθηναίων, οἱ τὴν Αἴγιναν κατοικοῦντες, μεγάλην
ἐμπειρίαν ἔχοντες καὶ δόξαν τῶν κατὰ θάλατταν ἀγώνων, οὐ κατ-
επλάγησαν τὴν ὑπεροχὴν τῶν Ἀθηναίων, ἔχοντες δὲ τριήρεις ἱκανὰς καὶ
προσκατασκευάσαντες ἑτέρας, ἐναυμάχησαν, καὶ λειφθέντες ἀπέβαλον
τριήρεις ἑβδομήκοντα· συντριβέντες δὲ τοῖς φρονήμασι διὰ τὸ μέγεθος
τῆς συμφορᾶς, ἠναγκάσθησαν εἰς τὴν Ἀθηναίων συντέλειαν κατα-
ταχθῆναι. ταῦτα μὲν οὖν Λεωκράτης ὁ στρατηγὸς κατεπράξατο τοῖς
Ἀθηναίοις, τοὺς πάντας διαπολεμήσας μῆνας ἐννέα πρὸς τοὺς Αἰγινήτας.
ἅμα δὲ τούτοις πραττομένοις κατὰ τὴν Σικελίαν Δουκέτιος ὁ τῶν 5
Σικελῶν βασιλεὺς [ὤν], ὠνομασμένος τὸ γένος, ἰσχύων δὲ κατ' ἐκείνους
τοὺς χρόνους, Μέναινον μὲν πόλιν ἔκτισε καὶ τὴν σύνεγγυς χώραν τοῖς
κατοικισθεῖσι διεμέρισε, στρατευσάμενος δ' ἐπὶ πόλιν ἀξιόλογον Μοργαν-
τῖναν, καὶ χειρωσάμενος αὐτήν, δόξαν ἀπηνέγκατο παρὰ τοῖς ὁμοεθνέσι.
458/7 τοῦ δ' ἐνιαυσίου χρόνου διεληλυθότος Ἀθήνησι μὲν ἦρχε Βίων, ἐν **79**
Ῥώμῃ δὲ τὴν ὕπατον ἀρχὴν διεδέξαντο Πούπλιος Σερουίλιος Στροῦκτος
καὶ Λεύκιος Αἰβούτιος Ἄλβας. ἐπὶ δὲ τούτων Κορινθίοις καὶ Μεγαρεῦσι
περὶ χώρας ὁμόρου γενομένης ἀμφισβητήσεως, εἰς πόλεμον αἱ πόλεις
ἐνέπεσον. τὸ μὲν οὖν πρῶτον τὴν χώραν ἀλλήλων διετέλουν λεηλα- 2
τοῦντες καὶ κατ' ὀλίγους συμπλοκὰς [καὶ μάχας μικρὰς] ποιούμενοι·
αὐξομένης δὲ τῆς διαφορᾶς οἱ Μεγαρεῖς ἀεὶ μᾶλλον ἐλαττούμενοι καὶ
τοὺς Κορινθίους φοβούμενοι, συμμάχους ἐποιήσαντο τοὺς Ἀθηναίους.
διὸ καὶ πάλιν τῶν πόλεων ἐφαμίλλων ταῖς δυνάμεσι γενομένων, καὶ 3
τῶν Κορινθίων μετὰ Πελοποννησίων ἀξιολόγῳ δυνάμει στρατευσάντων
εἰς τὴν Μεγαρικήν, Ἀθηναῖοι συμμαχίαν ἔπεμψαν τοῖς Μεγαρεῦσιν, ἧς
ἡγεῖτο Μυρωνίδης, ἀνὴρ ἐπ' ἀρετῇ θαυμαζόμενος· γενομένης δὲ
παρατάξεως ἰσχυρᾶς ἐπὶ πολὺν χρόνον, καὶ ταῖς ἀνδραγαθίαις ἑκατέ-
ρων ἐξισουμένων, τὸ τελευταῖον ἐνίκησαν Ἀθηναῖοι καὶ πολλοὺς ἀνεῖλον
τῶν πολεμίων. μετὰ δ' ὀλίγας ἡμέρας πάλιν γενομένης ἰσχυρᾶς μάχης 4
ἐν τῇ λεγομένῃ Κιμωλίᾳ, πάλιν ἐνίκησαν Ἀθηναῖοι [καὶ πολλοὺς
ἀνεῖλον τῶν πολεμίων. μετὰ δ' ὀλίγας ἡμέρας πάλιν γενομένης ἰσχυρᾶς
μάχης] *** οἱ Φωκεῖς ἐνεστήσαντο πόλεμον πρὸς Δωριεῖς, τοὺς

78[5]: ὢν del. Dindorf, " οὐκ malim " Vogel.

προγόνους μὲν Λακεδαιμονίων, οἰκοῦντας δὲ πόλεις τρεῖς, Κυτίνιον 458/7
καὶ Βοιὸν καὶ Ἐρινεόν, κειμένας ὑπὸ τὸν λόφον τὸν ὀνομαζόμενον
5 Παρνασσόν. τὸ μὲν οὖν πρῶτον βίᾳ χειρωσάμενοι τοὺς Δωριεῖς
κατέσχον αὐτῶν τὰς πόλεις· μετὰ δὲ ταῦτα Λακεδαιμόνιοι μὲν Νικομήδην
τὸν Κλεομένους ἐξέπεμψαν βοηθήσοντα τοῖς Δωριεῦσι διὰ τὴν
συγγένειαν· εἶχε δ' οὗτος Λακεδαιμονίους μὲν χιλίους πεντακοσίους,
6 παρὰ δὲ τῶν ἄλλων Πελοποννησίων μυρίους. οὗτος μὲν οὖν ἐπίτροπος
ὢν Πλειστώνακτος τοῦ βασιλέως παιδὸς ὄντος, μετὰ τοσαύτης δυνάμεως
ἐβοήθησε τοῖς Δωριεῦσι, νικήσας δὲ τοὺς Φωκεῖς καὶ τὰς πόλεις
80 ἀνακτησάμενος τούς τε Φωκεῖς καὶ Δωριεῖς διήλλαξεν. Ἀθηναῖοι δὲ
πυθόμενοι τοὺς Λακεδαιμονίους τὸν μὲν πρὸς Φωκεῖς πόλεμον καταλελυκέναι,
αὐτοὺς δὲ μέλλειν τὴν εἰς οἶκον ἐπάνοδον ποιεῖσθαι, ἔγνωσαν
ἐπιθέσθαι κατὰ τὴν ὁδοιπορίαν τοῖς Λακεδαιμονίοις. ἐστράτευσαν οὖν
ἐπ' αὐτούς, παραλαβόντες τοὺς Ἀργείους καὶ Θετταλούς· καὶ πεντήκοντα
μὲν ναυσί, στρατιώταις δὲ μυρίοις καὶ τετρακισχιλίοις ἐπιβουλεύοντες
αὐτοῖς κατελάβοντο τὰς περὶ τὴν Γεράνειαν παρόδους.
2 Λακεδαιμόνιοι δὲ πυνθανόμενοι τὰ κατὰ τοὺς Ἀθηναίους παρῆλθον τῆς
Βοιωτίας εἰς Τάναγραν. τῶν δὲ Ἀθηναίων παραγενομένων εἰς τὴν
Βοιωτίαν καὶ παρατάξεως γενομένης, ἰσχυρὰ συνέστη μάχη· καὶ τῶν
μὲν Θετταλῶν μεταβαλομένων ἐν τῇ μάχῃ πρὸς τοὺς Λακεδαιμονίους,
τῶν δὲ Ἀθηναίων καὶ τῶν Ἀργείων οὐδὲν ἧττον διαγωνιζομένων,
ἔπεσον μὲν οὐκ ὀλίγοι παρ' ἀμφοτέροις, νυκτὸς δ' ἐπιλαβούσης διελύ-
3 θησαν. μετὰ δὲ ταῦτα τοῖς Ἀθηναίοις κομιζομένης ἀγορᾶς πολλῆς
ἐκ τῆς Ἀττικῆς, οἱ Θετταλοὶ κρίναντες ἐπιθέσθαι ταύτῃ, τῆς ὥρας
4 δειπνοποιησάμενοι νυκτὸς ἀπήντων τοῖς κομίζουσι τὰς ἀγοράς. τῶν
δὲ παραφυλαττόντων Ἀθηναίων ἀγνοούντων καὶ προσδεξαμένων τοὺς
Θετταλοὺς ὡς φίλους, συνέβη [καὶ] πολλοὺς καὶ ποικίλους ἀγῶνας
γενέσθαι περὶ τῆς ἀγορᾶς. τὸ μὲν γὰρ πρῶτον οἱ Θετταλοί, προσδεχθέντες
ὑπὸ τῶν πολεμίων διὰ τὴν ἄγνοιαν, ἔκτεινον τοὺς ἐντυγχάνοντας,
καὶ συντεταγμένοι τοῖς τεθορυβημένοις συμπλεκόμενοι πολλοὺς
5 ἀνῄρουν. οἱ δὲ κατὰ τὴν στρατοπεδείαν ὄντες Ἀθηναῖοι πυθόμενοι τὴν
τῶν Θετταλῶν ἐπίθεσιν, ἧκον κατὰ σπουδήν, καὶ τοὺς Θετταλοὺς
6 ἐξ ἐφόδου τρεψάμενοι πολὺν ἐποίουν φόνον. ἐπιβοηθησάντων δὲ τῶν
Λακεδαιμονίων τοῖς Θετταλοῖς συντεταγμένῃ τῇ δυνάμει, καὶ τοῖς
στρατοπέδοις ὅλοις γενομένης παρατάξεως, συνέβη διὰ τὴν γενομένην
φιλοτιμίαν πολλοὺς παρ' ἀμφοτέροις ἀναιρεθῆναι. τέλος δὲ τῆς μάχης
ἀμφίδοξον λαβούσης τὸ τέλος, συνέβη τούς τε Λακεδαιμονίους ἀμφισβητῆσαι
περὶ τῆς νίκης καὶ τοὺς Ἀθηναίους. τότε μὲν οὖν ἐπιλαβούσης
νυκτὸς καὶ τῆς νίκης ἀμφιδόξου γενομένης, διεπρεσβεύοντο
πρὸς ἀλλήλους καὶ τετραμηνιαίους σπονδὰς ἐποιήσαντο.

457/6 τοῦ δ' ἐνιαυσίου χρόνου διεληλυθότος Ἀθήνησι μὲν ἦρχε Μνησιθείδης, **81**
ἐν Ῥώμῃ δ' ὕπατοι κατεστάθησαν Λούκιος Λουκράτιος καὶ Τίτος
Οὐετούριος Κιχωρῖνος. ἐπὶ δὲ τούτων Θηβαῖοι μὲν τεταπεινωμένοι
διὰ τὴν πρὸς Ξέρξην αὐτοῖς γενομένην συμμαχίαν, ἐζήτουν δι' οὗ
τρόπου δύναιντ' ἂν ἀναλαβεῖν τὴν πάτριον ἰσχύν τε καὶ δόξαν. διὸ καὶ 2
τῶν Βοιωτῶν ἁπάντων καταφρονούντων καὶ μηκέτι προσεχόντων τοῖς
Θηβαίοις, ἠξίουν τοὺς Λακεδαιμονίους τῇ πόλει συμπεριποιῆσαι τὴν
ὅλην ἡγεμονίαν τῆς Βοιωτίας· ἐπηγγέλλοντο δ' αὐτοῖς ἀντὶ ταύτης τῆς
χάριτος ἰδίᾳ πολεμήσειν τοῖς Ἀθηναίοις, ὥστε μηδεμίαν ἀνάγκην εἶναι
τοῖς Σπαρτιάταις ἐκτὸς τῆς Πελοποννήσου δύναμιν ἐξαγαγεῖν πεζήν.
οἱ δὲ Λακεδαιμόνιοι κρίναντες συμφέροντα λέγειν αὐτούς, καὶ νομί- 3
ζοντες τὰς Θήβας, ἐὰν αὐξήσωσιν, ἔσεσθαι τῆς τῶν Ἀθηναίων ὥσπερ
ἀντίπαλόν τινα· διόπερ ἔχοντες τότε περὶ Τάναγραν ἕτοιμον καὶ μέγα
στρατόπεδον, τῆς μὲν τῶν Θηβαίων πόλεως μείζονα τὸν περίβολον
κατεσκεύασαν, τὰς δ' ἐν Βοιωτίᾳ πόλεις ἠνάγκασαν ὑποτάττεσθαι τοῖς
Θηβαίοις. οἱ δὲ Ἀθηναῖοι τὴν ἐπιβολὴν τῶν Λακεδαιμονίων διακόψαι 4
σπεύδοντες, δύναμιν ἀξιόλογον συνεστήσαντο, καὶ στρατηγὸν εἵλοντο
Μυρωνίδην τὸν Καλλίου. οὗτος δὲ καταλέξας τῶν πολιτῶν τοὺς
ἱκανοὺς παρήγγειλεν αὐτοῖς, ἐκθέμενος ἡμέραν ἐν ᾗ τὴν ἐκ τῆς πόλεως
ἀνάζευξιν ἤμελλε ποιεῖσθαι. ἐπεὶ δ' ὁ συντεταγμένος καιρὸς ἧκε, καὶ 5
τῶν στρατιωτῶν τινες οὐ κατήντησαν πρὸς τὴν ὡρισμένην ἡμέραν,
ἀναλαβὼν τοὺς προσεληλυθότας προῆγεν εἰς τὴν Βοιωτίαν. τῶν δὲ
ἡγεμόνων τινὲς καὶ τῶν φίλων ἔφασαν δεῖν ἀναμένειν τοὺς καθυστε-
ροῦντας, ὁ δὲ Μυρωνίδης, συνετὸς ὢν ἅμα καὶ δραστικὸς στρατηγός,
οὐκ ἔφησεν ἀναμενεῖν· ἀπεφαίνετο γὰρ τοὺς μὲν ἑκουσίως καθυστεροῦν-
τας τῆς ἐξόδου καὶ κατὰ τὴν μάχην ἀγεννῶς καὶ δειλῶς ἕξειν, καὶ διὰ
τοῦτο οὐδὲ τοὺς ὑπὲρ τῆς πατρίδος κινδύνους ὑποστήσεσθαι, τοὺς δ'
ἑτοίμους κατὰ τὴν συντεταγμένην ἡμέραν παραγενηθέντας φανεροὺς
εἶναι διότι καὶ τὴν ἐν τῷ πολέμῳ τάξιν οὐ καταλείψουσιν· ὅπερ καὶ
συνέβη γενέσθαι. ὀλίγους γὰρ προάγων στρατιώτας, καὶ τούτους 6
ἀρίστους ταῖς ἀνδραγαθίαις, παρετάξατο κατὰ τὴν Βοιωτίαν πρὸς
πολλαπλασίους, καὶ κατὰ κράτος περιεγένετο τῶν ἀντιταχθέντων.
δοκεῖ δ' ἡ παράταξις αὕτη μηδεμιᾶς ἀπολείπεσθαι τῶν ἐν τοῖς **82**
ἔμπροσθεν χρόνοις γεγενημένων παρατάξεων τοῖς Ἀθηναίοις· ἥ τε γὰρ
ἐν Μαραθῶνι γενομένη νίκη καὶ τὸ περὶ Πλαταιὰς κατὰ Περσῶν
προτέρημα καὶ τἆλλα τὰ περιβόητα τῶν Ἀθηναίων ἔργα δοκεῖ μηδὲν
προέχειν τῆς μάχης ἧς ἐνίκησε Μυρωνίδης τοὺς Βοιωτούς. ἐκείνων 2
γὰρ αἱ μὲν ἐγένοντο πρὸς βαρβάρους, αἱ δὲ συνετελέσθησαν μετ' ἄλλων
συμμάχων, ταύτην δὲ τὴν παράταξιν Ἀθηναῖοι μόνοι διακινδυνεύσαντες
ἐνίκησαν καὶ πρὸς Ἑλλήνων τοὺς ἀρίστους διηγωνίσαντο. δοκοῦσι γὰρ 3

οἱ Βοιωτοὶ κατὰ τὰς τῶν δεινῶν ὑπομονὰς καὶ τοὺς πολεμικοὺς ἀγῶνας 457/6
μηδενὸς λείπεσθαι τῶν ἄλλων· ὕστερον γοῦν αὐτοὶ Θηβαῖοι περὶ
Λεῦκτρα καὶ Μαντίνειαν μόνοι πρὸς Λακεδαιμονίους ἅπαντας καὶ τοὺς
συμμάχους παραταξάμενοι μεγίστην μὲν δόξαν ἐπ᾿ ἀνδρείᾳ κατεκτή-
σαντο, τῆς δ᾿ Ἑλλάδος ἁπάσης ἡγεμόνες ἀνελπίστως ἐγενήθησαν.
4 τῶν δὲ συγγραφέων, καίπερ τῆς μάχης ταύτης ἐπιφανοῦς γεγενημένης,
οὐδεὶς οὔτε τὸν τρόπον αὐτῆς οὔτε τὴν διάταξιν ἀνέγραψε. Μυρωνί-
δης μὲν οὖν ἐπιφανεῖ μάχῃ νικήσας τοὺς Βοιωτοὺς ἐνάμιλλος ἐγενήθη
τοῖς πρὸ αὐτοῦ γενομένοις ἡγεμόσιν ἐπιφανεστάτοις, Θεμιστοκλεῖ καὶ
5 Μιλτιάδῃ καὶ Κίμωνι. ὁ δὲ Μυρωνίδης μετὰ τὴν γενομένην νίκην
Τάναγραν μὲν ἐκπολιορκήσας, περιεῖλεν αὐτῆς τὰ τείχη, τὴν δὲ
Βοιωτίαν ἅπασαν ἐπιὼν ἔτεμνε καὶ κατέφθειρε καὶ τοῖς στρατιώταις
83 διελὼν τὰ λάφυρα πάντας ὠφελείαις ἁδραῖς ἐκόσμησεν. οἱ δὲ Βοιωτοὶ
παροξυνθέντες ἐπὶ τῇ διαφθορᾷ τῆς χώρας, συνεστράφησαν πανδημεί,
καὶ στρατεύσαντες ἤθροισαν μεγάλην δύναμιν. γενομένης δὲ μάχης ἐν
Οἰνοφύτοις τῆς Βοιωτίας, καὶ τὸ δεινὸν ἀμφοτέρων ταῖς ψυχαῖς
ἐρρωμένως ὑπομενόντων, διημέρευσαν ἐν τῇ μάχῃ· μόγις δὲ τῶν
Ἀθηναίων τρεψαμένων τοὺς Βοιωτούς, ὁ Μυρωνίδης πασῶν τῶν κατὰ τὴν
2 Βοιωτίαν πόλεων ἐγκρατὴς ἐγένετο πλὴν Θηβῶν. μετὰ δὲ ταῦτα ἐκ τῆς
Βοιωτίας ἀναζεύξας ἐστράτευσεν ἐπὶ Λοκροὺς τοὺς ὀνομαζομένους
Ὀπουντίους. τούτους δὲ ἐξ ἐφόδου χειρωσάμενος, καὶ λαβὼν ὁμήρους,
3 ἐνέβαλεν εἰς τὴν Παρνασίαν. παραπλησίως δὲ τοῖς Λοκροῖς καὶ τοὺς
Φωκεῖς καταπολεμήσας, καὶ λαβὼν ὁμήρους, ἀνέζευξεν εἰς τὴν Θετ-
ταλίαν, ἐγκαλῶν μὲν περὶ τῆς γενομένης προδοσίας, προστάττων δὲ
καταδέχεσθαι τοὺς φυγάδας· τῶν δὲ Φαρσαλίων οὐ προσδεχομένων,
4 ἐπολιόρκει τὴν πόλιν. ἐπεὶ δὲ τὴν μὲν πόλιν οὐκ ἠδύνατο βίᾳ χειρώσα-
σθαι, τὴν δὲ πολιορκίαν πολὺν χρόνον ὑπέμενον οἱ Φαρσάλιοι, τὸ τηνι-
καῦτα ἀπογνοὺς τὰ κατὰ τὴν Θετταλίαν ἐπανῆλθεν εἰς τὰς Ἀθήνας.
Μυρωνίδης μὲν οὖν ἐν ὀλίγῳ χρόνῳ μεγάλας πράξεις ἐπιτελεσάμενος
περιβόητον ἔσχε τὴν δόξαν παρὰ τοῖς πολίταις. ταῦτα μὲν οὖν ἐπράχθη
κατὰ τοῦτον τὸν ἐνιαυτόν.
84 ἐπ᾿ ἄρχοντος δ᾿ Ἀθήνησι Καλλίου παρὰ μὲν Ἠλείοις ὀλυμπιὰς ἤχθη 456/5
μία πρὸς ταῖς ὀγδοήκοντα, καθ᾿ ἣν ἐνίκα στάδιον Πολύμναστος
Κυρηναῖος, ἐν Ῥώμῃ δ᾿ ὑπῆρχον ὕπατοι Σερούιος Σουλπίκιος καὶ
2 Πούπλιος Οὐολούμνιος Ἀμεντῖνος. ἐπὶ δὲ τούτων Τολμίδης ὁ τετα-
γμένος ἐπὶ τῆς ναυτικῆς δυνάμεως, ἁμιλλώμενος πρὸς τὴν Μυρωνί-
3 δου ἀρετήν τε καὶ δόξαν, ἔσπευδεν ἀξιόλογόν τι κατεργάσασθαι. διὸ
καὶ κατ᾿ ἐκείνους τοὺς καιροὺς μηδενὸς πρότερον πεπορθηκότος τὴν

83^2, l. 4: *Παρνασίαν* Wurm, Madvig; *παραλίαν* Palmerius; *Φαρσαλίαν* codd.

456/5 Λακωνικήν, παρεκάλεσε τὸν δῆμον δῃῶσαι τὴν τῶν Σπαρτιατῶν χώραν,
ἐπηγγέλετο δὲ χιλίους ὁπλίτας παραλαβὼν εἰς τὰς τριήρεις μετὰ
τούτων πορθήσειν μὲν τὴν Λακωνικήν, ταπεινώσειν δὲ τὴν τῶν Σπαρ-
τιατῶν δόξαν. συγχωρησάντων δὲ τῶν Ἀθηναίων, βουλόμενος λαθραίως 4
πλείονας ὁπλίτας ἐξαγαγεῖν, τεχνάζεταί τι τοιοῦτον. οἱ μὲν πολῖται
διελάμβανον αὐτὸν καταλέξειν εἰς τὴν στρατιὰν τῶν νέων τοὺς ἀκμά-
ζοντας ταῖς ἡλικίαις καὶ τοῖς σώμασιν εὐρωστοτάτους· ὁ δὲ Τολμίδης
σπεύδων μὴ μόνον τοὺς τεταγμένους χιλίους ἐξαγαγεῖν εἰς τὴν στρα-
τείαν, προσιὼν ἑκάστῳ τῶν νέων καὶ τῇ ῥώμῃ διαφερόντων ἔλεγεν ὡς
μέλλει καταλέγειν αὐτόν· κρεῖττον οὖν ἔφησεν ἐθελοντὴν στρατεύειν
μᾶλλον ἢ διὰ τῶν καταλόγων ἀναγκασθῆναι δοκεῖν. ἐπεὶ δὲ πλείους τῶν 5
τρισχιλίων τούτῳ τῷ λόγῳ συνέπεισεν ἐθελοντὴν ἀπογράφεσθαι, τοὺς
δὲ λοιποὺς οὐκέτι σπεύδοντας ἑώρα, τότε τοὺς ὡμολογημένους χιλίους
κατέλεξεν ἐκ τῶν ἄλλων. ὡς δ' αὐτῷ καὶ τἆλλα τὰ πρὸς τὴν στρα- 6
τείαν ἡτοίμαστο, πεντήκοντα μὲν τριήρεσιν ἀνήχθη καὶ τετρακισχιλίοις
ὁπλίταις, καταπλεύσας δὲ τῆς Λακωνικῆς εἰς Μεθώνην, τοῦτο μὲν τὸ
χωρίον εἷλε, τῶν δὲ Λακεδαιμονίων βοηθησάντων ἀνέζευξε, καὶ παρα-
πλεύσας εἰς τὸ Γύθειον, ἐπίνειον τῶν Λακεδαιμονίων, χειρωσάμενος
δὲ καὶ ταύτην τὴν πόλιν καὶ τὰ νεώρια τῶν Λακεδαιμονίων ἐμπρήσας,
τὴν χώραν ἐδῄωσεν. ἐκεῖθεν δὲ ἀναχθεὶς ἔπλευσε τῆς Κεφαλληνίας 7
εἰς Ζάκυνθον· ταύτην δὲ χειρωσάμενος καὶ πάσας τὰς ἐν τῇ Κεφαλ-
ληνίᾳ πόλεις προσαγαγόμενος, εἰς τὸ πέραν διέπλευσε καὶ κατῆρεν
εἰς Ναύπακτον. ὁμοίως δὲ καὶ ταύτην ἐξ ἐφόδου λαβών, κατῴκισεν εἰς
ταύτην Μεσσηνίων τοὺς ἐπισήμους, ὑποσπόνδους ὑπὸ Λακεδαιμονίων
ἀφεθέντας· κατὰ γὰρ τὸν αὐτὸν χρόνον οἱ Λακεδαιμόνιοι πρὸς τοὺς 8
Εἵλωτας καὶ Μεσσηνίους πεπολεμηκότες ἐπὶ πλέον, τότε κρατήσαντες
ἀμφοτέρων τοὺς μὲν ἐξ Ἰθώμης ὑποσπόνδους ἀφῆκαν, καθότι προείρη-
ται, τῶν δ' Εἱλώτων τοὺς αἰτίους τῆς ἀποστάσεως κολάσαντες τοὺς
ἄλλους κατεδουλώσαντο.

455/4 ἐπ' ἄρχοντος δ' Ἀθήνησι Σωσιστράτου Ῥωμαῖοι μὲν ὑπάτους 85
κατέστησαν Πούπλιον Οὐαλέριον Ποπλικόλαν καὶ Γάιον Κλώδιον
Ῥήγιλλον. ἐπὶ δὲ τούτων Τολμίδης μὲν περὶ τὴν Βοιωτίαν διέτριβεν,
Ἀθηναῖοι δὲ Περικλέα τὸν Ξανθίππου, τῶν ἀγαθῶν ἀνδρῶν, στρατηγὸν
κατέστησαν, καὶ δόντες αὐτῷ τριήρεις πεντήκοντα καὶ χιλίους ὁπλίτας
ἐξέπεμψαν ἐπὶ τὴν Πελοπόννησον. οὗτος δὲ τῆς Πελοποννήσου πολλὴν 2
ἐπόρθησεν, εἰς δὲ τὴν Ἀκαρνανίαν διαβὰς πλὴν Οἰνιαδῶν ἁπάσας τὰς
πόλεις προσηγάγετο. οἱ μὲν οὖν Ἀθηναῖοι κατὰ τοῦτον τὸν ἐνιαυτὸν
πλείστων πόλεων ἦρξαν, ἐπ' ἀνδρείᾳ δὲ καὶ στρατηγίᾳ μεγάλην δόξαν
κατεκτήσαντο.

85[1], l. 4: ἀγαθῶν ἀνδρῶν codd., ἁπασῶν δυνάμεων Wurm.

86 ἐπ' ἄρχοντος δ' Ἀθήνησιν Ἀρίστωνος Ῥωμαῖοι μὲν κατέστησαν 454/3
ὑπάτους Κόιντον Φάβιον Οὐιβουλανὸν καὶ Λεύκιον Κορνήλιον Κουρι-
τῖνον. ἐπὶ δὲ τούτων Ἀθηναίοις καὶ Πελοποννησίοις πενταετεῖς ἐγέ-
2 νοντο σπονδαί, Κίμωνος τοῦ Ἀθηναίου συνθεμένου ταύτας. κατὰ δὲ
τὴν Σικελίαν Ἐγεσταίοις καὶ Λιλυβαίταις ἐνέστη πόλεμος περὶ χώρας
τῆς πρὸς τῷ Μαζάρῳ ποταμῷ· γενομένης δὲ μάχης ἰσχυρᾶς συνέβη
πολλοὺς παρ' ἀμφοτέροις ἀναιρεθῆναι καὶ τῆς φιλοτιμίας μὴ λῆξαι τὰς
3 πόλεις. μετὰ δὲ τὴν πολιτογραφίαν τὴν ἐν ταῖς πόλεσι γενομένην καὶ
τὸν ἀναδασμὸν τῆς χώρας, πολλῶν εἰκῇ καὶ ὡς ἔτυχε πεπολιτογραφη-
μένων, ἐνόσουν αἱ πόλεις καὶ πάλιν εἰς πολιτικὰς στάσεις καὶ ταραχὰς
ἐνέπιπτον· μάλιστα δὲ τὸ κακὸν ἐπεπόλασεν ἐν ταῖς Συρακούσαις.
4 Τυνδαρίδης γάρ τις τοὔνομα, θράσους καὶ τόλμης γέμων ἄνθρωπος, τὸ
μὲν πρῶτον πολλοὺς τῶν πενήτων ἀνελάμβανε, καὶ σωματοποιῶν
τούτους ἑαυτῷ πρὸς τυραννίδα ἑτοίμους ἐποίει δορυφόρους. μετὰ δὲ
ταῦτα ἤδη φανερὸς ὢν ὅτι δυναστείας ὀρέγεται, θανάτου κρίσιν ὑποσχὼν
5 κατεδικάσθη. ἀπαγομένου δὲ εἰς τὸ δεσμωτήριον οἱ πολυωρηθέντες
ὑπ' αὐτοῦ συνεστράφησαν καὶ τοῖς ἀπάγουσι τὰς χεῖρας ἐπέφερον.
ταραχῆς δὲ γενομένης κατὰ τὴν πόλιν, συνεστράφησαν οἱ χαριέστατοι
τῶν πολιτῶν, καὶ τοὺς νεωτερίσαντας συναρπάσαντες ἅμα τῷ Τυνδαρίδῃ
ἀνεῖλον. πλεονάκις δὲ τούτου γινομένου, καὶ τῶν ἀνδρῶν τυραννίδος
ἐπιθυμούντων, ὁ δῆμος ἐπηνέχθη μιμήσασθαι τοὺς Ἀθηναίους, καὶ
νόμον θεῖναι παραπλήσιον τῷ παρ' ἐκείνοις γεγραμμένῳ περὶ ὀστρα-
87 κισμοῦ. παρὰ γὰρ Ἀθηναίοις ἕκαστον τῶν πολιτῶν ἔδει γράφειν εἰς
ὄστρακον τοὔνομα τοῦ δοκοῦντος μάλιστα δύνασθαι τυραννεῖν τῶν
πολιτῶν, παρὰ δὲ τοῖς Συρακοσίοις εἰς πέταλον ἐλαίας γράφεσθαι τὸν
δυνατώτατον τῶν πολιτῶν, διαριθμηθέντων δὲ τῶν πετάλων τὸν πλεῖστα
2 πέταλα λαβόντα φεύγειν πενταετῆ χρόνον. τούτῳ γὰρ τῷ τρόπῳ δι-
ελάμβανον ταπεινώσειν τὰ φρονήματα τῶν πλεῖστον ἰσχυόντων ἐν ταῖς
πατρίσι· καθόλου γὰρ οὐ πονηρίας κολάσεις ἐλάμβανον παρὰ τῶν
παρανομούντων, ἀλλὰ δυνάμεως καὶ αὐξήσεως τῶν ἀνδρῶν ἐποίουν
ταπείνωσιν. οἱ μὲν οὖν Ἀθηναῖοι τοῦτο τὸ γένος τῆς νομοθεσίας
ὠνόμασαν ἀπὸ τοῦ συμβεβηκότος ὀστρακισμόν, οἱ δὲ Συρακόσιοι
3 πεταλισμόν. οὗτος δὲ ὁ νόμος διέμεινε παρὰ μὲν τοῖς Ἀθηναίοις ἐπὶ
πολὺν χρόνον, παρὰ δὲ τοῖς Συρακοσίοις κατελύθη ταχὺ διὰ τοιαύτας
4 τινὰς αἰτίας. τῶν μεγίστων ἀνδρῶν φυγαδευομένων οἱ χαριέστατοι
τῶν πολιτῶν καὶ δυνάμενοι διὰ τῆς ἰδίας ἀρετῆς πολλὰ τῶν κοινῶν
ἐπανορθοῦν ἀφίσταντο τῶν δημοσίων πράξεων, καὶ διὰ τὸν ἀπὸ τοῦ

86^{2} : Λιλυβαίταις, Λιλυβαίοις codd., Σελινουντίοις Benndorf, Ἁλικυαίοις Unger, Ἁλικυαίοις ἐνέστη πόλεμος ⟨πρὸς Σελινουντίους⟩ Beloch. 86^{5} : Τυνδαρίδηι P[1] in marg., Τυνδαρίωνι cett.

454/3 νόμου φόβον ἰδιωτεύοντες διετέλουν, ἐπιμελόμενοι δὲ τῆς ἰδίας οὐσίας
εἰς τρυφὴν ἀπέκλινον, οἱ δὲ πονηρότατοι τῶν πολιτῶν καὶ τόλμῃ
διαφέροντες ἐφρόντιζον τῶν δημοσίων καὶ τὰ πλήθη πρὸς ταραχὴν
καὶ νεωτερισμὸν προετρέποντο. διόπερ στάσεων γινομένων πάλιν, καὶ 5
τῶν πολλῶν εἰς διαφορὰς ἐκτρεπομένων, πάλιν ἡ πόλις εἰς συνεχεῖς
καὶ μεγάλας ἐνέπιπτε ταραχάς· ἐπεπόλαζε γὰρ δημαγωγῶν πλῆθος
καὶ συκοφαντῶν, καὶ λόγου δεινότης ὑπὸ τῶν νεωτέρων ἠσκεῖτο, καὶ
καθόλου πολλοὶ τὰ φαῦλα τῶν ἐπιτηδευμάτων ἀντὶ τῆς παλαιᾶς καὶ
σπουδαίας ἀγωγῆς ἠλλάττοντο, καὶ ταῖς μὲν οὐσίαις διὰ τὴν εἰρήνην
προέκοπτον, τῆς δ' ὁμονοίας καὶ τοῦ δικαιοπραγεῖν ὀλίγη τις ἐγίνετο
φροντίς. διόπερ οἱ Συρακόσιοι μεταγνόντες τὸν περὶ τοῦ πεταλισμοῦ 6
νόμον κατέλυσαν, ὀλίγον χρόνον αὐτῷ χρησάμενοι. καὶ τὰ μὲν κατὰ
τὴν Σικελίαν ἐν τούτοις ἦν.

453/2 ἐπ' ἄρχοντος δ' Ἀθήνησι Λυσικράτους ἐν Ῥώμῃ κατεστάθησαν **88**
ὕπατοι Γάιος Ναύτιος Ῥούτιλος καὶ Λεύκιος Μινούκιος Καρουτιανός.
ἐπὶ δὲ τούτων Περικλῆς ὁ τῶν Ἀθηναίων στρατηγὸς ἀποβὰς εἰς
Πελοπόννησον ἐδῄωσε τὴν τῶν Σικυωνίων χώραν. ἐπεξελθόντων δ' 2
ἐπ' αὐτὸν τῶν Σικυωνίων πανδημεὶ καὶ μάχης γενομένης, ὁ Περικλῆς
νικήσας καὶ πολλοὺς κατὰ τὴν φυγὴν ἀνελὼν κατέκλεισεν αὐτοὺς εἰς
πολιορκίαν. προσβολὰς δὲ ποιούμενος τοῖς τείχεσι, καὶ μὴ δυνάμενος
ἑλεῖν τὴν πόλιν, ἔτι δὲ καὶ τῶν Λακεδαιμονίων ἀποστειλάντων βοήθειαν
τοῖς πολιορκουμένοις, ἀνέζευξεν ἐκ τῆς Σικυῶνος· εἰς δὲ τὴν Ἀκαρνα-
νίαν πλεύσας καὶ τὴν τῶν Οἰνιαδῶν χώραν καταδραμὼν καὶ λαφύρων
πλῆθος ἀθροίσας, ἀπέπλευσεν ἐκ τῆς Ἀκαρνανίας. μετὰ δὲ ταῦτα 3
ἐλθὼν εἰς Χερρόνησον χιλίοις τῶν πολιτῶν κατεκληρούχησε τὴν χώραν.
ἅμα δὲ τούτοις πραττομένοις Τολμίδης ὁ ἕτερος στρατηγὸς εἰς τὴν
Εὔβοιαν παρελθὼν ἄλλοις χιλίοις πολίταις *** τὴν τῶν Ναξίων γῆν
διένειμε. κατὰ δὲ τὴν Σικελίαν Τυρρηνῶν λῃζομένων τὴν θάλατταν, οἱ 4
Συρακόσιοι ναύαρχον ἑλόμενοι Φάϋλλον ἔπεμψαν εἰς τὴν Τυρρηνίαν.
οὗτος δ' ἐκπλεύσας τὸ μὲν πρῶτον νῆσον τὴν ὀνομαζομένην Αἰθάλειαν
ἐπόρθησε, παρὰ δὲ τῶν Τυρρηνῶν λάθρᾳ χρήματα λαβών, ἀπέπλευσεν
εἰς τὴν Σικελίαν οὐδὲν ἄξιον μνήμης διαπραξάμενος. οἱ δὲ Συρακόσιοι 5
τοῦτον μὲν ὡς προδότην καταδικάσαντες ἐφυγάδευσαν, ἕτερον δὲ
στρατηγὸν καταστήσαντες Ἀπελλῆν ἐξαπέστειλαν ἐπὶ Τυρρηνοὺς
ἔχοντα τριήρεις ἑξήκοντα. οὗτος δὲ τὴν παραθαλάττιον Τυρρηνίαν
καταδραμών, ἀπῆρεν εἰς Κύρνον κατεχομένην ὑπὸ Τυρρηνῶν κατ'
ἐκείνους τοὺς χρόνους· πορθήσας δὲ πλεῖστα τῆς νήσου καὶ τὴν Αἰθά-
λειαν χειρωσάμενος, ἐπανῆλθεν εἰς τὰς Συρακούσας αἰχμαλώτων τε

88[3]: ⟨ταύτην καὶ⟩ τὴν coni. Wesseling.

6 πλῆθος κομίζων καὶ τὴν ἄλλην ὠφέλειαν ἄγων οὐκ ὀλίγην. μετὰ δὲ 453/2
ταῦτα Δουκέτιος ὁ τῶν Σικελῶν ἀφηγούμενος τὰς πόλεις ἁπάσας τὰς
ὁμοεθνεῖς πλὴν τῆς Ὕβλας εἰς μίαν καὶ κοινὴν ἤγαγε συντέλειαν,
δραστικὸς δ' ὢν νεωτέρων ὠρέγετο πραγμάτων, καὶ παρὰ τοῦ κοινοῦ
τῶν Σικελῶν ἀθροίσας δύναμιν ἀξιόλογον τὰς Μένας, ἥτις ἦν αὐτοῦ
πατρίς, μετῴκισεν εἰς τὸ πεδίον, καὶ πλησίον τοῦ τεμένους τῶν ὀνομα-
ζομένων Παλικῶν ἔκτισε πόλιν ἀξιόλογον, ἣν ἀπὸ τῶν προειρημένων
θεῶν ὠνόμαζε Παλικήν.
89 ἐπεὶ δὲ περὶ τῶν θεῶν τούτων ἐμνήσθημεν, οὐκ ἄξιόν ἐστι παραλιπεῖν
τὴν περὶ τὸ ἱερὸν ἀρχαιότητά τε καὶ τὴν ἀπιστίαν καὶ τὸ σύνολον
τὸ περὶ τοὺς ὀνομαζομένους κρατῆρας ἰδίωμα. μυθολογοῦσι γὰρ τὸ
τέμενος τοῦτο διαφέρειν τῶν ἄλλων ἀρχαιότητι καὶ σεβασμῷ, πολλῶν
2 ἐν αὐτῷ παραδόξων παραδεδομένων. πρῶτον μὲν γὰρ κρατῆρές εἰσι τῷ
μεγέθει μὲν οὐ κατὰ πᾶν μεγάλοι, πηγὰς δ' ἐξαισίους ἀναβάλλοντες
ἐξ ἀμυθήτου τε βυθοῦ καὶ παραπλήσιον ἔχοντες τὴν φύσιν τοῖς λέβησι
τοῖς ὑπὸ πυρὸς πολλοῦ καομένοις καὶ τὸ ὕδωρ διάπυρον ἀναβάλλουσιν.
3 ἔμφασιν μὲν οὖν ἔχει τὸ ἀναβαλλόμενον ὕδωρ ὡς ὑπάρχει διάπυρον,
οὐ μὴν ἀκριβῆ τὴν ἐπίγνωσιν ἔχει διὰ τὸ μηδένα τολμᾶν ἅψασθαι τούτου·
τηλικαύτην γὰρ ἔχει κατάπληξιν ἡ τῶν ὑγρῶν ἀναβολὴ ὥστε δοκεῖν ὑπὸ
4 θείας τινὸς ἀνάγκης γίνεσθαι τὸ συμβαῖνον. τὸ μὲν γὰρ ὕδωρ θείου
κατακόρου τὴν ὄσφρησιν ἔχει, τὸ δὲ χάσμα βρόμον πολὺν καὶ φοβερὸν
ἐξίησι· τὸ δὲ τούτων παραδοξότερον, οὔτε ὑπερεκχεῖται τὸ ὑγρὸν οὔτε
ἀπολείπει, κίνησιν δὲ καὶ βίαν ῥεύματος εἰς ὕψος ἐξαιρομένην ἔχει
5 θαυμάσιον. τοιαύτης δὲ θεοπρεπείας οὔσης περὶ τὸ τέμενος, οἱ μέγιστοι
τῶν ὅρκων ἐνταῦθα συντελοῦνται, καὶ τοῖς ἐπιορκήσασι συντόμως ἡ τοῦ
δαιμονίου κόλασις ἀκολουθεῖ· τινὲς γὰρ τῆς ὁράσεως στερηθέντες τὴν
6 ἐκ τοῦ τεμένους ἄφοδον ποιοῦνται. μεγάλης δ' οὔσης δεισιδαιμονίας,
οἱ τὰς ἀμφισβητήσεις ἔχοντες, ὅταν ὑπό τινος ὑπεροχῆς κατισχύωνται,
τῇ διὰ τῶν ὅρκων τούτων ἀνακρίσει κρίνονται. ἔστι δὲ τοῦτο τὸ τέμενος
ἔκ τινων χρόνων ἄσυλον τετηρημένον, καὶ τοῖς ἀτυχοῦσιν οἰκέταις καὶ
7 κυρίοις ἀγνώμοσι περιπεπτωκόσι πολλὴν παρέχεται βοήθειαν· τοὺς
γὰρ εἰς τοῦτο καταφυγόντας οὐκ ἔχουσιν ἐξουσίαν οἱ δεσπόται βιαίως
ἀπάγειν, καὶ μέχρι τούτου διαμένουσιν ἀσινεῖς, μέχρι ἂν ἐπὶ διωρι-
σμένοις φιλανθρώποις πείσαντες οἱ κύριοι καὶ δόντες διὰ τῶν ὅρκων τὰς
8 περὶ τῶν ὁμολογιῶν πίστεις ἀπαγάγωσι. καὶ οὐδεὶς ἱστορεῖται τῶν
δεδωκότων τοῖς οἰκέταις πίστιν ταύτην παραβάς· οὕτω γὰρ ἡ τῶν θεῶν
δεισιδαιμονία τοὺς ὀμόσαντας πρὸς τοὺς δούλους πιστοὺς ποιεῖ. ἔστι
δὲ καὶ τὸ τέμενος ἐν πεδίῳ θεοπρεπεῖ κείμενον καὶ στοαῖς καὶ ταῖς

88^{6}, l. 5: *Μένας* Müller, *μινέας* P, *μὲν νέας* cett.; cf. 78^{5}, 91^{3}.

453/2 ἄλλαις καταλύσεσιν ἱκανῶς κεκοσμημένον. περὶ μὲν οὖν τούτων ἱκα-
νῶς ἡμῖν εἰρήσθω, πρὸς δὲ τὴν συνεχῆ τοῖς προϊστορημένοις διήγησιν
ἐπάνιμεν.

ὁ γὰρ Δουκέτιος τὴν Παλικὴν κτίσας καὶ περιλαβὼν αὐτὴν ἀξιολόγῳ 90
τείχει, κατεκληρούχησε τὴν ὅμορον χώραν. συνέβη δὲ τὴν πόλιν ταύτην
διὰ τὴν τῆς χώρας ἀρετὴν καὶ διὰ τὸ πλῆθος τῶν οἰκητόρων ταχεῖαν
λαβεῖν αὔξησιν. οὐ πολὺν δὲ χρόνον εὐδαιμονήσασα κατεσκάφη, καὶ 2
διέμεινεν ἀοίκητος μέχρι τῶν καθ' ἡμᾶς χρόνων· περὶ ὧν τὰ κατὰ
μέρος ἀναγράψομεν ἐν τοῖς οἰκείοις χρόνοις.

καὶ τὰ μὲν κατὰ τὴν Σικελίαν ἐν τούτοις ἦν. κατὰ δὲ τὴν Ἰταλίαν 3
μετὰ τὴν κατασκαφὴν τῆς Συβάρεως ὑπὸ τῶν Κροτωνιατῶν ὕστερον
ἔτεσιν ὀκτὼ πρὸς τοῖς πεντήκοντα Θετταλὸς συναγαγὼν τοὺς ὑπο-
λοίπους τῶν Συβαριτῶν ἐξ ἀρχῆς ᾤκισε τὴν Σύβαριν, κειμένην ἀνὰ
μέσον ποταμῶν δυοῖν, τοῦ τε Συβάριος καὶ Κράθιος. ἀγαθὴν δ' ἔχοντες 4
χώραν ταχὺ ταῖς οὐσίαις προσανέβησαν. κατασχόντες δὲ τὴν πόλιν ἔτη
ὀλίγα πάλιν ἐξέπεσον ἐκ τῆς Συβάρεως· περὶ ὧν τὰ κατὰ μέρος ἀνα-
γράψαι πειρασόμεθα κατὰ τὴν ἐχομένην βίβλον.

451/0 ἐπ' ἄρχοντος δ' Ἀθήνησιν Ἀντιδότου Ῥωμαῖοι κατέστησαν ὑπάτους 91
Λεύκιον Ποστούμιον καὶ Μάρκον Ὁράτιον. ἐπὶ δὲ τούτων Δουκέτιος
[μὲν] ὁ τῶν Σικελῶν ἔχων τὴν ἡγεμονίαν Αἴτνην μὲν κατελάβετο, τὸν
ἡγούμενον αὐτῆς δολοφονήσας, εἰς δὲ τὴν Ἀκραγαντίνων χώραν
ἀναζεύξας μετὰ δυνάμεως Μότυον φρουρούμενον ὑπὸ τῶν Ἀκραγαντί-
νων ἐπολιόρκησε· τῶν δὲ Ἀκραγαντίνων καὶ Συρακοσίων ἐπιβοηθησάν-
των, συνάψας μάχην καὶ προτερήσας ἐξήλασεν ἀμφοτέρους ἐκ τῶν
στρατοπέδων. καὶ τότε μὲν τοῦ χειμῶνος ἐνισταμένου διεχωρίσθησαν εἰς 2
τὴν οἰκείαν, οἱ δὲ Συρακόσιοι τὸν στρατηγὸν Βόλκωνα, τῆς ἥττης
αἴτιον ὄντα καὶ δόξαντα λάθρᾳ συμπράττειν τῷ Δουκετίῳ, καταδικά-
σαντες ὡς προδότην ἀπέκτειναν. τοῦ θέρους δὲ ἀρχομένου στρατηγὸν
ἕτερον κατέστησαν, ᾧ δύναμιν ἀξιόλογον δόντες προσέταξαν καταπολε-
μῆσαι Δουκέτιον. οὗτος δὲ πορευθεὶς μετὰ τῆς δυνάμεως κατέλαβε τὸν 3
Δουκέτιον στρατοπεδεύοντα περὶ τὰς Νομάς· γενομένης δὲ παρατάξεως
μεγάλης, καὶ πολλῶν παρ' ἀμφοτέροις πιπτόντων, μόγις Συρακόσιοι
βιασάμενοι τοὺς Σικελοὺς ἐτρέψαντο, καὶ κατὰ τὴν φυγὴν πολλοὺς
ἀνεῖλον. τῶν δὲ διαφυγόντων οἱ πλείους μὲν εἰς τὰ φρούρια τῶν Σικε-
λῶν διεσώθησαν, ὀλίγοι δὲ μετὰ Δουκετίου τῶν αὐτῶν ἐλπίδων μετέχειν
προείλοντο. ἅμα δὲ τούτοις πραττομένοις Ἀκραγαντῖνοι τὸ Μότυον 4
φρούριον κατεχόμενον ὑπὸ τῶν μετὰ Δουκετίου Σικελῶν ἐξεπολιόρκησαν,
καὶ τὴν δύναμιν ἀπαγαγόντες πρὸς τοὺς Συρακοσίους νενικηκότας ἤδη

90^4, l. 3: *ὀλίγα πάλιν* P, *ἓξ* cett., cf. xii. 10^2. 90/91: deest annus. 91^3: *Νομάς* codd., *Μένας* Dind. conl. 88^6.

κοινῇ κατεστρατοπέδευσαν. Δουκέτιος δὲ διὰ τὴν ἧτταν τοῖς ὅλοις συντριβείς, καὶ τῶν στρατιωτῶν αὐτὸν τῶν μὲν καταλειπόντων, τῶν δ' ἐπιβουλευόντων, εἰς τὴν ἐσχάτην ἦλθεν ἀπόγνωσιν. 451/0

92 τέλος δὲ θεωρῶν τοὺς ὑπολοίπους φίλους μέλλοντας αὐτῷ τὰς χεῖρας προσφέρειν, φθάσας αὐτοὺς καὶ νυκτὸς διαδρὰς ἀφίππευσεν εἰς τὰς Συρακούσας. ἔτι δὲ νυκτὸς οὔσης παρῆλθεν εἰς τὴν ἀγορὰν τῶν Συρακοσίων, καὶ καθίσας ἐπὶ τῶν βωμῶν ἱκέτης ἐγένετο τῆς πόλεως, καὶ ἑαυτόν τε καὶ τὴν χώραν ἧς ἦν κύριος παρέδωκε τοῖς Συρακοσίοις.
2 τοῦ δὲ πλήθους διὰ τὸ παράδοξον συρρέοντος εἰς τὴν ἀγοράν, οἱ μὲν ἄρχοντες συνήγαγον ἐκκλησίαν καὶ προέθηκαν βουλὴν περὶ τοῦ
3 Δουκετίου τί χρὴ πράττειν. ἔνιοι μὲν οὖν τῶν δημηγορεῖν εἰωθότων συνεβούλευον κολάζειν ὡς πολέμιον καὶ περὶ τῶν ἡμαρτημένων τὴν προσήκουσαν ἐπιθεῖναι τιμωρίαν· οἱ δὲ χαριέστατοι τῶν πρεσβυτέρων παριόντες ἀπεφαίνοντο σώζειν τὸν ἱκέτην, καὶ τὴν τύχην καὶ τὴν νέμεσιν τῶν θεῶν ἐντρέπεσθαι· δεῖν γὰρ σκοπεῖν οὐ τί παθεῖν ἄξιός ἐστι Δουκέτιος, ἀλλὰ τί πρέπει πρᾶξαι Συρακοσίοις· ἀποκτεῖναι γὰρ τὸν πεπτωκότα τῇ τύχῃ μὴ προσῆκον, σώζειν δ' ἅμα τὴν πρὸς τοὺς θεοὺς
4 εὐσέβειαν καὶ τὸν ἱκέτην ἄξιον εἶναι τῆς τοῦ δήμου μεγαλοψυχίας. ὁ δὲ δῆμος ὥσπερ τινὶ μιᾷ φωνῇ σώζειν πάντοθεν ἐβόα τὸν ἱκέτην. Συρακόσιοι μὲν ⟨οὖν⟩ ἀπολύσαντες τῆς τιμωρίας τὸν Δουκέτιον [ἱκέτην] ἐξέπεμψαν εἰς τὴν Κόρινθον, καὶ ἐνταῦθα προστάξαντες καταβιοῦν τὴν ἱκανὴν αὐτῷ χορηγίαν συναπέστειλαν.
5 ἡμεῖς δὲ παρόντες ἐπὶ τὸν προηγούμενον ἐνιαυτὸν τῆς Ἀθηναίων στρατείας ἐπὶ Κύπρον Κίμωνος ἡγουμένου, κατὰ τὴν ἐν ἀρχῇ πρόθεσιν αὐτοῦ περιγράφομεν τήνδε τὴν βίβλον.

xii. 1: δικαίως ἄν τις ἀπορήσειε τὸν νοῦν ἐπιστήσας τῇ κατὰ τὸν ἀνθρώπινον βίον ἀνωμαλίᾳ· οὔτε γὰρ τῶν νομιζομένων ἀγαθῶν οὐδὲν ὁλόκληρον εὑρίσκεται δεδομένον τοῖς ἀνθρώποις οὔτε τῶν κακῶν αὐτοτελὲς ἄνευ τινὸς εὐχρηστίας. τούτου δὲ τὰς ἀποδείξεις ἐξέσται λαμβάνειν ἐπιστήσαντας τὴν διάνοιαν ταῖς προγεγενημέναις πράξεσι,
2 καὶ μάλιστα ταῖς μεγίσταις. ἡ γὰρ Ξέρξου τοῦ Περσῶν βασιλέως ἐπὶ τὴν Ἑλλάδα στρατεία διὰ τὸ μέγεθος τῶν δυνάμεων τὸν μέγιστον ἐπέστησε φόβον τοῖς Ἕλλησιν, ὡς ἂν ὑπὲρ ἀνδραποδισμοῦ μελλόντων πολεμεῖν, καὶ προκαταδεδουλωμένων τῶν κατὰ τὴν Ἀσίαν Ἑλληνίδων πόλεων πάντες ὑπέλαβον καὶ τὰς κατὰ τὴν Ἑλλάδα τῆς ὁμοίας τύχης
3 πειράσεσθαι. τοῦ δὲ πολέμου παρὰ τὴν προσδοκίαν τὸ τέλος λαβόντος παράδοξον, οὐ μόνον τῶν κινδύνων ἀπελύθησαν οἱ τὴν Ἑλλάδα κατοικοῦντες, ἀλλὰ καὶ δόξαν μεγάλην κατεκτήσαντο, καὶ τοσαύτης εὐπορίας ἐπληρώθη πᾶσα πόλις Ἑλληνίς, ὥστε πάντας θαυμάσαι τὴν

εἰς τοὐναντίον μεταβολήν. ἀπὸ τούτων γὰρ τῶν χρόνων ἐπὶ ἔτη πεντή- 4
κοντα πολλὴν ἐπίδοσιν ἔλαβεν ἡ Ἑλλὰς πρὸς τὴν εὐδαιμονίαν. ἐν
τούτοις γὰρ τοῖς χρόνοις αἵ τε τέχναι διὰ τὴν εὐπορίαν ηὐξήθησαν, καὶ
τότε μέγιστοι μνημονεύονται τεχνῖται γεγονέναι, ὧν ἐστι Φειδίας ὁ
ἀγαλματοποιός· ὁμοίως δὲ καὶ τὰ κατὰ τὴν παιδείαν ἐπὶ πολὺ προέβη,
καὶ φιλοσοφία προετιμήθη καὶ ῥητορικὴ παρὰ πᾶσι μὲν Ἕλλησι,
μάλιστα δὲ Ἀθηναίοις. φιλόσοφοι μὲν γὰρ οἱ περὶ τὸν Σωκράτη καὶ 5
Πλάτωνα καὶ Ἀριστοτέλην, ῥήτορες δὲ Περικλῆς καὶ Ἰσοκράτης καὶ
οἱ τούτου μαθηταί· ὁμοίως δὲ καὶ ἄνδρες ἐπὶ στρατηγίᾳ διαβεβοημένοι,
Μιλτιάδης, Θεμιστοκλῆς, Ἀριστείδης, Κίμων, Μυρωνίδης καὶ ἕτεροι
πλείονες, περὶ ὧν μακρὸν ἂν εἴη γράφειν. μάλιστα δὲ Ἀθηναῖοι τῇ τε **2**
δόξῃ καὶ ἀνδρείᾳ προκόψαντες διωνομάσθησαν καθ' ὅλην σχεδὸν τὴν
οἰκουμένην· ἐπὶ τοσοῦτο γὰρ τὴν ἡγεμονίαν ηὔξησαν, ὥστε ἄνευ Λακε-
δαιμονίων καὶ Πελοποννησίων ἰδίᾳ μεγάλας δυνάμεις Περσικὰς καὶ
κατὰ γῆν καὶ κατὰ θάλατταν κατηγωνίσαντο, καὶ τὴν περιβόητον Περ-
σῶν ἡγεμονίαν ἐπὶ τοσοῦτον ἐταπείνωσαν, ὥστε ἀναγκάσαι πάσας τὰς
κατὰ τὴν Ἀσίαν πόλεις ἐλευθερῶσαι κατὰ συνθήκας. ἀλλὰ περὶ μὲν 2
τούτων ἀκριβέστερον τὰ κατὰ μέρος ἀνεγράψαμεν ἐν δυσὶ βίβλοις, ταύτῃ
τε καὶ τῇ πρὸ ταύτης· νυνὶ δὲ ἐπὶ τὰς προκειμένας πράξεις τρεψόμεθα,
προδιορίσαντες τοὺς οἰκείους τῇ γραφῇ χρόνους. ἐν μὲν οὖν τῇ πρὸ 3
ταύτης βίβλῳ τὴν ἀρχὴν ἀπὸ τῆς Ξέρξου στρατείας ποιησάμενοι διήλ-
θομεν τὰς κοινὰς πράξεις ἐπὶ τὸν προηγούμενον ἐνιαυτὸν τῆς Ἀθηναίων
στρατείας ἐπὶ Κύπρον Κίμωνος ἡγουμένου· ἐν ταύτῃ δὲ ἀπὸ τῆς
Ἀθηναίων στρατείας ἐπὶ Κύπρον ποιησάμενοι διέξιμεν ἕως ἐπὶ τὸν
ψηφισθέντα πόλεμον ὑπὸ Ἀθηναίων πρὸς Συρακοσίους.

450/49 ἐπ' ἄρχοντος γὰρ Ἀθήνησιν Εὐθυδήμου Ῥωμαῖοι μὲν ὑπάτους **3**
κατέστησαν Λεύκιον Κοΐντιον Κικιννᾶτον καὶ Μάρκον Φάβιον Οὐιβου-
λανόν. ἐπὶ δὲ τούτων Ἀθηναῖοι διαπεπολεμηκότες ὑπὲρ Αἰγυπτίων
πρὸς Πέρσας, καὶ τὰς ναῦς ἁπάσας ἀπολωλεκότες ἐν τῇ λεγομένῃ
Προσωπίτιδι νήσῳ, βραχὺν χρόνον διαλιπόντες ἔγνωσαν πάλιν πολεμεῖν
τοῖς Πέρσαις ὑπὲρ τῶν κατὰ τὴν Ἀσίαν Ἑλλήνων. καταρτίσαντες
δὲ στόλον τριήρων διακοσίων, καὶ στρατηγὸν ἑλόμενοι Κίμωνα τὸν
Μιλτιάδου, προσέταξαν πλεῖν ἐπὶ Κύπρον καὶ διαπολεμεῖν τοῖς Πέρσαις.
ὁ δὲ Κίμων ἀναλαβὼν τὸν στόλον κεκοσμημένον ἀνδρῶν τε ἀρεταῖς 2
καὶ χορηγίαις δαψιλέσιν ἔπλευσεν εἰς τὴν Κύπρον. κατ' ἐκείνους δὲ
τοὺς καιροὺς τῶν Περσικῶν δυνάμεων ἐστρατήγουν Ἀρτάβαζος ⟨καὶ
Μεγάβυζος. Ἀρτάβαζος⟩ μὲν τὴν ἡγεμονίαν ἔχων ἐν τῇ Κύπρῳ δι-
έτριβεν, ἔχων τριήρεις τριακοσίας, Μεγάβυζος δὲ περὶ τὴν Κιλικίαν
ἐστρατοπέδευε, πεζὰς ἔχων δυνάμεις, ὧν ὁ ἀριθμὸς ἦν τριάκοντα
μυριάδων. ὁ δὲ Κίμων καταπλεύσας εἰς τὴν Κύπρον καὶ θαλαττο- 3

κρατῶν Κίτιον μὲν καὶ Μάριον ἐξεπολιόρκησε, καὶ τοῖς κρατηθεῖσι 450/49
φιλανθρώπως προσηνέχθη. μετὰ δὲ ταῦτα ἐκ Κιλικίας καὶ Φοινίκης
προσφερομένων τριήρων τῇ νήσῳ, Κίμων ἐπαναχθεὶς καὶ πόλεμον
συγκρούσας πολλὰς μὲν τῶν νεῶν κατέδυσεν, ἑκατὸν δὲ σὺν αὐτοῖς τοῖς
4 ἀνδράσιν εἷλε, τὰς δὲ λοιπὰς μέχρι τῆς Φοινίκης κατεδίωξεν. οἱ μὲν
οὖν Πέρσαι ταῖς ὑπολειφθείσαις ναυσὶ κατέφυγον εἰς τὴν γῆν, καθ' ὃν
τόπον ἦν Μεγάβυζος ἐστρατοπεδευκὼς μετὰ τῆς πεζῆς δυνάμεως· οἱ
δὲ Ἀθηναῖοι προσπλεύσαντες καὶ τοὺς στρατιώτας ἐκβιβάσαντες συν-
ῆψαν μάχην, καθ' ἣν Ἀναξικράτης μὲν ὁ ἕτερος τῶν στρατηγῶν λαμπρῶς
ἀγωνισάμενος ἡρωικῶς κατέστρεψε τὸν βίον, οἱ δὲ ἄλλοι κρατήσαντες
τῇ μάχῃ καὶ πολλοὺς ἀνελόντες ἐπανῆλθον εἰς τὰς ναῦς. μετὰ δὲ ταῦτα
Ἀθηναῖοι πάλιν ἀπέπλευσαν εἰς τὴν Κύπρον. ταῦτα μὲν οὖν ἐπράχθη
κατὰ τὸ πρῶτον ἔτος τοῦ πολέμου.

4 ἐπ' ἄρχοντος δ' Ἀθήνησι Πεδιέως Ῥωμαῖοι μὲν κατέστησαν ὑπάτους
Μάρκον Οὐαλέριον Λακτοῦκαν καὶ Σπόριον Οὐεργίνιον Τρίκοστον. ἐπὶ
δὲ τούτων Κίμων ὁ τῶν Ἀθηναίων στρατηγὸς θαλαττοκρατῶν ἐχειροῦτο 449/8
τὰς κατὰ τὴν Κύπρον πόλεις. ἐν δὲ τῇ Σαλαμῖνι Περσικῆς φρουρᾶς
οὔσης ἀξιολόγου, καὶ βελῶν καὶ ὅπλων παντοδαπῶν, ἔτι δὲ σίτου καὶ
τῆς ἄλλης παρασκευῆς γεμούσης τῆς πόλεως, ἔκρινε συμφέρειν ταύτην
2 ἐκπολιορκῆσαι. οὕτω γὰρ ὑπελάμβανε μάλιστα τῆς τε Κύπρου πάσης
ῥᾳδίως κυριεύσειν καὶ τοὺς Πέρσας καταπλήξεσθαι, βοηθεῖν μὲν τοῖς
Σαλαμινίοις μὴ δυναμένους διὰ τὸ θαλαττοκρατεῖν τοὺς Ἀθηναίους,
ἐγκαταλιπόντας δὲ τοὺς συμμάχους καταφρονηθήσεσθαι, καθόλου δὲ
τὸν ὅλον πόλεμον κριθήσεσθαι τῆς Κύπρου πάσης βίᾳ χειρωθείσης·
3 ὅπερ καὶ συνέβη γενέσθαι. οἱ μὲν γὰρ Ἀθηναῖοι συστησάμενοι πολιορ-
κίαν πρὸς τῇ Σαλαμῖνι καθ' ἡμέραν προσβολὰς ἐποιοῦντο, οἱ δ' ἐν τῇ
πόλει στρατιῶται, ἔχοντες βέλη καὶ παρασκευήν, ῥᾳδίως ἀπὸ τῶν τειχῶν
4 ἠμύνοντο τοὺς πολιορκοῦντας. Ἀρταξέρξης δὲ ὁ βασιλεὺς πυθόμενος
τὰ περὶ τὴν Κύπρον ἐλαττώματα, καὶ βουλευσάμενος μετὰ τῶν φίλων
περὶ τοῦ πολέμου, ἔκρινε συμφέρειν εἰρήνην συνθέσθαι πρὸς τοὺς
Ἕλληνας. ἔγραψε τοίνυν τοῖς περὶ Κύπρον ἡγεμόσι καὶ σατράπαις,
5 ἐφ' οἷς ἂν δύνωνται συλλύσασθαι πρὸς τοὺς Ἕλληνας. διόπερ οἱ περὶ
τὸν Ἀρτάβαζον καὶ Μεγάβυζον ἔπεμψαν εἰς τὰς Ἀθήνας πρεσβευτὰς
τοὺς διαλεξομένους περὶ συλλύσεως. ὑπακουσάντων δὲ τῶν Ἀθηναίων
καὶ πεμψάντων πρέσβεις αὐτοκράτορας, ὧν ἡγεῖτο Καλλίας ὁ Ἱππο-
νίκου, ἐγένοντο συνθῆκαι περὶ τῆς εἰρήνης τοῖς Ἀθηναίοις καὶ τοῖς συμ-
μάχοις πρὸς τοὺς Πέρσας, ὧν ἐστι τὰ κεφάλαια ταῦτα· αὐτονόμους
εἶναι τὰς κατὰ τὴν Ἀσίαν Ἑλληνίδας πόλεις ἁπάσας, τοὺς δὲ τῶν

3[3]: Μάριον Wesseling, μᾶλον P, μαλὸν cett.

449/8 Περσῶν σατράπας μὴ καταβαίνειν ἐπὶ θάλατταν κατωτέρω τριῶν
ἡμερῶν ὁδόν, μηδὲ ναῦν μακρὰν πλεῖν ἐντὸς Φασήλιδος καὶ Κυανέων·
ταῦτα δὲ τοῦ βασιλέως καὶ τῶν στρατηγῶν ἐπιτελούντων, μὴ στρα-
τεύειν Ἀθηναίους εἰς τὴν χώραν, ἧς βασιλεὺς [Ἀρταξέρξης] ἄρχει.
συντελεσθεισῶν δὲ τῶν σπονδῶν Ἀθηναῖοι τὰς δυνάμεις ἀπήγαγον 6
ἐκ τῆς Κύπρου, λαμπρὰν μὲν νίκην νενικηκότες, ἐπιφανεστάτας δὲ
συνθήκας πεποιημένοι. συνέβη δὲ καὶ τὸν Κίμωνα περὶ τὴν Κύπρον
διατρίβοντα νόσῳ τελευτῆσαι.

448/7 ἐπ' ἄρχοντος δὲ Ἀθήνησι Φιλίσκου Ῥωμαῖοι κατέστησαν ὑπάτους **5**
Τίτον Ῥωμίλιον Οὐατικανὸν καὶ Γάιον Οὐετούριον Κιχώριον, Ἠλεῖοι
δὲ ἤγαγον ὀλυμπιάδα τρίτην πρὸς ταῖς ὀγδοήκοντα, καθ' ἣν ἐνίκα
στάδιον Κρίσων Ἱμεραῖος. ἐπὶ δὲ τούτων Μεγαρεῖς μὲν ἀπέστησαν 2
ἀπὸ Ἀθηναίων, καὶ πρὸς Λακεδαιμονίους διαπρεσβευσάμενοι συμμαχίαν
ἐποίησαν· οἱ δὲ Ἀθηναῖοι παροξυνθέντες ἐξέπεμψαν στρατιώτας εἰς τὴν
τῶν Μεγαρέων χώραν, καὶ τὰς κτήσεις διαρπάσαντες πολλῆς ὠφελείας
κύριοι κατέστησαν. τῶν δ' ἐκ τῆς πόλεως βοηθούντων τῇ χώρᾳ συνέστη
μάχη, καθ' ἣν οἱ Ἀθηναῖοι νικήσαντες συνεδίωξαν τοὺς Μεγαρεῖς ἐντὸς
τῶν τειχῶν.

447/6 ἐπ' ἄρχοντος δ' Ἀθήνησι Τιμαρχίδου Ῥωμαῖοι μὲν ὑπάτους κατ- **6**
έστησαν Σπόριον Ταρπήιον καὶ Αὖλον Ἀστέριον Φοντίνιον. ἐπὶ δὲ
τούτων Λακεδαιμόνιοι μὲν εἰς τὴν Ἀττικὴν ἐμβαλόντες ἐπόρθησαν
πολλὴν χώραν, καὶ τῶν φρουρίων τινὰ πολιορκήσαντες ἐπανῆλθον εἰς
τὴν Πελοπόννησον, Τολμίδης δὲ ὁ τῶν Ἀθηναίων στρατηγὸς εἷλε
Χαιρώνειαν. τῶν δὲ Βοιωτῶν συστραφέντων καὶ τοῖς περὶ τὸν Τολμίδην 2
ἐνεδρευσάντων, ἐγένετο μάχη καρτερὰ περὶ τὴν Κορώνειαν, καθ' ἣν
Τολμίδης μὲν μαχόμενος ἀνῃρέθη, τῶν δὲ ἄλλων Ἀθηναίων οἱ μὲν
κατεκόπησαν, οἱ δὲ ζῶντες ἐλήφθησαν. τηλικαύτης δὲ συμφορᾶς γενο-
μένης τοῖς Ἀθηναίοις, ἠναγκάσθησαν ἀφεῖναι τὰς πόλεις ἁπάσας τὰς
κατὰ τὴν Βοιωτίαν αὐτονόμους, ἵνα τοὺς αἰχμαλώτους ἀπολάβωσιν.

446/5 ἐπ' ἄρχοντος δ' Ἀθήνησι Καλλιμάχου Ῥωμαῖοι μὲν κατέστησαν **7**
ὑπάτους Σέξτον Κοΐντιον ** Τριγέμινον. ἐπὶ δὲ τούτων κατὰ τὴν
Ἑλλάδα τεταπεινωμένων τῶν Ἀθηναίων διὰ τὴν ἐν Βοιωτίᾳ περὶ
Κορώνειαν ἧττ αν, ἀφίσταντο πολλαὶ τῶν πόλεων ἀπὸ τῶν Ἀθηναίων.
μάλιστα δὲ τῶν κατοικούντων τὴν Εὔβοιαν νεωτεριζόντων, Περικλῆς
[δὲ] αἱρεθεὶς στρατηγὸς ἐστράτευσεν ἐπὶ τὴν Εὔβοιαν μετὰ δυνάμεως
ἀξιολόγου, καὶ τὴν μὲν πόλιν τῶν Ἑστιαιῶν ἑλὼν κατὰ κράτος ἐξῴκισε
τοὺς Ἑστιαιεῖς ἐκ τῆς πατρίδος, τὰς δ' ἄλλας καταπληξάμενος ἠνάγ-
κασε πάλιν πειθαρχεῖν Ἀθηναίοις. σπονδὰς δ' ἐποίησαν τριακοντα-
έτεις, Καλλίου καὶ Χάρητος συνθεμένων καὶ τὴν εἰρήνην βεβαιωσάντων.

κατὰ δὲ τὴν Σικελίαν Συρακοσίοις πρὸς Ἀκραγαντίνους συνέστη **8**

πόλεμος διὰ τοιαύτας αἰτίας. Συρακόσιοι καταπολεμήσαντες Δουκέτιον 446/5
δυνάστην τῶν Σικελῶν, καὶ γενόμενον ἱκέτην ἀπολύσαντες τῶν ἐγκλη-
2 μάτων, ἀπέδειξαν αὐτῷ τὴν τῶν Κορινθίων πόλιν οἰκητήριον. οὗτος
δὲ ὀλίγον χρόνον μείνας ἐν τῇ Κορίνθῳ τὰς ὁμολογίας ἔλυσε, καὶ
προσποιησάμενος χρησμὸν ὑπὸ θεῶν αὐτῷ δεδόσθαι κτίσαι τὴν Καλὴν
Ἀκτὴν ἐν τῇ Σικελίᾳ, κατέπλευσεν εἰς τὴν νῆσον μετά τινων οἰκητόρων·
συνεπελάβοντο δὲ καὶ τῶν Σικελῶν τινες, ἐν οἷς ἦν καὶ Ἀρχωνίδης ὁ
τῶν Ἑρβιταίων δυναστεύων. οὗτος μὲν οὖν περὶ τὸν οἰκισμὸν τῆς
3 Καλῆς Ἀκτῆς ἐγίνετο. Ἀκραγαντῖνοι δὲ ἅμα μὲν φθονοῦντες τοῖς
Συρακοσίοις, ἅμα δ' ἐγκαλοῦντες αὐτοῖς ὅτι Δουκέτιον ὄντα κοινὸν
πολέμιον διέσωσαν ἄνευ τῆς Ἀκραγαντίνων γνώμης, πόλεμον ἐξ-
4 ήνεγκαν τοῖς Συρακοσίοις. σχιζομένων δὲ τῶν Σικελικῶν πόλεων,
καὶ τῶν μὲν τοῖς Ἀκραγαντίνοις, τῶν δὲ τοῖς Συρακοσίοις συστρα-
τευόντων, ἠθροίσθησαν παρ' ἀμφοτέροις δυνάμεις ἀξιόλογοι. φιλοτι-
μίας δὲ μεγάλης γενομένης ταῖς πόλεσιν, ἀντεστρατοπέδευσαν ἀλλήλοις
περὶ τὸν Ἱμέραν ποταμόν, καὶ γενομένης παρατάξεως ἐνίκησαν οἱ
Συρακόσιοι, καὶ τῶν Ἀκραγαντίνων ἀνεῖλον ὑπὲρ τοὺς χιλίους. μετὰ
δὲ τὴν μάχην διαπρεσβευσαμένων περὶ συνθέσεως τῶν Ἀκραγαντίνων,
οἱ Συρακόσιοι συνέθεντο τὴν εἰρήνην.

9 καὶ τὰ μὲν κατὰ τὴν Σικελίαν ἐν τούτοις ἦν. κατὰ δὲ τὴν Ἰταλίαν
συνέβη κτισθῆναι τὴν τῶν Θουρίων πόλιν δι' αἰτίας τοιαύτας. ἐν τοῖς
ἔμπροσθεν χρόνοις Ἑλλήνων κτισάντων κατὰ τὴν Ἰταλίαν πόλιν
Σύβαριν . . . .

10 τῶν δὲ Κροτωνιατῶν διὰ τὴν ὀργὴν ζωγρεῖν μὲν μηδένα βουλη-
θέντων, πάντας δὲ κατὰ τὴν φυγὴν τοὺς ὑποπεσόντας ἀποκτεινόντων,
οἱ πλείους κατεκόπησαν· τὴν δὲ πόλιν διήρπασαν καὶ παντελῶς ἔρημον
2 ἐποίησαν. ὕστερον δὲ ἔτεσιν ὀκτὼ πρὸς τοῖς πεντήκοντα Θετταλοὶ
συνῴκισαν, καὶ μετ' ὀλίγον ὑπὸ Κροτωνιατῶν ἐξέπεσον [πέντε ἔτεσιν
ὕστερον τοῦ δευτέρου συνοικισμοῦ] κατὰ τοὺς ὑποκειμένους καιροὺς
3 [ἐπ' ἄρχοντος δ' Ἀθήνησι Καλλιμάχου συνῳκίσθη]. καὶ μετὰ βραχὺ
μετασταθεῖσα εἰς ἕτερον τόπον προσηγορίας ἑτέρας ἔτυχε, κτιστῶν
γενομένων Λάμπωνος καὶ Ξενοκρίτου τοῦτον τὸν τρόπον. οἱ γὰρ τὸ
δεύτερον ἐκπεσόντες ἐκ τῆς πατρίδος Συβαρῖται πρέσβεις ἔπεμψαν
εἰς τὴν Ἑλλάδα πρὸς Λακεδαιμονίους καὶ Ἀθηναίους, ἀξιοῦντες συν-
4 επιλαβέσθαι τῆς καθόδου καὶ κοινωνῆσαι τῆς ἀποικίας. Λακεδαιμόνιοι
μὲν οὖν οὐ προσέσχον αὐτοῖς, Ἀθηναῖοι δὲ συμπράξειν ἐπαγγειλάμενοι,
δέκα ναῦς πληρώσαντες ἀπέστειλαν τοῖς Συβαρίταις, ὧν ἡγεῖτο Λάμπων

10^{2}: πέντε . . . συνοικισμοῦ del. Vogel, conl. xi. 90^{4}. 10^{3}: ἐπ' ἄρχοντος . . . συνῳκίσθη del. Vogel.

446/5 τε καὶ Ξενόκριτος· ἐκήρυξαν δὲ κατὰ τὰς ἐν Πελοποννήσῳ πόλεις
κοινοποιούμενοι τὴν ἀποικίαν τῷ βουλομένῳ μετέχειν τῆς ἀποικίας.
ὑπακουσάντων δὲ πολλῶν καὶ λαβόντων χρησμὸν παρὰ τοῦ Ἀπόλλωνος, 5
ὅτι δεῖ κτίσαι πόλιν αὐτοὺς ἐν τούτῳ τῷ τόπῳ, ὅπου μέλλουσιν οἰκεῖν
μέτριον ὕδωρ πίνοντες, ἀμετρὶ δὲ μᾶζαν ἔδοντες, κατέπλευσαν εἰς τὴν
Ἰταλίαν, καὶ καταντήσαντες εἰς τὴν Σύβαριν ἐζήτουν ⟨τὸν⟩ τόπον,
ὃν ὁ θεὸς ἦν προστεταχὼς κατοικεῖν. εὑρόντες δὲ οὐκ ἄπωθεν τῆς 6
Συβάρεως κρήνην ὀνομαζομένην Θουρίαν, ἔχουσαν αὐλὸν χάλκεον, ὃν
ἐκάλουν οἱ ἐγχώριοι μέδιμνον, νομίσαντες εἶναι τοῦτον τὸν τόπον τὸν
δηλούμενον ὑπὸ τοῦ θεοῦ περιέβαλον τεῖχος, καὶ κτίσαντες πόλιν
ὠνόμασαν ἀπὸ τῆς κρήνης Θούριον. τὴν δὲ πόλιν διελόμενοι κατὰ μὲν 7
μῆκος εἰς τέτταρας πλατείας, ὧν καλοῦσι τὴν μὲν μίαν Ἡράκλειαν, τὴν
δὲ Ἀφροδισίαν, τὴν δὲ Ὀλυμπιάδα, τὴν δὲ Διονυσιάδα, κατὰ δὲ τὸ
πλάτος διεῖλον εἰς τρεῖς πλατείας, ὧν ἡ μὲν ὠνομάσθη Ἡρῴα, ἡ δὲ
Θουρία, ἡ δὲ Θουρῖνα. τούτων δὲ τῶν στενωπῶν πεπληρωμένων ταῖς
οἰκίαις ἡ πόλις ἐφαίνετο καλῶς κατεσκευάσθαι. ὀλίγον δὲ χρόνον **11**
ὁμονοήσαντες οἱ Θούριοι στάσει μεγάλῃ περιέπεσον οὐκ ἀλόγως. οἱ
γὰρ προϋπάρχοντες Συβαρῖται τὰς μὲν ἀξιολογωτάτας ἀρχὰς ἑαυτοῖς
προσένεμον, τὰς δ' εὐτελεῖς τοῖς ὕστερον προσγεγραμμένοις πολίταις·
καὶ τὰς γυναῖκας ἐπιθύειν τοῖς θεοῖς ᾤοντο δεῖν πρώτας μὲν τὰς
πολίτιδας, ὑστέρας δὲ τὰς μεταγενεστέρας· πρὸς δὲ τούτοις τὴν μὲν
σύνεγγυς τῇ πόλει χώραν κατεκληρούχουν ἑαυτοῖς, τὴν δὲ πόρρω
κειμένην τοῖς ἐπήλυσι. γενομένης δὲ διαφορᾶς διὰ τὰς εἰρημένας αἰτίας, 2
οἱ προσγραφέντες ὕστερον πολῖται πλείους καὶ κρείττονες ὄντες ἀπ-
έκτειναν σχεδὸν ἅπαντας τοὺς προϋπάρχοντας Συβαρίτας, καὶ τὴν πόλιν
αὐτοὶ κατῴκησαν. πολλῆς δὲ οὔσης καὶ καλῆς χώρας, οἰκήτορας ἐκ
τῆς Ἑλλάδος μεταπεμψάμενοι συχνούς, διενείμαντο τὴν πόλιν καὶ τὴν
χώραν ἐπ' ἴσης ἔνεμον. οἱ δὲ διαμένοντες ταχὺ πλούτους μεγάλους 3
ἐκτήσαντο, καὶ πρὸς τοὺς Κροτωνιάτας φιλίαν συνθέμενοι καλῶς
ἐπολιτεύοντο. συστησάμενοι δὲ πολίτευμα δημοκρατικὸν διεῖλον τοὺς
πολίτας εἰς δέκα φυλάς, καὶ τὰς προσηγορίας ἁπάσαις περιέθηκαν ἐκ
τῶν ἐθνῶν, τρεῖς μὲν ἀπὸ τῶν ἐκ Πελοποννήσου συναχθέντων ὀνομά-
σαντες Ἀρκάδα καὶ Ἀχαΐδα καὶ Ἠλείαν, τὰς ἴσας δὲ ἀπὸ τῶν ἔξωθεν
ὁμοεθνῶν, Βοιωτίαν, Ἀμφικτυονίδα, Δωρίδα, τὰς δὲ λοιπὰς τέτταρας
ἀπὸ τῶν ἄλλων γενῶν, Ἰάδα, Ἀθηναΐδα, Εὐβοΐδα, Νησιῶτιν. εἵλοντο
δὲ καὶ νομοθέτην τὸν ἄριστον τῶν ἐν παιδείᾳ θαυμαζομένων πολιτῶν
Χαρώνδαν. οὗτος δὲ ἐπισκεψάμενος τὰς ἁπάντων νομοθεσίας ἐξελέξατο 4
τὰ κράτιστα καὶ κατέταξεν εἰς τοὺς νόμους· πολλὰ δὲ καὶ ἴδια ἐπι-
νοησάμενος ἐξεῦρε, περὶ ὧν οὐκ ἀνοίκειόν ἐστιν ἐπιμνησθῆναι πρὸς
διόρθωσιν τῶν ἀναγινωσκόντων. . . .

22 ἐπ' ἄρχοντος γὰρ Ἀθήνησι Λυσιμαχίδου Ῥωμαῖοι μὲν ὑπάτους κατέστησαν Τίτον Μενήνιον καὶ Πόπλιον Σήστιον Καπετωλῖνον. ἐπὶ δὲ τούτων διαφεύγοντες τὸν ἐν τῇ στάσει κίνδυνον Συβαρῖται περὶ τὸν Τράεντα ποταμὸν κατῴκησαν. καὶ χρόνον μέν τινα διέμειναν, ἔπειθ' 445/4
2 ὑπὸ Βρεττίων ἐκβληθέντες ἀνῃρέθησαν. κατὰ δὲ τὴν Ἑλλάδα Ἀθηναῖοι τὴν Εὔβοιαν ἀνακτησάμενοι καὶ τοὺς Ἑστιαιεῖς ἐκ τῆς πόλεως ἐκβαλόντες ἰδίαν ἀποικίαν εἰς αὐτὴν ἐξέπεμψαν Περικλέους στρατηγοῦντος, χιλίους δὲ οἰκήτορας ἐκπέμψαντες τήν τε πόλιν καὶ τὴν χώραν κατεκληρούχησαν.

23 ἐπ' ἄρχοντος δ' Ἀθήνησι Πραξιτέλους ὀλυμπιὰς μὲν ἤχθη τετάρτη πρὸς ταῖς ὀγδοήκοντα, καθ' ἣν ἐνίκα στάδιον Κρίσων Ἱμεραῖος, ἐν 444/3
2 δὲ τῇ Ῥώμῃ δέκα ἄνδρες κατεστάθησαν νομογράφοι. . . . ἐπὶ δὲ τούτων Θούριοι μὲν διαπολεμοῦντες πρὸς Ταραντίνους τὰς ἀλλήλων χώρας ἐπόρθουν καὶ κατὰ γῆν καὶ κατὰ θάλατταν, καὶ πολλὰς μὲν μικρὰς μάχας καὶ ἀκροβολισμοὺς ἐποιήσαντο, ἀξιόλογον δὲ πρᾶξιν οὐδεμίαν συνετέλεσαν.

24 ἐπ' ἄρχοντος δ' Ἀθήνησι Λυσανίου Ῥωμαῖοι πάλιν δέκα ἄνδρας νομοθέτας εἵλοντο. . . . 443/2

25³ . . . τὴν μὲν οὖν ἐν Ῥώμῃ στάσιν τοιαύτης συλλύσεως τυχεῖν συνέβη.

26 ἐπ' ἄρχοντος δ' Ἀθήνησι Διφίλου Ῥωμαῖοι κατέστησαν ὑπάτους Κάγκον Ὁράτιον καὶ Λεύκιον Οὐαλέριον Τούρπινον. ἐπὶ δὲ τούτων, ἐν τῇ Ῥώμῃ τῆς νομοθεσίας διὰ τὴν στάσιν ἀσυντελέστου γενομένης, οἱ ὕπατοι συνετέλεσαν αὐτήν· τῶν γὰρ καλουμένων δώδεκα πινάκων οἱ μὲν δέκα συνετελέσθησαν, τοὺς δ' ὑπολειπομένους δύο ἀνέγραψαν οἱ ὕπατοι. καὶ τελεσθείσης τῆς ὑποκειμένης νομοθεσίας, ταύτην εἰς δώδεκα χαλκοῦς πίνακας χαράξαντες οἱ ὕπατοι προσήλωσαν τοῖς πρὸ τοῦ βουλευτηρίου τότε κειμένοις ἐμβόλοις. ἡ δὲ γραφεῖσα νομοθεσία, βραχέως καὶ ἀπερίττως συγκειμένη, διέμεινε θαυμαζομένη μέχρι τῶν καθ' ἡμᾶς καιρῶν. 442/1

2 τούτων δὲ πραττομένων τὰ πλεῖστα τῶν κατὰ τὴν οἰκουμένην ἐθνῶν ἐν ἡσυχίᾳ ὑπῆρχε, πάντων σχεδὸν εἰρήνην ἀγόντων. οἱ μὲν γὰρ Πέρσαι διττὰς συνθήκας εἶχον πρὸς τοὺς Ἕλληνας, τὰς μὲν πρὸς Ἀθηναίους καὶ τοὺς συμμάχους αὐτῶν, ἐν αἷς ἦσαν αἱ κατὰ τὴν Ἀσίαν Ἑλληνίδες πόλεις αὐτόνομοι, πρὸς δὲ τοὺς Λακεδαιμονίους ὕστερον ἐγράφησαν, ἐν αἷς τοὐναντίον ἦν γεγραμμένον ὑπηκόους εἶναι τοῖς Πέρσαις τὰς κατὰ τὴν Ἀσίαν Ἑλληνίδας πόλεις. ὁμοίως δὲ καὶ τοῖς Ἕλλησι πρὸς ἀλλήλους ὑπῆρχεν εἰρήνη, συντεθειμένων τῶν Ἀθηναίων καὶ τῶν
3 Λακεδαιμονίων σπονδὰς τριακονταέτεις. ὁμοίως δὲ καὶ τὰ κατὰ τὴν Σικελίαν εἰρηνικὴν εἶχε κατάστασιν, Καρχηδονίων μὲν πεποιημένων συνθήκας πρὸς Γέλωνα, αὐτῶν δὲ τῶν κατὰ τὴν Σικελίαν πόλεων

442/1 Ἑλληνίδων τὴν ἡγεμονίαν Συρακοσίοις συγκεχωρηκυιῶν, καὶ τῶν
Ἀκραγαντίνων μετὰ τὴν ἧτταν τὴν γενομένην περὶ τὸν Ἱμέραν ποταμὸν
συλλελυμένων πρὸς τοὺς Συρακοσίους. ἡσύχαζε δὲ καὶ τὰ κατὰ τὴν 4
Ἰταλίαν ἔθνη καὶ Κελτικήν, ἔτι δ' Ἰβηρίαν καὶ τὴν ἄλλην σχεδὸν
ἅπασαν οἰκουμένην. διόπερ πολεμικὴ μὲν καὶ ἀξία μνήμης πρᾶξις
οὐδεμία συνετελέσθη κατὰ τούτους τοὺς χρόνους, εἰρήνη δὲ μία
συνετελέσθη, καὶ πανηγύρεις καὶ ἀγῶνες καὶ θεῶν θυσίαι καὶ τἄλλα τὰ
πρὸς εὐδαιμονίαν ἀνήκοντα παρὰ πᾶσιν ἐπεπόλαζεν.
441/0 ἐπ' ἄρχοντος δ' Ἀθήνησι Τιμοκλέους Ῥωμαῖοι μὲν κατέστησαν **27**
ὑπάτους Λαρῖνον Ἑρμίνιον καὶ Τίτον Στερτίνιον Στρούκτορα. ἐπὶ δὲ
τούτων Σάμιοι μὲν πρὸς Μιλησίους περὶ Πριήνης ἀμφισβητήσαντες εἰς
πόλεμον κατέστησαν, ὁρῶντες δὲ τοὺς Ἀθηναίους ταῖς εὐνοίαις δια-
φέροντας πρὸς Μιλησίους, ἀπέστησαν ἀπ' αὐτῶν. οἱ δὲ Περικλέα
προχειρισάμενοι στρατηγὸν ἐξέπεμψαν ἐπὶ τοὺς Σαμίους ἔχοντα τριήρεις
τετταράκοντα. οὗτος δὲ πλεύσας ἐπί τε τὴν Σάμον ** παρεισελθὼν δὲ 2
καὶ τῆς πόλεως ἐγκρατὴς γενόμενος κατέστησε δημοκρατίαν ἐν αὐτῇ.
πραξάμενος δὲ παρὰ τῶν Σαμίων ὀγδοήκοντα τάλαντα, καὶ τοὺς ἴσους
ὁμήρους παῖδας λαβών, τούτους μὲν παρέδωκε τοῖς Λημνίοις, αὐτὸς δ' ἐν
ὀλίγαις ἡμέραις ἅπαντα συντετελεκὼς ἐπανῆλθεν εἰς τὰς Ἀθήνας. ἐν δὲ 3
τῇ Σάμῳ στάσεως γενομένης, καὶ τῶν μὲν αἱρουμένων τὴν δημοκρατίαν,
τῶν δὲ βουλομένων τὴν ἀριστοκρατίαν εἶναι, ταραχὴ πολλὴ τὴν πόλιν
ἐπεῖχε. τῶν δ' ἐναντιουμένων τῇ δημοκρατίᾳ διαβάντων εἰς τὴν Ἀσίαν
καὶ πορευθέντων εἰς Σάρδεις πρὸς Πισσούθνην τὸν τῶν Περσῶν
σατράπην περὶ βοηθείας, ὁ μὲν Πισσούθνης ἔδωκεν αὐτοῖς στρατιώτας
ἑπτακοσίους, ἐλπίζων τῆς Σάμου διὰ τούτου κυριεύσειν, οἱ δὲ Σάμιοι
μετὰ τῶν δοθέντων αὐτοῖς στρατιωτῶν νυκτὸς πλεύσαντες εἰς τὴν
Σάμον ἔλαθόν τε [τὴν πόλιν] παρεισελθόντες, τῶν πολιτῶν συνεργούντων,
ῥᾳδίως τ' ἐκράτησαν τῆς Σάμου, καὶ τοὺς ἀντιπράττοντας αὐτοῖς
ἐξέβαλον ἐκ τῆς πόλεως· τοὺς δ' ὁμήρους ἐκκλέψαντες ἐκ τῆς Λήμνου
καὶ τὰ κατὰ τὴν Σάμον ἀσφαλισάμενοι, φανερῶς ἑαυτοὺς ἀπέδειξαν
πολεμίους τοῖς Ἀθηναίοις. οἱ δὲ πάλιν Περικλέα προχειρισάμενοι 4
στρατηγὸν ἐξέπεμψαν ἐπὶ τοὺς Σαμίους μετὰ νεῶν ἑξήκοντα. μετὰ δὲ
ταῦθ' ὁ μὲν Περικλῆς ναυμαχήσας πρὸς ἑβδομήκοντα τριήρεις ἐνίκησε
τοὺς Σαμίους, μεταπεμψάμενος δὲ παρὰ Χίων καὶ Μυτιληναίων ναῦς
εἴκοσι πέντε μετὰ τούτων ἐπολιόρκησε τὴν Σάμον. μετὰ δέ τινας 5
ἡμέρας Περικλῆς μὲν καταλιπὼν μέρος τῆς δυνάμεως ἐπὶ τῆς πολιορκίας
ἀνέζευξεν, ἀπαντήσων ταῖς Φοινίσσαις ναυσίν, ἃς οἱ Πέρσαι τοῖς
Σαμίοις ἦσαν ἀπεσταλκότες. οἱ δὲ Σάμιοι διὰ τὴν ἀνάζευξιν τοῦ **28**

27[1]: Πριήνης Canterus conl. *Thuc. i. 115*[2], εἰρήνης codd. 27[2], l. 3: post τάλαντα add. καὶ πεντήκοντα ἄνδρας Wesseling conl. *Thuc. i. 115*[3].

Περικλέους νομίζοντες ἔχειν καιρὸν ἐπιτήδειον εἰς ἐπίθεσιν ταῖς 441/0
ἀπολελειμμέναις ναυσίν, ἐπέπλευσαν ἐπ' αὐτάς, καὶ νικήσαντες τῇ
2 ναυμαχίᾳ φρονήματος ἐπληροῦντο. ὁ δὲ Περικλῆς ἀκούσας τὴν τῶν
ἰδίων ἧτταν, εὐθὺς ὑπέστρεψε καὶ στόλον ἀξιόλογον ἤθροισε, βουλό-
μενος εἰς τέλος συντρῖψαι τὸν τῶν ἐναντίων στόλον. ταχὺ δ' ἀπο-
στειλάντων Ἀθηναίων μὲν ἑξήκοντα τριήρεις, Χίων δὲ καὶ Μυτιληναίων
τριάκοντα, μεγάλην ἔχων δύναμιν συνεστήσατο τὴν πολιορκίαν καὶ
3 κατὰ γῆν καὶ κατὰ θάλατταν, συνεχεῖς ποιούμενος προσβολάς. κατ-
εσκεύασε δὲ καὶ μηχανὰς πρῶτος τῶν πρὸ αὐτοῦ τούς τε ὀνομαζομένους
κριοὺς καὶ χελώνας, Ἀρτέμωνος τοῦ Κλαζομενίου κατασκευάσαντος.
ἐνεργῶς δὲ πολιορκήσας τὴν πόλιν καὶ ταῖς μηχαναῖς καταβαλὼν τὰ
τείχη κύριος ἐγένετο τῆς Σάμου. κολάσας δὲ τοὺς αἰτίους ἐπράξατο
τοὺς Σαμίους τὰς εἰς τὴν πολιορκίαν γεγενημένας δαπάνας, τιμησά-
4 μενος αὐτὰς ταλάντων διακοσίων. παρείλετο δὲ καὶ τὰς ναῦς αὐτῶν
καὶ τὰ τείχη κατέσκαψε, καὶ τὴν δημοκρατίαν καταστήσας ἐπανῆλθεν
εἰς τὴν πατρίδα. Ἀθηναίοις δὲ καὶ Λακεδαιμονίοις μέχρι τούτων τῶν
χρόνων αἱ τριακονταέτεις σπονδαὶ διέμειναν ἀσάλευτοι. καὶ ταῦτα μὲν
ἐπράχθη κατὰ τοῦτον τὸν ἐνιαυτόν.

29 ἐπ' ἄρχοντος δ' Ἀθήνησι Μυριχίδου Ῥωμαῖοι μὲν κατέστησαν 440/39
ὑπάτους Λεύκιον Ἰούλιον καὶ Μάρκον Γεγάνιον, Ἠλεῖοι δ' ἤγαγον
ὀλυμπιάδα πέμπτην πρὸς ταῖς ὀγδοήκοντα, καθ' ἣν ἐνίκα Κρίσων
Ἱμεραῖος τὸ δεύτερον. ἐπὶ δὲ τούτων κατὰ τὴν Σικελίαν Δουκέτιος μὲν
ὁ γεγονὼς τῶν Σικελικῶν πόλεων ἡγεμὼν τὴν τῶν Καλακτίνων πατρίδα
κατέστησε, καὶ πολλοὺς εἰς αὐτὴν οἰκίζων οἰκήτορας ἀντεποιήσατο μὲν
τῆς τῶν Σικελῶν ἡγεμονίας, μεσολαβηθεὶς δὲ νόσῳ τὸν βίον κατ-
2 έστρεψε. Συρακόσιοι δὲ πάσας τὰς τῶν Σικελῶν πόλεις ὑπηκόους
ποιησάμενοι πλὴν τῆς ὀνομαζομένης Τρινακίης, ἔγνωσαν ἐπὶ ταύτην
στρατεύειν· σφόδρα γὰρ ὑπώπτευον τοὺς Τρινακίους ἀντιλήψεσθαι τῆς
τῶν ὁμοεθνῶν Σικελῶν ἡγεμονίας. ἡ δὲ πόλις αὕτη πολλοὺς καὶ
μεγάλους ἄνδρας εἶχεν, ἀεὶ τὸ πρωτεῖον ἐσχηκυῖα τῶν Σικελικῶν
πόλεων· ἦν γὰρ ἡγεμόνων ἡ πόλις αὕτη πλήρης μέγα φρονούντων ἐπ'
3 ἀνδρείᾳ. διὸ καὶ πάσας τὰς δυνάμεις ἀθροίσαντες ἐκ τῶν Συρακουσῶν
καὶ τῶν συμμάχων πόλεων ἐστράτευσαν ἐπ' αὐτήν. οἱ δὲ Τρινάκιοι
συμμάχων μὲν ἦσαν ἔρημοι διὰ ⟨τὸ⟩ τὰς ἄλλας πόλεις ὑπακούειν
Συρακοσίοις, μέγαν ⟨δ'⟩ ἀγῶνα συνεστήσαντο. ἐκθύμως γὰρ ἐγ-
καρτεροῦντες τοῖς δεινοῖς καὶ πολλοὺς ἀνελόντες, ἡρωικῶς μαχόμενοι

29^{2}: Τρινακίης, Τρινακίους etc. codd.; in epitome libro xii praefixa legitur hoc loco ὡς Συρακόσιοι στρατεύσαντες ἐπὶ Πικηνοὺς τὴν πόλιν κατέσκαψαν; fortasse Πιάκου, Πιακηνούς, cf. Steph. Byz. s.v. Πίακος, Pais, *Ancient Italy*, 123–9.

440/39 πάντες κατέστρεψαν τὸν βίον. ὁμοίως δὲ καὶ τῶν πρεσβυτέρων οἱ 4
πλείους ἑαυτοὺς ἐκ τοῦ ζῆν μετέστησαν, οὐχ ὑπομείναντες τὰς ἐκ τῆς
ἁλώσεως ὕβρεις. οἱ δὲ Συρακόσιοι τοὺς πρότερον ἀηττήτους γεγονότας
νικήσαντες ἐπιφανῶς, τὴν μὲν πόλιν ἐξανδραποδισάμενοι κατέσκαψαν,
τῶν δὲ λαφύρων τὰ κράτιστα ἀπέστειλαν εἰς Δελφοὺς χαριστήρια τῷ θεῷ.
439/8 ἐπ' ἄρχοντος δ' Ἀθήνησι Γλαυκίδου Ῥωμαῖοι κατέστησαν ὑπάτους **30**
Τίτον Κοΐντιον καὶ Ἀγρίππαν Φούριον. ἐπὶ δὲ τούτων Συρακόσιοι διὰ
τὰς προειρημένας εὐημερίας ἑκατὸν μὲν τριήρεις ἐναυπηγήσαντο, τὸν
δὲ τῶν ἱππέων ἀριθμὸν ἐποίησαν διπλάσιον· ἐπεμελήθησαν δὲ καὶ τῆς
πεζῆς δυνάμεως, καὶ χρημάτων παρασκευὰς ἐποιοῦντο, φόρους ἁδρο-
τέρους τοῖς ὑποτεταγμένοις Σικελοῖς ἐπιτιθέντες. ταῦτα δ' ἔπραττον
διανοούμενοι πᾶσαν Σικελίαν ἐκ τοῦ κατ' ὀλίγον κατακτήσασθαι. ἅμα 2
δὲ τούτοις πραττομένοις κατὰ τὴν Ἑλλάδα συνέβη τὸν Κορινθιακὸν
κληθέντα πόλεμον ἀρχὴν λαβεῖν διὰ τοιαύτας τινὰς αἰτίας. Ἐπιδάμνιοι
κατοικοῦντες περὶ τὸν Ἀδρίαν, ἄποικοι δ' ὑπάρχοντες Κερκυραίων καὶ
Κορινθίων, ἐστασίασαν πρὸς ἀλλήλους. τῆς δ' ἐπικρατούσης μερίδος
φυγαδευούσης πολλοὺς τῶν ἀντιπραττόντων, οἱ φυγάδες ἀθροισθέντες
καὶ παραλαβόντες τοὺς Ἰλλυριοὺς ἔπλευσαν κοινῇ μετ' αὐτῶν ἐπὶ τὴν
Ἐπίδαμνον. στρατευσάντων δὲ τῶν βαρβάρων πολλῇ δυνάμει, καὶ τὴν 3
μὲν χώραν κατασχόντων, τὴν δὲ πόλιν πολιορκούντων, οἱ μὲν Ἐπι-
δάμνιοι, καθ' ἑαυτοὺς οὐκ ὄντες ἀξιόμαχοι, πρέσβεις ἔπεμψαν εἰς Κέρ-
κυραν, ἀξιοῦντες τοὺς Κερκυραίους συγγενεῖς ὄντας βοηθῆσαι. οὐ
προσεχόντων δ' αὐτῶν, ἐπρεσβεύσαντο πρὸς Κορινθίους περὶ συμμαχί-
ας, καὶ μόνην ἐκείνην ἐποιήσαντο μητρόπολιν· ἅμα δὲ καὶ συνοίκους
ᾐτοῦντο. οἱ δὲ Κορίνθιοι τοὺς μὲν Ἐπιδαμνίους ἐλεοῦντες, τοὺς δὲ 4
Κερκυραίους μισοῦντες διὰ τὸ μόνους τῶν ἀποίκων μὴ πέμπειν τὰ
κατειθισμένα ἱερεῖα τῇ μητροπόλει, ἔκριναν βοηθεῖν τοῖς Ἐπιδαμνίοις.
διόπερ ἀποίκους τε ἐξέπεμψαν εἰς τὴν Ἐπίδαμνον καὶ στρατιώτας
ἱκανοὺς φρουρῆσαι τὴν πόλιν. ἐπὶ δὲ τούτοις οἱ Κερκυραῖοι παρ- 5
οξυνθέντες ἀπέστειλαν πεντήκοντα τριήρεις καὶ στρατηγὸν ἐπ' αὐτῶν.
οὗτος δὲ προσπλεύσας τῇ πόλει προσέταττε τοὺς μὲν φυγάδας κατα-
δέχεσθαι· ἐπὶ δὲ τοὺς φρουροὺς Κορινθίους πρέσβεις ἀπέστειλαν
ἀξιοῦντες δικαστηρίῳ κριθῆναι περὶ τῆς ἀποικίας, μὴ πολέμῳ. τῶν
δὲ Κορινθίων οὐ προσεχόντων αὐτοῖς, συγκατέβησαν εἰς πόλεμον ἀμ-
φότεροι, καὶ ναυτικὰς δυνάμεις ἀξιολόγους κατεσκεύαζον καὶ συμμά-
χους προσελαμβάνοντο. ὁ μὲν οὖν Κορινθιακὸς ὀνομασθεὶς πόλεμος
συνέστη διὰ τὰς προειρημένας αἰτίας. Ῥωμαῖοι δὲ πρὸς Οὐολούσκους 6
διαπολεμοῦντες τὸ μὲν πρῶτον ἀκροβολισμοὺς καὶ μικρὰς μάχας
συνετέλουν, μετὰ δὲ ταῦτα παρατάξει μεγάλῃ νικήσαντες τοὺς πλείους
τῶν πολεμίων κατέκοψαν.

31 ἐπ' ἄρχοντος δ' Ἀθήνησι Θεοδώρου Ῥωμαῖοι μὲν κατέστησαν 438/7
ὑπάτους Μάρκον Γενύκιον καὶ Ἀγρίππαν Κούρτιον Χίλωνα. ἐπὶ δὲ
τούτων κατὰ μὲν τὴν Ἰταλίαν τὸ ἔθνος τῶν Καμπανῶν συνέστη, καὶ
ταύτης ἔτυχε τῆς προσηγορίας ἀπὸ τῆς ἀρετῆς τοῦ πλησίον κειμένου
πεδίου. κατὰ δὲ τὴν Ἀσίαν οἱ τοῦ Κιμμερίου Βοσπόρου βασιλεύσαντες,
ὀνομασθέντες δὲ Ἀρχαιανακτίδαι, ἦρξαν ἔτη δύο πρὸς τοῖς τετταρά-
2 κοντα· διεδέξατο δὲ τὴν ἀρχὴν Σπάρτακος, καὶ ἦρξεν ἔτη ἑπτά. κατὰ
δὲ τὴν Ἑλλάδα Κορίνθιοι πρὸς Κερκυραίους διαπολεμοῦντες καὶ παρα-
σκευασάμενοι ναυτικὰς δυνάμεις, συνεστήσαντο ναυμαχίαν. οἱ μὲν οὖν
Κορίνθιοι ἔχοντες ναῦς ἑβδομήκοντα καλῶς ἐξηρτυμένας, ἐπέπλευσαν
τοῖς πολεμίοις· οἱ δὲ Κερκυραῖοι τριήρεσιν ὀγδοήκοντα ἀντιταχθέντες
ἐνίκησαν τῇ ναυμαχίᾳ, καὶ τὴν Ἐπίδαμνον ἐκπολιορκήσαντες τοὺς μὲν
ἄλλους αἰχμαλώτους ἀπέκτειναν, τοὺς δὲ Κορινθίους δήσαντες εἰς
3 φυλακὴν παρέδοσαν. μετὰ δὲ τὴν ναυμαχίαν οἱ μὲν Κορίνθιοι κατα-
πλαγέντες κατέπλευσαν εἰς Πελοπόννησον, οἱ δὲ Κερκυραῖοι θαλαττο-
κρατοῦντες τῆς κατ' ἐκείνους τοὺς τόπους θαλάττης ἐπέπλεον τοῖς
Κορινθίων συμμάχοις καὶ τὴν χώραν αὐτῶν ἐπόρθουν.

32 τοῦ δ' ἐνιαυσίου χρόνου διελθόντος Ἀθήνησι μὲν ἦρχεν Εὐθυμένης, 437/6
ἐν Ῥώμῃ δ' ἀντὶ τῶν ὑπάτων χιλίαρχοι κατεστάθησαν τρεῖς, Αὖλος
Σεμπρώνιος, Λεύκιος Ἀτίλιος, Τίτος Κόιντος. ἐπὶ δὲ τούτων Κορίνθιοι
μὲν ἡττημένοι τῇ ναυμαχίᾳ ναυπηγήσασθαι στόλον ἀξιολογώτερον
2 ἔκριναν. διόπερ ὕλην πολλὴν παρασκευασάμενοι καὶ ναυπηγοὺς ἐκ τῶν
πόλεων μισθούμενοι μετὰ πολλῆς φιλοτιμίας κατεσκεύαζον τριήρεις
καὶ ὅπλα καὶ βέλη παντοδαπά, καὶ καθόλου πάσας τὰς εἰς τὸν πόλεμον
παρασκευὰς ἡτοίμαζον, καὶ τὰς μὲν ἐκ καταβολῆς τριήρεις ἐναυπη-
γοῦντο, τὰς δὲ πεπονηκυίας ἐθεράπευον, ἄλλας δὲ παρὰ τῶν συμμάχων
3 μετεπέμποντο. τὸ ⟨δὲ⟩ παραπλήσιον καὶ τῶν Κερκυραίων ποιούντων,
καὶ ταῖς φιλοτιμίαις οὐκ ἀπολιμπανομένων, φανερὸς ἦν ὁ πόλεμος
αὔξησιν μεγάλην ληψόμενος. ἅμα δὲ τούτοις πραττομένοις Ἀθηναῖοι
συνῴκισαν Ἀμφίπολιν, καὶ τῶν οἰκητόρων οὓς μὲν ἐκ τῶν πολιτῶν
κατέλεξαν, οὓς δ' ἐκ τῶν σύνεγγυς φρουρίων.

33 ἐπ' ἄρχοντος δ' Ἀθήνησι Λυσιμάχου Ῥωμαῖοι μὲν ὑπάτους κατέστη- 436/5
σαν Τίτον Κοΐντιον καὶ Μάρκον Γεγάνιον Μακερῖνον, Ἠλεῖοι δ' ἤγαγον
ὀλυμπιάδα ἕκτην πρὸς ταῖς ὀγδοήκοντα, καθ' ἣν ἐνίκα στάδιον Θεόπομ-
πος Θετταλός. ἐπὶ δὲ τούτων Κερκυραῖοι μὲν πυνθανόμενοι τῶν παρα-
σκευαζομένων ἐπ' αὐτοὺς δυνάμεων τὸ πλῆθος, ἀπέστειλαν πρὸς
2 Ἀθηναίους πρέσβεις ἀξιοῦντες αὐτοῖς βοηθῆσαι. τὸ δ' αὐτὸ καὶ
Κορινθίων ποιησάντων, καὶ συναχθείσης ἐκκλησίας, διήκουσε τῶν

33^1: Λυσιμάχου Wesseling, Ναυσιμάχου codd.

436/5 πρέσβεων ὁ δῆμος, καὶ ἐψηφίσατο συμμαχεῖν Κερκυραίοις. διὸ καὶ
παραχρῆμα μὲν ἐξέπεμψαν τριήρεις κατηρτισμένας δέκα, μετὰ δὲ ταῦτα
πλείους ἐπηγγείλαντο πέμψειν, ἐὰν ᾖ χρεία. οἱ δὲ Κορίνθιοι τῆς τῶν 3
Ἀθηναίων συμμαχίας ἀποτυχόντες, ἐνενήκοντα μὲν αὐτοὶ τριήρεις
ἐπλήρωσαν, παρὰ δὲ τῶν συμμάχων ἑξήκοντα προσελάβοντο. ἔχοντες
οὖν ναῦς κατηρτισμένας ἑκατὸν πεντήκοντα, καὶ στρατηγοὺς ἑλόμενοι
τοὺς χαριεστάτους, ἀνήχθησαν ἐπὶ τὴν Κέρκυραν, κεκρικότες διὰ
τάχους ναυμαχῆσαι. οἱ δὲ Κερκυραῖοι πυνθανόμενοι τὸν τῶν πολεμίων 4
στόλον μὴ μακρὰν ἀπέχειν, ἀντανήχθησαν τριήρεσιν ἑκατὸν εἴκοσι σὺν
ταῖς τῶν Ἀθηναίων. γενομένης δὲ ναυμαχίας ἰσχυρᾶς, τὸ μὲν πρῶτον
ἐπεκράτουν οἱ Κορίνθιοι, μετὰ δὲ ταῦτα τῶν Ἀθηναίων ἐπιφανέντων
ἄλλαις εἴκοσι ναυσίν, ἃς ἀπεστάλκεσαν ἐν τῇ δευτέρᾳ συμμαχίᾳ,
συνέβη νικῆσαι τοὺς Κερκυραίους. τῇ δ' ὑστεραίᾳ πάντων τῶν
Κερκυραίων ἐπιπλευσάντων οὐκ ἀνήχθησαν οἱ Κορίνθιοι.

435/4 ἐπ' ἄρχοντος δ' Ἀθήνησιν Ἀντιοχίδου Ῥωμαῖοι κατέστησαν ὑπάτους 34
Μάρκον Φάβιον καὶ Πόστουμον Αἰβούτιον Οὔλεκον. ἐπὶ δὲ τούτων,
Ἀθηναίων μὲν συνηγωνισμένων τοῖς Κερκυραίοις καὶ τῆς κατὰ τὴν
ναυμαχίαν νίκης αἰτίων γενομένων, χαλεπῶς εἶχον πρὸς αὐτοὺς οἱ
Κορίνθιοι. διόπερ ἀμύνεσθαι σπεύδοντες τοὺς Ἀθηναίους, ἀπέστησαν 2
ἀπ' αὐτῶν πόλιν Ποτίδαιαν, οὖσαν ἑαυτῶν ἄποικον. ὁμοίως δὲ τούτοις
καὶ Περδίκκας ὁ τῶν Μακεδόνων βασιλεύς, ἀλλοτρίως διακείμενος
πρὸς Ἀθηναίους, ἔπεισε τοὺς Χαλκιδεῖς ἀποστάντας Ἀθηναίων τὰς μὲν
ἐπὶ θαλάττῃ πόλεις ἐκλιπεῖν, εἰς μίαν δὲ συνοικισθῆναι τὴν ὀνομαζο-
μένην Ὄλυνθον. οἱ δ' Ἀθηναῖοι τὴν ἀπόστασιν τῶν Ποτιδαιατῶν 3
ἀκούσαντες ἐξέπεμψαν τριάκοντα ναῦς καὶ προσέταξαν τήν τε χώραν
τῶν ἀφεστηκότων λεηλατῆσαι καὶ τὴν πόλιν πορθῆσαι. οἱ δὲ πεμ-
φθέντες καταπλεύσαντες εἰς τὴν Μακεδονίαν κατὰ τὰς ἐντολὰς τοῦ
δήμου, συνεστήσαντο πολιορκίαν τῆς Ποτιδαίας. ἔνθα δὴ τῶν Κοριν- 4
θίων βοηθησάντων τοῖς πολιορκουμένοις δισχιλίοις στρατιώταις,
δισχιλίους καὶ ὁ δῆμος τῶν Ἀθηναίων ἐξέπεμψε. γενομένης δὲ μάχης
περὶ τὸν ἰσθμὸν τὸν πλησίον τῆς Παλληνίων, καὶ τῶν Ἀθηναίων νικη-
σάντων καὶ πλείους τῶν τριακοσίων ἀνελόντων, οἱ Ποτιδαιᾶται συν-
εκλείσθησαν εἰς πολιορκίαν. ἅμα δὲ τούτοις πραττομένοις ἔκτισαν οἱ 5
Ἀθηναῖοι πόλιν ἐν τῇ Προποντίδι τὴν ὀνομαζομένην Λέτανον. κατὰ δὲ
τὴν Ἰταλίαν Ῥωμαῖοι πέμψαντες ἀποίκους εἰς Ἄρδεα τὴν χώραν
κατεκληρούχησαν.

434/3 ἐπ' ἄρχοντος δ' Ἀθήνησι Κράτητος Ῥωμαῖοι κατέστησαν ὑπάτους 35
Κόιντον Φούριον Φόσον καὶ Μάνιον Παπίριον Κράσσον. ἐπὶ δὲ

34[5]: *Λέτανον* codd., *Δρέπανον* Cobet, *Ἀστακόν* Niese. 35[1]: *Κράτητος* Boeckh, *Χάρητος* codd.

τούτων κατὰ τὴν Ἰταλίαν οἱ τοὺς Θουρίους οἰκοῦντες, ἐκ πολλῶν 434/3
πόλεων συνεστηκότες, ἐστασίαζον πρὸς ἀλλήλους, ποίας πόλεως
ἀποίκους δεῖ καλεῖσθαι τοὺς Θουρίους καὶ τίνα κτίστην δίκαιον
2 ὀνομάζεσθαι. οἵ τε γὰρ Ἀθηναῖοι τῆς ἀποικίας ταύτης ἠμφισβήτουν,
ἀποφαινόμενοι πλείστους οἰκήτορας ἐξ Ἀθηνῶν ἐληλυθέναι, οἵ τε
Πελοποννήσιοι, πόλεις οὐκ ὀλίγας παρεσχηκέναι παρ' αὐτῶν εἰς τὴν
κτίσιν τῶν Θουρίων, τὴν ἐπιγραφὴν τῆς ἀποικίας ἑαυτοῖς ἔφησαν δεῖν
3 προσάπτεσθαι. ὁμοίως δὲ καὶ πολλῶν ἀγαθῶν ἀνδρῶν κεκοινωνηκότων
τῆς ἀποικίας καὶ πολλὰς χρείας παρεσχημένων, πολὺς ἦν ὁ λόγος,
ἑκάστου τῆς τιμῆς ταύτης σπεύδοντος τυχεῖν. τέλος δὲ τῶν Θουρίων
πεμψάντων εἰς Δελφοὺς τοὺς ἐπερωτήσοντας τίνα χρὴ τῆς πόλεως
οἰκιστὴν ἀγορεύειν, ὁ θεὸς ἔχρησεν αὐτὸν δεῖν κτίστην νομίζεσθαι.
τούτῳ τῷ τρόπῳ λυθείσης τῆς ἀμφισβητήσεως τὸν Ἀπόλλω κτίστην
τῶν Θουρίων ἀπέδειξαν, καὶ τὸ πλῆθος τῆς στάσεως ἀπολυθὲν εἰς τὴν
4 προϋπάρχουσαν ὁμόνοιαν ἀποκατέστη. κατὰ δὲ τὴν Ἑλλάδα Ἀρχίδαμος
ὁ τῶν Λακεδαιμονίων βασιλεὺς ἐτελεύτησεν ἄρξας ἔτη τετταράκοντα
δύο, τὴν δὲ ἀρχὴν διαδεξάμενος Ἆγις ἐβασίλευσεν ἔτη εἴκοσι ἑπτά.

36 ἐπ' ἄρχοντος δ' Ἀθήνησιν Ἀψεύδους Ῥωμαῖοι κατέστησαν ὑπάτους 433/2
Τίτον Μενήνιον καὶ Πρόκλον Γεγάνιον Μακερῖνον. ἐπὶ δὲ τούτων
Σπάρτακος μὲν ὁ Βοσπόρου βασιλεὺς ἐτελεύτησεν ἄρξας ἔτη ἑπτά,
διεδέξατο δὲ τὴν ἀρχὴν Σέλευκος καὶ ἐβασίλευσεν ἔτη τετταράκοντα.
2 ἐν δὲ ταῖς Ἀθήναις Μέτων ὁ Παυσανίου μὲν υἱός, δεδοξασμένος δὲ ἐν
ἀστρολογίᾳ, ἐξέθηκε τὴν ὀνομαζομένην ἐννεακαιδεκαετηρίδα, τὴν
ἀρχὴν ποιησάμενος ἀπὸ μηνὸς ἐν Ἀθήναις σκιροφοριῶνος τρισκαιδεκά-
της. ἐν δὲ τοῖς εἰρημένοις ἔτεσι τὰ ἄστρα τὴν ἀποκατάστασιν ποιεῖται
καὶ καθάπερ ἐνιαυτοῦ τινος μεγάλου τὸν ἀνακυκλισμὸν λαμβάνει· διὸ
3 καί τινες αὐτὸν Μέτωνος ἐνιαυτὸν ὀνομάζουσι. δοκεῖ δὲ ὁ ἀνὴρ οὗτος
ἐν τῇ προρρήσει καὶ προγραφῇ ταύτῃ θαυμαστῶς ἐπιτετευχέναι· τὰ
γὰρ ἄστρα τήν τε κίνησιν καὶ τὰς ἐπισημασίας ποιεῖται συμφώνως τῇ
γραφῇ· διὸ μέχρι τῶν καθ' ἡμᾶς χρόνων οἱ πλεῖστοι τῶν Ἑλλήνων
4 χρώμενοι τῇ ἐννεακαιδεκαετηρίδι οὐ διαψεύδονται τῆς ἀληθείας. κατὰ
δὲ τὴν Ἰταλίαν Ταραντῖνοι τοὺς τὴν Σῖριν καλουμένην οἰκοῦντας
μετοικίσαντες ἐκ τῆς πατρίδος καὶ ἰδίους προσθέντες οἰκήτορας,
ἔκτισαν πόλιν τὴν ὀνομαζομένην Ἡράκλειαν.

37 ἐπ' ἄρχοντος δ' Ἀθήνησι Πυθοδώρου Ῥωμαῖοι μὲν ὑπάτους κατ- 432/1
έστησαν Τίτον Κοΐντιον καὶ Νίττον Μενήνιον, Ἠλεῖοι δ' ἤγαγον
ὀλυμπιάδα ἑβδόμην πρὸς ταῖς ὀγδοήκοντα, καθ' ἣν ἐνίκα στάδιον

36^{1}, l. 3: ἑπτὰ Casaubon, ἑπτακαίδεκα P, δεκαεπτὰ cett., cf. *xii. 31*[1]. l. 4: Σέλευκος codd., Σάτυρος codd. *xiv. 93*[1]. τεσσαράκοντα P, τέσσαρα cett., cf. *xiv. 93*[1] ubi τετταράκοντα τέτταρα P.

432/1 *Σώφρων Ἀμπρακιώτης. ἐπὶ δὲ τούτων ἐν τῇ Ῥώμῃ Σπόριος Μαίλιος
ἐπιθέμενος τυραννίδι ἀνῃρέθη. Ἀθηναῖοι δὲ περὶ Ποτίδαιαν νενι-
κηκότες ἐπιφανεῖ μάχῃ, Καλλίου τοῦ στρατηγοῦ πεσόντος ἐν τῇ
παρατάξει, στρατηγὸν ἕτερον ἐξέπεμψαν Φορμίωνα. οὗτος δὲ παρα-
λαβὼν τὸ στρατόπεδον καὶ προσκαθήμενος τῇ πόλει τῶν Ποτιδαιατῶν
συνεχεῖς προσβολὰς ἐποιεῖτο· ἀμυνομένων δὲ τῶν ἔνδον εὐρώστως
ἐγένετο πολυχρόνιος πολιορκία. Θουκυδίδης δὲ ὁ Ἀθηναῖος τὴν* 2
*ἱστορίαν ἐντεῦθεν ἀρξάμενος ἔγραψε τὸν γενόμενον πόλεμον Ἀθηναίοις
πρὸς Λακεδαιμονίους τὸν ὀνομασθέντα Πελοποννησιακόν. οὗτος μὲν οὖν
ὁ πόλεμος διέμεινεν ἐπὶ ἔτη εἴκοσι ἑπτά, ὁ δὲ Θουκυδίδης ἔτη δύο πρὸς
τοῖς εἴκοσι γέγραφεν ἐν βίβλοις ὀκτώ, ὡς δέ τινες διαιροῦσιν, ἐννέα.*

431/0 *ἐπ' ἄρχοντος δ' Ἀθήνησιν Εὐθυδήμου Ῥωμαῖοι μὲν ἀντὶ τῶν ὑπάτων* **38**
*τρεῖς χιλιάρχους κατέστησαν, Μάνιον Αἰμιλιανὸν [καὶ] Μάμερκον,
Γάιον Ἰούλιον, Λεύκιον Κοΐντιον. ἐπὶ δὲ τούτων Ἀθηναίοις καὶ
Λακεδαιμονίοις ἐνέστη πόλεμος ὁ κληθεὶς Πελοποννησιακός, μακρό-
τατος τῶν ἱστορημένων πολέμων. ἀναγκαῖον δ' ἐστὶ καὶ τῆς ὑπο-
κειμένης ἱστορίας οἰκεῖον [τὸ] προεκθέσθαι τὰς αἰτίας αὐτοῦ. Ἀθηναῖοι* 2
*τῆς κατὰ θάλατταν ἡγεμονίας ἀντεχόμενοι τὰ ἐν Δήλῳ κοινῇ συνηγμένα
χρήματα, τάλαντα σχεδὸν ὀκτακισχίλια, μετήνεγκαν εἰς τὰς Ἀθήνας
καὶ παρέδωκαν φυλάττειν Περικλεῖ. οὗτος δ' ἦν εὐγενείᾳ καὶ δόξῃ
καὶ λόγου δεινότητι πολὺ προέχων τῶν πολιτῶν. μετὰ δέ τινα χρόνον
ἀνηλωκὼς ἀπ' αὐτῶν ἰδίᾳ πλῆθος ἱκανὸν χρημάτων καὶ λόγον ἀπαι-
τούμενος εἰς ἀρρωστίαν ἐνέπεσεν, οὐ δυνάμενος τῶν πεπιστευμένων
ἀποδοῦναι τὸν ἀπολογισμόν. ἀδημονοῦντος δ' αὐτοῦ περὶ τούτων,* 3
*Ἀλκιβιάδης ὁ ἀδελφιδοῦς, ὀρφανὸς ὤν, τρεφόμενος παρ' αὐτῷ, παῖς
ὢν τὴν ἡλικίαν, ἀφορμὴν αὐτῷ παρέσχετο τῆς περὶ τῶν χρημάτων
ἀπολογίας. θεωρῶν γὰρ τὸν θεῖον λυπούμενον ἐπηρώτησε τὴν αἰτίαν
τῆς λύπης. τοῦ δὲ Περικλέους εἰπόντος, ὅτι τὴν περὶ τῶν χρημάτων
ἀπολογίαν αἰτούμενος ζητῶ πῶς ἂν δυναίμην ἀποδοῦναι τὸν περὶ
τούτων λόγον τοῖς πολίταις, ὁ Ἀλκιβιάδης ἔφησε δεῖν αὐτὸν ζητεῖν μὴ
πῶς ἀποδῷ τὸν λόγον, ἀλλὰ πῶς μὴ ἀποδῷ. διόπερ Περικλῆς ἀπο-* 4
*δεξάμενος τὴν τοῦ παιδὸς ἀπόφασιν ἐζήτει, δι' οὗ τρόπου τοὺς Ἀθη-
ναίους δύναιτ' ἂν ἐμβαλεῖν εἰς μέγαν πόλεμον· οὕτω γὰρ μάλιστα
ὑπελάμβανε διὰ τὴν ταραχὴν καὶ τοὺς τῆς πόλεως περισπασμοὺς καὶ
φόβους ἐκφεύξεσθαι τὸν ἀκριβῆ λόγον τῶν χρημάτων. πρὸς δὲ ταύτην
τὴν ἀφορμὴν συνεβάλετ' αὐτῷ καὶ ταὐτόματον διὰ τοιαύτας αἰτίας. τὸ* **39**
*τῆς Ἀθηνᾶς ἄγαλμα Φειδίας μὲν κατεσκεύαζε, Περικλῆς δὲ ὁ Ξανθίππου
καθεσταμένος ἦν ἐπιμελητής. τῶν δὲ συνεργασαμένων τῷ Φειδίᾳ τινὲς
διενεχθέντες ὑπὸ τῶν ἐχθρῶν τοῦ Περικλέους ἐκάθισαν ἐπὶ τῶν τῶν
θεῶν βωμῶν· διὰ δὲ τὸ παράδοξον προσκαλούμενοι ἔφασαν πολλὰ τῶν*

ἱερῶν χρημάτων ἔχοντα Φειδίαν δείξειν, ἐπισταμένου καὶ συνεργοῦν- 431/0
2 τος τοῦ ἐπιμελητοῦ Περικλέους. διόπερ ἐκκλησίας συνελθούσης περὶ
τούτων, οἱ μὲν ἐχθροὶ τοῦ Περικλέους ἔπεισαν τὸν δῆμον συλλαβεῖν τὸν
Φειδίαν, καὶ αὐτοῦ τοῦ Περικλέους κατηγόρουν ἱεροσυλίαν. πρὸς δὲ
τούτοις Ἀναξαγόραν τὸν σοφιστήν, διδάσκαλον ὄντα Περικλέους, ὡς
ἀσεβοῦντα εἰς τοὺς θεοὺς ἐσυκοφάντουν· συνέπλεκον δ' ἐν ταῖς κατ-
ηγορίαις καὶ διαβολαῖς τὸν Περικλέα, διὰ τὸν φθόνον σπεύδοντες δια-
3 βαλεῖν τὴν τἀνδρὸς ὑπεροχήν τε καὶ δόξαν. ὁ δὲ Περικλῆς, εἰδὼς τὸν
δῆμον ἐν μὲν τοῖς πολεμικοῖς ἔργοις θαυμάζοντα τοὺς ἀγαθοὺς ἄνδρας
διὰ τὰς κατεπειγούσας χρείας, κατὰ δὲ τὴν εἰρήνην τοὺς αὐτοὺς συκο-
φαντοῦντα διὰ τὴν σχολὴν καὶ φθόνον, ἔκρινε συμφέρειν αὐτῷ τὴν πόλιν
ἐμβαλεῖν εἰς μέγαν πόλεμον, ὅπως χρείαν ἔχουσα τῆς Περικλέους
ἀρετῆς καὶ στρατηγίας μὴ προσδέχηται τὰς κατ' αὐτοῦ διαβολάς, μηδ'
ἔχῃ σχολὴν καὶ χρόνον ἐξετάζειν ἀκριβῶς τὸν περὶ τῶν χρημάτων
4 λόγον. ὄντος δὲ ψηφίσματος παρὰ τοῖς Ἀθηναίοις Μεγαρέας εἴργεσθαι
τῆς τε ἀγορᾶς καὶ τῶν λιμένων, οἱ Μεγαρεῖς κατέφυγον ἐπὶ τοὺς
Σπαρτιάτας. οἱ δὲ Λακεδαιμόνιοι πεισθέντες τοῖς Μεγαρεῦσιν ἀπ-
έστειλαν πρέσβεις ἐκ τοῦ προφανεστάτου ἀπὸ τῆς τοῦ κοινοῦ συνεδρίου
γνώμης προστάττοντες τοῖς Ἀθηναίοις ἀνελεῖν τὸ κατὰ τῶν Μεγαρέων
ψήφισμα, μὴ πειθομένων δὲ αὐτῶν ἀπειλοῦντες πολεμήσειν αὐτοῖς μετὰ
5 τῶν συμμάχων. συναχθείσης οὖν περὶ τούτων ἐκκλησίας, ὁ Περικλῆς,
δεινότητι λόγου πολὺ διαφέρων ἁπάντων τῶν πολιτῶν, ἔπεισε τοὺς
Ἀθηναίους μὴ ἀναιρεῖν τὸ ψήφισμα, λέγων ἀρχὴν δουλείας εἶναι τὸ
πείθεσθαι παρὰ τὸ συμφέρον τοῖς Λακεδαιμονίων προστάγμασι. συν-
εβούλευεν οὖν τὰ ἀπὸ τῆς χώρας κατακομίζειν εἰς τὴν πόλιν καὶ
40 θαλαττοκρατοῦντας διαπολεμεῖν τοῖς Σπαρτιάταις. περὶ δὲ τοῦ
πολέμου πεφροντισμένως ἀπολογισάμενος ἐξηριθμήσατο μὲν τὸ πλῆθος
τῶν συμμάχων τῇ πόλει καὶ τὴν ὑπεροχὴν τῆς ναυτικῆς δυνάμεως,
πρὸς δὲ τούτοις τὸ πλῆθος τῶν μετακεκομισμένων ἐκ Δήλου χρημάτων
εἰς τὰς Ἀθήνας, ἃ συνέβαινεν ἐκ τῶν φόρων ταῖς πόλεσι κοινῇ συν-
2 ηθροῖσθαι· κοινῶν δ' ὄντων τῶν μυρίων ταλάντων ἀπανήλωτο πρὸς τὴν
κατασκευὴν τῶν προπυλαίων καὶ τὴν Ποτιδαίας πολιορκίαν τετρα-
κισχίλια τάλαντα· καὶ καθ' ἕκαστον ἐνιαυτὸν ἐκ τοῦ φόρου τῶν συμ-
μάχων ἀνεφέρετο τάλαντα τετρακόσια ἑξήκοντα. χωρὶς δὲ τούτων τά
τε πομπεῖα [σκεύη] καὶ τὰ Μηδικὰ σκῦλα πεντακοσίων ἄξια ταλάντων
3 ἀπεφήνατο, ἔν τε τοῖς ἱεροῖς ἀπεδείκνυεν ἀναθημάτων τε πλῆθος καὶ
τὸ τῆς Ἀθηνᾶς ἄγαλμα ἔχειν χρυσίου πεντήκοντα τάλαντα, ὡς περι-
αιρετῆς οὔσης τῆς περὶ τὸν κόσμον κατασκευῆς· καὶ ταῦτα, ἀναγκαία εἰ
καταλάβοι χρεία, χρησαμένους παρὰ τῶν θεῶν πάλιν ἀποκαταστήσειν
ἐν εἰρήνῃ· τούς τε τῶν πολιτῶν βίους διὰ τὴν πολυχρόνιον εἰρήνην

431/0 *πολλὴν ἐπίδοσιν εἰληφέναι πρὸς εὐδαιμονίαν. χωρὶς δὲ τῶν χρημάτων* 4
τούτων στρατιώτας ἀπεδείκνυεν ὑπάρχειν τῇ πόλει χωρὶς συμμάχων
καὶ τῶν ἐν τοῖς φρουρίοις ὄντων ὁπλίτας μὲν μυρίους καὶ δισχιλίους,
τοὺς δ' ἐν τοῖς φρουρίοις ὄντας καὶ τοὺς μετοίκους ὑπάρχειν πλείους τῶν
μυρίων ἑπτακισχιλίων, τριήρεις τε τὰς παρούσας τριακοσίας. τοὺς δὲ 5
Λακεδαιμονίους χρημάτων τε σπανίζειν ἀπεδείκνυε καὶ ταῖς ναυτικαῖς
δυνάμεσι πολὺ λείπεσθαι τῶν Ἀθηναίων. ταῦτα διελθὼν καὶ παρορμή-
σας τοὺς πολίτας εἰς τὸν πόλεμον, ἔπεισε τὸν δῆμον μὴ προσέχειν τοῖς
Λακεδαιμονίοις. ταῦτα δὲ ῥᾳδίως συνετέλεσε διὰ τὴν δεινότητα τοῦ
λόγου, δι' ἣν αἰτίαν ὠνομάσθη Ὀλύμπιος. μέμνηται δὲ τούτων καὶ 6
Ἀριστοφάνης ὁ τῆς ἀρχαίας κωμῳδίας ποιητής, γεγονὼς κατὰ τὴν
τοῦ Περικλέους ἡλικίαν, ἐν τοῖσδε τοῖς τετραμέτροις (*Pax* 603–11),

ὦ λιπερνῆτες γεωργοί, τἀμά τις ξυνιέτω
ῥήματ', εἰ βούλεσθ' ἀκοῦσαι τήνδ' ὅπως ἀπώλετο.
605 *πρῶτα μὲν γὰρ αὐτῆς ἦρχε Φειδίας πράξας κακῶς,*
606 *εἶτα Περικλέης φοβηθεὶς μὴ μετάσχῃ τῆς τύχης,*
609 *ἐμβαλὼν σπινθῆρα μικρὸν Μεγαρικοῦ ψηφίσματος*
610 *ἐξεφύσησεν τοσοῦτον πόλεμον ὥστε τῷ καπνῷ*
πάντας Ἕλληνας δακρῦσαι, τούς τ' ἐκεῖ τούς τ' ἐνθάδε·

καὶ πάλιν ἐν ἄλλοις [*Εὔπολις ὁ ποιητής*] (*Ach.* 530–1),

Περικλέης οὑλύμπιος
ἤστραπτεν, ἐβρόντα, συνεκύκα τὴν Ἑλλάδα.

⟨*Εὔπολις δ' ὁ ποιητής*⟩ (fr. $94^{5\text{-}7}$)

πειθώ τις ἐπεκάθιζεν ἐπὶ τοῖς χείλεσιν·
οὕτως ἐκήλει καὶ μόνος τῶν ῥητόρων
τὸ κέντρον ἐγκατέλειπε τοῖς ἀκροωμένοις.

αἰτίαι μὲν οὖν τοῦ Πελοποννησιακοῦ πολέμου τοιαῦταί τινες ὑπῆρξαν, **41**
ὡς Ἔφορος ἀνέγραψε (fr. 196). *τῶν δ' ἡγουμένων πόλεων τοῦτον τὸν*
τρόπον εἰς πόλεμον ἐμπεσουσῶν, Λακεδαιμόνιοι μὲν μετὰ τῶν Πελο-
ποννησίων συνεδρεύσαντες ἐψηφίσαντο πολεμεῖν τοῖς Ἀθηναίοις, καὶ
πρὸς τὸν Περσῶν βασιλέα πρεσβεύσαντες παρεκάλουν συμμαχεῖν αὐτοῖς,
καὶ τοὺς κατὰ τὴν Σικελίαν καὶ Ἰταλίαν συμμάχους διαπρεσβευσάμενοι
διακοσίαις τριήρεσιν ἔπεισαν βοηθεῖν, αὐτοὶ δὲ μετὰ τῶν Πελοποννησίων 2
τὰς πεζὰς δυνάμεις διατάξαντες καὶ τἆλλα τὰ πρὸς τὸν πόλεμον ἡτοιμα-
σμένοι πρῶτοι τοῦ πολέμου κατήρξαντο. κατὰ γὰρ τὴν Βοιωτίαν ἡ τῶν
Πλαταιέων πόλις αὐτόνομος ἦν καὶ συμμαχίαν εἶχε πρὸς Ἀθηναίους. . . .

40^6, l. 4: *σοφώτατοι, τἀμὰ δὴ ξυνίετε* Ar. l. 6: *αὐτῆς ἦρξεν* Ar. l. 11: "*Εὔπολις ὁ ποιητής* delenda; cf. *Cic. ad Attic. xii.* 6^3 et *Orat. 29*" Vogel. *Εὔπολις* . . . *ἀκροωμένοις* del. Jacoby. l. 14: ⟨*Εὔπολις δ' ὁ ποιητής*⟩ add. Wesseling.

xii. 42^{3}: οἱ δὲ Λακεδαιμόνιοι κρίναντες καταλελύσθαι τὰς σπονδὰς 431/0
ὑπὸ τῶν Ἀθηναίων, δύναμιν ἀξιόλογον ἤθροισαν ἔκ τε τῆς Λακεδαί-
4 μονος καὶ παρὰ τῶν ἄλλων Πελοποννησίων. συνεμάχουν δὲ τότε
Λακεδαιμονίοις Πελοποννήσιοι μὲν πάντες πλὴν Ἀργείων· οὗτοι δ'
ἡσυχίαν εἶχον· τῶν δ' ἐκτὸς τῆς Πελοποννήσου Μεγαρεῖς, Ἀμβρακιῶται,
Λευκάδιοι, Φωκεῖς, Βοιωτοί, Λοκροὶ τῶν μὲν πρὸς Εὔβοιαν ἐστραμ-
5 μένων οἱ πλείους, τῶν δ' ἄλλων Ἀμφισσεῖς. τοῖς δ' Ἀθηναίοις συν-
εμάχουν οἱ τὴν παράλιον τῆς Ἀσίας οἰκοῦντες Κᾶρες καὶ Δωριεῖς καὶ
Ἴωνες καὶ Ἑλλησπόντιοι καὶ νησιῶται πάντες πλὴν τῶν ἐν Μήλῳ καὶ
Θήρᾳ κατοικούντων, ὁμοίως δὲ καὶ οἱ ἐπὶ Θρᾴκης πλὴν Χαλκιδέων
καὶ Ποτιδαιατῶν· πρὸς δὲ τούτοις Μεσσήνιοι μὲν οἱ τὴν Ναύπακτον
οἰκοῦντες καὶ Κερκυραῖοι ** αἱ δ' ἄλλαι πεζοὺς στρατιώτας ἐξέπεμπον.
σύμμαχοι μὲν οὖν ἀμφοτέροις ὑπῆρχον οἱ προειρημένοι.

xii. 54^{3}: καθόλου γὰρ οἱ Ἀθηναῖοι κατακτησάμενοι τὴν τῆς θαλάττης (427/6) ἡγεμονίαν καὶ μεγάλας πράξεις ἐπιτελεσάμενοι συμμάχων τε πολλῶν εὐπόρουν καὶ δυνάμεις μεγίστας ἐκέκτηντο καὶ χρημάτων τε πλῆθος ἕτοιμον παρέλαβον, μετακομίσαντες ἐκ Δήλου τὰ κοινὰ χρήματα τῶν Ἑλλήνων, ὄντα πλείω τῶν μυρίων ταλάντων, . . .

xii. 68^{1}: . . . Ἀμφίπολιν. ταύτην δὲ τὴν πόλιν πρότερον μὲν ἐπεχείρη- (424/3)
σεν οἰκίζειν Ἀρισταγόρας ὁ Μιλήσιος, φεύγων Δαρεῖον τὸν βασιλέα τῶν
2 Περσῶν· ἐκείνου δὲ τελευτήσαντος, καὶ τῶν οἰκητόρων ἐκπεσόντων ὑπὸ
Θρᾳκῶν τῶν ὀνομαζομένων Ἠδωνῶν, μετὰ ταῦτα ἔτεσι δυσὶ πρὸς τοῖς
τριάκοντα Ἀθηναῖοι μυρίους οἰκήτορας εἰς αὐτὴν ἐξέπεμψαν. ὁμοίως
δὲ καὶ τούτων ὑπὸ Θρᾳκῶν διαφθαρέντων περὶ Δράβησκον, διαλιπόντες
ἔτη δύο πάλιν ἀνεκτήσαντο τὴν πόλιν Ἅγνωνος ἡγουμένου.

xiii. 21^{3}: τίς γὰρ ἂν ἤλπισεν Ἀθηναίους, μύρια μὲν εἰληφότας ἐκ (413/2) Δήλου τάλαντα, τριήρεις δὲ διακοσίας εἰς Σικελίαν ἀπεσταλκότας καὶ τοὺς ἀγωνισομένους ἄνδρας πλείους τῶν τετρακισμυρίων, οὕτως μεγάλαις συμφοραῖς περιπεσεῖσθαι;

xiii. 75^{1}: καὶ παρὰ Λακεδαιμονίοις Πλειστῶναξ ὁ βασιλεὺς ἐτελεύτη- 408/7 σεν ἄρξας ἔτη πεντήκοντα, διαδεξάμενος δὲ τὴν ἀρχὴν Παυσανίας ἦρξεν ἔτη τετταρακαίδεκα.

xiii. 94^{5}: . . . καὶ πρότερον δὲ Καρχηδονίων τὰς τριάκοντα μυριάδας (406/5) περὶ τὴν Ἱμέραν νενικῆσθαι στρατηγοῦντος Γέλωνος αὐτοκράτορος.

xiii. 106^{10}: παραπλησίως δὲ καὶ τὸν πατέρα τοῦ Γυλίππου Κλέ- (405/4) αρχον συνέβη φυγεῖν ἐν τοῖς ἔμπροσθεν χρόνοις, ὅτι δόξας παρὰ Περικλέους λαβεῖν χρήματα περὶ τοῦ τὴν εἰσβολὴν εἰς τὴν Ἀττικὴν μὴ

---

xii. 42^{5}: post *Κερκυραῖοι* suppl. *τούτων ναυτικὸν παρείχοντο Χῖοι, Λέσβιοι, Κερκυραῖοι* ex *Thuc. ii.* 9^{5} Wesseling. 68^{2}, l. 5: *δύο* codd., sed cf. *xi.* 70^{5}, xii. 32^{3}, *Thuc. iv.* 102^{3}. *Ἅγνωνος* Wesseling, *Ἀπίωνος* codd.

(405/4) *ποιήσασθαι κατεδικάσθη θανάτῳ, καὶ φυγὼν ἐν Θουρίοις τῆς Ἰταλίας διέτριβεν.*

(386/5) xv. 5[4]: *διὸ καὶ τὸ μὲν πρῶτον πρέσβεις ἀποστείλαντες πρὸς τὴν Μαντίνειαν προσέταττον τὰ μὲν τείχη καθελεῖν, αὐτοὺς δὲ μετοικῆσαι πάντας εἰς τὰς ἀρχαίας πέντε κώμας, ἐξ ὧν εἰς τὴν Μαντίνειαν τὸ παλαιὸν συνῳκησαν.*

377/6 xv. 28[3]: *ὁ δὲ δῆμος μετεωρισθεὶς ἐπὶ τῇ τῶν συμμάχων εὐνοίᾳ κοινὸν συνέδριον ἁπάντων τῶν συμμάχων συνεστήσαντο, καὶ συνέδρους ἀπέδειξαν ἑκάστης πόλεως. ἐτάχθη δ' ἀπὸ τῆς κοινῆς γνώμης τὸ μὲν* 4
συνέδριον ἐν ταῖς Ἀθήναις συνεδρεύειν, πόλιν δὲ ἐπ' ἴσης καὶ μεγάλην καὶ μικρὰν μιᾶς ψήφου κυρίαν εἶναι, πάσας δ' ὑπάρχειν αὐτονόμους, ἡγεμόσι χρωμένας Ἀθηναίοις.

xv. 29[8]: *ἐψηφίσαντο δὲ καὶ τὰς γενομένας κληρουχίας ἀποκαταστῆσαι τοῖς πρότερον κυρίοις γεγονόσι, καὶ νόμον ἔθεντο μηδένα τῶν Ἀθηναίων γεωργεῖν ἐκτὸς τῆς Ἀττικῆς.*

DIOGENES LAERTIOS. *De clarorum philosophorum vitis*, ed. Hicks, London and New York (Loeb) 1925.

II. 3. *Ἀναξαγόρας*

ii. 3. 12: see Satyros, fr. 14.

II. 5. *Σωκράτης*

ii. 5. 19: *ἀκούσας* (sc. Sokrates) *δὲ Ἀναξαγόρου κατά τινας, ἀλλὰ καὶ Δάμωνος, ὡς Ἀλέξανδρος ἐν Διαδοχαῖς* (fr. 86), *μετὰ τὴν ἐκείνου καταδίκην διήκουσεν Ἀρχελάου τοῦ φυσικοῦ.*

VIII. 2. *Ἐμπεδοκλῆς*

viii. 2. 52: *Ἀπολλόδωρος δ' ὁ γραμματικὸς ἐν τοῖς Χρονικοῖς φησιν* (fr. 32) *ὡς*

> *ἦν μὲν Μέτωνος υἱός, εἰς δὲ Θουρίους*
> *αὐτὸν νεωστὶ παντελῶς ἐκτισμένους*
> *⟨ὁ⟩ Γλαῦκος ἐλθεῖν φησιν* (fr. 6).

viii. 2. 63: *φησὶ δ' αὐτὸν καὶ Ἀριστοτέλης* (fr. 66) *ἐλεύθερον γεγονέναι καὶ πάσης ἀρχῆς ἀλλότριον, εἴ γε τὴν βασιλείαν αὐτῷ διδομένην παρῃτήσατο, καθάπερ Ξάνθος ἐν τοῖς περὶ αὐτοῦ λέγει* (fr. 30), *τὴν λιτότητα δηλονότι πλέον ἀγαπήσας. τὰ δ' αὐτὰ καὶ Τίμαιος εἴρηκε* 64
(fr. 134), *τὴν αἰτίαν ἅμα παρατιθέμενος τοῦ δημοτικὸν εἶναι τὸν ἄνδρα.*

Diog. ii. 5. 19: *κατά τινας—ἀλλὰ καὶ Δάμωνος, ὡς Ἀλέξανδρος ἐν Διαδοχαῖς—μετὰ τὴν* Jacoby (sc. verba *μετὰ τὴν ἐκείνου καταδίκην* ad Anaxagoram spectant).

φησὶ γὰρ ὅτι κληθεὶς ὑπό τινος τῶν ἀρχόντων ⟨ὡς⟩ προβαίνοντος τοῦ δείπνου τὸ ποτὸν οὐκ εἰσεφέρετο, τῶν ἄλλων ἡσυχαζόντων, μισοπονήρως διατεθεὶς ἐκέλευσεν εἰσφέρειν· ὁ δὲ κεκληκὼς ἀναμένειν ἔφη τὸν τῆς βουλῆς ὑπηρέτην. ὡς δὲ παρεγένετο, ἐγενήθη συμποσίαρχος, τοῦ κεκληκότος δηλονότι καταστήσαντος, ὃς ὑπεγράφετο τυραννίδος ἀρχήν· ἐκέλευσε γὰρ ἢ πίνειν ἢ καταχεῖσθαι τῆς κεφαλῆς. τότε μὲν οὖν ὁ Ἐμπεδοκλῆς ἡσύχασε· τῇ δ' ὑστεραίᾳ εἰσαγαγὼν εἰς δικαστήριον ἀπέκτεινε καταδικάσας ἀμφοτέρους, τόν τε κλήτορα καὶ τὸν συμποσίαρχον. ἀρχὴ μὲν οὖν αὐτῷ τῆς πολιτείας ἥδε.

65 *πάλιν δ' Ἄκρωνος τοῦ ἰατροῦ τόπον αἰτοῦντος παρὰ τῆς βουλῆς εἰς κατασκευὴν πατρῴου μνήματος διὰ τὴν ἐν τοῖς ἰατροῖς ἀκρότητα παρελθὼν ὁ Ἐμπεδοκλῆς ἐκώλυσε, τά τ' ἄλλα περὶ ἰσότητος διαλεχθεὶς καί τι καὶ τοιοῦτον ἐρωτήσας· " τί δ' ἐπιγράψομεν ἐλεγεῖον ; ἢ τοῦτο ;*

ἄκρον ἰατρὸν Ἄκρων' Ἀκραγαντῖνον πατρὸς Ἄκρου
κρύπτει κρημνὸς ἄκρος πατρίδος ἀκροτάτης."

τινὲς δὲ τὸν δεύτερον στίχον οὕτω προφέρονται,

ἀκροτάτης κορυφῆς τύμβος ἄκρος κατέχει.

τοῦτό τινες Σιμωνίδου φασὶν εἶναι.

66 *ὕστερον δ' ὁ Ἐμπεδοκλῆς καὶ τὸ τῶν χιλίων ἄθροισμα κατέλυσε συνεστὸς ἐπὶ ἔτη τρία, ὥστε οὐ μόνον ἦν τῶν πλουσίων, ἀλλὰ καὶ τῶν τὰ δημοτικὰ φρονούντων. ὅ γέ τοι Τίμαιος ἐν τῇ ια' καὶ ιβ'* (fr. 2), *πολλάκις γὰρ αὐτοῦ μνημονεύει, φησὶν ἐναντίαν ἐσχηκέναι γνώμην αὐτὸν τῇ πολιτείᾳ φαίνεσθαι· ⟨ἔστιν⟩ ὅπου δ' ἀλαζόνα καὶ φίλαυτον ἐν τῇ ποιήσει [ἴδοι τις ἄν]· φησὶ γοῦν . . . .*

viii. 2. 72: *Νεάνθης δ' ὁ Κυζικηνὸς ὁ καὶ περὶ τῶν Πυθαγορικῶν εἰπών φησι* (fr. 28) *Μέτωνος τελευτήσαντος τυραννίδος ἀρχὴν ὑποφύεσθαι· εἶτα τὸν Ἐμπεδοκλέα πεῖσαι τοὺς Ἀκραγαντίνους παύσασθαι μὲν τῶν στάσεων, ἰσότητα δὲ πολιτικὴν ἀσκεῖν.*

IX. 8. *Πρωταγόρας*

ix. 8. 50: *Πρωταγόρας Ἀρτέμωνος ἢ . . . Μαιανδρίου Ἀβδηρίτης, καθά φησιν Ἡρακλείδης ὁ Ποντικὸς ἐν τοῖς Περὶ νόμων* (p. 48), *ὃς καὶ Θουρίοις νόμους γράψαι φησὶν αὐτόν.*

DIONYSIOS CHALKOUS. Diehl, *Anthologia Lyrica*², i, pp. 88 ff. (Edmonds, *Elegy and Iambus*, i, pp. 450 ff.). See PLUTARCH *Nic.* 5³.

Diog. viii. 2. 66: *ια' καὶ ιβ'* Beloch: *πρώτῃ καὶ δευτέρᾳ* codd. *⟨ἔν⟩ τε τῇ πολιτείᾳ ⟨καὶ ἐν τῇ ποιήσει· ὅπου μὲν γὰρ μέτριον καὶ ἐπιεικῆ⟩ φαίνεσθαι, ὅπου δὲ ἀλαζόνα καὶ φίλαυτον [ἐν τῇ ποιήσει]· φησὶ γοῦν* Diels, *ἔστιν* add. Richards.

DIONYSIOS HALIKARNASSEUS. *Antiquitates Romanae*, ed. Jacoby, Leipzig (Teubner) 1885–1905.

i. 3[2]: *Ἀθηναῖοι μέν γε αὐτῆς μόνον ἦρξαν τῆς παραλίου δυεῖν δέοντα ἑβδομήκοντα ἔτη καὶ οὐδὲ ταύτης ἁπάσης, ἀλλὰ τῆς ἐντὸς Εὐξείνου τε πόντου καὶ τοῦ Παμφυλίου πελάγους, ὅτε μάλιστα ἐθαλασσοκράτουν.*

491 vii. 1[3]: *ταῦθ' ἡ βουλὴ μαθοῦσα πρέσβεις διεπέμπετο πρὸς Τυρρηνοὺς
καὶ Καμπανοὺς καὶ τὸ καλούμενον Πωμεντῖνον πεδίον σῖτον ὅσον ἂν
δύναιντο πλεῖστον ὠνησομένους· Πόπλιος δὲ Οὐαλέριος καὶ Λεύκιος
Γεγάνιος εἰς Σικελίαν ἀπεστάλησαν, Οὐαλέριος μὲν υἱὸς ὢν Ποπλικόλα,
Γεγάνιος δὲ θατέρου τῶν ὑπάτων ἀδελφός. τύραννοι δὲ τότε κατὰ* 4
*πόλεις μὲν ἦσαν, ἐπιφανέστατος δὲ Γέλων ὁ Δεινομένους νεωστὶ τὴν
Ἱπποκράτους [τοῦ ἀδελφοῦ] τυραννίδα παρειληφώς, οὐχὶ Διονύσιος ὁ
Συρακούσιος, ὡς Λικίννιος γέγραφε καὶ Γέλλιος καὶ ἄλλοι συχνοὶ τῶν
Ῥωμαίων συγγραφέων οὐθὲν ἐξητακότες τῶν περὶ τοὺς χρόνους
ἀκριβῶς, ὡς αὐτὸ δηλοῖ τοὔργον, ἀλλ' εἰκῇ τὸ προστυχὸν ἀποφαινό-
μενοι. ἡ μὲν γὰρ εἰς Σικελίαν ἀποδειχθεῖσα πρεσβεία κατὰ τὸν* 5
δεύτερον ἐνιαυτὸν τῆς ἑβδομηκοστῆς καὶ δευτέρας ὀλυμπιάδος ἐξ-
491/0 *έπλευσεν ἄρχοντος Ἀθήνησιν Ὑβριλίδου, ἑπτακαίδεκα διελθόντων ἐτῶν
μετὰ τὴν ἐκβολὴν τῶν βασιλέων, ὡς οὗτοί τε καὶ οἱ ἄλλοι σχεδὸν
ἅπαντες συγγραφεῖς ὁμολογοῦσι· Διονύσιος δ' ὁ πρεσβύτερος . . ..*

453 x. 51[5]: *κεφάλαιον δ' ἐστὶν ὧν ὑμῖν παραινῶ* (sc. T. Romilius), *πρέσβεις ἑλέσθαι τοὺς μὲν εἰς τὰς Ἑλληνίδας πόλεις τὰς ἐν Ἰταλίᾳ, τοὺς δ' εἰς Ἀθήνας· οἵτινες αἰτησάμενοι παρὰ τῶν Ἑλλήνων τοὺς κρατίστους νόμους καὶ μάλιστα τοῖς ἡμετέροις ἁρμόττοντας βίοις οἴσουσι δεῦρο.*

451 x. 54[3]: *ἐν δὲ τῷ αὐτῷ καιρῷ παρεγένοντο ἀπό τ' Ἀθηνῶν καὶ τῶν ἐν Ἰταλοῖς Ἑλληνίδων πόλεων οἱ πρέσβεις φέροντες τοὺς νόμους.*

450 x. 57[5]: *οὗτοι οἱ δέκα ἄνδρες συγγράψαντες νόμους ἔκ τε τῶν Ἑλληνικῶν νόμων καὶ τῶν παρὰ σφίσιν αὐτοῖς ἀγράφων ἐθισμῶν προὔθηκαν ἐν δέκα δέλτοις τῷ βουλομένῳ σκοπεῖν, δεχόμενοι πᾶσαν ἐπανόρθωσιν ἰδιωτῶν καὶ πρὸς τὴν κοινὴν εὐαρέστησιν ἀπευθύνοντες τὰ γραφέντα.*

xx. 7[1]: *Ἀναξίλας δὲ Ῥηγίνων τὴν ἀκρόπολιν κατελάβετο καὶ πάντα τὸν τοῦ βίου χρόνον κατασχὼν Λεόφρονι τῷ παιδὶ τὴν ἀρχὴν κατέλιπε.*

Opuscula, edd. Usener and Radermacher, Leipzig (Teubner) 1899.

περὶ τῶν ἀρχαίων ῥητόρων· Λυσίας.

Lysias 1: *Λυσίας ὁ Κεφάλου Συρακουσίων μὲν ἦν γονέων, ἐγεννήθη*

Ant. Rom. vii. 1[4]: τοῦ ἀδελφοῦ del. Cobet.

δὲ Ἀθήνησι μετοικοῦντι τῷ πατρὶ καὶ συνεπαιδεύθη τοῖς ἐπιφανεστάτοις Ἀθηναίων. ἔτη δὲ πεντεκαίδεκα γεγονὼς εἰς Θουρίους ᾤχετο πλέων σὺν ἀδελφοῖς δυσίν, κοινωνήσων τῆς ἀποικίας, ἣν ἔστελλον Ἀθηναῖοί τε καὶ ἡ ἄλλη Ἑλλὰς δωδεκάτῳ πρότερον ἔτει τοῦ Πελοποννησιακοῦ πολέμου, καὶ διετέλεσεν αὐτόθι πολιτευόμενος ἐν εὐπορίᾳ πολλῇ καὶ ⟨παιδευόμενος παρὰ Τισίᾳ τε καὶ Νικίᾳ⟩ μέχρι τῆς συμφορᾶς τῆς κατασχούσης Ἀθηναίους ἐν Σικελίᾳ. μετ' ἐκεῖνο δὲ τὸ πάθος στασιάσαντος τοῦ δήμου ἐκπίπτει σὺν ἄλλοις τριακοσίοις ἀττικισμὸν ἐγκληθείς.

DIYLLOS. *FGrH* 73 (*FHG* ii, pp. 360 ff.).

fr. 3 (1) (Plut. 862b): ὅτι μέντοι δέκα τάλαντα δωρεὰν ἔλαβεν (sc. Herodotos) ἐξ Ἀθηνῶν, Ἀνύτου τὸ ψήφισμα γράψαντος, ἀνὴρ Ἀθηναῖος οὐ τῶν παρημελημένων ἐν ἱστορίᾳ Δίυλλος εἴρηκεν.

DOURIS. *FGrH* 76 (*FHG* ii, pp. 466 ff.).

Σαμίων Ὧροι

fr. 65 (58): see Harpokration s.v. Ἀσπασία.
fr. 66 (59): see Photios s.v. Σαμίων ὁ δῆμος.
fr. 67 (60): see Plutarch, *Per.* 28^2.

EPHOROS. *FGrH* 70 (*FHG* i, pp. 234 ff.).

Ἱστορίαι

fr. 56 (98): see Stephanus Byz. s.v. Ἁλιεῖς.

fr. 139 (47) (Strabo vi. 1^8. 260): τῆς δὲ τῶν Λοκρῶν νομογραφίας μνησθεὶς Ἔφορος, ἣν Ζάλευκος συνέταξεν ἔκ τε τῶν Κρητικῶν νομίμων καὶ Λακωνικῶν καὶ ἐκ τῶν Ἀρεοπαγιτικῶν, φησὶν ἐν τοῖς πρώτοις καινίσαι τοῦτο τὸν Ζάλευκον ὅτι τῶν πρότερον τὰς ζημίας τοῖς δικασταῖς ἐπιτρεψάντων ὁρίζειν ἐφ' ἑκάστοις τοῖς ἀδικήμασιν, ἐκεῖνος ἐν τοῖς νόμοις διώρισεν, ἡγούμενος τὰς μὲν γνώμας τῶν δικαστῶν οὐχὶ τὰς αὐτὰς εἶναι περὶ τῶν αὐτῶν, δεῖν δὲ τὰς αὐτὰς ⟨εἶναι τὰς ζημίας⟩. ἐπαινεῖ δὲ καὶ τὸ ἁπλουστέρως περὶ [τῶν αὐτῶν] συμβολαίων διατάξαι. Θουρίους δ' ὕστερον ἀκριβοῦν θέλοντας πέρα τῶν Λοκρῶν ἐνδοξοτέρους μὲν γενέσθαι, χείρονας δέ· εὐνομεῖσθαι γὰρ οὐ τοὺς ἐν τοῖς νόμοις ἅπαντα φυλαττομένους τὰ τῶν συκοφαντῶν, ἀλλὰ τοὺς ἐμμένοντας τοῖς ἁπλῶς κειμένοις.

Dion. *Lys.* 1: lacunam expl. Usener conl. *Plut. 835d. Diyllos: Ἀνύτου Turnebus, ἀντὶ τοῦ codd. Ephoros fr. 139, l. 8: suppl. et del. Jacoby, alii alia.

fr. 189 (114): see Plutarch 855f.
fr. 190 (115): see Plutarch, *Them.* 27[1].
fr. 191 (Pap.Oxy. xiii. 1610):

fr. 1

[. . . . . . .]. ạν κ̣[. . . .]
[. . . . . . .]ι̣ ποτε τ .[. .]
[. . . . . . .]την τ̣[. . . .]
[. . . . . . .]νι̣ . [. . ἀνα]-
γ[κ]ạῖόν [ἐ]στιṿ [. . . . .]
ε̣ἰ̣[s] τ̣ὰ τότε π[ερὶ τοῦ]
Θεμιστοκλέο[υς. λέ]-
γουσι δ' οἱ μὲν ọ̔́[τι ὑπέ]-
μνησεν αὐτ̣[ὸν ὧν]
περί τε τῆς ν[αυμα]-
χίας καὶ τῆς γ[εφύρας]
[προ]ήγγειλε· π[ερὶ μὲν]
[τῆ]ṣ ναυμαχ[ίας . . .]
[. .] . ạ[. . . . . . .]

fr. 2

[. . .]ων ἐσπọụ́δ̣[ασε·]
[τίς] δὲ τοσούτο̣ι̣[ς δι]-
[ὰ τ]ῶν ἔργω[ν . . . .]

fr. 3

[.]ε[. .]ω[. .] ἐκ[εῖνον]
μ̣ὲν ὑπὸ τῆς πόλε[ως]
ἠτιμασμένον, τ[ὴν]
δὲ πόλιν διὰ τ[ὰ]ṣ ἐ-
κείνου πράξε̣[ι]ς τῆς
μεγίστης τιμῆς ὑπὸ
τῶν Ἑλλήνων ἀξι-
ωθεῖσαν· ἣ μεγάλην
[ἡγεμονί]αν(?) οἷον τ̣ .

frs. 4–5

[. . . . . σο]φ̣[ωτάτην καὶ]
[δικαι]οτ̣ạ́[την(?) . . .]
[. . . .]τα[τ]η[ν] κ̣[αὶ]
[χαλεπ]ωτάτην [γενο]-
[μένη]ṿ πρὸς ἐκε[ῖνον.]
[οἱ δ' ὑ]πολαμβάνου[σιν]
[ὅτι εἴ]περ ἐβουλή[θη]
[ἐκδο]ῦναι(?) τ̣ὴ̣[ν ἡ̣γε]-
[μονία]ν ạπ̣ạ[. . . .]

fr. 6

ε̣ι̣ρη̣[μεν . . . ὅθεν]
παρεξ[έβ]ημ̣εν· Ἀ[θη]-
ναῖοι [δ]ὲ Κ[ί]μωνος
τοῦ Μιλτιάδου στρα-
τηγοῦντος ἐκπλεύ-
σαντες ἐκ Βυζαντί-
ου μετὰ τῶν συμμά-
χων [Ἠι]όνα τὴν ἐπὶ
Στρ[υμό]νι Περσῶν ἐ-
χόν[τω]ν εἷλον καὶ
[Σκῦρο]ṿ, ἣν ṿῆσ̣[ο]ṿ

fr. 7, col. i

[. . . . .]τ̣ην
[. . . . .]ṿειται
[. . . . .] . ηṣ αὐ-
[τοῦ γὰρ(?) πρ̣]ὸς Λυκο-
[μήδην τὸν β]ạσ̣ι̣λ̣έ̣ạ

fr. 8

[παραθ]αλα[ττίων]
[καλο]υμένω[ν πόλε]-
[ων ὅσ]αι μὲν ἐκ τ[ῆς]
[Ἑλλά]δος ἦσα[ν ἀ]-
[πωι]κισμέναι π[αρα]-
χρῆμα σ̣υṿ[έπεισε]

fr. 191: fortasse epitome Ephori. fr. 191[4–5]: [ἐπα]νι[έναι ἀνα]γ[κ]αῖόν [ἐ]στιν [αὖθις] Bury. 191[18]: ε[ὕρ]ω[μεν] coni. Jacoby conl. Diod. xi. 59[3].

frs. 9–10, 53, col. i

[. . . . . . . Κίμων πυν]-
[θανόμενος τὸ]ν̣ τ[ῶν]
[Περσῶν στόλο]ν περὶ
[τὴν Κύπρον συ]ντετά-
[χθαι, διακοσί]α̣ις πεν̣-
[τήκοντα π]ρ̣[ὸς] τρια̣-
[κοσίας κ]α̣ὶ τετταρ[ά]-
[κοντα]. παραταχ[θεί]-
[σ]ας δὲ πολὺν χρόνο[ν]
πολλὰς μὲν τῶν κ̣[ιν]-
δυνευουσῶν βαρβα̣[ρι]-
κῶν νεῶν διέφθε̣[ι]-
[ρ]εν, ἑκατὸν δ' αὐτοῖς
ἀνδράσιν εἷλε ζωγρή-
[σας τ]ὸν π̣[. . . . .]ων.

fr. 11

[. . . . . τὸν μὲ]ν
[στρατηγὸ]ν̣ αὐτῶν
[Φερενδάτη]ν̣ ἀδελ-
[φιδοῦν ὄντ]α̣ τοῦ βασ[ι]-
[λέως ἐν τῆι] σκηνῆι

frs. 12–13, col. ii

[. . . . .]ε̣
[. .] δ̣ιετέλ[ουν ὄ]ν̣τες·
[ὥστ]ε νομίζοντες ἀ-
πὸ τῆς ἠπείρ[ου] τὴν
ἔφοδον αὐτ[οῖς γεγ]ο-
νέναι τῶν π[ο]λ̣ε̣μί-
ων πρὸς τὰ[ς] ν̣α̣ῦ[ς] ἔ̣-
φευγον, ὑπολαμβά-
νοντες αὐτοῖς εἶναι
φιλίας. οὐ δὴ πολλοὶ
μὲν ὑπὸ τῶν κατα-
λ̣ε̣ιφθέντων ἐκεῖ
φυλάκων ἀπέθνη-
[σκον] ἐν τῆι νυκτί,
πολλοὶ δὲ ζῶντες ἡ-
λίσκοντο, περιπίπτον-
τες τοῖς Ἕ̣λ̣λ̣ησιν διὰ
τὴν ἀπορίαν ὅπου
τ̣[ρ]άπ[ο]ι̣[ντο] καὶ τὸν
[ἐ]ξ[αίφνης] αὐτοῖς ἐ̣-
[πιπεσόντα φόβ]ον(?)
[. . . . .] α̣τα̣

fr. 14

[ ]στρα[τιωτ?]
[ ]νυ[κτ?]
[αὐ]τοῖς πυρ[σὸν?]
[ ]ιηνα[. . . . .]
[. . .]ο̣ν . [ ]

fr. 16

[. . . . . . . ἀνε]κ̣ο̣ι̣νοῦ-
[το τὴν . . . .]. ιν πρὸς
[τὸν συνευνοῦχον(?)] Μιθρι-
[δάτην κατα]κ̣[ο]ιμι-
[στὴν τοῦ βασιλέ]ω̣ς
[. . . . .]ν

fr. 15

[. . . . . τ]ους(?)[. .]
[. . . λογχ]ο̣φόρους(?) ω̣[.]
[. . . . . .]ων ἐτύγχα-
[νεν ὁ Ἀ]ρταξέρξης
[ἅμα μ]ὲν αὐτὸς κατα-
[σχεῖν τ]ὴν βασιλείαν
[βουλόμ]ενος, ἅμα δὲ
[δεδιὼ]ς μὴ πρᾶγ-
[μα]

fr. 35

Πε̣λασγούς̣[
]ν τινα[
κα]ταφυγ[

101: οὐ Jacoby, οὗ alii. frr. 16–15 sic ordinavit Schmidt.

fr. 192 (116): see Plutarch, *Cim.* $12^{5, 6}$.
fr. 193 (118): see Schol. Aristophanes, *Nub.* 859.
fr. 194 (117): see Plutarch, *Per.* 27^{3}.
fr. 195 (117): see Plutarch, *Per.* 28^{2}.
fr. 196 (119): see Diodoros xii. $38–41^{1}$.

EPICHARMOS. Kaibel, *Comicorum Graecorum Fragmenta*, Berlin 1899, i, pp. 88 ff.

Ἐλπὶς ἢ Πλοῦτος

fr. 35 (Athen. vi. 236a) l. 9:

ἕρπω δ' ὀλισθράζων τε καὶ κατὰ σκότος
ἔρημος· αἴ κα δ' ἐντύχω τοῖς περιπόλοις,
τοῦθ' οἷον ἀγαθὸν ἐπιλέγω τοῖς θεοῖς, ὅτι
οὐ λῶντι πλεῖον ἀλλὰ μαστιγοῦντί με.

Νᾶσοι

fr. 98: see Schol. Pindar, *Pyth.* i. 52 (99)a.

ERATOSTHENES. *FGrH* 241.
fr. 27: see Plutarch, *Them.* 27^{8}.
fr. 38: see Schol. Aristophanes, *Av.* 556.
See also Strabo i. 3^{1}. 47 (Damastes fr. 8).

EUPHRONIOS. ed. Strecker, *De Lycophrone Euphronio Eratosthene comicorum interpretibus*, Greifswald 1884.
fr. 94: see Schol. Aristophanes, *Av.* 997.

EUPOLIS. Kock, *Comicorum Atticorum Fragmenta*, i, pp. 258 ff.

Δῆμοι

fr. 93: see Plutarch, *Per.* 3^{7}.
fr. 94 (Schol. Aristophanes, *Ach.* 530, Diod. xii. 40^{6}):

κράτιστος οὗτος ἐγένετ' ἀνθρώπων λέγειν·
ὁπότε παρέλθοι δ', ὥσπερ ἀγαθοὶ δρομῆς,
ἐκ δέκα ποδῶν ᾕρει λέγειν τοὺς ῥήτορας,
ταχὺν λέγεις μέν, πρὸς δέ γ' αὐτοῦ τῷ τάχει
πειθώ τις ἐπεκάθιζεν ἐπὶ τοῖς χείλεσιν·
οὕτως ἐκήλει καὶ μόνος τῶν ῥητόρων
τὸ κέντρον ἐγκατέλειπε τοῖς ἀκροωμένοις.

fr. 98: see Plutarch, *Per.* 24^{10}, Harpokration s.v. *Ἀσπασία*, Schol. Plato, *Menex.* 235e.

Κόλακες

fr. 154 (Athen. vii. 328e):

ἐκεῖνος ἦν φειδωλός, ὃς ἐπὶ τοῦ βίου
πρὸ τοῦ πολέμου μὲν τριχίδας ὠψώνησ' ἅπαξ,
ὅτε τὰν Σάμῳ δ' ἦν, ἡμιωβολίου κρέα.

Πόλεις

fr. 208: see Plutarch, *Cim.* 15^4.
fr. 212: see Schol. Aristophanes, *Pax* 1046.
fr. 232: see Schol. Aristophanes, *Av.* 880.
fr. 233 (schol. Ar. *Pax* 1176):

A.— *ἡ δ' ὑστάτη ποῦ 'σθ';*
B.— *ἡδὲ Κύζικος πλέα στατήρων.*
A.— *ἐν τῇδε τοίνυν τῇ πόλει φρουρῶν ποτ' αὐτὸς . . ..*

fr. 240: see Schol. Aristophanes, *Ach.* 504.

Προσπάλτιοι

fr. 249: see Schol. Plato, *Menex.* 235e.

Φίλοι

fr. 274: see Schol. Plato, *Menex.* 235e.

EURIPIDES. Nauck, *Tragicorum Graecorum Fragmenta*², (Leipzig (Teubner) 1926.

fr. 473: see Plutarch, *Cim.* 4^5.

EUSEBIOS. *Chronica*, ed. Schoene, Berlin 1866–75.

(*a*) i, p. 126, ii, p. 104, Sync. 478. 6: *Περσῶν ϝ' ἐβασίλευσεν Ἀρτάβανος υἱὸς Ξέρξου μῆνας ζ'.*

i, p. 126, ii, p. 104, Sync. 478. 8: *Περσῶν ζ' ἐβασίλευσεν Ἀρταξέρξης Ξέρξου ὁ λεγόμενος Μακρόχειρ ἔτη μα'.*

(*b*) ii. Jer. *Ol.* 75^2: Athenienses Piraeum muro vallant. 479/8
Sync. 470. 5: *Ἀθηναῖοι τὸν Πειραιᾶ ἐτείχισαν.*

(*c*) Jer. *Ol.* 75^4: Hieron Syracusis regnat. 477/6
Jer. *Ol.* 76^2: Hieron post Gelonem Syracusis tyrannidem exercet. 475/4

Eup. fr. 233, l. 2: *ἐγὼ* post *φρουρῶν* add. Hermann.

473/2 Vers. Arm. *Ol.* 76^{4}: Hieron in Syracusanos tyrannidem exercuit post Gelonem.

Sync. 483. 11: *Ἱέρων Συρακουσίων ἐτυράννει καὶ ὅλης Σικελίας.*

472/1 (*d*) Jer. *Ol.* 77^{1}: Themistocles in Persas fugit.

471/0 Vers. Arm. *Ol.* 77^{2}: Themêstocles in Persas fugit.

Chr. Pasc. 303. 8: *Θεμιστοκλῆς εἰς Πέρσας ἔφυγεν.*

Sync. 483. 13: *Θεμιστοκλῆς εἰς Πέρσας φεύγει διὰ τὴν Ἀθηναίων ἄνοιαν, ὃς αἷμα ταύρου πιὼν τελευτᾷ.*

466/5 Vers. Arm. *Ol.* 78^{3}: Themêstocles poto tauri sanguine obiit.

466/5 Jer. *Ol.* 78^{3}: Themistocles hausto tauri sanguine moritur.

463/2 (*e*) Vers. Arm. *Ol.* 79^{2}: in Sicilia democratiam habuerunt.

462/1 Jer. *Ol.* 79^{3}: Sicilia a populo regebatur.

Sync. 483. 15: *Σικελίας δημοκρατία.*

461/0 (*f*) Vers. Arm. *Ol.* 79^{4}: Cimon iuxta fluvium Eurimedontem et Persas navali proelio vincebat, et Medicum bellum cessabat (sedabatur).

461/0 Jer. *Ol.* 79^{4}: Cimon iuxta Eurymedontem Persas navali pedestrique certamine superat et Medicum bellum conquiescit.

Sync. 470. 7: *Κίμων ἐπ' Εὐρυμέδοντι Πέρσας ἐνίκα ναυμαχίᾳ καὶ πεζομαχίᾳ. καὶ ὁ Μηδικὸς πόλεμος ἐπαύσατο.*

(*g*) Jer. *Ol.* 82^{2}: Romani per legatos ab Atheniensibus iura petierunt ex quibus duodecim tabulae conscribtae.

451/0 Sync. 484. 6: *νόμους ἐκ τῆς Ἑλλάδος Ῥωμαῖοι μετεστείλαντο, ἀφ' ὧν τὰς δώδεκα δέλτους συνέθηκαν.*

447/6 (*h*) Vers. Arm. *Ol.* 83^{2}: Athenienses et Lacedmonii XXX annorum reconciliationem (inducias) fecerunt.

446/5 Vers. Arm. *Ol.* 83^{3}: Erodotus Athenis libros (suos) legens honoratus est.

445/4 Jer. *Ol.* 83^{4}: Athenienses et Lacedaemonii foedus XXX annorum ineunt.

Herodotus cum Athenis libros suos in concilio legisset honoratus est.

Sync. 470. 17: *Ἀθηναῖοι καὶ Λακεδαιμόνιοι σπονδὰς ἐποιήσαντο πρὸς ἀλλήλους τριακοντούτεις.*

Sync. 470. 19: *Ἡρόδοτος ἱστορικὸς ἐτιμήθη παρὰ τῆς Ἀθηναίων βουλῆς ἐπαναγνοὺς αὐτοῖς τὰς βίβλους.*

440/39 (*i*) Vers. Arm. *Ol.* 85^{1}: Phidias eburneam Minervae statuam fecit.

Jer. *Ol.* 85²: Fidias eburneam Minervam facit. 439/8

Sync. 471. 7: *Φειδίας πλάστης καὶ ἀγαλματοποιὸς ἐγνωρίζετο, ὅς τὴν ἐλεφαντίνην Ἀθηνᾶν ἐποίησε.*

(*j*) Vers. Arm. *Ol.* 87¹: Peleponesiacum bellum initium habuit, perdurans annis XXI. 432/1

Jer. *Ol.* 87¹: initium belli Peloponnesiaci. 432/1

Sync. 489. 3: *ὁ Πελοποννησίων καὶ Ἀθηναίων πόλεμος ἑπτακαιεικοσαέτης, ὃν Θουκυδίδης συνέγραψε, δι' Ἀσπασίας πόρνας δύο καὶ στήλας κατα Μεγαρέων ἀστυγειτόνων Ἀθηναίοις συνέστη.*

EUSTATHIOS. *Vita Pindari*, see PINDAR.

FRONTINUS. *Strategemata*, ed. Gundermann, Leipzig (Teubner) 1888.

iii. 2⁵: Cimon dux Atheniensium in Caria insidiatus cuidam civitati religiosum incolis templum Dianae lucumque, qui extra muros erat, noctu inprovisus incendit: effusisque oppidanis ad opem adversus ignes ferendam vacuam defensoribus cepit urbem.

iii. 9⁵: Pericles ⟨dux⟩ Atheniensium, cum oppugnaret quandam civitatem magno consensu defendentium tutam, nocte ab ea parte murorum, quae mari adiacebat, classicum cani clamoremque tolli iussit: hostes penetratum illic in oppidum rati reliquerunt portas, per quas Pericles destitutas praesidio inrupit.

GLAUKOS (GLAUKON). *FHG* ii, pp. 23 f.

περὶ ποιητῶν καὶ μουσικῶν fr. 6: see Diogenes Laertios viii. 2. 52 (Apollodoros, fr. 32).

GORGIAS. Diels–Kranz, *Die Fragmente der Vorsokratiker*⁵, Berlin 1934–7 (82, ii, pp. 271 ff.).

fr. B 20: see Plutarch, *Cim.* 10⁵.

HARPOKRATION. *Lexicon in decem oratores Atticos*, ed. Dindorf, Oxford 1853.

Ἀλέξανδρος· . . . οὗτός ἐστιν ὁ ἐπικαλούμενος φιλέλλην.

Ἀμφίπολις· . . . πόλις αὕτη τῆς Θρᾴκης. πρότερον δὲ Ἐννέα ὁδοὶ ἐκαλεῖτο, ὡς Ἀνδροτίων ἐν ιβʹ Ἀτθίδος (fr. 33).

Harp. s.v. *Ἀμφίπολις*: *ιβʹ* codd., *βʹ* Schwartz.

ἀνάκρισις· ἐξέτασις ὑφ' ἑκάστης ἀρχῆς γινομένη πρὸ τῶν δικῶν περὶ τῶν συντεινόντων εἰς τὸν ἀγῶνα. ἐξετάζουσι δὲ καὶ εἰ ὅλως εἰσάγειν χρή.

ἀπόταξις· τὸ χωρὶς τετάχθαι τοὺς πρότερον ἀλλήλοις συντεταγμένους εἰς τὸ ὑποτελεῖν τὸν ὡρισμένον φόρον· Ἀντιφῶν ἐν τῷ περὶ τοῦ Σαμοθρᾳκῶν φόρου (fr. 55) (= Suidas s.v.).

Ἀσπασία· Λυσίας ἐν τῷ πρὸς Αἰσχίνην τὸν Σωκρατικόν (fr. 1 n.), *οὗ διάλογος ἐπιγραφόμενος Ἀσπασία* (fr. ix). *μνημονεύουσι δ' αὐτῆς πολλάκις καὶ οἱ ἄλλοι Σωκρατικοί, καὶ Πλάτων ἐν τῷ Μενεξένῳ* (235e) *τὸν Σωκράτην παρ' αὐτῆς φησὶ μαθεῖν τὰ πολιτικά. ἦν δὲ τὸ μὲν γένος Μιλησία, δεινὴ δὲ περὶ λόγους· Περικλέους δέ φασιν αὐτὴν διδάσκαλόν τε ἅμα καὶ ἐρωμένην εἶναι. δοκεῖ δὲ δυοῖν πολέμων αἰτία γεγονέναι, τοῦ τε Σαμιακοῦ καὶ τοῦ Πελοποννησιακοῦ, ὡς ἔστι μαθεῖν παρά τε Δούριδος τοῦ Σαμίου* (fr. 65) *καὶ Θεοφράστου ἐκ τοῦ δ' τῶν Πολιτικῶν καὶ ἐκ τῶν Ἀριστοφάνους Ἀχαρνέων* (526 ff.). *δοκεῖ δὲ καὶ ἐξ αὐτῆς ἐσχηκέναι ὁ Περικλῆς τὸν ὁμώνυμον αὐτῷ Περικλέα τὸν νόθον, ὡς ἐμφαίνει καὶ Εὔπολις ἐν τοῖς Δήμοις* (fr. 98).

Ἀττικοῖς γράμμασιν· see Theopompos, fr. 154.

διὰ μέσου τείχους· . . . τριῶν ὄντων τειχῶν ἐν τῇ Ἀττικῇ, ὡς καὶ Ἀριστοφάνης φησὶν ἐν Τριφάλητι (fr. 556), *τοῦ τε βορείου καὶ τοῦ νοτίου καὶ τοῦ Φαληρικοῦ, διὰ μέσου τῶν παρ' ἑκάτερα ἐλέγετο τὸ νότιον, οὗ μνημονεύει καὶ Πλάτων ἐν Γοργίᾳ* (455e).

ἐκλογεῖς· οἱ ἐκλέγοντες καὶ εἰσπράττοντες τὰ ὀφειλόμενα τῷ δημοσίῳ. Ἀντιφῶν ἐν τῷ περὶ τοῦ Σαμοθρᾳκῶν φόρου (fr. 52) " *ᾑρέθησαν γὰρ ἐκλογεῖς παρ' ἡμῖν οἷς πλεῖστα ἐδόκει χρήματα εἶναι* ". *Λυσίας ἐν τῷ πρὸς Ἀρέσανδρον* (fr. 9) " *νῦν δὲ πρὸς τοὺς ἐκλογέας τοῦ φόρου ἅπαντα ἀπογραφόμεθα* ".

Ἑλλανοδίκαι· . . . Ἀριστοτέλης Ἠλείων πολιτείᾳ (fr. 492) *τὸ μὲν πρῶτόν φησιν ἕνα καταστῆσαι τοὺς Ἠλείους Ἑλλανοδίκην, χρόνου δὲ διελθόντος β', τὸ δὲ τελευταῖον θ'. Ἀριστόδημος δ' ὁ Ἠλεῖός φησι* (fr. 2) *τοὺς τελευταίους τιθέντας τὸν ἀγῶνα Ἑλλανοδίκας εἶναι ι', ἀφ' ἑκάστης φυλῆς ἕνα.*

ἐπίσκοπος· Ἀντιφῶν ἐν τῷ περὶ τοῦ Λινδίων φόρου (fr. 30) *καὶ ἐν τῷ κατὰ Λαισποδίου* (fr. 23). *ἐοίκασιν ἐκπέμπεσθαί τινες ὑπὸ Ἀθηναίων εἰς τὰς ὑπηκόους πόλεις ἐπισκεπτόμενοι τὰ παρ' ἑκάστοις. Θεόφραστος γοῦν ἐν α' τῶν Πολιτικῶν τῶν πρὸς καιρούς φησιν* (fr. 129) *οὕτω* " *πολλῷ γὰρ κάλλιον κατά γε τὴν τοῦ ὀνόματος θέσιν, ὡς οἱ Λάκωνες ἁρμοστὰς φάσκοντες εἰς τὰς πόλεις πέμπειν, οὐκ ἐπισκόπους οὐδὲ φύλακας, ὡς Ἀθηναῖοι* ".

Ἱπποδάμεια· Δημοσθένης ἐν τῷ πρὸς Τιμόθεον (*xlix.* 22) *ἀγοράν* φησιν εἶναι ἐν Πειραιεῖ καλουμένην Ἱπποδάμειαν ἀπὸ Ἱπποδάμου Μιλησίου ἀρχιτέκτονος τοῦ οἰκοδομησαμένου τοῖς Ἀθηναίοις τὸν Πειραιᾶ.

Λύκειον· . . . ἓν τῶν παρ' Ἀθηναίοις γυμνασίων ἐστὶ τὸ Λύκειον, ὃ Θεόπομπος μὲν ἐν τῇ κα' (fr. 136) Πεισίστρατον ποιῆσαι, Φιλόχορος δ' ἐν τῇ δ' (fr. 37) Περικλέους φησὶν ἐπιστατοῦντος αὐτὸ γενέσθαι.

ναυτοδίκαι· see Krateros, fr. 4.

νομοφύλακες· ἀρχή τις παρ' Ἀθηναίοις οὕτως ἐκαλεῖτο, διαφέρουσα τῶν θεσμοθετῶν· . . . Φιλόχορος δὲ ἐν τῷ ζ' (fr. 64a) ἄλλα τέ τινα διεξῆλθε περὶ αὐτῶν καὶ ὅτι οὗτοι τὰς ἀρχὰς ἐπηνάγκαζον τοῖς νόμοις χρῆσθαι.

ὁ κάτωθεν νόμος· . . . Δίδυμος (p. 313) ". . . ἢ ἐπεί" φησι "τοὺς ἄξονας καὶ τοὺς κύρβεις ἄνωθεν ἐκ τῆς ἀκροπόλεως εἰς τὸ βουλευτήριον καὶ τὴν ἀγορὰν· μετέστησεν Ἐφιάλτης, ὥς φησιν Ἀναξιμένης ἐν Φιλιππικοῖς" (fr. 13).

Πολύγνωτος· . . . περὶ Πολυγνώτου τοῦ ζωγράφου, Θασίου μὲν τὸ γένος, υἱοῦ δὲ καὶ μαθητοῦ Ἀγλαοφῶντος, τυχόντος δὲ τῆς Ἀθηναίων πολιτείας ἤτοι ἐπεὶ τὴν Ποικίλην στοὰν ἔγραψε προῖκα, ἢ ὡς ἕτεροι, τὰς ἐν τῷ Θησείῳ καὶ τῷ Ἀνακείῳ γραφάς, ἱστορήκασιν ἄλλοι τε καὶ Ἀρτέμων ἐν τῷ περὶ ζωγράφων (fr. 13) καὶ Ἰόβας ἐν τοῖς περὶ γραφικῆς (fr. 21) (fere eadem Suidas s.v.).

Προπύλαια ταῦτα· . . . περὶ δὲ τῶν προπυλαίων τῆς ἀκροπόλεως, ὡς ἐπὶ Εὐθυμένους ἄρχοντος οἰκοδομεῖν ἤρξαντο Ἀθηναῖοι Μνησικλέους 437/6
ἀρχιτεκτονοῦντος, ἄλλοι τε ἱστορήκασι καὶ Φιλόχορος ἐν τῇ δ' (fr. 36). Ἡλιόδωρος δ' ἐν α' περὶ τῆς Ἀθήνησιν ἀκροπόλεως (fr. 1) μεθ' ἕτερα καὶ ταῦτά φησιν "ἐν ἔτεσι μὲν ε' παντελῶς ἐξεποιήθη, τάλαντα δὲ ἀνηλώθη δισχίλια ιβ'· πέντε δὲ πύλας ἐποίησαν, δι' ὧν εἰς τὴν ἀκρόπολιν εἰσίασιν." (Ἡλιόδωρος . . . εἰσίασιν = Suidas s.v.)

σύμβολα· τὰς συνθήκας, ἃς ἂν ἀλλήλαις αἱ πόλεις θέμεναι τάττωσι τοῖς πολίταις ὥστε διδόναι καὶ λαμβάνειν τὰ δίκαια.

συντελεῖς· οἱ συνδαπανῶντες καὶ συνεισφέροντες· τὸ δὲ πρᾶγμα συντέλεια καλεῖται, ὡς ἔστιν εὑρεῖν ἐν τῷ Ἀντιφῶντος περὶ τοῦ Σαμοθρᾳκῶν φόρου (fr. 56).

HELIODOROS. *FGrH* 373 (*FHG* iv, pp. 425 ff.).

περὶ τῆς Ἀθήνησιν ἀκροπόλεως fr. 1 (1): see Harpokration (= Suidas) s.v. *Προπύλαια ταῦτα*.

HELLANIKOS. *FGrH* 4 (*FHG* i, pp. 45 ff.).

fr. 113 (90): see Schol. Pindar, *Ol.* iii. 12 (22)a.

Harp. s.v. *Πολύγνωτος*, l. 4: *Θησείῳ* Valckenaer, *θησαυρῷ* codd. et Suidas.

HELLENICA OXYRHYNCHIA edd. Grenfell and Hunt, Oxford (OCT) 1909.

xi. 2: *εἶχεν δὲ τὰ πράγματα τότε* (sc. 395 B.C.) *κατὰ τὴν Βοιωτίαν
οὕτως· ἦσαν καθεστηκυῖαι βουλαὶ τότε τέττα[ρες παρ' ἑ]κάστῃ τῶν
πόλεων, ὧν οὐ[χ ἅπασι] τοῖς πολ[ίταις ἐξῆ]ν μετέχειν ἀ[λλὰ] τοῖς
κεκ[τημένοις] πλῆθός τ[ι χρημά]των, τούτων δὲ τῶν βουλῶ[ν κατὰ]
μέρος ἑκάσ[τη προκ]αθημένη καὶ προβουλεύ[ουσα] περὶ τῶν π[ραγμά-]
των εἰσέφερεν εἰς τὰς τρε[ῖς, ὅ τι] δ' ἔδοξεν {εν} ἁπάσαις τοῦτο κύριον
ἐγίγνετο. κ[αὶ τὰ μὲν] ἴδια διετέλουν οὕτω διοικούμενοι, τὸ δὲ τῶν* 3
*Βοιωτῶν τοῦτον ἦν τὸν τρόπον συντεταγμένον. [καθ' ἕν]δεκα μέρη
διῄρηντο πάντες οἱ τὴν χώραν οἰκοῦντες, καὶ τούτων ἕκαστον ἕνα
παρείχετο βοιωτάρχην [οὕτω·] Θηβαῖοι μὲν τέτταρας ⟨σ⟩υνεβάλλοντο,
δύο μὲν ὑπὲρ τῆς πόλεως, δύο δὲ ὑπὲρ Πλαταιέων καὶ Σκώλου καὶ
Ἐρυθρῶν καὶ Σκαφῶν καὶ τῶν ἄλλων χωρίων τῶν πρότερον μὲν
ἐκείνοις συμπολιτευομένων τότε δὲ συντελούντων εἰς τὰς Θήβας. δύο
δὲ παρείχοντο βοιωτάρχας Ὀρχομένιοι καὶ Ὑσιαῖοι, δύο δὲ Θεσπιεῖς
σὺν Εὐτρήσει καὶ Θίσβαις, ἕνα δὲ Ταναγραῖοι, καὶ πάλιν ἕτερον
Ἁλιάρτιοι καὶ Λεβαδεῖς καὶ Κορωνεῖς, ὃν ἔπεμπε κατὰ μέρος ἑκάστη
τῶν πόλεων, τὸν αὐτὸν δὲ τρόπον ἐβάδιζεν ἐξ Ἀκραιφνίου καὶ Κωπῶν
καὶ Χαιρωνείας. οὕτω μὲν οὖν ἔφερε τὰ μέρη τοὺς ἄρχοντας· παρείχετο* 4
*δὲ καὶ βουλευτὰς ἑξήκοντα κατὰ τὸν βοιωτάρχην, καὶ τούτοις αὐτοὶ τὰ
καθ' ἡμέραν ἀνήλισκον. ἐπετέτακτο δὲ καὶ στρατιὰ ἑκάστῳ μέρει περὶ
χιλίους μὲν ὁπλίτας ἱππέας δὲ ἑκατόν· ἁπλῶς δὲ δηλῶσαι κατὰ τὸν
ἄρχοντα καὶ τῶν κοινῶν ἀπέλαυον καὶ τὰς εἰσφορὰς ἐποιοῦντο καὶ
δικασ⟨τὰς⟩ ἔπεμπον καὶ μετεῖχον ἁπάντων ὁμοίως καὶ τῶν κακῶν καὶ
τῶν ἀγαθῶν. τὸ μὲν οὖν ἔθνος ὅλον οὕτως ἐπολιτεύετο, καὶ τὰ συνέδρια
{καὶ} τὰ κοινὰ τῶν Βοιωτῶν ἐν τῇ Καδμείᾳ συνεκάθιζεν.*

HERAKLEIDES KYMAIOS. *FHG* ii, pp. 95 ff.

Περσικά, fr. 6: see Plutarch, *Them.* 27[1].

HERAKLEIDES PONTIKOS. *Fragmenta*, ed. Voss, Rostock 1896 (*FHG* ii, pp. 197 ff.).

p. 48: see Diogenes Laertios ix. 8. 50.

p. 89 (p. 198 n. 1): see Plutarch, *Per.* 27[4].

HERAKLEIDES. *περὶ πολιτειῶν* (*FHG* ii, pp. 208 ff.): see ARISTOTELES, fr. 611.

HESYCHIOS. *Lexicon*, ed. Schmidt, Jena 1867.

ἀγερσικύβηλις· Κρατῖνος ἐν Δραπέτισιν (fr. 62) *ἐπὶ Λάμπωνος. τὸν* αὐτὸν ἀγύρτην καὶ κυβηλιστὴν εἶπεν, οἱονεὶ θύτην καὶ μάντιν. κύβηλιν γὰρ ἔλεγον τὸν πέλεκυν.

βουλῆς λαχεῖν· τὸ λαχεῖν βουλευτήν. καὶ δραχμὴν τῆς ἡμέρας λαβεῖν.

Βρέα· Κρατῖνος (fr. 395) μέμνηται τῆς εἰς Βρέαν ἀποικίας. ἔστι δὲ πόλις Θρᾳκίας, εἰς ἣν Ἀθηναῖοι ἀποικίαν ἐξέπεμπον.

Ἐρετριακὸς κατάλογος· ἐπὶ Διφίλου ψήφισμα ἐγράφη ἐξ Ἐρετρίας 442/1
καταλέξαι ὁμήρους τοὺς τῶν πλουσιωτάτων υἱούς. τοῦτο οὖν τὸ ψήφισμα ἔχει ἐπιγραφὴν "Ἐρετριακὸς κατάλογος".

θουριομάντεις· τοὺς περὶ Λάμπωνα. φασὶν γὰρ εἰς Σύβαριν τὴν ἀπο⟨ι⟩κίαν Λάμπων⟨α⟩ ἀγαγεῖν· τινὲς δὲ *** μάντιν ὄντα.

Ἱπποδάμου νέμησις· τὸν Πειραιᾶ Ἱππόδαμος, †Εὐρυβόοντος παῖς, ὁ καὶ μετεωρολόγος, διεῖλεν Ἀθηναίοις. οὗτος δὲ ἦν καὶ ὁ μετοικήσας εἰς Θουριακούς, Μιλήσιος ὤν.

ξυμβολιμαίας δίκας· Ἀττικοὶ τὰς κατὰ σύμβολα.

περιπόνηρος Ἀρτέμων· παρὰ τὴν παροιμίαν τὴν περιφόρητος Ἀρτέμων. εἰσὶ δὲ Ἀρτέμωνες δύο.

HIPPOSTRATOS. *FGrH* 568 (*FHG* iv, pp. 432 f.).

fr. 2 (5–6): see Schol. Pindar, *Pyth.* vi. 5a, schol. *Ol.* ii. 5 (8)a.

HYPEREIDES. *Orationes et fragmenta*, ed. Kenyon, Oxford (OCT) 1906.

fr. 194: see Schol. Aristophanes, *Av.* 880.

IAMBLICHOS. *De vita Pythagorica*, ed. Deubner, Leipzig (Teubner) 1937.

35. 263: ἐπιγενομένων δὲ πολλῶν ἐτῶν καὶ τῶν περὶ τὸν Δείναρχον ἐν ἑτέρῳ κινδύνῳ τελευτησάντων, ἀποθανόντος καὶ Λιτάτους, ὅσπερ ἦν ἡγεμονικώτατος τῶν στασιασάντων, ἔλεός τις καὶ μετάνοια ἐνέπεσε, καὶ τοὺς περιλειπομένους αὐτῶν ἠβουλήθησαν κατάγειν. μεταπεμπόμενοι δὲ πρεσβευτὰς ἐξ Ἀχαΐας δι' ἐκείνων πρὸς τοὺς ἐκπεπτω-
264 κότας διελύθησαν καὶ τοὺς ὅρκους εἰς Δελφοὺς ἀνέθηκαν. ἦσαν δὲ τῶν Πυθαγορικῶν καὶ περὶ ἑξήκοντα τὸν ἀριθμὸν οἱ κατελθόντες ἄνευ τῶν πρεσβυτέρων, ἐν οἷς ἐπὶ τὴν ἰατρικήν τινες κατενεχθέντες καὶ διαίτῃ τοὺς ἀρρώστους ὄντας θεραπεύοντες ἡγεμόνες κατέστησαν τῆς εἰρημένης καθόδου. συνέβη δὲ καὶ τοὺς σωθέντας, διαφερόντως παρὰ τοῖς πολλοῖς εὐδοκιμοῦντας, κατὰ τὸν καιρόν, ἐν ᾧ λεγομένου πρὸς τοὺς παρανομοῦντας "οὐ τάδε ἐστὶν ἐπὶ Νίνωνος" γενέσθαι φασὶ ταύτην τὴν παροιμίαν, κατὰ τοῦτον ἐμβαλόντων τῶν Θουρίων κατὰ χώραν

ἐκβοηθήσαντας καὶ μετ' ἀλλήλων κινδυνεύσαντας ἀποθανεῖν, τὴν δὲ πόλιν οὕτως εἰς τοὐναντίον μεταπεσεῖν, ὥστε χωρὶς τῶν ἐπαίνων, ὧν ἐποιοῦντο περὶ τῶν ἀνδρῶν, ὑπολαβεῖν μᾶλλον ταῖς Μούσαις κεχαρισμένην ἔσεσθαι τὴν ἑορτήν, ⟨εἰ⟩ κατὰ τὸ Μουσεῖον τὴν δημοσίαν ποιοῖντο θυσίαν, ⟨ὃ⟩ κατ' αὐτοὺς ἐκείνους πρότερον ἱδρυσάμενοι τὰς θεὰς ἐτίμων.

IDOMENEUS. *FGrH* 338 (*FHG* ii, pp. 489 ff.).

περὶ τῶν Ἀθήνησι δημαγωγῶν

fr. 1 (6): see Schol. Aristophanes, *Vesp.* 947.
fr. 5 (9): see Plutarch, *Arist.* 1^{8}.
fr. 7 (10): see Plutarch, *Arist.* 4^{4}.
fr. 8 (7): see Plutarch, *Per.* 10^{7}.

ION. *FGrH* 392 (*FHG* ii, pp. 44 ff.).

T 8: see Athenaeus x. 436f.

Ἐπιδημίαι

fr. 6 (1) (Athen. xiii. 603e): *Ἴων γοῦν ὁ ποιητὴς ἐν ταῖς ἐπιγραφομέναις Ἐπιδημίαις γράφει οὕτως· "Σοφοκλεῖ τῷ ποιητῇ ἐν Χίῳ συνήντησα, ὅτε ἔπλει εἰς Λέσβον στρατηγός, ἀνδρὶ παιδιώδει παρ' οἶνον καὶ δεξιῷ. Ἑρμησίλεω δὲ ξένου οἱ ἐόντος καὶ προξένου Ἀθηναίων ἑστιῶντος αὐτόν,* . . . (604c) *ἐπικροτησάντων δὲ πάντων σὺν γέλωτι καὶ βοῇ ὡς εὖ ὑπηγάγετο τὸν παῖδα, "μελετῶ" εἶπεν "στρατηγεῖν, ὦ ἄνδρες, ἐπειδήπερ Περικλῆς ποιεῖν μέν ⟨με⟩ ἔφη, στρατηγεῖν δ' οὐκ ἐπίστασθαι. ἆρ' οὖν οὐ κατ' ὀρθόν μοι πέπτωκεν τὸ στρατήγημα;" τοιαῦτα πολλὰ δεξιῶς ἔλεγέν τε καὶ ἔπρησσεν, ὅτε πίνοι [ἢ πράσσοι]. τὰ μέντοι πολιτικὰ οὔτε σοφὸς οὔτε ῥεκτήριος ἦν, ἀλλ' ὡς ἄν τις εἷς τῶν χρηστῶν Ἀθηναίων."*

fr. 12 (6): see Plutarch, *Cim.* 5^{3}.
fr. 13 (4): see Plutarch, *Cim.* 9^{1}.
fr. 14 (7): see Plutarch, *Cim.* 16^{10}.
fr. 15 (5): see Plutarch, *Per.* 5^{3}.
fr. 16 (8): see Plutarch, *Per.* 28^{7}.

ISOKRATES. *Orationes*, ed. Blass, Leipzig (Teubner) 1889–98.

IV. *Πανηγυρικός*

103: *οἶμαι δὲ πᾶσι δοκεῖν τούτους κρατίστους προστάτας γενήσεσθαι τῶν Ἑλλήνων, ἐφ' ὧν οἱ πειθαρχήσαντες ἄριστα τυγχάνουσι πράξαντες.*

ἐπὶ τοίνυν τῆς ἡμετέρας ἡγεμονίας εὑρήσομεν καὶ τοὺς οἴκους τοὺς
ἰδίους πρὸς εὐδαιμονίαν πλεῖστον ἐπιδόντας καὶ τὰς πόλεις μεγίστας
104 γενομένας. οὐ γὰρ ἐφθονοῦμεν ταῖς αὐξανομέναις αὐτῶν, οὐδὲ ταραχὰς
ἐνεποιοῦμεν πολιτείας ἐναντίας παρακαθιστάντες, ἵν' ἀλλήλοις μὲν
στασιάζοιεν, ἡμᾶς δ' ἀμφότεροι θεραπεύοιεν, ἀλλὰ τὴν τῶν συμμάχων
ὁμόνοιαν κοινὴν ὠφέλειαν νομίζοντες τοῖς αὐτοῖς νόμοις ἁπάσας τὰς
πόλεις διῳκοῦμεν, συμμαχικῶς ἀλλ' οὐ δεσποτικῶς βουλευόμενοι περὶ
αὐτῶν, ὅλων μὲν τῶν πραγμάτων ἐπιστατοῦντες, ἰδίᾳ δ' ἑκάστους
105 ἐλευθέρους ἐῶντες εἶναι, καὶ τῷ μὲν πλήθει βοηθοῦντες, ταῖς δὲ
δυναστείαις πολεμοῦντες, δεινὸν ἡγούμενοι τοὺς πολλοὺς ὑπὸ τοῖς
ὀλίγοις εἶναι, καὶ τοὺς ταῖς οὐσίαις ἐνδεεστέρους, τὰ δ' ἄλλα μηδὲν
χείρους ὄντας, ἀπελαύνεσθαι τῶν ἀρχῶν, ἔτι δὲ κοινῆς τῆς πατρίδος
οὔσης τοὺς μὲν τυραννεῖν, τοὺς δὲ μετοικεῖν, καὶ φύσει πολίτας ὄντας
106 νόμῳ τῆς πολιτείας ἀποστερεῖσθαι. τοιαῦτ' ἔχοντες ταῖς ὀλιγαρχίαις
ἐπιτιμᾶν καὶ πλείω τούτων τὴν αὐτὴν πολιτείαν ἥνπερ παρ' ἡμῖν αὐτοῖς
καὶ παρὰ τοῖς ἄλλοις κατεστήσαμεν, ἣν οὐκ οἶδ' ὅ τι δεῖ διὰ μακρο-
τέρων ἐπαινεῖν, ἄλλως τε καὶ συντόμως ἔχοντα δηλῶσαι περὶ αὐτῆς.
μετὰ γὰρ ταύτης οἰκοῦντες ἑβδομήκοντ' ἔτη διετέλεσαν ἄπειροι μὲν
τυραννίδων, ἐλεύθεροι δὲ πρὸς τοὺς βαρβάρους, ἀστασίαστοι δὲ πρὸς
107 σφᾶς αὐτούς, εἰρήνην δ' ἄγοντες πρὸς πάντας ἀνθρώπους. ὑπὲρ ὧν
προσήκει τοὺς εὖ φρονοῦντας μεγάλην χάριν ἔχειν πολὺ μᾶλλον ἢ τὰς
κληρουχίας ἡμῖν ὀνειδίζειν, ἃς ἡμεῖς εἰς τὰς ἐρημουμένας τῶν πόλεων
φυλακῆς ἕνεκα τῶν χωρίων ἀλλ' οὐ διὰ πλεονεξίαν ἐξεπέμπομεν.
σημεῖον δὲ τούτων· ἔχοντες γὰρ χώραν μὲν ὡς πρὸς τὸ πλῆθος τῶν
πολιτῶν ἐλαχίστην, ἀρχὴν δὲ μεγίστην, καὶ κεκτημένοι τριήρεις
108 διπλασίας μὲν ἢ σύμπαντες, δυναμένας δὲ πρὸς δὶς τοσαύτας κινδυ-
νεύειν, ὑποκειμένης τῆς Εὐβοίας ὑπὸ τὴν Ἀττικήν, ἣ καὶ πρὸς τὴν
ἀρχὴν τὴν τῆς θαλάττης εὐφυῶς εἶχε καὶ τὴν ἄλλην ἀρετὴν ἁπασῶν τῶν
νήσων διέφερε, κρατοῦντες αὐτῆς μᾶλλον ἢ τῆς ἡμετέρας αὐτῶν, καὶ
πρὸς τούτοις εἰδότες καὶ τῶν Ἑλλήνων καὶ τῶν βαρβάρων τούτους
μάλιστ' εὐδοκιμοῦντας, ὅσοι τοὺς ὁμόρους ἀναστάτους ποιήσαντες
ἄφθονον καὶ ῥᾴθυμον αὑτοῖς κατεστήσαντο τὸν βίον, ὅμως οὐδὲν τού-
109 των ἡμᾶς ἐπῆρε περὶ τοὺς ἔχοντας τὴν νῆσον ἐξαμαρτεῖν, ἀλλὰ μόνοι δὴ
τῶν μεγάλην δύναμιν λαβόντων περιείδομεν ἡμᾶς αὐτοὺς ἀπορωτέρως
ζῶντας τῶν δουλεύειν αἰτίαν ἐχόντων. καίτοι βουλόμενοι πλεονεκτεῖν
οὐκ ἂν δή που τῆς μὲν Σκιωναίων γῆς ἐπεθυμήσαμεν, ἣν Πλαταιέων
τοῖς ὡς ἡμᾶς καταφυγοῦσι φαινόμεθα παραδόντες, τοσαύτην δὲ χώραν
παρελίπομεν, ἣ πάντας ἂν ἡμᾶς εὐπορωτέρους ἐποίησεν.

113: εἶτ' οὐκ αἰσχύνονται (sc. the Spartans) τὰς αὑτῶν πόλεις οὕτως ἀνόμως διαθέντες καὶ τῆς ἡμετέρας ἀδίκως κατηγοροῦντες, ἀλλὰ πρὸς τοῖς ἄλλοις καὶ περὶ τῶν δικῶν καὶ τῶν γραφῶν τῶν ποτε παρ' ἡμῖν γενομένων λέγειν τολμῶσιν, αὐτοὶ πλείους ἐν τρίσι μησὶν ἀκρίτους ἀποκτείναντες ὧν ἡ πόλις ἐπὶ τῆς ἀρχῆς ἁπάσης ἔκρινεν.

117: . . . τῶν δ' οἱ βάρβαροι δεσπόται καθεστήκασιν· οὓς ἡμεῖς διαβῆναι τολμήσαντας εἰς τὴν Εὐρώπην καὶ μεῖζον ἢ προσῆκεν αὐτοῖς
φρονήσαντας οὕτω διέθεμεν ὥστε μὴ μόνον παύσασθαι στρατείας ἐφ' 118
ἡμᾶς ποιουμένους ἀλλὰ καὶ τὴν αὑτῶν χώραν ἀνέχεσθαι πορθουμένην, καὶ διακοσίαις καὶ χιλίαις ναυσὶ περιπλέοντας εἰς τοσαύτην ταπεινότητα κατεστήσαμεν ὥστε μακρὸν πλοῖον ἐπὶ τάδε Φασήλιδος μὴ καθέλκειν ἀλλ' ἡσυχίαν ἄγειν, καὶ τοὺς καιροὺς περιμένειν ἀλλὰ μὴ τῇ παρούσῃ δυνάμει πιστεύειν.

120: μάλιστα δ' ἄν τις συνίδοι τὸ μέγεθος τῆς μεταβολῆς, εἰ παραναγνοίη τὰς συνθήκας τάς τ' ἐφ' ἡμῶν γενομένας καὶ τὰς νῦν ἀναγεγραμμένας. τότε μὲν γὰρ ἡμεῖς φανησόμεθα τὴν ἀρχὴν τὴν βασιλέως ὁρίζοντες καὶ τῶν φόρων ἐνίους τάττοντες καὶ κωλύοντες αὐτὸν τῇ θαλάττῃ χρῆσθαι· νῦν δ'. . . .

VI. Ἀρχίδαμος

99: ἀναμνήσθητε δὲ τῶν ἐν Διπαίᾳ πρὸς Ἀρκάδας ἀγωνισαμένων, οὕς φασιν ἐπὶ μιᾶς ἀσπίδος παραταξαμένους τροπαῖον στῆσαι πολλῶν μυριάδων.

VII. Ἀρεοπαγιτικός

Hypothesis: ἐν τούτῳ τῷ λόγῳ συμβουλεύει ὥστε τοὺς Ἀρεοπαγίτας ἀναλαβεῖν τὴν προτέραν πολιτείαν, ἥτις ἦν ἔχουσα πᾶσαν ἐξουσίαν, σχεδὸν εἰπεῖν, τῶν ἐν τῇ πόλει πάντων πραγμάτων. ἦσαν γὰρ αὐτὴν ἀποβαλόντες ἀπὸ τοιαύτης αἰτίας. Ἐφιάλτης τις καὶ Θεμιστοκλῆς χρεωστοῦντες τῇ πόλει χρήματα καὶ εἰδότες, ὅτι, ἐὰν δικάσωσιν οἱ Ἀρεοπαγῖται, πάντως ἀποδώσουσι, καταλῦσαι αὐτοὺς ἔπεισαν τὴν πόλιν, οὕτως οὔπως τινὸς μέλλοντος κριθῆναι (ὁ γὰρ Ἀριστοτέλης λέγει ἐν τῇ πολιτείᾳ τῶν Ἀθηναίων (25), ὅτι καὶ ὁ Θεμιστοκλῆς αἴτιος ἦν μὴ πάντα δικάζειν τοὺς Ἀρεοπαγίτας)· δῆθεν μέν, ὡς δι' αὐτοὺς τοῦτο ποιοῦντες, τὸ δ' ἀληθὲς διὰ τοῦτο πάντα κατασκευάζοντες. εἶτα οἱ Ἀθηναῖοι ἀσμένως ἀκούσαντες τῆς τοιαύτης συμβουλῆς κατέλυσαν αὐτούς.

65: . . . καὶ τότε μέν, ὅτε τὸ πλῆθος ἦν κύριον τῶν πραγμάτων, ἡμᾶς τὰς τῶν ἄλλων ἀκροπόλεις φρουροῦντας, . . .

66: . . . τοὺς δὲ τριάκοντα τῶν μὲν ἀμελήσαντας, τὰ δὲ συλήσαντας, τοὺς δὲ νεωσοίκους ἐπὶ καθαιρέσει τριῶν ταλάντων ἀποδομένους, εἰς οὓς ἡ πόλις ἀνήλωσεν οὐκ ἐλάττω χιλίων ταλάντων.

80: οἱ δὲ βάρβαροι τοσοῦτον ἀπεῖχον τοῦ πολυπραγμονεῖν περὶ τῶν Ἑλληνικῶν πραγμάτων, ὥστ' οὔτε μακροῖς πλοίοις ἐπὶ τάδε Φασήλιδος ἔπλεον οὔτε στρατοπέδοις ἐντὸς Ἅλυος ποταμοῦ κατέβαινον ἀλλὰ πολλὴν ἡσυχίαν ἦγον.

VIII. περὶ εἰρήνης

75: τὸν δὲ δῆμον εὑρήσετε τὸν τότε πολιτευόμενον οὐκ ἀργίας οὐδ'
76 ἀπορίας οὐδ' ἐλπίδων κενῶν ὄντα μεστόν, ἀλλὰ νικᾶν μὲν δυνάμενον ἐν ταῖς μάχαις ἅπαντας τοὺς εἰς τὴν χώραν εἰσβάλλοντας, ἀριστείων δ' ἀξιούμενον ἐν τοῖς ὑπὲρ τῆς Ἑλλάδος κινδύνοις, οὕτω δὲ πιστευόμενον ὥστε τὰς πλείστας αὐτῷ τῶν πόλεων ἑκούσας ἐγχειρίσαι σφᾶς αὐτάς.

82: οὕτω γὰρ ἀκριβῶς εὕρισκον, ἐξ ὧν ἄνθρωποι μάλιστ' ἂν μισηθεῖεν, ὥστ' ἐψηφίσαντο τὸ περιγιγνόμενον τῶν πόρων ἀργύριον διελόντες κατὰ τάλαντον εἰς τὴν ὀρχήστραν τοῖς Διονυσίοις εἰσφέρειν, ἐπειδὰν πλῆρες ᾖ τὸ θέατρον· καὶ τοῦτ' ἐποίουν καὶ παρεισῆγον τοὺς παῖδας τῶν ἐν τῷ πολέμῳ τετελευτηκότων, ἀμφοτέροις ἐπιδεικνύοντες, τοῖς μὲν συμμάχοις τὰς τιμὰς τῆς οὐσίας αὐτῶν ὑπὸ μισθωτῶν εἰσφερομένας, τοῖς δ' ἄλλοις Ἕλλησι τὸ πλῆθος τῶν ὀρφανῶν καὶ τὰς συμφορὰς τὰς διὰ τὴν πλεονεξίαν ταύτην γιγνομένας.

85: τοσοῦτον δὲ διήνεγκαν ἀνοίᾳ πάντων ἀνθρώπων, ὥστε τοὺς μὲν ἄλλους αἱ συμφοραὶ συστέλλουσι καὶ ποιοῦσιν ἐμφρονεστέρους, ἐκεῖνοι
86 δ' οὐδ' ὑπὸ τούτων ἐπαιδεύθησαν. καίτοι πλείοσι καὶ μείζοσι περιέπεσον ἐπὶ τῆς ἀρχῆς ταύτης τῶν ἐν ἅπαντι τῷ χρόνῳ τῇ πόλει γεγενημένων. εἰς Αἴγυπτον μέν γε διακόσιαι πλεύσασαι τριήρεις αὐτοῖς τοῖς πληρώμασι διεφθάρησαν, περὶ δὲ Κύπρον πεντήκοντα καὶ ἑκατόν· ἐν Δάτῳ δὲ μυρίους ὁπλίτας αὐτῶν καὶ τῶν συμμάχων ἀπώλεσαν, ἐν Σικελίᾳ δὲ τέτταρας μυριάδας καὶ τριήρεις τετταράκοντα καὶ διακοσίας, τὸ δὲ
87 τελευταῖον ἐν Ἑλλησπόντῳ διακοσίας. τὰς δὲ κατὰ δέκα καὶ πέντε καὶ πλείους τούτων ἀπολλυμένας καὶ τοὺς κατὰ χιλίους καὶ δισχιλίους ἀποθνήσκοντας τίς ἂν ἐξαριθμήσειεν; πλὴν ἓν ἦν τοῦτο τῶν ἐγκυκλίων, ταφὰς ποιεῖν καθ' ἕκαστον τὸν ἐνιαυτόν, εἰς ἃς πολλοὶ καὶ τῶν ἀστυγειτόνων καὶ τῶν ἄλλων Ἑλλήνων ἐφοίτων, οὐ συμπενθήσοντες τοὺς
88 τεθνεῶτας ἀλλὰ συνηδόμενοι ταῖς ἡμετέραις συμφοραῖς. τελευτῶντες δ' ἔλαθον σφᾶς αὐτοὺς τοὺς μὲν τάφους τοὺς δημοσίους τῶν πολιτῶν ἐμπλήσαντες, τὰς δὲ φρατρίας καὶ τὰ γραμματεῖα τὰ ληξιαρχικὰ τῶν οὐδὲν τῇ πόλει προσηκόντων. γνοίη δ' ἄν τις ἐκεῖθεν μάλιστα τὸ πλῆθος τῶν ἀπολλυμένων· τὰ γὰρ γένη τῶν ἀνδρῶν τῶν ὀνομαστοτάτων καὶ τοὺς οἴκους τοὺς μεγίστους, οἳ καὶ τὰς τυραννικὰς στάσεις καὶ τὸν

---

viii. 82, l. 2: τῶν πόρων ΓΕ, ἐκ τῶν φόρων v.

Περσικὸν πόλεμον διέφυγον, εὑρήσομεν ἐπὶ τῆς ἀρχῆς, ἧς ἐπιθυμοῦμεν, ἀναστάτους γεγενημένους.

126: *καίτοι Περικλῆς ὁ πρὸ τῶν τοιούτων δημαγωγὸς καταστάς, παραλαβὼν τὴν πόλιν χεῖρον μὲν φρονοῦσαν ἢ πρὶν κατασχεῖν τὴν ἀρχήν, ἔτι δ' ἀνεκτῶς πολιτευομένην, οὐκ ἐπὶ τὸν ἴδιον χρηματισμὸν ὥρμησεν, ἀλλὰ τὸν μὲν οἶκον ἐλάττω τὸν αὑτοῦ κατέλιπεν ἢ παρὰ τοῦ πατρὸς παρέλαβεν, εἰς δὲ τὴν ἀκρόπολιν ἀνήνεγκεν ὀκτακισχίλια τάλαντα χωρὶς τῶν ἱερῶν.*

IX. *Εὐαγόρας*

47: *παραλαβὼν γὰρ* (sc. Euagoras) *τὴν πόλιν ἐκβεβαρβαρωμένην καὶ διὰ τὴν Φοινίκων ἀρχὴν οὔτε τοὺς Ἕλληνας προσδεχομένην οὔτε τέχνας ἐπισταμένην οὔτ' ἐμπορίῳ χρωμένην οὔτε λιμένα κεκτημένην ταῦτά τε πάντα διώρθωσε καὶ . . . .*

XII. *Παναθηναϊκός*

52: *ἀφελόμενοι γὰρ Λακεδαιμονίους τὴν ἡγεμονίαν οἱ συγκινδυνεύσαντες τοῖς ἡμετέροις παρέδοσαν.*

54: *οἱ μὲν γὰρ ἡμέτεροι πατέρες ἔπειθον τοὺς συμμάχους ποιεῖσθαι πολιτείαν ταύτην, ἥνπερ αὐτοὶ διετέλουν ἀγαπῶντες· ὃ σημεῖόν ἐστιν εὐνοίας καὶ φιλίας, ὅταν τινὲς παραινῶσι τοῖς ἄλλοις χρῆσθαι τούτοις, ἅπερ ἂν σφίσιν αὐτοῖς συμφέρειν ὑπολάβωσιν.*

59: *ἐπὶ μὲν γὰρ τῆς ἡμετέρας δυναστείας οὐκ ἐξῆν αὐτοῖς οὔτ' ἐντὸς Ἅλυος πεζῷ στρατοπέδῳ καταβαίνειν οὔτε μακροῖς πλοίοις ἐπὶ τάδε πλεῖν Φασήλιδος.*

62: *οἶμαι δὲ τοὺς ἀηδῶς ἀκούοντας τῶν λόγων τούτων τοῖς μὲν εἰρημένοις οὐδὲν ἀντερεῖν ὡς οὐκ ἀληθέσιν οὖσιν, οὐδ' αὖ πράξεις ἑτέρας ἕξειν εἰπεῖν, περὶ ἃς Λακεδαιμόνιοι γενόμενοι πολλῶν ἀγαθῶν αἴτιοι τοῖς Ἕλλησι κατέστησαν, κατηγορεῖν δὲ τῆς πόλεως ἡμῶν ἐπιχειρήσειν, ὅπερ ἀεὶ ποιεῖν εἰώθασι, καὶ διεξιέναι τὰς δυσχερεστάτας* 63
τῶν πράξεων τῶν ἐπὶ τῆς ἀρχῆς τῆς κατὰ θάλατταν γεγενημένων, καὶ τάς τε δίκας καὶ τὰς κρίσεις τὰς ἐνθάδε γιγνομένας τοῖς συμμάχοις καὶ τὴν τῶν φόρων εἴσπραξιν διαβαλεῖν, καὶ μάλιστα διατρίψειν περὶ τὰ Μηλίων πάθη καὶ Σκιωναίων καὶ Τορωναίων, οἰομένους ταῖς κατηγορίαις ταύταις καταρρυπανεῖν τὰς τῆς πόλεως εὐεργεσίας τὰς ὀλίγῳ πρότερον εἰρημένας.

66: *οἷον καὶ νῦν, ἢν μνησθῶσι τῶν ἀγώνων τῶν τοῖς συμμάχοις ἐνθάδε γιγνομένων, τίς ἐστιν οὕτως ἀφυής, ὅστις οὐχ εὑρήσει πρὸς τοῦτ' ἀντειπεῖν, ὅτι πλείους Λακεδαιμόνιοι τῶν Ἑλλήνων ἀκρίτους ἀπεκτόνασι* τῶν παρ' ἡμῖν, ἐξ οὗ τὴν πόλιν οἰκοῦμεν, εἰς ἀγῶνα καὶ κρίσιν καταστάντων;

67 τοιαῦτα δὲ καὶ περὶ τῆς εἰσπράξεως τῶν φόρων ἤν τι λέγωσιν, ἕξομεν εἰπεῖν· πολὺ γὰρ ἐπιδείξομεν συμφορώτερα πράξαντας τοὺς ἡμετέρους ἢ Λακεδαιμονίους ταῖς πόλεσι ταῖς τὸν φόρον ἐνεγκούσαις. πρῶτον μὲν γὰρ οὐ προσταχθὲν ὑφ' ἡμῶν τοῦτ' ἐποίουν, ἀλλ' αὐτοὶ
68 γνόντες, ὅτε περ τὴν ἡγεμονίαν ἡμῖν τὴν κατὰ θάλατταν ἔδοσαν· ἔπειτ' οὐχ ὑπὲρ τῆς σωτηρίας τῆς ἡμετέρας ἔφερον ἀλλ' ὑπὲρ τῆς δημοκρατίας καὶ τῆς ἐλευθερίας τῆς αὑτῶν καὶ τοῦ μὴ περιπεσεῖν ὀλιγαρχίας γενομένης τηλικούτοις κακοῖς τὸ μέγεθος, ἡλίκοις ἐπὶ τῶν δεκαρχιῶν καὶ τῆς δυναστείας τῆς Λακεδαιμονίων. ἔτι δ' οὐκ ἐκ τούτων ἔφερον,
69 ἐξ ὧν αὐτοὶ διέσῳσαν, ἀλλ' ἀφ' ὧν δι' ἡμᾶς εἶχον· ὑπὲρ ὧν, εἰ καὶ μικρὸς λογισμὸς ἐνῆν αὐτοῖς, δικαίως ἂν χάριν εἶχον ἡμῖν. παραλαβόντες γὰρ τὰς πόλεις αὐτῶν τὰς μὲν παντάπασιν ἀναστάτους γεγενημένας ὑπὸ τῶν βαρβάρων, τὰς δὲ πεπορθημένας, εἰς τοῦτο προηγάγομεν ὥστε μικρὸν μέρος τῶν γιγνομένων ἡμῖν διδόντας μηδὲν ἐλάττους ἔχειν τοὺς οἴκους Πελοποννησίων τῶν οὐδένα φόρον ὑποτελούντων.

XV. περὶ ἀντιδόσεως

111: . . . ἐπὶ Σάμον στρατεύσας, ἣν Περικλῆς ὁ μεγίστην ἐπὶ σοφίᾳ καὶ δικαιοσύνῃ καὶ σωφροσύνῃ δόξαν εἰληφὼς ἀπὸ διακοσίων [νεῶν] καὶ χιλίων ταλάντων κατεπολέμησε, . . .

234: τὸ δὲ τελευταῖον Περικλῆς καὶ δημαγωγὸς ὢν ἀγαθὸς καὶ ῥήτωρ ἄριστος οὕτως ἐκόσμησε τὴν πόλιν καὶ τοῖς ἱεροῖς καὶ τοῖς ἀναθήμασι καὶ τοῖς ἄλλοις ἅπασιν ὥστ' ἔτι καὶ νῦν τοὺς εἰσαφικνουμένους εἰς αὐτὴν νομίζειν μὴ μόνον ἄρχειν ἀξίαν εἶναι τῶν Ἑλλήνων ἀλλὰ καὶ τῶν ἄλλων ἁπάντων, καὶ πρὸς τούτοις εἰς τὴν ἀκρόπολιν οὐκ ἐλάττω μυρίων ταλάντων ἀνήνεγκεν.

235: Περικλῆς δὲ δυοῖν ἐγένετο μαθητής, Ἀναξαγόρου τε τοῦ Κλαζομενίου καὶ Δάμωνος τοῦ κατ' ἐκεῖνον τὸν χρόνον φρονιμωτάτου δόξαντος εἶναι τῶν πολιτῶν.

XVI. περὶ τοῦ ζεύγους

28: αὐτὸς δὲ (sc. Alkibiades) κατελείφθη μὲν ὀρφανός, ὁ γὰρ πατὴρ αὐτοῦ μαχόμενος ἐν Κορωνείᾳ τοῖς πολεμίοις ἀπέθανεν, ἐπετροπεύθη δ' ὑπὸ Περικλέους, ὃν πάντες ἂν ὁμολογήσειαν καὶ σωφρονέστατον καὶ δικαιότατον καὶ σοφώτατον γενέσθαι τῶν πολιτῶν.

29: καὶ πρῶτον μέν, ὅτε Φορμίων ἐξήγαγεν ἐπὶ Θρᾴκης χιλίους Ἀθηναίων, ἐπιλεξάμενος τοὺς ἀρίστους, μετὰ τούτων στρατευσάμενος

---

xv. 111: νεῶν om. Θ, secl. edd. conl. Nep. *Tim.* 1².

τοιοῦτος ἦν ἐν τοῖς κινδύνοις ὥστε στεφανωθῆναι καὶ πανοπλίαν λαβεῖν παρὰ τοῦ στρατηγοῦ.

JUBA. *FGrH* 275 (*FHG* iii, pp. 465 ff.).

περὶ γραφικῆς fr. 21 (71): see Harpokration s.v. *Πολύγνωτος*.

JULIUS FRONTINUS. See FRONTINUS.

JUSTIN. *Trogi Pompei Historiarum Philippicarum epitoma*, ed. Seel, Leipzig (Teubner) 1935.

ii. 15[13]: post haec Spartani, ne vires otio corrumperent et ut
bis inlatum a Persis Graeciae bellum ulciscerentur, ultro fines
eorum populantur. ducem suo sociorumque exercitui deligunt 14
Pausaniam, qui pro ducatu regnum Graeciae adfectans prodi-
tionis praemium cum Xerxe nuptias filiae eius paciscitur redditis
captivis, ut fides regis aliquo beneficio obstringeretur. scribit 15
praeterea Xerxi, quoscumque ad se nuntios misisset, interficeret,
ne res loquacitate hominum proderetur. sed dux Atheniensium 16
Aristides, belli socius, collegae conatibus obviam eundo, simul et
in rem sapienter consulendo proditionis consilia discussit. nec
multo post accusatus Pausanias damnatur. igitur Xerxes, cum 17
proditionis dolum publicatum videret, ex integro bellum instituit.
Graeci quoque ducem constituunt Cimona Atheniensem, filium 18
Miltiadis, quo duce apud Marathonem pugnatum est, iuvenem,
cuius magnitudinem futuram pietatis documenta prodiderunt;
quippe patrem ob crimen peculatus in carcerem coniectum ibique 19
defunctum translatis in se vinculis ad sepulturam redemit. nec 20
in bello iudicium deligentium fefellit, siquidem non inferior
virtutibus patris Xerxen, terrestri navalique bello superatum,
trepidum recipere se in regnum coëgit.

iii. 1[1]: Xerxes, rex Persarum, terror antea gentium, bello in
Graecia infeliciter gesto etiam suis contemptui esse coepit. quippe 2
Artabanus, praefectus eius, deficiente cotidie regis maiestate in
spem regni adductus cum septem robustissimis filiis regiam
vesperi ingreditur (nam amicitiae iure semper illi patebat), truci-
datoque rege voto suo obsistentes filios eius dolo adgreditur.
securior de Artaxerxe, puero admodum, fingit regem a Dario, qui 3
erat adulescens, quo maturius regno potiretur, occisum; inpellit
Artaxerxen parricidium parricidio vindicare. cum ventum ad 4
domum Darii esset, dormiens inventus, quasi somnum fingeret,

5 interficitur. dein cum unum ex regis filiis sceleri suo superesse
Artabanus videret, metueretque de regno certamina principum,
6 adsumit in societatem consilii Baccabasum, qui praesenti statu
contentus rem prodit Artaxerxi: ut pater eius occisus sit, ut
frater falsa parricidii suspicione oppressus, ut denique ipsi para-
7 rentur insidiae. his cognitis Artaxerxes, verens Artabani numerum
filiorum, in posterum diem paratum esse armatum exercitum
iubet, recogniturus et numerum militum et in armis industriam
8 singulorum. itaque cum inter ceteros ipse Artabanus armatus
adsisteret, rex simulat se breviorem loricam habere, iubet Arta-
banum secum commutare, exuentem se ac nudatum gladio
9 traicit; tum et filios eius corripi iubet. atque ita egregius adu-
lescens et caedem patris et necem fratris et se ab insidiis Artabani
vindicavit.

2 dum haec in Persis geruntur, interea Graecia omnis ducibus
Lacedaemoniis et Atheniensibus in duas divisa partes ab externis
2 bellis velut in viscera sua arma convertit. fiunt igitur de uno
populo duo corpora, et eorundem castrorum homines in duos
3 hostiles exercitus dividuntur. hinc Lacedaemonii communia
quondam civitatum auxilia ad vires suas trahere, inde Athenien-
ses et vetustate gentis et gestis rebus inlustres propriis viribus
confidebant.

iii. 6^1: interiecto tempore tertium quoque bellum Messenii
2 reparavere, in cuius auxilium Lacedaemonii inter reliquos socios
3 etiam Athenienses adhibuere; quorum fidem cum suspectam
haberent, supervacaneos simulantes a bello eosdem dimiserunt.
4 hanc rem Athenienses graviter ferentes pecuniam, quae erat in
stipendium Persici belli ab universa Graecia conlata, a Delo
Athenas transferunt, ne deficientibus a fide societatis Lace-
5 daemoniis praedae ac rapinae esset. sed nec Lacedaemonii
quievere, qui cum Messeniorum bello occupati essent, Pelopon-
6 nenses inmisere, qui bellum Atheniensibus facerent. parvae tunc
temporis classe in Aegyptum missa vires Atheniensibus erant.
7 itaque navali proelio dimicantes facile superantur. interiecto
deinde tempore post reditum suorum aucti et classis et mili-
8 tum robore proelium reparant. iam et Lacedaemonii omissis
9 Messeniis adversus Athenienses arma verterant. diu varia victoria
10 fuit; ad postremum aequo Marte utrimque discessum. inde revo-
cati Lacedaemonii ad Messeniorum bellum, ne medium tempus

1^5: Baccabasum codd., Bagabaxum Noeldeke.

otiosum Atheniensibus relinquerent, cum Thebanis paciscuntur, ut Boeotiorum imperium his restituerent, quod temporibus belli
Persici amiserant, ut illi Atheniensium bella susciperent. tantus 11
furor Spartanorum erat, ut duobus bellis inpliciti suscipere tertium non recusarent, dummodo inimicis suis hostes adquirerent.
igitur Athenienses adversus tantam tempestatem belli duos duces 12
deligunt, Periclen, spectatae virtutis virum, et Sophoclen, scri-
ptorem tragoediarum, qui diviso exercitu et Spartanorum agros 13
vastaverunt et multas Asiae civitates Atheniensium imperio adiecerunt.

his malis fracti Lacedaemonii in annos XXX pepigerunt pacem, **7**
sed tam longum otium inimicitiae non tulerunt. itaque extra 2
XV annos rupto foedere cum contemptu deorum hominumque fines Atticos populantur . . . .

iv. 2^{4}: horum (sc. the Sicilian tyrants) ex numero Anaxilaus iustitia cum ceterorum crudelitate certabat, cuius moderationis
haud mediocrem fructum tulit; quippe decedens cum filios 5
parvulos reliquisset tutelamque eorum Micalo, spectatae fidei servo, commisisset, tantus amor memoriae eius apud omnes fuit, ut parere servo quam deserere regis filios mallent principesque civitatis obliti dignitatis suae regni maiestatem administrari per servum paterentur.

ix. 1^{3}: haec namque urbs (sc. Byzantium) condita primo a Pausania, rege Spartanorum, et per septem annos possessa fuit; dein variante victoria nunc Lacedaemoniorum, nunc Atheniensium iuris habita est.

xxi. 3^{2}: cum Reginorum tyranni Leophronis bello Locrenses premerentur, voverant, si victores forent, ut die festo Veneris
virgines suas prostituerent. quo voto intermisso 3

KALLIAS. Kock, *Comicorum Atticorum Fragmenta*, i, pp. 693 ff.

Πεδῆται

fr. 15: see Schol. Plato, *Menex.* 235e.

KALLIMACHOS. ed. Pfeiffer, Oxford 1949.

fr. 43^{46}: see Schol. Pindar, *Ol.* ii. 15 (29)d.

fr. 196: see Strabo viii. 3^{30}. 354.

Justin ix. 1^{3}: condita codd., capta Duncker, condita primo ⟨. . . . capta⟩ a Pausania Beloch.

KALLISTHENES. *FGrH* 124 (*Scr. Alex. Magni*, pp. 1 ff.).

Ἑλληνικά

fr. 15 (1): see Plutarch, *Cim.* 12[5].
fr. 16 (1): see Plutarch, *Cim.* 13[4].

KALLISTRATES. See HIPPOSTRATOS.

KALLISTRATOS. See SCHOL. ARISTOPHANES, *Av.* 997.

KLEARCHOS. *FHG* ii, pp. 302 ff.
Ἐρωτικά fr. 35: see Athenaios xiii. 589d.

KLEIDEMOS. *FGrH* 323 (*FHG* i, pp. 359 ff.).
fr. 21 (13): see Plutarch, *Them.* 10[6–7].

KLEITARCHOS. *FGrH* 137 (*Scr. Alex. Magni*, pp. 74 ff.).

περὶ Ἀλέξανδρον ἱστορίαι

fr. 33 (24): see Plutarch, *Them.* 27[1].
fr. 34 (24): see Cicero, *Brut.* 11. 42.

KRATEROS. *FGrH* 342 (*FHG* ii, pp. 617 ff.).

συναγωγὴ τῶν ψηφισμάτων

fr. 1 (2): see Steph. Byz. s.v. *Δῶρος*.

fr. 4 (4) (Harpokr. s.v. *ναυτοδίκαι*): . . . *ἀρχή τις ἦν Ἀθήνησιν οἱ ναυτοδίκαι. Κρατερὸς γοῦν ἐν τῷ δ' τῶν Ψηφισμάτων φησίν· "ἐὰν δέ τις ἐξ ἀμφοῖν ξένοιν γεγονὼς φρατρίζῃ, διώκειν εἶναι τῷ βουλομένῳ Ἀθηναίων οἷς δίκαι εἰσί· λαγχάνειν δὲ τῇ ἕνῃ καὶ νέᾳ πρὸς τοὺς ναυτοδίκας".* (= SUIDAS s.v.)

fr. 11 (5) (Lex. Rhet. Cant. p. 667): . . . *ἡ κατὰ Θεμιστοκλέους εἰσαγγελία, ἣν εἰσήγγελεν, ὡς Κρατερός, Λεωβώτης Ἀλκμέωνος Ἀγρυλῆθεν.*

fr. 12 (6): see Plutarch, *Arist.* 26[1].

fr. 13 (7): see Plutarch, *Cim.* 13[5].

fr. 14 (Schol. Aristid. xlvi, ad ii, p. 287; Wilamowitz, *Coniectanea*, Ind. Göttingen 1884, p. 10): *Κρατερός τις ἐγένετο, ὃς συνῆξε πάντα τὰ ψηφίσματα τὰ γραφέντα ἐν τῇ Ἑλλάδι· καὶ τοῦτο τὸ γραφὲν εἰς τὴν στήλην* (sc. the Arthmios decree) *Κίμωνός ἐστιν.*

Krateros fr. 4, l. 3: *μὴ ἐξ ἀμφοῖν ξένοιν* codd., *ἐξ ἀμφοῖν γενοῖν* Suid., *μὴ ἐξ ἀμφοῖν ἀστοῖν* alii.

fr. 18 (*Schol. Townl. ad Il. xiv. 230*): . . . ἐν ψηφίσματι ⟨ὃ παρα⟩τίθεται Κρατερός, ἐστιν " Αἴγυπτον καὶ Λιβύην τὼ πόλεε ".

KRATINOS. Kock, *Comicorum Atticorum Fragmenta*, i, pp. 11 ff.

Ἀρχίλοχοι

fr. 1: see Plutarch, *Cim.* 10[4].

Δραπέτιδες

frs. 57–8 (Athenaios viii. 344e): Κρατῖνος δ' ἐν Δραπέτισιν εἰπὼν περὶ αὐτοῦ

> Λάμπωνα, τὸν οὐ βροτῶν
> ψῆφος δύναται φλεγυρὰ δείπνου φίλων ἀπείργειν,

ἐπάγει·

> νῦν δ' αὖθις ἐρυγγάνει·
> βρύκει γὰρ ἅπαν τὸ παρόν, τρίγλῃ δὲ κἂν μάχοιτο.

fr. 62: see Hesychios s.v. ἀγερσικύβηλις.

Θρᾷτται

fr. 71: see Plutarch, *Per.* 13[10].
fr. 73: see Pollux ix. 91.

Νέμεσις

fr. 111: see Plutarch, *Per.* 3[5].

Πλοῦτοι (Page, *Greek Literary Papyri*, p. 200, London and Cambridge Mass. (Loeb) 1942).

38(b)[29]:

> τοῦ Στειριῶς γὰρ εὐκτὰ τ[ὸν βιὸν σκοπεῖν]
> ὃν καλοῦσ' Ἅγνωνα νῦν καὶ δῆμον η[- - -]
> — οὗτος οὐ πλουτεῖ δικαίως ἐνθάδ' ὥστ[- - -]
> — ἀλλὰ μὴν ἀρχαιόπλουτός γ' ἐστὶ[ν] ἐ[ξ ἀ]ρχ[ῆς ἔχων]
> πάνθ' ὅσ' ἔστ' αὐτῶι, τὰ μέν [γ'] ἐξ [οἰκι]ῶν, τὰ δ' [ἐξ ἀγρῶν.]
> — ἐξαμεινώσω φράσας [ὧδ', ὡς σα]φέστερον μάθῃς.
> Νικίας φορτηγὸς ἦν κά[μν]ων πονῶν [τ' ἐν Πειραεῖ,]
> Πειθίου μισθωτὸς [- - - - - - - - - -]
> οὗ κατέψευσται τά[δ'- - - - - - - - - -]

Χείρωνες (Kock, *CAF*)

fr. 240: see Plutarch, *Per.* 3[5].
fr. 241: see Plutarch, *Per.* 24[9]; Schol. Plato, *Menex.* 235e.

Krateros fr. 18: ⟨ὃ παρα⟩τίθεται suppl. Meineke. ἐστὶν codd., ἔστε ἐπὶ Wade-Gery.

Ἄδηλα

fr. 300: see Plutarch 351a, *Per.* 13[8].
fr. 395: see Hesychios s.v. *Βρέα*.

KRITIAS. Diels[5] 88 (*FHG* ii, pp. 68 ff.).

fr. B 8 (9): see Plutarch, *Cim.* 10[5].

fr. B 45 (8) (Aelian, *VH.* x. 17): λέγει Κριτίας Θεμιστοκλέα τὸν Νεοκλέους πρὶν ἢ ἄρξασθαι πολιτεύεσθαι τρία τάλαντα ἔχειν τὴν οὐσίαν τὴν πατρῴαν· ἐπεὶ δὲ τῶν κοινῶν προέστη, εἶτα ἔφυγε καὶ ἐδημεύθη αὐτοῦ ἡ οὐσία, κατεφωράθη ἑκατὸν ταλάντων πλείω οὐσίαν ἔχων.

fr. B 52 (9): see Plutarch, *Cim.* 16[9].

KRITOLAOS. *FHG* iv, pp. 372–3.

p. 373: see Plutarch, *Per.* 7[7].

KTESIAS. *Persica*, ed. Gilmore, London 1888 (Müller, Paris 1887).

60 (29): Ἀρτάπανος δὲ μέγα παρὰ Ξέρξῃ δυνάμενος, μετ᾽ Ἀσπαμίτρου τοῦ εὐνούχου καὶ αὐτοῦ μέγα δυναμένου, βουλεύονται ἀνελεῖν Ξέρξην, καὶ ἀναιροῦσι, καὶ πείθουσιν Ἀρτοξέρξην τὸν υἱὸν ὡς Δαρειαῖος αὐτὸν ὁ ἕτερος παῖς ἀνεῖλε. καὶ παραγίνεται Δαρειαῖος ἀγόμενος ὑπὸ Ἀρταπάνου εἰς τὴν οἰκίαν Ἀρτοξέρξου, πολλὰ βοῶν καὶ ἀπαρνούμενος ὡς οὐκ εἴη φονεὺς τοῦ πατρός· καὶ ἀποθνήσκει.

61(30) καὶ βασιλεύει Ἀρτοξέρξης, σπουδῇ Ἀρταπάνου· καὶ ἐπιβουλεύεται πάλιν ὑπ᾽ αὐτοῦ, καὶ λαμβάνει κοινωνὸν τῆς βουλῆς Ἀρτάπανος Μεγάβυζον ἤδη λελυπημένον ἐπὶ τῇ ἰδίᾳ γυναικὶ Ἀμύτι διὰ τὴν μοιχείας ὑπόληψιν· καὶ ὅρκοις ἀλλήλους ἀσφαλίζονται. ἀλλὰ μηνύει πάντα Μεγάβυζος, καὶ ἀναιρεῖται Ἀρτάπανος ᾧ τρόπῳ ἔμελλεν ἀναιρεῖν Ἀρτοξέρξην· καὶ γίνεται πάντα δῆλα τὰ εἰργασμένα ἐπὶ Ξέρξῃ καὶ Δαρειαίῳ, καὶ ἀπόλλυται πικρῷ καὶ κακίστῳ θανάτῳ Ἀσπαμίτρης, ὃς ἦν κοινωνὸς ἐπὶ τοῖς φόνοις Ξέρξου καὶ Δαρειαίου· σκαφεύεται γάρ, καὶ οὕτω ἀναιρεῖται. μάχη δὲ γίνεται μετὰ τὸν θάνατον Ἀρταπάνου τῶν τε συνωμοτῶν αὐτοῦ καὶ τῶν ἄλλων Περσῶν, καὶ πίπτουσιν ἐν τῇ μάχῃ οἱ τρεῖς τοῦ Ἀρταπάνου υἱοί· τραυματίζεται δὲ καὶ Μεγάβυζος ἰσχυρῶς· καὶ θρηνεῖ Ἀρτοξέρξης καὶ ἡ Ἄμυτις καὶ ἡ Ῥοδογούνη, καὶ ἡ μήτηρ αὐτῶν Ἀμῆστρις, καὶ μόλις πολλῇ ἐπιμελείᾳ περισώζεται Ἀπολλωνίδου ἰατροῦ τοῦ Κῴου.

62(31) ἀφίσταται Ἀρτοξέρξου Βάκτρα καὶ ὁ σατράπης, ἄλλος Ἀρτάπανος, καὶ γίνεται μάχη ἰσοπαλής· καὶ γίνεται πάλιν ἐκ δευτέρου, καὶ ἀνέμου

κατὰ πρόσωπον Βακτρίων πνεύσαντος, νικᾷ Ἀρτοξέρξης, καὶ προσχωρεῖ
αὐτῷ πᾶσα Βακτρία.

ἀφίσταται Αἴγυπτος, Ἰνάρου Λιβύου ἀνδρὸς καὶ ἑτέρου Αἰγυπτίου 63(32)
τὴν ἀπόστασιν μελετήσαντος, καὶ εὐτρεπίζεται τὰ πρὸς πόλεμον.
πέμπουσι καὶ Ἀθηναῖοι αἰτησαμένου αὐτοῦ τεσσαράκοντα νῆας. καὶ
μελετᾷ αὐτὸς Ἀρτοξέρξης ἐκστρατεῦσαι, καὶ τῶν φίλων οὐ συμ-
βουλευόντων, πέμπει Ἀχαιμενίδην τὸν ἀδελφὸν τεσσαράκοντα μὲν
μυριάδας ἐπαγόμενον στράτευμα πεζικὸν νῆας δὲ π΄. συμβάλλει
πόλεμον Ἴναρος πρὸς Ἀχαιμενίδην, καὶ νικῶσιν Αἰγύπτιοι, καὶ
βάλλεται Ἀχαιμενίδης ὑπὸ Ἰνάρου, καὶ θνῄσκει καὶ ἀποπέμπεται ὁ
νεκρὸς αὐτοῦ εἰς Ἀρτοξέρξην. ἐνίκησεν Ἴναρος καὶ κατὰ θάλασσαν,
Χαριτιμίδου εὐδοκιμήσαντος, ὃς τῶν ἐξ Ἀθηνῶν τεσσαράκοντα νηῶν
ἐχρημάτιζε ναύαρχος· καὶ ν΄ Περσῶν νῆες, αἱ μὲν κ΄ αὐτοῖς ἀνδράσιν
ἐλήφθησαν αἱ δὲ λ΄ διεφθάρησαν.

εἶτα πέμπεται κατὰ Ἰνάρου Μεγάβυζος, ἐπαγόμενος ἄλλο στράτευμα 64(33)
πρὸς τῷ ὑπολειφθέντι, μυριάδας εἴκοσι, καὶ νῆας τ΄, καὶ ἐπιστάτην
αὐτοῖς Ὀρίσκον ὡς εἶναι χωρὶς τῶν νεῶν τὸ ἄλλο πλῆθος ν΄ μυριάδας·
Ἀχαιμενίδης γὰρ ὅτε ἔπεσε, δέκα μυριάδες αὐτῷ, ἐξ ὧν ἦγε μ΄, συν-
διεφθάρησαν. γίνεται οὖν μάχη καρτερά, καὶ πίπτουσιν ἀμφοτέρωθεν
πολλοί, πλείους δὲ Αἰγύπτιοι. καὶ βάλλει Μεγάβυζος εἰς τὸν μηρὸν
Ἴναρον, καὶ τρέπεται· καὶ νικῶσι Πέρσαι κατὰ κράτος. φεύγει δὲ πρὸς
τὴν Βύβλον Ἴναρος (πόλις ἰσχυρὰ ἐν Αἰγύπτῳ αὕτη), καὶ οἱ Ἕλληνες
δὲ μετ᾽ αὐτοῦ, ὅσοι μὴ ἐν τῇ μάχῃ καὶ μετὰ Χαριτιμίδου ἀπέθανον.

προσχωρεῖ δὲ Αἴγυπτος πλὴν Βύβλου πρὸς Μεγάβυζον. ἐπεὶ δὲ 65(34)
ἐκείνη ἀνάλωτος ἐδόκει σπένδεται πρὸς Ἴναρον καὶ τοὺς Ἕλληνας,
ἑξακισχιλίους ὄντας καὶ ἔτι πρός, ὁ Μεγάβυζος, ἐφ᾽ ᾧ μηδὲν κακὸν
παρὰ βασιλέως λαβεῖν, καὶ τοὺς Ἕλληνας, ὅτε βούλοιντο, πρὸς τὰ
οἰκεῖα ἐπανελθεῖν.

καθίστησι δὲ τῆς Αἰγύπτου σατράπην Σαρσάμαν καὶ λαβὼν Ἴναρον 66(35)
καὶ τοὺς Ἕλληνας παραγίνεται πρὸς Ἀρτοξέρξην, καὶ εὑρίσκει λίαν
κατὰ Ἰνάρου τεθυμωμένον, ὅτι τὸν ἀδελφὸν Ἀχαιμενίδην ἀπεκτονὼς
εἴη. διηγεῖται γεγονότα Μεγάβυζος, καὶ ὡς πίστεις δοὺς Ἰνάρῳ καὶ
τοῖς Ἕλλησι, Βύβλον εἴληφε· καὶ ἐξαιτεῖται λιπαρῶς βασιλέα περὶ τῆς
αὐτῶν σωτηρίας, καὶ λαμβάνει, καὶ ἐξάγεται τέλος τῇ στρατιᾷ ὡς
Ἴναρος καὶ οἱ Ἕλληνες οὐδὲν κακὸν πείσονται.

Ἀμῆστρις δὲ ὑπὲρ τοῦ παιδὸς Ἀχαιμενίδου δεινὰ ἐποιεῖτο, εἰ μὴ 67(36)
τιμωρήσαιτο Ἴναρον καὶ τοὺς Ἕλληνας, καὶ αἰτεῖται ταῦτα βασιλεῖ,

---

66, l. 2: Ἀρτοξέρξην edd., Ξέρξην codd. 67: Ἀμῆστρις Gilmore, Ἄμυτις codd. et edd. plerique, fortasse recte.

ὁ δὲ οὐκ ἐνδίδωσιν· εἶτα Μεγαβύζῳ, ὁ δὲ ἀποπέμπεται. εἶτα ἐπεὶ διώχλει τὸν υἱόν, κατειργάσατο, καὶ πέντε παρελθόντων ἐτῶν λαμβάνει τὸν Ἴναρον παρὰ βασιλέως καὶ τοὺς Ἕλληνας. καὶ ἀνεσταύρωσε μὲν ἐπὶ τρισὶ σταυροῖς· πεντήκοντα δὲ Ἑλλήνων, ὅσους λαβεῖν ἴσχυσε, τούτων ἔτεμε τὰς κεφαλάς.

68(37) καὶ ἐλυπήθη λύπην σφοδρὰν Μεγάβυζος, καὶ ἐπένθησε, καὶ ᾐτήσατο ἐπὶ Συρίαν τὴν ἑαυτοῦ χώραν ἀπιέναι. ἐνταῦθα λάθρᾳ καὶ τοὺς ἄλλους τῶν Ἑλλήνων προέπεμπε, καὶ ἀπῄει, καὶ ἀπέστη βασιλέως, καὶ ἀθροίζει μεγάλην δύναμιν ἄχρι πεντεκαίδεκα μυριάδων χωρὶς τῶν ἱππέων. καὶ πέμπεται Οὔσιρις κατ' αὐτοῦ σὺν εἴκοσι μυριάσι, καὶ συνάπτεται πόλεμος, καὶ βάλλουσιν ἀλλήλους Μεγάβυζος καὶ Οὔσιρις, ὁ μὲν ἀκοντίῳ, καὶ τυγχάνει Μεγαβύζου εἰς τὸν μηρὸν καὶ τιτρώσκει ἄχρι δακτύλων δύο, ὁ δὲ ὡσαύτως ἀκοντίῳ τὸν τοῦ Οὐσίριος μηρόν· εἶτα βάλλει εἰς τὸν ὦμον, κἀκεῖνος πίπτει ἐκ τοῦ ἵππου, καὶ περισχὼν Μεγάβυζος προστάσσει ἀναλαβεῖν καὶ περισῶσαι. ἔπιπτον δὲ πολλοὶ τῶν Περσῶν, καὶ ἐμάχοντο ἀνδρείως οἱ τοῦ Μεγαβύζου παῖδες Ζώπυρος καὶ Ἀρτύφιος, καὶ νίκη γίνεται Μεγαβύζῳ κραταιά. περιποιεῖται Οὔσιριν ἐπιμελῶς, καὶ ἀποπέμπει τοῦτο αἰτησάμενον πρὸς Ἀρτοξέρξην.

69(38) πέμπεται δὲ κατ' αὐτοῦ ἑτέρα στρατιά, καὶ Μενοστάνης ὁ τοῦ Ἀρταρίου παῖς· ὁ δὲ Ἀρτάριος σατράπης μὲν ἦν Βαβυλῶνος, Ἀρτοξέρξου δὲ ἀδελφός. καὶ συμβάλλουσιν ἀλλήλοις, καὶ φεύγει ἡ Περσικὴ στρατιά, καὶ Μενοστάνης βάλλεται εἰς τὸν ὦμον ὑπὸ Μεγαβύζου, εἶτα εἰς τὴν κεφαλὴν τοξεύεται οὐ καιρίαν· φεύγει δὲ ὅμως αὐτὸς καὶ οἱ μετ' αὐτοῦ καὶ νίκη λαμπρὰ γίνεται Μεγαβύζῳ. Ἀρτάριος δὲ πέμπει πρὸς Μεγάβυζον, καὶ παραινεῖ σπείσασθαι βασιλεῖ.

70(39) ὁ δὲ δηλοῖ σπείσασθαι μὲν βούλεσθαι καὶ αὐτόν, οὐ μέντοι παραγενέσθαι πρὸς βασιλέα, ἀλλ' ἐφ' ᾧ μένειν ἐν τῇ ἑαυτοῦ. ἀπαγγέλλεται ταῦτα βασιλεῖ, καὶ συμβουλεύουσιν Ἀρτοξάρης τε ὁ Παφλαγὼν εὐνοῦχος, ἀλλὰ καὶ ἡ Ἀμῆστρις, σπουδῇ σπείσασθαι. πέμπεται οὖν Ἀρτάριός τε αὐτὸς καὶ Ἄμυτις ἡ γυνὴ καὶ Ἀρτοξάρης, ἐτῶν ἤδη ὢν κ', καὶ Πετήσας ὁ Οὐσίριος καὶ Σπιτάμα πατήρ. πολλοῖς οὖν ὅρκοις καὶ λόγοις πληροφορήσαντες Μεγάβυζον μόλις ὅμως πείθουσι πρὸς βασιλέα παραγενέσθαι· καὶ βασιλεὺς τέλος ἔπεμπε παραγενομένῳ συγγνώμην ἔχειν τῶν ἡμαρτημένων.

71(40) ἐξέρχεται βασιλεὺς ἐπὶ θήραν καὶ λέων ἐπέρχεται αὐτῷ· μετεώρου δὲ φερομένου τοῦ θηρίου, βάλλει ἀκοντίῳ Μεγάβυζος καὶ ἀναιρεῖ· καὶ ὀργίζεται Ἀρτοξέρξης ὅτι πρὶν ἢ αὐτὸς τύχῃ Μεγάβυζος ἔβαλε. καὶ προστάσσει τὴν κεφαλὴν τὸν Μεγάβυζον ἀποτμηθῆναι· Ἀμήστριος δὲ καὶ Ἀμύτιος καὶ τῶν ἄλλων τῇ παραιτήσει τοῦ μὲν θανάτου ῥύεται, *ἀνάσπαστος δὲ γίνεται εἰς τὴν Ἐρυθρὰν ἔν τινι πόλει ὀνόματι Κύρται. ἐξορίζεται δὲ καὶ Ἀρτοξάρης ὁ εὐνοῦχος εἰς Ἀρμενίαν, ὅτι πολλάκις ὑπὲρ Μεγαβύζου βασιλεῖ ἐπαρρησιάσατο.*

ὁ δὲ Μεγάβυζος πέντε διατρίψας ἐν τῇ ἐξορίᾳ ἔτη, ἀποδιδράσκει, 72(41)
ὑποκριθεὶς τὸν πισάγαν· πισάγας δὲ λέγεται παρὰ Πέρσαις ὁ λεπρός, καὶ ἔστι πᾶσιν ἀπρόσιτος. ἀποδρὰς οὖν παραγίνεται πρὸς Ἄμυτιν καὶ τὸν οἶκον, καὶ μόλις ἐπιγινώσκεται καὶ δι' Ἀμήστριος καὶ Ἀμύτιος καταλλάσσεται ὁ βασιλεύς, καὶ ποιεῖ αὐτὸν ὡς τὸ πρόσθεν ὁμοτράπεζον. ζήσας δὲ ἓξ καὶ ἑβδομήκοντα ἔτη ἀπέθανε· καὶ κάρτα ἠχθέσθη βασιλεύς . . . .

Ζώπυρος δὲ ὁ Μεγαβύζου καὶ Ἀμύτιος παῖς ἐπεὶ αὐτῷ ὅ τε πατὴρ 74(43)
καὶ ἡ μήτηρ ἐτελεύτησεν, ἀπέστη βασιλέως καὶ εἰς Ἀθήνας ἀφίκετο, κατὰ τὴν τῆς μητρὸς εἰς αὐτοὺς εὐεργεσίαν.

LEXICON RHETORICUM CANTABRIGIENSE. ed. Porson (ad calcem Photii), Cambridge 1822.

p. 667 *εἰσαγγελία*: see Krateros, fr. 11.

p. 673 *νομοφύλακες*: see Philochoros, fr. 64b.

LIVY. *Ab urbe condita*, vol. i, edd. Conway and Walters, Oxford (OCT) 1914.

454 iii. 31^5: . . . Sp. Tarpeio A. Aternio consulibus . . . (31^7) tum abiecta lege quae promulgata consenuerat, tribuni lenius agere cum patribus: finem tandem certaminum facerent. si plebeiae leges displicerent, at illi communiter legum latores et ex plebe et ex patribus, qui utrisque utilia ferrent quaeque aequandae libertatis essent, sinerent creari. rem non aspernabantur patres; 8
daturum leges neminem nisi ex patribus aiebant. cum de legibus conveniret, de latore tantum discreparet, missi legati Athenas Sp. Postumius Albus A. Manlius P. Sulpicius Camerinus, iussique inclitas leges Solonis describere et aliarum Graeciae civitatium instituta mores iuraque noscere.

453 ab externis bellis quietus annus fuit, quietior insequens P. **32**
Curiatio et Sex. Quinctilio consulibus, perpetuo silentio tribunorum, quod primo legatorum qui Athenas ierant legumque
452 peregrinarum exspectatio praebuit, . . . iam redierant legati cum 6
Atticis legibus. eo intentius instabant tribuni ut tandem scribendarum legum initium fieret. placet creari decemviros sine provocatione, et ne quis eo anno alius magistratus esset.

LUCIAN. *Opera*, ed. Jacobitz, Leipzig (Teubner) 1896–7.

Philops. 18. 46: ἀλλὰ τοὺς μὲν ἐπὶ τὰ δεξιὰ εἰσιόντων ἄφες, ἐν οἷς καὶ τὰ Κριτίου καὶ Νησιώτου πλάσματα ἕστηκεν, οἱ τυραννοκτόνοι.

LYKON (?LYKOPHRON). See SUIDAS s.v. Ἐπίχαρμος.

LYKOPHRON. *Alexandra, Scholia vetera*, ed. Kinkel, Leipzig (Teubner) 1880; Tzetzes, ed. Scheer (*Lycophron*, vol. ii), Berlin 1808.

732: πρώτῃ δὲ καί ποτ' αὖθι συγγόνων θεᾷ
κραίνων ἁπάσης Μόψοπος ναυαρχίας
πλωτῆρσι λαμπαδοῦχον ἐντυνεῖ δρόμον,
χρησμοῖς πιθήσας. ὅν ποτ' αὐξήσει λεὼς
Νεαπολιτῶν, οἳ παρ' ἄκλυστον σκέπας
ὅρμων Μισηνοῦ στύφλα νάσσονται κλίτη.

Schol. 732: φησὶ Τίμαιος (fr. 98) Διότιμον τὸν Ἀθηναίων ναύαρχον παραγενόμενον ἐς Νεάπολιν κατὰ χρησμὸν θῦσαι τῇ Παρθενόπῃ καὶ δρόμον ποιῆσαι λαμπάδων, διὸ καὶ νῦν τὸν τῆς λαμπάδος ἀγῶνα γίνεσθαι παρὰ τοῖς Νεαπολίταις. Μοψοπία δὲ πάλαι ἐκαλεῖτο ἡ Ἀττικὴ ἀπὸ Μόψοπος.

Tzetzes ad l. 733: ὁ Διότιμος δὲ εἰς Νεάπολιν ἦλθεν, ὅτε στρατηγὸς ὢν τῶν Ἀθηναίων ἐπολέμει τοῖς Σικελοῖς.

LYKOURGOS. *Oratio in Leocratem*, ed. Blass, Leipzig (Teubner) 1899.

72: τοιγαροῦν τοιαύταις χρώμενοι γνώμαις, ἑβδομήκοντα μὲν ἔτη
τῶν Ἑλλήνων ἡγεμόνες κατέστησαν, Φοινίκην δὲ καὶ Κιλικίαν
ἐπόρθησαν, ἐπ' Εὐρυμέδοντι δὲ καὶ πεζομαχοῦντες καὶ ναυμαχοῦντες
ἐνίκησαν, ἑκατὸν δὲ τριήρεις τῶν βαρβάρων αἰχμαλώτους ἔλαβον,
73 ἅπασαν δὲ τὴν Ἀσίαν κακῶς ποιοῦντες περιέπλευσαν. καὶ τὸ κεφάλαιον
τῆς νίκης, οὐ τὸ ἐν Σαλαμῖνι τρόπαιον ἀγαπήσαντες [ἔστησαν], ἀλλ'
ὅρους τοῖς βαρβάροις πήξαντες τοὺς εἰς τὴν ἐλευθερίαν τῆς Ἑλλάδος,
καὶ τούτους κωλύσαντες ὑπερβαίνειν, συνθήκας ἐποιήσαντο, μακρῷ μὲν
πλοίῳ μὴ πλεῖν ἐντὸς Κυανέων καὶ Φασήλιδος, τοὺς δ' Ἕλληνας
αὐτονόμους εἶναι, μὴ μόνον τοὺς τὴν Εὐρώπην, ἀλλὰ καὶ τοὺς τὴν
Ἀσίαν κατοικοῦντας.

Schol. Lykophron 732, l. 3: post ἀγῶνα, ἐτησίως Tzetzes. Lykourgos 72: ἑβδομήκοντα Taylor conl. Isokr. iv. 106, ἐνενήκοντα codd. 73, l. 5: Φασήλιδος Victorius, Φάσιδος codd.

80: διόπερ ὦ ἄνδρες δικασταὶ ταύτην πίστιν ἔδοσαν αὐτοῖς ἐν Πλαταιαῖς πάντες οἱ Ἕλληνες, ὅτ' ἔμελλον παραταξάμενοι μάχεσθαι πρὸς τὴν Ξέρξου δύναμιν, οὐ παρ' αὑτῶν εὑρόντες, ἀλλὰ μιμησάμενοι τὸν παρ' ὑμῖν εἰθισμένον ὅρκον. ὃν ἄξιόν ἐστιν ἀκοῦσαι· καὶ γὰρ παλαιῶν ὄντων τῶν τότε πεπραγμένων ὅμως ἴχνος ἔστιν ἐν τοῖς γεγραμμένοις ἰδεῖν τῆς ἐκείνων ἀρετῆς. καί μοι ἀναγίγνωσκε αὐτόν.
Ὅρκος. οὐ ποιήσομαι περὶ πλείονος τὸ ζῆν τῆς ἐλευθερίας, οὐδ' 81
ἐγκαταλείψω τοὺς ἡγεμόνας οὔτε ζῶντας οὔτε ἀποθανόντας, ἀλλὰ τοὺς ἐν τῇ μάχῃ τελευτήσαντας τῶν συμμάχων ἅπαντας θάψω. καὶ κρατήσας τῷ πολέμῳ τοὺς βαρβάρους, τῶν μὲν μαχεσαμένων ὑπὲρ τῆς Ἑλλάδος πόλεων οὐδεμίαν ἀνάστατον ποιήσω, τὰς δὲ τὰ τοῦ βαρβάρου προελομένας ἁπάσας δεκατεύσω. καὶ τῶν ἱερῶν τῶν ἐμπρησθέντων καὶ καταβληθέντων ὑπὸ τῶν βαρβάρων οὐδὲν ἀνοικοδομήσω παντάπασιν, ἀλλ' ὑπόμνημα τοῖς ἐπιγιγνομένοις ἐάσω καταλείπεσθαι τῆς τῶν βαρβάρων ἀσεβείας.

LYSIAS. *Orationes*, ed. Hude, Oxford (OCT) 1911. *Fragmenta*, ed. Thalheim, Leipzig (Teubner) 1901.

II. Ἐπιτάφιος

ii. 54: καθ' ἕκαστον μὲν οὖν οὐ ῥᾴδιον τὰ ὑπὸ πολλῶν κινδυνευθέντα ὑφ' ἑνὸς ῥηθῆναι, οὐδὲ τὰ ἐν ἅπαντι τῷ χρόνῳ πραχθέντα ἐν μιᾷ ἡμέρᾳ δηλωθῆναι. τίς γὰρ ἂν ἢ λόγος ἢ χρόνος ἢ ῥήτωρ ἱκανὸς γένοιτο
μηνῦσαι τὴν τῶν ἐνθάδε κειμένων ἀνδρῶν ἀρετήν; μετὰ πλείστων γὰρ 55
πόνων καὶ φανερωτάτων ἀγώνων καὶ καλλίστων κινδύνων ἐλευθέραν
μὲν ἐποίησαν τὴν Ἑλλάδα, μεγίστην δ' ἀπέδειξαν τὴν ἑαυτῶν πατρίδα,
ἑβδομήκοντα μὲν ἔτη τῆς θαλάττης ἄρξαντες, ἀστασιάστους δὲ παρα-
σχόντες τοὺς συμμάχους, οὐ τοῖς ὀλίγοις τοὺς πολλοὺς δουλεύειν 56
ἀξιώσαντες, ἀλλὰ τὸ ἴσον ἔχειν ἅπαντας ἀναγκάσαντες, οὐδὲ τοὺς
συμμάχους ἀσθενεῖς ποιοῦντες, ἀλλὰ κἀκείνους ἰσχυροὺς καθιστάντες,
καὶ τὴν αὑτῶν δύναμιν τοσαύτην ἐπιδείξαντες, ὥσθ' ὁ μέγας βασιλεὺς
οὐκέτι τῶν ἀλλοτρίων ἐπεθύμει, ἀλλ' ἐδίδου τῶν ἑαυτοῦ καὶ περὶ τῶν
λοιπῶν ἐφοβεῖτο, καὶ οὔτε τριήρεις ἐν ἐκείνῳ τῷ χρόνῳ ἐκ τῆς Ἀσίας 57
ἔπλευσαν, οὔτε τύραννος ἐν τοῖς Ἕλλησι κατέστη, οὔτε Ἑλληνὶς πόλις ὑπὸ τῶν βαρβάρων ἠνδραποδίσθη· τοσαύτην σωφροσύνην καὶ δέος ἡ τούτων ἀρετὴ πᾶσιν ἀνθρώποις παρεῖχεν. ὧν ἕνεκα δεῖ μόνους καὶ προστάτας τῶν Ἑλλήνων καὶ ἡγεμόνας τῶν πόλεων γίγνεσθαι.

VII. περὶ τοῦ σηκοῦ

vii. 22: καίτοι εἰ ⟨ὅτε⟩ φῄς μ' ἰδεῖν τὴν μορίαν ἀφανίζοντα τοὺς ἐννέα ἄρχοντας ἐπήγαγες ἢ ἄλλους τινὰς τῶν ἐξ Ἀρείου πάγου, οὐκ ἂν ἑτέρων ἔδει σοι μαρτύρων· οὕτω γὰρ ἄν σοι συνήδεσαν ἀληθῆ λέγοντι, οἵπερ καὶ διαγιγνώσκειν ἔμελλον περὶ τοῦ πράγματος.

Fragmenta

fr. 1 : see Harpokration s.v. *Ἀσπασία.*

fr. 9 : see Harpokration s.v. *ἐκλογεῖς.*

LYSIMACHOS. *FGrH* 382 (*FHG* iii, pp. 334 ff.).

Νόστοι fr. 7 (15) : see Photios s.v. *Σαμίων ὁ δῆμος.*

MARMOR PARIUM. *FGrH* 239 (*FHG* i, pp. 533 ff.).

A, ep. 53 : *ἀφ' οὗ Γ[έ]λων ὁ Δεινομένους Σ[υρακο]υ[σσῶν] ἐτυράν-* 478/7
νευσεν, ἔτη ΗΗΔ𐅃, *ἄρχοντος Ἀθήνησι Τιμοσθέν[ους.]*

54 : *ἀφ' οὗ Σιμωνίδης ὁ Λεωπρέπους ὁ Κεῖος ὁ τὸ μνημονικὸν εὑρὼν* 477/6
ἐνίκησεν Ἀθήνησι διδάσκων, καὶ αἱ εἰκόνες ἐστάθησαν Ἁρμοδίου καὶ Ἀριστογείτονος, ἔτη ΗΗΔỊỊỊ(?), *ἄρχοντος Ἀθήνησιν [Ἀ]δειμάντου.*

55 : *ἀφ' οὗ Ἱέρων Συρακουσσῶν ἐτυράννευσεν, ἔτη* ΗΗ𐅃ΙΙΙ, *ἄρχον-* 472/1
τος Ἀθήνησι Χά̣[ρ]ητος· ἦν δὲ καὶ Ἐπίχαρμος ὁ ποιητὴς κατὰ τοῦτον.

56 : *ἀφ' οὗ Σοφοκλῆς ὁ Σοφίλλου ὁ ἐκ Κολωνοῦ ἐνίκησε τραγωιδίαι,* 469/8
ἐτῶν ὢν ΔΔ𐅃ΙΙΙ, *ἔτη* ΗΗ𐅃Ι, *ἄρχοντος Ἀθήνησι Ἀψηφίωνος.*

57 : *ἀφ' οὗ ἐν Αἰγὸς ποταμοῖς ὁ λίθος ἔπεσε, καὶ Σιμωνίδης ὁ* 468/7
ποιητὴς ἐτελεύτησεν, βιοὺς ἔτη 𐅄ΔΔΔΔ, *ἔτη* ΗΗ𐅃, *ἄρχοντος Ἀθήνησι Θεαγενίδου.*

58 : *ἀφ' οὗ Ἀλέξανδρος ἐτελεύτησεν, ὁ δὲ υἱὸς Περδίκκας Μακε-* 461/0
δόνων βασιλεύει, ἔτη Η𐅄ΔΔΔΔ𐅃ΙΙΙ{Ι}, *ἄρχοντος Ἀθήνησιν Εὐθίππου.*

59 : *ἀφ' οὗ Αἰσχύλος ὁ ποιητής, βιώσας ἔτη* 𐅄Δ𐅃ΙΙΙΙ, *ἐτελεύτησεν* 456/5
ἐγ [Γέλ]αι τῆς Σικελίας, ἔτη Η𐅄ΔΔΔΔΙΙΙ, *ἄρχοντος Ἀθήνησι Καλλέου τοῦ προτέρου.*

60 : *ἀφ' οὗ Εὐριπίδης ἐτῶν ὢν* ΔΔΔΔΙΙΙỊ(?) *τραγωιδίαι πρῶτον* 442/1
ἐνίκησεν, ἔτη Η𐅄Δ[Δ𐅃ΙΙΙΙ, *ἄρ]χοντος Ἀθήνησι Διφίλο[υ· ἦ]σαν δὲ κατ' Εὐριπίδην Σωκράτης τε καὶ Ἀναξαγόρας.*

MELANTHIOS. Diehl, *Anthologia Lyrica*², i. 1, p. 88 (Edmonds, *Elegy and Iambus*, i, p. 440).

fr. 1 (1–3) : see Plutarch, *Cim.* 4[1, 7, 9].

MEMNON. *FGrH* 434 (*FHG* iii, pp. 525 ff.).

12² (20¹) : *τὴν Ἀστακὸν δὲ Μεγαρέων ᾤκισαν ἄποικοι, ὀλυμπιάδος*
3 *ἱσταμένης ιζ', . . . αὕτη πολλὰς ἐπιθέσεις παρά τε τῶν ὁμορούντων*

ὑποστᾶσα, καὶ πολέμοις πολλάκις ἐκτρυχωθεῖσα, Ἀθηναίων αὐτὴν μετὰ Μεγαρέας ἐπῳκηκότων, ἔληξέ τε τῶν συμφορῶν καὶ ἐπὶ μέγα δόξης καὶ ἰσχύος ἐγένετο, Δοιδαλσοῦ τηνικαῦτα τὴν Βιθυνῶν ἀρχὴν ἔχοντος.

NAUSIKRATES. See PLUTARCH, *Cim.* 19^{5}.

NEANTHES. *FGrH* 84 (*FHG* iii, pp. 2 ff.).

Ἑλληνικά

fr. 2 (2): see Plutarch, *Them.* 1^{2}.
fr. 17 (3): see Plutarch, *Them.* 29^{11}; Schol. Aristophanes, *Eq.* 84.
fr. 28 (22): see Diogenes Laertios viii. 2. 72.

NEPOS. *Vitae*, ed. Winstedt, Oxford (OCT) 1904.

II. *Themistocles*

1^{1}: Themistocles, Neocli filius, Atheniensis. huius vitia ineuntis
adulescentiae magnis sunt emendata virtutibus, adeo ut ante-
feratur huic nemo, pauci pares putentur. sed ab initio est or-
diendus. pater eius Neocles generosus fuit. is uxorem Acarnanam 2
civem duxit, ex qua natus est Themistocles . . ..

6^{1}: magnus hoc bello Themistocles fuit neque minor in pace.
cum enim Phalerico portu neque magno neque bono Athenienses
uterentur, huius consilio triplex Piraei portus constitutus est
iisque moenibus circumdatus, ut ipsam urbem dignitate aequi-
peraret, utilitate superaret. idem muros Atheniensium restituit 2
praecipuo suo periculo. namque Lacedaemonii causam idoneam
nacti propter barbarorum excursiones, qua negarent oportere extra
Peloponnesum ullam urbem habere, ne essent loca munita, quae
hostes possiderent, Athenienses aedificantes prohibere sunt conati.
hoc longe alio spectabat atque videri volebant. Athenienses 3
enim duabus victoriis, Marathonia et Salaminia, tantam gloriam
apud omnes gentis erant consecuti, ut intellegerent Lacedaemonii
de principatu sibi cum iis certamen fore. quare eos quam in- 4
firmissimos esse volebant. postquam autem audierunt muros
instrui, legatos Athenas miserunt, qui id fieri vetarent. his
praesentibus desierunt ac se de ea re legatos ad eos missuros
dixerunt. hanc legationem suscepit Themistocles et solus primo 5
profectus est: reliqui legati ut tum exirent, cum satis altitudo
muri exstructa videretur, praecepit: interim omnes, servi atque

liberi, opus facerent neque ulli loco parcerent, sive sacer sive
privatus esset sive publicus, et undique, quod idoneum ad
muniendum putarent, congererent. quo factum est ut Athenien-
sium muri ex sacellis sepulcrisque constarent.

7 Themistocles autem, ut Lacedaemonem venit, adire ad magi-
stratus noluit et dedit operam, ut quam longissime tempus
2 duceret, causam interponens se collegas exspectare. cum Lace-
daemonii quererentur opus nihilo minus fieri eumque in ea re
conari fallere, interim reliqui legati sunt consecuti. a quibus
cum audisset non multum superesse munitionis, ad ephoros
Lacedaemoniorum accessit, penes quos summum erat imperium,
atque apud eos contendit falsa iis esse delata: quare aequum esse
illos viros bonos nobilesque mittere quibus fides haberetur, qui
3 rem explorarent: interea se obsidem retinerent. gestus est ei mos,
tresque legati functi summis honoribus Athenas missi sunt. cum
his collegas suos Themistocles iussit proficisci iisque praedixit,
ut ne prius Lacedaemoniorum legatos dimitterent quam ipse esset
4 remissus. hos postquam Athenas pervenisse ratus est, ad magi-
stratum senatumque Lacedaemoniorum adiit et apud eos liber-
rime professus est: Atheniensis suo consilio, quod communi iure
gentium facere possent, deos publicos suosque patrios ac penates,
quo facilius ab hoste possent defendere, muris saepsisse neque
5 in eo quod inutile esset Graeciae fecisse. nam illorum urbem ut
propugnaculum oppositum esse barbaris, apud quam iam bis
6 classes regias fecisse naufragium. Lacedaemonios autem male et
iniuste facere, qui id potius intuerentur, quod ipsorum domina-
tioni quam quod universae Graeciae utile esset. quare, si suos
legatos recipere vellent, quos Athenas miserant, se remitterent,
aliter illos numquam in patriam essent recepturi.

8 tamen non effugit civium suorum invidiam. namque ob eundem
timorem, quo damnatus erat Miltiades, testularum suffragiis e
2 civitate eiectus Argos habitatum concessit. hic cum propter
multas eius virtutes magna cum dignitate viveret, Lacedaemonii
legatos Athenas miserunt, qui eum absentem accusarent, quod
societatem cum rege Perse ad Graeciam opprimendam fecisset.
3 hoc crimine absens proditionis damnatus est. id ut audivit, quod
non satis tutum se Argis videbat, Corcyram demigravit. ibi cum
eius principes animadvertisset timere, ne propter se bellum iis
Lacedaemonii et Athenienses indicerent, ad Admetum, Molossum
4 regem, cum quo ei hospitium erat, confugit. huc cum venisset et

in praesentia rex abesset, quo maiore religione se receptum
tueretur, filiam eius parvulam arripuit et cum ea se in sacrarium,
quod summa colebatur caerimonia, coniecit. inde non prius
egressus est, quam rex eum data dextra in fidem reciperet, quam
praestitit. nam cum ab Atheniensibus et Lacedaemoniis ex- 5
posceretur publice, supplicem non prodidit monuitque ut con-
suleret sibi: difficile enim esse in tam propinquo loco tuto eum
versari. itaque Pydnam eum deduci iussit et quod satis esset
praesidii dedit. hic in navem omnibus ignotus nautis escendit. 6
quae cum tempestate maxima Naxum ferretur, ubi tum Athenien-
sium erat exercitus, sensit Themistocles, si eo pervenisset, sibi
esse pereundum. hac necessitate coactus domino navis, qui sit,
aperit, multa pollicens, si se conservasset. at ille clarissimi viri 7
captus misericordia diem noctemque procul ab insula in salo
navem tenuit in ancoris neque quemquam ex ea exire passus est.
inde Ephesum pervenit ibique Themistoclen exponit. cui ille pro
meritis postea gratiam rettulit.

scio plerosque ita scripsisse, Themistoclen Xerxe regnante in **9**
Asiam transisse. sed ego potissimum Thucydidi (*i.* 137^{3-4}) credo,
quod aetate proximus de iis, qui illorum temporum historiam
reliquerunt, et eiusdem civitatis fuit. is autem ait ad Artaxerxen
eum venisse atque his verbis epistulam misisse: "Themistocles 2
veni ad te, qui plurima mala omnium Graiorum in domum tuam
intuli, quamdiu mihi necesse fuit adversum patrem tuum bellare
patriamque meam defendere. idem multo plura bona feci, post- 3
quam in tuto ipse et ille in periculo esse coepit. nam cum in
Asiam reverti vellet proelio apud Salamina facto, litteris eum
certiorem feci id agi ut pons, quem in Hellesponto fecerat,
dissolveretur atque ab hostibus circumiretur: quo nuntio ille
periculo est liberatus. nunc autem confugi ad te exagitatus a 4
cuncta Graecia, tuam petens amicitiam: quam si ero adeptus,
non minus me bonum amicum habebis, quam fortem inimicum
ille expertus est. ea autem rogo, ut de iis rebus, quas tecum
colloqui volo, annuum mihi tempus des eoque transacto ad te
venire patiaris."

huius rex animi magnitudinem admirans cupiensque talem **10**
virum sibi conciliari veniam dedit. ille omne illud tempus litteris
sermonique Persarum se dedidit: quibus adeo eruditus est, ut
multo commodius dicatur apud regem verba fecisse, quam ii
poterant, qui in Perside erant nati. hic cum multa regi esset 2

pollicitus gratissimumque illud, si suis uti consiliis vellet, illum Graeciam bello oppressurum, magnis muneribus ab Artaxerxe donatus in Asiam rediit domiciliumque Magnesiae sibi constituit.
3 namque hanc urbem ei rex donarat, his quidem verbis, quae ei panem praeberet (ex qua regione quinquaginta talenta quotannis redibant), Lampsacum autem, unde vinum sumeret, Myunta, ex qua obsonium haberet.

huius ad nostram memoriam monumenta manserunt duo: sepulcrum prope oppidum, in quo est sepultus, statua in foro
4 Magnesiae. de cuius morte multimodis apud plerosque scriptum est, sed nos eundem potissimum Thucydidem auctorem probamus, qui illum ait (*i. 138*[4]) Magnesiae morbo mortuum neque negat fuisse famam, venenum sua sponte sumpsisse, cum se, quae regi de Graecia opprimenda pollicitus esset, praestare posse desperaret.
5 idem ossa eius clam in Attica ab amicis sepulta, quoniam legibus non concederetur, quod proditionis esset damnatus, memoriae prodidit (*i. 138*[6]).

III. *Aristides*

1 Aristides, Lysimachi filius, Atheniensis, aequalis fere fuit Themistocli itaque cum eo de principatu contendit: namque
2 obtrectarunt inter se. in his autem cognitum est, quanto antestaret eloquentia innocentiae. quamquam enim adeo excellebat Aristides abstinentia, ut unus post hominum memoriam, quem quidem nos audierimus, cognomine Iustus sit appellatus, tamen a Themistocle collabefactus testula illa exilio decem annorum multatus est. . . .

2 . . . idem praetor fuit Atheniensium apud Plataeas in proelio, quo Mardonius fusus barbarorumque exercitus interfectus est.
2 neque aliud est ullum huius in re militari illustre factum quam huius imperii memoria, iustitiae vero et aequitatis et innocentiae multa, in primis quod eius aequitate factum est, cum in communi classe esset Graeciae simul cum Pausania quo duce Mardonius erat fugatus, ut summa imperii maritimi ab Lacedaemoniis trans-
3 ferretur ad Athenienses: namque ante id tempus et mari et terra duces erant Lacedaemonii. tum autem et intemperantia Pausaniae et iustitia factum est Aristidis, ut omnes fere civitates Graeciae ad Atheniensium societatem se applicarent et adversus barbaros hos duces deligerent sibi.

3 quos quo facilius repellerent, si forte bellum renovare conarentur,

ad classis aedificandas exercitusque comparandos quantum
pecuniae quaeque civitas daret, Aristides delectus est qui con-
stitueret, eiusque arbitrio quadringena et sexagena talenta quot-
annis Delum sunt collata: id enim commune aerarium esse
voluerunt. quae omnis pecunia postero tempore Athenas trans-
lata est. hic qua fuerit abstinentia, nullum est certius indicium 2
quam ⟨quod⟩, cum tantis rebus praefuisset, in tanta paupertate
decessit, ut qui efferretur vix reliquerit. quo factum est ut filiae 3
eius publice alerentur et de communi aerario dotibus datis col-
locarentur. decessit autem fere post annum quartum quam
Themistocles Athenis erat expulsus.

IV. *Pausanias*

Pausanias Lacedaemonius magnus homo, sed varius in omni **1**
genere vitae fuit: nam ut virtutibus eluxit, sic vitiis est obrutus.
huius illustrissimum est proelium apud Plataeas. namque illo 2
duce Mardonius, satrapes regius, natione Medus, regis gener, in
primis omnium Persarum et manu fortis et consilii plenus, cum
CC milibus peditum, quos viritim legerat, et $\overline{XX}$ equitum haud ita
magna manu Graeciae fugatus est, eoque ipse dux cecidit proelio.
qua victoria elatus plurima miscere coepit et maiora concupiscere. 3
sed primum in eo est reprehensus, quod ex praeda tripodem
aureum Delphis posuisset epigrammate scripto, in quo haec erat
sententia: suo ductu barbaros apud Plataeas esse deletos eiusque
victoriae ergo Apollini donum dedisse. hos versus Lacedaemonii 4
exsculpserunt neque aliud scripserunt quam nomina earum civi-
tatum, quarum auxilio Persae erant victi.

post id proelium eundem Pausaniam cum classe communi **2**
Cyprum atque Hellespontum miserunt, ut ex iis regionibus bar-
barorum praesidia depelleret. pari felicitate in ea re usus elatius 2
se gerere coepit maioresque appetere res. nam cum Byzantio
expugnato cepisset complures Persarum nobiles atque in his non-
nullos regis propinquos, hos clam Xerxi remisit, simulans ex
vinclis publicis effugisse, et cum his Gongylum Eretriensem, qui
litteras regi redderet, in quibus haec fuisse scripta Thucydi-
des (*i. 128*[7]) memoriae prodidit: "Pausanias, dux Spartae, quos 3
Byzanti ceperat, postquam propinquos tuos cognovit, tibi muneri
misit seque tecum affinitate coniungi cupit: quare, si tibi videtur,
des ei filiam tuam nuptum. id si feceris, et Spartam et ceteram 4
Graeciam sub tuam potestatem se adiuvante ⟨te⟩ redacturum

pollicetur. his de rebus si quid geri volueris, certum hominem ad
5 eum mittas face, cum quo colloquatur." rex tot hominum salute
tam sibi necessariorum magnopere gavisus confestim cum epistula
Artabazum ad Pausaniam mittit, in qua eum collaudat, petit, ne
cui rei parcat ad ea efficienda, quae pollicetur: si perfecerit, nullius
6 rei a se repulsam laturum. huius Pausanias voluntate cognita
alacrior ad rem gerendam factus in suspicionem cecidit Lacedae-
moniorum. quo facto domum revocatus, accusatus capitis absol-
vitur, multatur tamen pecunia, quam ob causam ad classem
remissus non est.

3 at ille post non multo sua sponte ad exercitum rediit et ibi
non callida, sed dementi ratione cogitata patefecit: non enim
mores patrios solum, sed etiam cultum vestitumque mutavit.
2 apparatu regio utebatur, veste Medica; satellites Medi et Aegyptii
sequebantur; epulabatur more Persarum luxuriosius, quam qui
3 aderant perpeti possent; aditum petentibus conveniundi non
dabat, superbe respondebat, crudeliter imperabat. Spartam redire
nolebat; Colonas, qui locus in agro Troade est, se contulerat; ibi
4 consilia cum patriae tum sibi inimica capiebat. id postquam
Lacedaemonii rescierunt, legatos cum clava ad eum miserunt, in
qua more illorum erat scriptum: nisi domum reverteretur, se
5 capitis eum damnaturos. hoc nuntio commotus, sperans se etiam
tum pecunia et potentia instans periculum posse depellere, domum
rediit. huc ut venit, ab ephoris in vincla publica est coniectus:
licet enim legibus eorum cuivis ephoro hoc facere regi. hinc tamen
se expedivit, neque eo magis carebat suspicione: nam opinio
6 manebat eum cum rege habere societatem. est genus quoddam
hominum, quod Hilotae vocatur, quorum magna multitudo agros
Lacedaemoniorum colit servorumque munere fungitur. hos quo-
7 que sollicitare spe libertatis existimabatur. sed quod harum rerum
nullum erat apertum crimen, quo argui posset, non putabant de
tali tamque claro viro suspicionibus oportere iudicari et exspe-
ctandum, dum se ipsa res aperiret.

4 interim Argilius quidam adulescentulus, quem puerum Pausanias amore venerio dilexerat, cum epistulam ab eo ad Artabazum accepisset eique in suspicionem venisset aliquid in ea de se esse scriptum, quod nemo eorum redisset, qui super tali causa eodem missi erant, vincla epistulae laxavit signoque detracto
2 cognovit, si pertulisset, sibi esse pereundum. erant in eadem
epistula quae ad ea pertinebant, quae inter regem Pausaniamque

convenerant. has ille litteras ephoris tradidit. non est prae- 3
tereunda gravitas Lacedaemoniorum hoc loco. nam ne huius
quidem indicio impulsi sunt ut Pausaniam comprehenderent,
neque prius vim adhibendam putaverunt, quam se ipse indicasset.
itaque huic indici, quid fieri vellent, praeceperunt. fanum Neptuni 4
est Taenari, quod violari nefas putant Graeci. eo ille index con-
fugit in araque consedit. hanc iuxta locum fecerunt sub terra, ex
quo posset audiri, si quis quid loqueretur cum Argilio. huc ex
ephoris quidam descenderunt. Pausanias, ut audivit Argilium 5
confugisse in aram, perturbatus venit eo. quem cum supplicem
dei videret in ara sedentem, quaerit, causae quid sit tam repentini
consilii. huic ille, quid ex litteris comperisset, aperit. modo magis 6
Pausanias perturbatus orare coepit, ne enuntiaret neu se meritum
de illo optime proderet: quod si eam veniam sibi dedisset tantisque
implicatum rebus sublevasset, magno ei praemio futurum.

his rebus ephori cognitis satius putarunt in urbe eum compre- **5**
hendi. quo cum essent profecti et Pausanias placato Argilio, ut
putabat, Lacedaemonem reverteretur, in itinere, cum iam in eo
esset ut comprehenderetur, ex vultu cuiusdam ephori, qui eum
admoneri cupiebat, insidias sibi fieri intellexit. itaque paucis ante 2
gradibus, quam qui eum sequebantur, in aedem Minervae, quae
Chalcioicos vocatur, confugit. hinc ne exire posset, statim ephori
valvas eius aedis obstruxerunt tectumque sunt demoliti, quo
celerius sub divo interiret. dicitur eo tempore matrem Pausaniae 3
vixisse eamque iam magno natu, postquam de scelere filii com-
perit, in primis ad filium claudendum lapidem ad introitum aedis
attulisse. sic Pausanias magnam belli gloriam turpi morte 4
maculavit. hic cum semianimis de templo elatus esset, confestim
animam efflavit. cuius mortui corpus cum eodem nonnulli dicerent 5
inferri oportere, quo ii qui ad supplicium essent dati, displicuit
pluribus, et procul ab eo loco infoderunt, quo erat mortuus. inde
posterius Delphici responso erutus atque eodem loco sepultus,
ubi vitam posuerat.

V. *Cimon*

Cimon, Miltiadis filius, Atheniensis, duro admodum initio usus **1**
est adulescentiae. nam cum pater eius litem aestimatam populo
solvere non potuisset ob eamque causam in vinclis publicis
decessisset, Cimon eadem custodia tenebatur neque legibus
Atheniensibus emitti poterat, nisi pecuniam, qua pater multatus

2 erat, solvisset. habebat autem in matrimonio sororem germanam
suam, nomine Elpinicen, non magis amore quam more ductus:
namque Atheniensibus licet eodem patre natas uxores ducere.
3 huius coniugii cupidus Callias quidam, non tam generosus quam
pecuniosus, qui magnas pecunias ex metallis fecerat, egit cum
Cimone ut eam sibi uxorem daret: id si impetrasset, se pro illo
4 pecuniam soluturum. is cum talem condicionem aspernaretur,
Elpinice negavit se passuram Miltiadis progeniem in vinclis
publicis interire, quoniam prohibere posset, seque Calliae nuptu-
ram, si ea quae polliceretur praestitisset.

2 tali modo custodia liberatus Cimon celeriter ad principatum
pervenit. habebat enim satis eloquentiae, summam liberalitatem,
magnam prudentiam cum iuris civilis tum rei militaris, quod cum
patre a puero in exercitibus fuerat versatus. itaque hic et populum
urbanum in sua tenuit potestate et apud exercitum plurimum
2 valuit auctoritate. primum imperator apud flumen Strymona
magnas copias Thracum fugavit, oppidum Amphipolim constituit
eoque decem milia Atheniensium in coloniam misit. idem iterum
apud Mycalen Cypriorum et Phoenicum ducentarum navium
classem devictam cepit eodemque die pari fortuna in terra usus
3 est. namque hostium navibus captis statim ex classe copias suas
eduxit barbarorumque maximam vim uno concursu prostravit.
4 qua victoria magna praeda potitus cum domum reverteretur, quod
iam nonnullae insulae propter acerbitatem imperii defecerant,
bene animatas confirmavit, alienatas ad officium redire coegit.
5 Scyrum, quam eo tempore Dolopes incolebant, quod contumacius
se gesserant, vacuefecit, sessores veteres urbe insulaque eiecit,
agros civibus divisit. Thasios opulentia fretos suo adventu fregit.
his ex manubiis arx Athenarum, qua ad meridiem vergit, est ornata.

3 quibus rebus cum unus in civitate maxime floreret, incidit in
eandem invidiam quam pater suus ceterique Atheniensium prin-
cipes: nam testarum suffragiis quod illi ὀστρακισμόν vocant x
2 annorum exilio multatus est. cuius facti celerius Athenienses
quam ipsum paenituit. nam cum ille animo forti invidiae in-
gratorum civium cessisset bellumque Lacedaemonii Atheniensibus
indixissent, confestim notae eius virtutis desiderium consecutum
3 est. itaque post annum quintum, quam expulsus erat, in patriam
revocatus est. ille, quod hospitio Lacedaemoniorum utebatur,
satius existimans contendere Lacedaemonem, sua sponte est pro-
fectus pacemque inter duas potentissimas civitates conciliavit.

post, neque ita multo, Cyprum cum ducentis navibus imperator 4
missus, cum eius maiorem partem insulae devicisset, in morbum
implicitus in oppido Citio est mortuus.

hunc Athenienses non solum in bello, sed etiam in pace diu **4**
desideraverunt. fuit enim tanta liberalitate, cum compluribus
locis praedia hortosque haberet, ut numquam in eis custodem
imposuerit fructus servandi gratia, ne quis impediretur, quo-
minus eius rebus quibus quisque vellet frueretur. semper eum 2
pedisequi cum nummis sunt secuti, ut, si quis opis eius indigeret,
haberet quod statim daret, ne differendo videretur negare. saepe,
cum aliquem offensum fortuna videret minus bene vestitum, suum
amiculum dedit. cotidie sic cena ei coquebatur, ut, quos invocatos 3
vidisset in foro, omnis devocaret, quod facere nullo die praeter-
mittebat. nulli fides eius, nulli opera, nulli res familiaris defuit:
multos locupletavit, complures pauperes mortuos, qui unde
efferrentur non reliquissent, suo sumptu extulit. sic se gerendo 4
minime est mirandum, si et vita eius fuit secura et mors acerba.

XIII. *Timotheus*

1^{2}: Samum cepit: in quo oppugnando superiori bello Athenienses mille et ducenta talenta consumpserant, id ille sine ulla publica impensa populo restituit.

NYMPHIS. *FGrH* 432 (*FHG* iii, pp. 12 ff.).

περὶ Ἡρακλείας

fr. 9 (15) (Athen. xii. 536a): *Νύμφις δ' ὁ Ἡρακλεώτης ἐν ἕκτῃ τῶν περὶ τῆς πατρίδος "Παυσανίας" φησίν, "ὁ περὶ Πλαταιὰς νικήσας Μαρδόνιον, τὰ τῆς Σπάρτης ἐξελθὼν νόμιμα καὶ εἰς ὑπερηφανίαν ἐπιδούς, περὶ Βυζάντιον διατρίβων τὸν χαλκοῦν κρατῆρα τὸν ἀνακείμενον τοῖς θεοῖς τοῖς ἐπὶ τοῦ στόματος ἱδρυμένοις, ὃν ἔτι καὶ νῦν εἶναι συμβαίνει, ἐτόλμησεν ἐπιγράψαι ὡς αὐτὸς ἀναθείη, ὑποθεὶς τόδε τὸ ἐπίγραμμα, διὰ τὴν τρυφὴν καὶ ὑπερηφανίαν ἐπιλαθόμενος αὑτοῦ·*

μνᾶμ' ἀρετᾶς ἀνέθηκε Ποσειδάωνι ἄνακτι
Παυσανίας, ἄρχων Ἑλλάδος εὐρυχόρου,
πόντου ἐπ' Εὐξείνου, Λακεδαιμόνιος γένος, υἱὸς
Κλεομβρότου, ἀρχαίας Ἡρακλέος γενεᾶς."

PANAITIOS. *Fragmenta*, ed. Fowler, Bonn 1885.

fr. 44: see Plutarch, *Arist.* 1^{6}.

fr. 46: see Plutarch, *Cim.* 4^{10}.

PAPYRI OXYRHYNCHII. edd. Grenfell and Hunt, London 1898–.

ii. 222 (list of Olympic victors, 480–468 and 456–448 B.C.):

6 [Ἀργ]ẹίων δημόσιος κέλης. 480
18 [Θήρ]ωνος Ἀκραγαντίνου τέθρι(ππον). 476
19 [Ἱέρ]ωνος Συρακοσίου κέλης.
22 [Ἐργ]οτέλης Ἱμαιρεος δό{.}λιχον. 472
31 [Ἀργ]είων δημόσιον τέθριππον.
32 [Ἱέρ]ωνος Συρακο[σίου κ]έλης.
42 [. . .]νης Τιρύνθιο[ς παίδων π]ύξ. 468

iv. 665 (? epitome of Philistos; text of *FGrH* 577 F 1):

a [τῶ]ν ἐν Ὀμφά[κηι καὶ]
Κακύρωι ξέν[ων ἐπὶ]
[Γ]ἐλαν στρα[τεία.]

βοή[θ]ẹια Συραḳο[σίων]
Γε[λῴ]ιοις καὶ πọ[ρεία]
τῶν ξẹ́νων πρὸ[ς Συρα]-
κοσίους.

μάχη Συρακοσ[ίων καὶ]
τῶν ξένῳν [ἐν τῶι]
Γλαυκῷν πε[δίωι?]
[. . . . . . .]αρ̣[.]ν[. . .]

b Ἀκρα[γαν]τ̣[ίνων ἐπὶ]
Κραστὸν στρ[ατεία].

ἡ γενομέν[η περὶ]
Κραστὸν Ἱμερα[ίων]
καὶ Γελῴων πρὸς Ἀ[κρα]-
γαντίνους μάχ[η].

ὡς οἱ τὴν Μινῴαν
τῶν ξένων οἰκ[ί]-
ζοντες ὑπ' Ἀκρα-
γαντίνων καὶ Σ[υρα]-
κοσίων ἡιρέθ̣η̣[σαν]
[. . Ἀκρ]αγα̣ν[τιν . . .]

v. 841: see Pindar, fr. 36.
v. 842: see Hellenika Oxyrhynchia.
xiii. 1610: see Ephoros, fr. 191.

PAUSANIAS. Ἑλλάδος περιήγησις, ed. Spiro, Leipzig (Teubner) 1903.

I. Ἀττικά

i. 1^{2}: . . . καὶ νεὼς καὶ ἐς ἐμὲ ἦσαν οἶκοι καὶ πρὸς τῷ μεγίστῳ λιμένι τάφος Θεμιστοκλέους.

i. 8^{5}: οὐ πόρρω δὲ ἑστᾶσιν Ἁρμόδιος καὶ Ἀριστογείτων οἱ κτείναντες Ἵππαρχον· αἰτία δὲ ἥτις ἐγένετο καὶ τὸ ἔργον ὄντινα τρόπον ἔπραξαν, ἑτέροις ἐστὶν εἰρημένα. τῶν δὲ ἀνδριάντων οἱ μέν εἰσι Κριτίου τέχνη, τοὺς δὲ ἀρχαίους ἐποίησεν Ἀντήνωρ· Ξέρξου δέ, ὡς εἷλεν Ἀθήνας ἐκλιπόντων τὸ ἄστυ Ἀθηναίων, ἀπαγαγομένου καὶ τούτους ἅτε λάφυρα, κατέπεμψεν ὕστερον Ἀθηναίοις Ἀντίοχος.

i. 15^{1}: ἰοῦσι δὲ πρὸς τὴν στοάν, ἣν Ποικίλην ὀνομάζουσιν ἀπὸ τῶν
γραφῶν, ... αὕτη δὲ ἡ στοὰ πρῶτα μὲν Ἀθηναίους ἔχει τεταγμένους
ἐν Οἰνόῃ τῆς Ἀργείας ἐναντία Λακεδαιμονίων· γέγραπται δὲ οὐκ ἐς
ἀκμὴν ἀγῶνος οὐδὲ τολμημάτων ἐς ἐπίδειξιν τὸ ἔργον ἤδη προῆκον,
ἀλλὰ ἀρχομένη τε ἡ μάχη καὶ ἐς χεῖρας ἔτι συνιόντες. ἐν δὲ τῷ μέσῳ 2
τῶν τοίχων Ἀθηναῖοι καὶ Θησεὺς Ἀμαζόσι μάχονται. . . . ἐπὶ δὲ ταῖς
Ἀμαζόσιν Ἕλληνές εἰσιν ᾑρηκότες Ἴλιον . . . . τελευταῖον δὲ τῆς 3
γραφῆς εἰσιν οἱ μαχεσάμενοι Μαραθῶνι.

i. 17^{2}: πρὸς δὲ τῷ γυμνασίῳ Θησέως ἐστὶν ἱερόν· γραφαὶ δέ εἰσι πρὸς
Ἀμαζόνας Ἀθηναῖοι μαχόμενοι. πεποίηται δέ σφισιν ὁ πόλεμος οὗτος
καὶ τῇ Ἀθηνᾷ ἐπὶ τῇ ἀσπίδι . . . . τοῦ δὲ τρίτου τῶν τοίχων ἡ γραφὴ μὴ 3
πυθομένοις ἃ λέγουσιν οὐ σαφής ἐστι, τὰ μέν που διὰ τὸν χρόνον, τὰ δὲ
Μίκων οὐ τὸν πάντα ἔγραψε λόγον. 6

i. 17^{6}: ὁ μὲν δὴ Θησέως σηκὸς Ἀθηναίοις ἐγένετο ὕστερον ἢ Μῆδοι Μαραθῶνι ἔσχον, Κίμωνος τοῦ Μιλτιάδου Σκυρίους ποιήσαντος ἀναστάτους—δίκην δὴ τοῦ Θησέως θανάτου—καὶ τὰ ὀστᾶ κομίσαντος ἐς Ἀθήνας.

i. 18^{1}: τὸ δὲ ἱερὸν τῶν Διοσκούρων ἐστὶν ἀρχαῖον, ... ἐνταῦθα Πολύγνωτος μὲν ἔχοντα ἐς αὐτοὺς ἔγραψε γάμον τῶν θυγατέρων τῶν Λευκίππου, Μίκων δὲ τοὺς μετὰ Ἰάσονος ἐς Κόλχους πλεύσαντας.

i. 23^{2}: παρὰ δὲ αὐτὴν ἄγαλμα Ἀφροδίτης, ὃ Καλλίου τέ φασιν ἀνάθημα εἶναι καὶ ἔργον Καλάμιδος.

i. 25^{1}: ἔστι δὲ ἐν τῇ Ἀθηναίων ἀκροπόλει καὶ Περικλῆς ὁ Ξανθίππου καὶ αὐτὸς Ξάνθιππος, ὃς ἐναυμάχησεν ἐπὶ Μυκάλῃ Μήδοις.

i. 26^{4}: τῆς δὲ εἰκόνος πλησίον τῆς Ὀλυμπιοδώρου χαλκοῦν Ἀρτέμιδος ἄγαλμα ἕστηκεν ἐπίκλησιν Λευκοφρύνης, ἀνέθεσαν δὲ οἱ παῖδες οἱ Θεμιστοκλέους· Μάγνητες γάρ, ὧν ἦρχε Θεμιστοκλῆς λαβὼν παρὰ βασιλέως, Λευκοφρύνην Ἄρτεμιν ἄγουσιν ἐν τιμῇ.

26^{4}: Λευκοφρυήνης codd. Paus. *iii. 18^{9}* (de Bathycle Magnesio et templo Ἀρτέμιδος Λευκοφρυήνης in Sparta).

i. 27^{5}: ἐπὶ δὲ τοῦ βάθρου καὶ ἀνδριάντες εἰσὶ Θεαίνετος ὃς ἐμαντεύετο Τολμίδῃ καὶ αὐτὸς Τολμίδης, ὃς Ἀθηναίων ναυσὶν ἡγούμενος ἄλλους τε ἐκάκωσε καὶ Πελοποννησίων τὴν χώραν ὅσοι νέμονται τὴν παραλίαν, καὶ Λακεδαιμονίων ἐπὶ Γυθίῳ τὰ νεώρια ἐνέπρησε καὶ τῶν περιοίκων Βοιὰς εἷλε καὶ τὴν Κυθηρίων νῆσον· ἐς δὲ τὴν Σικυωνίαν ποιησάμενος ἀπόβασιν, ὥς οἱ δῃοῦντι τὴν γῆν ἐς μάχην κατέστησαν, τρεψάμενος σφᾶς κατεδίωξε πρὸς τὴν πόλιν. ὕστερον δὲ ὡς ἐπανῆλθεν ἐς Ἀθήνας, ἐσήγαγε μὲν ἐς Εὔβοιαν καὶ Νάξον Ἀθηναίων κληρούχους, ἐσέβαλε δὲ ἐς Βοιωτοὺς στρατῷ· πορθήσας δὲ τῆς γῆς τὴν πολλὴν καὶ παραστησάμενος πολιορκίᾳ Χαιρώνειαν, ὡς ἐς τὴν Ἁλιαρτίαν προῆλθεν, αὐτός τε μαχόμενος ἀπέθανε καὶ τὸ πᾶν ἤδη στράτευμα ἡττᾶτο. τὰ μὲν ἐς Τολμίδην τοιαῦτα ἐπυνθανόμην ὄντα.

i. 28^{2}: χωρὶς δὲ ἢ ὅσα κατέλεξα δύο μὲν Ἀθηναίοις εἰσὶ δεκάται πολε-
μήσασιν, ἄγαλμα Ἀθηνᾶς χαλκοῦν ἀπὸ Μήδων τῶν ἐς Μαραθῶνα ἀπο-
βάντων τέχνη Φειδίου—καί οἱ τὴν ἐπὶ τῆς ἀσπίδος ⟨μάχην⟩ Λαπιθῶν
πρὸς Κενταύρους καὶ ὅσα ἄλλα ἐστὶν ἐπειργασμένα λέγουσι τορεῦσαι
Μῦν, τῷ δὲ Μυῒ ταῦτά τε καὶ τὰ λοιπὰ τῶν ἔργων Παρράσιον κατα-
γράψαι τὸν Εὐήνορος· ταύτης τῆς Ἀθηνᾶς ἡ τοῦ δόρατος αἰχμὴ καὶ ὁ
λόφος τοῦ κράνους ἀπὸ Σουνίου προσπλέουσίν ἐστιν ἤδη σύνοπτα—,
καὶ ἅρμα κεῖται χαλκοῦν ἀπὸ Βοιωτῶν δεκάτη καὶ Χαλκιδέων τῶν ἐν
Εὐβοίᾳ. δύο δὲ ἄλλα ἐστὶν ἀναθήματα, Περικλῆς ὁ Ξανθίππου καὶ τῶν
ἔργων τῶν Φειδίου θέας μάλιστα ἄξιον Ἀθηνᾶς ἄγαλμα ἀπὸ τῶν
3 ἀναθέντων καλουμένης Λημνίας. τῇ δὲ ἀκροπόλει, πλὴν ὅσον Κίμων
ᾠκοδόμησεν αὐτῆς ὁ Μιλτιάδου, περιβαλεῖν τὸ λοιπὸν λέγεται τοῦ
τείχους Πελασγοὺς οἰκήσαντάς ποτε ὑπὸ τὴν ἀκρόπολιν . . . .

i. 29^{2}: Ἀθηναίοις δὲ καὶ ἔξω πόλεως ἐν τοῖς δήμοις καὶ κατὰ τὰς
ὁδοὺς θεῶν ἐστιν ἱερὰ καὶ ἡρώων καὶ ἀνδρῶν τάφοι· ἐγγυτάτω δὲ
Ἀκαδημία, χωρίον ποτὲ ἀνδρὸς ἰδιώτου, γυμνάσιον δὲ ἐπ' ἐμοῦ.
3 κατιοῦσι δ' ἐς αὐτὴν . . . . πρῶτος μέν ἐστιν οὗτος (sc. Θρασυβούλου)
4 τάφος, ἐπὶ δὲ αὐτῷ Περικλέους τε καὶ Χαβρίου καὶ Φορμίωνος. ἔστι
δὲ καὶ πᾶσι μνῆμα Ἀθηναίοις ὁπόσοις ἀποθανεῖν συνέπεσεν ἔν τε
ναυμαχίαις καὶ ἐν μάχαις πεζαῖς πλὴν ὅσοι Μαραθῶνι αὐτῶν ἠγωνί-
σαντο· τούτοις γὰρ κατὰ χώραν εἰσὶν οἱ τάφοι δι' ἀνδραγαθίαν, οἱ δὲ
ἄλλοι κατὰ τὴν ὁδὸν κεῖνται τὴν ἐς Ἀκαδημίαν, καὶ σφῶν ἑστᾶσιν ἐπὶ
τοῖς τάφοις στῆλαι τὰ ὀνόματα καὶ τὸν δῆμον ἑκάστου λέγουσαι.
πρῶτοι δὲ ἐτάφησαν οὓς ἐν Θρᾴκῃ ποτὲ ἐπικρατοῦντας μέχρι Δραβη-
σκοῦ τῆς χώρας Ἠδωνοὶ φονεύουσιν ἀνέλπιστοι ἐπιθέμενοι· λέγεται
5 δὲ καὶ ὡς κεραυνοὶ πέσοιεν ἐς αὐτούς. στρατηγοὶ δὲ ἄλλοι τε ἦσαν καὶ

27^{5}, l. 5: εὐβοίας vel Βοίας codd.: cf. schol. Aeschin. ii. 75 (78). 29^{4}, l. 7: Δραβησκοῦ Palmerius, βραβίσκου codd.

*Λέαγρος, ᾧ μάλιστα ἐπετέτραπτο ἡ δύναμις, καὶ Δεκελεὺς Σωφάνης,
ὃς τὸν Ἀργεῖόν ποτε πένταθλον Νεμείων ἀνῃρημένον νίκην ἀπέκτεινεν
Εὐρυβάτην βοηθοῦντα Αἰγινήταις. . . . ἔστι δὲ ἔμπροσθεν τοῦ μνήματος* 6
*στήλη μαχομένους ἔχουσα ἱππεῖς· Μελάνωπός σφισίν ἐστι καὶ Μακάρ-
τατος ὀνόματα, οὓς κατέλαβεν ἀποθανεῖν ἐναντία Λακεδαιμονίων καὶ
Βοιωτῶν τεταγμένους, ἔνθα τῆς Ἐλεωνίας εἰσὶ χώρας πρὸς Τανα-
γραίους ὅροι . . . . ἐνταῦθα καὶ Κλεωναῖοι κεῖνται, μετὰ Ἀργείων ἐς* 7
*τὴν Ἀττικὴν ἐλθόντες· ἐφ᾽ ὅτῳ δέ, γράψω τοῦ λόγου μοι κατελθόν-
τος ἐς τοὺς Ἀργείους* (29⁸⁻⁹) . . . . *ἐτάφησαν δὲ καὶ οἱ τελευτήσαν-* 8
*τες πολεμοῦντος Κασσάνδρου καὶ οἱ συμμαχήσαντές ποτε Ἀργείων.
πραχθῆναι δὲ οὕτω σφίσι τὴν πρὸς Ἀργείους λέγουσι συμμαχίαν·
Λακεδαιμονίοις τὴν πόλιν τοῦ θεοῦ σείσαντος οἱ εἵλωτες ἐς Ἰθώμην
ἀπέστησαν, ἀφεστηκότων δὲ οἱ Λακεδαιμόνιοι βοηθοὺς καὶ ἄλλους καὶ
παρὰ Ἀθηναίων μετεπέμποντο· οἱ δέ σφισιν ἐπιλέκτους ἄνδρας ἀπο-
στέλλουσι καὶ στρατηγὸν Κίμωνα τὸν Μιλτιάδου. τούτους ἀποπέμπουσιν
οἱ Λακεδαιμόνιοι πρὸς ὑποψίαν· Ἀθηναίοις δὲ οὐκ ἀνεκτὰ ἐφαίνετο περι-* 9
*υβρίσθαι, καὶ ὡς ἐκομίζοντο ὀπίσω συμμαχίαν ἐποιήσαντο Ἀργείοις
Λακεδαιμονίων ἐχθροῖς τὸν ἅπαντα οὖσι χρόνον. ὕστερον δὲ μελλούσης
Ἀθηναίων ἐν Τανάγρᾳ γίνεσθαι πρὸς Βοιωτοὺς καὶ Λακεδαιμονίους
μάχης, ἀφίκοντο Ἀθηναίοις Ἀργεῖοι βοηθοῦντες· καὶ παραυτίκα μὲν
ἔχοντας πλέον τοὺς Ἀργείους νὺξ ἐπελθοῦσα ἀφείλετο τὸ σαφὲς τῆς
νίκης, ἐς δὲ τὴν ὑστεραίαν ὑπῆρξε κρατῆσαι Λακεδαιμονίοις Θεσσαλῶν
προδόντων Ἀθηναίους. . . . καὶ οἱ πλεύσαντες ἐς Κύπρον ὁμοῦ Κίμωνι* 13
. . . Τολμίδου δὲ καὶ τῶν σὺν αὐτῷ δεδήλωται μὲν ἤδη μοι (27⁵) *τὰ* 14
*ἔργα καὶ ὃν τρόπον ἐτελεύτησαν· ἴστω δὲ ὅτῳ φίλον κειμένους σφᾶς
κατὰ τὴν ὁδὸν ταύτην. κεῖνται δὲ καὶ οἱ σὺν Κίμωνι τὸ μέγα ἔργον
[ἐπὶ τῇ] πεζῇ καὶ ναυσὶν αὐθημερὸν κρατήσαντες. . . . ῥήτορές τε* 15
*Ἐφιάλτης, ὃς τὰ νόμιμα τὰ ἐν Ἀρείῳ πάγῳ μάλιστα ἐλυμήνατο, καὶ
Λυκοῦργος ὁ Λυκόφρονος. Λυκούργῳ δὲ ἐπορίσθη μὲν τάλαντα ἐς τὸ* 16
*δημόσιον πεντακοσίοις πλείονα καὶ ἑξακισχιλίοις ἢ ὅσα Περικλῆς ὁ
Ξανθίππου συνήγαγε.*

i. 33²: *Μαραθῶνος δὲ σταδίους μάλιστα ἑξήκοντα ἀπέχει Ῥαμνοῦς τὴν παρὰ θάλασσαν ἰοῦσιν ἐς Ὠρωπόν. καὶ αἱ μὲν οἰκήσεις ἐπὶ θαλάσσῃ τοῖς ἀνθρώποις εἰσί, μικρὸν δὲ ἀπὸ θαλάσσης ἄνω Νεμέσεώς ἐστιν ἱερόν, ἣ θεῶν μάλιστα ἀνθρώποις ὑβρισταῖς ἐστιν ἀπαραίτητος. δοκεῖ δὲ καὶ τοῖς ἀποβᾶσιν ἐς Μαραθῶνα τῶν βαρβάρων ἀπαντῆσαι μήνιμα ἐκ τῆς θεοῦ ταύτης· καταφρονήσαντες γὰρ ⟨μηδέν⟩ σφισιν ἐμποδὼν εἶναι τὰς Ἀθήνας ἑλεῖν, λίθον Πάριον [ὃν] ὡς ἐπ᾽ ἐξειργασμένοις ἦγον*

29⁶: *Ἐλεωνίας* Boeckh, *Ἐλευσινίας* codd. 29¹⁴, l. 4: [*ἐπὶ τῇ*] del. Schubart–Walz. *πεζικῇ ναυσὶν* codd., *πεζῇ καὶ* Musurus.

3 ἐς τροπαίου ποίησιν. τοῦτον Φειδίας τὸν λίθον εἰργάσατο ἄγαλμα μὲν εἶναι Νεμέσεως, ...

i. 36^{3}: ἰοῦσι δὲ ἐπ' Ἐλευσῖνα ἐξ Ἀθηνῶν ἣν Ἀθηναῖοι καλοῦσιν ὁδὸν ἱεράν, Ἀνθεμοκρίτου πεποίηται μνῆμα. ἐς τοῦτον Μεγαρεῦσίν ἐστιν ἀνοσιώτατον ἔργον, οἳ κήρυκα ἐλθόντα, ὡς μὴ τοῦ λοιποῦ τὴν χώραν ἐπεργάζοιντο, κτείνουσιν Ἀνθεμόκριτον· καί σφισι ταῦτα δράσασι παραμένει καὶ ἐς τόδε μήνιμα ἐκ τοῖν θεοῖν.

II. *Κορινθιακά* (*Ἀργολίς*)

ii. 17^{5}: *παρὰ δὲ αὐτήν* (sc. in the Heraion) *ἐστιν ἐπὶ κίονος ἄγαλμα Ἥρας ἀρχαῖον. τὸ δὲ ἀρχαιότατον πεποίηται μὲν ἐξ ἀχράδος, ἀνετέθη δὲ ἐς Τίρυνθα ὑπὸ Πειράσου τοῦ Ἄργου, Τίρυνθα δὲ ἀνελόντες Ἀργεῖοι κομίζουσιν ἐς τὸ Ἡραῖον· ὃ δὴ καὶ αὐτὸς εἶδον, καθήμενον ἄγαλμα οὐ μέγα.*

ii. 25^{8}: *ἀνέστησαν δὲ καὶ Τιρυνθίους Ἀργεῖοι, συνοίκους προσλαβεῖν καὶ τὸ Ἄργος ἐπαυξῆσαι θελήσαντες.*

III. *Λακωνικά*

iii. 4^{9}: *Παυσανίας δὲ ὁ Κλεομβρότου βασιλεὺς μὲν οὐκ ἐγένετο· ἐπιτροπεύων γὰρ Πλείσταρχον τὸν Λεωνίδου καταλειφθέντα ἔτι παῖδα ἐς Πλάταιάν τε Λακεδαιμονίους ἤγαγε καὶ ὕστερον ναυσὶν ἐς τὸν Ἑλλήσποντον.*

iii. 5^{1}: *Πλείσταρχος μὲν οὖν ὁ Λεωνίδου νεωστὶ τὴν βασιλείαν παρειληφὼς ἐτελεύτησε, Πλειστοάναξ δὲ ἔσχε τὴν ἀρχὴν ὁ Παυσανίου τοῦ Πλαταιᾶσιν ἡγησαμένου.*

iii. 5^{6}: . . . *Τεγεᾶται δὲ αὐτὸν* (sc. King Pausanias, in 394 B.C.) *τῆς Ἀθηνᾶς ἱκέτην ἐδέξαντο τῆς Ἀλέας. ἦν δὲ ἄρα τὸ ἱερὸν τοῦτο ἐκ παλαιοῦ Πελοποννησίοις πᾶσιν αἰδέσιμον καὶ τοῖς αὐτόθι ἱκετεύουσιν ἀσφάλειαν μάλιστα παρείχετο· ἐδήλωσαν δὲ οἵ τε Λακεδαιμόνιοι τὸν Παυσανίαν καὶ ἔτι πρότερον τούτου Λεωτυχίδην καὶ Ἀργεῖοι Χρυσίδα, καθεζομένους ἐνταῦθα ἱκέτας, οὐδὲ ἀρχὴν ἐξαιτῆσαι θελήσαντες.*

iii. 7^{9}: *Λεωτυχίδης δὲ ἀντὶ Δημαράτου γενόμενος βασιλεὺς μετέσχε μὲν Ἀθηναίοις καὶ Ἀθηναίων τῷ στρατηγῷ Ξανθίππῳ τῷ Ἀρίφρονος τοῦ ἔργου τοῦ πρὸς Μυκάλῃ, ἐστράτευσε δὲ ὕστερον τούτων καὶ ἐπὶ τοὺς Ἀλευάδας ἐς Θεσσαλίαν· καί οἱ καταστρέψασθαι Θεσσαλίαν πᾶσαν ἐξὸν ἅτε ἀεὶ νικῶντι ἐν ταῖς μάχαις, δῶρα ἔλαβε παρὰ τῶν Ἀλευαδῶν.*
10 *ὑπαγόμενος δὲ ἐν Λακεδαίμονι ἐς δίκην ἔφυγεν ἐθελοντὴς ἐς Τεγέαν. καὶ ὁ μὲν αὐτόθι τὴν Ἀθηνᾶν τὴν Ἀλέαν ἱκέτευε, Λεωτυχίδου δὲ ὁ μὲν*

παῖς Ζευξίδαμος ζῶντος ἔτι Λεωτυχίδου καὶ οὐ πεφευγότος πω τελευτᾷ νόσῳ, Ἀρχίδαμος δὲ ὁ Ζευξιδάμου μετὰ Λεωτυχίδην ἀπελθόντα ἐς Τεγέαν ἔσχε τὴν ἀρχήν.

iii. 11^{7}: *Λακεδαιμόνιοι δὲ—οὐ γὰρ εἶχον ἀνηκόως ὧν Τισαμενῷ*
προεῖπεν ἡ Πυθία—πείθουσι μετοικήσαντα ἐξ Ἤλιδος μαντεύεσθαι
Σπαρτιατῶν τῷ κοινῷ· καί σφισιν ὁ Τισαμενὸς ἀγῶνας πολέμου πέντε
ἐνίκησε, πρῶτον μὲν Πλαταιᾶσιν ἐναντία Περσῶν, δεύτερον δὲ ἐν
Τεγέᾳ πρὸς Τεγεάτας καὶ Ἀργείους μάχης Λακεδαιμονίοις συνεστώ-
σης, ἐπὶ τούτοις δὲ ἐν Διπαιεῦσιν Ἀρκάδων πάντων πλὴν Μαντινέων
ἀντιτεταγμένων· οἱ δὲ Διπαιεῖς ἐν τῇ Μαιναλίᾳ πόλισμα Ἀρκάδων ἦσαν.
τέταρτον δὲ ἠγωνίσατο πρὸς τοὺς ἐξ ἰσθμοῦ ⟨ἐς⟩ Ἰθώμην ἀποστάντας 8
[*ἀπὸ*] *τῶν εἱλώτων· ἀπέστησαν δὲ οὐχ ἅπαντες οἱ εἵλωτες, ἀλλὰ τὸ*
Μεσσηνιακὸν ἀπὸ τῶν ἀρχαίων εἱλώτων ἀποσχισθέντες· καί μοι καὶ
τάδε ὁ λόγος αὐτίκα ἐπέξεισι (iv. 24^{5-7}). *τότε δὲ οἱ Λακεδαιμόνιοι τοὺς*
ἀποστάντας ἀπελθεῖν ὑποσπόνδους εἴασαν Τισαμενῷ καὶ τῷ ἐν Δελφοῖς
χρηστηρίῳ πειθόμενοι· τελευταῖον δὲ ὁ Τισαμενὸς ἐμαντεύσατο ἐν Τα-
νάγρᾳ σφίσι πρὸς Ἀργείους καὶ Ἀθηναίους γινομένης συμβολῆς.

iii. 14^{1}: *τοῦ θεάτρου δὲ ἀπαντικρὺ Παυσανίου τοῦ Πλαταιᾶσιν ἡγησαμένου μνῆμά ἐστι.*

iii. 17^{7} *παρὰ δὲ τῆς Χαλκιοίκου τὸν βωμὸν ἑστήκασι δύο εἰκόνες*
Παυσανίου τοῦ περὶ Πλάταιαν ἡγησαμένου. τὰ δὲ ἐς αὐτὸν ὁποῖα
ἐγένετο εἰδόσιν οὐ διηγήσομαι· τὰ γὰρ τοῖς πρότερον συγγραφέντα ἐπ'
ἀκριβὲς ἀποχρῶντα ἦν· ἐπεξελθεῖν ⟨δέ⟩ σφισιν ἀρκέσομαι. ἤκουσα δὲ
ἀνδρὸς Βυζαντίου Παυσανίαν φωραθῆναί τε ἐφ' οἷς ἐβουλεύετο καὶ
μόνον τῶν ἱκετευσάντων τὴν Χαλκίοικον ἁμαρτεῖν ἀδείας κατ' ἄλλο
μὲν οὐδέν, φόνου δὲ ἄγος ἐκνίψασθαι μὴ δυνηθέντα. ὡς γὰρ δὴ διέτριβε 8
περὶ Ἑλλήσποντον ναυσὶ τῶν τε ἄλλων Ἑλλήνων καὶ αὐτῶν Λακε-
δαιμονίων, παρθένου Βυζαντίας ἐπεθύμησε· καὶ αὐτίκα νυκτὸς ἀρχο-
μένης τὴν Κλεονίκην—τοῦτο γὰρ ὄνομα ἦν τῇ κόρῃ—κομίζουσιν οἷς
ἐπετέτακτο. ἐν τούτῳ δὲ ὑπνωμένον τὸν Παυσανίαν ἐπήγειρεν ὁ
ψόφος· ἰοῦσα γὰρ παρ' αὐτὸν τὸν καιόμενον λύχνον κατέβαλεν ἄκουσα.
ἅτε δὲ ὁ Παυσανίας συνειδὼς αὑτῷ προδιδόντι τὴν Ἑλλάδα καὶ δι'
αὐτὸ ἐχόμενος ταραχῇ τε ἀεὶ καὶ δείματι, ἐξέστη καὶ τότε καὶ τὴν
παῖδα τῷ ἀκινάκῃ παίει. τοῦτο τὸ ἄγος οὐκ ἐξεγένετο ἀποφυγεῖν 9
Παυσανίᾳ, καθάρσια παντοῖα καὶ ἱκεσίας δεξαμένῳ Διὸς Φυξίου καὶ
δὴ ἐς Φιγαλίαν ἐλθόντι τὴν Ἀρκάδων παρὰ τοὺς ψυχαγωγούς· δίκην
δὲ ἣν εἰκὸς ἦν Κλεονίκῃ τε ἀπέδωκε καὶ τῷ θεῷ. Λακεδαιμόνιοι δὲ
ἐκτελοῦντες πρόσταγμα ἐκ Δελφῶν τάς τε εἰκόνας ἐποιήσαντο τὰς

11^{8}: ⟨*ἐς*⟩ suppl. Pavius; *ἀποστάντας* Clavier, *ἀποστήσαντας* codd.; [*ἀπὸ*] secl. Palmerius; cf. *Her. ix*, 35^{2}.

χαλκᾶς καὶ δαίμονα τιμῶσιν Ἐπιδώτην, τὸ ἐπὶ Παυσανίᾳ τοῦ Ἱκεσίου μήνιμα ἀποτρέπειν τὸν Ἐπιδώτην λέγοντες τοῦτον.

IV. *Μεσσηνιακά*

iv. 24[5]: Μεσσηνίων δὲ τοὺς ἐγκαταληφθέντας ἐν τῇ γῇ, συντελοῦντας
κατὰ ἀνάγκην ἐς τοὺς εἵλωτας, ἐπέλαβεν ἀπὸ Λακεδαιμονίων ὕστερον
ἀποστῆναι κατὰ τὴν ἐνάτην ὀλυμπιάδα καὶ ἑβδομηκοστήν, ἣν Κορίνθιος
ἐνίκα Ξενοφῶν, Ἀρχιμήδους Ἀθήνησιν ἄρχοντος· ἀπέστησαν δὲ καιρὸν 464/3
τοιόνδε εὑρόντες. Λακεδαιμονίων ἄνδρες ἀποθανεῖν ἐπὶ ἐγκλήματι
ὅτῳ δὴ καταγνωσθέντες ἱκέται καταφεύγουσιν ἐς Ταίναρον· ἐντεῦθεν
δὲ ἡ ἀρχὴ τῶν ἐφόρων ἀπὸ τοῦ βωμοῦ σφᾶς ἀποσπάσασα ἀπέκτεινε.
6 Σπαρτιάταις δὲ ἐν οὐδενὶ λόγῳ θεμένοις τοὺς ἱκέτας ἀπήντησεν ἐκ
Ποσειδῶνος μήνιμα, καί σφισιν ἐς ἔδαφος τὴν πόλιν πᾶσαν κατέβαλεν
ὁ θεός. ἐπὶ δὲ τῇ συμφορᾷ ταύτῃ καὶ τῶν εἱλώτων ὅσοι Μεσσήνιοι τὸ
ἀρχαῖον ἦσαν, ἐς τὸ ὄρος τὴν Ἰθώμην ἀπέστησαν. Λακεδαιμόνιοι δὲ
ἄλλα τε μετεπέμποντο συμμαχικὰ ἐπ' αὐτοὺς καὶ Κίμωνα τὸν Μιλτιάδου
πρόξενόν σφισιν ὄντα καὶ Ἀθηναίων δύναμιν· ἀφικομένους δὲ τοὺς
Ἀθηναίους ὑποπτεῦσαι δοκοῦσιν ὡς τάχα νεωτερίσοντας καὶ ὑπὸ τῆς
7 ὑποψίας ἀποπέμψασθαι μετ' οὐ πολὺ ἐξ Ἰθώμης. Ἀθηναῖοι δὲ τὴν ἐς
αὐτοὺς τῶν Λακεδαιμονίων ὑπόνοιαν συνέντες Ἀργείοις τε φίλοι δι'
αὐτὸ ἐγένοντο καὶ Μεσσηνίων τοῖς ἐν Ἰθώμῃ πολιορκουμένοις ἐκπεσοῦσιν ὑποσπόνδοις ἔδοσαν Ναύπακτον, ἀφελόμενοι Λοκροὺς τοὺς πρὸς Αἰτωλίᾳ καλουμένους Ὀζόλας. τοῖς δὲ Μεσσηνίοις παρέσχεν ἀπελθεῖν ἐξ Ἰθώμης τοῦ τε χωρίου τὸ ἐχυρὸν καὶ ἅμα Λακεδαιμονίοις προεῖπεν ἡ Πυθία ἦ μὴν εἶναί σφισι δίκην ἁμαρτοῦσιν ἐς τοῦ Διὸς τοῦ Ἰθωμάτα τὸν ἱκέτην.

25 ὑπόσπονδοι μὲν ἐκ Πελοποννήσου τούτων ἕνεκα ἀφείθησαν· ἐπεὶ δὲ
ἔσχον τὴν Ναύπακτον, οὐκ ἀπέχρη πόλιν τε αὐτοῖς καὶ χώραν εἰληφέναι
παρὰ Ἀθηναίων, ἀλλὰ σφᾶς πόθος εἶχεν ἰσχυρὸς χερσὶ ταῖς αὑτῶν
φανῆναι λόγου τι κεκτημένους ἄξιον. καὶ ἠπίσταντο γὰρ Οἰνιάδας
Ἀκαρνάνων γῆν τε ἔχοντας ἀγαθὴν καὶ Ἀθηναίοις διαφόρους τὸν πάντα
ὄντας χρόνον, στρατεύουσιν ἐπ' αὐτούς. ὄντες δὲ ἀριθμῷ μὲν οὐ
πλείους, ἀρετῇ δὲ καὶ πολὺ ἀμείνονες [ὄντες] τῇ σφετέρᾳ νικῶσι, καὶ
2 ἐπολιόρκουν κατακεκλειμένους ἐς τὸ τεῖχος. τὸ δὲ ἐντεῦθεν, οὐ γάρ
τι τῶν τοῖς ἀνθρώποις εὑρημένων ἐς πολιορκίαν οἱ Μεσσήνιοι παρίεσαν,
ἀλλὰ καὶ κλίμακας προστιθέντες ἐπειρῶντο ὑπερβαίνειν ἐς τὴν πόλιν
καὶ ὑπώρυσσον κάτωθεν τὸ τεῖχος, μηχανήματά τε, ὁποῖα ἐνῆν δι'
ὀλίγου παρασκευάσασθαι, προσαγαγόντες ἀεί τι ἤρειπον· δείσαντες δὲ

---

iv. 24[5], l. 3: ἑβδομηκοστήν Meursius, εἰκοστήν codd. l. 4: Ἀρχιμήδους codd., Ἀρχιδημίδου *Dion. Hal. AR ix. 61*[1], Diod. xi. 70[1].

οἱ ἔνδον μὴ ἁλούσης τῆς πόλεως αὐτοί τε ἀπόλωνται καὶ αἱ γυναῖκές
σφισι καὶ οἱ παῖδες ἐξανδραποδισθῶσιν, εἵλοντο ἀπελθεῖν ὑπόσπονδοι.
καὶ ἐνιαυτὸν μὲν μάλιστα οἱ Μεσσήνιοι κατέσχον τὴν πόλιν καὶ 3
ἐνέμοντο τὴν χώραν· τῷ δὲ ἔτει τῷ ὑστέρῳ δύναμιν οἱ Ἀκαρνᾶνες
ἀπὸ πασῶν συλλέξαντες τῶν πόλεων ἐβουλεύοντο ἐπὶ τὴν Ναύπακτον
στρατεύειν. καὶ τοῦτο μὲν ἀπέδοξεν αὐτοῖς τήν τε πορείαν ὁρῶσιν, ὅτι
ἔσεσθαι δι' Αἰτωλῶν ἔμελλε πολεμίων ἀεί ποτε ὄντων, καὶ ἅμα τοὺς
Ναυπακτίους κεκτῆσθαί τι ναυτικὸν ὑπώπτευον, ὥσπερ γε καὶ εἶχον,
ἐπικρατούντων δὲ ἐκείνων τῆς θαλάσσης οὐδὲν εἶναι κατεργάσασθαι
μέγα οὐδὲ στρατῷ πεζῷ· μετεβουλεύετό τε δή σφισι ⟨καὶ⟩ αὐτίκα ἐπὶ 4
Μεσσηνίους τρέπονται τοὺς ἐν Οἰνιάδαις. καὶ οἱ μὲν ὡς πολιορκή-
σοντες παρεσκευάζοντο· οὐ γάρ ποτε ὑπελάμβανον ἄνδρας οὕτως
ὀλίγους ἐς τοσοῦτον ἀπονοίας ἥξειν ὡς μαχέσασθαι πρὸς τὴν Ἀκαρνάνων
ἁπάντων στρατιάν. οἱ δὲ Μεσσήνιοι προητοιμασμένοι μὲν καὶ σῖτον
καὶ τὰ ἄλλα ἦσαν ὁπόσα εἰκὸς ἦν, πολιορκίας πειράσεσθαι μακροτέρας
ἐλπίζοντες· παρίστατο δέ σφισι πρὸ τῆς μελλούσης πολιορκίας ἀγῶνα 5
ἐκ τοῦ φανεροῦ ποιήσασθαι, μηδὲ ὄντας Μεσσηνίους, οἳ μηδὲ Λακε-
δαιμονίων ἀνδρίᾳ, τύχῃ δὲ ἠλαττώθησαν, καταπεπλῆχθαι τὸν ἥκοντα
ὄχλον ἐξ Ἀκαρνανίας· τό τε Ἀθηναίων ἐν Μαραθῶνι ἔργον ἀνεμιμνή-
σκοντο, ὡς μυριάδες τριάκοντα ἐφθάρησαν τῶν Μήδων ὑπὸ ἀνδρῶν
οὐδὲ ἐς μυρίους ἀριθμόν. καθίσταντό τε δὴ τοῖς Ἀκαρνᾶσιν ἐς ἀγῶνα 6
καὶ ὁ τρόπος λέγεται τῆς μάχης γενέσθαι τοιόσδε. οἱ μέν, ἅτε πλήθει
προέχοντες πολύ, οὐ χαλεπῶς περιέβαλον τοὺς Μεσσηνίους, πλὴν ὅσον
αἵ πύλαι τε ἀπεῖργον κατὰ νώτου τοῖς Μεσσηνίοις γινόμεναι καὶ οἱ ἀπὸ
τοῦ τείχους τοῖς σφετέροις προθύμως ἀμύνοντες· ταύτῃ μὲν δὴ μὴ περι-
σχεθῆναι σφᾶς ἐκώλυε, τὰ δὲ πλευρὰ ἀμφότερα ἐκυκλώσαντο αὐτῶν οἱ
Ἀκαρνᾶνες καὶ ἐσηκόντιζον πανταχόθεν. οἱ δὲ Μεσσήνιοι συνεστραμμέ- 7
νοι μετ' ἀλλήλων, ὁπότε ἀθρόοι τοῖς Ἀκαρνᾶσιν ἐμπέσοιεν, ἐτάρασσον
μὲν τοὺς κατὰ ταὐτὸ ἑστηκότας καὶ ἐφόνευόν τε αὐτῶν καὶ ἐτίτρωσκον
πολλούς, τελέαν δὲ οὐκ ἐδύναντο ἐργάσασθαι φυγήν· ὅπου γὰρ τῆς
τάξεως αἴσθοιντό τι οἱ Ἀκαρνᾶνες τῆς αὐτῶν ὑπὸ τῶν Μεσσηνίων
διασπώμενον, κατὰ τοῦτο ἀμύνοντες τοῖς βιαζομένοις αὐτῶν ἀνεῖργον
τοὺς Μεσσηνίους ἐπικρατοῦντες τῷ πλήθει. οἱ δὲ ὁπότε ἀνακοπεῖεν, 8
κατ' ἄλλο αὖθις πειρώμενοι διακόψαι τὴν Ἀκαρνάνων φάλαγγα τὸ
αὐτὸ ἂν ἔπασχον· ὅτῳ μὲν προσβάλλοιεν, διέσειόν τε καὶ τροπὴν ἐπὶ
βραχὺ ἐποίουν, ἐπιρρεόντων δὲ αὖθις κατὰ τοῦτο σπουδῇ τῶν Ἀκαρνά-
νων ἀπετρέποντο ἄκοντες. γενομένου δὲ ἰσορρόπου τοῦ ἀγῶνος ἄχρι
ἑσπέρας καὶ Ἀκαρνᾶσιν ὑπὸ τὴν ἐπιοῦσαν νύκτα ἐπελθούσης δυνάμεως
ἀπὸ τῶν πόλεων, οὕτω τοῖς Μεσσηνίοις περιειστήκει πολιορκία. καὶ 9
ἁλῶναι μὲν κατὰ κράτος τὸ τεῖχος ἢ ὑπερβάντων τῶν Ἀκαρνάνων ἢ καὶ

ἀπολιπεῖν βιασθεῖσιν αὐτοῖς τὴν φρουρὰν δέος ἦν οὐδέν· τὰ δὲ ἐπιτήδειά σφισι πάντα ὁμοίως ὀγδόῳ μηνὶ ἐξανήλωτο. ἐς μὲν δὴ τοὺς Ἀκαρνᾶνας ἐχρῶντο ἀπὸ τοῦ τείχους χλευασίᾳ, μὴ σφᾶς τὰ σίτια
10 προδοῦναί ποτε ἂν μηδὲ ἐς ἔτος δέκατον πολιορκουμένους· αὐτοὶ δὲ περὶ ὕπνον πρῶτον ἐξελθόντες ἐκ τῶν Οἰνιαδῶν, ⟨καὶ⟩ γενομένης τοῦ δρασμοῦ σφῶν τοῖς Ἀκαρνᾶσιν αἰσθήσεως [καὶ] ἐς μάχην ἀναγκασθέντες ἀφικέσθαι, περὶ τριακοσίους μὲν ἀποβάλλουσι καὶ πλείονας ἔτι αὐτοὶ τῶν ἐναντίων κατεργάζονται, τὸ δὲ πολὺ αὐτῶν διεκπίπτουσι διὰ τῶν Ἀκαρνάνων καὶ ἐπιλαμβανόμενοι τῆς Αἰτωλῶν ἐχόντων σφίσιν ἐπιτηδείως ἐς τὴν Ναύπακτον ἀνασώζονται.

iv. 33^1: . . . ἐς τοῦ Διὸς τοῦ Ἰθωμάτα τὸ ἱερόν. (2) τὸ δὲ ἄγαλμα τοῦ Διὸς Ἀγελάδα μέν ἐστιν ἔργον, ἐποιήθη δὲ ἐξ ἀρχῆς τοῖς οἰκήσασιν ἐν Ναυπάκτῳ Μεσσηνίων.

V. Ἠλιακῶν α´

v. 9^4: πεντηκοστῇ δὲ ὀλυμπιάδι ἀνδράσι δύο ἐξ ἁπάντων λαχοῦσιν 580
Ἠλείων ἐπετράπη ποιῆσαι τὰ Ὀλύμπια, καὶ ἐπὶ πλεῖστον ἀπὸ ἐκείνου
5 διέμεινε τῶν ἀγωνοθετῶν ὁ ἀριθμὸς τῶν δύο. πέμπτῃ δὲ ὀλυμπιάδι 400
καὶ ἐνενηκοστῇ ἐννέα ἑλλανοδίκας κατέστησαν· τρισὶ μὲν δὴ ἐπετέτραπτο ἐξ αὐτῶν ὁ δρόμος τῶν ἵππων, τοσούτοις δὲ ἑτέροις ἐπόπταις εἶναι τοῦ πεντάθλου, τοῖς δὲ ὑπολειπομένοις τὰ λοιπὰ ἔμελε τῶν ἀγωνισμάτων. δευτέρᾳ δὲ ἀπὸ ταύτης ὀλυμπιάδι προσετέθη καὶ ὁ δέκατος ἀθλοθέτης.

v. 10^2: ἐποιήθη δὲ ὁ ναὸς καὶ τὸ ἄγαλμα τῷ Διὶ ἀπὸ λαφύρων, ἡνίκα Πίσαν οἱ Ἠλεῖοι καὶ ὅσον τῶν περιοίκων ἄλλο συναπέστη Πισαίοις πολέμῳ καθεῖλον. Φειδίαν δὲ τὸν ἐργασάμενον τὸ ἄγαλμα εἶναι καὶ ἐπίγραμμά ἐστιν ἐς μαρτυρίαν ὑπὸ τοῦ Διὸς γεγραμμένον τοῖς ποσί·

Φειδίας Χαρμίδου υἱὸς Ἀθηναῖός μ' ἐποίησε.

τοῦ ναοῦ δὲ Δώριος μέν ἐστιν ἡ ἐργασία, τὰ δὲ ἐκτὸς περίστυλός ἐστι·
3 πεποίηται δὲ ἐπιχωρίου πώρου. ὕψος μὲν δὴ αὐτοῦ ⟨τὸ⟩ ἐς τὸν ἀετὸν ἀνῆκον, εἰσίν οἱ ὀκτὼ πόδες καὶ ἑξήκοντα, εὖρος δὲ πέντε καὶ ἐνενήκοντα, τὰ δὲ ἐς μῆκος τριάκοντά τε καὶ διακόσιοι· τέκτων δὲ ἐγένετο αὐτοῦ Λίβων ἐπιχώριος. κέραμος δὲ οὐ γῆς ὀπτῆς ἐστιν, ἀλλὰ κεράμου
4 τρόπον λίθος ὁ Πεντελῆσιν εἰργασμένος· . . . ἐν δὲ Ὀλυμπίᾳ λέβης ἐπίχρυσος ἐπὶ ἑκάστῳ τοῦ ὀρόφου τῷ πέρατι ἐπίκειται καὶ Νίκη κατὰ μέσον μάλιστα ἕστηκε τὸν ἀετόν, ἐπίχρυσος καὶ αὕτη. ὑπὸ δὲ τῆς Νίκης τὸ ἄγαλμα ἀσπὶς ἀνάκειται χρυσῆ, Μέδουσαν τὴν Γοργόνα

v. 9^5, l. 2: ἐνενηκοστῇ Boeckh, εἰκοστῇ (680) codd.

ἔχουσα ἐπειργασμένην. τὸ ἐπίγραμμα δὲ τὸ ἐπὶ τῇ ἀσπίδι τούς τε ἀναθέντας δηλοῖ καὶ καθ' ἥντινα αἰτίαν ἀνέθεσαν· λέγει γὰρ δὴ οὕτω·

ναὸς μὲν φιάλαν χρυσέαν ἔχει, ἐκ δὲ Τανάγρας
τοὶ Λακεδαιμόνιοι συμμαχία τ' ἀν⟨έ⟩θεν
δῶρον ἀπ' Ἀργείων καὶ Ἀθαναίων καὶ Ἰώνων,
τὰν δεκάταν νίκας εἵνεκα τῶ πολέμω.

ταύτης τῆς μάχης μνήμην καὶ ἐν τῇ Ἀτθίδι ἐποιησάμην συγγραφῇ (i. 29[9]), τὰ Ἀθήνησιν ἐπεξιὼν μνήματα.

v. 10[8]: τὰ μὲν δὴ ἔμπροσθεν ⟨ἐν⟩ τοῖς ἀετοῖς ἐστι Παιωνίου, γένος ἐκ Μένδης τῆς Θρᾳκίας, τὰ δὲ ὄπισθεν αὐτῶν Ἀλκαμένους, ἀνδρὸς ἡλικίαν τε κατὰ Φειδίαν καὶ δευτερεῖα ἐνεγκαμένου σοφίας ἐς ποίησιν ἀγαλμάτων.

v. 11[5]: τούτων τῶν ἐρυμάτων (sc. round the throne of Pheidias' Zeus) ὅσον μὲν ἀπαντικρὺ τῶν θυρῶν ἐστιν, ἀλήλιπται κυανῷ μόνον, τὰ δὲ λοιπὰ αὐτῶν παρέχεται Παναίνου γραφάς. . . . Πάναινος μὲν δὴ 6
οὗτος ἀδελφός τε ἦν Φειδίου καὶ αὐτοῦ καὶ Ἀθήνησιν ἐν Ποικίλῃ τὸ Μαραθῶνι ἔργον ἐστὶ γεγραμμένον.

v. 23[1]: παρεξιόντι δὲ παρὰ τὴν ἐς τὸ βουλευτήριον ἔσοδον Ζεύς τε ἕστηκεν ἐπίγραμμα ἔχων οὐδὲν καὶ αὖθις ὡς πρὸς ἄρκτον ἐπιστρέψαντι ἄγαλμά ἐστι Διός· τοῦτο τέτραπται μὲν πρὸς ἀνίσχοντα ἥλιον, ἀνέθεσαν δὲ Ἑλλήνων ὅσοι Πλαταιᾶσιν ἐμαχέσαντο ἐναντία Μαρδονίου τε καὶ Μήδων. εἰσὶ δὲ καὶ ἐγγεγραμμέναι κατὰ τοῦ βάθρου τὰ δεξιὰ αἱ μετασχοῦσαι πόλεις τοῦ ἔργου, Λακεδαιμόνιοι μὲν πρῶτοι, μετὰ δὲ αὐτοὺς Ἀθηναῖοι, τρίτοι δὲ γεγραμμένοι καὶ τέταρτοι Κορίνθιοί τε καὶ Σικυώνιοι, πέμπτοι δὲ Αἰγινῆται, μετὰ δὲ Αἰγινήτας Μεγαρεῖς καὶ 2
Ἐπιδαύριοι, Ἀρκάδων δὲ Τεγεᾶταί τε καὶ Ὀρχομένιοι, ἐπὶ δὲ αὐτοῖς ὅσοι Φλιοῦντα καὶ Τροιζῆνα καὶ Ἑρμιόνα οἰκοῦσιν, ἐκ δὲ χώρας τῆς Ἀργείας Τιρύνθιοι, Πλαταιεῖς δὲ μόνοι Βοιωτῶν, καὶ Ἀργείων οἱ Μυκήνας ἔχοντες, νησιῶται δὲ Κεῖοι καὶ Μήλιοι, Ἀμβρακιῶται δὲ ἐξ ἠπείρου τῆς Θεσπρωτίδος, Τήνιοί τε καὶ Λεπρεᾶται, Λεπρεᾶται μὲν τῶν ἐκ τῆς Τριφυλίας μόνοι, ἐκ δὲ Αἰγαίου καὶ τῶν Κυκλάδων οὐ Τήνιοι μόνοι ἀλλὰ καὶ Νάξιοι καὶ Κύθνιοι, ἀπὸ δὲ Εὐβοίας Στυρεῖς, μετὰ δὲ τούτους Ἠλεῖοι καὶ Ποτιδαιᾶται καὶ Ἀνακτόριοι, τελευταῖοι δὲ Χαλκιδεῖς οἱ ἐπὶ τῷ Εὐρίπῳ. τούτων τῶν πόλεων τοσαίδε ἦσαν 3
ἐφ' ἡμῶν ἔρημοι· Μυκηναῖοι μὲν καὶ Τιρύνθιοι [ὑπὸ] τῶν Μηδικῶν ὕστερον ἐγένοντο ὑπὸ Ἀργείων ἀνάστατοι . . . τὸ δὲ ἄγαλμα ἐν Ὀλυμπίᾳ τὸ ἀνατεθὲν ὑπὸ τῶν Ἑλλήνων ἐποίησεν Ἀναξαγόρας Αἰγινήτης· τοῦτον οἱ συγγράψαντες τὰ ἐς Πλαταιὰς παριᾶσιν ἐν τοῖς λόγοις.

10[4], l. 8: τοῖς Λακεδαιμονίοις συμμαχίαν codd. Ἀθηναίων codd. 23[2], l. 5: Κῖοι καὶ Μιλήσιοι codd.

4 ἔστι δὲ πρὸ τοῦ Διὸς τούτου στήλη χαλκῆ, Λακεδαιμονίων καὶ
Ἀθηναίων συνθήκας ἔχουσα εἰρήνης ἐς τριάκοντα ἐτῶν ἀριθμόν.
ταύτας ἐποιήσαντο Ἀθηναῖοι παραστησάμενοι τὸ δεύτερον Εὔβοιαν,
ἔτει τρίτῳ τῆς ⟨τρίτης πρὸς τὰς ὀγδοήκοντα⟩ ὀλυμπιάδος, ἣν Κρίσων 446/5
Ἱμεραῖος ἐνίκα στάδιον. ἔστι δὲ ἐν ταῖς συνθήκαις καὶ τόδε εἰρημένον,
εἰρήνης μὲν τῆς Ἀθηναίων καὶ Λακεδαιμονίων τῇ Ἀργείων μὴ μετεῖναι
πόλει, ἰδίᾳ δὲ Ἀθηναίους καὶ Ἀργείους, ἢν ἐθέλωσιν, ἐπιτηδείως ἔχειν
πρὸς ἀλλήλους.

v. 24³: τοῦ ναοῦ δέ ἐστιν ἐν δεξιᾷ τοῦ μεγάλου Ζεὺς πρὸς ἀνατολὰς
ἡλίου, μέγεθος μὲν δυόδεκα ποδῶν, ἀνάθημα δὲ λέγουσιν εἶναι Λακε-
δαιμονίων, ἡνίκα ἀποστᾶσι Μεσσηνίοις δεύτερα τότε ἐς πόλεμον
κατέστησαν· ἔπεστι δὲ καὶ ἐλεγεῖον ἐπ' αὐτῷ,

δέξο ἄναξ Κρονίδα Ζεῦ Ὀλύμπιε καλὸν ἄγαλμα
ἱλάῳ θυμῷ τοῖς Λακεδαιμονίοις.

v. 26²: τὰ δὲ ἀναθήματα Μικύθου πολλά τε ἀριθμὸν καὶ οὐκ ἐφεξῆς
4 ὄντα εὕρισκον . . . τοῖς δὲ ἐργασαμένοις αὐτά, γένος οὖσιν Ἀργείοις,
Διονυσίῳ τε καὶ Γλαύκῳ, διδάσκαλόν σφισιν οὐδένα ἐπιλέγουσιν· ἡλι-
κίαν δὲ αὐτῶν ὁ τὰ ἔργα ἐς Ὀλυμπίαν ἀναθεὶς ἐπιδείκνυσιν ὁ Μίκυθος.
τὸν γὰρ δὴ Μίκυθον τοῦτον Ἡρόδοτος ἔφη ἐν τοῖς λόγοις (*vii*. 170⁴), ὡς
Ἀναξίλα τοῦ ἐν Ῥηγίῳ τυραννήσαντος γενόμενος δοῦλος καὶ ταμίας τῶν
Ἀναξίλα χρημάτων ὕστερον τούτων ἀπιὼν οἴχοιτο ἐς Τεγέαν τελευτή-
5 σαντος Ἀναξίλα. τὰ δὲ ἐπὶ τοῖς ἀναθήμασιν ἐπιγράμματα καὶ πατέρα
Μικύθῳ Χοῖρον καὶ Ἑλληνίδας αὐτῷ πόλεις Ῥήγιόν τε πατρίδα καὶ
τὴν ἐπὶ τῷ πορθμῷ Μεσσήνην δίδωσιν· οἰκεῖν δὲ τὰ μὲν ἐπιγράμματα
ἐν Τεγέᾳ φησὶν αὐτόν, τὰ δὲ ἀναθήματα ἀνέθηκεν ἐς Ὀλυμπίαν εὐχήν
τινα ἐκτελῶν ἐπὶ σωτηρίᾳ παιδὸς νοσήσαντος νόσον φθινάδα.

v. 27¹: ἐν δὲ αὐτοῖς καὶ τὰ ἀνατεθέντα ἐστὶν ὑπὸ τοῦ Μαιναλίου
Φόρμιδος, ὃς ἐκ Μαινάλου διαβὰς ἐς Σικελίαν παρὰ Γέλωνα τὸν
Δεινομένους καὶ ἐκείνῳ τε αὐτῷ καὶ Ἱέρωνι ὕστερον ἀδελφῷ τοῦ
Γέλωνος ἐς τὰς στρατείας ἀποδεικνύμενος λαμπρὰ ἔργα ἐς τοσοῦτο
προῆλθεν εὐδαιμονίας, ὡς ἀναθεῖναι μὲν ταῦτα ἐς Ὀλυμπίαν, ἀναθεῖναι
2 δὲ καὶ τῷ Ἀπόλλωνι [δὲ] ἄλλα ἐς Δελφούς. τὰ δὲ ἐς Ὀλυμπίαν δύο
τέ εἰσιν ἵπποι καὶ ἡνίοχοι δύο, ἑκατέρῳ τῶν ἵππων παρεστὼς ἀνὴρ
ἡνίοχος· ὁ μὲν δὴ πρότερος τῶν ἵππων καὶ ὁ ἀνὴρ Διονυσίου τοῦ
Ἀργείου, τὰ δεύτερα δὲ ἔργα ἐστὶν Αἰγινήτου Σίμωνος. τῷ προτέρῳ δὲ
τῶν ἵππων ἐπίγραμμα ἔπεστιν ἐπὶ τῇ πλευρᾷ, τὰ πρῶτα οὐ σὺν μέτρῳ·
λέγει γὰρ δὴ οὕτω·

Φόρμις ἀνέθηκεν
Ἀρκὰς Μαινάλιος, νῦν δὲ Συρακόσιος.

7 . . . ἔστι δὲ ἐν τοῖς ἀναθήμασι τούτοις καὶ αὐτὸς ὁ Φόρμις ἀνδρὶ

ἀνθεστηκὼς πολεμίῳ, καὶ ἐφεξῆς ἑτέρῳ καὶ τρίτῳ γε αὖθις μάχεται. γέγραπται δὲ ἐπὶ τούτοις τὸν στρατιώτην μὲν τὸν μαχόμενον Φόρμιν εἶναι τὸν Μαινάλιον, τὸν δὲ ἀναθέντα Συρακόσιον Λυκόρταν· δῆλα δὲ ὡς οὗτος ὁ Λυκόρτας κατὰ φιλίαν ἀναθείη τοῦ Φόρμιδος. τὰ δὲ ἀναθήματα τοῦ Λυκόρτα καλεῖται Φόρμιδος καὶ ταῦτα ὑπὸ Ἑλλήνων.

VI. Ἠλιακῶν β′

vi. 6[1]: . . . Καλλίᾳ δὲ Ἀθηναίῳ παγκρατιαστῇ τὸν ἀνδριάντα ἀνὴρ Ἀθηναῖος Μίκων ἐποίησεν ὁ ζωγράφος.

vi. 9[4]: τὰ δὲ ἐς τὸ ἅρμα τὸ Γέλωνος οὐ κατὰ ταὐτὰ δοξάζειν ἐμοί τε παρίστατο καὶ τοῖς πρότερον ἢ ἐγὼ τὰ ἐς αὐτὸ εἰρηκόσιν, οἳ Γέλωνος τοῦ ἐν Σικελίᾳ τυραννήσαντός φασιν ἀνάθημα εἶναι τὸ ἅρμα. ἐπίγραμμα μὲν δή ἐστιν αὐτῷ Γέλωνα Δεινομένους ἀναθεῖναι Γελῷον, καὶ
488 ὁ χρόνος τούτῳ τῷ Γέλωνί ἐστι τῆς νίκης τρίτη πρὸς τὰς ἑβδομήκοντα
ὀλυμπιάδας· Γέλων δὲ ὁ Σικελίας τυραννήσας Συρακούσας ἔσχεν 5
491/0 Ὑβριλίδου μὲν Ἀθήνησιν ἄρχοντος, δευτέρῳ δὲ ἔτει τῆς δευτέρας καὶ
ἑβδομηκοστῆς ὀλυμπιάδος, ἣν Τισικράτης ἐνίκα Κροτωνιάτης στάδιον. δῆλα οὖν ὡς Συρακούσιον ἤδη καὶ οὐ Γελῷον ἀναγορεύειν αὐτὸν ἔμελλεν· ἀλλὰ γὰρ ἰδιώτης εἴη ἄν τις ὁ Γέλων οὗτος, πατρός τε ὁμωνύμου τῷ τυράννῳ καὶ αὐτὸς ὁμώνυμος. Γλαυκίας δὲ Αἰγινήτης τό τε ἅρμα καὶ αὐτῷ τῷ Γέλωνι ἐποίησε τὴν εἰκόνα.

vi. 12[1]: πλησίον δὲ ἅρμα τέ ἐστι χαλκοῦν καὶ ἀνὴρ ἀναβεβηκὼς ἐπ' αὐτό, κέλητες δὲ ἵπποι παρὰ τὸ ἅρμα εἷς ἑκατέρωθεν ἕστηκε καὶ ἐπὶ τῶν ἵππων καθέζονται παῖδες· ὑπομνήματα δὲ ἐπὶ νίκαις Ὀλυμπικαῖς ἐστιν Ἱέρωνος τοῦ Δεινομένους τυραννήσαντος Συρακουσίων μετὰ τὸν ἀδελφὸν Γέλωνα. τὰ δὲ ἀναθήματα οὐχ Ἱέρων ἀπέστειλεν, ἀλλ' ὁ μὲν ἀποδοὺς τῷ θεῷ Δεινομένης ἐστὶν ὁ Ἱέρωνος, ἔργα δὲ τὸ μὲν Ὀνάτα τοῦ Αἰγινήτου τὸ ἅρμα, Καλάμιδος δὲ οἱ ἵπποι τε οἱ ἑκατέρωθεν καὶ ἐπ' αὐτῶν εἰσιν οἱ παῖδες.

vi. 19[7]: ἐφεξῆς δὲ τῷ Σικυωνίων ἐστὶν ὁ Καρχηδονίων θησαυρός, Ποθαίου τέχνη καὶ Ἀντιφίλου τε καὶ Μεγακλέους· ἀναθήματα δὲ ἐν αὐτῷ Ζεὺς μεγέθει μέγας καὶ θώρακες λινοῖ τρεῖς ἀριθμόν, Γέλωνος δὲ ἀνάθημα καὶ Συρακοσίων Φοίνικας ἤτοι τριήρεσιν ἢ καὶ πεζῇ μάχῃ κρατησάντων.

VII. Ἀχαϊκά

vii. 25[5]: μετὰ δὲ Ἑλίκην ἀποτραπήσῃ τε ἀπὸ θαλάσσης ἐς δεξιὰν καὶ ἥξεις ἐς πόλισμα Κερύνειαν· . . . παρὰ τούτους σύνοικοι Μυκηναῖοι κατὰ συμφορὰν ἀφίκοντο ἐκ τῆς Ἀργολίδος. Μυκηναίοις [μὲν] γὰρ τὸ μὲν
τεῖχος ἁλῶναι κατὰ τὸ ἰσχυρὸν οὐκ ἐδύνατο ὑπὸ Ἀργείων, ἐτετείχιστο 6

γὰρ κατὰ ταὐτὰ τῷ ἐν Τίρυνθι ὑπὸ τῶν Κυκλώπων καλουμένων, κατὰ ἀνάγκην δὲ ἐκλείπουσι Μυκηναῖοι τὴν πόλιν ἐπιλειπόντων σφᾶς τῶν σιτίων, καὶ ἄλλοι μέν τινες ἐς Κλεωνὰς ἀποχωροῦσιν ἐξ αὐτῶν, τοῦ δήμου δὲ πλέον μὲν ἥμισυ ἐς Μακεδονίαν καταφεύγουσι παρὰ Ἀλέξανδρον, ᾧ Μαρδόνιος ὁ Γωβρύου τὴν ἀγγελίαν ἐπίστευσεν ἐς Ἀθηναίους ἀπαγγεῖλαι· ὁ δὲ ἄλλος δῆμος ἀφίκοντο ἐς τὴν Κερύνειαν, καὶ δυνατωτέρα τε ἡ Κερύνεια οἰκητόρων πλήθει καὶ ἐς τὸ ἔπειτα ἐγένετο ἐπιφανεστέρα διὰ τὴν συνοίκησιν τῶν Μυκηναίων.

VIII. Ἀρκαδικά

viii. 8^6: Μαντινεῖς δὲ μάχην μὲν τὴν ἐν Διπαιεῦσιν οὐκ ἐμαχέσαντο πρὸς Λακεδαιμονίους μετὰ Ἀρκάδων τῶν ἄλλων, . . .

viii. 8^7: . . . ὡς δὲ ἐκράτησεν ὁ Ἀγησίπολις τῇ μάχῃ καὶ ἐς τὸ τεῖχος
κατέκλεισε τοὺς Μαντινέας, εἷλεν οὐ μετὰ πολὺ τὴν πόλιν, οὐ πολιορκίᾳ
κατὰ τὸ ἰσχυρόν, τὸν δὲ Ὄφιν ποταμὸν ἀποστρέψας σφίσιν ἐς τὸ τεῖχος
8 ὠμῆς ᾠκοδομημένον τῆς πλίνθου. ἐς μὲν δὴ μηχανημάτων ἐμβολὴν
ἀσφάλειαν ἡ πλίνθος παρέχεται μᾶλλον ἢ ὁπόσα λίθου πεποιημένα
ἐστίν· οἱ μὲν γὰρ κατάγνυνταί τε καὶ ἐκπηδῶσιν ἐκ τῶν ἁρμονιῶν, ἡ δὲ
πλίνθος ἐκ μηχανημάτων μὲν οὐχ ὁμοίως πονεῖ, διαλύεται δὲ ὑπὸ τοῦ
9 ὕδατος οὐχ ἧσσον ἢ ὑπὸ τοῦ ἡλίου κηρός. τοῦτο οὐκ Ἀγησίπολις τὸ
στρατήγημα ἐς τὸ τεῖχος τῶν Μαντινέων ἐστὶν ὁ συνείς, ἀλλὰ πρότερον
ἔτι Κίμωνι ἐξευρέθη τῷ Μιλτιάδου Βόγην πολιορκοῦντι ἄνδρα Μῆδον
καὶ ὅσοι Περσῶν Ἠιόνα τὴν ἐπὶ Στρυμόνι εἶχον.

viii. 27^1: συνῆλθον δὲ ὑπὲρ ἰσχύος ἐς αὐτὴν (sc. Megalopolis) οἱ Ἀρκάδες, ἅτε καὶ Ἀργείους ἐπιστάμενοι τὰ μὲν ἔτι παλαιότερα μόνον οὐ κατὰ μίαν ἡμέραν ἑκάστην κινδυνεύοντας ὑπὸ Λακεδαιμονίων παραστῆναι τῷ πολέμῳ, ἐπειδὴ δὲ ἀνθρώπων πλήθει τὸ Ἄργος ἐπηύξησαν καταλύσαντες Τίρυνθα καὶ Ὑσιάς τε καὶ Ὀρνεὰς καὶ Μυκήνας καὶ Μίδειαν καὶ εἰ δή τι ἄλλο πόλισμα οὐκ ἀξιόλογον ἐν τῇ Ἀργολίδι ἦν, τά τε ἀπὸ Λακεδαιμονίων ἀδεέστερα τοῖς Ἀργείοις ὑπάρξαντα καὶ ἅμα ἐς τοὺς περιοίκους ἰσχὺν γενομένην αὐτοῖς.

viii. 41^7: περιέχεται δὲ ἡ Φιγαλία ὄρεσιν, ἐν ἀριστερᾷ μὲν ὑπὸ τοῦ
καλουμένου Κωτιλίου, τὰ δὲ ἐς δεξιὰν ἕτερον προβεβλημένον ἐστὶν
αὐτῆς ὄρος τὸ Ἐλάιον. ἀπέχει δὲ τῆς πόλεως ἐς τεσσαράκοντα τὸ
Κωτίλιον μάλιστα σταδίους· ἐν δὲ [τῷ] αὐτῷ χωρίον τέ ἐστι καλούμενον
Βᾶσσαι καὶ ὁ ναὸς τοῦ Ἀπόλλωνος τοῦ Ἐπικουρίου, λίθου καὶ αὐτὸς
8 ⟨καὶ ὁ⟩ ὄροφος. ναῶν δὲ ὅσοι Πελοποννησίοις εἰσί, μετά γε τὸν ἐν
Τεγέᾳ προτιμῷτο οὗτος ἂν τοῦ λίθου τε ἐς κάλλος καὶ τῆς ἁρμονίας
9 ἕνεκα . . . καὶ Ἰκτῖνος ὁ ἀρχιτέκτων τοῦ ἐν Φιγαλίᾳ ναοῦ γεγονὼς τῇ

ἡλικίᾳ κατὰ Περικλέα καὶ Ἀθηναίοις τὸν Παρθενῶνα καλούμενον κατασκευάσας.

viii. 42[8]: *κατὰ γὰρ τὴν Ξέρξου διάβασιν ἐς τὴν Εὐρώπην Συρακουσῶν τε ἐτυράννει καὶ Σικελίας τῆς ἄλλης Γέλων ὁ Δεινομένους· ἐπεὶ δὲ ἐτελεύτησε Γέλων, ἐς Ἱέρωνα ἀδελφὸν Γέλωνος περιῆλθεν ἡ ἀρχή· Ἱέρωνος δὲ ἀποθανόντος πρότερον πρὶν ἢ τῷ Ὀλυμπίῳ Διὶ ἀναθεῖναι τὰ ἀναθήματα ἃ εὔξατο ἐπὶ τῶν ἵππων ταῖς νίκαις, οὕτω Δεινομένης ὁ Ἱέρωνος ἀπέδωκεν ὑπὲρ τοῦ πατρός. Ὀνάτα καὶ ταῦτα ποιήματα, καὶ* 9
ἐπιγράμματα ἐν Ὀλυμπίᾳ, τὸ μὲν ὑπὲρ τοῦ ἀναθήματός ἐστιν αὐτῶν,

> *σόν ποτε νικήσας, Ζεῦ Ὀλύμπιε, σεμνὸν ἀγῶνα*
> *τεθρίππῳ μὲν ἅπαξ, μουνοκέλητι δὲ δίς,*
> *δῶρα Ἱέρων τάδε σοι ἐχαρίσσατο· παῖς δ' ἀνέθηκε*
> *Δεινομένης πατρὸς μνῆμα Συρακοσίου·*

τὸ δὲ ἕτερον λέγει τῶν ἐπιγραμμάτων· 10

> *υἱὸς ⟨μέν⟩ με Μίκωνος Ὀνάτας ἐξετέλεσσεν,*
> *νάσῳ ἐν Αἰγίνᾳ δώματα ναιετάων.*

ἡ δὲ ἡλικία τοῦ Ὀνάτα κατὰ τὸν Ἀθηναῖον Ἡγίαν καὶ Ἀγελάδαν συμβαίνει τὸν Ἀργεῖον.

viii. 52[2]: *Ἀριστείδην δὲ τὸν Λυσιμάχου καὶ Παυσανίαν τὸν Κλεομβρότου Πλαταιᾶσιν ἡγησαμένους, τὸν μὲν τὰ ὕστερον ἀφείλετο ἀδικήματα εὐεργέτην μὴ ὀνομασθῆναι τῆς Ἑλλάδος, Ἀριστείδην δὲ ὅτι ἔταξε φόρους τοῖς τὰς νήσους ἔχουσιν Ἕλλησι· πρὸ Ἀριστείδου δὲ ἦν ἅπαν τὸ Ἑλληνικὸν ἀτελὲς φόρων. Ξάνθιππος δὲ ὁ Ἀρίφρονος καὶ* 3
Κίμων, ὁ μὲν ὁμοῦ Λεωτυχίδῃ τῷ βασιλεύοντι ἐν Σπάρτῃ τὸ Μήδων ναυτικὸν ἔφθειρεν ἐν Μυκάλῃ, Κίμωνι δὲ πολλὰ καὶ ἄξια ζήλου κατειργασμένα ἐστὶν ὑπὲρ τῶν Ἑλλήνων.

X. *Φωκικά*

x. 10[3]: *πλησίον δὲ τοῦ ἵππου καὶ ἄλλα ἀναθήματά ἐστιν Ἀργείων, οἱ ἡγεμόνες τῶν ἐς Θήβας ὁμοῦ Πολυνείκει στρατευσάντων, . . . οὗτοι* 4
μὲν δὴ Ὑπατοδώρου καὶ Ἀριστογείτονός εἰσιν ἔργα, καὶ ἐποίησαν σφᾶς, ὡς αὐτοὶ Ἀργεῖοι λέγουσιν, ἀπὸ τῆς νίκης ἥντινα ἐν Οἰνόῃ τῇ Ἀργείᾳ αὐτοί τε καὶ Ἀθηναίων ἐπίκουροι Λακεδαιμονίους ἐνίκησαν. ἀπὸ δὲ τοῦ αὐτοῦ ἐμοὶ δοκεῖν ἔργου καὶ τοὺς Ἐπιγόνους ὑπὸ Ἑλλήνων καλουμένους ἀνέθεσαν οἱ Ἀργεῖοι.

x. 10[6] *Ταραντίνων δὲ οἱ ἵπποι οἱ χαλκοῖ καὶ αἰχμάλωτοι γυναῖκες ἀπὸ Μεσσαπίων εἰσίν, ὁμόρων τῇ Ταραντίνων βαρβάρων, Ἀγελάδα δὲ ἔργα τοῦ Ἀργείου.*

x. 13[9]: *ἐν κοινῷ δὲ ἀνέθεσαν ἀπὸ ἔργου τοῦ Πλαταιᾶσιν οἱ Ἕλληνες* χρυσοῦν τρίποδα δράκοντι ἐπικείμενον χαλκῷ. ὅσον μὲν δὴ χαλκὸς ἦν τοῦ ἀναθήματος, σῶον καὶ ἐς ἐμὲ ἔτι ἦν· οὐ μέντοι κατὰ τὰ αὐτὰ καὶ τὸν χρυσὸν οἱ Φωκέων ὑπελίποντο ἡγεμόνες. Ταραντῖνοι δὲ καὶ ἄλλην δεκάτην ἐς Δελφοὺς ἀπὸ βαρβάρων Πευκετίων ἀπέστειλαν· τέχνη μὲν τὰ ἀναθήματα Ὀνάτα τοῦ Αἰγινήτου καὶ Ἀγελάδα ἐστὶ τοῦ Ἀργείου, εἰκόνες δὲ καὶ πεζῶν καὶ ἱππέων, βασιλεὺς Ἰαπύγων Ὦπις ἥκων τοῖς Πευκετίοις σύμμαχος. οὗτος μὲν δὴ εἴκασται τεθνεῶτι ἐν τῇ μάχῃ, οἱ δὲ αὐτῷ κειμένῳ ἐφεστηκότες ὁ ἥρως Τάρας ἐστὶ καὶ Φάλανθος ὁ ἐκ Λακεδαίμονος, καὶ οὐ πόρρω τοῦ Φαλάνθου δελφίς.

x. 15^{4}: τὸν δὲ φοίνικα ἀνέθεσαν Ἀθηναῖοι τὸν χαλκοῦν, καὶ αὐτὸν καὶ Ἀθηνᾶς ἄγαλμα ἐπίχρυσον ἐπὶ τῷ φοίνικι, ἀπὸ ἔργων ὧν ἐπ' Εὐρυμέδοντι ἐν ἡμέρᾳ τῇ αὐτῇ τὸ μὲν πεζῇ, τὸ δὲ ναυσὶν ἐν τῷ ποταμῷ κατώρθωσαν.

x. 25^{1}: ὑπὲρ δὲ τὴν Κασσοτίδα ἐστὶν οἴκημα γραφὰς ἔχον τῶν Πολυγνώτου, ἀνάθημα μὲν Κνιδίων, καλεῖται δὲ ὑπὸ Δελφῶν Λέσχη.

x. 27^{4}: see Simonides, fr. 112.

PAUSANIAS ATTICISTA. Schwabe, *Aelii Dionysii et Pausaniae Atticistarum fragmenta*, Leipzig 1890.

fr. 307 (Eustathios 1405^{30}, ad *Od.* i. 156): καὶ τετρωβόλου βίος παρὰ Παυσανίᾳ ἀντὶ τοῦ στρατιώτου μισθός.

PHAINIAS (PHANIAS). *FHG* ii, pp. 293 ff.

fr. 6: see Plutarch, *Them.* 1^{2}.
fr. 9: see Plutarch, *Them.* 27^{8}.
fr. 10: see Plutarch, *Them.* 29^{11}.
fr. 12: see Athenaios vi. 231e.

PHANODEMOS. *FGrH* 325 (*FHG* i, pp. 366 ff.).

fr. 22 (17): see Plutarch, *Cim.* 12^{6}.
fr. 23 (18): see Plutarch, *Cim.* 19^{2}.

PHILISTOS. *FGrH* 556 (*FHG* i, pp. 185 ff.).

Σικελικά

fr. 15 (17): see Schol. Pindar, *Ol.* v. 9 (19)c.

Paus. x. 13^{10}, ll. 3–4: καὶ Ἀγελάδα ἐστὶ τοῦ Ἀργείου Klein, καὶ Καλύνθου τε ἑστικωσι ἔργου (vel ἑστήκασιν ἔργα) codd.

fr. 50 (45): see Schol. Pindar, *Pyth.* i. 58 (112).
(?) Cf. also Pap. Oxy. iv. 665 (*FGrH* 577 F1).

PHILOCHOROS. *FGrH* 328 (*FHG* i, pp. 384 ff.).

Ἀτθίς

fr. 34 (88): see Schol. Aristophanes, *Av.* 556.
fr. 36 (98): see Harpokration s.v. *Προπύλαια ταῦτα.*
fr. 37 (96): see Harpokration s.v. *Λύκειον.*
fr. 64a (141a): see Harpokration s.v. *νομοφύλακες.*
fr. 64b (141b) (Lex. Rhet. Cant. 673): *νομοφύλακες· ἕτεροί εἰσι τῶν θεσμοθετῶν, ὡς Φιλόχορος ἐν τῇ ζ'. οἱ μὲν γὰρ ἄρχοντες ἀνέβαινον εἰς Ἄρειον πάγον ἐστεφανωμένοι, οἱ δὲ νομοφύλακες στρόφια λευκὰ ἔχοντες καὶ ⟨ἐν⟩ ταῖς θέαις ἐναντίον ⟨τῶν ἐννέα⟩ ἀρχόντων ἐκαθέζοντο, καὶ τὴν πομπὴν ἔπεμπον τῇ Παλλάδι. τὰς δὲ ἀρχὰς ἠνάγκαζον τοῖς νόμοις χρῆσθαι, καὶ ἐν τῇ ἐκκλησίᾳ καὶ ἐν τῇ βουλῇ μετὰ τῶν προέδρων ἐκάθηντο, κωλύοντες τὰ ἀσύμφορα τῇ πόλει πράττειν. ἑπτὰ δὲ ἦσαν καὶ κατέστησαν, ὡς Φιλόχορος, ὅτε Ἐφιάλτης μόνα κατέλιπε τῇ ἐξ Ἀρείου πάγου βουλῇ τὰ ὑπὲρ τοῦ σώματος.*
fr. 117: see Schol. Aristophanes, *Lys.* 1138.
fr. 118 (89): see Schol. Aristophanes, *Nub.* 213.
fr. 119 (90): see Schol. Aristophanes, *Vesp.* 718.
fr. 120 (95): see Schol. Aristophanes, *Vesp.* 947.
fr. 121 (97): see Schol. Aristophanes, *Pax* 605.
fr. 122 (99): see Schol. Aristophanes, *Av.* 997.
fr. 130 (90): see Schol. Aristophanes, *Vesp.* 718.

PHOTIOS. *Lexicon*, ed. Naber, Leiden 1864–5.

θουριομάντεις· τοὺς περὶ Λάμπωνα· τὴν γὰρ εἰς Σύβαριν ἀποικίαν οἱ μὲν Λάμπωνι ἀνατιθέασιν· οἱ δὲ Ξενοκρίτῳ· οἱ δὲ τῷ Χαλκιδεῖ Διονυσίῳ· οἱ δὲ καθάριοι τῷ Λάκωνι, οἱ δὲ Πληξίππῳ Ἀθηναίῳ.

Ἱπποδάμεια· ἀγορᾶς τόπος καλούμενος οὕτως ἐν Πειραιεῖ, ὑπὸ Ἱπποδάμου τοῦ Μιλησίου ἀρχιτέκτονος, τοῦ τὸν Πειραιᾶ κατασκευάσαντος καὶ τὰς τῆς πόλεως ὁδούς.

Ἱπποδάμου νέμησις· ἐν Πειραιεῖ· ἦν δὲ Ἱππόδαμος Εὐρυφῶντος Μιλήσιος ἢ Θούριος μετεωρολόγος· οὗτος διένειμεν Ἀθηναίοις τὸν Πειραιᾶ.

Phot. *θουριομάντεις*: *Χαλκιδεῖ* codd., *Χαλκῷ* Wade-Gery. *καθάριοι* codd., *Κλεαρίδᾳ* Wade-Gery. *Πλησίππῳ* codd., *Πληξίππῳ* Naber, *Λυσίᾳ τῷ* Wade-Gery. *Ἱπποδάμου νέμησις*: *Εὐρυκόοντος* codd.

Πολυγνώτου λαγώς· ἐζωγραφημένος ἐν τῷ Ἀνακείῳ ὑπὸ τοῦ Πολυγνώτου.

Σαμίων ὁ δῆμός ⟨ἐστιν⟩ *ὡς πολυγράμματος·* Ἀριστοφάνης (fr. 64) Βαβυλωνίοις ἐπισκώπτων τοὺς ἐστιγμένους. . . . οἱ δὲ ὅτι Ἀθηναῖοι μὲν τοὺς ληφθέντας ἐν πολέμῳ Σαμίους ἔστιζον γλαυκί, Σάμιοι ⟨δὲ τοὺς Ἀθηναίους⟩ τῇ σαμαίνῃ, ὅ ἐστι πλοῖον δίκροτον, ὑπὸ Πολυκράτους πρῶτον παρασκευασθὲν τοῦ Σαμίων τυράννου, ὡς Λυσίμαχος ἐν β′ Νόστων (fr. 7)· τὸ δὲ πλάσμα Δούριδος (fr. 66).

τὰ Σαμίων ὑποπτεύεις· . . . παρῆλθεν δὲ ἀπὸ τῶν γενομένων ὑπ' Ἀθηναίων εἰς Σαμίους αἰκισμῶν· ἑλόντες γὰρ αὐτοὺς οἱ Ἀθηναῖοι τοὺς μὲν ἀπέκτειναν, τοὺς δὲ ἔστιξαν τῇ καλουμένῃ σαμαίνῃ, ἥ ἐστιν εἶδος πλοίου Σαμιακοῦ, ἀνθ' ὧν καὶ οἱ Σάμιοι τοὺς ἁλόντας μετὰ ταῦτα Ἀθηναίους ἔστιξαν.

PHRYNICHOS. Kock, *Comicorum Atticorum Fragmenta* i, pp. 369 ff.

Μονότροπος

fr. 21: see Schol. Aristophanes, *Av.* 997.

PHYLARCHOS. *FGrH* 81 (*FHG* i, pp. 334 ff.).

Ἱστορίαι fr. 76 (64): see Plutarch, *Them.* 32[4].

PINDAR. *Carmina*, ed. Bowra, Oxford (OCT) 1935. *Scholia Vetera, Eustathii prooemium*, ed. Drachmann, Leipzig (Teubner) 1903–27.

Olympia

I. *Ἱέρωνι Συρακοσίῳ κέλητι*

Schol. inscr. a: γέγραπται μὲν ὁ ἐπινίκιος Ἱέρωνι τῷ Γέλωνος
ἀδελφῷ νικήσαντι ἵππῳ κέλητι τὴν οϝ′ ὀλυμπιάδα, ἢ ὡς ἔνιοι ἅρματι. 476
ὁ δὲ αὐτὸς νικᾷ καὶ τὴν οζ′ ὀλυμπιάδα κέλητι, τῇ δὲ οη′ ὀλυμπιάδι 472 468
τεθρίππῳ, ἐν ᾗ ὀλυμπιάδι ἐτελεύτα.

10 (16): . . . ἐς ἀφνεὰν ἱκομένους
μάκαιραν Ἱέρωνος ἑστίαν,

θεμιστεῖον ὃς ἀμφέπει σκᾶπτον ἐν πολυμάλῳ [ἀντ. α′
Σικελίᾳ, δρέπων μὲν κορυφὰς ἀρετᾶν ἄπο πασᾶν,
ἀγλαΐζεται δὲ καὶ

Schol. Pind. *Ol.* i inscr. a, l. 2: οϝ′ edd. conl. Pap. Oxy. 222[19], ογ′ (488) codd.

μουσικᾶς ἐν ἀώτῳ,
οἷα παίζομεν φίλαν
ἄνδρες ἀμφὶ θαμὰ τράπεζαν.
ἀλλὰ Δωρίαν ἀπὸ φόρμιγγα πασσάλου
λάμβαν', εἴ τί τοι Πίσας τε καὶ Φερενίκου χάρις
νόον ὑπὸ γλυκυτάταις ἔθηκε φροντίσιν,
ὅτε παρ' Ἀλφεῷ σύτο δέμας
ἀκέντητον ἐν δρόμοισι παρέχων,
κράτει δὲ προσέμειξε δεσπόταν,
Συρακόσιον ἱπποχάρμαν βασιλῆα. [*ἐπ. α'*

II. *Θήρωνι Ἀκραγαντίνῳ ἅρματι*

Schol. inscr.: *γέγραπται Θήρωνι Ἀκραγαντίνῳ ἅρματι νικήσαντι*
472 *τὴν οζ' ὀλυμπιάδα. ἦν δὲ ὁ Θήρων τὸ ἀνέκαθεν ἀπὸ Οἰδίποδος. ἐκήδευσε δὲ Γέλωνι τῷ τυράννῳ, δοὺς αὐτῷ τὴν θυγατέρα Δημαρέτην, ἀφ' ἧς καὶ τὸ Δημαρέτειον ὠνομάσθη νόμισμα. καὶ αὐτὸς δὲ ὁ Θήρων τὴν Πολυζήλου τοῦ ἀδελφοῦ Ἱέρωνος* [*θυγατέρα*] *ἔγημε, καθά φησι Τίμαιος* (fr. 93a). *ἦν δὲ ὁ Θήρων υἱὸς Αἰνησιδάμου.*

Schol. 5 (8)a: *Θήρων υἱὸς ἦν Αἰνησιδάμου· εἶχε δὲ συγγενεῖς Κάπυν καὶ Ἱπποκράτην, οἵτινες ἦσαν ἀδελφοί· περὶ ὧν Καλλιστράτης ἐν τῷ ζ' φησίν* (Hippostratos fr. 2).

15 (29): *τῶν δὲ πεπραγμένων*
ἐν δίκᾳ τε καὶ παρὰ δίκαν ἀποίητον οὐδ' ἂν
Χρόνος ὁ πάντων πατὴρ δύναιτο θέμεν ἔργων τέλος·
λάθα δὲ πότμῳ σὺν εὐδαίμονι γένοιτ' ἄν.

Schol. 15 (29)b: *Δεινομένους παῖδες δ' ἐγένοντο, Γέλων, Ἱέρων, Πολύζηλος, Θρασύβουλος· κηδεστὴς δὲ ἐγένετο Θήρων τῷ Πολυζήλῳ καὶ τῷ Γέλωνι. κηδεστὴν οὖν ὄντα, φησὶν ὁ Δίδυμος* (p. 215), *τὸν Θήρωνα τῷ Πολυζήλῳ παραμυθεῖται ὁ Πίνδαρος, γράφων κατὰ λέξιν οὕτως· Πολυζήλῳ τοίνυν τῷ τοῦ Ἱέρωνος ἀδελφῷ* [*Ἱέρωνι καὶ Θρασυβούλῳ Θήρων κηδεστὴς*] *Γέλωνος* [*μετὰ*] *τὴν στρατηγίαν καὶ τὴν γυναῖκα Δημαρέτην κατὰ τὴν τελευτὴν ἐγγυήσαντος, ὥστε ἥνπερ εἶχε Γέλων πρὸς Θήρωνος, ταύτην εἶχε ὁ Πολύζηλος πρὸς Γέλωνος* ***

Schol. ii inscr., l. 2: *οζ'* om. A, *oϝ'* (476) Pap. Oxy. 222[18]. schol. 5a *Καλλιστράτης* codd., *Ἱππόστρατος* Boeckh. schol. 15b, l. 5: post *ἀδελφῷ*, *Ἱέρωνι* vel *Ἱέρων* codd., " fortasse *Γέλωνι* scribendum et haec verba ante *Πολυζήλῳ* transponenda " Drachmann. l. 6: *Γέλωνος* Schneider, *Γέλων* codd. *μετὰ* secl. Drachmann, *καὶ* secl. Schroeder, *μετὰ τῆς στρατηγίας* Schneider. l. 8: *Γέλων πρὸς Θήρωνος* Schneider, *Θήρων πρὸς Γέλωνα* codd. ante lacunam *Γέλωνος* Schneider, *Θήρω(να)* codd. lacunam indicavit Drachmann.

γαμβρῶν οὖν γεγονότων αὐτῶν Ἱέρων λαμπροῦ τινος τοῦ Πολυζήλου ὑπάρχοντος καὶ σφόδρα παρὰ τοῖς Σικελικοῖς εὐδοκιμοῦντος ὑπὸ φθόνου τὸ μὲν πρῶτον εἰς ἀνοικισμὸν αὐτὸν Συβάρεως ἐξέπεμψε, τῷ μὲν λόγῳ χρηστὴν αὐτῷ καὶ λαμπρὰν ἐλπίδα τιθείς, τοῖς δὲ ἔργοις μεταστὰς αὐτὸν ἐκ τῆς Σικελίας ****

c: *ὁ Θήρων θυγατέρα ἑαυτοῦ ἐξέδωκε πρὸς γάμον Πολυζήλῳ τῷ ἀδελφῷ Ἱέρωνος, ὃς πεμφθεὶς ὑπὸ Ἱέρωνος πολεμῆσαι τοῖς περιοίκοις Σικελιώταις βαρβάροις, ἔπαυσε τὸν πόλεμον χωρὶς τῆς τοῦ Ἱέρωνος γνώμης, καὶ διὰ τοῦτο ἐν ὑφοράσει ἦν. Θρασυδαίου δὲ τοῦ Θήρωνος υἱοῦ πείσαντος τὸν Πολύζηλον ἐπιθέσθαι τῷ Ἱέρωνι, ὑπισχνουμένου αὐτοῦ τοῖς πράγμασι συναντιλήψεσθαι, γνοὺς ὁ Ἱέρων ἔκρινεν αἱρήσειν τὴν Ἀκράγαντα καὶ Θήρωνα καὶ Θρασυδαῖον. μελλόντων δὲ τῶν φίλων* *** *ἔπεμψε Σιμωνίδης ὁ λυρικὸς πρὸς αὐτὸν συμβουλεύων, ἐκταράξαι μᾶλλον βουλόμενος τῷ μηνύειν τὴν μέλλουσαν αὐτῶν προδοσίαν ἔσεσθαι καὶ τοὺς προδιδόντας. ὁ δὲ εὐλαβηθεὶς ἐξεχώρησε τῶν πραγμάτων τῷ Ἱέρωνι, ὕστερον δὲ ἀπέλαβεν ἀπ' αὐτοῦ τὴν τυραννίδα, καὶ διελύθησαν τῆς ἔχθρας, ὡς καὶ κηδείαν τινὰ πρὸς ἀλλήλους ποιήσασθαι, ἀδελφιδῆν Θήρωνος Ἱέρωνος λαβόντος γυναῖκα. ὅθεν ὁ Πίνδαρος παραπέμψασθαι παραινεῖ τὰ προγεγενημένα.*

d: . . . *ὁ δὲ Δίδυμος* (p. 215) *τὸ ἀκριβέστερον τῆς ἱστορίας ἐκτίθεται, μάρτυρα Τίμαιον* (fr. 93b) *τὸν συντάξαντα τὰ περὶ τῆς Σικελίας προφερόμενος. ἡ δὲ ἱστορία οὕτως ἔχει· Θήρων ὁ τῶν Ἀκραγαντίνων βασιλεὺς Γέλωνι τῷ Ἱέρωνος ἀδελφῷ ἐπικηδεύσας γάμῳ συνάπτει τὴν ἑαυτοῦ θυγατέρα Δημαρέτην, ἀφ' ἧς καὶ τὸ Δημαρέτειον νόμισμα ἐν Σικελίᾳ. τοῦ δὲ Γέλωνος τελευτᾶν τὸν βίον μέλλοντος, Πολύζηλος ὁ ἀδελφὸς τὴν στρατηγίαν καὶ τὴν γαμετὴν τοῦ ἀδελφοῦ διαδέχεται κατὰ τὰς Γέλωνος προστάξεις, ὥστε τὸ Θήρωνος εἰς Γέλωνα κῆδος εἰς τὸν Πολύζηλον μετατεθεῖσθαι. λαμπρῷ δὲ αὐτῷ καὶ περιβλέπτῳ τυγχάνοντι κατὰ τὴν Σικελίαν Ἱέρων φθονήσας ὁ ἀδελφὸς καὶ πρόφασιν σκηψάμενος τὸν πρὸς Συβαρίτας πόλεμον, ἀπελαύνει τῆς πατρίδος. ἀλλὰ καὶ τοῦτον κατώρθωσε τὸν πόλεμον ὁ Πολύζηλος. ὁ δὲ μὴ φέρων γυμνότερον αὐτοῦ κατηγορεῖν ἐπειρᾶτο νεωτερισμοῦ. καὶ οὕτω τὸν Θήρωνα, ὑπεραγανακτήσαντα θυγατρὸς ἅμα καὶ γαμβροῦ, συρρῆξαι πρὸς Ἱέρωνα πόλεμον παρὰ Γέλᾳ τῷ Σικελιωτικῷ ποταμῷ, οὗ Καλλίμαχος μέμνηται* (fr. 43[46])·

οἱ δὲ Γέλᾳ ποταμῷ ἐπικείμενον ἄστυ.

μή γε μὴν εἰς βλάβην, μηδὲ εἰς τέλος προχωρῆσαι τὸν πόλεμον· φασὶ γὰρ τότε Σιμωνίδην τὸν λυρικὸν περιτυχόντα διαλῦσαι τοῖς βασιλεῦσι

Schol. 15c, l. 13: ἀδελφιδῆν Drachmann, ἀδελφὴν codd.

τὴν ἔχθραν. τούτοις οἰκείως τοῖς φθάσασιν εὔχεσθαι τῷ Διί φησι τὸν Πίνδαρον ὁ Δίδυμος, ὥστε λοιπὸν αὐτοῖς εἰρηναῖον εἶναι τὸν βίον.

95 (173): ἀλλ' αἶνον ἐπέβα κόρος, . . .

Schol. 95 (173)a: . . . προσαγανακτῶν δὲ ταῦτά φησι διὰ τὸ εἰς ἔνια τὸν Θήρωνα ἐλαττωθῆναι, τύχαις χρησάμενον οὐκ ἐπιτηδείαις.

d: τὴν ᾠδὴν ταύτην ἔγραψεν ὁ Πίνδαρος τοῦ Θήρωνος πολεμοῦντος διὰ τὴν πρὸς Ἱέρωνα κηδείαν.

f: . . . ἐπεὶ οἱ προδιδόντες αὐτὸν Ἱέρωνι φίλοι ἦσαν. δύναται δὲ τοῦτο καὶ εἰς τοὺς περὶ Κάπυν τείνειν, οἳ ἐπεστράτευσαν αὐτῷ, μὴ ὑπομένοντες αὐτὸν ὁρᾶν οὕτω λαμπρὸν ὄντα.

g: ἄλλως· Κάπυς καὶ Ἱπποκράτης Θήρωνος ἦσαν ἀνεψιοί. οὗτοι πολλὰ ὑπ' αὐτοῦ εὐεργετηθέντες ὡς ἑώρων ηὐξημένην αὐτοῦ τὴν τυραννίδα, φθονοῦντες πόλεμον ἤραντο πρὸς αὐτόν· ὁ δὲ συμβαλὼν αὐτοῖς περὶ τὴν Ἱμέραν ἐνίκησε.

i: . . . αἰνίττεται δὲ τὴν γενομένην αὐτῷ πρὸς Ἱέρωνα ἔχθραν.

k: ἄλλως· διὰ τὴν μάχην τὴν πρὸς Ἱέρωνα ἕνεκα Πολυζήλου. ἐκβληθέντα γὰρ αὐτὸν ὑπὸ Ἱέρωνος ἀπὸ Συρακουσῶν ὑπεδέξατο ὁ Θήρων.

III. Θήρωνι Ἀκραγαντίνῳ ἅρματι εἰς θεοξένια

11 (19): . . ᾧ τινι κραίνων ἐφετμὰς Ἡρακλέος προτέρας [ἐπ. α'
ἀτρεκὴς Ἑλλανοδίκας γλεφάρων Αἰτωλὸς ἀνὴρ ὑψόθεν
ἀμφὶ κόμαισι βάλῃ
γλαυκόχροα κόσμον ἐλαίας . . . .

Schol. 12 (22)a: . . . περὶ δὲ τοῦ τῶν Ἑλλανοδικῶν ἀριθμοῦ Ἑλλάνικός φησι (fr. 113) καὶ Ἀριστόδημος (fr. 2), ὅτι τὸ μὲν πρῶτον ⟨β' ***⟩ ιβ', τὸ δὲ τελευταῖον ι'· τοσαῦται γὰρ αἱ τῶν Ἠλείων φυλαί, καὶ ἐφ' ἑκάστης εἷς ἦν Ἑλλανοδίκης.

V. Ψαύμιδι Καμαριναίῳ ἀπήνῃ

Schol. inscr. b: γέγραπται τῷ αὐτῷ Ψαύμιδι τεθρίππῳ καὶ ἀπήνῃ
452 καὶ κέλητι νενικηκότι τὴν ὀγδοηκοστὴν δευτέραν ὀλυμπιάδα.

Schol. 9 (19)a: τὰν νέοικον ἕδραν· νέοικον ἕδραν εἶπε τὴν Καμάριναν ὁ Πίνδαρος. σαφηνίζει Τίμαιος ἐν τῇ δεκάτῃ (fr. 19)· εἰσὶ δὲ οὗτοι οἱ Καμαριναῖοι **** ὑπὸ τοῦ Γέλωνος τυράννου ἀνῃρέθησαν· εἶτα ὑπὸ Γελῴων συνῳκίσθησαν ἐπὶ τῆς ** ὀλυμπιάδος. ἡ δὲ ἅλωσις ἐγένετο κατὰ τὴν Δαρείου τοῦ Πέρσου διάβασιν.

Schol. v. 9a, l. 3: οἳ post Καμαριναῖοι suppl. Boeckh.

b: *Ἱπποκράτης ὑπὸ τοῦ τῶν Γελώων τυράννου ἀνῃρέθη· εἶτα ὑπὸ
Γελώων συνῳκίσθη ἡ Καμάρινα κατὰ τὴν †μβ΄ ὀλυμπιάδα, ὥς φησι* 612
Τίμαιος (fr. 19)· *διὸ καὶ νέοικον ἕδραν εἶπε τὴν πόλιν. ἡ δὲ ἅλωσις
αὐτῆς ἐγένετο κατὰ τὴν Δαρείου τοῦ Ὑστάσπου στρατείαν.*

c: *Φίλιστος ἐν γ΄ φησὶν* (fr. 15) *ὅτι Γέλων Καμάριναν κατέσκαψεν· Ἱπποκράτης δὲ πολεμήσας Συρακουσίοις καὶ πολλοὺς αἰχμαλώτους λαβὼν ὑπὲρ τοῦ τούτους ἀποδοῦναι ἔλαβε τὴν Καμάριναν καὶ συνῴκισεν αὐτήν. ὁ γοῦν Πίνδαρος συνῳκισμένην οἶδε τὴν Καμάριναν.*

d: *ὅτι δὲ περὶ τὴν π΄ ἐνίκησεν ὀλυμπιάδα ὁ Ψαῦμις τῇ ἀπήνῃ, οὕτως* 460
συνορᾶται· καταλύεται γὰρ αὐτῇ τὸ ἀγώνισμα περὶ ὀγδοηκοστὴν ε΄ 440
ὀλυμπιάδα· τῷ δὲ ἅρματι ἐνίκησεν τὴν πβ΄· ὥστε τὴν πα΄ ὀλυμπιάδα 452
ἐνίκησε τῇ ἀπήνῃ ὁ Ψαῦμις. 456

VI. *Ἁγησίᾳ Συρακοσίῳ ἀπήνῃ*

Schol. inscr. b: *Ἁγησίᾳ Συρακουσίῳ· ὡς μὲν ἔνιοι, Συρακουσίῳ, ὡς
δὲ ἔνιοι, Στυμφηλίῳ, υἱῷ Σωστράτου, ἀπήνῃ. κατελύθη δὲ ἡ ἀπήνη,
ὥς τινές φασιν, ὀγδοηκοστῇ πέμπτῃ ὀλυμπιάδι, κατ᾽ ἐνίους δὲ* 440
ὀγδοηκοστῇ ἕκτῃ. 436

92 (156): *εἶπον δὲ μεμνᾶσθαι Συρακοσσᾶν τε καὶ Ὀρτυγίας* [ἀντ. ε΄
τὰν Ἱέρων καθαρῷ σκάπτῳ διέπων,
ἄρτια μηδόμενος, φοινικόπεζαν
ἀμφέπει Δάματρα λευκίππου τε θυγατρὸς ἑορτάν,
καὶ Ζηνὸς Αἰτναίου κράτος. ἁδύλογοι δέ νιν
λύραι μολπαί τε γινώσκοντι. μὴ θράσ-
σοι χρόνος ὄλβον ἐφέρπων.
σὺν δὲ φιλοφροσύναις εὐηράτοις Ἁ-
γησία δέξαιτο κῶμον

οἴκοθεν οἴκαδ᾽ ἀπὸ Στυμφαλίων τειχέων ποτινισόμενον,
ματέρ᾽ εὐμήλοιο λείποντ᾽ Ἀρκαδίας. ἀγαθαὶ [ἐπ. ε΄
δὲ πέλοντ᾽ ἐν χειμερίᾳ
νυκτὶ θοᾶς ἐκ ναὸς ἀπεσκίμφθαι δύ᾽ ἄγκυραι.

XII. *Ἐργοτέλει Ἱμεραίῳ δολιχοδρόμῳ*

Schol. inscr. a: *Ἐργοτέλει· ὀλυμπιάδα μὲν ἐνίκησεν οζ΄ καὶ τὴν* 472
ἑξῆς οθ΄, πυθιάδα δὲ κε΄ καὶ ἴσθμια ὁμοίως. αὐτὸς δὲ ὁ Ἐργοτέλης 464
486

Schol. v. 9b: " post *Ἱπποκράτης* fortasse lacuna statuenda " Drachmann. l. 2: *Γελώων* Wesseling, *Γέλωνος* codd. *κβ΄* (692) E, *μβ΄* cett. schol. xii inscr. a, l. 2: *οθ΄* codd., *οη΄* (468) Mommsen, sed cf. *Pap. Oxy.* 222[35]. *κε΄* codd., *κθ΄* (470) Mommsen.

ἦν μὲν τὸ γένος Κρὴς Κνώσιος· φυγαδευθεὶς δὲ ἐντεῦθεν ἀπῆλθεν εἰς Ἱμέραν πόλιν τῆς Σικελίας, ἐξ ἧς ἦν ὁ Στησίχορος ὁ μελοποιός, καὶ πολίτης γραφεὶς ἐνταῦθα ἤθλησεν. διὰ δὲ τοῦ προοιμίου εὔχεται ἀεὶ τὴν Ἱμέραν ἐλευθέραν εἶναι καὶ ἀνυπότακτον ἄλλοις.

b: Ἐργοτέλης Κρὴς μὲν ἦν τῷ γένει πόλεως Κνωσσοῦ, ὃς ἠγωνί-
472 σατο ἑβδομηκοστὴν ἑβδόμην ὀλυμπιάδα καὶ τὴν ἑξῆς πυθιάδα εἰκοστὴν
470 ἐννάτην. στασιαζομένης δὲ τῆς πόλεως φυγὰς εἰς Ἱμέραν πόλιν Σικελιωτικὴν ἀπῆλθε, καὶ καταλαβὼν πάλιν τὰ ἐν Σικελίᾳ πράγματα στασιαζόμενα πρὸς Γέλωνος καὶ Ἱέρωνος, ἐκδεξάμενος εἰρήνην ἐνίκησε.

1: λίσσομαι, παῖ Ζηνὸς Ἐλευθερίου, [στρ.
Ἱμέραν εὐρυσθενέ' ἀμφιπόλει, σώτειρα Τύχα.

Schol. 1a: καταλυθέντων τῶν περὶ Ἱέρωνα ἀθλήσας ἤδη ἐνίκησεν· ὅθεν τὸν ἐλευθέριον Δία *** ὡς τῶν Σικελιωτῶν κατελευθερωθέντων τῆς τυραννίδος.

Pythia

I. Ἱέρωνι Αἰτναίῳ ἅρματι

Schol. (Dr. ii, p. 5): Ἱέρων ἄνωθεν Συρακούσιός ἐστι, τὴν δὲ Κατάνην ἀνακτίσας ὁμωνύμως τῷ παρακειμένῳ ὄρει Αἴτναν προσηγόρευσε, καὶ Αἰτναῖον ἑαυτὸν κατὰ τοὺς ἀγῶνας νικῶν ἀνεκήρυξεν. ἐνίκησε δὲ ὁ
482, 478, 470 Ἱέρων τὴν μὲν κϝ' πυθιάδα καὶ τὴν ἑξῆς κέλητι, τὴν δὲ κθ' ἅρματι, εἰς ἣν ὁ ὑποκείμενος ἐπίνικος τέτακται. ἔσχε δὲ ὁ Ἱέρων τὴν τῶν
480/76 Συρακουσίων ἀρχὴν μετὰ τὴν Γέλωνος τοῦ ἀδελφοῦ τελευτὴν τῇ οε' ὀλυμπιάδι.

29 (56): εἴη, Ζεῦ, τὶν εἴη ἁνδάνειν,
ὃς τοῦτ' ἐφέπεις ὄρος, εὐκάρποιο γαί-
ας μέτωπον, τοῦ μὲν ἐπωνυμίαν
κλεινὸς οἰκιστὴρ ἐκύδανεν πόλιν
γείτονα, Πυθιάδος δ' ἐν δρόμῳ κᾶ-
ρυξ ἀνέειπέ νιν ἀγγέλ-
λων Ἱέρωνος ὑπὲρ καλλινίκου
ἅρμασι. [ἐπ. β'

46 (87): εἰ γὰρ ὁ πᾶς χρόνος ὄλβον μὲν οὕτω
καὶ κτεάνων δόσιν εὐθύ-
νοι, καμάτων δ' ἐπίλασιν παράσχοι.

ἦ κεν ἀμνάσειεν οἵαις ἐν πολέμοισι μάχαις [ἀντ. γ'
τλάμονι ψυχᾷ παρέμειν', ἁνίχ' εὑρί-

Schol. *Pyth.* i, l. 6: οε' EF, πε' (440) GQ, κε' (680) P.

σκοντο θεῶν παλάμαις τιμὰν
οἵαν οὔτις Ἑλλάνων δρέπει
πλούτου στεφάνωμ' ἀγέρωχον. νῦν γε μὰν
τὰν Φιλοκτήταο δίκαν ἐφέπων
ἐστρατεύθη· σὺν δ' ἀνάγκᾳ νιν φίλον
καί τις ἐὼν μεγαλάνωρ ἔσανεν.

Schol. 46 (89)a: *καμάτων φησὶ τῶν συνεχόντων τὸν Ἱέρωνα ἐκ τοῦ νοσήματος τῆς λιθουρίας. φησὶ γάρ που καὶ ὁ Ἀριστοτέλης ἐν τῇ τῶν Γελῴων πολιτείᾳ* (fr. 486) [*τὸν Γέλωνα*] *ὑδέρῳ νοσήματι τὸν βίον τελευτῆσαι τὸν τοῦ Ἱέρωνος ἀδελφόν, αὐτὸν δὲ τὸν Ἱέρωνα, ἐν τῇ τῶν Συρακουσίων πολιτείᾳ* (fr. 587), *δυσουρίαν δυστυχῆσαι.*

b: *ὅτι διὰ λιθουρίαν φορείῳ φερόμενος ἐνίκα τὰς μάχας ὁ Ἱέρων.*

Schol. 52 (99)a: *αἰνίττεται τοῦτο εἰς Ἀναξίλαον τὸν τῶν Ῥηγίνων βασιλέα βουληθέντα Λοκροὺς καταπολεμῆσαι τοὺς ἐν Ἰταλίᾳ καὶ ἐμποδισθέντα τῇ τοῦ Ἱέρωνος ἀπειλῇ. ὅτι δὲ Ἀναξίλαος Λοκροὺς ἠθέλησεν ἄρδην ἀπολέσαι καὶ ἐκωλύθη πρὸς Ἱέρωνος, ἱστορεῖ καὶ Ἐπίχαρμος ἐν Νάσοις* (fr. 98).

b: *ἢ οὕτως· ὡς τοῦ Θήρωνος μεγάλα μὲν δυναμένου, κολακεύσαντα δὲ Ἱέρωνα.*

58 (112): *Μοῖσα, καὶ πὰρ Δεινομένει κελαδῆσαι*
πίθεό μοι ποινὰν τεθρίππων·
59b *χάρμα δ' οὐκ ἀλλότριον νικαφορία πατέρος.*
60 *ἄγ' ἔπειτ' Αἴτνας βασιλεῖ*
60b *φίλιον ἐξεύρωμεν ὕμνον·*

τῷ πόλιν κείναν θεοδμάτῳ σὺν ἐλευθερίᾳ [*στρ. δ'*
Ὑλλίδος στάθμας Ἱέρων ἐν νόμοις ἔ-
κτισσε· θέλοντι δὲ Παμφύλου
καὶ μὰν Ἡρακλειδᾶν ἔκγονοι
ὄχθαις ὕπο Ταϋγέτου ναίοντες αἰ-
εὶ μένειν τεθμοῖσιν ἐν Αἰγιμιοῦ
Δωριεῖς. ἔσχον δ' Ἀμύκλας ὄλβιοι
Πινδόθεν ὀρνύμενοι, λευκοπώλων
Τυνδαριδᾶν βαθύδοξοι
γείτονες, ὧν κλέος ἄνθησεν αἰχμᾶς.

Ζεῦ τέλει', αἰεὶ δὲ τοιαύταν Ἀμένα παρ' ὕδωρ [*ἀντ. δ'*
αἶσαν ἀστοῖς καὶ βασιλεῦσιν διακρί-
νειν ἔτυμον λόγον ἀνθρώπων.
σύν τοι τίν κεν ἁγητὴρ ἀνήρ,

υἱῷ τ' ἐπιτελλόμενος, δᾶμον γεραί-
ρων τράποι σύμφωνον ἐς ἡσυχίαν.
λίσσομαι νεῦσον, Κρονίων, ἅμερον
ὄφρα κατ' οἶκον ὁ Φοίνιξ ὁ Τυρσα-
νῶν τ' ἀλαλατὸς ἔχῃ, ναυ-
σίστονον ὕβριν ἰδὼν τὰν πρὸ Κύμας,

οἷα Συρακοσίων ἀρχῷ δαμασθέντες πάθον, [ἐπ. δ'
ὠκυπόρων ἀπὸ ναῶν ὅ σφιν ἐν πόν-
τῳ βάλεθ' ἁλικίαν,
Ἑλλάδ' ἐξέλκων βαρείας δουλίας.

Schol. 58 (112): *Δεινομένης δὲ υἱὸς Ἱέρωνος ἐκ τῆς Νικοκλέους τοῦ Συρακουσίου θυγατρὸς κατὰ Φίλιστον* (fr. 50) *καὶ Τίμαιον* (fr. 97)· *ἐκ γὰρ τῆς Ἀναξιλάου θυγατρὸς καὶ τῆς Θήρωνος ἀνεψιᾶς οὐκ ἐπαιδοποίησεν ὁ Ἱέρων προγαμήσας ταύτην· ὅθεν ἐστὶ καὶ ὁ παῖς ὁμώνυμος τῷ πάππῳ· Δεινομένης γὰρ ὁ πατὴρ Ἱέρωνος.*

Schol. 61 (118)a: *ὁ νοῦς· ᾧ, τῷ Δεινομένει δηλονότι, ὁ Ἱέρων τὴν Αἴτνην ἀνέκτισε καὶ διοικεῖν ἔδωκε σὺν θείᾳ ἐλευθερίᾳ, καὶ τοῖς νόμοις τῆς Δωρίου δικαιοσύνης, ἀπὸ κοινοῦ τὸ διοικεῖν ἔδωκεν.*

b: *ἄλλως· ἀνακτίσας τὴν Κατάνην ὁ Ἱέρων καὶ Αἴτνην μετονομάσας διοικεῖν Δεινομένει τῷ υἱῷ ταύτην δέδωκεν.*

c: *ἄλλως· τῷ Δεινομένει ὁ Ἱέρων Αἴτναν παραδέδωκεν ἐν νόμοις τῆς Δωρίδος στάθμης. τοῦτο δὲ λέγει, ἐπεὶ στρατηγὸν αὐτῆς κατέστησεν αὐτόν, ἐλευθέρους ἀφεὶς τοὺς Αἰτναίους καὶ τοῖς Λακωνικοῖς τρόποις ἢ νόμοις χρωμένους.*

Schol. 62 (120)b: *ὁ οὖν Ἱέρων Γελῴους καὶ Μεγαρεῖς καὶ Συρακουσίους ὄντας τῶν Δωριέων ἀποίκους ἐνῴκισε τῇ Αἴτνῃ. καὶ οὕτως ἂν ὁ λόγος ἀκολούθως ἔχοι, ὡς Δωριεῦσιν οὖσιν Αἰτναίοις καὶ Λακωνικοὺς νόμους θέσθαι τὸν Ἱέρωνα.*

Schol. 71 (137)c: *Τυρσηνοὶ καὶ Καρχηδόνιοι, οἵ εἰσι Φοινίκων ἄποικοι, διεμάχοντο πρὸς Κυμαίους· μελλόντων οὖν ἄρδην ἀπόλλυσθαι τῶν Κυμαίων, Ἱέρων συμμαχήσας τοὺς μὲν Κυμαίους διέσωσε, τῶν δὲ Τυρσηνῶν τοὺς πλείστους ἀπώλεσε. κατεύχεται οὖν ὁ Πίνδαρος εἰρηνικὰ καὶ ἀστασίαστα μένειν λοιπὸν τὰ πράγματα Καρχηδονίοις καὶ Σικελιώταις.*

79 (152): . . . παρὰ δὲ τὰν εὔυδρον ἀκτὰν
Ἱμέρα παίδεσσιν ὕμνον Δεινομένεος τελέσαις,
τὸν ἐδέξαντ' ἀμφ' ἀρετᾷ
πολεμίων ἀνδρῶν καμόντων.

Schol. 79 (152)b: *φασὶ δὲ τὸν Γέλωνα τοὺς ἀδελφοὺς φιλοφρονούμενον ἀναθεῖναι τῷ θεῷ χρυσοῦς τρίποδας ἐπιγράψαντα ταῦτα* (Simonides, fr. 106)·

> *φημὶ Γέλων', Ἱέρωνα, Πολύζηλον, Θρασύβουλον,*
> *παῖδας Δεινομένευς τοὺς τρίποδας θέμεναι,*
> *βάρβαρα νικήσαντας ἔθνη, πολλὴν δὲ παρασχεῖν*
> *σύμμαχον Ἕλλησιν χεῖρ' ἐς ἐλευθερίην.*

II. *Ἱέρωνι Συρακοσίῳ ἅρματι*

1: *μεγαλοπόλιες ὦ Συράκοσαι, βαθυπολέμου* [*στρ. α'*
τέμενος Ἄρεος, ἀνδρῶν ἵππων τε σιδαροχαρ-
μᾶν δαιμόνιαι τροφοί, . . .

Schol. 1 (2): *τοῦτο εἴρηκε διὰ τὸ νεωστὶ Καρχηδονίους καὶ Λίβυας καὶ Τυρρηνοὺς ὑπὸ τῶν περὶ Γέλωνα καὶ Ἱέρωνα μὴ μόνον τῇ νήσῳ ἐπιπλεύσαντας καθῃρῆσθαι, ἀλλὰ καὶ ὑπ' αὐτοῖς τὴν Καρχηδόνα γενέσθαι, ὥστε ὑπακούειν· τὸ γοῦν ἀνθρωποθυτεῖν φησιν ὁ Θεόφραστος ἐν τῷ περὶ Τυρρηνῶν παύσασθαι αὐτοὺς Γέλωνος προστάξαντος. ὅτι δὲ καὶ ἐκέλευσεν αὐτοὺς χρήματα εἰσφέρειν, Τίμαιος διὰ τῆς ιδ' ἀνέγραψεν* (fr. 20).

17 (32): *. . . ἄγει δὲ χάρις* [*ἐπ. α'*
17b *φίλων ποίνιμος ἀντὶ ἔργων ὀπιζομένα·*
18 *σὲ δ', ὦ Δεινομένειε παῖ,*
18b *Ζεφυρία πρὸ δόμων*
Λοκρὶς παρθένος ἀπύει,
πολεμίων καμάτων ἐξ ἀμαχάνων
20 *διὰ τεὰν δύναμιν δρακεῖσ' ἀσφαλές.*

Schol. 19 (36)c: *Ἀναξίλα τοῦ Μεσσήνης καὶ Ῥηγίου τυράννου πολεμοῦντος Λοκροῖς Ἱέρων πέμψας Χρόμιον τὸν κηδεστὴν διηπείλησεν αὐτῷ, εἰ μὴ καταλύσαιτο τὸν πρὸς αὐτοὺς πόλεμον, αὐτὸν πρὸς τὸ Ῥήγιον στρατεύειν· οὗπερ δὴ πρὸς τὴν ἀπειλὴν ἐνδόντος ἐν εἰρήνῃ διήγαγον οἱ Λοκροί. ἐφ' οἷς οὖν ἔπαθον, αἱ Λοκρίδες ᾖδον καὶ καθύμνουν τὸν Ἱέρωνα.*

Schol. 20 (38): δρακεῖσ' *ἀσφαλές· ἐλεύθερον βλέπουσα. Ἀναξίλας γὰρ καὶ Κλεόφρων ὁ τούτου παῖς Ἰταλίας ὄντες τύραννοι, ὁ μὲν ἐν Μεσσήνῃ τῇ Σικελιωτικῇ, ὁ δὲ ἐν Ῥηγίῳ τῷ ἐπὶ Ἰταλίας, πόλεμον ἠπείλουν Λοκροῖς·* διαπρεσβευσάμενος δὲ πρὸς αὐτοὺς ὁ Ἱέρων ἔπαυσε τοῦ πολέμου τοὺς Λοκρούς.

57 (104): τὺ δὲ σάφα νιν ἔχεις ἐλευθέρᾳ φρενὶ πεπαρεῖν, [ἀντ. γ'
πρύτανι κύριε πολλᾶν μὲν εὐστεφάνων ἀγυι-
ᾶν καὶ στρατοῦ. εἰ δέ τις
ἤδη κτεάτεσσί τε καὶ περὶ τιμᾷ λέγει
ἕτερόν τιν' ἀν' Ἑλλάδα τῶν πάροιθε γενέσθαι ὑπέρτερον,
χαύνᾳ πραπίδι παλαιμονεῖ κενεά.

72 (132): καλός τοι πίθων παρὰ παισίν, αἰεὶ
καλός.

Schol. 72 (132)b: μήποτε οὖν χαριέστερόν ἐστιν οὕτως ἀκούειν· Θρασυδαῖος ἑταῖρος ἦν Πινδάρου, Ἱέρων δὲ ἐπολέμησε Θήρωνι τῷ Θρασυδαίου πατρί. εἰκὸς οὖν διαβεβλῆσθαι τὸν Πίνδαρον τῷ Ἱέρωνι, ὅθεν ἀπολογούμενος εἰς τοῦτο πᾶσαν ἀναφέρει παραίνεσιν.

c: ἢ οὕτως· ὥσπερ ὁ πίθηκος σπουδάζεται παρὰ τοῖς παισὶν φαῦλος ὤν, οὕτω καὶ Βακχυλίδης παρὰ παισὶ μὲν ἄφροσιν εὐδοκιμείτω, παρὰ σοὶ δὲ σοφῷ ὄντι πίθηκος ἔστω.

86 (157): ἐν πάντα δὲ νόμον εὐθύγλωσσος ἀνὴρ προφέρει,
παρὰ τυραννίδι, χὠπόταν ὁ λάβρος στρατός,
χὤταν πόλιν οἱ σοφοὶ τηρέωντι. χρὴ δὲ
πρὸς θεὸν οὐκ ἐρίζειν,

ὃς ἀνέχει τότε μὲν τὰ κείνων, τότ' αὖθ' ἑτέροις [ἐπ. δ'
89b ἔδωκεν μέγα κῦδος.

III. Ἱέρωνι Συρακοσίῳ κέλητι

Schol. inscr. a: γράφει τὸν ἐπίνικον Ἱέρωνι νικήσαντι κέλητι τὴν
482 478 εἰκοστὴν ἕκτην καὶ εἰκοστὴν ἑβδόμην πυθιάδα.
476/2 b: καθίσταται δὲ ὁ Ἱέρων βασιλεὺς κατὰ τὴν οϝ' ὀλυμπιάδα, τῆς
474 κη' πυθιάδος τῇ προκειμένῃ ὀλυμπιάδι συγχρόνου οὔσης.

70 (124): ὃς Συρακόσσαισι νέμει βασιλεύς, [στρ. δ'
πραῢς ἀστοῖς, οὐ φθονέων ἀγαθοῖς, ξεί-
νοις δὲ θαυμαστὸς πατήρ.

84 (150): τὶν δὲ μοῖρ' εὐδαιμονίας ἕπεται. [ἐπ. δ'
λαγέταν γάρ τοι τύραννον δέρκεται,
εἴ τιν' ἀνθρώπων, ὁ μέγας πότμος.

Schol. iii inscr. b: οε' (480/76) Schroeder, οϝ' codd.

IV. Ἀρκεσιλάῳ Κυρηναίῳ ἅρματι

Schol. inscr. a: *γράφεται ἡ ᾠδὴ Ἀρκεσιλάῳ Πολυμνήστου παιδί, Κυρηναίῳ τὸ γένος τῆς Λιβύης, νικήσαντι τὴν τριακοστὴν πρώτην* 462
πυθιάδα. ἔνιοι καὶ ⟨τὴν⟩ ὀγδοηκοστὴν ὀλυμπιάδα· ἀλλ' οὐκ ἔγραψεν 460
εἰς τὴν Ὀλυμπιακὴν αὐτοῦ νίκην, καίτοι μετὰ τὴν Πυθικὴν γενομένην, ἀλλ' εἰς τὰ Πύθια μόνον. . . . ὁ δὲ Ἀρκεσίλαος τοὺς μὲν ἀνεῖλε, τοὺς δὲ ἐφυγάδευσεν, ἐν οἷς τις ἦν καὶ Δαμόφιλος, ὃς ἐκπεσὼν τῆς πατρίδος ἦλθεν εἰς Θήβας, ὑπὲρ οὗ φαίνεται ὁ Πίνδαρος παρακαλῶν καὶ βουλόμενος αὐτὸν διαλλάξαι καὶ ἀξιῶν τὴν Μοῦσαν παραστῆναι τῷ Ἀρκεσιλάῳ, καθ' ἣν ἡμέραν διαπέμπεται τὸν ἐπίνικον.

b: *ταύτην ἔγραψεν Ἀρκεσιλάῳ τῷ Κυρηναίων βασιλεῖ νικήσαντι τὴν τριακοστὴν πρώτην πυθιάδα, καὶ γεγονότι ἀπὸ τοῦ πρώτου Βάττου* 462
. . . . ὁ δὲ τελευταῖος οὗτος Ἀρκεσίλαος δολοφονηθεὶς ὑπὸ Κυρηναίων ἀπέβαλε τῶν Βαττιαδῶν τὴν ἀρχὴν ἔτη διακόσια διαμείνασαν.

64 (113): *ἦ μάλα δὴ μετὰ καὶ νῦν,*
ὥτε φοινικανθέμου ἦρος ἀκμᾷ,
παισὶ τούτοις ὄγδοον θάλλει μέρος Ἀρκεσίλας· . . .

Schol. 256 (455)e: *ἐγένοντο δὲ καὶ πλείους Εὔφημοι· . . . τέταρτος ὁ κατὰ τὸν Ἀρκεσίλαον, ὃν ξενολογήσοντα ἔπεμψεν ὁ βασιλεὺς καὶ τὸν Πυθικὸν ἀγῶνα ἀγωνιούμενον.*

263 (467): *γνῶθι νῦν τὰν Οἰδιπόδα σοφίαν· εἰ*
γάρ τις ὄζους ὀξυτόμῳ πελέκει
ἐξερείψειεν μεγάλας δρυός, αἰσχύ-
νοι δέ οἱ θαητὸν εἶδος,
καὶ φθινόκαρπος ἐοῖσα διδοῖ ψᾶφον περ' αὐτᾶς,
εἴ ποτε χειμέριον πῦρ ἐξίκηται λοίσθιον,
ἢ σὺν ὀρθαῖς κιόνεσσιν
δεσποσύναισιν ἐρειδομένα
μόχθον ἄλλοις ἀμφέπῃ δύστανον ἐν τείχεσιν,
ἑὸν ἐρημώσαισα χῶρον.

ἐσσὶ δ' ἰατὴρ ἐπικαιρότατος, Παι- [ἐπ. ιβ'
άν τέ τοι τιμᾷ φάος.
χρὴ μαλακὰν χέρα προσβάλ-
λοντα τρώμαν ἕλκεος ἀμφιπολεῖν.
ῥᾴδιον μὲν γὰρ πόλιν σεῖσαι καὶ ἀφαυροτέροις·
ἀλλ' ἐπὶ χώρας αὖτις ἕσσαι δυσπαλὲς
δὴ γίνεται, ἐξαπίνας
εἰ μὴ θεὸς ἁγεμόνεσσι κυβερνατὴρ γένηται.

τὶν δὲ τούτων ἐξυφαίνονται χάριτες.
τλᾶθι τᾶς εὐδαίμονος ἀμφὶ Κυρά-
νας θέμεν σπουδὰν ἅπασαν.

τῶν δ' Ὁμήρου καὶ τόδε συνθέμενος [στρ. ιγ'
ῥῆμα πόρσυν'· ἄγγελον ἐσλὸν ἔφα τι-
μὰν μεγίσταν πράγματι παντὶ φέρειν·
αὔξεται καὶ Μοῖσα δι' ἀγγελίας ὀρ-
θᾶς. ἐπέγνω μὲν Κυράνα
καὶ τὸ κλεεννότατον μέγαρον Βάττου δικαιᾶν
Δαμοφίλου πραπίδων. κεῖνος γὰρ ἐν παισὶν νέος,
ἐν δὲ βουλαῖς πρέσβυς ἐγκύρ-
σαις ἑκατονταετεῖ βιοτᾷ,
ὀρφανίζει μὲν κακὰν γλῶσσαν φαεννᾶς ὀπός,
ἔμαθε δ' ὑβρίζοντα μισεῖν,

οὐκ ἐρίζων ἀντία τοῖς ἀγαθοῖς, [ἀντ. ιγ'
οὐδὲ μακύνων τέλος οὐδέν. ὁ γὰρ και-
ρὸς πρὸς ἀνθρώπων βραχὺ μέτρον ἔχει.
εὖ νιν ἔγνωκεν· θεράπων δέ οἱ, οὐ δρά-
στας ὀπαδεῖ. φαντὶ δ' ἔμμεν
τοῦτ' ἀνιαρότατον, καλὰ γινώσκοντ' ἀνάγκᾳ
ἐκτὸς ἔχειν πόδα. καὶ μὰν κεῖνος Ἄτλας οὐρανῷ
προσπαλαίει νῦν γε πατρῴ-
ας ἀπὸ γᾶς ἀπό τε κτεάνων·
λῦσε δὲ Ζεὺς ἄφθιτος Τιτᾶνας. ἐν δὲ χρόνῳ
μεταβολαὶ λήξαντος οὔρου

ἱστίων. ἀλλ' εὔχεται οὐλομέναν νοῦ- [ἐπ. ιγ'
σον διαντλήσαις ποτὲ
οἶκον ἰδεῖν, ἐπ' Ἀπόλλω-
νός τε κράνᾳ συμποσίας ἐφέπων
θυμὸν ἐκδόσθαι πρὸς ἥβαν πολλάκις, ἔν τε σοφοῖς
δαιδαλέαν φόρμιγγα βαστάζων πολί-
ταις ἡσυχίᾳ θιγέμεν,
μήτ' ὦν τινι πῆμα πορών, ἀπαθὴς δ' αὐτὸς πρὸς ἀστῶν·
καί κε μυθήσαιθ', ὁποίαν, Ἀρκεσίλα,
εὗρε παγὰν ἀμβροσίων ἐπέων,
πρόσφατον Θήβᾳ ξενωθείς.

Schol. 263 (467): προτρέπεται τὸν Ἀρκεσίλαον ὁ Πίνδαρος συνορᾶν αὐτοῦ τὸ αἴνιγμα. τὸ γὰρ Οἰδιπόδα σοφίαν τοῦτο βούλεται, ὅτι κἀκεῖνος τὸ τῆς Σφιγγὸς αἴνιγμα ἔλυσεν. ὃ δὲ αἰνίττεται, ἔστι τοιοῦτον. ἐστασίασάν τινες ἐν τῇ Κυρήνῃ κατὰ τοῦ Ἀρκεσιλάου, βουλόμενοι αὐτὸν μεταστῆσαι τῆς ἀρχῆς· ὁ δὲ ἐπικρατέστερος αὐτῶν γενόμενος ἐφυγάδευσεν αὐτοὺς τῆς πατρίδος. ἐν τοῖς οὖν στασιώταις ἦν καὶ ὁ Δημόφιλος, ὃς καὶ αὐτὸς ἀνάστατος γέγονε τῆς πατρίδος, καὶ φυγαδευθεὶς ἔρχεται εἰς Θήβας καὶ ἀξιοῖ τὸν Πίνδαρον (τινὲς δέ, ὅτι καὶ τὸν μισθὸν τοῦ ἐπινίκου δίδωσι τῷ Πινδάρῳ αὐτός), ὥστε τῇ τοῦ ἐπινίκου γραφῇ διαλλάξαι αὐτὸν πρὸς τὸν Ἀρκεσίλαον. ἦν δὲ αὐτῷ καὶ πρὸς γένους.

Schol. 270 (481)b: ποιεῖται δὲ τὸν λόγον ὑποψίας ἐνεστώσης τοῖς Κυρηναίοις πρὸς τὸν Ἀρκεσίλαον καὶ ταραττομένων αὐτῶν ὑπ' ἐκείνου ἢ ἐλαττουμένων παραιτούμενος καταστῆσαι τὴν πόλιν ἐπὶ τὸ ἀρχαῖον.

V. Ἀρκεσιλάῳ Κυρηναίῳ ἅρματι

Schol. inscr.: γέγραπται καὶ αὕτη ἡ ᾠδὴ νικήσαντι τῷ Ἀρκεσιλάῳ ἅρματι τὴν λα' πυθιάδα. 462

5 (6): ὦ θεόμορ' Ἀρκεσίλα,
σύ τοί νιν κλυτᾶς
αἰῶνος ἀκρᾶν βαθμίδων ἄπο
σὺν εὐδοξίᾳ μετανίσεαι
ἕκατι χρυσαρμάτου Κάστορος·
εὐδίαν ὃς μετὰ χειμέριον ὄμβρον τεὰν
καταιθύσσει μάκαιραν ἑστίαν.

σοφοὶ δέ τοι κάλλιον [ἀντ. α'
φέροντι καὶ τὰν θεόσδοτον δύναμιν.
σὲ δ' ἐρχόμενον ἐν δίκᾳ πολὺς ὄλβος ἀμφινέμεται·
τὸ μέν, ὅτι βασιλεὺς
ἐσσὶ μεγαλᾶν πολίων,
ἔχει συγγενὴς
ὀφθαλμὸς αἰδοιότατον γέρας
τεᾷ τοῦτο μειγνύμενον φρενί·
μάκαρ δὲ καὶ νῦν, κλεεννᾶς ὅτι
εὖχος ἤδη παρὰ Πυθιάδος ἵπποις ἑλὼν
δέδεξαι τόνδε κῶμον ἀνέρων,

Ἀπολλώνιον ἄθυρμα· τῷ σε μὴ λαθέτω [ἐπ. α'
Κυράνας γλυκὺν ἀμφὶ κᾶπον Ἀφροδίτας ἀειδόμενον,
παντὶ μὲν θεὸν αἴτιον ὑπερτιθέμεν,
φιλεῖν δὲ Κάρρωτον ἔξοχ' ἑταίρων·

ὃς οὐ τὰν Ἐπιμαθέος ἄγων
ὀψινόου θυγατέρα Πρόφασιν Βαττιδᾶν
ἀφίκετο δόμους θεμισκρεόντων.

Schol. 10 (12)a: *ὑπαινίττεται δὲ τὸν τῶν Κυρηναίων νεωτερισμόν· στάσις γὰρ ἐνέπεσεν αὐτῷ πρὸς τὸν δῆμον· ὃν δὴ χειμῶνα ἔφη.*

Schol. 25 (33): *εἰσὶ δὲ οἳ καὶ τῆς Ἀρκεσιλάου γυναικὸς πατέρα εἶναι ἔφασαν τὸν Κάρρωτον.*

Schol. 26 (34): *Κάρρωτος ὄνομα κύριον, περὶ οὗ μέμνηται πρὸς τὸν Ἀρκεσίλαον· οἱ δὲ τὸν ἡνίοχον τούτου, ὅν φησιν ὁ Δίδυμος τῆς Πυθικῆς νίκης αἴτιον γενέσθαι τῷ Ἀρκεσιλάῳ, κατάγειν δὲ αὐτῷ καὶ στρατιωτικὸν ἀπὸ τῆς Ἑλλάδος ἀθροίσαντα. ταῦτα δὲ πιστοῦται παρατιθέμενος τὰ Θεοτίμου* (fr. 1) *ἐκ τοῦ πρώτου περὶ Κυρήνης ἔχοντα οὕτως· "διαπίπτουσαν δὲ τὴν πρᾶξιν αἰσθόμενος Ἀρκεσίλαος καὶ βουλόμενος δι' αὐτοῦ τὰς Ἑσπερίδας οἰκίσαι πέμπει μὲν εἰς τὰς πανηγύρεις ἵππους ἀθλήσοντας Εὔφημον ἄγοντα, νικήσας δὲ τὰ Πύθια καὶ τὴν ἑαυτοῦ πατρίδα ἐστεφάνωσε καὶ ἐποίκους εἰς τὰς Ἑσπερίδας συνέλεγεν. Εὔφημος μὲν οὖν ἐτελεύτα· Κάρρωτος δὲ τῆς Ἀρκεσιλάου γυναικὸς ἀδελφὸς διεδέξατο τὴν τῶν ἐποίκων ἡγεμονίαν." ὁ τοίνυν Πίνδαρος τοὺς ἑταίρους καθομιλῶν τὸ καταπραχθὲν τῷ Εὐφήμῳ τῷ Καρρώτῳ προσῆψε· μόνον γὰρ κατορθῶσαί φησιν αὐτὸν ἀγαγόντα τὸ στρατιωτικόν.*

VI. *Ξενοκράτει Ἀκραγαντίνῳ ἅρματι*

Schol. 5a: *Ἱππόστρατος δὲ* (fr. 2) *ὁ τὰ περὶ Σικελίας γενεαλογῶν φησιν, ὅτι Ἐμμενίδης καὶ Ξενόδικος Τηλεμάχου υἱοί, καὶ Ἐμμενίδου μὲν οἱ περὶ Θήρωνα καὶ Ξενοκράτην, Ξενοδίκου δὲ Ἱπποκράτης καὶ Κάπυς, οἳ φυγαδευθέντες ὑπὸ Θήρωνος ὕστερον Καμικοῦ κατέσχον τῆς Σικελικῆς πόλεως.*

Nemea

I. *Χρομίῳ Αἰτναίῳ ἵπποις*

Schol. inscr. a: *γέγραπται ὁ ἐπίνικος Χρομίῳ Αἰτναίῳ. Ἱέρων γὰρ οἰκιστὴς ἀντὶ τυράννου βουλόμενος εἶναι, Κατάνην ἐξελὼν Αἴτνην μετωνόμασε τὴν πόλιν, ἑαυτὸν οἰκιστὴν προσαγορεύσας, καὶ ἐν ταῖς ἀναρρήσεσιν ἔν τισι τῶν ἀγώνων Αἰτναῖον ἑαυτὸν ἀνεῖπε. ταὐτὸν δέ, φησὶν ὁ Δίδυμος* (p. 229), *εἰκὸς παθεῖν καὶ τὸν Χρόμιον ἑταίρῳ κεχρημένον αὐτῷ.*

Schol. v. 26, l. 2: *Δίδυμος* Boeckh, *Πίνδαρος* codd

VII. *Σωγένει Αἰγινήτῃ παιδὶ πεντάθλῳ*

Schol. 1a: see fr. 106a.

IX. *Χρομίῳ Αἰτναίῳ ἅρματι*

Schol. inscr.: *ὁ δὲ Χρόμιος οὗτος φίλος ἦν Ἱέρωνος, κατασταθεὶς ὑπ' αὐτοῦ τῆς Αἴτνης ἐπίτροπος· ὅθεν καὶ Αἰτναῖος ἐκηρύχθη.*

1: *κωμάσομεν παρ' Ἀπόλλωνος Σεκυωνόθε, Μοῖσαι,* [*στρ. α*
τὰν νεοκτίσταν ἐς Αἴτναν.

28 (66): *εἰ δυνατόν, Κρονίων, πεῖ-*
ραν μὲν ἀγάνορα Φοινικοστόλων
ἐγχέων ταύταν θανάτου πέρι καὶ ζω-
ᾶς ἀναβάλλομαι ὡς πόρσιστα, μοῖραν δ' εὔνομον
αἰτέω σε παισὶν δαρὸν Αἰτναίων ὀπάζειν,

Ζεῦ πάτερ, ἀγλαΐαισιν δ' ἀστυνόμοις ἐπιμεῖξαι [*στρ. ζ'*
λαόν.

Schol. 28 (67)b: . . . *ἐπειδὴ Φοίνικες ᾤκησαν τὴν Λιβύην μετὰ Καρχηδονίων, οἵτινες ἀνιόντες ἐπολέμουν Σικελούς. διὸ νῦν εὔχεται ὁ Πίνδαρος τῷ Διὶ ὥστε μὴ ἐμποδισθῆναι αὐτῶν ὀργήν.*

Schol. 40 (95)a: *ὅτι δὲ καὶ ὁ Γέλων τῷ Χρομίῳ ἐχρῆτο ἑταίρῳ, δῆλον πάλιν ἐξ ὧν φησι Τίμαιος ἐν τῇ β'* (fr. 21) *γράφων οὕτως· "ἐπιτρόπους δὲ τοῦ παιδὸς μετ' ἐκεῖνον κατέστησεν Ἀριστόνουν καὶ Χρόμιον τοὺς κηδεστάς· τούτοις γὰρ ὁ Γέλων δέδωκε τὰς ἀδελφάς."*

Fragmenta

fr. 36 (Pap. Oxy. v. 841): *Paean* II *Ἀβδηρίταις.*

65: *ἐμο[ὶ δὲ ἑκὼ]ν ἐσ[λῶν ε]ὐκλέα [κραίνω]ν χάριν,*
[Ἄβδ]ηρε, καὶ στ[ρατὸν] ἱπποχάρμαν
[σᾷ β]ίᾳ πολέ[μ]ῳ τελευ[ταί]ῳ προβι[β]άζοις.

fr. 94: see Strabo vi. 2³. 268.

fr. 106a (schol. *Nem.* vii. 1a):

ὀλβίων ὁμώνυμε Δαρδανιδᾶν,
παῖ θρασύμηδες Ἀμύντα.

Eustathii prooemium

26: *εἰπεῖν δὲ τοῦτο καὶ ἄλλως κατὰ τοὺς παλαιούς, ἐπέβαλε Πίνδαρος τοῖς χρόνοις Σιμωνίδου ἢ νεώτερος πρεσβυτέρου. τῶν αὐτῶν*

Schol. *Nem.* ix. 28b, l. 3: *μὴ* secl. Beck, *αὐτῶν τὴν ὁρμήν* ed. Romana. schol. 40a, l. 2: *β'* codd., *ιβ'* Schwartz.

γοῦν μέμνηνται ἀμφότεροι πράξεων· ἀλλὰ καὶ παρὰ Ἱέρωνι τῷ Συρακουσίων τυράννῳ ἄμφω ἐγένοντο, ἀποδημήσαντες δηλαδὴ καθ' ἑτέρους καὶ αὐτοὶ σοφοὺς εἰς τὴν Σικελίαν.

PLATO. *Opera*, ed. Burnet, Oxford (OCT) 1905–13. *Scholia*, ed. Hermann, Leipzig (Teubner, Plato vol. vi) 1892.

Symposium

219e: Ἀλκιβιάδης— ταῦτά τε γάρ μοι ἅπαντα προυγεγόνει, καὶ μετὰ
ταῦτα στρατεία ἡμῖν εἰς Ποτείδαιαν ἐγένετο κοινὴ καὶ συνεσιτοῦμεν
ἐκεῖ. . . . πρὸς δὲ αὖ τὰς τοῦ χειμῶνος καρτερήσεις—δεινοὶ γὰρ 220
αὐτόθι χειμῶνες—θαυμάσια ἠργάζετο . . . εἰ δὲ βούλεσθε ἐν ταῖς d
μάχαις—τοῦτο γὰρ δὴ δίκαιόν γε αὐτῷ ἀποδοῦναι—ὅτε γὰρ ἡ μάχη
ἦν ἐξ ἧς ἐμοὶ καὶ τἀριστεῖα ἔδοσαν οἱ στρατηγοί, οὐδεὶς ἄλλος ἐμὲ
ἔσωσεν ἀνθρώπων ἢ οὗτος, τετρωμένον οὐκ ἐθέλων ἀπολιπεῖν, ἀλλὰ e
συνδιέσωσε καὶ τὰ ὅπλα καὶ αὐτὸν ἐμέ.

Phaedrus

269e: Σωκράτης— κινδυνεύει, ὦ ἄριστε, εἰκότως ὁ Περικλῆς πάντων τελεώτατος εἰς τὴν ῥητορικὴν γενέσθαι.

Φαῖδρος— τί δή;

Σω.— πᾶσαι ὅσαι μεγάλαι τῶν τεχνῶν προσδέονται ἀδολεσχίας καὶ 270
μετεωρολογίας φύσεως πέρι· τὸ γὰρ ὑψηλόνουν τοῦτο καὶ πάντῃ
τελεσιουργὸν ἔοικεν ἐντεῦθέν ποθεν εἰσιέναι. ὃ καὶ Περικλῆς πρὸς τῷ
εὐφυὴς εἶναι ἐκτήσατο· προσπεσὼν γὰρ οἶμαι τοιούτῳ ὄντι Ἀναξαγόρᾳ,
μετεωρολογίας ἐμπλησθεὶς καὶ ἐπὶ φύσιν νοῦ τε καὶ διανοίας ἀφικόμενος, ὧν δὴ πέρι τὸν πολὺν λόγον ἐποιεῖτο Ἀναξαγόρας, ἐντεῦθεν εἵλκυσεν ἐπὶ τὴν τῶν λόγων τέχνην τὸ πρόσφορον αὐτῇ.

Alcibiades maior

104b: Σωκράτης— συμπάντων δὲ ὧν εἶπον μείζω οἴει σοι δύναμιν ὑπάρχειν Περικλέα τὸν Ξανθίππου, ὃν ὁ πατὴρ ἐπίτροπον κατέλιπε σοί τε καὶ τῷ ἀδελφῷ· ὃς οὐ μόνον ἐν τῇδε τῇ πόλει δύναται πράττειν ὅτι ἂν βούληται, ἀλλ' ἐν πάσῃ τῇ Ἑλλάδι καὶ τῶν βαρβάρων ἐν πολλοῖς καὶ μεγάλοις γένεσιν.

112c: Σω.— οἶμαι δὲ καὶ τοῖς ἐν Τανάγρᾳ Ἀθηναίων τε καὶ Λακεδαιμονίων καὶ Βοιωτῶν ἀποθανοῦσι, καὶ τοῖς ὕστερον ἐν Κορωνείᾳ, ἐν οἷς καὶ ὁ σὸς πατὴρ [Κλεινίας] ἐτελεύτησεν, οὐδὲ περὶ ἑνὸς ἄλλου ἡ διαφορὰ ἢ περὶ τοῦ δικαίου καὶ ἀδίκου τοὺς θανάτους καὶ τὰς μάχας πεποίηκεν.

118b: Σω.— ἀμαθίᾳ γὰρ συνοικεῖς, ὦ βέλτιστε, τῇ ἐσχάτῃ, ὡς ὁ

λόγος σου κατηγορεῖ καὶ σὺ σαυτοῦ· διὸ καὶ ᾄττεις ἄρα πρὸς τὰ πολιτικὰ πρὶν παιδευθῆναι. πέπονθας δὲ τοῦτο οὐ σὺ μόνος, ἀλλὰ καὶ οἱ
c πολλοὶ τῶν πραττόντων τὰ τῆσδε τῆς πόλεως, πλὴν ὀλίγων γε καὶ ἴσως τοῦ σοῦ ἐπιτρόπου Περικλέους.

Ἀλκιβιάδης— λέγεταί γέ τοι, ὦ Σώκρατες, οὐκ ἀπὸ τοῦ αὐτομάτου σοφὸς γεγονέναι, ἀλλὰ πολλοῖς καὶ σοφοῖς συγγεγονέναι, καὶ Πυθοκλείδῃ καὶ Ἀναξαγόρᾳ· καὶ νῦν ἔτι τηλικοῦτος ὢν Δάμωνι σύνεστιν αὐτοῦ τούτου ἕνεκα.

119a: Σω.— ἀλλὰ τῶν ἄλλων Ἀθηναίων ἢ τῶν ξένων δοῦλον ἢ ἐλεύθερον εἰπὲ ὅστις αἰτίαν ἔχει διὰ τὴν Περικλέους συνουσίαν σοφώτερος γεγονέναι, ὥσπερ ἐγὼ ἔχω σοι εἰπεῖν διὰ τὴν Ζήνωνος Πυθόδωρον τὸν Ἰσολόχου καὶ Καλλίαν τὸν Καλλιάδου, ὧν ἑκάτερος Ζήνωνι ἑκατὸν μνᾶς τελέσας σοφός τε καὶ ἐλλόγιμος γέγονεν.

122a: Σω.— σοὶ δ', ὦ Ἀλκιβιάδη, Περικλῆς ἐπέστησε παιδαγωγὸν
b τῶν οἰκετῶν τὸν ἀχρειότατον ὑπὸ γήρως, Ζώπυρον τὸν Θρᾷκα.

Charmides

153b: Σωκράτης— Χαιρεφῶν δέ, ἅτε καὶ μανικὸς ὤν, ἀναπηδήσας ἐκ μέσων ἔθει πρός με, καί μου λαβόμενος τῆς χειρός, "ὦ Σώκρατες," ἦ δ' ὅς, "πῶς ἐσώθης ἐκ τῆς μάχης;" ὀλίγον δὲ πρὶν ἡμᾶς ἀπιέναι μάχη ἐγεγόνει ἐν τῇ Ποτειδαίᾳ, ἣν ἄρτι ἦσαν οἱ τῇδε πεπυσμένοι.

καὶ ἐγὼ πρὸς αὐτὸν ἀποκρινόμενος, "οὑτωσί," ἔφην, "ὡς σὺ ὁρᾷς."

"καὶ μὴν ἤγγελταί γε δεῦρο," ἔφη, "ἥ τε μάχη πάνυ ἰσχυρὰ γεγονέναι καὶ ἐν αὐτῇ πολλοὺς τῶν γνωρίμων τεθνάναι."

"καὶ ἐπιεικῶς," ἦν δ' ἐγώ, "ἀληθῆ ἀπήγγελται."

"παρεγένου μέν," ἦ δ' ὅς, "τῇ μάχῃ;"

"παρεγενόμην."

158a: Σω.— Πυριλάμπους γὰρ τοῦ σοῦ (sc. Charmides') θείου οὐδεὶς τῶν ἐν τῇ ἠπείρῳ λέγεται καλλίων καὶ μείζων ἀνὴρ δόξαι εἶναι, ὁσάκις ἐκεῖνος ἢ παρὰ μέγαν βασιλέα ἢ παρὰ ἄλλον τινὰ τῶν ἐν τῇ ἠπείρῳ πρεσβεύων ἀφίκετο.

Laches

180c: Νικίας— καὶ γὰρ αὐτῷ μοι ἔναγχος ἄνδρα προυξένησε (sc.
d Sokrates) τῷ ὑεῖ διδάσκαλον μουσικῆς, Ἀγαθοκλέους μαθητὴν Δάμωνα, ἀνδρῶν χαριέστατον οὐ μόνον τὴν μουσικήν, ἀλλὰ καὶ τἄλλα ὁπόσου βούλει ἄξιον συνδιατρίβειν τηλικούτοις νεανίσκοις.

Euthydemus

271c: Σωκράτης— οὗτοι τὸ μὲν γένος, ὡς ἐγᾦμαι, ἐντεῦθέν ποθέν *εἰσιν ἐκ Χίου, ἀπῴκησαν δὲ ἐς Θουρίους, φεύγοντες δὲ ἐκεῖθεν πόλλ' ἤδη ἔτη περὶ τούσδε τοὺς τόπους διατρίβουσιν.*

Protagoras

314e: *Σωκράτης— ἐπειδὴ δὲ εἰσήλθομεν, κατελάβομεν Πρωταγόραν ἐν τῷ προστῴῳ περιπατοῦντα, ἑξῆς δ' αὐτῷ συμπεριεπάτουν ἐκ μὲν τοῦ ἐπὶ θάτερα Καλλίας ὁ Ἱππονίκου καὶ ὁ ἀδελφὸς αὐτοῦ ὁ ὁμομήτριος, Πάραλος ὁ Περικλέους, καὶ Χαρμίδης ὁ Γλαύκωνος, ἐκ δὲ τοῦ ἐπὶ θάτερα ὁ ἕτερος τῶν Περικλέους Ξάνθιππος. . . .*

319e: *Σω.— . . . ἐπεὶ Περικλῆς, ὁ τουτωνὶ τῶν νεανίσκων πατήρ,*
τούτους ἃ μὲν διδασκάλων εἴχετο καλῶς καὶ εὖ ἐπαίδευσεν, ἃ δὲ αὐτὸς
σοφός ἐστιν οὔτε αὐτὸς παιδεύει οὔτε τῳ ἄλλῳ παραδίδωσιν, ἀλλ' 320
αὐτοὶ περιιόντες νέμονται ὥσπερ ἄφετοι, ἐάν που αὐτόματοι περιτύχωσιν
τῇ ἀρετῇ. εἰ δὲ βούλει, Κλεινίαν, τὸν Ἀλκιβιάδου τουτουῒ νεώτερον ἀδελφόν, ἐπιτροπεύων ὁ αὐτὸς οὗτος ἀνὴρ Περικλῆς, δεδιὼς περὶ αὐτοῦ μὴ διαφθαρῇ δὴ ὑπὸ Ἀλκιβιάδου, ἀποσπάσας ἀπὸ τούτου, καταθέμενος ἐν Ἀρίφρονος ἐπαίδευε· καὶ πρὶν ἓξ μῆνας γεγονέναι, ἀπέδωκε τούτῳ οὐκ ἔχων ὅτι χρήσαιτο αὐτῷ.

Gorgias

455d: *Γοργίας— οἶσθα γὰρ δήπου ὅτι τὰ νεώρια ταῦτα καὶ τὰ τείχη*
τὰ Ἀθηναίων καὶ ἡ τῶν λιμένων κατασκευὴ ἐκ τῆς Θεμιστοκλέους e
συμβουλῆς γέγονεν, τὰ δ' ἐκ τῆς Περικλέους ἀλλ' οὐκ ἐκ τῶν δημιουργῶν.

Σωκράτης— λέγεται ταῦτα, ὦ Γοργία, περὶ Θεμιστοκλέους· Περικλέους δὲ καὶ αὐτὸς ἤκουον ὅτε συνεβούλευεν ἡμῖν περὶ τοῦ διὰ μέσου τείχους.

> Schol. 455e: *διὰ μέσου τεῖχος λέγει, ὃ καὶ ἄχρι νῦν ἐστὶν ἐν Ἑλλάδι. ἐν τῇ Μουνυχίᾳ γὰρ ἐποίησε καὶ τὸ μέσον τεῖχος, τὸ μὲν βάλλον ἐπὶ τὸν Πειραιᾶ, τὸ δ' ἐπὶ Φάληρα, ἵν' εἰ τὸ ἓν καταβληθῇ, τὸ ἄλλο ὑπηρετοίη ἄχρι πολλοῦ.*

471a: *Πῶλος— ἄθλιος ἄρα οὗτός ἐστιν ὁ Ἀρχέλαος κατὰ τὸν σὸν λόγον;*

Σω.— εἴπερ γε, ὦ φίλε, ἄδικος.

Πῶλ.— ἀλλὰ μὲν δὴ πῶς οὐκ ἄδικος; ᾧ γε προσῆκε μὲν τῆς ἀρχῆς
οὐδὲν ἣν νῦν ἔχει, ὄντι ἐκ γυναικὸς ἣ ἦν δούλη Ἀλκέτου τοῦ Περδίκκου
ἀδελφοῦ, καὶ κατὰ μὲν τὸ δίκαιον δοῦλος ἦν Ἀλκέτου, καὶ εἰ ἐβούλετο
τὰ δίκαια ποιεῖν, ἐδούλευεν ἂν Ἀλκέτῃ καὶ ἦν εὐδαίμων κατὰ τὸν σὸν
λόγον. νῦν δὲ θαυμασίως ὡς ἄθλιος γέγονεν, ἐπεὶ τὰ μέγιστα ἠδίκηκεν
ὅς γε πρῶτον μὲν τοῦτον αὐτὸν τὸν δεσπότην καὶ θεῖον μεταπεμψά- b

μενος ὡς ἀποδώσων τὴν ἀρχὴν ἣν Περδίκκας αὐτὸν ἀφείλετο, ξενίσας καὶ καταμεθύσας αὐτόν τε καὶ τὸν ὑὸν αὐτοῦ Ἀλέξανδρον, ἀνεψιὸν αὐτοῦ, σχεδὸν ἡλικιώτην, ἐμβαλὼν εἰς ἅμαξαν, νύκτωρ ἐξαγαγὼν ἀπέσφαξέν τε καὶ ἠφάνισεν ἀμφοτέρους.

515e: Σω.— ἀλλὰ τόδε μοι εἰπὲ ἐπὶ τούτῳ, εἰ λέγονται Ἀθηναῖοι διὰ Περικλέα βελτίους γεγονέναι, ἢ πᾶν τοὐναντίον διαφθαρῆναι ὑπ᾽ ἐκείνου. ταυτὶ γὰρ ἔγωγε ἀκούω, Περικλέα πεποιηκέναι Ἀθηναίους ἀργοὺς καὶ δειλοὺς καὶ λάλους καὶ φιλαργύρους, εἰς μισθοφορίαν πρῶτον καταστήσαντα.

Καλλικλῆς— τῶν τὰ ὦτα κατεαγότων ἀκούεις ταῦτα, ὦ Σώκρατες.

516d: Σω.— πάλιν δὲ λέγε μοι περὶ Κίμωνος· οὐκ ἐξωστράκισαν αὐτὸν οὗτοι οὓς ἐθεράπευεν, ἵνα αὐτοῦ δέκα ἐτῶν μὴ ἀκούσειαν τῆς φωνῆς; καὶ Θεμιστοκλέα ταὐτὰ ταῦτα ἐποίησαν καὶ φυγῇ προσεζημίωσαν;

518e: Σω.— καὶ σὺ νῦν, ὦ Καλλίκλεις, ὁμοιότατον τούτῳ ἐργάζῃ· ἐγκωμιάζεις ἀνθρώπους, οἳ τούτους εἱστιάκασιν εὐωχοῦντες ὧν ἐπεθύμουν. καί φασι μεγάλην τὴν πόλιν πεποιηκέναι αὐτούς· ὅτι δὲ οἰδεῖ
519 καὶ ὕπουλός ἐστιν δι᾽ ἐκείνους τοὺς παλαιούς, οὐκ αἰσθάνονται. ἄνευ γὰρ σωφροσύνης καὶ δικαιοσύνης λιμένων καὶ νεωρίων καὶ τειχῶν καὶ φόρων καὶ τοιούτων φλυαριῶν ἐμπεπλήκασι τὴν πόλιν· ὅταν οὖν ἔλθῃ ἡ καταβολὴ αὕτη τῆς ἀσθενείας, τοὺς τότε παρόντας αἰτιάσονται συμβούλους, Θεμιστοκλέα δὲ καὶ Κίμωνα καὶ Περικλέα ἐγκωμιάσουσιν, τοὺς αἰτίους τῶν κακῶν.

526a: Σω.— οὐδὲν μὴν κωλύει καὶ ἐν τούτοις ἀγαθοὺς ἄνδρας ἐγγίγνεσθαι, καὶ σφόδρα γε ἄξιον ἄγασθαι τῶν γιγνομένων· χαλεπὸν γάρ, ὦ Καλλίκλεις, καὶ πολλοῦ ἐπαίνου ἄξιον ἐν μεγάλῃ ἐξουσίᾳ τοῦ ἀδικεῖν γενόμενον δικαίως διαβιῶναι. ὀλίγοι δὲ γίγνονται οἱ τοιοῦτοι· ἐπεὶ καὶ ἐνθάδε καὶ ἄλλοθι γεγόνασιν, οἶμαι δὲ καὶ ἔσονται καλοὶ κἀγαθοὶ ταύτην τὴν ἀρετὴν τὴν τοῦ δικαίως διαχειρίζειν ἃ ἄν τις
b ἐπιτρέπῃ· εἷς δὲ καὶ πάνυ ἐλλόγιμος γέγονεν καὶ εἰς τοὺς ἄλλους Ἕλληνας, Ἀριστείδης ὁ Λυσιμάχου· οἱ δὲ πολλοί, ὦ ἄριστε, κακοὶ γίγνονται τῶν δυναστῶν.

Meno

93b: Σωκράτης— ὧδε οὖν σκόπει ἐκ τοῦ σαυτοῦ λόγου· Θεμιστοκλέα
c οὐκ ἀγαθὸν ἂν φαίης ἄνδρα γεγονέναι;

Ἄνυτος— ἔγωγε, πάντων γε μάλιστα. . . .

d Σω.— . . . ἢ οὐκ ἀκήκοας ὅτι Θεμιστοκλῆς Κλεόφαντον τὸν ὑὸν ἱππέα μὲν ἐδιδάξατο ἀγαθόν; ἐπέμενεν γοῦν ἐπὶ τῶν ἵππων ὀρθὸς ἑστηκώς, καὶ ἠκόντιζεν ἀπὸ τῶν ἵππων ὀρθός, καὶ ἄλλα πολλὰ καὶ θαυμαστὰ ἠργάζετο ἃ ἐκεῖνος αὐτὸν ἐπαιδεύσατο καὶ ἐποίησε σοφόν, ὅσα διδασκάλων ἀγαθῶν εἴχετο· ἢ ταῦτα οὐκ ἀκήκοας τῶν πρεσβυτέρων ;

Ἄν.— ἀκήκοα.

Σω.— οὐκ ἂν ἄρα τήν γε φύσιν τοῦ ὑέος αὐτοῦ ᾐτιάσατ᾽ ἄν τις εἶναι κακήν.

Ἄν.— ἴσως οὐκ ἄν. e

Σω.— τί δὲ τόδε ; ὡς Κλεόφαντος ὁ Θεμιστοκλέους ἀνὴρ ἀγαθὸς καὶ σοφὸς ἐγένετο ἅπερ ὁ πατὴρ αὐτοῦ, ἤδη του ἀκήκοας ἢ νεωτέρου ἢ πρεσβυτέρου ;

Ἄν.— οὐ δῆτα.

Σω.— ἆρ᾽ οὖν ταῦτα μὲν οἰόμεθα βούλεσθαι αὐτὸν τὸν αὑτοῦ ὑὸν παιδεῦσαι, ἣν δὲ αὐτὸς σοφίαν ἦν σοφός, οὐδὲν τῶν γειτόνων βελτίω ποιῆσαι, εἴπερ ἦν γε διδακτὸν ἡ ἀρετή ;

Ἄν.— ἴσως μὰ Δί᾽ οὔ.

Σω.— οὗτος μὲν δή σοι τοιοῦτος διδάσκαλος ἀρετῆς, ὃν καὶ σὺ ὁμολογεῖς ἐν τοῖς ἄριστον τῶν προτέρων εἶναι· ἄλλον δὲ δὴ σκεψώμεθα, Ἀριστείδην τὸν Λυσιμάχου· ἢ τοῦτον οὐχ ὁμολογεῖς ἀγαθὸν γεγονέναι ; 94

Ἄν.— ἔγωγε, πάντως δήπου.

Σω.— οὐκοῦν καὶ οὗτος τὸν ὑὸν τὸν αὑτοῦ Λυσίμαχον, ὅσα μὲν διδασκάλων εἴχετο, κάλλιστα Ἀθηναίων ἐπαίδευσε, ἄνδρα δὲ βελτίω δοκεῖ σοι ὁτουοῦν πεποιηκέναι ; τούτῳ γάρ που καὶ συγγέγονας καὶ ὁρᾷς οἷός ἐστιν. εἰ δὲ βούλει, Περικλέα, οὕτως μεγαλοπρεπῶς σοφὸν b ἄνδρα, οἶσθ᾽ ὅτι δύο ὑεῖς ἔθρεψε, Πάραλον καὶ Ξάνθιππον ;

Ἄν.— ἔγωγε.

Σω.— τούτους μέντοι, ὡς οἶσθα καὶ σύ, ἱππέας μὲν ἐδίδαξεν οὐδενὸς χείρους Ἀθηναίων, καὶ μουσικὴν καὶ ἀγωνίαν καὶ τἆλλα ἐπαίδευσεν ὅσα τέχνης ἔχεται οὐδενὸς χείρους· ἀγαθοὺς δὲ ἄρα ἄνδρας οὐκ ἐβούλετο ποιῆσαι ; δοκῶ μέν, ἐβούλετο, ἀλλὰ μὴ οὐκ ᾖ διδακτόν. ἵνα δὲ μὴ ὀλίγους οἴῃ καὶ τοὺς φαυλοτάτους Ἀθηναίων ἀδυνάτους γεγονέναι τοῦτο τὸ πρᾶγμα, ἐνθυμήθητι ὅτι Θουκυδίδης αὖ δύο ὑεῖς ἔθρεψεν, c Μελησίαν καὶ Στέφανον, καὶ τούτους ἐπαίδευσεν τά τε ἄλλα εὖ καὶ ἐπάλαισαν κάλλιστα Ἀθηναίων—τὸν μὲν γὰρ Ξανθίᾳ ἔδωκε, τὸν δὲ Εὐδώρῳ· οὗτοι δέ που ἐδόκουν τῶν τότε κάλλιστα παλαίειν—ἢ οὐ μέμνησαι ;

Ἄν.— ἔγωγε, ἀκοῇ.

Σω.— οὐκοῦν δῆλον ὅτι οὗτος οὐκ ἄν ποτε, οὗ μὲν ἔδει δαπανώμενον διδάσκειν, ταῦτα μὲν ἐδίδαξε τοὺς παῖδας τοὺς αὑτοῦ, οὗ δὲ οὐδὲν d ἔδει ἀναλώσαντα ἀγαθοὺς ἄνδρας ποιῆσαι, ταῦτα δὲ οὐκ ἐδίδαξεν, εἰ διδακτὸν ἦν ; ἀλλὰ γὰρ ἴσως ὁ Θουκυδίδης φαῦλος ἦν, καὶ οὐκ ἦσαν αὐτῷ πλεῖστοι φίλοι Ἀθηναίων καὶ τῶν συμμάχων; καὶ οἰκίας μεγάλης ἦν καὶ ἐδύνατο μέγα ἐν τῇ πόλει καὶ ἐν τοῖς ἄλλοις Ἕλλησιν, ὥστε εἴπερ ἦν τοῦτο διδακτόν, ἐξευρεῖν ἂν ὅστις ἔμελλεν αὐτοῦ τοὺς ὑεῖς ἀγαθοὺς ποιήσειν, ἢ τῶν ἐπιχωρίων τις ἢ τῶν ξένων, εἰ αὐτὸς μὴ ἐσχόλαζεν διὰ τὴν τῆς πόλεως ἐπιμέλειαν.

Menexenus

235e: Σωκράτης— καὶ ἐμοὶ μέν γε, ὦ Μενέξενε, οὐδὲν θαυμαστὸν οἵῳ τ' εἶναι εἰπεῖν, ᾧ τυγχάνει διδάσκαλος οὖσα οὐ πάνυ φαύλη περὶ ῥητορικῆς, ἀλλ' ἥπερ καὶ ἄλλους πολλοὺς καὶ ἀγαθοὺς πεποίηκε ῥήτορας, ἕνα δὲ καὶ διαφέροντα τῶν Ἑλλήνων, Περικλέα τὸν Ξανθίππου.

Μενέξενος— τίς αὕτη; ἢ δῆλον ὅτι Ἀσπασίαν λέγεις;

Schol. 235e: Ἀσπασίαν· αὕτη Ἀξιόχου, Μιλησία, γυνὴ Περικλέους, παρὰ Σωκράτει πεφιλοσοφηκυῖα, ὡς Διόδωρος ἐν τῷ περὶ Μιλήτου συγγράμματί φησιν. ἐπεγήματο δὲ μετὰ τὸν Περικλέους θάνατον Λυσικλεῖ τῷ προβατοκαπήλῳ, καὶ ἐξ αὐτοῦ ἔσχεν υἱὸν ὀνόματι Ποριστήν, καὶ τὸν Λυσικλέα ῥήτορα δεινότατον κατεσκευάσατο, καθάπερ καὶ Περικλέα δημηγορεῖν παρεσκεύασεν, ὡς Αἰσχίνης ὁ Σωκρατικὸς ἐν διαλόγῳ Καλλίᾳ καὶ Πλάτων ὁμοίως Πεδήταις. Κρατῖνος δὲ τύραννον αὐτὴν καλεῖ Χείρωσιν (fr. 241), Ὀμφάλην Εὔπολις Φίλοις (fr. 274)· ἐν δὲ Προσπαλτίοις (fr. 249) Ἑλένην αὐτὴν καλεῖ· ὁ δὲ Κρατῖνος (fr. 241) καὶ Ἥραν, ἴσως ὅτι καὶ Περικλῆς Ὀλύμπιος προσηγορεύετο. ἔσχε δὲ ἐξ αὐτῆς ὁ Περικλῆς νόθον υἱόν, ἐφ' ᾧ καὶ ἐτελεύτα τῶν γνησίων προαποθανόντων, ὡς Εὔπολις Δήμοις (fr. 98).

236a: Μεν.— καὶ τί ἂν ἔχοις εἰπεῖν, εἰ δέοι σε λέγειν;

Σω.— αὐτὸς μὲν παρ' ἐμαυτοῦ ἴσως οὐδέν, Ἀσπασίας δὲ καὶ χθὲς
b ἠκροώμην περαινούσης ἐπιτάφιον λόγον περὶ αὐτῶν τούτων. ἤκουσε γὰρ ἅπερ σὺ λέγεις, ὅτι μέλλοιεν Ἀθηναῖοι αἱρεῖσθαι τὸν ἐροῦντα· ἔπειτα τὰ μὲν ἐκ τοῦ παραχρῆμά μοι διῄει, οἷα δέοι λέγειν, τὰ δὲ πρότερον ἐσκεμμένη, ὅτε μοι δοκεῖ συνετίθει τὸν ἐπιτάφιον λόγον ὃν Περικλῆς
d εἶπεν, περιλείμματ' ἄττα ἐξ ἐκείνου συγκολλῶσα . . . ἔλεγε γάρ, ὡς ἐγᾦμαι, ἀρξαμένη λέγειν ἀπ' αὐτῶν τῶν τεθνεώτων οὑτωσί. . . .

241d: μετὰ δὲ τοῦτο (sc. Plataea) πολλαὶ μὲν πόλεις τῶν Ἑλλήνων ἔτι ἦσαν μετὰ τοῦ βαρβάρου, αὐτὸς δὲ ἠγγέλλετο βασιλεὺς διανοεῖσθαι ὡς ἐπιχειρήσων πάλιν ἐπὶ τοὺς Ἕλληνας. δίκαιον δὴ καὶ τούτων ἡμᾶς

Schol. *Menex.* 235e, l. 3: Μιλήτου cod., μνημάτων Mähly (Diod. Per. fr. 40). l. 7: ἐν διαλόγῳ Ἀσπασίᾳ (fr. x) καὶ Καλλίας ὁμοίως Πεδήταις (fr. 15) Dindorf: ἐν διαλ. Ἀσπ. καὶ Πλάτων (sc. hoc loco) καὶ Κα. ὁμ. Πεδ. Immisch. ll. 8–9: Κρατῖνος δὲ ὀμφάλῃ τύραννον αὐτὴν καλεῖ χείρων cod.

ἐπιμνησθῆναι, οἳ τοῖς τῶν προτέρων ἔργοις τέλος τῆς σωτηρίας ἐπέθεσαν ἀνακαθηράμενοι καὶ ἐξελάσαντες πᾶν τὸ βάρβαρον ἐκ τῆς θαλάττης. ἦσαν δὲ οὗτοι οἵ τε ἐπ' Εὐρυμέδοντι ναυμαχήσαντες καὶ οἱ εἰς Κύπρον στρατεύσαντες καὶ οἱ εἰς Αἴγυπτον πλεύσαντες καὶ e
ἄλλοσε πολλαχόσε, ὧν χρὴ μεμνῆσθαι καὶ χάριν αὐτοῖς εἰδέναι, ὅτι βασιλέα ἐποίησαν δείσαντα τῇ ἑαυτοῦ σωτηρίᾳ τὸν νοῦν προσέχειν, ἀλλὰ μὴ τῇ τῶν Ἑλλήνων ἐπιβουλεύειν φθορᾷ.

καὶ οὗτος μὲν δὴ πάσῃ τῇ πόλει διηντλήθη ὁ πόλεμος ὑπὲρ ἑαυτῶν 242
τε καὶ τῶν ἄλλων ὁμοφώνων πρὸς τοὺς βαρβάρους· εἰρήνης δὲ γενομένης καὶ τῆς πόλεως τιμωμένης ἦλθεν ἐπ' αὐτήν, ὃ δὴ φιλεῖ ἐκ τῶν ἀνθρώπων τοῖς εὖ πράττουσι προσπίπτειν, πρῶτον μὲν ζῆλος, ἀπὸ ζήλου δὲ φθόνος· ὃ καὶ τήνδε τὴν πόλιν ἄκουσαν ἐν πολέμῳ τοῖς Ἕλλησι κατέστησεν. μετὰ δὲ τοῦτο γενομένου πολέμου, συνέβαλον μὲν ἐν Τανάγρᾳ ὑπὲρ τῆς Βοιωτῶν ἐλευθερίας Λακεδαιμονίοις μαχόμενοι, ἀμφισβητησίμου δὲ τῆς μάχης γενομένης, διέκρινε τὸ ὕστερον b
ἔργον· οἱ μὲν γὰρ ᾤχοντο ἀπιόντες, καταλιπόντες [Βοιωτοὺς] οἷς ἐβοήθουν, οἱ δ' ἡμέτεροι τρίτῃ ἡμέρᾳ ἐν Οἰνοφύτοις νικήσαντες τοὺς ἀδίκως φεύγοντας δικαίως κατήγαγον. οὗτοι δὴ πρῶτοι μετὰ τὸν Περσικὸν πόλεμον, Ἕλλησιν ἤδη ὑπὲρ τῆς ἐλευθερίας βοηθοῦντες πρὸς Ἕλληνας, ἄνδρες ἀγαθοὶ γενόμενοι καὶ ἐλευθερώσαντες οἷς ἐβοήθουν, c
ἐν τῷδε τῷ μνήματι τιμηθέντες ὑπὸ τῆς πόλεως πρῶτοι ἐτέθησαν.

Epistulae

vii. 332b: *ἔτι δὲ Ἀθηναῖοι πρὸς τούτοις, οὐκ αὐτοὶ κατοικίσαντες, πολλὰς τῶν Ἑλλήνων πόλεις ὑπὸ βαρβάρων ἐμβεβλημένας ἀλλ' οἰκουμένας παραλαβόντες, ὅμως ἑβδομήκοντα ἔτη διεφύλαξαν τὴν ἀρχὴν ἄν-* c
δρας φίλους ἐν ταῖς πόλεσιν ἑκάσταις κεκτημένοι.

PLATO COMICUS. Kock, *Comicorum Atticorum Fragmenta*, i, pp. 601 ff.

Ἄδηλα

fr. 183: see Plutarch, *Them.* 32[6] (Diod. Per. fr. 35).
fr. 191: see Plutarch, *Per.* 4[4].

PLINY. *Naturalis Historia*, ed. Mayhoff, Leipzig (Teubner) 1892–1909.

vii. 56. 201: invenisse dicunt . . . testudines Artemonem Clazomenium.

xviii. 7. 65: haec fuere sententiae Alexandro Magno regnante, cum clarissima fuit Graecia atque in toto orbe terrarum potentissima, ita tamen ut ante mortem eius annis fere CXLV Sophocles poeta in fabula Triptolemo (fr. 600) frumentum Italicum ante cuncta laudaverit ad verbum tralata sententia, " et fortunatam Italiam frumento serere candido ".

xxxiv. 5. 21: fuit et Hermodori Ephesii (sc. statua) in comitio, legum, quas decemviri scribebant, interpretis, publice dicata.

xxxiv. 8. 87: Colotes, qui cum Phidia Iovem Olympium fecerat, . . .

xxxv. 8. 54: cum . . . praeterea in confesso sit LXXX tertia (sc. 448/4
olympiade) fuisse fratrem eius (sc. Phidiae) Panaenum, qui clipeum intus pinxit Elide Minervae, quam fecerat Colotes, discipulus Phidiae et ei in faciendo Iove Olympio adiutor.

PLUTARCH. *Moralia*, vols. i–iv (1–775) edd. Hubert, Nachstädt, Paton, et alii, Leipzig (Teubner) 1925–38: vols. v–vii (776–*fragmenta*) ed. Bernardakis, Leipzig (Teubner) 1893–96.

*175a (*regum et imperatorum apophthegmata*: *Gelon* 1): *Γέλων ὁ τύραννος, ὅτε Καρχηδονίους πρὸς Ἱμέρᾳ κατεπολέμησεν, εἰρήνην ποιούμενος πρὸς αὐτοὺς ἠνάγκασεν ἐγγράψαι ταῖς ὁμολογίαις ὅτι καὶ τὰ τέκνα παύσονται τῷ Κρόνῳ καταθύοντες.*

245f (*mulierum virtutes*: 4 *Ἀργεῖαι*): *ἐπανορθούμενοι δὲ τὴν ὀλιγανδρίαν οὐχ, ὡς Ἡρόδοτος ἱστορεῖ* (*vi.* 83), *τοῖς δούλοις, ἀλλὰ τῶν περιοίκων ποιησάμενοι πολίτας τοὺς ἀρίστους, συνῴκισαν τὰς γυναῖκας.*

351a (*de gloria Atheniensium* 8): . . . *οἴκοι καθῆστο* (sc. Isokrates) *βιβλίον ἀναπλάττων τοῖς ὀνόμασιν, ὅσῳ χρόνῳ τὰ προπύλαια Περικλῆς ἀνέστησε καὶ τοὺς ἑκατομπέδους. καίτοι καὶ τοῦτον ὡς βραδέως ἀνύοντα τοῖς ἔργοις ἐπισκώπτων Κρατῖνος οὕτω πως λέγει* (fr. 300) *περὶ τοῦ διὰ μέσου τείχους, " λόγοισι γὰρ αὐτὸ προάγει Περικλέης, ἔργοισι δ' οὐδὲ κινεῖ ".*

402a (*de Pythiae oraculis* 16): *αἰτιῶμαι δὲ Μεγαρεῖς, ὅτι μόνοι σχεδὸν ἐνταῦθα λόγχην ἔχοντα τὸν θεὸν ἔστησαν ἀπὸ τῆς μάχης, ἣν Ἀθηναίους μετὰ τὰ Περσικὰ τὴν πόλιν ἔχοντας αὐτῶν νικήσαντες ἐξέβαλον.*

403c (ibid. 19): *ἴστε τοίνυν, ὅτι Γέλων μὲν ὑδρωπιῶν Ἱέρων δὲ λιθιῶν ἐτυράννησεν· ὁ δὲ τρίτος Θρασύβουλος ἐν στάσεσι καὶ πολέμοις γενόμενος χρόνον οὐ πολὺν ἐξέπεσε τῆς ἀρχῆς.*

522f (*de curiositate* 16): *καίτοι τούς γε τυράννους, οἷς ἀνάγκη πάντα γινώσκειν, ἐπαχθεστάτους ποιεῖ τὸ τῶν λεγομένων ὤτων καὶ*

προσαγωγέων γένος. ὠτακουστὰς μὲν οὖν πρῶτος ἔσχεν ὁ νόθος
Δαρεῖος ἀπιστῶν ἑαυτῷ καὶ πάντας ὑφορώμενος καὶ δεδοικώς, τοὺς δὲ
προσαγωγίδας οἱ Διονύσιοι τοῖς Συρακοσίοις κατέμιξαν. 523

551f (*de sera numinis vindicta* 6): εἰ δὲ τοῦτ' ἄδηλον, ἀλλὰ Γέλωνά
γ' ἴσμεν καὶ Ἱέρωνα τοὺς Σικελιώτας καὶ Πεισίστρατον τὸν Ἱππο-
κράτους, ὅτι πονηρίᾳ κτησάμενοι τυραννίδας ἐχρήσαντο πρὸς ἀρετὴν
αὐταῖς καὶ παρανόμως ἐπὶ τὸ ἄρχειν ἐλθόντες ἐγένοντο μέτριοι καὶ 552
δημωφελεῖς ἄρχοντες, οἱ μὲν εὐνομίαν τε πολλὴν καὶ γῆς ἐπιμέλειαν
παρασχόντες αὐτούς τε σώφρονας τοὺς πολίτας καὶ φιλέργους ἐκ
πολυτελῶν καὶ λάλων κατασκευάσαντες, Γέλων δὲ καὶ προπολεμήσας
ἄριστα καὶ κρατήσας μάχῃ μεγάλῃ Καρχηδονίων οὐ πρότερον εἰρήνην
ἐποιήσατο πρὸς αὐτοὺς δεομένους ἢ καὶ τοῦτο ταῖς συνθήκαις περι-
λαβεῖν, ὅτι παύσονται τὰ τέκνα τῷ Κρόνῳ καταθύοντες.

605e (*de exilio* 15): καὶ μὴν Θεμιστοκλῆς οὐ τὴν ἐν τοῖς Ἕλλησι δόξαν φυγὼν ἀπέβαλεν ἀλλὰ τὴν ἐν τοῖς βαρβάροις προσέλαβε· καὶ οὐδείς ἐστιν οὕτως ἀφιλότιμος οὐδ' ἀγεννής, ὃς μᾶλλον ἂν ἐβούλετο Λεωβώτης ὁ γραψάμενος ἢ Θεμιστοκλῆς ὁ φυγαδευθεὶς εἶναι.

790f (*an seni respublica gerenda sit* 12): . . . ὡς Ἀριστείδης
Κλεισθένει καὶ Κίμων Ἀριστείδῃ . . . νέοι γὰρ ὄντες πρεσβυτέροις 791
ἐπιβάλλοντες, εἶθ' οἷον παραβλαστάνοντες καὶ συνεξανιστάμενοι ταῖς
ἐκείνων πολιτείαις καὶ πράξεσιν, ἐμπειρίαν καὶ συνήθειαν ἐκτῶντο πρὸς
τὰ κοινὰ μετὰ δόξης καὶ δυνάμεως.

795c (ibid. 23): εἰ δέ τι σφαλείη, μὴ περιορῶν ἐξαθυμοῦντα τὸν νέον, ἀλλ' ἀνιστὰς καὶ παραμυθούμενος, ὡς Ἀριστείδης Κίμωνα καὶ Μνησίφιλος Θεμιστοκλέα, δυσχεραινομένους καὶ κακῶς ἀκούοντας ἐν τῇ πόλει τὸ πρῶτον ὡς ἰταμοὺς καὶ ἀκολάστους, ἐπῆραν καὶ ἀνεθάρρυναν.

800c (*praecepta gerendae reipublicae* 4): Περικλῆς δὲ καὶ περὶ τὸ σῶμα καὶ τὴν δίαιταν ἐξήλλαξεν αὑτὸν ἠρέμα βαδίζειν καὶ πράως διαλέγεσθαι καὶ τὸ πρόσωπον ἀεὶ συνεστηκὸς ἐπιδείκνυσθαι καὶ τὴν χεῖρα συνέχειν ἐντὸς τῆς περιβολῆς καὶ μίαν ὁδὸν πορεύεσθαι τὴν ἐπὶ τὸ βῆμα καὶ τὸ βουλευτήριον.

802b (ibid. 5): ὁ δὲ τῆς Πολιάδος Ἀθηνᾶς καὶ τῆς Βουλαίας Θέμιδος
"ἥ τ' ἀνδρῶν ἀγορὰς ἠμὲν λύει ἠδὲ καθίζει" (*Od.* ii. 69)
προφήτης, ἑνὶ χρώμενος ὀργάνῳ τῷ λόγῳ τὰ μὲν πλάττων καὶ συναρμότ-
των, τὰ δ' ἀντιστατοῦντα πρὸς τὸ ἔργον ὥσπερ ὄζους τινὰς ἐν ξύλῳ καὶ
διπλόας ἐν σιδήρῳ μαλάσσων καὶ καταλεαίνων, κοσμεῖ τὴν πόλιν. διὰ c
τοῦτ' ἦν ἡ κατὰ Περικλέα πολιτεία "λόγῳ μὲν" ὥς φησι Θουκυδίδης
(*ii.* 65[9]) "δημοκρατία, ἔργῳ δ' ὑπὸ τοῦ πρώτου ἀνδρὸς ἀρχή" διὰ
τὴν τοῦ λόγου δύναμιν. ἐπεὶ καὶ Κίμων ἀγαθὸς ἦν καὶ Ἐφιάλτης καὶ
Θουκυδίδης, ἀλλ' ἐρωτηθεὶς οὗτος ὑπ' Ἀρχιδάμου τοῦ βασιλέως τῶν

Σπαρτιατῶν πότερον αὐτὸς ἢ Περικλῆς παλαίει βέλτιον “οὐκ ἂν εἰδείη τις” εἶπεν· “ὅταν γὰρ ἐγὼ καταβάλω παλαίων, ἐκεῖνος λέγων μὴ πεπτωκέναι, νικᾷ καὶ πείθει τοὺς θεωμένους.” τοῦτο δ' οὐκ αὐτῷ μόνον ἐκείνῳ δόξαν ἀλλὰ καὶ τῇ πόλει σωτηρίαν ἔφερε· πειθομένη γὰρ αὐτῷ τὴν ὑπάρχουσαν εὐδαιμονίαν ἔσωζε, τῶν δ' ἐκτὸς ἀπείχετο.

805c (ibid. 10): *τὸ μὲν γὰρ ἀνδρὶ χρηστῷ καὶ δι' ἀρετὴν πρωτεύοντι προσμάχεσθαι κατὰ φθόνον, ὡς Περικλεῖ Σιμμίας, Ἀλκμέων δὲ Θεμιστοκλεῖ, . . . οὔτε πρὸς δόξαν καλὸν οὔτ' ἄλλως συμφέρον.*

811e (ibid. 15): *τοιοῦτον τὸ* (*com. adesp.* fr. 1325)

f *“Μητίοχος μὲν γὰρ στρατηγεῖ, Μητίοχος δὲ τὰς ὁδούς,*
Μητίοχος δ' ἄρτους ἐπωπᾷ, Μητίοχος δὲ τἄλφιτα,
Μητίοχος δὲ πάντ' ἀκεῖται, Μητίοχος δ' οἰμώξεται.”

τῶν Περικλέους οὗτος εἷς ἦν ἑταίρων, τῇ δι' ἐκεῖνον, ὡς ἔοικε, δυνάμει χρώμενος ἐπιφθόνως καὶ κατακόρως.

812c (ibid. 15): *οὕτω τῷ πολιτικῷ προσήκει παραχωρεῖν μὲν ἑτέροις ἄρχειν καὶ προσκαλεῖσθαι πρὸς τὸ βῆμα μετ' εὐμενείας καὶ φιλανθρωπίας, κινεῖν δὲ μὴ πάντα τὰ τῆς πόλεως τοῖς αὑτοῦ λόγοις καὶ ψηφίσμασιν ἢ πράξεσιν, ἀλλ' ἔχοντα πιστοὺς καὶ ἀγαθοὺς ἄνδρας ἕκαστον ἑκάστῃ χρείᾳ κατὰ τὸ οἰκεῖον προσαρμόττειν· ὡς Περικλῆς*
d *Μενίππῳ μὲν ἐχρῆτο πρὸς τὰς στρατηγίας, δι' Ἐφιάλτου δὲ τὴν ἐξ Ἀρείου πάγου βουλὴν ἐταπείνωσε, διὰ δὲ Χαρίνου τὸ κατὰ Μεγαρέων ἐκύρωσε ψήφισμα, Λάμπωνα δὲ Θουρίων οἰκιστὴν ἐξέπεμψεν. οὐ γὰρ μόνον, τῆς δυνάμεως εἰς πολλοὺς διανέμεσθαι δοκούσης, ἧττον ἐνοχλεῖ τῶν φθόνων τὸ μέγεθος, ἀλλὰ καὶ τὰ τῶν χρειῶν ἐπιτελεῖται μᾶλλον. . . .*
f *Περικλῆς δὲ καὶ πρὸς Κίμωνα διενείματο τὴν δύναμιν, αὐτὸς μὲν ἄρχειν ἐν ἄστει, τὸν δὲ πληρώσαντα τὰς ναῦς τοῖς βαρβάροις πολεμεῖν· ἦν γὰρ ὁ μὲν πρὸς πολιτείαν ὁ δὲ πρὸς πόλεμον εὐφυέστερος.*

818c (ibid. 24): *ἐὰν δ' ἑορτὴν πάτριον οἱ πολλοὶ καὶ θεοῦ τιμὴν πρόφασιν λαβόντες ὁρμήσωσι πρός τινα θέαν ἢ νέμησιν ἐλαφρὰν ἢ*
d *χάριν τινὰ φιλάνθρωπον ἢ φιλοτιμίαν, ἔστω πρὸς τὰ τοιαῦτα ἡ τῆς ἐλευθερίας ἅμα καὶ τῆς εὐπορίας ἀπόλαυσις αὐτοῖς. καὶ γὰρ τοῖς Περικλέους πολιτεύμασι καὶ τοῖς Δημητρίου πολλὰ τοιαῦτ' ἔνεστι, καὶ Κίμων ἐκόσμησε τὴν ἀγορὰν πλατάνων φυτείαις καὶ περιπάτοις.*

*835c (*decem oratorum vitae* 3: *Lysias* 1): *Λυσίας υἱὸς ἦν Κεφάλου τοῦ Λυσανίου τοῦ Κεφάλου, Συρακουσίου μὲν γένος μεταναστάντος δ' εἰς Ἀθήνας ἐπιθυμίᾳ τε τῆς πόλεως καὶ Περικλέους τοῦ Ξανθίππου πείσαντος αὐτόν, φίλον ὄντα καὶ ξένον, πλούτῳ διαφέροντα· ὡς δέ τινες, ἐκπεσόντα τῶν Συρακουσῶν, ἡνίκα ὑπὸ Γέλωνος ἐτυραννοῦντο. γενόμενος δ' Ἀθήνησιν ἐπὶ Φιλοκλέους ἄρχοντος τοῦ μετὰ* 459/8

*Φρασικλῆ κατὰ τὸ δεύτερον ἔτος τῆς ὀγδοηκοστῆς ὀλυμπιάδος, τὸ μὲν
πρῶτον συνεπαιδεύετο τοῖς ἐπιφανεστάτοις Ἀθηναίων· ἐπεὶ δὲ τὴν εἰς
Σύβαριν ἀποικίαν τὴν ὕστερον Θουρίους μετονομασθεῖσαν ἔστελλεν ἡ* d
*πόλις, ᾤχετο σὺν τῷ πρεσβυτάτῳ ἀδελφῶν Πολεμάρχῳ (ἦσαν γὰρ
αὐτῷ καὶ ἄλλοι δύο, Εὐθύδημος καὶ Βράχυλλος), τοῦ πατρὸς ἤδη
τετελευτηκότος, ὡς κοινωνήσων τοῦ κλήρου, ἔτη γεγονὼς πεντεκαί-*
444/3 *δεκα, ἐπὶ Πραξιτέλους ἄρχοντος, κἀκεῖ διέμεινε παιδευόμενος παρὰ
Τισίᾳ καὶ Νικίᾳ τοῖς Συρακουσίοις, κτησάμενός τ' οἰκίαν καὶ κλήρου
τυχὼν ἐπολιτεύσατο ἕως Κλεάρχου τοῦ Ἀθήνησιν ἄρχοντος ἔτη
ἑξήκοντα τρία.*

855f (*de Herodoti malignitate* 5): *ὥσπερ ἀμέλει περὶ Θεμιστοκλέους Ἔφορος μὲν εἰπών* (fr. 189), *ὅτι τὴν Παυσανίου προδοσίαν ἔγνω καὶ τὰ πρασσόμενα πρὸς τοὺς βασιλέως στρατηγούς, " ἀλλ' οὐκ ἐπείσθη " φησὶν " οὐδὲ προσεδέξατο κοινουμένου καὶ παρακαλοῦντος αὐτὸν ἐπὶ τὰς αὐτὰς ἐλπίδας "· Θουκυδίδης δὲ καὶ τὸ παράπαν τὸν λόγον τοῦτον ὡς κατεγνωκὼς παρῆκεν.*

859c (ibid. 21): *καίτοι πόλιν ἐν τοῖς τότε χρόνοις οὔτε φιλότιμον
οὕτως οὔτε μισοτύραννον ἴσμεν ὡς τὴν Λακεδαιμονίων γενομένην·
ποίου γὰρ ἕνεκα θώρακος ἢ τίνος κρατῆρος ἑτέρου Κυψελίδας μὲν
ἐξέβαλον ἐκ Κορίνθου καὶ Ἀμπρακίας, ἐκ δὲ Νάξου Λύγδαμιν, ἐξ* d
*Ἀθηνῶν δὲ τοὺς Πεισιστράτου παῖδας, ἐκ δὲ Σικυῶνος Αἰσχίνην, ἐκ
Θάσου δὲ Σύμμαχον, ἐκ δὲ Φωκέων Αὖλιν, ἐκ Μιλήτου δ' Ἀριστογένη,
τὴν δ' ἐν Θετταλοῖς δυναστείαν ἔπαυσαν, Ἀριστομήδη καὶ Ἄγγελον
καταλύσαντες διὰ Λεωτυχίδου τοῦ βασιλέως ;*

862b (ibid. 26): see Diyllos, fr. 3.

1126b (*adversus Coloten* 32): *Ἐμπεδοκλῆς δὲ τούς τε πρώτους τῶν πολιτῶν ὑβρίζοντας καὶ διαφοροῦντας τὰ κοινὰ ἐξέβαλεν ἐξελέγξας τήν τε χώραν ἀπήλλαξεν ἀκαρπίας καὶ λοιμοῦ, διασφάγας ὄρους ἀποτειχίσας, δι' ὧν ὁ νότος εἰς τὸ πεδίον ὑπερέβαλλε.*

1134a (*de musica* 8): *ἐν ἀρχῇ γὰρ ἐλεγεῖα μεμελοποιημένα οἱ αὐλῳδοὶ ᾖδον· τοῦτο δὲ δηλοῖ ἡ τῶν Παναθηναίων γραφὴ ἡ περὶ τοῦ μουσικοῦ ἀγῶνος.*

Vitae, edd. Lindskog and Ziegler, Leipzig (Teubner) 1914–39.

Theseus

476/5 36[1]: *μετὰ δὲ τὰ Μηδικὰ Φαίδωνος ἄρχοντος μαντευομένοις τοῖς
Ἀθηναίοις ἀνεῖλεν ἡ Πυθία τὰ Θησέως ἀναλαβεῖν ὀστᾶ καὶ θεμένους*

Mor. *835c, l. 7: *καὶ δευτέρας ὀλυμπιάδος* (sc. 451) codd., *καὶ δευτέρας* secl. Meursius. *835d, l. 6: *Νικίᾳ* ex *Τισίᾳ* corruptum suspicatus est Spengel. l. 7: *Κλεάρχου* codd., *Κλεοκρίτου* (413/2) Taylor. l. 8: *ἑξήκοντα* codd., *τριάκοντα* Taylor.

ἐντίμως παρ' αὐτοῖς φυλάττειν. ἦν δὲ καὶ λαβεῖν ἀπορία καὶ γνῶναι
2 τὸν τάφον ἀμειξίᾳ καὶ χαλεπότητι τῶν ἐνοικούντων Δολόπων. οὐ μὴν
ἀλλὰ [καὶ] Κίμων ἑλὼν τὴν νῆσον, ὡς ἐν τοῖς περὶ ἐκείνου γέγραπται
(*Cim.* 8^{3-7}), καὶ φιλοτιμούμενος ἐξανευρεῖν, ἀετοῦ τινα τόπον βουνοειδῆ
κόπτοντος ὥς φασι τῷ στόματι καὶ διαστέλλοντος τοῖς ὄνυξι θείᾳ τινὶ
τύχῃ, συμφρονήσας ἀνέσκαψεν. εὑρέθη δὲ θήκη τε μεγάλου σώματος
3 αἰχμή τε παρακειμένη χαλκῆ καὶ ξίφος. κομισθέντων δὲ τούτων ὑπὸ
Κίμωνος ἐπὶ τῆς τριήρους, ἡσθέντες οἱ Ἀθηναῖοι πομπαῖς τε λαμπραῖς
4 ἐδέξαντο καὶ θυσίαις ὥσπερ αὐτὸν ἐπανερχόμενον εἰς τὸ ἄστυ. καὶ
κεῖται μὲν ἐν μέσῃ τῇ πόλει παρὰ τὸ νῦν γυμνάσιον, ἔστι δὲ φύξιμον οἰκέταις καὶ πᾶσι τοῖς ταπεινοτέροις καὶ δεδιόσι κρείττονας, ὡς καὶ τοῦ Θησέως προστατικοῦ τινος καὶ βοηθητικοῦ γενομένου καὶ προσδεχομένου φιλανθρώπως τὰς τῶν ταπεινοτέρων δεήσεις. θυσίαν δὲ ποιοῦσιν αὐτῷ τὴν μεγίστην ὀγδόῃ Πυανεψιῶνος, ἐν ᾗ μετὰ τῶν ἠιθέων ἐκ Κρήτης ἐπανῆλθεν.

Themistocles

1[1]: Θεμιστοκλεῖ δὲ τὰ μὲν ἐκ γένους ἀμαυρότερα πρὸς δόξαν ὑπῆρχε· πατρὸς γὰρ ἦν Νεοκλέους οὐ τῶν ἄγαν ἐπιφανῶν Ἀθήνησι, Φρεαρρίου τῶν δήμων ἐκ τῆς Λεωντίδος φυλῆς, νόθος δὲ πρὸς μητρός, ὡς λέγουσιν·

Ἀβρότονον Θρήισσα γυνὴ γένος· ἀλλὰ τεκέσθαι
τὸν μέγαν Ἕλλησίν φημι Θεμιστοκλέα.

2 Φανίας (fr. 6) μέντοι τὴν μητέρα τοῦ Θεμιστοκλέους οὐ Θρᾷτταν ἀλλὰ
Καρίνην, οὐδ' Ἀβρότονον ὄνομα ἀλλ' Εὐτέρπην ἀναγράφει. Νεάνθης
3 (fr. 2) δὲ καὶ πόλιν αὐτῇ τῆς Καρίας Ἁλικαρνασσὸν προστίθησι. διότι
καὶ τῶν νόθων εἰς Κυνόσαργες συντελούντων—τοῦτο δ' ἐστὶν ἔξω πυλῶν γυμνάσιον Ἡρακλέους, ἐπεὶ κἀκεῖνος οὐκ ἦν γνήσιος ἐν θεοῖς, ἀλλ' ἐνείχετο νοθείᾳ διὰ τὴν μητέρα θνητὴν οὖσαν—ἔπειθέ τινας ὁ
Θεμιστοκλῆς τῶν εὖ γεγονότων νεανίσκων καταβαίνοντας εἰς τὸ
4 Κυνόσαργες ἀλείφεσθαι μετ' αὐτοῦ. καὶ τούτου γενομένου δοκεῖ
πανούργως τὸν τῶν νόθων καὶ γνησίων διορισμὸν ἀνελεῖν. ὅτι μέντοι τοῦ Λυκομιδῶν γένους μετεῖχε, δῆλόν ἐστι· τὸ γὰρ Φλυῆσι τελεστήριον, ὅπερ ἦν Λυκομιδῶν κοινόν, ἐμπρησθὲν ὑπὸ τῶν βαρβάρων αὐτὸς ἐπεσκεύασε καὶ γραφαῖς ἐκόσμησεν, ὡς Σιμωνίδης (fr. 189 Edm.) ἱστόρηκεν.

2 ἔτι δὲ παῖς ὢν ὁμολογεῖται φορᾶς μεστὸς εἶναι, καὶ τῇ μὲν φύσει συνετὸς τῇ δὲ προαιρέσει μεγαλοπράγμων καὶ πολιτικός. ἐν γὰρ ταῖς ἀνέσεσι καὶ σχολαῖς ἀπὸ τῶν μαθημάτων γιγνόμενος οὐκ ἔπαιζεν οὐδ' ἐρρᾳθύμει καθάπερ οἱ πολλοὶ παῖδες, ἀλλ' εὑρίσκετο λόγους τινὰς

μελετῶν καὶ συνταττόμενος πρὸς ἑαυτόν. ἦσαν δ' οἱ λόγοι κατηγορία 2
τινὸς ἢ συνηγορία τῶν παίδων. ὅθεν εἰώθει λέγειν πρὸς αὐτὸν ὁ διδάσκαλος ὡς "οὐδὲν ἔσει, παῖ, σὺ μικρὸν ἀλλὰ μέγα πάντως ἀγαθὸν ἢ κακόν". ἐπεὶ καὶ τῶν παιδεύσεων τὰς μὲν ἠθοποιοὺς ἢ πρὸς ἡδονήν τινα 3
καὶ χάριν ἐλευθέριον σπουδαζομένας ὀκνηρῶς καὶ ἀπροθύμως ἐξεμάνθανε, τῶν δ' εἰς σύνεσιν ἢ πρᾶξιν λεγομένων δῆλος ἦν ὑπερερῶν παρ' ἡλικίαν ὡς τῇ φύσει πιστεύων. ὅθεν ὕστερον ἐν ταῖς ἐλευθερίοις καὶ ἀστείαις 4
λεγομέναις διατριβαῖς ὑπὸ τῶν πεπαιδεῦσθαι δοκούντων χλευαζόμενος ἠναγκάζετο φορτικώτερον ἀμύνεσθαι, λέγων ὅτι λύραν μὲν ἁρμόσασθαι καὶ μεταχειρίσασθαι ψαλτήριον οὐκ ἐπίσταιτο, πόλιν δὲ μικρὰν καὶ ἄδοξον παραλαβὼν ἔνδοξον καὶ μεγάλην ἀπεργάσασθαι. καίτοι Στησίμ- 5
βροτος (fr. 1) Ἀναξαγόρου τε διακοῦσαι τὸν Θεμιστοκλέα φησὶ καὶ περὶ Μέλισσον σπουδάσαι τὸν φυσικόν, οὐκ εὖ τῶν χρόνων ἁπτόμενος· Περικλεῖ γάρ, ὃς πολὺ νεώτερος ἦν Θεμιστοκλέους, Μέλισσος μὲν ἀντεστρατήγει πολιορκοῦντι Σαμίους, Ἀναξαγόρας δὲ συνδιέτριβε. μᾶλλον οὖν ἄν τις προσέχοι τοῖς Μνησιφίλου τὸν Θεμιστοκλέα τοῦ 6
Φρεαρρίου ζηλωτὴν γενέσθαι λέγουσιν, οὔτε ῥήτορος ὄντος οὔτε τῶν φυσικῶν κληθέντων φιλοσόφων, ἀλλὰ τὴν τότε καλουμένην σοφίαν οὖσαν δὲ δεινότητα πολιτικὴν καὶ δραστήριον σύνεσιν ἐπιτήδευμα πεποιημένου καὶ διασῴζοντος ὥσπερ αἵρεσιν ἐκ διαδοχῆς ἀπὸ Σόλωνος· ἣν οἱ μετὰ ταῦτα δικανικαῖς μείξαντες τέχναις καὶ μεταγαγόντες ἀπὸ τῶν πράξεων τὴν ἄσκησιν ἐπὶ τοὺς λόγους, σοφισταὶ προσηγορεύθησαν. τούτῳ μὲν οὖν ἤδη πολιτευόμενος ἐπλησίαζεν. ἐν δὲ ταῖς πρώταις τῆς 7
νεότητος ὁρμαῖς ἀνώμαλος ἦν καὶ ἀστάθμητος, ἅτε τῇ φύσει καθ' αὑτὴν χρώμενος ἄνευ λόγου καὶ παιδείας ἐπ' ἀμφότερα μεγάλας ποιουμένῃ μεταβολὰς τῶν ἐπιτηδευμάτων καὶ πολλάκις ἐξισταμένῃ πρὸς τὸ χεῖρον, ὡς ὕστερον αὐτὸς ὡμολόγει, καὶ τοὺς τραχυτάτους πώλους ἀρίστους ἵππους γίγνεσθαι φάσκων, ὅταν ἧς προσήκει τύχωσι παιδείας καὶ καταρτύσεως. ἃ δὲ τούτων ἐξαρτῶσιν ἔνιοι διηγήματα 8
πλάττοντες, ἀποκήρυξιν μὲν ὑπὸ τοῦ πατρὸς αὐτοῦ, θάνατον δὲ τῆς μητρὸς ἑκούσιον ἐπὶ τῇ τοῦ παιδὸς ἀτιμίᾳ περιλύπου γενομένης, δοκεῖ κατεψεῦσθαι· καὶ τοὐναντίον εἰσὶν οἱ λέγοντες, ὅτι τοῦ τὰ κοινὰ πράττειν ἀποτρέπων αὐτὸν ὁ πατὴρ ἐπεδείκνυε πρὸς τῇ θαλάττῃ τὰς παλαιὰς τριήρεις ἐρριμμένας καὶ παρορωμένας, ὡς δὴ καὶ πρὸς τοὺς δημαγωγούς, ὅταν ἄχρηστοι γένωνται, τῶν πολλῶν ὁμοίως ἐχόντων.

ταχὺ μέντοι καὶ νεανικῶς ἔοικεν ἅψασθαι τοῦ Θεμιστοκλέους τὰ **3**
πολιτικὰ πράγματα καὶ σφόδρα ἡ πρὸς δόξαν ὁρμὴ κρατῆσαι. δι' ἣν εὐθὺς ἐξ ἀρχῆς τοῦ πρωτεύειν ἐφιέμενος ἰταμῶς ὑφίστατο τὰς πρὸς τοὺς δυναμένους ἐν τῇ πόλει καὶ πρωτεύοντας ἀπεχθείας, μάλιστα δ' Ἀριστείδην τὸν Λυσιμάχου, τὴν ἐναντίαν αἰεὶ πορευόμενον αὐτῷ.

2 καίτοι δοκεῖ παντάπασιν ἡ πρὸς τοῦτον ἔχθρα μειρακιώδη λαβεῖν ἀρχήν·
ἠράσθησαν γὰρ ἀμφότεροι τοῦ καλοῦ Στησίλεω, Κείου τὸ γένος ὄντος,
ὡς Ἀρίστων ὁ φιλόσοφος ἱστόρηκεν. ἐκ δὲ τούτου διετέλουν καὶ περὶ
3 τὰ δημόσια στασιάζοντες. οὐ μὴν ἀλλ' ἡ τῶν βίων καὶ τῶν τρόπων
ἀνομοιότης ἔοικεν αὐξῆσαι τὴν διαφοράν. πρᾶος γὰρ ὢν φύσει καὶ
καλοκαγαθικὸς τὸν τρόπον ὁ Ἀριστείδης, καὶ πολιτευόμενος οὐ πρὸς
χάριν οὐδὲ πρὸς δόξαν ἀλλ' ἀπὸ τοῦ βελτίστου μετὰ ἀσφαλείας καὶ
δικαιοσύνης, ἠναγκάζετο τῷ Θεμιστοκλεῖ τὸν δῆμον ἐπὶ πολλὰ κινοῦντι
καὶ μεγάλας ἐπιφέροντι καινοτομίας ἐναντιοῦσθαι πολλάκις, ἐνιστά-
4 μενος αὐτῷ πρὸς τὴν αὔξησιν. λέγεται γὰρ οὕτω παράφορος πρὸς
δόξαν εἶναι καὶ πράξεων μεγάλων ὑπὸ φιλοτιμίας ἐραστής, ὥστε νέος
ὢν ἔτι τῆς ἐν Μαραθῶνι μάχης πρὸς τοὺς βαρβάρους γενομένης καὶ
τῆς Μιλτιάδου στρατηγίας διαβοηθείσης σύννους ὁρᾶσθαι τὰ πολλὰ πρὸς
ἑαυτῷ καὶ τὰς νύκτας ἀγρυπνεῖν καὶ τοὺς πότους παραιτεῖσθαι τοὺς
συνήθεις, καὶ λέγειν πρὸς τοὺς ἐρωτῶντας καὶ θαυμάζοντας τὴν περὶ
τὸν βίον μεταβολήν, ὡς καθεύδειν αὐτὸν οὐκ ἐῴη τὸ Μιλτιάδου τρόπαιον.
5 οἱ μὲν γὰρ ἄλλοι πέρας ᾤοντο τοῦ πολέμου τὴν ἐν Μαραθῶνι τῶν
βαρβάρων ἧτταν εἶναι, Θεμιστοκλῆς δ' ἀρχὴν μειζόνων ἀγώνων, ἐφ'
οὓς ἑαυτὸν ὑπὲρ τῆς ὅλης Ἑλλάδος ἤλειφε καὶ τὴν πόλιν ἤσκει, πόρρωθεν
4 ἔτι προσδοκῶν τὸ μέλλον. καὶ πρῶτον μὲν τὴν Λαυρεωτικὴν πρόσοδον
ἀπὸ τῶν ἀργυρείων μετάλλων ἔθος ἐχόντων Ἀθηναίων διανέμεσθαι,
μόνος εἰπεῖν ἐτόλμησε παρελθὼν εἰς τὸν δῆμον, ὡς χρὴ τὴν διανομὴν
ἐάσαντας ἐκ τῶν χρημάτων τούτων κατασκευάσασθαι τριήρεις ἐπὶ τὸν
πρὸς Αἰγινήτας πόλεμον. ἤκμαζε γὰρ οὗτος ἐν τῇ Ἑλλάδι μάλιστα,
2 καὶ κατεῖχον οἱ νησιῶται πλήθει νεῶν τὴν θάλατταν. ᾗ καὶ ῥᾷον ὁ
Θεμιστοκλῆς συνέπεισεν, οὐ Δαρεῖον οὐδὲ Πέρσας—μακρὰν γὰρ ἦσαν
οὗτοι καὶ δέος οὐ πάνυ βέβαιον ὡς ἀφιξόμενοι παρεῖχον—ἐπισείων,
ἀλλὰ τῇ πρὸς Αἰγινήτας ὀργῇ καὶ φιλονικίᾳ τῶν πολιτῶν ἀποχρησά-
3 μενος εὐκαίρως ἐπὶ τὴν παρασκευήν. ἑκατὸν γὰρ ἀπὸ τῶν χρημάτων
4 ἐκείνων ἐποιήθησαν τριήρεις, αἷς καὶ πρὸς Ξέρξην ἐναυμάχησαν. ἐκ δὲ
τούτου κατὰ μικρὸν ὑπάγων καὶ καταβιβάζων τὴν πόλιν πρὸς τὴν θάλατ-
ταν, ὡς τὰ πεζὰ μὲν οὐδὲ τοῖς ὁμόροις ἀξιομάχους ὄντας, τῇ δ' ἀπὸ τῶν
νεῶν ἀλκῇ καὶ τοὺς βαρβάρους ἀμύνασθαι καὶ τῆς Ἑλλάδος ἄρχειν
δυναμένους, ἀντὶ μονίμων ὁπλιτῶν, ὥς φησιν ὁ Πλάτων (*Laws* 706c),
ναυβάτας καὶ θαλασσίους ἐποίησε, καὶ διαβολὴν καθ' ἑαυτοῦ παρέσχεν,
ὡς ἄρα Θεμιστοκλῆς τὸ δόρυ καὶ τὴν ἀσπίδα τῶν πολιτῶν παρελόμενος
5 εἰς ὑπηρέσιον καὶ κώπην συνέστειλε τὸν Ἀθηναίων δῆμον. ἔπραξε δὲ
ταῦτα Μιλτιάδου κρατήσας ἀντιλέγοντος, ὡς ἱστορεῖ Στησίμβροτος
(fr. 2). εἰ μὲν δὴ τὴν ἀκρίβειαν καὶ τὸ καθαρὸν τοῦ πολιτεύματος
ἔβλαψεν ἢ μὴ ταῦτα πράξας, ἔστω φιλοσοφώτερον ἐπισκοπεῖν· ὅτι δ'

ἡ τότε σωτηρία τοῖς Ἕλλησιν ἐκ τῆς θαλάττης ὑπῆρξε καὶ τὴν Ἀθη-
ναίων πόλιν αὖθις ἀνέστησαν αἱ τριήρεις ἐκεῖναι, τά τ' ἄλλα καὶ Ξέρξης
αὐτὸς ἐμαρτύρησε. τῆς γὰρ πεζικῆς δυνάμεως ἀθραύστου διαμενούσης 6
ἔφυγε μετὰ τὴν τῶν νεῶν ἧτταν ὡς οὐκ ὢν ἀξιόμαχος, καὶ Μαρδόνιον
ἐμποδὼν εἶναι τοῖς Ἕλλησι τῆς διώξεως μᾶλλον ἢ δουλωσόμενον
αὐτοὺς ὡς ἐμοὶ δοκεῖ κατέλιπεν.

σύντονον δ' αὐτὸν γεγονέναι χρηματιστὴν οἱ μέν τινές φασι δι' **5**
ἐλευθεριότητα· καὶ γὰρ φιλοθύτην ὄντα καὶ λαμπρὸν ἐν ταῖς περὶ τοὺς
ξένους δαπάναις ἀφθόνου δεῖσθαι χορηγίας· οἱ δὲ τοὐναντίον γλισχρό-
τητα πολλὴν καὶ μικρολογίαν κατηγοροῦσιν, ὡς καὶ τὰ πεμπόμενα τῶν
ἐδωδίμων πωλοῦντος. ἐπεὶ δὲ Διφιλίδης ὁ ἱπποτρόφος αἰτηθεὶς ὑπ' 2
αὐτοῦ πῶλον οὐκ ἔδωκεν, ἠπείλησε τὴν οἰκίαν αὐτοῦ ταχὺ ποιήσειν
δούρειον ἵππον, αἰνιξάμενος ἐγκλήματα συγγενικὰ καὶ δίκας τῷ ἀν-
θρώπῳ πρὸς οἰκείους τινὰς ταράξειν. τῇ δὲ φιλοτιμίᾳ πάντας ὑπερ- 3
έβαλεν, ὥστ' ἔτι μὲν ὢν νέος καὶ ἀφανὴς Ἐπικλέα τὸν ἐξ Ἑρμιόνος
κιθαριστὴν σπουδαζόμενον ὑπὸ τῶν Ἀθηναίων ἐκλιπαρῆσαι μελετᾶν
παρ' αὐτῷ, φιλοτιμούμενος πολλοὺς τὴν οἰκίαν ζητεῖν καὶ φοιτᾶν πρὸς
αὐτόν. εἰς δ' Ὀλυμπίαν ἐλθὼν καὶ διαμιλλώμενος τῷ Κίμωνι περὶ 4
δεῖπνα καὶ σκηνὰς καὶ τὴν ἄλλην λαμπρότητα καὶ παρασκευήν, οὐκ
ἤρεσκε τοῖς Ἕλλησιν. ἐκείνῳ μὲν γὰρ ὄντι νέῳ καὶ ἀπ' οἰκίας μεγάλης
ᾤοντο δεῖν τὰ τοιαῦτα συγχωρεῖν· ὁ δὲ μήπω γνώριμος γεγονὼς ἀλλὰ
δοκῶν ἐξ οὐχ ὑπαρχόντων καὶ παρ' ἀξίαν ἐπαίρεσθαι, προσωφλίσκανεν
ἀλαζονείαν. ἐνίκησε δὲ καὶ χορηγῶν τραγῳδοῖς, μεγάλην ἤδη τότε 5
σπουδὴν καὶ φιλοτιμίαν τοῦ ἀγῶνος ἔχοντος, καὶ πίνακα τῆς νίκης
ἀνέθηκε τοιαύτην ἐπιγραφὴν ἔχοντα· "Θεμιστοκλῆς Φρεάρριος
477/6 ἐχορήγει, Φρύνιχος ἐδίδασκεν, Ἀδείμαντος ἦρχεν." οὐ μὴν ἀλλὰ τοῖς 6
πολλοῖς ἐνήρμοττε, τοῦτο μὲν ἑκάστου τῶν πολιτῶν τοὔνομα λέγων ἀπὸ
στόματος, τοῦτο δὲ κριτὴν ἀσφαλῆ περὶ τὰ συμβόλαια παρέχων ἑαυτόν,
ὥς που καὶ πρὸς Σιμωνίδην τὸν Κεῖον εἰπεῖν, αἰτούμενόν τι τῶν οὐ
μετρίων παρ' αὐτοῦ στρατηγοῦντος, ὡς οὔτ' ἐκεῖνος ἂν γένοιτο ποιητὴς
ἀγαθὸς ᾄδων παρὰ μέλος οὔτ' αὐτὸς ἀστεῖος ἄρχων παρὰ νόμον χαριζό-
μενος. πάλιν δέ ποτε τὸν Σιμωνίδην ἐπισκώπτων ἔλεγε νοῦν οὐκ ἔχειν, 7
Κορινθίους μὲν λοιδοροῦντα μεγάλην οἰκοῦντας πόλιν, αὑτοῦ δὲ
ποιούμενον εἰκόνας οὕτως ὄντος αἰσχροῦ τὴν ὄψιν. αὐξόμενος δὲ καὶ
τοῖς πολλοῖς ἀρέσκων, τέλος κατεστασίασε καὶ μετέστησεν ἐξοστρα-
κισθέντα τὸν Ἀριστείδην.

6[3]: ἐπαινεῖται δ' αὐτοῦ καὶ τὸ περὶ τὸν δίγλωσσον ἔργον ἐν τοῖς
πεμφθεῖσιν ὑπὸ βασιλέως ἐπὶ γῆς καὶ ὕδατος αἴτησιν. ἑρμηνέα γὰρ 4
ὄντα συλλαβὼν διὰ ψηφίσματος ἀπέκτεινεν, ὅτι φωνὴν Ἑλληνίδα βαρ-
βάροις προστάγμασιν ἐτόλμησε χρῆσαι. ἔτι δὲ καὶ τὸ περὶ Ἄρθμιον

τὸν Ζελείτην· Θεμιστοκλέους γὰρ εἰπόντος καὶ τοῦτον εἰς τοὺς ἀτίμους
καὶ παῖδας αὐτοῦ καὶ γένος ἐνέγραψαν, ὅτι τὸν ἐκ Μήδων χρυσὸν εἰς
τοὺς Ἕλληνας ἐκόμισε.

10^{6}: οὐκ ὄντων δὲ δημοσίων χρημάτων τοῖς Ἀθηναίοις, Ἀριστοτέλης
μέν φησι (Ἀθ. Πολ. 23^{1}) τὴν ἐξ Ἀρείου πάγου βουλὴν πορίσασαν ὀκτὼ
δραχμὰς ἑκάστῳ τῶν στρατευομένων αἰτιωτάτην γενέσθαι τοῦ πληρωθῆ-
ναι τὰς τριήρεις, Κλείδημος δὲ (fr. 21) καὶ τοῦτο τοῦ Θεμιστοκλέους
7 ποιεῖται στρατήγημα. καταβαινόντων γὰρ εἰς Πειραιᾶ τῶν Ἀθηναίων,
φησὶν ἀπολέσθαι τὸ Γοργόνειον ἀπὸ τῆς θεοῦ τοῦ ἀγάλματος· τὸν οὖν
Θεμιστοκλέα προσποιούμενον ζητεῖν καὶ διερευνώμενον ἅπαντα χρη-
μάτων ἀνευρίσκειν πλῆθος ἐν ταῖς ἀποσκευαῖς ἀποκεκρυμμένον, ὧν
εἰς μέσον κομισθέντων εὐπορῆσαι τοὺς ἐμβαίνοντας εἰς τὰς ναῦς
ἐφοδίων.

17^{3}: Λακεδαιμόνιοι δ' εἰς τὴν Σπάρτην αὐτὸν καταγαγόντες Εὐρυ-
βιάδῃ μὲν ἀνδρείας ἐκείνῳ δὲ σοφίας ἀριστεῖον ἔδοσαν θαλλοῦ στέφανον,
καὶ τῶν κατὰ τὴν πόλιν ἁρμάτων τὸ πρωτεῦον ἐδωρήσαντο καὶ τριακο-
4 σίους τῶν νέων πομποὺς ἄχρι τῶν ὅρων συνεξέπεμψαν. λέγεται δ'
Ὀλυμπίων τῶν ἑξῆς ἀγομένων καὶ παρελθόντος εἰς τὸ στάδιον τοῦ
Θεμιστοκλέους ἀμελήσαντας τῶν ἀγωνιστῶν τοὺς παρόντας ὅλην τὴν
ἡμέραν ἐκεῖνον θεᾶσθαι καὶ τοῖς ξένοις ἐπιδεικνύειν ἅμα θαυμάζοντας καὶ
κροτοῦντας, ὥστε καὶ αὐτὸν ἡσθέντα πρὸς τοὺς φίλους ὁμολογῆσαι τὸν
18 καρπὸν ἀπέχειν τῶν ὑπὲρ τῆς Ἑλλάδος αὐτῷ πονηθέντων. καὶ γὰρ ἦν τῇ
φύσει φιλοτιμότατος, εἰ δεῖ τεκμαίρεσθαι διὰ τῶν ἀπομνημονευομένων.
αἱρεθεὶς γὰρ ναύαρχος ὑπὸ τῆς πόλεως οὐδὲν οὔτε τῶν ἰδίων οὔτε τῶν
κοινῶν κατὰ μέρος ἐχρημάτιζεν, ἀλλ' ἐπανεβάλλετο τὸ προσπῖπτον εἰς
τὴν ἡμέραν ἐκείνην καθ' ἣν ἐκπλεῖν ἔμελλεν, ἵν' ὁμοῦ πολλὰ πράττων
πράγματα καὶ παντοδαποῖς ἀνθρώποις ὁμιλῶν μέγας εἶναι δοκῇ καὶ
2 πλεῖστον δύνασθαι. τῶν δὲ νεκρῶν τοὺς ἐκπεσόντας ἐπισκοπῶν παρὰ
τὴν θάλατταν, ὡς εἶδε περικειμένους ψέλια χρυσᾶ καὶ στρεπτούς, αὐτὸς
μὲν παρῆλθε, τῷ δ' ἑπομένῳ φίλῳ δείξας εἶπεν· "ἀνελοῦ σαυτῷ· σὺ
3 γὰρ οὐκ εἶ Θεμιστοκλῆς." πρὸς δέ τινα τῶν καλῶν γεγονότων,
Ἀντιφάτην, ὑπερηφάνως αὐτῷ κεχρημένον πρότερον, ὕστερον δὲ
θεραπεύοντα διὰ τὴν δόξαν "ὦ μειράκιον" εἶπεν "ὀψὲ μὲν ἀμφότεροι
4 δ' ὁμοῦ νοῦν ἐσχήκαμεν." ἔλεγε δὲ τοὺς Ἀθηναίους οὐ τιμᾶν αὐτὸν
οὐδὲ θαυμάζειν, ἀλλ' ὥσπερ πλατάνῳ χειμαζομένους μὲν ὑποτρέχειν
[κινδυνεύοντας], εὐδίας δὲ περὶ αὐτοὺς γενομένης τίλλειν καὶ κολούειν.
5 τοῦ δὲ Σεριφίου πρὸς αὐτὸν εἰπόντος ὡς οὐ δι' αὐτὸν ἔσχηκε δόξαν
ἀλλὰ διὰ τὴν πόλιν, "ἀληθῆ λέγεις" εἶπεν "ἀλλ' οὔτ' ἂν ἐγὼ Σερίφιος
6 ὢν ἐγενόμην ἔνδοξος, οὔτε σὺ Ἀθηναῖος." ἑτέρου δέ τινος τῶν στρατη-
γῶν, ὡς ἔδοξέ τι χρήσιμον διαπεπρᾶχθαι τῇ πόλει, θρασυνομένου πρὸς

τὸν Θεμιστοκλέα καὶ τὰς ἑαυτοῦ ταῖς ἐκείνου πράξεσιν ἀντιπαρα-
βάλλοντος, ἔφη τῇ ἑορτῇ τὴν ὑστεραίαν ἐρίσαι, λέγουσαν ὡς ἐκείνη μὲν
ἀσχολιῶν τε μεστὴ καὶ κοπώδης ἐστίν, ἐν αὐτῇ δὲ πάντες ἀπολαύουσι
τῶν παρεσκευασμένων σχολάζοντες· τὴν δ' ἑορτὴν πρὸς ταῦτ' εἰπεῖν·
"ἀληθῆ λέγεις· ἀλλ' ἐμοῦ μὴ γενομένης σὺ οὐκ ἂν ἦσθα." "κἀμοῦ
τοίνυν" ἔφη "τότε μὴ γενομένου, ποῦ ἂν ἦτε νῦν ὑμεῖς;" τὸν δ' υἱὸν 7
ἐντρυφῶντα τῇ μητρὶ καὶ δι' ἐκείνην ἑαυτῷ σκώπτων ἔλεγε πλεῖστον
τῶν Ἑλλήνων δύνασθαι· τοῖς μὲν γὰρ Ἕλλησιν ἐπιτάσσειν Ἀθηναίους,
Ἀθηναίοις δ' ἑαυτόν, αὐτῷ δὲ τὴν ἐκείνου μητέρα, τῇ μητρὶ δ' ἐκεῖνον.
ἴδιος δέ τις ἐν πᾶσι βουλόμενος εἶναι, χωρίον μὲν πιπράσκων ἐκέλευε 8
κηρύττειν, ὅτι καὶ γείτονα χρηστὸν ἔχει· τῶν δὲ μνωμένων αὐτοῦ τὴν 9
θυγατέρα τὸν ἐπιεικῆ τοῦ πλουσίου προκρίνας, ἔφη ζητεῖν ἄνδρα
χρημάτων δεόμενον μᾶλλον ἢ χρήματα ἀνδρός. ἐν μὲν οὖν τοῖς ἀπο-
φθέγμασι τοιοῦτός τις ἦν.

γενόμενος δ' ἀπὸ τῶν πράξεων ἐκείνων, εὐθὺς ἐπεχείρει τὴν πόλιν **19**
ἀνοικοδομεῖν καὶ τειχίζειν, ὡς μὲν ἱστορεῖ Θεόπομπος (fr. 85) χρήμασι
πείσας μὴ ἐναντιωθῆναι τοὺς ἐφόρους, ὡς δ' οἱ πλεῖστοι παρακρουσά-
μενος. ἧκε μὲν γὰρ εἰς Σπάρτην ὄνομα πρεσβείας ἐπιγραψάμενος· 2
ἐγκαλούντων δὲ τῶν Σπαρτιατῶν ὅτι τειχίζουσι τὸ ἄστυ, καὶ Πολυάρχου
κατηγοροῦντος ἐπίτηδες ἐξ Αἰγίνης ἀποσταλέντος, ἠρνεῖτο καὶ πέμπειν
ἐκέλευεν εἰς Ἀθήνας τοὺς κατοψομένους, ἅμα μὲν ἐμβάλλων τῷ
τειχισμῷ χρόνον ἐκ τῆς διατριβῆς, ἅμα δὲ βουλόμενος ἀνθ' αὑτοῦ τοὺς
πεμπομένους ὑπάρχειν τοῖς Ἀθηναίοις. ὃ καὶ συνέβη· γνόντες γὰρ οἱ 3
Λακεδαιμόνιοι τὸ ἀληθὲς οὐκ ἠδίκησαν αὐτόν, ἀλλ' ἀδήλως χαλε-
παίνοντες ἀπέπεμψαν. ἐκ δὲ τούτου τὸν Πειραιᾶ κατεσκεύαζε, τὴν
τῶν λιμένων εὐφυΐαν κατανοήσας καὶ τὴν πόλιν ὅλην ἁρμοττόμενος
πρὸς τὴν θάλατταν, καὶ τρόπον τινὰ τοῖς παλαιοῖς βασιλεῦσι τῶν
Ἀθηναίων ἀντιπολιτευόμενος. ἐκεῖνοι μὲν γὰρ ὡς λέγεται πραγμα- 4
τευόμενοι τοὺς πολίτας ἀποσπάσαι τῆς θαλάττης καὶ συνεθίσαι ζῆν
μὴ πλέοντας ἀλλὰ τὴν χώραν φυτεύοντας, τὸν περὶ τῆς Ἀθηνᾶς διέδοσαν
λόγον, ὡς ἐρίσαντα περὶ τῆς χώρας Ποσειδῶνα δείξασα τὴν μορίαν
τοῖς δικασταῖς ἐνίκησεν. Θεμιστοκλῆς δ' οὐχ ὥσπερ Ἀριστοφάνης
ὁ κωμικός φησι (*Eq.* 815) τῇ πόλει "τὸν Πειραιᾶ προσέμαξεν", ἀλλὰ
τὴν πόλιν ἐξῆψε τοῦ Πειραιῶς καὶ τὴν γῆν τῆς θαλάττης· ὅθεν καὶ τὸν 5
δῆμον ηὔξησε κατὰ τῶν ἀρίστων καὶ θράσους ἐνέπλησεν, εἰς ναύτας
καὶ κελευστὰς καὶ κυβερνήτας τῆς δυνάμεως ἀφικομένης. διὸ καὶ τὸ 6
βῆμα τὸ ἐν Πυκνὶ πεποιημένον ὥστ' ἀποβλέπειν πρὸς τὴν θάλατταν
ὕστερον οἱ τριάκοντα πρὸς τὴν χώραν ἀπέστρεψαν, οἰόμενοι τὴν μὲν
κατὰ θάλατταν ἀρχὴν γένεσιν εἶναι δημοκρατίας, ὀλιγαρχίᾳ δ' ἧττον
δυσχεραίνειν τοὺς γεωργοῦντας.

20 Θεμιστοκλῆς δὲ καὶ μεῖζόν τι περὶ τῆς ναυτικῆς διενοήθη δυνάμεως. ἐπεὶ γὰρ ὁ τῶν Ἑλλήνων στόλος ἀπηλλαγμένου Ξέρξου κατῆρεν εἰς Παγασὰς καὶ διεχείμαζε, δημηγορῶν ἐν τοῖς Ἀθηναίοις ἔφη τινὰ πρᾶξιν ἔχειν ὠφέλιμον μὲν αὐτοῖς καὶ σωτήριον ἀπόρρητον δὲ πρὸς τοὺς
2 πολλούς. τῶν δ' Ἀθηναίων Ἀριστείδῃ φράσαι μόνῳ κελευόντων, κἂν ἐκεῖνος δοκιμάσῃ περαίνειν, ὁ μὲν Θεμιστοκλῆς ἔφρασε τῷ Ἀριστείδῃ τὸ νεώριον ἐμπρῆσαι διανοεῖσθαι τῶν Ἑλλήνων· ὁ δ' Ἀριστείδης εἰς τὸν δῆμον προελθὼν ἔφη τῆς πράξεως ἣν διανοεῖται πράττειν ὁ Θεμιστοκλῆς μηδεμίαν εἶναι μήτε λυσιτελεστέραν μήτ' ἀδικωτέραν. οἱ μὲν οὖν Ἀθηναῖοι διὰ ταῦτα παύσασθαι τῷ Θεμιστοκλεῖ προσέταξαν.
3 ἐν δὲ τοῖς Ἀμφικτυονικοῖς συνεδρίοις τῶν Λακεδαιμονίων εἰσηγουμένων ὅπως ἀπείργωνται τῆς Ἀμφικτυονίας αἱ μὴ συμμαχήσασαι κατὰ τοῦ Μήδου πόλεις, φοβηθεὶς μὴ Θετταλοὺς καὶ Ἀργείους ἔτι δὲ Θηβαίους ἐκβαλόντες τοῦ συνεδρίου παντελῶς ἐπικρατήσωσι τῶν ψήφων καὶ γένηται τὸ δοκοῦν ἐκείνοις, συνεῖπε ταῖς πόλεσι καὶ μετέθηκε τὰς γνώμας τῶν πυλαγόρων, διδάξας ὡς τριάκοντα καὶ μία μόναι πόλεις εἰσὶν αἱ τοῦ πολέμου μετασχοῦσαι, καὶ τούτων αἱ πλείους
4 παντάπασι μικραί· δεινὸν οὖν εἰ τῆς ἄλλης Ἑλλάδος ἐκσπόνδου γενομένης ἐπὶ ταῖς μεγίσταις δυσὶν ἢ τρισὶ πόλεσιν ἔσται τὸ συνέδριον. ἐκ τούτου μὲν οὖν μάλιστα τοῖς Λακεδαιμονίοις προσέκρουσε· διὸ καὶ τὸν Κίμωνα προῆγον ταῖς τιμαῖς, ἀντίπαλον ἐν τῇ πολιτείᾳ τῷ Θεμιστοκλεῖ καθιστάντες.

21 ἦν δὲ καὶ τοῖς συμμάχοις ἐπαχθὴς περιπλέων τε τὰς νήσους καὶ χρηματιζόμενος ἀπ' αὐτῶν· οἷα καὶ πρὸς Ἀνδρίους ἀργύριον αἰτοῦντά
2 φησιν αὐτὸν Ἡρόδοτος (viii. 111) εἰπεῖν τε καὶ ἀκοῦσαι. δύο γὰρ ἥκειν ἔφη θεοὺς κομίζων, Πειθὼ καὶ Βίαν· οἱ δ' ἔφασαν εἶναι καὶ παρ' αὐτοῖς θεοὺς μεγάλους δύο, Πενίαν καὶ Ἀπορίαν, ὑφ' ὧν κωλύεσθαι
3 δοῦναι χρήματα ἐκείνῳ. Τιμοκρέων δ' ὁ Ῥόδιος μελοποιὸς ἐν ᾄσματι καθάπτεται πικρότερον τοῦ Θεμιστοκλέους, ὡς ἄλλους μὲν ἐπὶ χρήμασι φυγάδας διαπραξαμένου κατελθεῖν, αὐτὸν δὲ ξένον ὄντα καὶ φίλον
4 προεμένου δι' ἀργύριον. λέγει δ' οὕτως (fr. 1)·

ἀλλ' εἰ τύ γα Παυσανίαν ἢ καὶ τύ γα Ξάνθιππον αἰνεῖς [στρ.
ἢ τύ γα Λευτυχίδαν, ἐγὼ δ' Ἀριστείδαν ἐπαινέω
ἄνδρ' ἱερᾶν ἀπ' Ἀθανᾶν
ἐλθεῖν ἕνα λῷστον· ἐπεὶ Θεμιστοκλέα γ' ἤχθαρε Λατώ,

ψεύσταν, ἄδικον, προδόταν, ὃς Τιμοκρέοντα ξεῖνον ἐόντα [ἀντ.
ἀργυρίοισι κυβαλικοῖσι πεισθεὶς οὐ κατᾶγεν

21^{4}, l. 5: Θεμιστοκλῆα Y, Θεμ. δὲ S, Θεμιστοκλέα γ' Blass, Θεμιστοκλῆν Wilamowitz. l. 7: σκυβαλ-, κυμβαλικοῖσι codd., κυβαλικοῖσι Bergk coni. *Hesych.* κυβηλικὸν τρόπον.

εἰς πατρίδα Ἰάλυσον,
λαβὼν δὲ τρί' ἀργυρίου τάλαντ' ἔβα πλέων εἰς ὄλεθρον,
τοὺς μὲν κατάγων ἀδίκως, τοὺς δ' ἐκδιώκων, τοὺς δὲ καίνων· [ἐπ.
ἀργυρίου δ' ὑπόπλεως, Ἰσθμοῖ γελοίως πανδόκευε
ψυχρὰ κρέα παρέχων·
οἱ δ' ἤσθιον κηὔχοντο μὴ ὥραν Θεμιστοκλέος γενέσθαι.

πολὺ δ' ἀσελγεστέρᾳ καὶ ἀναπεπταμένῃ μᾶλλον εἰς τὸν Θεμιστοκλέα 5
βλασφημίᾳ χρῆται μετὰ τὴν φυγὴν αὐτοῦ καὶ τὴν καταδίκην ὁ Τιμο-
κρέων, ᾆσμα ποιήσας οὗ ἐστιν ἀρχή (fr. 2)·

Μοῦσα, τοῦδε τοῦ μέλεος 6
κλέος ἀν' Ἕλλανας τίθει,
ὡς ἐοικὸς καὶ δίκαιον.

λέγεται δ' ὁ Τιμοκρέων ἐπὶ μηδισμῷ φυγεῖν συγκαταψηφισαμένου τοῦ 7
Θεμιστοκλέους. ὡς οὖν ὁ Θεμιστοκλῆς αἰτίαν ἔσχε μηδίζειν, ταῦτ'
ἐποίησεν εἰς αὐτόν (fr. 3)·

οὐκ ἄρα Τιμοκρέων μόνος
Μήδοισιν ὁρκιατομεῖ,
ἀλλ' ἐντὶ κἄλλοι δὴ πονηροί·
οὐκ ἐγὼ μόνα κόλουρις·
ἐντὶ κἄλλαι ἀλώπεκες.

ἤδη δὲ καὶ τῶν πολιτῶν διὰ τὸ φθονεῖν ἡδέως τὰς διαβολὰς προσ- **22**
ιεμένων, ἠναγκάζετο λυπηρὸς εἶναι τῶν αὐτοῦ πράξεων πολλάκις ἐν τῷ
δήμῳ μνημονεύων· καὶ πρὸς τοὺς δυσχεραίνοντας "τί κοπιᾶτε" εἶπεν
"ὑπὸ τῶν αὐτῶν πολλάκις εὖ πάσχοντες;" ἠνίασε δὲ τοὺς πολλοὺς καὶ 2
τὸ τῆς Ἀρτέμιδος ἱερὸν εἱσάμενος, ἣν Ἀριστοβούλην μὲν προσηγόρευσεν
ὡς ἄριστα τῇ πόλει καὶ τοῖς Ἕλλησι βουλευσάμενος, πλησίον δὲ τῆς
οἰκίας κατεσκεύασεν ἐν Μελίτῃ τὸ ἱερὸν οὗ νῦν τὰ σώματα τῶν θανατου-
μένων οἱ δήμιοι προβάλλουσι καὶ τὰ ἱμάτια καὶ τοὺς βρόχους τῶν
ἀπαγχομένων καὶ καθαιρεθέντων ἐκφέρουσιν. ἔκειτο δὲ καὶ τοῦ 3
Θεμιστοκλέους εἰκόνιον ἐν τῷ ναῷ τῆς Ἀριστοβούλης ἔτι καθ' ἡμᾶς·
καὶ φαίνεταί τις οὐ τὴν ψυχὴν μόνον ἀλλὰ καὶ τὴν ὄψιν ἡρωικὸς γενό-
μενος. τὸν μὲν οὖν ἐξοστρακισμὸν ἐποιήσαντο κατ' αὐτοῦ κολούοντες 4
τὸ ἀξίωμα καὶ τὴν ὑπεροχήν, ὥσπερ εἰώθεσαν ἐπὶ πάντων οὓς ᾤοντο
τῇ δυνάμει βαρεῖς καὶ πρὸς ἰσότητα δημοκρατικὴν ἀσυμμέτρους εἶναι.
κόλασις γὰρ οὐκ ἦν ὁ ἐξοστρακισμὸς ἀλλὰ παραμυθία φθόνου καὶ 5
κουφισμὸς ἡδομένου τῷ ταπεινοῦν τοὺς ὑπερέχοντας καὶ τὴν δυσ-
μένειαν εἰς ταύτην τὴν ἀτιμίαν ἀποπνέοντος.

21^{4}, l. 11: sic Enger, Ἰσθμοῖ δὲ πανδόκευε γελοίως codd. 21^{7}, l. 4: μόνος Ahrens, μοῦνος codd., Diehl et al. l. 8: καὶ ἄλλαι codd., Diehl.

23 ἐκπεσόντος δὲ τῆς πόλεως αὐτοῦ καὶ διατρίβοντος ἐν Ἄργει, τὰ περὶ
Παυσανίαν συμπεσόντα κατ' ἐκείνου παρέσχε τοῖς ἐχθροῖς ἀφορμάς.
ὁ δὲ γραψάμενος αὐτὸν προδοσίας Λεωβώτης ἦν ὁ Ἀλκμαίωνος Ἀγρυ-
2 λῆθεν, ἅμα συνεπαιτιωμένων τῶν Σπαρτιατῶν. ὁ γὰρ Παυσανίας
πράττων ἐκεῖνα δὴ τὰ περὶ τὴν προδοσίαν πρότερον μὲν ἀπεκρύπτετο
τὸν Θεμιστοκλέα καίπερ ὄντα φίλον· ὡς δ' εἶδεν ἐκπεπτωκότα τῆς
πολιτείας καὶ φέροντα χαλεπῶς, ἐθάρρησεν ἐπὶ τὴν κοινωνίαν τῶν
πρασσομένων παρακαλεῖν, γράμματα τοῦ βασιλέως ἐπιδεικνύμενος
αὐτῷ καὶ παροξύνων ἐπὶ τοὺς Ἕλληνας ὡς πονηροὺς καὶ ἀχαρίστους.
3 ὁ δὲ τὴν μὲν δέησιν ἀπετρίψατο τοῦ Παυσανίου καὶ τὴν κοινωνίαν ὅλως
ἀπείπατο, πρὸς οὐδένα δὲ τοὺς λόγους ἐξήνεγκεν οὐδὲ κατεμήνυσε τὴν
πρᾶξιν, εἴτε παύσεσθαι προσδοκῶν αὐτὸν εἴτ' ἄλλως καταφανῆ γενή-
σεσθαι σὺν οὐδενὶ λογισμῷ πραγμάτων ἀτόπων καὶ παραβόλων
4 ὀρεγόμενον. οὕτω δὲ τοῦ Παυσανίου θανατωθέντος, ἐπιστολαί τινες
ἀνευρεθεῖσαι καὶ γράμματα περὶ τούτων εἰς ὑποψίαν ἐνέβαλον τὸν
Θεμιστοκλέα· καὶ κατεβόων μὲν αὐτοῦ Λακεδαιμόνιοι, κατηγόρουν δ'
οἱ φθονοῦντες τῶν πολιτῶν, οὐ παρόντος ἀλλὰ διὰ γραμμάτων ἀπο-
5 λογουμένου μάλιστα ταῖς προτέραις κατηγορίαις. διαβαλλόμενος γὰρ
ὑπὸ τῶν ἐχθρῶν πρὸς τοὺς πολίτας ὡς ἄρχειν μὲν αἰεὶ ζητῶν ἄρχεσθαι
δὲ μὴ πεφυκὼς μηδὲ βουλόμενος, οὐκ ἄν ποτε βαρβάροις αὐτὸν οὐδὲ
6 πολεμίοις ἀποδόσθαι μετὰ τῆς Ἑλλάδος. οὐ μὴν ἀλλὰ συμπεισθεὶς
ὑπὸ τῶν κατηγορούντων ὁ δῆμος ἔπεμψεν ἄνδρας οἷς εἴρητο συλλαμ-
24 βάνειν καὶ ἀνάγειν αὐτὸν κριθησόμενον ἐν τοῖς Ἕλλησιν. προαισθό-
μενος δ' ἐκεῖνος εἰς Κέρκυραν διεπέρασεν, οὔσης αὐτῷ πρὸς τὴν πόλιν
εὐεργεσίας. γενόμενος γὰρ αὐτῶν κριτὴς πρὸς Κορινθίους ἐχόντων
διαφοράν, ἔλυσε τὴν ἔχθραν εἴκοσι τάλαντα κρίνας τοὺς Κορινθίους
2 καταβαλεῖν καὶ Λευκάδα κοινῇ νέμειν ἀμφοτέρων ἄποικον. ἐκεῖθεν
δ' εἰς Ἤπειρον ἔφυγε· καὶ διωκόμενος ὑπὸ τῶν Ἀθηναίων καὶ τῶν
Λακεδαιμονίων ἔρριψεν ἑαυτὸν εἰς ἐλπίδας χαλεπὰς καὶ ἀπόρους κατα-
φυγὼν πρὸς Ἄδμητον, ὃς βασιλεὺς μὲν ἦν Μολοσσῶν, δεηθεὶς δέ τι τῶν
Ἀθηναίων καὶ προπηλακισθεὶς ὑπὸ τοῦ Θεμιστοκλέους, ὅτ' ἤκμαζεν ἐν
τῇ πολιτείᾳ, δι' ὀργῆς εἶχεν αὐτὸν αἰεὶ καὶ δῆλος ἦν εἰ λάβοι τιμωρησό-
3 μενος. ἐν δὲ τῇ τότε τύχῃ μᾶλλον ὁ Θεμιστοκλῆς φοβηθεὶς συγγενῆ καὶ
πρόσφατον φθόνον ὀργῆς παλαιᾶς καὶ βασιλικῆς, ταύτῃ φέρων ὑπέθηκεν
ἑαυτόν, ἱκέτης τοῦ Ἀδμήτου καταστὰς ἴδιόν τινα καὶ παρηλλαγμένον
4 τρόπον. ἔχων γὰρ αὐτοῦ τὸν υἱὸν ὄντα παῖδα πρὸς τὴν ἑστίαν προσ-
έπεσε, ταύτην μεγίστην καὶ μόνην σχεδὸν ἀναντίρρητον ἡγουμένων
5 ἱκεσίαν τῶν Μολοσσῶν. ἔνιοι μὲν οὖν Φθίαν τὴν γυναῖκα τοῦ βασιλέως
λέγουσιν ὑποθέσθαι τῷ Θεμιστοκλεῖ τὸ ἱκέτευμα τοῦτο καὶ τὸν υἱὸν

23^{1}, l. 3: Λεωβότης codd., Λεωβώτης Cobet.

ἐπὶ τὴν ἑστίαν καθίσαι μετ' αὐτοῦ· τινὲς δ' αὐτὸν τὸν Ἄδμητον, ὡς
ἀφοσιώσαιτο πρὸς τοὺς διώκοντας τὴν ἀνάγκην δι' ἣν οὐκ ἐκδίδωσι τὸν
ἄνδρα, διαθεῖναι καὶ συντραγῳδῆσαι τὴν ἱκεσίαν. ἐκεῖ δ' αὐτῷ τὴν 6
γυναῖκα καὶ τοὺς παῖδας ἐκκλέψας ἐκ τῶν Ἀθηνῶν Ἐπικράτης ὁ
Ἀχαρνεὺς ἀπέστειλεν· ὃν ἐπὶ τούτῳ Κίμων ὕστερον κρίνας ἐθανάτωσεν,
ὡς ἱστορεῖ Στησίμβροτος (fr. 3). εἶτ' οὐκ οἶδ' ὅπως ἐπιλαθόμενος· 7
τούτων ἢ τὸν Θεμιστοκλέα ποιῶν ἐπιλαθόμενον πλεῦσαί φησιν εἰς
Σικελίαν καὶ παρ' Ἱέρωνος αἰτεῖν τοῦ τυράννου τὴν θυγατέρα πρὸς
γάμον, ὑπισχνούμενον αὐτῷ τοὺς Ἕλληνας ὑπηκόους ποιήσειν· ἀπο-
τριψαμένου δὲ τοῦ Ἱέρωνος, οὕτως εἰς τὴν Ἀσίαν ἀπᾶραι. ταῦτα δ' οὐκ **25**
εἰκός ἐστιν οὕτω γενέσθαι. Θεόφραστος γὰρ ἐν τοῖς περὶ βασιλείας
(fr. 126) ἱστορεῖ τὸν Θεμιστοκλέα, πέμψαντος εἰς Ὀλυμπίαν Ἱέρωνος
ἵππους ἀγωνιστὰς καὶ σκηνήν τινα κατεσκευασμένην πολυτελῶς
στήσαντος, εἰπεῖν ἐν τοῖς Ἕλλησι λόγον, ὡς χρὴ τὴν σκηνὴν διαρπάσαι
τοῦ τυράννου καὶ κωλῦσαι τοὺς ἵππους ἀγωνίσασθαι. Θουκυδίδης 2
(*i.* 137^{2}) δ' ἐκπλεῦσαί φησιν αὐτὸν ἐπὶ τὴν ἑτέραν καταβάντα θάλατταν
ἀπὸ Πύδνης, οὐδενὸς εἰδότος ὅστις εἴη τῶν πλεόντων, μέχρι οὗ
πνεύματι τῆς ὁλκάδος εἰς Θάσον καταφερομένης ὑπ' Ἀθηναίων
πολιορκουμένην τότε, φοβηθεὶς ἀναδείξειεν ἑαυτὸν τῷ τε ναυκλήρῳ καὶ
τῷ κυβερνήτῃ, καὶ τὰ μὲν δεόμενος τὰ δ' ἀπειλῶν καὶ λέγων ὅτι
κατηγορήσοι καὶ καταψεύσοιτο πρὸς τοὺς Ἀθηναίους, ὡς οὐκ ἀγνοοῦντες
ἀλλὰ χρήμασι πεισθέντες ἐξ ἀρχῆς ἀναλάβοιεν αὐτόν, οὕτως ἀναγκάσειε
παραπλεῦσαι καὶ λαβέσθαι τῆς Ἀσίας. τῶν δὲ χρημάτων αὐτῷ πολλὰ 3
μὲν ὑπεκκλαπέντα διὰ τῶν φίλων εἰς Ἀσίαν ἔπλει· τῶν δὲ φανερῶν
γενομένων καὶ συναχθέντων εἰς τὸ δημόσιον Θεόπομπος (fr. 86) μὲν
ἑκατὸν τάλαντα Θεόφραστος δ' ὀγδοήκοντά φησι γενέσθαι τὸ πλῆθος,
οὐδὲ τριῶν ἄξια ταλάντων κεκτημένου τοῦ Θεμιστοκλέους πρὶν
ἅπτεσθαι τῆς πολιτείας. ἐπεὶ δὲ κατέπλευσεν εἰς Κύμην καὶ πολλοὺς **26**
ᾔσθετο τῶν ἐπὶ θαλάττῃ παραφυλάττοντας αὐτὸν λαβεῖν, μάλιστα δὲ
τοὺς περὶ Ἐργοτέλη καὶ Πυθόδωρον—ἦν γὰρ ἡ θήρα λυσιτελὴς τοῖς γε
τὸ κερδαίνειν ἀπὸ παντὸς ἀγαπῶσι, διακοσίων ἐπικεκηρυγμένων αὐτῷ
ταλάντων ὑπὸ τοῦ βασιλέως—ἔφυγεν εἰς Αἰγάς, Αἰολικὸν πολισμάτιον,
ὑπὸ πάντων ἀγνοούμενος πλὴν τοῦ ξένου Νικογένους, ὃς Αἰολέων
πλείστην οὐσίαν ἐκέκτητο καὶ τοῖς ἄνω δυνατοῖς γνώριμος ὑπῆρχε.
παρὰ τούτῳ κρυπτόμενος ἡμέρας ὀλίγας διέτριψεν· εἶτα μετὰ τὸ 2
δεῖπνον ἐκ θυσίας τινὸς Ὄλβιος ὁ Νικογένους παιδαγωγὸς ἔκφρων
γενόμενος καὶ θεοφόρητος ἀνεφώνησεν ἐν μέτρῳ ταυτί·

νυκτὶ φωνήν, νυκτὶ βουλήν, νυκτὶ τὴν νίκην δίδου.

25^{2}: *Θάσον* S, *Νάξον* *Y* Thuc.

3 καὶ μετὰ ταῦτα κατακοιμηθεὶς ὁ Θεμιστοκλῆς ὄναρ ἔδοξεν ἰδεῖν
δράκοντα κατὰ τῆς γαστρὸς αὐτοῦ περιελιττόμενον καὶ προσανέρποντα
τῷ τραχήλῳ· γενόμενον δ' ἀετόν, ὡς ἥψατο τοῦ προσώπου, περιβαλόντα
τὰς πτέρυγας ἐξᾶραι καὶ κομίζειν πολλὴν ὁδόν, εἶτα χρυσοῦ τινὸς
κηρυκείου φανέντος, ἐπὶ τούτῳ στῆσαι βεβαίως αὐτὸν ἀμηχάνου
4 δείματος καὶ ταραχῆς ἀπαλλαγέντα. πέμπεται δ' οὖν ὑπὸ τοῦ Νικο-
γένους μηχανησαμένου τι τοιόνδε. τοῦ βαρβαρικοῦ γένους τὸ πολὺ καὶ
μάλιστα τὸ Περσικὸν εἰς ζηλοτυπίαν τὴν περὶ τὰς γυναῖκας ἄγριον
5 φύσει καὶ χαλεπόν ἐστιν. οὐ γὰρ μόνον τὰς γαμετὰς ἀλλὰ καὶ τὰς
ἀργυρωνήτους καὶ παλλακευομένας ἰσχυρῶς παραφυλάττουσιν, ὡς ὑπὸ
μηδενὸς ὁρᾶσθαι τῶν ἐκτός, ἀλλ' οἴκοι μὲν διαιτᾶσθαι κατακεκλει-
μένας, ἐν δὲ ταῖς ὁδοιπορίαις ὑπὸ σκηναῖς κύκλῳ περιπεφραγμένας
6 ἐπὶ τῶν ἁρμαμαξῶν ὀχεῖσθαι. τοιαύτης τῷ Θεμιστοκλεῖ κατα-
σκευασθείσης ἀπήνης καταδὺς ἐκομίζετο, τῶν περὶ αὐτὸν ἀεὶ τοῖς ἐν-
τυγχάνουσι καὶ πυνθανομένοις λεγόντων, ὅτι γύναιον Ἑλληνικὸν
ἄγουσιν ἀπ' Ἰωνίας πρός τινα τῶν ἐπὶ θύραις βασιλέως.

27 Θουκυδίδης (*i.* 137[3]) μὲν οὖν καὶ Χάρων ὁ Λαμψακηνὸς (fr. 11)
ἱστοροῦσι τεθνηκότος Ξέρξου πρὸς τὸν υἱὸν αὐτοῦ τῷ Θεμιστοκλεῖ
γενέσθαι τὴν ἔντευξιν· Ἔφορος δὲ (fr. 190) καὶ Δείνων (fr. 20) καὶ
Κλείταρχος (fr. 33) καὶ Ἡρακλείδης (fr. 6) ἔτι δ' ἄλλοι πλείονες πρὸς
2 αὐτὸν ἀφικέσθαι τὸν Ξέρξην. τοῖς δὲ χρονικοῖς δοκεῖ μᾶλλον ὁ
Θουκυδίδης συμφέρεσθαι, καίπερ οὐδ' αὐτὸς ἀτρέμα συντεταραγμένος.
ὁ δ' οὖν Θεμιστοκλῆς γενόμενος παρ' αὐτὸ τὸ δεινὸν ἐντυγχάνει πρῶτον
Ἀρταβάνῳ τῷ χιλιάρχῳ, λέγων Ἕλλην μὲν εἶναι βούλεσθαι δ' ἐντυχεῖν
βασιλεῖ περὶ πραγμάτων μεγάλων καὶ πρὸς ἃ τυγχάνοι μάλιστα σπουδά-
3 ζων ἐκεῖνος. ὁ δέ φησιν· "ὦ ξένε, νόμοι διαφέρουσιν ἀνθρώπων· ἄλλα
4 δ' ἄλλοις καλά· καλὸν δὲ πᾶσι τὰ οἰκεῖα κοσμεῖν καὶ σῴζειν. ὑμᾶς μὲν
οὖν ἐλευθερίαν μάλιστα θαυμάζειν καὶ ἰσότητα λόγος· ἡμῖν δὲ πολλῶν
νόμων καὶ καλῶν ὄντων κάλλιστος οὗτός ἐστι, τιμᾶν βασιλέα καὶ
5 προσκυνεῖν ὡς εἰκόνα θεοῦ τοῦ πάντα σῴζοντος. εἰ μὲν οὖν ἐπαινῶν
τὰ ἡμέτερα προσκυνήσεις, ἔστι σοι καὶ θεάσασθαι βασιλέα καὶ προσ-
ειπεῖν· εἰ δ' ἄλλο τι φρονεῖς, ἀγγέλοις ἑτέροις χρήσῃ πρὸς αὐτόν.
6 βασιλεῖ γὰρ οὐ πάτριον ἀνδρὸς ἀκροᾶσθαι μὴ προσκυνήσαντος." ταῦθ'
ὁ Θεμιστοκλῆς ἀκούσας λέγει πρὸς αὐτόν· "ἀλλ' ἐγὼ τὴν βασιλέως ὦ
Ἀρτάβανε φήμην καὶ δύναμιν αὐξήσων ἀφῖγμαι, καὶ αὐτός τε πείσομαι
τοῖς ὑμετέροις νόμοις, ἐπεὶ θεῷ τῷ μεγαλύνοντι Πέρσας οὕτω δοκεῖ,
7 καὶ δι' ἐμὲ πλείονες τῶν νῦν βασιλέα προσκυνήσουσιν. ὥστε τοῦτο
μηδὲν ἐμποδὼν ἔστω τοῖς λόγοις οὓς βούλομαι πρὸς ἐκεῖνον εἰπεῖν."

27[2], l. 2: αὐτὸς . . . συντεταγμένος S, αὐτοῖς . . . συνταττομένοις *Y*, αὐτὸς . . . συν-τεταραγμένος Cobet.

“ τίνα δὲ ” εἶπεν ὁ Ἀρτάβανος “ Ἑλλήνων ἀφῖχθαι φῶμεν ; οὐ γὰρ
ἰδιώτῃ τὴν γνώμην ἔοικας.” καὶ ὁ Θεμιστοκλῆς· “ τοῦτ’ οὐκ ἂν ” ἔφη 8
“ πύθοιτό τις, Ἀρτάβανε, πρότερος βασιλέως.” οὕτω μὲν ὁ Φανίας
(fr. 9) φησίν. ὁ δ’ Ἐρατοσθένης ἐν τοῖς περὶ πλούτου (fr. 27) προσ-
ιστόρησε, διὰ γυναικὸς Ἐρετρικῆς, ἣν ὁ χιλίαρχος εἶχε, τῷ Θεμι-
στοκλεῖ τὴν πρὸς αὐτὸν ἔντευξιν γενέσθαι καὶ σύστασιν. ἐπεὶ δ’ οὖν **28**
εἰσήχθη πρὸς βασιλέα καὶ προσκυνήσας ἔστη σιωπῇ, προστάξαντος
τῷ ἑρμηνεῖ τοῦ βασιλέως ἐρωτῆσαι τίς ἐστι, καὶ τοῦ ἑρμηνέως ἐρωτή-
σαντος εἶπεν· “ ἥκω σοι, βασιλεῦ, Θεμιστοκλῆς ὁ Ἀθηναῖος ἐγὼ φυγὰς 2
ὑφ’ Ἑλλήνων διωχθείς, ᾧ πολλὰ μὲν ὀφείλουσι Πέρσαι κακά, πλείω δ’
ἀγαθὰ κωλύσαντι τὴν δίωξιν, ὅτε τῆς Ἑλλάδος ἐν ἀσφαλεῖ γεγενη-
μένης παρέσχε τὰ οἰκεῖα σῳζόμενα χαρίσασθαί τι καὶ ὑμῖν. ἐμοὶ μὲν 3
οὖν πάντα πρέποντα ταῖς παρούσαις συμφοραῖς ἐστι, καὶ παρεσκευα-
σμένος ἀφῖγμαι δέξασθαί τε χάριν εὐμενῶς διαλλαττομένου καὶ παρ-
αιτεῖσθαι μνησικακοῦντος ὀργήν· σὺ δὲ τοὺς ἐμοὺς ἐχθροὺς μάρτυρας 4
θέμενος ὧν εὐεργέτησα Πέρσας, νῦν ἀπόχρησαι ταῖς ἐμαῖς τύχαις πρὸς
ἐπίδειξιν ἀρετῆς μᾶλλον ἢ πρὸς ἀποπλήρωσιν ὀργῆς. σώσεις μὲν γὰρ
ἱκέτην σόν, ἀπολεῖς δ’ Ἑλλήνων πολέμιον γενόμενον.” ταῦτ’ εἰπὼν ὁ 5
Θεμιστοκλῆς ἐπεθείασε τῷ λόγῳ προσδιελθὼν τὴν ὄψιν ἣν εἶδεν ἐν
Νικογένους καὶ τὸ μάντευμα τοῦ Δωδωναίου Διός, ὡς κελευσθεὶς πρὸς
τὸν ὁμώνυμον τοῦ θεοῦ βαδίζειν συμφρονήσειε πρὸς ἐκεῖνον ἀναπέμ-
πεσθαι· μεγάλους γὰρ ἀμφοτέρους εἶναί τε καὶ λέγεσθαι βασιλέας.
ἀκούσας δ’ ὁ Πέρσης ἐκείνῳ μὲν οὐδὲν ἀπεκρίνατο, καίπερ θαυμάσας 6
τὸ φρόνημα καὶ τὴν τόλμαν αὐτοῦ· μακαρίσας δὲ πρὸς τοὺς φίλους
ἑαυτὸν ὡς ἐπ’ εὐτυχίᾳ μεγίστῃ καὶ κατευξάμενος αἰεὶ τοῖς πολεμίοις
τοιαύτας φρένας διδόναι τὸν Ἀρειμάνιον, ὅπως ἐλαύνωσι τοὺς ἀρίστους
ἐξ ἑαυτῶν, θῦσαί τε τοῖς θεοῖς λέγεται καὶ πρὸς πόσιν εὐθὺς τραπέσθαι
καὶ νύκτωρ ὑπὸ χαρᾶς διὰ μέσων τῶν ὕπνων ἐκβοῆσαι τρίς· “ ἔχω
Θεμιστοκλέα τὸν Ἀθηναῖον.” ἅμα δ’ ἡμέρᾳ συγκαλέσας τοὺς φίλους **29**
εἰσῆγεν αὐτὸν οὐδὲν ἐλπίζοντα χρηστὸν ἐξ ὧν ἑώρα τοὺς ἐπὶ θύραις,
εὐθὺς ὡς ἐπύθοντο τοὔνομα παριόντος αὐτοῦ, χαλεπῶς διακειμένους καὶ
κακῶς λέγοντας. ἔτι δὲ Ῥωξάνης ὁ χιλίαρχος, ὡς κατ’ αὐτὸν ἦν ὁ 2
Θεμιστοκλῆς προσιών, καθημένου βασιλέως καὶ τῶν ἄλλων σιωπώντων,
ἀτρέμα στενάξας εἶπεν· “ ὄφις Ἕλλην ὁ ποικίλος, ὁ βασιλέως σε
δαίμων δεῦρο ἤγαγεν.” οὐ μὴν ἀλλ’ εἰς ὄψιν ἐλθόντος αὐτοῦ καὶ πάλιν 3
προσκυνήσαντος, ἀσπασάμενος καὶ προσειπὼν φιλοφρόνως ὁ βασιλεύς,
ἤδη μὲν διακόσια τάλαντα ὀφείλειν ἔφησεν αὐτῷ· κομίσαντα γὰρ αὐτὸν
ἀπολήψεσθαι δικαίως τὸ ἐπικηρυχθὲν τῷ ἀγαγόντι· πολλῷ δὲ πλείω
τούτων ὑπισχνεῖτο καὶ παρεθάρρυνε καὶ λέγειν ἐδίδου περὶ τῶν
Ἑλληνικῶν ἃ βούλοιτο παρρησιαζόμενον. ὁ δὲ Θεμιστοκλῆς ἀπεκρί- 4

νατο, τὸν λόγον ἐοικέναι τοῦ ἀνθρώπου τοῖς ποικίλοις στρώμασιν· ὡς
γὰρ ἐκεῖνα καὶ τοῦτον ἐκτεινόμενον μὲν ἐπιδεικνύναι τὰ εἴδη, συστελλό-
5 μενον δὲ κρύπτειν καὶ διαφθείρειν· ὅθεν αὐτῷ χρόνου δεῖν. ἐπεὶ δ'
ἡσθέντος τοῦ βασιλέως τῇ εἰκασίᾳ καὶ λαμβάνειν κελεύσαντος, ἐνιαυτὸν
αἰτησάμενος καὶ τὴν Περσίδα γλῶτταν ἀποχρώντως ἐκμαθὼν ἐν-
ετύγχανε βασιλεῖ δι' αὐτοῦ, τοῖς μὲν ἐκτὸς δόξαν παρέσχε περὶ τῶν
Ἑλληνικῶν πραγμάτων διειλέχθαι, πολλῶν δὲ καινοτομουμένων περὶ
τὴν αὐλὴν καὶ τοὺς φίλους ὑπὸ τοῦ βασιλέως ἐν ἐκείνῳ τῷ χρόνῳ,
φθόνον ἔσχε παρὰ τοῖς δυνατοῖς ὡς καὶ κατ' ἐκείνων παρρησίᾳ χρῆσθαι
6 πρὸς αὐτὸν ἀποτετολμηκώς. οὐδὲ γὰρ ἦσαν αἱ τιμαὶ ταῖς τῶν ἄλλων
ἐοικυῖαι ξένων, ἀλλὰ καὶ κυνηγεσίων βασιλεῖ μετέσχε καὶ τῶν οἴκοι
διατριβῶν, ὥστε καὶ μητρὶ τῇ βασιλέως ἐς ὄψιν ἐλθεῖν καὶ γενέσθαι
συνήθης, διακοῦσαι δὲ καὶ τῶν μαγικῶν λόγων τοῦ βασιλέως κελεύσαν-
7 τος. ἐπεὶ δὲ Δημάρατος ὁ Σπαρτιάτης αἰτήσασθαι δωρεὰν κελευσθεὶς
ᾐτήσατο τὴν κίταριν ὥσπερ οἱ βασιλεῖς ἐπαιρόμενος εἰσελάσαι διὰ
Σάρδεων, Μιθροπαύστης μὲν ἀνεψιὸς ὢν βασιλέως εἶπε τοῦ Δημαράτου
τῆς τιάρας ἁψάμενος· "αὕτη μὲν ἡ κίταρις οὐκ ἔχει ἐγκέφαλον ὃν
8 ἐπικαλύψει· σὺ δ' οὐκ ἔσῃ Ζεὺς ἐὰν λάβῃς κεραυνόν·" ἀπωσαμένου δὲ
τὸν Δημάρατον ὀργῇ διὰ τὸ αἴτημα τοῦ βασιλέως καὶ δοκοῦντος
ἀπαραιτήτως ἔχειν πρὸς αὐτόν, ὁ Θεμιστοκλῆς δεηθεὶς ἔπεισε καὶ
9 διήλλαξε. λέγεται δὲ καὶ τοὺς ὕστερον βασιλεῖς, ἐφ' ὧν μᾶλλον αἱ
Περσικαὶ πράξεις ταῖς Ἑλληνικαῖς ἀνεκράθησαν, ὁσάκις δεηθεῖεν
ἀνδρὸς Ἕλληνος, ἐπαγγέλλεσθαι καὶ γράφειν ἕκαστον, ὡς μείζων
10 ἔσοιτο παρ' αὐτῷ Θεμιστοκλέους. αὐτὸν δὲ τὸν Θεμιστοκλέα φασὶν
ἤδη μέγαν ὄντα καὶ θεραπευόμενον ὑπὸ πολλῶν, λαμπρᾶς ποτε
τραπέζης αὐτῷ παρατεθείσης, πρὸς τοὺς παῖδας εἰπεῖν· "ὦ παῖδες,
11 ἀπωλόμεθα ἄν, εἰ μὴ ἀπωλόμεθα." πόλεις δ' αὐτῷ τρεῖς μὲν οἱ
πλεῖστοι δοθῆναι λέγουσιν εἰς ἄρτον καὶ οἶνον καὶ ὄψον, Μαγνησίαν καὶ
Λάμψακον καὶ Μυοῦντα· δύο δ' ἄλλας προστίθησιν ὁ Κυζικηνὸς
Νεάνθης (fr. 17) καὶ Φανίας (fr. 10), Περκώτην καὶ Παλαίσκηψιν εἰς
στρωμνὴν καὶ ἀμπεχόνην.

30 καταβαίνοντι δ' αὐτῷ πρὸς τὰς Ἑλληνικὰς πράξεις ἐπὶ θάλατταν
Πέρσης ἀνὴρ Ἐπιξύης ὄνομα, σατραπεύων τῆς ἄνω Φρυγίας, ἐπ-
εβούλευσε, παρεσκευακὼς ἔκπαλαι Πισίδας τινὰς ἀποκτενοῦντας, ὅταν
2 ἐν τῇ καλουμένῃ κώμῃ Λεοντοκεφάλῳ γενόμενος καταυλισθῇ. τῷ δὲ
λέγεται καθεύδοντι μεσημβρίας τὴν μητέρα τῶν θεῶν ὄναρ φανεῖσαν
εἰπεῖν· "ὦ Θεμιστόκλεις, ὑστέρει κεφαλῆς λεόντων, μὴ λέοντι περι-
πέσῃς. ἐγὼ δ' ἀντὶ τούτου σε αἰτῶ θεράπαιναν Μνησιπτολέμαν."
3 διαταραχθεὶς οὖν ὁ Θεμιστοκλῆς προσευξάμενος τῇ θεῷ τὴν μὲν
λεωφόρον ἀφῆκεν, ἑτέρᾳ δὲ περιελθὼν καὶ παραλλάξας τὸν τόπον

ἐκεῖνον ἤδη νυκτὸς οὔσης κατηυλίσατο. τῶν δὲ τὴν σκηνὴν κομιζόντων 4
ὑποζυγίων ἑνὸς εἰς τὸν ποταμὸν ἐμπεσόντος, οἱ τοῦ Θεμιστοκλέους
οἰκέται τὰς αὐλαίας διαβρόχους γενομένας ἐκπετάσαντες ἀνέψυχον·
οἱ δὲ Πισίδαι τὰ ξίφη λαβόντες ἐν τούτῳ προσεφέροντο, καὶ τὰ ψυχό- 5
μενα πρὸς τὴν σελήνην οὐκ ἀκριβῶς ἰδόντες ᾠήθησαν εἶναι τὴν σκηνὴν
τοῦ Θεμιστοκλέους κἀκεῖνον ἔνδον εὑρήσειν ἀναπαυόμενον. ὡς δ' 6
ἐγγὺς γενόμενοι τὴν αὐλαίαν ἀνέστελλον, ἐπιπίπτουσιν αὐτοῖς οἱ παρα-
φυλάττοντες καὶ συλλαμβάνουσι. διαφυγὼν δὲ τὸν κίνδυνον οὕτω καὶ
θαυμάσας τὴν ἐπιφάνειαν τῆς θεοῦ, ναόν τε κατεσκεύασεν ἐν Μαγνησίᾳ
Δινδυμήνης καὶ τὴν θυγατέρα Μνησιπτολέμαν ἱέρειαν ἀπέδειξεν.

ὡς δ' ἦλθεν εἰς Σάρδεις καὶ σχολὴν ἄγων ἐθεᾶτο τῶν ἱερῶν τὴν **31**
κατασκευὴν καὶ τῶν ἀναθημάτων τὸ πλῆθος, εἶδε καὶ ἐν μητρὸς ἱερῷ
τὴν καλουμένην ὑδροφόρον κόρην χαλκῆν, μέγεθος δίπηχυν, ἣν αὐτὸς
ὅτε τῶν Ἀθήνησιν ὑδάτων ἐπιστάτης ἦν, ἑλὼν τοὺς ὑφαιρουμένους τὸ
ὕδωρ καὶ παροχετεύοντας, ἀνέθηκεν ἐκ τῆς ζημίας ποιησάμενος· εἴτε
δὴ παθών τι πρὸς τὴν αἰχμαλωσίαν τοῦ ἀναθήματος εἴτε βουλόμενος
ἐνδείξασθαι τοῖς Ἀθηναίοις, ὅσην ἔχει τιμὴν καὶ δύναμιν ἐν τοῖς
βασιλέως πράγμασι, λόγον τῷ Λυδίας σατράπῃ προσήνεγκεν αἰτού-
μενος ἀποστεῖλαι τὴν κόρην εἰς τὰς Ἀθήνας. χαλεπαίνοντος δὲ τοῦ 2
βαρβάρου καὶ βασιλεῖ γράψειν φήσαντος ἐπιστολήν, φοβηθεὶς ὁ Θεμι-
στοκλῆς εἰς τὴν γυναικωνῖτιν κατέφυγε, καὶ τὰς παλλακίδας αὐτοῦ
θεραπεύσας χρήμασιν ἐκεῖνόν τε κατεπράυνε τῆς ὀργῆς καὶ πρὸς τἆλλα
παρεῖχεν αὑτὸν εὐλαβέστερον, ἤδη καὶ τὸν φθόνον τῶν βαρβάρων
δεδοικώς. οὐ γὰρ πλανώμενος περὶ τὴν Ἀσίαν ὥς φησι Θεόπομπος 3
(fr. 87), ἀλλ' ἐν Μαγνησίᾳ μὲν οἰκῶν καρπούμενος δὲ δωρεὰς μεγάλας
καὶ τιμώμενος ὅμοια Περσῶν τοῖς ἀρίστοις, ἐπὶ πολὺν χρόνον ἀδεῶς
διῆγεν, οὐ πάνυ τι τοῖς Ἑλληνικοῖς πράγμασι βασιλέως προσέχοντος
ὑπ' ἀσχολιῶν περὶ τὰς ἄνω πράξεις. ὡς δ' Αἴγυπτός τ' ἀφισταμένη 4
βοηθούντων Ἀθηναίων καὶ τριήρεις Ἑλληνικαὶ μέχρι Κύπρου καὶ
Κιλικίας ἀναπλέουσαι καὶ Κίμων θαλασσοκρατῶν ἐπέστρεψεν αὐτὸν
ἀντεπιχειρεῖν τοῖς Ἕλλησι καὶ κολούειν αὐξανομένους ἐπ' αὐτόν, ἤδη
δὲ καὶ δυνάμεις ἐκινοῦντο καὶ στρατηγοὶ διεπέμποντο, καὶ κατέβαινον
ἀγγελίαι πρὸς Θεμιστοκλέα, τῶν Ἑλληνικῶν ἐξάπτεσθαι κελεύοντος
βασιλέως καὶ βεβαιοῦν τὰς ὑποσχέσεις, οὔτε δι' ὀργήν τινα παρ- 5
οξυνθεὶς κατὰ τῶν πολιτῶν οὔτ' ἐπαρθεὶς τιμῇ τοσαύτῃ καὶ δυνάμει
πρὸς τὸν πόλεμον, ἀλλ' ἴσως μὲν οὐδ' ἐφικτὸν ἡγούμενος τὸ ἔργον,
ἄλλους τε μεγάλους τῆς Ἑλλάδος ἐχούσης στρατηγοὺς τότε καὶ
Κίμωνος ὑπερφυῶς εὐημεροῦντος ἐν τοῖς πολεμικοῖς, τὸ δὲ πλεῖστον
αἰδοῖ τῆς τε δόξης τῶν πράξεων τῶν ἑαυτοῦ καὶ τῶν τροπαίων ἐκείνων,
ἄριστα βουλευσάμενος ἐπιθεῖναι τῷ βίῳ τὴν τελευτὴν πρέπουσαν, ἔθυσε

6 τοῖς θεοῖς, καὶ τοὺς φίλους συναγαγὼν καὶ δεξιωσάμενος, ὡς μὲν ὁ πολὺς λόγος αἷμα ταύρειον πιών, ὡς δ' ἔνιοι φάρμακον ἐφήμερον προσενεγκάμενος, ἐν Μαγνησίᾳ κατέστρεψε, πέντε πρὸς τοῖς ἑξήκοντα βεβιωκὼς ἔτη καὶ τὰ πλεῖστα τούτων ἐν πολιτείαις καὶ ἡγεμονίαις.
7 τὴν δ' αἰτίαν τοῦ θανάτου καὶ τὸν τρόπον πυθόμενον βασιλέα λέγουσιν ἔτι μᾶλλον θαυμάσαι τὸν ἄνδρα καὶ τοῖς φίλοις αὐτοῦ καὶ οἰκείοις διατελεῖν χρώμενον φιλανθρώπως.

32 ἀπέλιπε δὲ Θεμιστοκλῆς παῖδας ἐκ μὲν Ἀρχίππης τῆς Λυσάνδρου τοῦ Ἀλωπεκῆθεν Ἀρχέπτολιν καὶ Πολύευκτον καὶ Κλεόφαντον, οὗ καὶ Πλάτων ὁ φιλόσοφος (*Meno* 93d) ὡς ἱππέως ἀρίστου τἆλλα δ' οὐδενὸς
2 ἀξίου γενομένου μνημονεύει. τῶν δὲ πρεσβυτάτων Νεοκλῆς μὲν ἔτι παῖς ὢν ὑφ' ἵππου δηχθεὶς ἀπέθανε, Διοκλέα δὲ Λύσανδρος ὁ πάππος υἱὸν ἐποιήσατο. θυγατέρας δὲ πλείους ἔσχεν, ὧν Μνησιπτολέμαν μὲν ἐκ τῆς ἐπιγαμηθείσης γενομένην Ἀρχέπτολις ὁ ἀδελφὸς οὐκ ὢν ὁμομήτριος ἔγημεν, Ἰταλίαν δὲ Πανθοίδης ὁ Χῖος, Σύβαριν δὲ Νικόδημος
3 ὁ Ἀθηναῖος. Νικομάχην δὲ Φρασικλῆς ὁ ἀδελφιδοῦς Θεμιστοκλέους, ἤδη τετελευτηκότος ἐκείνου, πλεύσας εἰς Μαγνησίαν ἔλαβε παρὰ τῶν
4 ἀδελφῶν, νεωτάτην δὲ πάντων τῶν τέκνων Ἀσίαν ἔθρεψε. καὶ τάφον μὲν αὐτοῦ λαμπρὸν ἐν τῇ ἀγορᾷ Μάγνητες ἔχουσι· περὶ δὲ τῶν λειψάνων οὔτ' Ἀνδοκίδῃ προσέχειν ἄξιον ἐν τῷ Πρὸς τοὺς ἑταίρους (fr. 3) λέγοντι, φωράσαντας τὰ λείψανα διαρρῖψαι τοὺς Ἀθηναίους—ψεύδεται γὰρ ἐπὶ τὸν δῆμον παροξύνων τοὺς ὀλιγαρχικούς—ἅ τε Φύλαρχος (fr. 76), ὥσπερ ἐν τραγῳδίᾳ τῇ ἱστορίᾳ μονονοὺ μηχανὴν ἄρας καὶ προαγαγὼν Νεοκλέα τινὰ καὶ Δημόπολιν, υἱεῖς Θεμιστοκλέους, ἀγῶνα βούλεται κινεῖν καὶ πάθος, [ὃ] οὐδ' ἂν ὁ τυχὼν ἀγνοήσειεν ὅτι πέπλασται.
5 Διόδωρος δ' ὁ περιηγητὴς ἐν τοῖς περὶ μνημάτων (fr. 35) εἴρηκεν ὡς ὑπονοῶν μᾶλλον ἢ γιγνώσκων, ὅτι περὶ τὸν μέγαν λιμένα τοῦ Πειραιῶς ἀπὸ τοῦ κατὰ τὸν Ἄλκιμον ἀκρωτηρίου πρόκειταί τις οἷον ἀγκών, καὶ κάμψαντι τοῦτον ἐντός, ᾗ τὸ ὑπεύδιον τῆς θαλάττης, κρηπίς ἐστιν
6 εὐμεγέθης καὶ τὸ ἐπ' αὐτῇ βωμοειδὲς τάφος τοῦ Θεμιστοκλέους. οἴεται δὲ καὶ Πλάτωνα τὸν κωμικὸν (fr. 183) αὐτῷ μαρτυρεῖν ἐν τούτοις·

ὁ σὸς δὲ τύμβος ἐν καλῷ κεχωσμένος
τοῖς ἐμπόροις πρόσρησις ἔσται πανταχοῦ,
τούς τ' ἐκπλέοντας εἰσπλέοντάς τ' ὄψεται,
χὠπόταν ἅμιλλ' ᾖ τῶν νεῶν θεάσεται.

τοῖς δ' ἀπὸ γένους τοῦ Θεμιστοκλέους καὶ τιμαί τινες ἐν Μαγνησίᾳ φυλαττόμεναι μέχρι τῶν ἡμετέρων χρόνων ἦσαν, ἃς ἐκαρποῦτο Θεμιστοκλῆς Ἀθηναῖος, ἡμέτερος συνήθης καὶ φίλος παρ' Ἀμμωνίῳ τῷ φιλοσόφῳ γενόμενος.

Aristides

1[1]: Ἀριστείδης ὁ Λυσιμάχου φυλῆς μὲν ἦν Ἀντιοχίδος τῶν δὲ δήμων
Ἀλωπεκῆθεν. περὶ δ' οὐσίας αὐτοῦ λόγοι διάφοροι γεγόνασιν, ὁ μὲν
ὡς ἐν πενίᾳ συντόνῳ καταβιώσαντος καὶ μετὰ τὴν τελευτὴν ἀπολι-
πόντος θυγατέρας δύο πολὺν χρόνον ἀνεκδότους δι' ἀπορίαν γενομένας·
πρὸς δὲ τοῦτον τὸν λόγον ὑπὸ πολλῶν εἰρημένον ἀντιτασσόμενος ὁ 2
Φαληρεὺς Δημήτριος ἐν τῷ Σωκράτει (fr. 43) χωρίον Φαληροῖ φησι
γινώσκειν Ἀριστείδου γενόμενον ἐν ᾧ τέθαπται, καὶ τεκμήρια τῆς
περὶ τὸν οἶκον εὐπορίας ἓν μὲν ἡγεῖται τὴν ἐπώνυμον ἀρχήν, ἣν ἦρξε
τῷ κυάμῳ λαχὼν ἐκ τῶν γενῶν τῶν τὰ μέγιστα τιμήματα κεκτημένων,
οὓς πεντακοσιομεδίμνους προσηγόρευον, ἕτερον δὲ τὸν ἐξοστρακισμόν·
οὐδενὶ γὰρ τῶν πενήτων ἀλλὰ τοῖς ἐξ οἴκων τε μεγάλων καὶ διὰ γένους
ὄγκον ἐπιφθόνοις ὄστρακον ἐπιφέρεσθαι· τρίτον δὲ καὶ τελευταῖον, ὅτι 3
νίκης ἀναθήματα χορηγικῆς τρίποδας ἐν Διονύσου καταλέλοιπεν, οἳ
καὶ καθ' ἡμᾶς ἐδείκνυντο τοιαύτην ἐπιγραφὴν διασῴζοντες " Ἀντιοχὶς
ἐνίκα, Ἀριστείδης ἐχορήγει, Ἀρχέστρατος ἐδίδασκε ". τουτὶ μὲν οὖν 4
καίπερ εἶναι δοκοῦν μέγιστον ἀσθενέστατόν ἐστι. καὶ γὰρ Ἐπαμινών-
δας, ὃν πάντες ἄνθρωποι γιγνώσκουσιν ἐν πενίᾳ καὶ τραφέντα πολλῇ
καὶ βιώσαντα, καὶ Πλάτων ὁ φιλόσοφος οὐκ ἀφιλοτίμους ἀνεδέξαντο
χορηγίας, ὁ μὲν αὐληταῖς ἀνδράσιν ὁ δὲ παισὶ κυκλίοις χορηγήσας,
τούτῳ μὲν Δίωνος τοῦ Συρακοσίου τὴν δαπάνην παρέχοντος, Ἐπα-
μινώνδᾳ δὲ τῶν περὶ Πελοπίδαν. οὐ γάρ ἐστι τοῖς ἀγαθοῖς ἀκήρυκτος 5
καὶ ἄσπονδος πρὸς τὰς παρὰ τῶν φίλων δωρεὰς πόλεμος, ἀλλὰ τὰς
εἰς ἀπόθεσιν καὶ πλεονεξίαν ἀγεννεῖς ἡγούμενοι καὶ ταπεινάς, ὅσαι
φιλοτιμίας τινὸς ἀκερδοῦς ἔχονται καὶ λαμπρότητος οὐκ ἀπωθοῦνται. 6
Παναίτιος (fr. 44) μέντοι περὶ τοῦ τρίποδος ἀποφαίνει τὸν Δημήτριον
ὁμωνυμίᾳ διεψευσμένον· ἀπὸ γὰρ τῶν Μηδικῶν εἰς τὴν τελευτὴν
τοῦ Πελοποννησιακοῦ πολέμου δύο μόνους Ἀριστείδας χορηγοὺς
ἀναγράφεσθαι νικῶντας, ὧν οὐδέτερον εἶναι τῷ Λυσιμάχου τὸν αὐτόν,
ἀλλὰ τὸν μὲν Ξενοφίλου πατρὸς τὸν δὲ χρόνῳ πολλῷ νεώτερον, ὡς
ἐλέγχει τὰ γράμματα τῆς μετ' Εὐκλείδην ὄντα γραμματικῆς καὶ
προσγεγραμμένος ὁ Ἀρχέστρατος, ὃν ἐν τοῖς Μηδικοῖς οὐδεὶς ἐν δὲ
τοῖς Πελοποννησιακοῖς συχνοὶ χορῶν διδάσκαλον ἀναγράφουσι. τὰ μὲν
οὖν τοῦ Παναιτίου βέλτιον ἐπισκεπτέον ὅπως ἔχει. τῷ δ' ὀστράκῳ πᾶς 7
ὁ διὰ δόξαν ἢ γένος ἢ λόγου δύναμιν ὑπὲρ τοὺς πολλοὺς νομιζόμενος
ὑπέπιπτεν· ὅπου καὶ Δάμων ὁ Περικλέους διδάσκαλος, ὅτι τὸ φρονεῖν
ἐδόκει τις εἶναι περιττός, ἐξωστρακίσθη. καὶ μὴν ἄρξαι γε τὸν 8
Ἀριστείδην ὁ Ἰδομενεὺς (fr. 5) οὐ κυαμευτὸν ἀλλ' ἑλομένων Ἀθηναίων
φησίν. εἰ δὲ καὶ μετὰ τὴν ἐν Πλαταιαῖς μάχην ἦρξεν, ὡς αὐτὸς ὁ
Δημήτριος γέγραφε, καὶ πάνυ πιθανόν ἐστιν ἐπὶ δόξῃ τοσαύτῃ καὶ

κατορθώμασι τηλικούτοις ἀξιωθῆναι δι' ἀρετὴν ⟨ἀρχῆς⟩ ἧς διὰ πλοῦτον
9 ἐτύγχανον οἱ λαγχάνοντες. ἀλλὰ γὰρ ὁ μὲν Δημήτριος οὐ μόνον
Ἀριστείδην ἀλλὰ καὶ Σωκράτη δῆλός ἐστι τῆς πενίας ἐξελέσθαι φιλο-
τιμούμενος ὡς μεγάλου κακοῦ· καὶ γὰρ ἐκείνῳ φησὶν οὐ μόνον τὴν
οἰκίαν ὑπάρχειν ἀλλὰ καὶ μνᾶς ἑβδομήκοντα τοκιζομένας ὑπὸ Κρίτωνος.
2 Ἀριστείδης δὲ Κλεισθένους μὲν τοῦ καταστησαμένου τὴν πολιτείαν
μετὰ τοὺς τυράννους ἑταῖρος γενόμενος, ζηλώσας δὲ καὶ θαυμάσας
μάλιστα τῶν πολιτικῶν ἀνδρῶν Λυκοῦργον τὸν Λακεδαιμόνιον, ἥψατο
μὲν ἀριστοκρατικῆς πολιτείας, ἔσχε δ' ἀντιτασσόμενον ὑπὲρ τοῦ δήμου
2 Θεμιστοκλέα τὸν Νεοκλέους. ἔνιοι μὲν οὖν φασι παῖδας ὄντας αὐτοὺς καὶ
συντρεφομένους ἀπ' ἀρχῆς ἐν παντὶ καὶ σπουδῆς ἐχομένῳ καὶ παιδιᾶς
πράγματι καὶ λόγῳ διαφέρεσθαι πρὸς ἀλλήλους, καὶ τὰς φύσεις εὐθὺς
ἀπὸ τῆς φιλονικίας ἐκείνης ἀνακαλύπτεσθαι, [καὶ] τὴν μὲν εὐχερῆ καὶ
παράβολον καὶ πανοῦργον οὖσαν καὶ μετ' ὀξύτητος ἐπὶ πάντα ῥᾳδίως
φερομένην, τὴν δ' ἱδρυμένην ἐν ἤθει βεβαίῳ καὶ πρὸς τὸ δίκαιον ἀτενῆ,
ψεῦδος δὲ καὶ βωμολοχίαν καὶ ἀπάτην οὐδ' ἐν παιδιᾶς τινι τρόπῳ
3 προσιεμένην· Ἀρίστων δ' ὁ Κεῖος ἐξ ἐρωτικῆς ἀρχῆς γενέσθαι φησὶ
4 καὶ προελθεῖν ἐπὶ τοσοῦτον τὴν ἔχθραν αὐτῶν. Στησίλεω γάρ, ὃς ἦν
γένει Κεῖος, ἰδέᾳ τε καὶ μορφῇ σώματος πολὺ τῶν ἐν ὥρᾳ λαμπρότατος,
ἀμφοτέρους ἐρασθέντας οὐ μετρίως ἐνεγκεῖν τὸ πάθος, οὐδ' ἅμα λήγοντι
τῷ κάλλει τοῦ παιδὸς ἀποθέσθαι τὴν φιλονικίαν, ἀλλ' ὥσπερ ἐγγυμνασα-
μένους ἐκείνῃ πρὸς τὴν πολιτείαν εὐθὺς ὁρμῆσαι διαπύρους ὄντας καὶ
5 διαφόρως ἔχοντας. ὁ μὲν οὖν Θεμιστοκλῆς εἰς ἑταιρείαν ἐμβαλὼν
ἑαυτὸν εἶχε πρόβλημα καὶ δύναμιν οὐκ εὐκαταφρόνητον, ὥστε καὶ πρὸς
τὸν εἰπόντα καλῶς ἄρξειν αὐτὸν Ἀθηναίων, ἄνπερ ἴσος ᾖ καὶ κοινὸς
ἅπασι "μηδέποτε" εἰπεῖν "εἰς τοῦτον ἐγὼ καθίσαιμι τὸν θρόνον ἐν
6 ᾧ πλέον οὐδὲν ἕξουσιν οἱ φίλοι παρ' ἐμοὶ τῶν ἀλλοτρίων·" Ἀριστείδης
δὲ καθ' αὑτὸν ὥσπερ ὁδὸν ἰδίαν ἐβάδιζε διὰ τῆς πολιτείας, πρῶτον μὲν
οὐ βουλόμενος συναδικεῖν τοῖς ἑταίροις ἢ λυπηρὸς εἶναι μὴ χαριζό-
μενος, ἔπειτα τὴν ἀπὸ τῶν φίλων δύναμιν οὐκ ὀλίγους ἰδὼν ἐπαίρουσαν
ἀδικεῖν ἐφυλάττετο, μόνῳ τῷ χρηστὰ καὶ δίκαια πράσσειν καὶ λέγειν
3 ἀξιῶν θαρρεῖν τὸν ἀγαθὸν πολίτην. οὐ μὴν ἀλλὰ καὶ πολλὰ κινουμένου
τοῦ Θεμιστοκλέους παραβόλως καὶ πρὸς πᾶσαν αὐτῷ πολιτείαν
ἐνισταμένου καὶ διακόπτοντος, ἠναγκάζετό που καὶ αὐτὸς τὰ μὲν
ἀμυνόμενος τὰ δὲ κολούων τὴν ἐκείνου δύναμιν χάριτι τῶν πολλῶν
αὐξομένην ὑπεναντιοῦσθαι παρὰ γνώμην οἷς ἔπραττεν ὁ Θεμιστοκλῆς,
βέλτιον ἡγούμενος παρελθεῖν ἔνια τῶν συμφερόντων τὸν δῆμον ἢ τῷ
2 κρατεῖν ἐκεῖνον ἐν πᾶσιν ἰσχυρὸν γενέσθαι. τέλος δέ ποτε Θεμι-
στοκλέους πράττοντός τι τῶν δεόντων ἀντικρούσας καὶ περιγενόμενος
οὐ κατέσχεν ἀλλ' εἶπεν ἀπὸ τῆς ἐκκλησίας ἀπιών, ὡς οὐκ ἔστι σωτηρία

τοῖς Ἀθηναίων πράγμασιν, εἰ μὴ καὶ Θεμιστοκλέα καὶ αὐτὸν εἰς τὸ
βάραθρον ἐμβάλοιεν. πάλιν δὲ γράψας τινὰ γνώμην εἰς τὸν δῆμον, 3
ἀντιλογίας οὔσης πρὸς αὐτὴν καὶ φιλονικίας ἐκράτει· μέλλοντος δὲ τοῦ
προέδρου τὸν δῆμον ἐπερωτᾶν, αἰσθόμενος ἀπὸ τῶν λόγων αὐτῶν τὸ
ἀσύμφορον ἀπέστη τοῦ ψηφίσματος. πολλάκις δὲ καὶ δι' ἑτέρων 4
εἰσέφερε τὰς γνώμας, ὡς μὴ φιλονικίᾳ τῇ πρὸς αὐτὸν ὁ Θεμιστοκλῆς
ἐμπόδιος εἴη τῷ συμφέροντι. θαυμαστὴ δέ τις ἐφαίνετο αὐτοῦ παρὰ τὰς
ἐν τῇ πολιτείᾳ μεταβολὰς ἡ εὐστάθεια, μήτε ταῖς τιμαῖς ἐπαιρομένου
πρός τε τὰς δυσημερίας ἀθορύβως καὶ πράως ἔχοντος, καὶ ὁμοίως
ἡγουμένου χρῆναι τῇ πατρίδι παρέχειν ἑαυτὸν οὐ χρημάτων μόνον ἀλλὰ
καὶ δόξης προῖκα καὶ ἀμισθὶ πολιτευόμενον. ὅθεν ὡς ἔοικε τῶν εἰς 5
Ἀμφιάραον ὑπ' Αἰσχύλου (*Sept.* 592–4) πεποιημένων ἰαμβείων ἐν
τῷ θεάτρῳ λεγομένων·

> οὐ γὰρ δοκεῖν δίκαιος ἀλλ' εἶναι θέλει,
> βαθεῖαν ἄλοκα διὰ φρενὸς καρπούμενος,
> ἀφ' ἧς τὰ κεδνὰ βλαστάνει βουλεύματα,

πάντες ἀπέβλεψαν εἰς Ἀριστείδην, ὡς ἐκείνῳ μάλιστα τῆς ἀρετῆς
ταύτης προσηκούσης. οὐ μόνον δὲ πρὸς εὔνοιαν καὶ χάριν ἀλλὰ καὶ **4**
πρὸς ὀργὴν καὶ πρὸς ἔχθραν ἰσχυρότατος ἦν ὑπὲρ τῶν δικαίων ἀντι-
βῆναι. λέγεται γοῦν ποτε διώκων ἐχθρὸν ἐν δικαστηρίῳ, μετὰ τὴν 2
κατηγορίαν οὐ βουλομένων ἀκούειν τοῦ κινδυνεύοντος τῶν δικαστῶν
ἀλλὰ τὴν ψῆφον εὐθὺς αἰτούντων ἐπ' αὐτόν, ἀναπηδήσας τῷ κρινομένῳ
συνικετεύειν ὅπως ἀκουσθείη καὶ τύχοι τῶν νομίμων· πάλιν δὲ κρίνων
ἰδιώταις δυσί, τοῦ ἑτέρου λέγοντος ὡς πολλὰ τυγχάνει τὸν Ἀριστείδην ὁ
ἀντίδικος λελυπηκώς "λέγ', ὦ 'γαθέ" φάναι "μᾶλλον εἴ τι σὲ κακὸν
πεποίηκε· σοὶ γάρ, οὐκ ἐμαυτῷ, δικάζω." τῶν δὲ δημοσίων αἱρεθεὶς 3
προσόδων ἐπιμελητής, οὐ μόνον τοὺς καθ' αὑτὸν ἀλλὰ καὶ τοὺς πρὸ
αὐτοῦ γενομένους ἄρχοντας ἀπεδείκνυε πολλὰ νενοσφισμένους, καὶ
μάλιστα τὸν Θεμιστοκλέα·

> σοφὸς γὰρ ἀνήρ, τῆς δὲ χειρὸς οὐ κρατῶν.

διὸ καὶ συναγαγὼν πολλοὺς ἐπὶ τὸν Ἀριστείδην ἐν ταῖς εὐθύναις 4
διώκων κλοπῆς καταδίκῃ περιέβαλεν, ὥς φησιν Ἰδομενεύς (fr. 7).
ἀγανακτούντων δὲ τῶν πρώτων ἐν τῇ πόλει καὶ βελτίστων, οὐ μόνον
ἀφείθη τῆς ζημίας, ἀλλὰ καὶ πάλιν ἄρχων ἐπὶ τὴν αὐτὴν διοίκησιν
ἀπεδείχθη. προσποιούμενος δὲ τῶν προτέρων μεταμέλειν αὐτῷ καὶ 5
μαλακώτερον ἐνδιδοὺς ἑαυτόν, ἤρεσκε τοῖς τὰ κοινὰ κλέπτουσιν οὐκ
ἐξελέγχων οὐδ' ἀκριβολογούμενος, ὥστε καταπιμπλαμένους τῶν δη-

3^5: δίκαιος codd., ἄριστος Aesch., Plut. *mor. 32d, 186b.* ἀφ' ἧς codd., ἐξ ἧς Aesch.

μοσίων ὑπερεπαινεῖν τὸν Ἀριστείδην καὶ δεξιοῦσθαι τὸν δῆμον ὑπὲρ
6 αὐτοῦ, σπουδάζοντας ἄρχοντα πάλιν αἱρεθῆναι. μελλόντων δὲ χειροτο-
νεῖν ἐπετίμησε τοῖς Ἀθηναίοις· "ὅτε μὲν γὰρ" ἔφη "πιστῶς καὶ
καλῶς ὑμῖν ἦρξα, προεπηλακίσθην· ἐπεὶ δὲ πολλὰ τῶν κοινῶν κατα-
7 προεῖμαι τοῖς κλέπτουσι, θαυμαστὸς εἶναι δοκῶ πολίτης. αὐτὸς μὲν
οὖν αἰσχύνομαι τῇ νῦν τιμῇ μᾶλλον τῆς πρῴην καταδίκης, συνάχθομαι
δ' ὑμῖν, παρ' οἷς ἐνδοξότερόν ἐστι τοῦ σῴζειν τὰ δημόσια τὸ χαρίζεσθαι
8 τοῖς πονηροῖς." ταῦτα δ' εἰπὼν καὶ τὰς κλοπὰς ἐξελέγξας, τοὺς μὲν
τότε βοῶντας ὑπὲρ αὐτοῦ καὶ μαρτυροῦντας ἐπεστόμισε, τὸν δ' ἀλη-
θινὸν καὶ δίκαιον ἀπὸ τῶν βελτίστων ἔπαινον εἶχεν.

5^9: Ἀριστείδης δὲ τὴν ἐπώνυμον εὐθὺς (sc. after Marathon) ἀρχὴν
ἦρξε. καίτοι φησὶν ὁ Φαληρεὺς Δημήτριος (fr. 44) ἄρξαι τὸν ἄνδρα
10 μικρὸν ἔμπροσθεν τοῦ θανάτου μετὰ τὴν ἐν Πλαταιαῖς μάχην. ἐν δὲ
ταῖς ἀναγραφαῖς μετὰ μὲν Ξανθιππίδην, ἐφ' οὗ Μαρδόνιος ἡττήθη 479/8
Πλαταιᾶσιν, οὐδ' ὁμώνυμον Ἀριστείδην ἐν πάνυ πολλοῖς λαβεῖν ἔστι,
μετὰ δὲ Φαίνιππον, ἐφ' οὗ τὴν ἐν Μαραθῶνι μάχην ἐνίκων, εὐθὺς 490/89
Ἀριστείδης ἄρχων ἀναγέγραπται. 489/8

8^1: . . . Ξέρξου διὰ Θετταλίας καὶ Βοιωτίας ἐλαύνοντος ἐπὶ τὴν
Ἀττικὴν . . . Θεμιστοκλέους στρατηγοῦντος αὐτοκράτορος, πάντα
συνέπραττε καὶ συνεβούλευεν.

10^{10}: ἐν δὲ τῷ ψηφίσματι τοῦ Ἀριστείδου πρεσβευτὴς (sc. to Sparta
in 479) οὐκ αὐτὸς ἀλλὰ Κίμων καὶ Ξάνθιππος καὶ Μυρωνίδης φέρονται.
11 χειροτονηθεὶς δὲ στρατηγὸς αὐτοκράτωρ ἐπὶ τὴν μάχην, καὶ τῶν
Ἀθηναίων ὀκτακισχιλίους ὁπλίτας ἀναλαβών, ἧκεν εἰς Πλαταιάς.

19^8: ταύτην τὴν μάχην ἐμαχέσαντο τῇ τετράδι τοῦ Βοηδρομιῶνος
ἱσταμένου κατ' Ἀθηναίους, κατὰ δὲ Βοιωτοὺς τετράδι τοῦ Πανήμου
φθίνοντος, ᾗ καὶ νῦν ἔτι τὸ Ἑλληνικὸν ἐν Πλαταιαῖς ἀθροίζεται συν-
έδριον καὶ θύουσι τῷ Ἐλευθερίῳ Διὶ Πλαταιεῖς ὑπὲρ τῆς νίκης.

20^1: . . . εἰ μὴ πολλὰ παρηγορῶν καὶ διδάσκων τοὺς συστρατήγους
(sc. at Plataea) Ἀριστείδης, μάλιστα δὲ Λεωκράτην καὶ Μυρωνίδην . . . .

21^1: ἐκ τούτου γενομένης ἐκκλησίας κοινῆς τῶν Ἑλλήνων, ἔγραψεν
Ἀριστείδης ψήφισμα συνιέναι μὲν εἰς Πλαταιὰς καθ' ἕκαστον ἐνιαυτὸν
ἀπὸ τῆς Ἑλλάδος προβούλους καὶ θεωρούς, ἄγεσθαι δὲ πενταετηρικὸν
2 ἀγῶνα τῶν Ἐλευθερίων. εἶναι δὲ σύνταξιν Ἑλληνικὴν μυρίας μὲν
ἀσπίδας, χιλίους δ' ἵππους, ναῦς δ' ἑκατὸν ἐπὶ τὸν πρὸς τοὺς βαρβάρους
πόλεμον, Πλαταιεῖς δ' ἀσύλους καὶ ἱεροὺς ἀφίεσθαι τῷ θεῷ θύοντας
ὑπὲρ τῆς Ἑλλάδος. κυρωθέντων δὲ τούτων, οἱ Πλαταιεῖς ὑπεδέξαντο
τοῖς πεσοῦσι καὶ κειμένοις αὐτόθι τῶν Ἑλλήνων ἐναγίζειν καθ' ἕκαστον
3 ἐνιαυτόν. καὶ τοῦτο μέχρι νῦν δρῶσι τόνδε τὸν τρόπον· . . .

22^1: ἐπεὶ δ' ἀναχωρήσαντας εἰς τὸ ἄστυ τοὺς Ἀθηναίους ὁ Ἀριστείδης

ἑώρα ζητοῦντας τὴν δημοκρατίαν ἀπολαβεῖν, ἅμα μὲν ἄξιον ἡγούμενος
διὰ τὴν ἀνδραγαθίαν ἐπιμελείας τὸν δῆμον, ἅμα δ' οὐκ ἔτι ῥᾴδιον
ἰσχύοντα τοῖς ὅπλοις καὶ μέγα φρονοῦντα ταῖς νίκαις ἐκβιασθῆναι,
γράφει ψήφισμα κοινὴν εἶναι τὴν πολιτείαν καὶ τοὺς ἄρχοντας ἐξ
Ἀθηναίων πάντων αἱρεῖσθαι.

Θεμιστοκλέους δὲ πρὸς τὸν δῆμον εἰπόντος, ὡς ἔχει τι βούλευμα 2
καὶ γνώμην ἀπόρρητον, ὠφέλιμον δὲ τῇ πόλει καὶ σωτήριον, ἐκέλευσαν
Ἀριστείδην μόνον ἀκοῦσαι καὶ συνδοκιμάσαι. φράσαντος δὲ τῷ 3
Ἀριστείδῃ τοῦ Θεμιστοκλέους, ὡς διανοεῖται τὸ ναύσταθμον ἐμπρῆσαι
τῶν Ἑλλήνων, οὕτω γὰρ ἔσεσθαι μεγίστους καὶ κυρίους ἁπάντων τοὺς
Ἀθηναίους, παρελθὼν εἰς τὸν δῆμον ὁ Ἀριστείδης ἔφη τῆς πράξεως ἣν
Θεμιστοκλῆς πράττειν διανοεῖται μήτε λυσιτελεστέραν ἄλλην μήτ'
ἀδικωτέραν εἶναι. ταῦτ' ἀκούσαντες οἱ Ἀθηναῖοι παύσασθαι τὸν 4
Θεμιστοκλέα προσέταξαν. οὕτω μὲν ὁ δῆμος ἦν φιλοδίκαιος, οὕτω δὲ
τῷ δήμῳ πιστὸς ὁ ἀνὴρ καὶ βέβαιος.

ἐπεὶ δὲ στρατηγὸς ἐκπεμφθεὶς μετὰ Κίμωνος ἐπὶ τὸν πόλεμον ἑώρα **23**
τόν τε Παυσανίαν καὶ τοὺς ἄλλους ἄρχοντας τῶν Σπαρτιατῶν ἐπαχθεῖς
καὶ χαλεποὺς τοῖς συμμάχοις ὄντας, αὐτός τε πράως καὶ φιλανθρώπως
ὁμιλῶν καὶ τὸν Κίμωνα παρέχων εὐάρμοστον αὐτοῖς καὶ κοινὸν ἐν ταῖς
στρατείαις ἔλαθε τῶν Λακεδαιμονίων οὐχ ὅπλοις οὐδὲ ναυσὶν οὐδ'
ἵπποις εὐγνωμοσύνῃ δὲ καὶ πολιτείᾳ τὴν ἡγεμονίαν παρελόμενος.
προσφιλεῖς γὰρ ὄντας τοῖς Ἕλλησι τοὺς Ἀθηναίους διὰ τὴν Ἀριστείδου 2
δικαιοσύνην καὶ τὴν Κίμωνος ἐπιείκειαν ἔτι μᾶλλον ἡ τοῦ Παυσανίου
πλεονεξία καὶ βαρύτης ποθεινοὺς ἐποίει. τοῖς τε γὰρ ἄρχουσι τῶν
συμμάχων ἀεὶ μετ' ὀργῆς ἐνετύγχανε καὶ τραχέως, τούς τε πολλοὺς
ἐκόλαζε πληγαῖς ἢ σιδηρᾶν ἄγκυραν ἐπιτιθεὶς ἠνάγκαζεν ἑστάναι δι'
ὅλης τῆς ἡμέρας. στιβάδα δ' οὐκ ἦν λαβεῖν οὐδὲ χόρτον οὐδὲ κρήνῃ 3
προσελθεῖν ὑδρευόμενον οὐδένα πρὸ τῶν Σπαρτιατῶν, ἀλλὰ μάστιγας
ἔχοντες ὑπηρέται τοὺς προσιόντας ἀπήλαυνον. ὑπὲρ ὧν τοῦ Ἀριστείδου
ποτὲ βουληθέντος ἐγκαλέσαι καὶ διδάξαι, συναγαγὼν τὸ πρόσωπον ὁ
Παυσανίας οὐκ ἔφη σχολάζειν οὐδ' ἤκουσεν. ἐκ τούτου προσιόντες οἱ 4
ναύαρχοι καὶ στρατηγοὶ τῶν Ἑλλήνων, μάλιστα δὲ Χῖοι καὶ Σάμιοι καὶ
Λέσβιοι, τὸν Ἀριστείδην ἔπειθον ἀναδέξασθαι τὴν ἡγεμονίαν καὶ προσ-
αγαγέσθαι τοὺς συμμάχους πάλαι δεομένους ἀπαλλαγῆναι τῶν Σπαρτια-
τῶν καὶ μετατάξασθαι πρὸς τοὺς Ἀθηναίους. ἀποκριναμένου δ' 5
ἐκείνου τοῖς μὲν λόγοις αὐτῶν τό τ' ἀναγκαῖον ἐνορᾶν καὶ τὸ δίκαιον,
ἔργου δὲ δεῖσθαι τὴν πίστιν ὃ πραχθὲν οὐκ ἐάσει πάλιν μεταβαλέσθαι
τοὺς πολλούς, οὕτως οἱ περὶ τὸν Σάμιον Οὐλιάδην καὶ τὸν Χῖον
Ἀνταγόραν συνομοσάμενοι περὶ Βυζάντιον ἐμβάλλουσιν εἰς τὴν τριήρη
τοῦ Παυσανίου, προεκπλέουσαν ἐν μέσῳ λαβόντες. ὡς δὲ κατιδὼν 6

ἐκεῖνος ἐξανέστη καὶ μετ' ὀργῆς ἠπείλησεν ὀλίγῳ χρόνῳ τοὺς ἄνδρας
ἐπιδείξειν οὐκ εἰς τὴν αὐτοῦ ναῦν ἐμβεβληκότας ἀλλ' εἰς τὰς ἰδίας
πατρίδας, ἐκέλευον αὐτὸν ἀπιέναι καὶ ἀγαπᾶν τὴν συναγωνισαμένην
τύχην ἐν Πλαταιαῖς· ἐκείνην γὰρ ἔτι τοὺς Ἕλληνας αἰσχυνομένους μὴ
λαμβάνειν ἀξίαν δίκην παρ' αὐτοῦ· τέλος δ' ἀποστάντες ᾤχοντο πρὸς
7 τοὺς Ἀθηναίους. ἔνθα δὴ καὶ τὸ φρόνημα τῆς Σπάρτης διεφάνη θαυμα-
στόν. ὡς γὰρ ᾔσθοντο τῷ μεγέθει τῆς ἐξουσίας διαφθειρομένους αὐτῶν
τοὺς ἄρχοντας, ἀφῆκαν ἑκουσίως τὴν ἡγεμονίαν καὶ πέμποντες ἐπὶ τὸν
πόλεμον ἐπαύσαντο στρατηγούς, μᾶλλον αἱρούμενοι σωφρονοῦντας
ἔχειν καὶ τοῖς ἔθεσιν ἐμμένοντας τοὺς πολίτας ἢ τῆς Ἑλλάδος ἄρχειν
ἁπάσης.

24 οἱ δ' Ἕλληνες ἐτέλουν μέν τινα καὶ Λακεδαιμονίων ἡγουμένων ἀπο-
φορὰν εἰς τὸν πόλεμον, ταχθῆναι δὲ βουλόμενοι καὶ κατὰ πόλιν ἑκάστοις
τὸ μέτριον ᾐτήσαντο παρὰ τῶν Ἀθηναίων Ἀριστείδην, καὶ προσέταξαν
αὐτῷ χώραν τε καὶ προσόδους ἐπισκεψάμενον ὁρίσαι τὸ κατ' ἀξίαν
2 ἑκάστῳ καὶ δύναμιν. ὁ δὲ τηλικαύτης ἐξουσίας κύριος γενόμενος, καὶ
τρόπον τινὰ τῆς Ἑλλάδος ἐπ' αὐτῷ μόνῳ τὰ πράγματα πάντα θεμένης,
πένης μὲν ἐξῆλθεν, ἐπανῆλθε δὲ πενέστερος, οὐ μόνον καθαρῶς καὶ
δικαίως ἀλλὰ καὶ προσφιλῶς πᾶσι καὶ ἁρμονίως τὴν ἐπιγραφὴν τῶν
3 χρημάτων ποιησάμενος. ὡς γὰρ οἱ παλαιοὶ τὸν ἐπὶ Κρόνου βίον, οὕτως
οἱ σύμμαχοι τῶν Ἀθηναίων τὸν ἐπ' Ἀριστείδου φόρον εὐποτμίαν τινὰ
τῆς Ἑλλάδος ὀνομάζοντες ὕμνουν, καὶ μάλιστα μετ' οὐ πολὺν χρόνον
4 διπλασιασθέντος, εἶτ' αὖθις τριπλασιασθέντος. ὃν μὲν γὰρ Ἀριστείδης
ἔταξεν, ἦν εἰς ἑξήκοντα καὶ τετρακοσίων ταλάντων λόγον. τούτῳ
Περικλῆς μὲν ἐπέθηκεν ὀλίγου δεῖν τὸ τρίτον μέρος· ἑξακόσια γὰρ
τάλαντα Θουκυδίδης (*ii.* 13^{3}) φησὶν ἀρχομένου τοῦ πολέμου προσιέναι
5 τοῖς Ἀθηναίοις ἀπὸ τῶν συμμάχων. Περικλέους δ' ἀποθανόντος,
ἐπιτείνοντες οἱ δημαγωγοὶ κατὰ μικρὸν εἰς χιλίων τριακοσίων ταλάντων
κεφάλαιον ἀνήγαγον, οὐχ οὕτω τοῦ πολέμου διὰ μῆκος καὶ τύχας
δαπανηροῦ γενομένου καὶ πολυτελοῦς, ὡς τὸν δῆμον εἰς διανομὰς καὶ
6 θεωρικὰ καὶ κατασκευὰς ἀγαλμάτων καὶ ἱερῶν προαγαγόντες. μέγα
δ' οὖν ὄνομα τοῦ Ἀριστείδου καὶ θαυμαστὸν ἔχοντος ἐπὶ τῇ διατάξει
τῶν φόρων ὁ Θεμιστοκλῆς λέγεται καταγελᾶν, ὡς οὐκ ἀνδρὸς ὄντα τὸν
ἔπαινον ἀλλὰ θυλάκου χρυσοφύλακος, ἀνομοίως ἀμυνόμενος τὴν
7 Ἀριστείδου παρρησίαν· ἐκείνῳ γὰρ εἰπόντος ποτὲ τοῦ Θεμιστοκλέους
ἀρετὴν ἡγεῖσθαι μεγίστην στρατηγοῦ τὸ γιγνώσκειν καὶ προαισθάνεσθαι
τὰ βουλεύματα τῶν πολεμίων, " τοῦτο μέν " εἰπεῖν " ἀναγκαῖόν ἐστιν
ὦ Θεμιστόκλεις, καλὸν δὲ καὶ στρατηγικὸν ἀληθῶς ἡ περὶ τὰς χεῖρας
ἐγκράτεια."

25 ὁ δ' Ἀριστείδης ὥρκισε μὲν τοὺς Ἕλληνας καὶ ὤμοσεν ὑπὲρ τῶν

Ἀθηναίων, μύδρους ἐμβαλὼν ἐπὶ ταῖς ἀραῖς εἰς τὴν θάλατταν, ὕστερον
δὲ τῶν πραγμάτων ἄρχειν ἐγκρατέστερον ὡς ἔοικεν ἐκβιαζομένων
ἐκέλευε τοὺς Ἀθηναίους τὴν ἐπιορκίαν τρέψαντας εἰς ἑαυτὸν ᾗ συμφέρει
χρῆσθαι τοῖς πράγμασι. καθ' ὅλου δ' ὁ Θεόφραστός (fr. 136) *φησι τὸν* 2
ἄνδρα τοῦτον περὶ τὰ οἰκεῖα καὶ τοὺς πολίτας ἄκρως ὄντα δίκαιον ἐν
τοῖς κοινοῖς πολλὰ πρᾶξαι πρὸς τὴν ὑπόθεσιν τῆς πατρίδος, ὡς συχνῆς
καὶ ἀδικίας δεομένην. καὶ γὰρ τὰ χρήματά φασιν ἐκ Δήλου βουλευο- 3
μένων Ἀθήναζε κομίσαι παρὰ τὰς συνθήκας [καὶ] Σαμίων εἰσηγουμένων
εἰπεῖν ἐκεῖνον, ὡς οὐ δίκαιον μὲν συμφέρον δὲ τοῦτ' ἐστί. καὶ τέλος
εἰς τὸ ἄρχειν ἀνθρώπων τοσούτων καταστήσας τὴν πόλιν, αὐτὸς ἐν-
έμεινε τῇ πενίᾳ καὶ τὴν ἀπὸ τοῦ πένης εἶναι δόξαν οὐδὲν ἧττον ἀγαπῶν
τῆς ἀπὸ τῶν τροπαίων διετέλεσε. δῆλον δ' ἐκεῖθεν. Καλλίας ὁ δᾳδοῦχος 4
ἦν αὐτῷ γένει προσήκων· τοῦτον οἱ ἐχθροὶ θανάτου διώκοντες, ἐπεὶ περὶ
ὧν ἐγράψαντο μετρίως κατηγόρησαν, ἔξωθεν εἰπόν τινα λόγον τοιοῦτον
πρὸς τοὺς δικαστάς· " Ἀριστείδην " ἔφησαν " ἴστε τὸν Λυσιμάχου 5
θαυμαζόμενον ἐν τοῖς Ἕλλησι· τούτῳ πῶς ἔχειν οἴεσθε τὰ κατ' οἶκον,
ὁρῶντες αὐτὸν ἐν τρίβωνι τοιούτῳ προερχόμενον εἰς τὸ δημόσιον; ἆρ'
οὐκ εἰκός ἐστι τὸν ῥιγῶντα φανερῶς καὶ πεινᾶν οἴκοι καὶ τῶν ἄλλων
ἐπιτηδείων σπανίζειν; τοῦτον μέντοι Καλλίας ἀνεψιὸν ὄντα, πλουσιώτα- 6
τος ὢν Ἀθηναίων, περιορᾷ μετὰ τέκνων καὶ γυναικὸς ἐνδεόμενον, πολλὰ
κεχρημένος τῷ ἀνδρὶ καὶ πολλάκις αὐτοῦ τῆς παρ' ὑμῖν δυνάμεως
ἀπολελαυκώς." ὁ δὲ Καλλίας ὁρῶν ἐπὶ τούτῳ μάλιστα θορυβοῦντας 7
τοὺς δικαστὰς καὶ χαλεπῶς πρὸς αὐτὸν ἔχοντας ἐκάλει τὸν Ἀριστείδην,
ἀξιῶν μαρτυρῆσαι πρὸς τοὺς δικαστάς, ὅτι πολλάκις αὐτοῦ πολλὰ καὶ
διδόντος καὶ δεομένου λαβεῖν οὐκ ἠθέλησεν, ἀποκρινάμενος ὡς μᾶλλον
αὐτῷ διὰ πενίαν μέγα φρονεῖν ἢ Καλλίᾳ διὰ πλοῦτον προσήκει· πλούτῳ 8
μὲν γάρ ἐστι πολλοὺς ἰδεῖν εὖ τε καὶ κακῶς χρωμένους, πενίαν δὲ
φέροντι γενναίως οὐ ῥᾴδιον ἐντυχεῖν· αἰσχύνεσθαι δὲ πενίαν τοὺς
ἀκουσίως πενομένους. ταῦτα τοῦ Ἀριστείδου τῷ Καλλίᾳ προσμαρτυρή-
σαντος, οὐδεὶς ἦν τῶν ἀκουσάντων ὃς οὐκ ἀπῄει πένης μᾶλλον ὡς
Ἀριστείδης εἶναι βουλόμενος ἢ πλουτεῖν ὡς Καλλίας. ταῦτα μὲν οὖν 9
Αἰσχίνης ὁ Σωκρατικὸς (fr. xvii) *ἀναγέγραφε. Πλάτων δὲ* (*Gorg.*
526b) *τῶν μεγάλων δοκούντων καὶ ὀνομαστῶν Ἀθήνησι μόνον ἄξιον*
λόγου τοῦτον ἀποφαίνει τὸν ἄνδρα· Θεμιστοκλέα μὲν γὰρ καὶ Κίμωνα
καὶ Περικλέα στοῶν καὶ χρημάτων καὶ φλυαρίας πολλῆς ἐμπλῆσαι τὴν
πόλιν, Ἀριστείδην δὲ πολιτεύσασθαι πρὸς ἀρετήν. μεγάλα δ' αὐτοῦ καὶ 10
τὰ πρὸς Θεμιστοκλέα τῆς ἐπιεικείας σημεῖα. χρησάμενος γὰρ αὐτῷ
παρὰ πᾶσαν ὁμοῦ τὴν πολιτείαν ἐχθρῷ καὶ δι' ἐκεῖνον ἐξοστρακισθείς,
ἐπεὶ τὴν αὐτὴν λαβὴν παρέσχεν ὁ ἀνὴρ ἐν αἰτίᾳ γενόμενος πρὸς τὴν
πόλιν, οὐκ ἐμνησικάκησεν, ἀλλ' Ἀλκμαίωνος καὶ Κίμωνος καὶ πολλῶν

ἄλλων ἐλαυνόντων καὶ κατηγορούντων μόνος Ἀριστείδης οὔτ' ἔπραξεν
οὔτ' εἶπέ τι φαῦλον, οὐδ' ἀπέλαυσεν ἐχθροῦ δυστυχοῦντος, ὥσπερ οὐδ'
εὐημεροῦντι πρότερον ἐφθόνησε.
26 τελευτῆσαι δ' Ἀριστείδην οἱ μὲν ἐν Πόντῳ φασὶν ἐκπλεύσαντα πρά-
ξεων ἕνεκα δημοσίων, οἱ δ' Ἀθήνησι γήρᾳ, τιμώμενον καὶ θαυμαζό-
μενον ὑπὸ τῶν πολιτῶν. Κρατερὸς δ' ὁ Μακεδὼν (fr. 12) τοιαῦτά τινα
2 περὶ τῆς τελευτῆς τοῦ ἀνδρὸς εἴρηκε. μετὰ γὰρ τὴν Θεμιστοκλέους
φυγήν φησιν ὥσπερ ἐξυβρίσαντα τὸν δῆμον ἀναφῦσαι πλῆθος συκο-
φαντῶν, οἳ τοὺς ἀρίστους καὶ δυνατωτάτους ἄνδρας διώκοντες ὑπ-
έβαλλον τῷ φθόνῳ τῶν πολλῶν ἐπαιρομένων ὑπ' εὐτυχίας καὶ δυνάμεως.
3 ἐν τούτοις καὶ Ἀριστείδην ἁλῶναι δωροδοκίας, Διοφάντου τοῦ Ἀμφι-
τροπῆθεν κατηγοροῦντος, ὡς ὅτε τοὺς φόρους ἔταττε παρὰ τῶν Ἰώνων
χρήματα λαβόντος· ἐκτεῖσαι δ' οὐκ ἔχοντα τὴν καταδίκην πεντήκοντα
4 μνῶν οὖσαν, ἐκπλεῦσαι καὶ περὶ τὴν Ἰωνίαν ἀποθανεῖν. τούτων δ'
οὐδὲν ἔγγραφον ὁ Κρατερὸς τεκμήριον παρέσχηκεν, οὔτε δίκην οὔτε
ψήφισμα, καίπερ εἰωθὼς ἐπιεικῶς γράφειν τὰ τοιαῦτα καὶ παρα-
5 τίθεσθαι τοὺς ἱστοροῦντας. οἱ δ' ἄλλοι πάντες ὡς ἔπος εἰπεῖν, ὅσοι τὰ
πλημμεληθέντα τῷ δήμῳ περὶ τοὺς στρατηγοὺς διεξίασι, τὴν μὲν
Θεμιστοκλέους φυγὴν καὶ τὰ Μιλτιάδου δεσμὰ καὶ τὴν Περικλέους
ζημίαν καὶ τὸν Πάχητος ἐν τῷ δικαστηρίῳ θάνατον, ἀνελόντος ἑαυτὸν
ἐπὶ τοῦ βήματος ὡς ἡλίσκετο, καὶ πολλὰ τοιαῦτα συνάγουσι καὶ
θρυλοῦσιν, Ἀριστείδου δὲ τὸν μὲν ἐξοστρακισμὸν παρατίθενται, κατα-
27 δίκης δὲ τοιαύτης οὐδαμοῦ μνημονεύουσι. καὶ μέντοι καὶ τάφος ἐστὶν
αὐτοῦ Φαληροῖ δεικνύμενος, ὅν φασι κατασκευάσαι τὴν πόλιν αὐτῷ μηδ'
2 ἐντάφια καταλιπόντι. καὶ τὰς μὲν θυγατέρας ἱστοροῦσιν ἐκ τοῦ
πρυτανείου τοῖς νυμφίοις ἐκδοθῆναι, δημοσίᾳ τῆς πόλεως τὸν γάμον
ἐγγυώσης καὶ προῖκα τρισχιλίας δραχμὰς ἑκατέρᾳ ψηφισαμένης,
Λυσιμάχῳ δὲ τῷ υἱῷ μνᾶς μὲν ἑκατὸν ἀργυρίου καὶ γῆς τοσαῦτα
πλέθρα πεφυτευμένης ἔδωκεν ὁ δῆμος, καὶ ἄλλας δραχμὰς τέσσαρας εἰς
ἡμέραν ἑκάστην ἀπέταξεν, Ἀλκιβιάδου τὸ ψήφισμα γράψαντος.

Comp. Aristid cum Catone 1[4] (*Cato* 28[4]): οὐκ ἦν δ' ὅμοιον ἀντι-
πάλῳ χρῆσθαι Θεμιστοκλεῖ μήτ' ἀπὸ γένους λαμπρῷ καὶ κεκτημένῳ
μέτρια—πέντε γὰρ ἢ τριῶν ταλάντων οὐσίαν αὐτῷ γενέσθαι λέγουσιν
ὅτε πρῶτον ἥπτετο τῆς πολιτείας -καὶ πρὸς Σκιπίωνας . . . .

Cimon

3[1]: ὁ δ' οὖν Λεύκολλος ἐδόκει σκοποῦσιν ἡμῖν τῷ Κίμωνι παραβλη-
τέος εἶναι. πολεμικοὶ γὰρ ἀμφότεροι καὶ πρὸς τοὺς βαρβάρους λαμπροί,
πρᾶοι δὲ τὰ πολιτικὰ καὶ μάλιστα τῶν ἐμφυλίων στάσεων ἀναπνοὴν

ταῖς πατρίσι παρασχόντες, †ἕκαστος δέ τις αὐτῶν στήσαντες τρόπαια καὶ νίκας ἀνελόμενοι περιβοήτους. οὔτε γὰρ Ἑλλήνων Κίμωνος οὔτε 2
Ῥωμαίων Λευκόλλου πρότερος οὐδεὶς οὕτω μακρὰν πολεμῶν προῆλθεν, ἔξω λόγου τιθεμένων τῶν καθ' Ἡρακλέα καὶ Διόνυσον, εἴ τέ τι Περσέως πρὸς Αἰθίοπας ἢ Μήδους καὶ Ἀρμενίους ἢ Ἰάσονος ἔργον ἀξιόπιστον ἐκ τῶν τότε χρόνων μνήμῃ φερόμενον εἰς τοὺς νῦν ἀφῖκται. κοινὸν δέ 3
πως αὐτῶν καὶ τὸ ἀτελὲς γέγονε τῆς στρατηγίας, ἑκατέρου μὲν συντρίψαντος οὐδετέρου δὲ καταλύσαντος τὸν ἀνταγωνιστήν. μάλιστα δ' ἡ περὶ τὰς ὑποδοχὰς καὶ τὰς φιλανθρωπίας ταύτας ὑγρότης καὶ δαψίλεια καὶ τὸ νεαρὸν καὶ ἀνειμένον ἐν τῇ διαίτῃ παραπλήσιον ἐπ' ἀμφοτέρων ἰδεῖν ὑπάρχει. παραλείπομεν δ' ἴσως καὶ ἄλλας τινὰς ὁμοιότητας, ἃς οὐ χαλεπὸν ἐκ τῆς διηγήσεως αὐτῆς συναγαγεῖν.

Κίμων ὁ Μιλτιάδου μητρὸς ἦν Ἡγησιπύλης, γένος Θρᾴττης, 4
θυγατρὸς Ὀλόρου τοῦ βασιλέως, ὡς ἐν τοῖς Ἀρχελάου (p. 446) καὶ Μελανθίου (fr. 1) ποιήμασιν εἰς αὐτὸν Κίμωνα γεγραμμένοις ἱστόρηται. διὸ καὶ Θουκυδίδης ὁ ἱστορικὸς τοῖς περὶ Κίμωνα κατὰ γένος προσήκων 2
Ὀλόρου τε πατρὸς ἦν, εἰς τὸν πρόγονον ἀναφέροντος τὴν ὁμωνυμίαν, καὶ τὰ χρυσεῖα περὶ τὴν Θρᾴκην ἐκέκτητο. καὶ τελευτῆσαι μὲν ἐν τῇ 3
Σκαπτῇ ὕλῃ—τοῦτο δ' ἔστι τῆς Θρᾴκης χωρίον—λέγεται φονευθεὶς ἐκεῖ, μνῆμα δ' αὐτοῦ τῶν λειψάνων εἰς τὴν Ἀττικὴν κομισθέντων ἐν τοῖς Κιμωνείοις δείκνυται παρὰ τὸν Ἐλπινίκης τῆς Κίμωνος ἀδελφῆς τάφον. ἀλλὰ Θουκυδίδης μὲν Ἁλιμούσιος γέγονε τῶν δήμων, οἱ δὲ 4
περὶ τὸν Μιλτιάδην Λακιάδαι. Μιλτιάδης μὲν οὖν πεντήκοντα ταλάντων ὀφλὼν δίκην καὶ πρὸς τὴν ἔκτισιν εἱρχθεὶς ἐτελεύτησεν ἐν τῷ δεσμωτηρίῳ, Κίμων δὲ μειράκιον παντάπασιν ἀπολειφθεὶς μετὰ τῆς ἀδελφῆς ἔτι κόρης οὔσης καὶ ἀγάμου τὸν πρῶτον ἠδόξει χρόνον ἐν τῇ πόλει καὶ κακῶς ἤκουεν ὡς ἄτακτος καὶ πολυπότης καὶ τῷ πάππῳ Κίμωνι προσεοικὼς τὴν φύσιν, ὃν δι' εὐήθειάν φασι Κοάλεμον προσαγορευθῆναι. Στησίμβροτος δ' ὁ Θάσιος (fr. 4) περὶ τὸν αὐτὸν ὁμοῦ τι 5
χρόνον τῷ Κίμωνι γεγονώς φησιν αὐτὸν οὔτε μουσικὴν οὔτ' ἄλλο τι μάθημα τῶν ἐλευθερίων καὶ τοῖς Ἕλλησιν ἐπιχωριαζόντων ἐκδιδαχθῆναι, δεινότητός τε καὶ στωμυλίας Ἀττικῆς ὅλως ἀπηλλάχθαι, καὶ τῷ τρόπῳ πολὺ τὸ γενναῖον καὶ ἀληθὲς ἐνυπάρχειν, καὶ μᾶλλον εἶναι Πελοποννήσιον τὸ σχῆμα τῆς ψυχῆς τοῦ ἀνδρός,

φαῦλον, ἄκομψον, τὰ μέγιστ' ἀγαθόν,

κατὰ τὸν Εὐριπίδειον Ἡρακλέα (fr. 473)· ταῦτα γὰρ ἔστι τοῖς ὑπὸ τοῦ Στησιμβρότου γεγραμμένοις ἐπειπεῖν. ἔτι δὲ νέος ὢν αἰτίαν ἔσχε 6

3[1]: ἕκαστος δέ τις codd., ἑκὰς δὲ τῆς Madvig, "quod reciperem, si Plut. ἑκὰς uteretur; fort. ἐκτὸς δὲ τῆς?" Lindskog.

πλησιάζειν τῇ ἀδελφῇ. καὶ γὰρ οὐδ' ἄλλως τὴν Ἐλπινίκην εὔτακτόν τινα γεγονέναι λέγουσιν, ἀλλὰ καὶ πρὸς Πολύγνωτον ἐξαμαρτεῖν τὸν ζωγράφον· καὶ διὰ τοῦτό φασιν ἐν τῇ Πεισιανακτείῳ τότε καλουμένῃ Ποικίλῃ δὲ νῦν στοᾷ γράφοντα τὰς Τρῳάδας τὸ τῆς Λαοδίκης ποιῆσαι
7 πρόσωπον ἐν εἰκόνι τῆς Ἐλπινίκης. ὁ δὲ Πολύγνωτος οὐκ ἦν τῶν βαναύσων, οὐδ' ἀπ' ἐργολαβίας ἔγραφε τὴν στοὰν ἀλλὰ προῖκα, φιλοτιμούμενος πρὸς τὴν πόλιν, ὡς οἵ τε συγγραφεῖς ἱστοροῦσι καὶ Μελάνθιος ὁ ποιητὴς (fr. 1) λέγει τὸν τρόπον τοῦτον·

αὐτοῦ γὰρ δαπάναισι θεῶν ναοὺς ἀγοράν τε
Κεκροπίαν κόσμησ' ἡμιθέων ἀρεταῖς.

8 εἰσὶ δ' οἳ τὴν Ἐλπινίκην οὐ κρύφα τῷ Κίμωνι φανερῶς δὲ γημαμένην συνοικῆσαι λέγουσιν, ἀξίου τῆς εὐγενείας νυμφίου διὰ τὴν πενίαν ἀποροῦσαν· ἐπεὶ δὲ Καλλίας τῶν εὐπόρων τις Ἀθήνησιν ἐρασθεὶς προσῆλθε τὴν ὑπὲρ τοῦ πατρὸς καταδίκην ἐκτίνειν ἕτοιμος ὢν πρὸς τὸ δημόσιον, αὐτήν τε πεισθῆναι καὶ τὸν Κίμωνα τῷ Καλλίᾳ συνοικίσαι τὴν Ἐλπι-
9 νίκην. οὐ μὴν ἀλλὰ καὶ ὅλως φαίνεται τοῖς περὶ τὰς γυναῖκας ἐρωτικοῖς ὁ Κίμων ἔνοχος γενέσθαι. καὶ γὰρ Ἀστερίας τῷ γένει Σαλαμινίας καὶ πάλιν Μνήστρας τινὸς ὁ ποιητὴς Μελάνθιος (fr. 1) μνημονεύει πρὸς τὸν
10 Κίμωνα παίζων δι' ἐλεγείας ὡς σπουδαζομένων ὑπ' αὐτοῦ. δῆλος δ' ἐστὶ καὶ πρὸς Ἰσοδίκην, τὴν Εὐρυπτολέμου μὲν θυγατέρα τοῦ Μεγακλέους, κατὰ νόμους δ' αὐτῷ συμβιώσασαν, ὁ Κίμων ἐμπαθέστερον διατεθεὶς καὶ δυσφορήσας ἀποθανούσης, εἴ τι δεῖ τεκμαίρεσθαι ταῖς γεγραμμέναις ἐπὶ παρηγορίᾳ τοῦ πένθους ἐλεγείαις πρὸς αὐτόν, ὧν Παναίτιος ὁ φιλόσοφος (fr. 46) οἴεται ποιητὴν γεγονέναι τὸν φυσικὸν
5 Ἀρχέλαον (p. 446), οὐκ ἀπὸ τρόπου τοῖς χρόνοις εἰκάζων. τὰ δ' ἄλλα πάντα τοῦ ἤθους ἀγαστὰ καὶ γενναῖα τοῦ Κίμωνος. οὔτε γὰρ τόλμῃ Μιλτιάδου λειπόμενος οὔτε συνέσει Θεμιστοκλέους, δικαιότερος ἀμφοῖν ὁμολογεῖται γενέσθαι, καὶ ταῖς πολεμικαῖς οὐδὲ μικρὸν ἀποδέων ἀρεταῖς ἐκείνων ἀμήχανον ὅσον ἐν ταῖς πολιτικαῖς ὑπερβαλέσθαι νέος
2 ὢν ἔτι καὶ πολέμων ἄπειρος. ὅτε γὰρ τὸν δῆμον ἐπιόντων Μήδων Θεμιστοκλῆς ἔπειθε προέμενον τὴν πόλιν καὶ τὴν χώραν ἐκλιπόντα πρὸ τῆς Σαλαμῖνος ἐν ταῖς ναυσὶ τὰ ὅπλα θέσθαι καὶ διαγωνίσασθαι κατὰ θάλατταν, ἐκπεπληγμένων τῶν πολλῶν τὸ τόλμημα, πρῶτος Κίμων ὤφθη διὰ τοῦ Κεραμεικοῦ φαιδρὸς ἀνιὼν εἰς τὴν ἀκρόπολιν μετὰ τῶν ἑταίρων ἵππου τινὰ χαλινὸν ἀναθεῖναι τῇ θεῷ διὰ χειρῶν κομίζων, ὡς οὐδὲν ἱππικῆς ἀλκῆς ἀλλὰ ναυμάχων ἀνδρῶν ἐν τῷ παρόντι
3 τῆς πόλεως δεομένης. ἀναθεὶς δὲ τὸν χαλινὸν καὶ λαβὼν ἐκ τῶν περὶ τὸν ναὸν κρεμαμένων ἀσπίδων καὶ προσευξάμενος τῇ θεῷ, κατέβαινεν ἐπὶ θάλασσαν, οὐκ ὀλίγοις ἀρχὴ τοῦ θαρρεῖν γενόμενος. ἦν δὲ καὶ τὴν ἰδέαν οὐ μεμπτός, ὡς Ἴων ὁ ποιητής (fr. 12) φησιν, ἀλλὰ μέγας, οὔλῃ

καὶ πολλῇ τριχὶ κομῶν τὴν κεφαλήν. φανεὶς δὲ καὶ κατ' αὐτὸν τὸν 4
ἀγῶνα λαμπρὸς καὶ ἀνδρώδης, ταχὺ δόξαν ἐν τῇ πόλει μετ' εὐνοίας
ἔσχεν, ἀθροιζομένων πολλῶν πρὸς αὐτὸν καὶ παρακαλούντων ἄξια τοῦ
Μαραθῶνος ἤδη διανοεῖσθαι καὶ πράσσειν. ὁρμήσαντα δ' αὐτὸν ἐπὶ 5
τὴν πολιτείαν ἄσμενος ὁ δῆμος ἐδέξατο, καὶ μεστὸς ὢν τοῦ Θεμι-
στοκλέους ἀνῆγεν ⟨εἰς⟩ τὰς μεγίστας ἐν τῇ πόλει τιμὰς καὶ ἀρχάς,
εὐάρμοστον ὄντα καὶ προσφιλῆ τοῖς πολλοῖς διὰ πραότητα καὶ ἀφέλειαν.
οὐχ ἥκιστα δ' αὐτὸν ηὔξησεν Ἀριστείδης ὁ Λυσιμάχου, τὴν εὐφυΐαν 6
ἐνορῶν τῷ ἤθει καὶ ποιούμενος οἷον ἀντίπαλον πρὸς τὴν Θεμιστοκλέους
δεινότητα καὶ τόλμαν.

ἐπεὶ δὲ Μήδων φυγόντων ἐκ τῆς Ἑλλάδος ἐπέμφθη στρατηγός, κατὰ **6**
θάλατταν οὔπω τὴν ἀρχὴν Ἀθηναίων ἐχόντων, ἔτι δὲ Παυσανίᾳ τε καὶ
Λακεδαιμονίοις ἑπομένων, πρῶτον μὲν ἐν ταῖς στρατείαις ἀεὶ παρεῖχε
τοὺς πολίτας κόσμῳ τε θαυμαστοὺς καὶ προθυμίᾳ πολὺ πάντων δια-
φέροντας· ἔπειτα Παυσανίου τοῖς μὲν βαρβάροις διαλεγομένου περὶ 2
προδοσίας καὶ βασιλεῖ γράφοντος ἐπιστολάς, τοῖς δὲ συμμάχοις
τραχέως καὶ αὐθαδῶς προσφερομένου καὶ πολλὰ δι' ἐξουσίαν καὶ
ὄγκον ἀνόητον ὑβρίζοντος, ὑπολαμβάνων πράως τοὺς ἀδικουμένους καὶ
φιλανθρώπως ἐξομιλῶν ἔλαθεν οὐ δι' ὅπλων τὴν τῆς Ἑλλάδος ἡγε-
μονίαν ἀλλὰ λόγῳ καὶ ἤθει παρελόμενος. προσετίθεντο γὰρ οἱ πλεῖστοι 3
τῶν συμμάχων ἐκείνῳ τε καὶ Ἀριστείδῃ, τὴν χαλεπότητα καὶ ὑπεροψίαν
τοῦ Παυσανίου μὴ φέροντες. οἱ δὲ καὶ τούτους ἅμα προσήγοντο καὶ
τοῖς ἐφόροις πέμποντες ἔφραζον, ὡς ἀδοξούσης τῆς Σπάρτης καὶ
ταραττομένης τῆς Ἑλλάδος, ἀνακαλεῖν τὸν Παυσανίαν. λέγεται δέ, 4
παρθένον τινὰ Βυζαντίαν ἐπιφανῶν γονέων ὄνομα Κλεονίκην ἐπ'
αἰσχύνῃ τοῦ Παυσανίου μεταπεμπομένου, τοὺς μὲν γονεῖς ὑπ' ἀνάγκης
καὶ φόβου προέσθαι τὴν παῖδα, τὴν δὲ τῶν πρὸ τοῦ δωματίου δεηθεῖ-
σαν ἀνελέσθαι τὸ φῶς, διὰ σκότους καὶ σιωπῆς τῇ κλίνῃ προσιοῦσαν
ἤδη τοῦ Παυσανίου καθεύδοντος ἐμπεσεῖν καὶ ἀνατρέψαι τὸ λυχνίον
ἄκουσαν· τὸν δ' ὑπὸ τοῦ ψόφου ταραχθέντα καὶ σπασάμενον τὸ παρα- 5
κείμενον ἐγχειρίδιον ὥς τινος ἐπ' αὐτὸν ἐχθροῦ βαδίζοντος πατάξαι καὶ
καταβαλεῖν τὴν παρθένον, ἐκ δὲ τῆς πληγῆς ἀποθανοῦσαν αὐτὴν οὐκ
ἐᾶν τὸν Παυσανίαν ἡσυχάζειν, ἀλλὰ νύκτωρ εἴδωλον αὐτῷ φοιτῶσαν
εἰς τὸν ὕπνον ὀργῇ λέγειν τόδε τὸ ἡρῷον·

στεῖχε δίκης ἆσσον· μάλα τοι κακὸν ἀνδράσιν ὕβρις.

ἐφ' ᾧ καὶ μάλιστα χαλεπῶς ἐνεγκόντες οἱ σύμμαχοι μετὰ τοῦ Κίμωνος 6
ἐξεπολιόρκησαν αὐτόν. ὁ δ' ἐκπεσὼν τοῦ Βυζαντίου καὶ τῷ φάσματι
ταραττόμενος ὡς λέγεται, κατέφυγε πρὸς τὸ νεκυομαντεῖον εἰς
Ἡράκλειαν, καὶ τὴν ψυχὴν ἀνακαλούμενος τῆς Κλεονίκης παρῃτεῖτο
τὴν ὀργήν. ἡ δ' εἰς ὄψιν ἐλθοῦσα ταχέως ἔφη παύσεσθαι τῶν κακῶν 7

αὐτὸν ἐν Σπάρτῃ γενόμενον, αἰνιττομένη τὴν μέλλουσαν ὡς ἔοικεν αὐτῷ τελευτήν. ταῦτα μὲν οὖν ὑπὸ πολλῶν ἱστόρηται.

7 Κίμων δὲ τῶν συμμάχων ἤδη προσκεχωρηκότων αὐτῷ στρατηγὸς εἰς Θρᾴκην ἔπλευσε, πυνθανόμενος Περσῶν ἄνδρας ἐνδόξους καὶ συγγενεῖς βασιλέως Ἠϊόνα πόλιν παρὰ τῷ Στρυμόνι κειμένην ποταμῷ
2 κατέχοντας ἐνοχλεῖν τοῖς περὶ τὸν τόπον ἐκεῖνον Ἕλλησι. πρῶτον μὲν οὖν αὐτοὺς μάχῃ τοὺς Πέρσας ἐνίκησε καὶ κατέκλεισεν εἰς τὴν πόλιν· ἔπειτα τοὺς ὑπὲρ Στρυμόνα Θρᾷκας, ὅθεν αὐτοῖς ἐφοίτα σῖτος, ἀναστάτους ποιῶν καὶ τὴν χώραν παραφυλάττων ἅπασαν, εἰς τοσαύτην ἀπορίαν τοὺς πολιορκουμένους κατέστησεν, ὥστε Βόγην τὸν βασιλέως στρατηγὸν ἀπογνόντα τὰ πράγματα τῇ πόλει πῦρ ἐνεῖναι καὶ συνδια-
3 φθεῖραι μετὰ τῶν φίλων καὶ τῶν χρημάτων ἑαυτόν. οὕτω δὲ λαβὼν τὴν πόλιν ἄλλο μὲν οὐδὲν ἀξιόλογον ὠφελήθη, τῶν πλείστων τοῖς βαρβάροις συγκατακαέντων, τὴν δὲ χώραν εὐφυεστάτην οὖσαν καὶ
4 καλλίστην οἰκῆσαι παρέδωκε τοῖς Ἀθηναίοις. καὶ τοὺς Ἑρμᾶς αὐτῷ τοὺς λιθίνους ὁ δῆμος ἀναθεῖναι συνεχώρησεν, ὧν ἐπιγέγραπται τῷ μὲν πρώτῳ·

ἦν ἄρα κἀκεῖνοι ταλακάρδιοι, οἵ ποτε Μήδων
  παισὶν ἐπ' Ἠϊόνι, Στρυμόνος ἀμφὶ ῥοάς,
λιμόν τ' αἴθωνα κρυερόν τ' ἐπάγοντες Ἄρηα
  πρῶτοι δυσμενέων εὗρον ἀμηχανίην.

5 τῷ δὲ δευτέρῳ·

ἡγεμόνεσσι δὲ μισθὸν Ἀθηναῖοι τάδ' ἔδωκαν
  ἀντ' εὐεργεσίης καὶ μεγάλων ἀγαθῶν.
μᾶλλόν τις τάδ' ἰδὼν καὶ ἐπεσσομένων ἐθελήσει
  ἀμφὶ περὶ ξυνοῖς πράγμασι δῆριν ἔχειν.

6 τῷ δὲ τρίτῳ·

ἔκ ποτε τῆσδε πόληος ἅμ' Ἀτρεΐδῃσι Μενεσθεὺς
  ἡγεῖτο ζάθεον Τρωικὸν ἐς πεδίον·
ὅν ποθ' Ὅμηρος ἔφη Δαναῶν πύκα θωρηκτάων
  κοσμητῆρα μάχης ἔξοχον ὄντα μολεῖν.
οὕτως οὐδὲν ἀεικὲς Ἀθηναίοισι καλεῖσθαι
  κοσμηταῖς πολέμου τ' ἀμφὶ καὶ ἠνορέης.

8 ταῦτα καίπερ οὐδαμοῦ τὸ Κίμωνος ὄνομα δηλοῦντα τιμῆς ὑπερβολὴν ἔχειν ἐδόκει τοῖς τότ' ἀνθρώποις. οὔτε γὰρ Θεμιστοκλῆς τοιούτου

7^{2}, l. 5: Βούτην codd., Βόγης Herod. 7^{4}: cf. Aeschin. iii. 184 n. κρατερὸν Aeschin. iii. 184. 7^{5}: μεγάλης ἀρετῆς, ἀμφὶ ξυνοῖσι πράγμασι μόχθον Aeschin. 7^{6}: ἅμ πεδίον, πύκα χαλκοχιτώνων, ἔξοχον ἄνδρα, κοσμητὰς Aeschin.

τινὸς οὔτε Μιλτιάδης ἔτυχεν, ἀλλὰ τούτῳ γε θαλλοῦ στέφανον αἰτοῦντι
Σωφάνης ὁ Δεκελεὺς ἐκ μέσου τῆς ἐκκλησίας ἀναστὰς ἀντεῖπεν, οὐκ
εὐγνώμονα μὲν ἀρέσασαν δὲ τῷ δήμῳ τότε φωνὴν ἀφείς· "ὅταν γὰρ"
ἔφη "μόνος ἀγωνισάμενος ὦ Μιλτιάδη νικήσῃς τοὺς βαρβάρους, τότε
καὶ τιμᾶσθαι μόνος ἀξίου." διὰ τί τοίνυν τὸ Κίμωνος ὑπερηγάπησαν 2
ἔργον; ἢ ὅτι τῶν μὲν ἄλλων στρατηγούντων ὑπὲρ τοῦ μὴ παθεῖν
ἠμύνοντο τοὺς πολεμίους, τούτου δὲ καὶ ποιῆσαι κακῶς ἠδυνήθησαν
ἐπὶ τὴν ἐκείνων αὐτοὶ στρατεύσαντες, καὶ προσεκτήσαντο χώρας αὐτήν
τε τὴν Ἠϊόνα καὶ τὴν Ἀμφίπολιν οἰκίσαντες;

ᾤκισαν δὲ καὶ Σκῦρον ἑλόντος Κίμωνος ἐξ αἰτίας τοιαύτης. Δόλοπες 3
ᾤκουν τὴν νῆσον, ἐργάται κακοὶ γῆς· ληιζόμενοι δὲ τὴν θάλασσαν ἐκ
παλαιοῦ, τελευτῶντες οὐδὲ τῶν εἰσπλεόντων παρ' αὐτοὺς καὶ χρωμένων
ἀπείχοντο ξένων, ἀλλὰ Θετταλούς τινας ἐμπόρους περὶ τὸ Κτήσιον
ὁρμισαμένους συλήσαντες εἷρξαν. ἐπεὶ δὲ διαδράντες ἐκ τῶν δεσμῶν 4
οἱ ἄνθρωποι δίκην κατεδικάσαντο τῆς πόλεως Ἀμφικτυονικήν, οὐ
βουλομένων τὰ χρήματα τῶν πολλῶν συνεκτίνειν ἀλλὰ τοὺς ἔχοντας
καὶ διηρπακότας ἀποδοῦναι κελευόντων, δείσαντες ἐκεῖνοι πέμπουσι
γράμματα πρὸς Κίμωνα, κελεύοντες ἥκειν μετὰ τῶν νεῶν ληψόμενον
τὴν πόλιν ὑπ' αὐτῶν ἐνδιδομένην. παραλαβὼν δ' οὕτω τὴν νῆσον ὁ 5
Κίμων τοὺς μὲν Δόλοπας ἐξήλασε καὶ τὸν Αἰγαῖον ἠλευθέρωσε,
πυνθανόμενος δὲ τὸν παλαιὸν Θησέα τὸν Αἰγέως φυγόντα μὲν ἐξ
Ἀθηνῶν εἰς Σκῦρον, αὐτοῦ δ' ἀποθανόντα δόλῳ διὰ φόβον ὑπὸ Λυκο-
μήδους τοῦ βασιλέως, ἐσπούδασε τὸν τάφον ἀνευρεῖν. καὶ γὰρ ἦν 6
χρησμὸς Ἀθηναίοις τὰ Θησέως λείψανα κελεύων ἀνακομίζειν εἰς ἄστυ
καὶ τιμᾶν ὡς ἥρωα πρεπόντως, ἀλλ' ἠγνόουν ὅπου κεῖται, Σκυρίων οὐχ
ὁμολογούντων οὐδ' ἐώντων ἀναζητεῖν. τότε δὴ πολλῇ φιλοτιμίᾳ τοῦ 7
σηκοῦ μόγις ἐξευρεθέντος, ἐνθέμενος ὁ Κίμων εἰς τὴν αὑτοῦ τριήρη
τὰ ὀστᾶ καὶ τἆλλα κοσμήσας μεγαλοπρεπῶς κατήγαγεν [εἰς τὴν αὑτοῦ]
δι' ἐτῶν σχεδὸν τετρακοσίων. ἐφ' ᾧ καὶ μάλιστα πρὸς αὐτὸν ἡδέως ὁ
δῆμος ἔσχεν. ἔθεντο δ' εἰς μνήμην αὐτοῦ καὶ τὴν τῶν τραγῳδῶν κρίσιν
ὀνομαστὴν γενομένην. πρώτην γὰρ διδασκαλίαν τοῦ Σοφοκλέους ἔτι νέου 8
καθέντος, Ἀψεφίων ὁ ἄρχων, φιλονικίας οὔσης καὶ παρατάξεως τῶν
θεατῶν, κριτὰς μὲν οὐκ ἐκλήρωσε τοῦ ἀγῶνος, ὡς δὲ Κίμων μετὰ τῶν
συστρατήγων προελθὼν εἰς τὸ θέατρον ἐποιήσατο τῷ θεῷ τὰς νενομι-
σμένας σπονδάς, οὐκ ἀφῆκεν αὐτοὺς ἀπελθεῖν ἀλλ' ὁρκώσας ἠνάγκασε
καθίσαι καὶ κρῖναι δέκα ὄντας, ἀπὸ φυλῆς μιᾶς ἕκαστον. ὁ μὲν οὖν ἀγὼν 9
καὶ διὰ τὸ τῶν κριτῶν ἀξίωμα τὴν φιλοτιμίαν ὑπερέβαλε. νικήσαντος
δὲ τοῦ Σοφοκλέους λέγεται τὸν Αἰσχύλον περιπαθῆ γενόμενον καὶ

8[7], l. 4: τετρακοσίων codd., ὀκτακοσίων Meursius. 8[8], l. 2: Ἀψεφίων Keil, Ἀφεψίων codd., Ἀψηφίων Marm. Par.

βαρέως ἐνεγκόντα χρόνον οὐ πολὺν Ἀθήνησι διαγαγεῖν, εἶτ' οἴχεσθαι δι'
ὀργὴν εἰς Σικελίαν, ὅπου καὶ τελευτήσας περὶ Γέλαν τέθαπται.
9 συνδειπνῆσαι δὲ τῷ Κίμωνί φησιν ὁ Ἴων (fr. 13) παντάπασι
μειράκιον ἥκων εἰς Ἀθήνας ἐκ Χίου παρὰ Λαομέδοντι· καὶ τῶν
σπονδῶν γενομένων παρακληθέντος ᾆσαι καὶ ᾄσαντος οὐκ ἀηδῶς
ἐπαινεῖν τοὺς παρόντας ὡς δεξιώτερον Θεμιστοκλέους· ἐκεῖνον γὰρ
2 ᾄδειν μὲν οὐ φάναι μαθεῖν οὐδὲ κιθαρίζειν, πόλιν δὲ ποιῆσαι μεγάλην
καὶ πλουσίαν ἐπίστασθαι· τοὐντεῦθεν οἷον εἰκὸς ἐν πότῳ τοῦ λόγου
ῥυέντος ἐπὶ τὰς πράξεις τοῦ Κίμωνος καὶ μνημονευομένων τῶν
μεγίστων, αὐτὸν ἐκεῖνον ἓν διελθεῖν στρατήγημα τῶν ἰδίων ὡς σοφώ-
3 τατον. ἐπεὶ γὰρ ἐκ Σηστοῦ καὶ Βυζαντίου πολλοὺς τῶν βαρβάρων
αἰχμαλώτους λαβόντες οἱ σύμμαχοι τῷ Κίμωνι διανεῖμαι προσέταξαν,
ὁ δὲ χωρὶς μὲν αὐτοὺς χωρὶς δὲ τὸν περὶ τοῖς σώμασι κόσμον αὐτῶν
4 ἔθηκεν, ᾐτιῶντο τὴν διανομὴν ὡς ἄνισον. ὁ δὲ τῶν μερίδων ἐκέλευσεν
αὐτοὺς ἑλέσθαι τὴν ἑτέραν, ἣν δ' ἂν ἐκεῖνοι καταλίπωσιν ἀγαπήσειν
Ἀθηναίους. Ἡροφύτου δὲ τοῦ Σαμίου συμβουλεύσαντος αἱρεῖσθαι τὰ
Περσῶν μᾶλλον ἢ Πέρσας, τὸν μὲν κόσμον αὐτοῖς ἔλαβον, Ἀθηναίοις
5 δὲ τοὺς αἰχμαλώτους ἀπέλιπον. καὶ τότε μὲν ὁ Κίμων ἀπῄει γελοῖος
εἶναι δοκῶν διανομεύς, τῶν μὲν συμμάχων ψέλια χρυσᾶ καὶ μανιάκας
καὶ στρεπτοὺς καὶ κάνδυας καὶ πορφύραν φερομένων, τῶν δ' Ἀθηναίων
6 γυμνὰ σώματα κακῶς ἠσκημένα πρὸς ἐργασίαν παραλαβόντων. μικρὸν
δ' ὕστερον οἱ τῶν ἑαλωκότων φίλοι καὶ οἰκεῖοι καταβαίνοντες ἐκ
Φρυγίας καὶ Λυδίας ἐλυτροῦντο μεγάλων χρημάτων ἕκαστον, ὥστε τῷ
Κίμωνι τεσσάρων μηνῶν τροφὰς εἰς τὰς ναῦς ὑπάρξαι καὶ προσέτι
τῇ πόλει χρυσίον οὐκ ὀλίγον ἐκ τῶν λύτρων περιγενέσθαι.
10 ἤδη δ' εὐπορῶν ὁ Κίμων ἐφοδίων τῆς στρατείας, ἃ καλῶς ἀπὸ τῶν
πολεμίων ἔδοξεν ὠφελῆσθαι, κάλλιον ἀνήλισκεν εἰς τοὺς πολίτας.
τῶν τε γὰρ ἀγρῶν τοὺς φραγμοὺς ἀφεῖλεν, ἵνα καὶ τοῖς ξένοις καὶ τῶν
πολιτῶν τοῖς δεομένοις ἀδεῶς ὑπάρχῃ λαμβάνειν τῆς ὀπώρας, καὶ
δεῖπνον οἴκοι παρ' αὐτῷ λιτὸν μὲν ἀρκοῦν δὲ πολλοῖς ἐποιεῖτο καθ'
ἡμέραν, ἐφ' ὃ τῶν πενήτων ὁ βουλόμενος εἰσῄει καὶ διατροφὴν εἶχεν
2 ἀπράγμονα, μόνοις τοῖς δημοσίοις σχολάζων. ὡς δ' Ἀριστοτέλης (Ἀθ.
Πολ. 27^3) φησίν, οὐχ ἁπάντων Ἀθηναίων ἀλλὰ τῶν δημοτῶν αὐτοῦ
Λακιαδῶν παρεσκευάζετο τῷ βουλομένῳ τὸ δεῖπνον. αὐτῷ δὲ νεανίσκοι
παρείποντο συνήθεις ἀμπεχόμενοι καλῶς, ὧν ἕκαστος, εἴ τις συντύχοι τῷ
Κίμωνι τῶν ἀστῶν πρεσβύτερος ἠμφιεσμένος ἐνδεῶς, διημείβετο πρὸς
3 αὐτὸν τὰ ἱμάτια· καὶ τὸ γινόμενον ἐφαίνετο σεμνόν. οἱ δ' αὐτοὶ καὶ
νόμισμα κομίζοντες ἄφθονον παριστάμενοι τοῖς κομψοῖς τῶν πενήτων
4 ἐν ἀγορᾷ σιωπῇ τῶν κερματίων ἐνέβαλλον εἰς τὰς χεῖρας. ὧν δὴ καὶ
Κρατῖνος ὁ κωμικὸς ἐν Ἀρχιλόχοις (fr. 1) ἔοικε μεμνῆσθαι διὰ τούτων·

κἀγὼ γὰρ ηὔχουν Μητρόβιος ὁ γραμματεὺς
σὺν ἀνδρὶ θείῳ καὶ φιλοξενωτάτῳ
καὶ πάντ' ἀρίστῳ τῶν Πανελλήνων βροτῷ
Κίμωνι λιπαρὸν γῆρας εὐωχούμενος
αἰῶνα πάντα συνδιατρίψειν. ὁ δὲ λιπὼν
βέβηκε πρότερος.

ἔτι τοίνυν Γοργίας μὲν ὁ Λεοντῖνός (fr. B 20) φησι τὸν Κίμωνα τὰ 5
χρήματα κτᾶσθαι μὲν ὡς χρῷτο, χρᾶσθαι δ' ὡς τιμῷτο, Κριτίας δὲ
τῶν τριάκοντα γενόμενος ἐν ταῖς ἐλεγείαις (fr. B 8) εὔχεται

πλοῦτον μὲν Σκοπαδῶν, μεγαλοφροσύνην δὲ Κίμωνος,
νίκας δ' Ἀρκεσίλα τοῦ Λακεδαιμονίου.

καίτοι Λίχαν γε τὸν Σπαρτιάτην ἀπ' οὐδενὸς ἄλλου γινώσκομεν ἐν 6
τοῖς Ἕλλησιν ὀνομαστὸν γενόμενον ἢ ὅτι τοὺς ξένους ἐν ταῖς γυμνο-
παιδίαις ἐδείπνιζεν· ἡ δὲ Κίμωνος ἀφθονία καὶ τὴν παλαιὰν τῶν
Ἀθηναίων φιλοξενίαν καὶ φιλανθρωπίαν ὑπερέβαλεν. οἱ μὲν γὰρ ἐφ' 7
οἷς ἡ πόλις μέγα φρονεῖ δικαίως, τό τε σπέρμα τῆς τροφῆς εἰς τοὺς
Ἕλληνας ἐξέδωκαν ὑδάτων τε πηγαίων *** καὶ πυρὸς ἔναυσιν χρῄ-
ζουσιν ἀνθρώποις ἐδίδαξαν, ὁ δὲ τὴν μὲν οἰκίαν τοῖς πολίταις πρυτα-
νεῖον ἀποδείξας κοινόν, ἐν δὲ τῇ χώρᾳ καρπῶν ἑτοίμων ἀπαρχὰς καὶ
ὅσα ὧραι καλὰ φέρουσι χρῆσθαι καὶ λαμβάνειν ἅπαντα τοῖς ξένοις
παρέχων, τρόπον τινὰ τὴν ἐπὶ Κρόνου μυθολογουμένην κοινωνίαν εἰς
τὸν βίον αὖθις κατῆγεν. οἱ δὲ ταῦτα κολακείαν ὄχλου καὶ δημαγωγίαν 8
εἶναι διαβάλλοντες ὑπὸ τῆς ἄλλης ἐξηλέγχοντο τοῦ ἀνδρὸς προαιρέσεως
ἀριστοκρατικῆς καὶ Λακωνικῆς οὔσης, ὅς γε καὶ Θεμιστοκλεῖ πέρα
τοῦ δέοντος ἐπαίροντι τὴν δημοκρατίαν ἀντέβαινε μετ' Ἀριστείδου,
καὶ πρὸς Ἐφιάλτην ὕστερον χάριτι τοῦ δήμου καταλύοντα τὴν ἐξ
Ἀρείου πάγου βουλὴν διηνέχθη, λημμάτων δὲ δημοσίων τοὺς ἄλλους
πλὴν Ἀριστείδου καὶ Ἐφιάλτου πάντας ἀναπιμπλαμένους ὁρῶν, αὑτὸν
ἀδέκαστον καὶ ἄθικτον ἐν τῇ πολιτείᾳ δωροδοκίας καὶ πάντα προῖκα
καὶ καθαρῶς πράττοντα καὶ λέγοντα διὰ τέλους παρέσχε. λέγεταί γέ 9
τοι Ῥοισάκην τινὰ βάρβαρον ἀποστάτην βασιλέως ἐλθεῖν μετὰ χρημά-
των πολλῶν εἰς Ἀθήνας, καὶ σπαραττόμενον ὑπὸ τῶν συκοφαντῶν
καταφυγεῖν πρὸς Κίμωνα, καὶ θεῖναι παρὰ τὴν αὔλειον αὐτοῦ φιάλας
δύο, τὴν μὲν ἀργυρείων ἐμπλησάμενον δαρεικῶν τὴν δὲ χρυσῶν· ἰδόντα
δὲ τὸν Κίμωνα καὶ μειδιάσαντα πυθέσθαι τοῦ ἀνθρώπου, πότερον
αἱρεῖται Κίμωνα μισθωτὸν ἢ φίλον ἔχειν· τοῦ δὲ φήσαντος φίλον·
" οὐκοῦν " φάναι " ταῦτ' ἄπιθι μετὰ σεαυτοῦ κομίζων· χρήσομαι γὰρ
αὐτοῖς ὅταν δέωμαι φίλος γενόμενος."

ἐπεὶ δ' οἱ σύμμαχοι τοὺς φόρους μὲν ἐτέλουν, ἄνδρας δὲ καὶ ναῦς **11**

ὡς ἐτάχθησαν οὐ παρεῖχον, ἀλλ' ἀπαγορεύοντες ἤδη πρὸς τὰς στρατείας,
καὶ πολέμου μὲν οὐδὲν δεόμενοι, γεωργεῖν δὲ καὶ ζῆν καθ' ἡσυχίαν
ἐπιθυμοῦντες, ἀπηλλαγμένων τῶν βαρβάρων καὶ μὴ διοχλούντων, οὔτε
τὰς ναῦς ἐπλήρουν οὔτ' ἄνδρας ἀπέστελλον, οἱ μὲν ἄλλοι στρατηγοὶ
τῶν Ἀθηναίων προσηνάγκαζον αὐτοὺς ταῦτα ποιεῖν, καὶ τοὺς ἐλλεί-
ποντας ὑπάγοντες δίκαις καὶ κολάζοντες ἐπαχθῆ τὴν ἀρχὴν καὶ
2 λυπηρὰν ἐποίουν, Κίμων δὲ τὴν ἐναντίαν ὁδὸν ἐν τῇ στρατηγίᾳ πορευό-
μενος βίαν μὲν οὐδενὶ τῶν Ἑλλήνων προσῆγε, χρήματα δὲ λαμβάνων
παρὰ τῶν οὐ βουλομένων στρατεύεσθαι καὶ ναῦς κενάς, ἐκείνους εἴα
δελεαζομένους τῇ σχολῇ περὶ τὰ οἰκεῖα διατρίβειν, γεωργοὺς καὶ
χρηματιστὰς ἀπολέμους ἐκ πολεμικῶν ὑπὸ τρυφῆς καὶ ἀνοίας γινο-
μένους, τῶν δ' Ἀθηναίων ἀνὰ μέρος πολλοὺς ἐμβιβάζων καὶ διαπονῶν
ταῖς στρατείαις, ἐν ὀλίγῳ χρόνῳ τοῖς παρὰ τῶν συμμάχων μισθοῖς καὶ
3 χρήμασι δεσπότας αὐτῶν τῶν διδόντων ἐποίησε. πλέοντας γὰρ αὐτοὺς
συνεχῶς καὶ διὰ χειρὸς ἔχοντας ἀεὶ τὰ ὅπλα καὶ τρεφομένους καὶ
ἀσκοῦντας ἐκ τῆς αὐτῶν ἀστρατείας ἐθισθέντες φοβεῖσθαι καὶ κολα-
κεύειν, ἔλαθον ἀντὶ συμμάχων ὑποτελεῖς καὶ δοῦλοι γεγονότες.

12 καὶ μὴν αὐτοῦ γε τοῦ μεγάλου βασιλέως οὐδεὶς ἐταπείνωσε καὶ
συνέστειλε τὸ φρόνημα μᾶλλον ἢ Κίμων. οὐ γὰρ ἀνῆκεν ἐκ τῆς Ἑλλάδος
ἀπηλλαγμένον, ἀλλ' ὥσπερ ἐκ ποδὸς διώκων, πρὶν διαπνεῦσαι καὶ
στῆναι τοὺς βαρβάρους, τὰ μὲν ἐπόρθει καὶ κατεστρέφετο τὰ δ' ἀφίστη
καὶ προσήγετο τοῖς Ἕλλησιν, ὥστε τὴν ἀπ' Ἰωνίας Ἀσίαν ἄχρι
2 Παμφυλίας παντάπασι Περσικῶν ὅπλων ἐρημῶσαι. πυθόμενος δὲ τοὺς
βασιλέως στρατηγοὺς μεγάλῳ στρατῷ καὶ ναυσὶ πολλαῖς ἐφεδρεύειν
περὶ Παμφυλίαν, καὶ βουλόμενος αὐτοῖς ἄπλουν καὶ ἀνέμβατον ὅλως
ὑπὸ φόβου τὴν ἐντὸς Χελιδονίων ποιήσασθαι θάλατταν, ὥρμησεν ἄρας
ἀπὸ Κνίδου καὶ Τριοπίου τριακοσίαις τριήρεσι, πρὸς μὲν τάχος ἀπ'
ἀρχῆς καὶ περιαγωγὴν ὑπὸ Θεμιστοκλέους ἄριστα κατεσκευασμέναις,
ἐκεῖνος δὲ τότε καὶ πλατυτέρας ἐποίησεν αὐτὰς καὶ διάβασιν τοῖς
καταστρώμασιν ἔδωκεν, ὡς ἂν ὑπὸ πολλῶν ὁπλιτῶν μαχιμώτεραι
3 προσφέροιντο τοῖς πολεμίοις. ἐπιπλεύσας δὲ τῇ πόλει τῶν Φασηλιτῶν,
Ἑλλήνων μὲν ὄντων, οὐ δεχομένων δὲ τὸν στόλον οὐδὲ βουλομένων
ἀφίστασθαι βασιλέως, τήν τε χώραν κακῶς ἐποίει καὶ προσέβαλλε τοῖς
4 τείχεσιν. οἱ δὲ Χῖοι συμπλέοντες αὐτῷ, πρὸς δὲ τοὺς Φασηλίτας ἐκ
παλαιοῦ φιλικῶς ἔχοντες, ἅμα μὲν τὸν Κίμωνα κατεπράυνον, ἅμα δὲ
τοξεύοντες ὑπὲρ τὰ τείχη βιβλίδια προσκείμενα τοῖς ὀιστοῖς ἐξήγγελλον
τοῖς Φασηλίταις. τέλος δὲ διήλλαξαν αὐτούς, ὅπως δέκα τάλαντα
5 δόντες ἀκολουθῶσι καὶ συστρατεύωσιν ἐπὶ τοὺς βαρβάρους. Ἔφορος

Δ τρια
12^2, l. 5: τριακοσίαις S, τριακοσίαις U, διακοσίαις A.

(fr. 192) μὲν οὖν Τιθραύστην φησὶ τῶν βασιλικῶν νεῶν ἄρχειν καὶ τοῦ
πεζοῦ Φερενδάτην, Καλλισθένης (fr. 15) δ' Ἀριομάνδην τὸν Γωβρύου
κυριώτατον ὄντα τῆς δυνάμεως παρὰ τὸν Εὐρυμέδοντα ταῖς ναυσὶ
παρορμεῖν, οὐκ ὄντα μάχεσθαι τοῖς Ἕλλησι πρόθυμον ἀλλὰ προσδεχό-
μενον ὀγδοήκοντα ναῦς Φοινίσσας ἀπὸ Κύπρου προσπλεούσας. ταύτας 6
φθῆναι βουλόμενος ὁ Κίμων ἀνήχθη, βιάζεσθαι παρεσκευασμένος, ἂν
ἑκόντες μὴ ναυμαχῶσιν. οἱ δὲ πρῶτον μὲν ὡς μὴ βιασθεῖεν εἰς τὸν
ποταμὸν εἰσωρμίσαντο, προσφερομένων δὲ τῶν Ἀθηναίων ἀντεξ-
έπλευσαν, ὡς ἱστορεῖ Φανόδημος (fr. 22) ἑξακοσίαις ναυσίν, ὡς δ'
Ἔφορος (fr. 192) πεντήκοντα καὶ τριακοσίαις. ἔργον δὲ κατὰ γοῦν τὴν 7
θάλατταν οὐδὲν ὑπ' αὐτῶν ἐπράχθη τῆς δυνάμεως ἄξιον, ἀλλ' εὐθὺς εἰς
τὴν γῆν ἀποστρέφοντες ἐξέπιπτον οἱ πρῶτοι καὶ κατέφευγον εἰς τὸ
πεζὸν ἐγγὺς παρατεταγμένον, οἱ δὲ καταλαμβανόμενοι διεφθείροντο
μετὰ τῶν νεῶν. ᾧ καὶ δῆλόν ἐστιν, ὅτι πάμπολλαί τινες αἱ πεπληρω- 8
μέναι τοῖς βαρβάροις νῆες ἦσαν, ὅτε πολλῶν μὲν ὡς εἰκὸς ἐκφυγουσῶν
πολλῶν δὲ συντριβεισῶν, ὅμως αἰχμαλώτους διακοσίας ἔλαβον οἱ
Ἀθηναῖοι. τῶν δὲ πεζῶν ἐπικαταβάντων πρὸς τὴν θάλασσαν, μέγα μὲν **13**
ἔργον ἐφαίνετο τῷ Κίμωνι τὸ βιάζεσθαι τὴν ἀπόβασιν καὶ κεκμηκότας
ἀκμῆσι καὶ πολλαπλασίοις ἐπάγειν τοὺς Ἕλληνας, ὅμως δὲ ῥώμῃ καὶ
φρονήματι τοῦ κρατεῖν ὁρῶν ἐπηρμένους καὶ προθύμους ὁμόσε χωρεῖν
τοῖς βαρβάροις, ἀπεβίβαζε τοὺς ὁπλίτας ἔτι θερμοὺς τῷ κατὰ τὴν
ναυμαχίαν ἀγῶνι μετὰ κραυγῆς καὶ δρόμου προσφερομένους. ὑπο- 2
στάντων δὲ τῶν Περσῶν καὶ δεξαμένων οὐκ ἀγεννῶς, κρατερὰ μάχη
συνέστη· καὶ τῶν Ἀθηναίων ἄνδρες ἀγαθοὶ καὶ τοῖς ἀξιώμασι πρῶτοι
καὶ διαπρεπεῖς ἔπεσον. πολλῷ δ' ἀγῶνι τρεψάμενοι τοὺς βαρβάρους
ἔκτεινον, εἶθ' ᾕρουν αὐτούς τε καὶ σκηνὰς παντοδαπῶν χρημάτων
γεμούσας. Κίμων δ' ὥσπερ ἀθλητὴς δεινὸς ἡμέρᾳ μιᾷ δύο καθῃρηκὼς 3
ἀγωνίσματα, καὶ τὸ μὲν ἐν Σαλαμῖνι πεζομαχίᾳ τὸ δ' ἐν Πλαταιαῖς
ναυμαχίᾳ παρεληλυθὼς τρόπαιον, ἐπηγωνίσατο ταῖς νίκαις, καὶ τὰς
ὀγδοήκοντα Φοινίσσας τριήρεις, αἳ τῆς μάχης ἀπελείφθησαν, Ὕδρῳ
προσβεβληκέναι πυθόμενος, διὰ τάχους ἔπλευσεν, οὐδὲν εἰδότων βέβαιον
οὔπω περὶ τῆς μείζονος δυνάμεως τῶν στρατηγῶν ἀλλὰ δυσπίστως ἔτι
καὶ μετεώρως ἐχόντων· ᾗ καὶ μᾶλλον ἐκπλαγέντες ἀπώλεσαν τὰς ναῦς
ἁπάσας, καὶ τῶν ἀνδρῶν οἱ πλεῖστοι συνδιεφθάρησαν.

τοῦτο τὸ ἔργον οὕτως ἐταπείνωσε τὴν γνώμην τοῦ βασιλέως, ὥστε 4
συνθέσθαι τὴν περιβόητον εἰρήνην ἐκείνην, ἵππου μὲν δρόμον ἀεὶ τῆς
Ἑλληνικῆς ἀπέχειν θαλάσσης, ἔνδον δὲ Κυανέων καὶ Χελιδονίων μακρᾷ
νηὶ καὶ χαλκεμβόλῳ μὴ πλέειν. καίτοι Καλλισθένης (fr. 16) οὔ φησι
ταῦτα συνθέσθαι τὸν βάρβαρον, ἔργῳ δὲ ποιεῖν διὰ φόβον τῆς ἥττης
ἐκείνης, καὶ μακρὰν οὕτως ἀποστῆναι τῆς Ἑλλάδος, ὥστε πεντήκοντα

ναυσὶ Περικλέα καὶ τριάκοντα μόναις Ἐφιάλτην ἐπέκεινα πλεῦσαι
Χελιδονίων καὶ μηδὲν αὐτοῖς ναυτικὸν ἀπαντῆσαι παρὰ τῶν βαρβάρων.
5 ἐν δὲ τοῖς ψηφίσμασιν ἃ συνήγαγε Κρατερὸς (fr. 13) ἀντίγραφα συνθηκῶν
ὡς γενομένων κατατέτακται. φασὶ δὲ καὶ βωμὸν εἰρήνης διὰ ταῦτα
τοὺς Ἀθηναίους ἱδρύσασθαι, καὶ Καλλίαν τὸν πρεσβεύσαντα τιμῆσαι
διαφερόντως. πραθέντων δὲ τῶν αἰχμαλώτων λαφύρων, εἴς τε τὰ ἄλλα
χρήμασιν ὁ δῆμος ἐρρώσθη, καὶ τῇ ἀκροπόλει τὸ νότιον τεῖχος κατ-
6 εσκεύασεν ἀπ' ἐκείνης εὐπορήσας τῆς στρατείας. λέγεται δὲ καὶ τῶν
μακρῶν τειχῶν, ἃ σκέλη καλοῦσι, συντελεσθῆναι μὲν ὕστερον τὴν
οἰκοδομίαν, τὴν δὲ πρώτην θεμελίωσιν, εἰς τόπους ἑλώδεις καὶ δια-
βρόχους τῶν ἔργων ἐμπεσόντων, ἐρεισθῆναι διὰ Κίμωνος ἀσφαλῶς,
χάλικι πολλῇ καὶ λίθοις βαρέσι τῶν ἑλῶν πιεσθέντων, ἐκείνου χρήματα
7 πορίζοντος καὶ διδόντος. πρῶτος δὲ ταῖς λεγομέναις ἐλευθερίοις καὶ
γλαφυραῖς διατριβαῖς, αἳ μικρὸν ὕστερον ὑπερφυῶς ἠγαπήθησαν,
ἐκαλλώπισε τὸ ἄστυ, τὴν μὲν ἀγορὰν πλατάνοις καταφυτεύσας, τὴν
δ' Ἀκαδημίαν ἐξ ἀνύδρου καὶ αὐχμηρᾶς κατάρρυτον ἀποδείξας ἄλσος,
ἠσκημένον ὑπ' αὐτοῦ δρόμοις καθαροῖς καὶ συσκίοις περιπάτοις.
14 ἐπεὶ δὲ τῶν Περσῶν τινες οὐκ ἐβούλοντο τὴν Χερρόνησον ἐκλιπεῖν,
ἀλλὰ καὶ τοὺς Θρᾷκας ἄνωθεν ἐπεκαλοῦντο, καταφρονοῦντες τοῦ
Κίμωνος μετ' ὀλίγων παντάπασι τριήρων Ἀθήνηθεν ἐκπεπλευκότος,
ὁρμήσας ἐπ' αὐτοὺς τέτταρσι μὲν ναυσὶ τρισκαίδεκα τὰς ἐκείνων
ἔλαβεν, ἐξελάσας δὲ τοὺς Πέρσας καὶ κρατήσας τῶν Θρᾳκῶν πᾶσαν
2 ᾠκειώσατο τῇ πόλει τὴν Χερρόνησον. ἐκ δὲ τούτου Θασίους μὲν
ἀποστάντας Ἀθηναίων καταναυμαχήσας, τρεῖς καὶ τριάκοντα ναῦς
ἔλαβε καὶ τὴν πόλιν ἐξεπολιόρκησε, καὶ τὰ χρυσεῖα τὰ πέραν Ἀθηναίοις
3 προσεκτήσατο, καὶ χώραν ἧς ἐπῆρχον Θάσιοι παρέλαβεν. ἐκεῖθεν δὲ
ῥᾳδίως ἐπιβῆναι Μακεδονίας καὶ πολλὴν ἀποτεμέσθαι παρασχὸν ὡς
ἐδόκει, μὴ θελήσας αἰτίαν ἔσχε δώροις ὑπὸ τοῦ βασιλέως Ἀλεξάνδρου
συμπεπεῖσθαι, καὶ δίκην ἔφυγε τῶν ἐχθρῶν συστάντων ἐπ' αὐτόν.
4 ἀπολογούμενος δὲ πρὸς τοὺς δικαστὰς οὐκ Ἰώνων ἔφη προξενεῖν οὐδὲ
Θεσσαλῶν πλουσίων ὄντων ὥσπερ ἑτέρους, ἵνα θεραπεύωνται καὶ
λαμβάνωσιν, ἀλλὰ Λακεδαιμονίων, μιμούμενος καὶ ἀγαπῶν τὴν παρ'
αὐτοῖς εὐτέλειαν καὶ σωφροσύνην, ἧς οὐδένα προτιμᾶν πλοῦτον, ἀλλὰ
5 πλουτίζων ἀπὸ τῶν πολεμίων τὴν πόλιν ἀγάλλεσθαι. μνησθεὶς δὲ τῆς
κρίσεως ἐκείνης ὁ Στησίμβροτος (fr. 5) φησι τὴν Ἐλπινίκην ὑπὲρ τοῦ
Κίμωνος δεομένην ἐλθεῖν ἐπὶ τὰς θύρας τοῦ Περικλέους—οὗτος γὰρ
ἦν τῶν κατηγόρων ὁ σφοδρότατος—τὸν δὲ μειδιάσαντα "γραῦς εἶ"
φάναι "γραῦς ὦ Ἐλπινίκη, ὡς τηλικαῦτα διαπράττεσθαι πράγματα"·
πλὴν ἔν γε τῇ δίκῃ πραότατον γενέσθαι τῷ Κίμωνι καὶ πρὸς τὴν
κατηγορίαν ἅπαξ ἀναστῆναι μόνον ὥσπερ ἀφοσιούμενον.

ἐκείνην μὲν οὖν ἀπέφυγε τὴν δίκην· ἐν δὲ τῇ λοιπῇ πολιτείᾳ παρὼν **15**
μὲν ἐκράτει καὶ συνέστελλε τὸν δῆμον ἐπιβαίνοντα τοῖς ἀρίστοις καὶ
περισπῶντα τὴν πᾶσαν εἰς ἑαυτὸν ἀρχὴν καὶ δύναμιν· ὡς δὲ πάλιν ἐπὶ 2
στρατείαν ἐξέπλευσε, τελέως ἀνεθέντες οἱ πολλοὶ καὶ συγχέαντες τὸν
καθεστῶτα τῆς πολιτείας κόσμον τά ⟨τε⟩ πάτρια νόμιμα, οἷς ἐχρῶντο
πρότερον, Ἐφιάλτου προεστῶτος ἀφείλοντο τῆς ἐξ Ἀρείου πάγου
βουλῆς τὰς κρίσεις πλὴν ὀλίγων ἁπάσας, καὶ τῶν δικαστηρίων κυρίους
ἑαυτοὺς ποιήσαντες εἰς ἄκρατον δημοκρατίαν ἐνέβαλον τὴν πόλιν, ἤδη
καὶ Περικλέους δυναμένου καὶ τὰ τῶν πολλῶν φρονοῦντος. διὸ καὶ τοῦ 3
Κίμωνος ὡς ἐπανῆλθεν ἀγανακτοῦντος ἐπὶ τῷ προπηλακίζεσθαι τὸ
ἀξίωμα τοῦ συνεδρίου καὶ πειρωμένου πάλιν ἄνω τὰς δίκας ἀνακα-
λεῖσθαι καὶ τὴν ἐπὶ Κλεισθένους ἐγείρειν ἀριστοκρατίαν, κατεβόων
συνιστάμενοι καὶ τὸν δῆμον ἐξηρέθιζον, ἐκεῖνά τε τὰ πρὸς τὴν ἀδελφὴν
ἀνανεούμενοι καὶ λακωνισμὸν ἐπικαλοῦντες. εἰς ἃ καὶ τὰ Εὐπόλιδος 4
(fr. 208) διατεθρύληται περὶ Κίμωνος, ὅτι

κακὸς μὲν οὐκ ἦν, φιλοπότης δὲ κἀμελής·
κἀνίοτ' ⟨ἂν⟩ ἀπεκοιμᾶτ' ἂν ἐν Λακεδαίμονι
κἂν Ἐλπινίκην τήνδε καταλιπὼν μόνην.

εἰ δ' ἀμελῶν καὶ μεθυσκόμενος τοσαύτας πόλεις εἷλε καὶ τοσαύτας 5
νίκας ἐνίκησε, δῆλον ὅτι νήφοντος αὐτοῦ καὶ προσέχοντος οὐδεὶς ἂν
οὔτε τῶν πρότερον οὔτε τῶν ὕστερον Ἑλλήνων παρῆλθε τὰς πράξεις.

ἦν μὲν οὖν ἀπ' ἀρχῆς φιλολάκων· καὶ τῶν γε παίδων τῶν διδύμων **16**
τὸν ἕτερον Λακεδαιμόνιον ὠνόμασε τὸν δ' ἕτερον Ἠλεῖον, ἐκ γυναικὸς
αὐτῷ Κλειτορίας γενομένους ὡς Στησίμβροτος (fr. 6) ἱστορεῖ· διὸ
πολλάκις Περικλέα τὸ μητρῷον αὐτοῖς γένος ὀνειδίζειν. Διόδωρος δ'
ὁ περιηγητὴς (fr. 37) καὶ τούτους φησὶ καὶ τὸν τρίτον τῶν Κίμωνος
υἱῶν Θεσσαλὸν ἐξ Ἰσοδίκης γεγονέναι τῆς Εὐρυπτολέμου τοῦ Μεγα-
κλέους. ηὐξήθη δ' ὑπὸ τῶν Λακεδαιμονίων, ἤδη τῷ Θεμιστοκλεῖ 2
προσπολεμούντων καὶ τοῦτον ὄντα νέον ἐν Ἀθήναις μᾶλλον ἰσχύειν καὶ
κρατεῖν βουλομένων. οἱ δ' Ἀθηναῖοι τὸ πρῶτον ἡδέως ἑώρων οὐ μικρὰ
τῆς πρὸς ἐκεῖνον εὐνοίας τῶν Σπαρτιατῶν ἀπολαύοντες· αὐξανομένοις
γὰρ αὐτοῖς κατ' ἀρχὰς καὶ τὰ συμμαχικὰ πολυπραγμονοῦσιν οὐκ ἤχθοντο
τιμῇ καὶ χάριτι τοῦ Κίμωνος. τὰ γὰρ πλεῖστα δι' ἐκείνου τῶν Ἑλλη- 3
νικῶν διεπράττετο, πράως μὲν τοῖς συμμάχοις κεχαρισμένως δὲ τοῖς
Λακεδαιμονίοις ὁμιλοῦντος. ἔπειτα δυνατώτεροι γενόμενοι καὶ τὸν
Κίμωνα τοῖς Σπαρτιάταις οὐκ ἠρέμα προσκείμενον ὁρῶντες ἤχθοντο. καὶ
γὰρ αὐτὸς ἐπὶ παντὶ μεγαλύνων τὴν Λακεδαίμονα πρὸς Ἀθηναίους, καὶ
μάλιστα ὅτε τύχοι μεμφόμενος αὐτοῖς ἢ παροξύνων, ὥς φησι Στησίμ-
βροτος (fr. 7), εἰώθει λέγειν· "ἀλλ' οὐ Λακεδαιμόνιοί γε τοιοῦτοι."
ὅθεν φθόνον ἑαυτῷ συνῆγε καὶ δυσμένειάν τινα παρὰ τῶν πολιτῶν.

4 ἡ δ' οὖν ἰσχύσασα μάλιστα κατ' αὐτοῦ τῶν διαβολῶν αἰτίαν ἔσχε
τοιαύτην. Ἀρχιδάμου τοῦ Ζευξιδάμου τέταρτον ἔτος ἐν Σπάρτῃ
βασιλεύοντος, ὑπὸ σεισμοῦ μεγίστου δὴ τῶν μνημονευομένων πρότερον
ἥ τε χώρα τῶν Λακεδαιμονίων χάσμασιν ἐνώλισθε πολλοῖς, καὶ τῶν
Ταϋγέτων τιναχθέντων κορυφαί τινες ἀπερράγησαν, αὐτὴ δ' ἡ πόλις
5 ὅλη συνεχύθη πλὴν οἰκιῶν πέντε, τὰς δ' ἄλλας ἤρειψεν ὁ σεισμός. ἐν
δὲ μέσῃ τῇ στοᾷ γυμναζομένων ὁμοῦ τῶν ἐφήβων καὶ τῶν νεανίσκων
λέγεται μικρὸν πρὸ τοῦ σεισμοῦ λαγὼν παραφανῆναι, καὶ τοὺς μὲν
νεανίσκους ὥσπερ ἦσαν ἀληλιμμένοι μετὰ παιδιᾶς ἐκδραμεῖν καὶ
διώκειν, τοῖς δ' ἐφήβοις ὑπολειφθεῖσιν ἐπιπεσεῖν τὸ γυμνάσιον καὶ
πάντας ὁμοῦ τελευτῆσαι. τὸν δὲ τάφον αὐτῶν ἔτι νῦν Σεισματίαν
6 προσαγορεύουσι. ταχὺ δὴ συνιδὼν ἀπὸ τοῦ παρόντος τὸν μέλλοντα
κίνδυνον ὁ Ἀρχίδαμος καὶ τοὺς πολίτας ὁρῶν ἐκ τῶν οἰκιῶν τὰ τιμιώ-
τατα πειρωμένους σῴζειν, ἐκέλευσε τῇ σάλπιγγι σημαίνειν ὡς πολε-
μίων ἐπιόντων, ὅπως ὅτι τάχιστα μετὰ τῶν ὅπλων ἀθροίζωνται πρὸς
7 αὐτόν. ὃ δὴ καὶ μόνον ἐν τῷ τότε καιρῷ τὴν Σπάρτην διέσωσεν. οἱ
γὰρ εἵλωτες ἐκ τῶν ἀγρῶν συνέδραμον πανταχόθεν ὡς ἀναρπασόμενοι
τοὺς σεσωσμένους τῶν Σπαρτιατῶν. ὡπλισμένους δὲ καὶ συντεταγ-
μένους εὑρόντες ἀνεχώρησαν ἐπὶ τὰς πόλεις καὶ φανερῶς ἐπολέμουν,
τῶν τε περιοίκων ἀναπείσαντες οὐκ ὀλίγους, καὶ Μεσσηνίων ἅμα τοῖς
8 Σπαρτιάταις συνεπιθεμένων. πέμπουσιν οὖν οἱ Λακεδαιμόνιοι Περι-
κλείδαν εἰς Ἀθήνας δεόμενοι βοηθεῖν, ὅν φησι κωμῳδῶν Ἀριστοφάνης
(*Lys.* 1138) " καθεζόμενον ἐπὶ τοῖς βωμοῖς ὠχρὸν ἐν φοινικίδι στρατιὰν
9 ἐπαιτεῖν ". Ἐφιάλτου δὲ κωλύοντος καὶ διαμαρτυρομένου μὴ βοηθεῖν
μηδ' ἀνιστάναι πόλιν ἀντίπαλον ἐπὶ τὰς Ἀθήνας ἀλλ' ἐᾶν κεῖσθαι καὶ
πατηθῆναι τὸ φρόνημα τῆς Σπάρτης, Κίμωνά φησι Κριτίας (fr. B 52)
τὴν τῆς πατρίδος αὔξησιν ἐν ὑστέρῳ θέμενον τοῦ Λακεδαιμονίων συμ-
φέροντος ἀναπείσαντα τὸν δῆμον ἐξελθεῖν βοηθοῦντα μετὰ πολλῶν
10 ὁπλιτῶν. ὁ δ' Ἴων (fr. 14) ἀπομνημονεύει καὶ τὸν λόγον, ᾧ μάλιστα
τοὺς Ἀθηναίους ἐκίνησε, παρακαλῶν μήτε τὴν Ἑλλάδα χωλὴν μήτε
17 τὴν πόλιν ἑτερόζυγα περιιδεῖν γεγενημένην. ἐπεὶ δὲ βοηθήσας τοῖς
Λακεδαιμονίοις ἀπῄει διὰ Κορίνθου τὴν στρατιὰν ἄγων, ἐνεκάλει
Λάχαρτος αὐτῷ πρὶν ἐντυχεῖν τοῖς πολίταις εἰσαγαγόντι τὸ στράτευμα·
καὶ γὰρ θύραν κόψαντας ἀλλοτρίαν οὐκ εἰσιέναι πρότερον ἢ τὸν κύριον
2 κελεῦσαι. καὶ ὁ Κίμων " ἀλλ' οὐχ ὑμεῖς " εἶπεν " ὦ Λάχαρτε τὰς
Κλεωναίων καὶ Μεγαρέων πύλας κόψαντες ἀλλὰ κατασχίσαντες
εἰσεβιάσασθε μετὰ τῶν ὅπλων ἀξιοῦντες ἀνεῳγέναι πάντα τοῖς μεῖζον
δυναμένοις." οὕτω μὲν ἐθρασύνατο πρὸς τὸν Κορίνθιον ἐν δέοντι,
3 καὶ μετὰ τῆς στρατιᾶς διεξῆλθεν. οἱ δὲ Λακεδαιμόνιοι τοὺς Ἀθηναίους
αὖθις ἐκάλουν ἐπὶ τοὺς ἐν Ἰθώμῃ Μεσσηνίους καὶ εἵλωτας, ἐλθόντων

δὲ τὴν τόλμαν καὶ τὴν λαμπρότητα δείσαντες ἀπεπέμψαντο μόνους τῶν
συμμάχων ὡς νεωτεριστάς. οἱ δὲ πρὸς ὀργὴν ἀπελθόντες ἤδη τοῖς
λακωνίζουσι φανερῶς ἐχαλέπαινον, καὶ τὸν Κίμωνα μικρᾶς ἐπιλα-
βόμενοι προφάσεως ἐξωστράκισαν εἰς ἔτη δέκα· τοσοῦτον γὰρ ἦν
χρόνου τεταγμένον ἅπασι τοῖς ἐξοστρακιζομένοις.
ἐν δὲ τούτῳ τῶν Λακεδαιμονίων, ὡς ἐπανήρχοντο Δελφοὺς ἀπὸ 4
Φωκέων ἐλευθερώσαντες, ἐν Τανάγρᾳ καταστρατοπεδευσάντων, Ἀθη-
ναῖοι μὲν ἀπήντων διαμαχούμενοι, Κίμων δὲ μετὰ τῶν ὅπλων ἧκεν
εἰς τὴν αὑτοῦ φυλὴν τὴν Οἰνηΐδα, πρόθυμος ὢν ἀμύνεσθαι τοὺς Λακε-
δαιμονίους μετὰ τῶν πολιτῶν. ἡ δὲ βουλὴ τῶν πεντακοσίων πυθομένη 5
καὶ φοβηθεῖσα, τῶν ἐχθρῶν αὐτοῦ καταβοώντων ὡς συνταράξαι τὴν
φάλαγγα βουλομένου καὶ τῇ πόλει Λακεδαιμονίους ἐπαγαγεῖν, ἀπ-
ηγόρευσε τοῖς στρατηγοῖς μὴ δέχεσθαι τὸν ἄνδρα. κἀκεῖνος μὲν ᾤχετο 6
δεηθεὶς Εὐθίππου τοῦ Ἀναφλυστίου καὶ τῶν ἄλλων ἑταίρων, ὅσοι
μάλιστα τὴν τοῦ λακωνίζειν αἰτίαν ἔσχον, ἐρρωμένως ἀγωνίσασθαι
πρὸς τοὺς πολεμίους καὶ δι' ἔργων ἀπολύσασθαι τὴν αἰτίαν πρὸς τοὺς
πολίτας. οἱ δὲ λαβόντες αὐτοῦ τὴν πανοπλίαν εἰς τὸν λόχον ἔθεντο· 7
καὶ μετ' ἀλλήλων συστάντες ἐκθύμως ἑκατὸν ὄντες ἔπεσον, πολὺν
αὑτῶν πόθον καὶ μεταμέλειαν ἐφ' οἷς ᾐτιάθησαν ἀδίκως ἀπολιπόντες
τοῖς Ἀθηναίοις. ὅθεν οὐδὲ τῷ πρὸς Κίμωνα θυμῷ πολὺν χρόνον 8
ἐνέμειναν, τὰ μὲν ὡς εἰκὸς ὧν ἔπαθον εὖ μεμνημένοι, τὰ δὲ τοῦ καιροῦ
συλλαμβανομένου. νενικημένοι γὰρ ἐν Τανάγρᾳ μάχῃ μεγάλῃ καὶ
προσδοκῶντες εἰς ὥραν ἔτους στρατιὰν Πελοποννησίων, ἐπ' αὐτοὺς
ἐκάλουν ἐκ τῆς φυγῆς τὸν Κίμωνα· καὶ κατῆλθε τὸ ψήφισμα γράψαντος
αὐτοῦ Περικλέους. οὕτω τότε πολιτικαὶ μὲν ἦσαν αἱ διαφοραί, μέτριοι 9
δ' οἱ θυμοὶ καὶ πρὸς τὸ κοινὸν εὐανάκλητοι συμφέρον, ἡ δὲ φιλοτιμία
πάντων ἐπικρατοῦσα τῶν παθῶν τοῖς τῆς πατρίδος ὑπεχώρει καιροῖς.
εὐθὺς μὲν οὖν ὁ Κίμων κατελθὼν ἔλυσε τὸν πόλεμον καὶ διήλλαξε **18**
τὰς πόλεις· γενομένης δ' εἰρήνης, ὁρῶν τοὺς Ἀθηναίους ἡσυχίαν ἄγειν
μὴ δυναμένους ἀλλὰ κινεῖσθαι καὶ αὐξάνεσθαι ταῖς στρατείαις βουλο-
μένους, ἵνα μὴ τοῖς Ἕλλησι διοχλῶσι μηδὲ περὶ τὰς νήσους ἢ Πελο-
πόννησον ἀναστρεφόμενοι ναυσὶ πολλαῖς αἰτίας ἐμφυλίων πολέμων
καὶ συμμαχικῶν ἐγκλημάτων ἀρχὰς ἐπισπάσωνται κατὰ τῆς πόλεως,
ἐπλήρου τριακοσίας τριήρεις ὡς ἐπ' Αἴγυπτον καὶ Κύπρον αὖθις
ἐκστρατευσόμενος, ἅμα μὲν ἐμμελετᾶν τοῖς πρὸς τοὺς βαρβάρους ἀγῶσι
βουλόμενος τοὺς Ἀθηναίους, ἅμα δ' ὠφελεῖσθαι δικαίως τὰς ἀπὸ τῶν
φύσει πολεμίων εὐπορίας εἰς τὴν Ἑλλάδα κομίζοντας. ἤδη δὲ παρ- 2
εσκευασμένων ἁπάντων καὶ τοῦ στρατοῦ παρὰ ταῖς ναυσὶν ὄντος, ὄναρ

17[4]: Δελφοὺς codd., Δωριεῖς Sintenis. 18[1], l. 7: τριακοσίας SU, διακοσίας A. (Δ above τριακοσίας; τρια above διακοσίας)

εἶδεν ὁ Κίμων. ἐδόκει κύνα θυμουμένην ὑλακτεῖν πρὸς αὐτόν, ἐκ δὲ
τῆς ὑλακῆς μεμειγμένον ἀφεῖσαν ἀνθρώπου φθόγγον εἰπεῖν·
3 *στεῖχε· φίλος γὰρ ἔσῃ καὶ ἐμοὶ καὶ ἐμοῖς σκυλάκεσσιν.*
οὕτω δὲ δυσκρίτου τῆς ὄψεως οὔσης, Ἀστύφιλος ὁ Ποσειδωνιάτης, μαν-
τικὸς ἀνὴρ καὶ συνήθης τῷ Κίμωνι, φράζει θάνατον αὐτῷ προσημαί-
νειν τὴν ὄψιν, οὕτω διαιρῶν· κύων ἀνθρώπῳ πρὸς ὃν ὑλακτεῖ πολέ-
μιος· πολεμίῳ δ' οὐκ ἂν τις μᾶλλον ἢ τελευτήσας φίλος γένοιτο· τὸ δὲ
μεῖγμα τῆς φωνῆς Μῆδον ἀποδηλοῖ τὸν ἐχθρόν· ὁ γὰρ Μήδων στρατὸς
4 *Ἕλλησιν ὁμοῦ καὶ βαρβάροις μέμεικται. μετὰ δὲ ταύτην τὴν ὄψιν*
αὐτοῦ τῷ Διονύσῳ θύσαντος ὁ μὲν μάντις ἐνέτεμε τὸ ἱερεῖον, τοῦ δ'
αἵματος τὸ πηγνύμενον ἤδη μύρμηκες πολλοὶ λαμβάνοντες κατὰ μικρὸν
ἔφερον πρὸς τὸν Κίμωνα καὶ τοῦ ποδὸς περὶ τὸν μέγαν δάκτυλον
5 *περιέπλαττον, ἐπὶ πολὺν χρόνον λανθάνοντες. ἅμα δέ πως ὅ τε Κίμων*
τῷ γιγνομένῳ προσέσχε, καὶ παρῆν ὁ θύτης ἐπιδεικνύμενος αὐτῷ τὸν
λοβὸν οὐκ ἔχοντα κεφαλήν. ἀλλ'—οὐ γὰρ ἦν ἀνάδυσις τῆς στρατείας—
ἐξέπλευσε, καὶ τῶν νεῶν ἑξήκοντα μὲν ἀπέστειλεν εἰς Αἴγυπτον, ταῖς
6 *δ' ἄλλαις πάλιν *** ἔπλει. καὶ καταναυμαχήσας Φοινισσῶν νεῶν καὶ*
Κιλισσῶν βασιλικὸν στόλον, ἀνεκτᾶτό τε τὰς ἐν κύκλῳ πόλεις καὶ τοῖς
περὶ Αἴγυπτον ἐφήδρευεν, οὐδὲν μικρὸν ἀλλ' ὅλης ἐπινοῶν τῆς βασιλέως
ἡγεμονίας κατάλυσιν, καὶ μάλιστα ὅτι τοῦ Θεμιστοκλέους ἐπυνθάνετο
δόξαν εἶναι καὶ δύναμιν ἐν τοῖς βαρβάροις μεγάλην, ὑποδεδεγμένου
7 *βασιλεῖ κινοῦντι τὸν Ἑλληνικὸν πόλεμον στρατηγήσειν. Θεμιστοκλῆς*
μὲν οὖν οὐχ ἥκιστα λέγεται τὰς Ἑλληνικὰς πράξεις ἀπογνούς, ὡς οὐκ
ἂν ὑπερβαλόμενος τὴν Κίμωνος εὐτυχίαν καὶ ἀρετήν, ἑκὼν τελευτῆσαι.
Κίμων δὲ μεγάλων ἐπαιρόμενος ἀρχὰς ἀγώνων καὶ περὶ Κύπρον
συνέχων τὸ ναυτικὸν ἔπεμψεν εἰς Ἄμμωνος ἄνδρας ἀπόρρητόν τινα
μαντείαν ποιησομένους παρὰ τῷ θεῷ· γιγνώσκει γὰρ οὐδεὶς ὑπὲρ ὧν
ἐπέμφθησαν, οὐδὲ χρησμὸν αὐτοῖς ὁ θεὸς ἐξήνεγκεν, ἀλλ' ἅμα τῷ
προσελθεῖν ἐκέλευσεν ἀπιέναι τοὺς θεοπρόπους· αὐτὸν γὰρ ἤδη τὸν
8 *Κίμωνα παρ' ἑαυτῷ τυγχάνειν ὄντα. ταῦτ' ἀκούσαντες οἱ θεοπρόποι*
κατέβαινον ἐπὶ θάλασσαν· γενόμενοι δ' ἐν τῷ στρατοπέδῳ τῶν Ἑλλή-
νων, ὃ τότε περὶ Αἴγυπτον ἦν, ἐπύθοντο τεθνάναι τὸν Κίμωνα· καὶ τὰς
ἡμέρας πρὸς τὸ μαντεῖον ἀνάγοντες ἔγνωσαν ᾐνιγμένην τὴν τελευτὴν
19 *τοῦ ἀνδρὸς ὡς ἤδη παρὰ θεοῖς ὄντος. ἀπέθανε δὲ πολιορκῶν Κίτιον,*
ὡς οἱ πλεῖστοι λέγουσι νοσήσας· ἔνιοι δέ φασιν ἐκ τραύματος, ὃ πρὸς
2 *τοὺς βαρβάρους ἀγωνιζόμενος ἔσχε. τελευτῶν δὲ τοὺς περὶ αὐτὸν*
ἐκέλευσεν εὐθὺς ἀποπλεῖν ἀποκρυψαμένους τὸν θάνατον αὐτοῦ· καὶ
συνέβη μήτε τῶν πολεμίων μήτε τῶν συμμάχων αἰσθομένων ἀσφαλῶς
αὐτοὺς ἀνακομισθῆναι, στρατηγουμένους ὑπὸ Κίμωνος ὥς φησι Φανό-
δημος (fr. 23) *τεθνηκότος ἐφ' ἡμέρας τριάκοντα.*

μετὰ δὲ τὴν ἐκείνου τελευτὴν πρὸς μὲν τοὺς βαρβάρους οὐδὲν ἔτι 3
λαμπρὸν ὑπ' οὐδενὸς ἐπράχθη στρατηγοῦ τῶν Ἑλλήνων, ἀλλὰ τραπέντες
ὑπὸ δημαγωγῶν καὶ πολεμοποιῶν ἐπ' ἀλλήλους, οὐδενὸς τὰς χεῖρας ἐν
μέσῳ διασχόντος, συνερράγησαν εἰς τὸν πόλεμον, ἀναπνοὴ μὲν τοῖς
βασιλέως πράγμασι γενόμενοι, φθόρον δ' ἀμύθητον τῆς Ἑλληνικῆς
δυνάμεως ἀπεργασάμενοι. ὀψὲ δ' οἱ περὶ τὸν Ἀγησίλαον εἰς τὴν Ἀσίαν 4
ἐξενεγκάμενοι τὰ ὅπλα βραχέος ἥψαντο πολέμου πρὸς τοὺς ἐπὶ θαλάσσῃ
βασιλέως στρατηγούς· καὶ λαμπρὸν οὐδὲν οὐδὲ μέγα δράσαντες, αὖθις
δὲ ταῖς Ἑλληνικαῖς στάσεσι καὶ ταραχαῖς ἀφ' ἑτέρας ἀρχῆς ὑπενε-
χθέντες, ᾤχοντο τοὺς Περσῶν φορολόγους ἐν μέσαις ταῖς συμμάχοις
καὶ φίλαις πόλεσιν ἀπολιπόντες, ὧν οὐδὲ γραμματοφόρος κατέβαινεν
οὐδ' ἵππος πρὸς θαλάσσῃ τετρακοσίων σταδίων ἐντὸς ὤφθη στρατη-
γοῦντος Κίμωνος.

ὅτι μὲν οὖν εἰς τὴν Ἀττικὴν ἀπεκομίσθη τὰ λείψανα αὐτοῦ, μαρτυρεῖ 5
τῶν μνημάτων τὰ μέχρι νῦν Κιμώνεια προσαγορευόμενα· τιμῶσι δὲ
καὶ Κιτιεῖς τάφον τινὰ Κίμωνος, ὡς Ναυσικράτης ὁ ῥήτωρ φησίν, ἐν
λοιμῷ καὶ γῆς ἀπορίᾳ τοῦ θεοῦ προστάξαντος αὐτοῖς μὴ ἀμελεῖν
Κίμωνος, ἀλλ' ὡς κρείττονα σέβεσθαι καὶ γεραίρειν. τοιοῦτος μὲν ὁ
Ἑλληνικὸς ἡγεμών.

Lucullus

19^7: ἦν δ' ἡ πόλις (sc. Amisos) Ἀθηναίων ἄποικος, ἐν ἐκείνοις ἄρα
τοῖς καιροῖς, ἐν οἷς ἤκμαζεν ἡ δύναμις αὐτῶν καὶ κατεῖχε τὴν θάλασσαν,
οἰκισθεῖσα.

Pericles

2^5: ἔδοξεν οὖν καὶ ἡμῖν ἐνδιατρῖψαι τῇ περὶ τοὺς βίους ἀναγραφῇ,
καὶ τοῦτο τὸ βιβλίον δέκατον συντετάχαμεν τὸν Περικλέους βίον καὶ
τὸν Φαβίου Μαξίμου τοῦ διαπολεμήσαντος πρὸς Ἀννίβαν περιέχον,
ἀνδρῶν κατά τε τὰς ἄλλας ἀρετὰς ὁμοίων, μάλιστα δὲ πραότητα καὶ
δικαιοσύνην, καὶ τῷ δύνασθαι φέρειν δήμων καὶ συναρχόντων ἀγνω-
μοσύνας ὠφελιμωτάτων ταῖς πατρίσι γενομένων. εἰ δ' ὀρθῶς στοχαζό-
μεθα τοῦ δέοντος, ἔξεστι κρίνειν ἐκ τῶν γραφομένων.

Περικλῆς γὰρ ἦν τῶν μὲν φυλῶν Ἀκαμαντίδης, τῶν δὲ δήμων **3**
Χολαργεύς, οἴκου δὲ καὶ γένους τοῦ πρώτου κατ' ἀμφοτέρους. Ξάνθιπ- 2
πος γὰρ ὁ νικήσας ἐν Μυκάλῃ τοὺς βασιλέως στρατηγοὺς ἔγημεν
Ἀγαρίστην Κλεισθένους ἔγγονον, ὃς ἐξήλασε Πεισιστρατίδας καὶ
κατέλυσε τὴν τυραννίδα γενναίως καὶ νόμους ἔθετο καὶ πολιτείαν
ἄριστα κεκραμένην πρὸς ὁμόνοιαν καὶ σωτηρίαν κατέστησεν. αὕτη κατὰ 3
τοὺς ὕπνους ἔδοξε τεκεῖν λέοντα, καὶ μεθ' ἡμέρας ὀλίγας ἔτεκε Περι-
κλέα, τὰ μὲν ἄλλα τὴν ἰδέαν τοῦ σώματος ἄμεμπτον, προμήκη δὲ τῇ

4 κεφαλῇ καὶ ἀσύμμετρον. ὅθεν αἱ μὲν εἰκόνες αὐτοῦ σχεδὸν ἅπασαι
κράνεσι περιέχονται, μὴ βουλομένων ὡς ἔοικε τῶν τεχνιτῶν ἐξονειδίζειν.
οἱ δ' Ἀττικοὶ ποιηταὶ σχινοκέφαλον αὐτὸν ἐκάλουν· τὴν γὰρ σκίλλαν
5 ἔστιν ὅτε καὶ σχῖνον ὀνομάζουσι. τῶν δὲ κωμικῶν ὁ μὲν Κρατῖνος ἐν
Χείρωσι (fr. 240)· "Στάσις δὲ (φησί) καὶ πρεσβυγενὴς Κρόνος ἀλλή-
λοισι μιγέντε μέγιστον τίκτετον τύραννον, ὃν δὴ κεφαληγερέταν θεοὶ
καλέουσι·" καὶ πάλιν ἐν Νεμέσει (fr. 111)· "μόλ' ὦ Ζεῦ ξένιε καὶ
6 καραϊέ." Τηλεκλείδης δὲ "ποτὲ μὲν" ὑπὸ τῶν πραγμάτων ἠπορη-
μένον καθῆσθαί φησιν (fr. 44) αὐτὸν ἐν τῇ πόλει "καρηβαροῦντα, ποτὲ
7 δὲ μόνον ἐκ κεφαλῆς ἑνδεκακλίνου θόρυβον πολὺν ἐξανατέλλειν"· ὁ δ'
Εὔπολις ἐν τοῖς Δήμοις (fr. 93) πυνθανόμενος περὶ ἑκάστου τῶν ἀνα-
βεβηκότων ἐξ ᾅδου δημαγωγῶν, ὡς ὁ Περικλῆς ὠνομάσθη τελευταῖος·

ὅ τί περ κεφάλαιον τῶν κάτωθεν ἤγαγες.

4 διδάσκαλον δ' αὐτοῦ τῶν μουσικῶν οἱ πλεῖστοι Δάμωνα γενέσθαι
λέγουσιν, οὗ φασι δεῖν τοὔνομα βραχύνοντας τὴν προτέραν συλλαβὴν
ἐκφέρειν· Ἀριστοτέλης δὲ (fr. 401) παρὰ Πυθοκλείδῃ μουσικὴν δια-
2 πονηθῆναι τὸν ἄνδρα φησίν. ὁ δὲ Δάμων ἔοικεν ἄκρος ὢν σοφιστὴς
καταδύεσθαι μὲν εἰς τὸ τῆς μουσικῆς ὄνομα πρὸς τοὺς πολλοὺς ἐπι-
κρυπτόμενος τὴν δεινότητα, τῷ δὲ Περικλεῖ συνῆν καθάπερ ἀθλητῇ
3 τῶν πολιτικῶν ἀλείπτης καὶ διδάσκαλος. οὐ μὴν ἔλαθεν ὁ Δάμων τῇ
λύρᾳ παρακαλύμματι χρώμενος, ἀλλ' ὡς μεγαλοπράγμων καὶ φιλο-
4 τύραννος ἐξωστρακίσθη καὶ παρέσχε τοῖς κωμικοῖς διατριβήν. ὁ γοῦν
Πλάτων (fr. 191) καὶ πυνθανόμενον αὐτοῦ τινα πεποίηκεν οὕτω·

πρῶτον μὲν οὖν μοι λέξον, ἀντιβολῶ· σὺ γὰρ
ὥς φασι [ὦ] Χείρων ἐξέθρεψας Περικλέα.

5 διήκουσε δὲ Περικλῆς καὶ Ζήνωνος τοῦ Ἐλεάτου πραγματευομένου
περὶ φύσιν, ὡς Παρμενίδης, ἐλεγκτικὴν δέ τινα καὶ δι' ἀντιλογίας εἰς
ἀπορίαν κατακλείουσαν ἐξασκήσαντος ἕξιν, ὥς που καὶ Τίμων ὁ
Φλειάσιος εἴρηκε διὰ τούτων (fr. 45)·

ἀμφοτερογλώσσου τε μέγα σθένος οὐκ ἀλαπαδνὸν
Ζήνωνος, πάντων ἐπιλήπτορος.

6 ὁ δὲ πλεῖστα Περικλεῖ συγγενόμενος καὶ μάλιστα περιθεὶς ὄγκον αὐτῷ
καὶ φρόνημα δημαγωγίας ἐμβριθέστερον, ὅλως τε μετεωρίσας καὶ
συνεξάρας τὸ ἀξίωμα τοῦ ἤθους, Ἀναξαγόρας ἦν ὁ Κλαζομένιος, ὃν
οἱ τότ' ἄνθρωποι Νοῦν προσηγόρευον, εἴτε τὴν σύνεσιν αὐτοῦ μεγάλην
εἰς φυσιολογίαν καὶ περιττὴν διαφανεῖσαν θαυμάσαντες, εἴθ' ὅτι τοῖς
ὅλοις πρῶτος οὐ τύχην οὐδ' ἀνάγκην διακοσμήσεως ἀρχήν, ἀλλὰ νοῦν

3^{5}, l. 5: καραϊέ Meineke, κάριε S, μακάριε Y, καράνιε Kock.

ἐπέστησε καθαρὸν καὶ ἄκρατον, ἐν μεμειγμένοις πᾶσι τοῖς ἄλλοις
ἀποκρίνοντα τὰς ὁμοιομερείας. τοῦτον ὑπερφυῶς τὸν ἄνδρα θαυμάσας **5**
ὁ Περικλῆς καὶ τῆς λεγομένης μετεωρολογίας καὶ μεταρσιολεσχίας
ὑποπιμπλάμενος οὐ μόνον ὡς ἔοικε τὸ φρόνημα σοβαρὸν καὶ τὸν λόγον
ὑψηλὸν εἶχε καὶ καθαρὸν ὀχλικῆς καὶ πανούργου βωμολοχίας, ἀλλὰ καὶ
προσώπου σύστασις ἄθρυπτος εἰς γέλωτα καὶ πραότης πορείας καὶ
καταστολὴ περιβολῆς πρὸς οὐδὲν ἐκταραττομένη πάθος ἐν τῷ λέγειν
καὶ πλάσμα φωνῆς ἀθόρυβον καὶ ὅσα τοιαῦτα πάντας θαυμαστῶς
ἐξέπληττε. λοιδορούμενος γοῦν ποτε καὶ κακῶς ἀκούων ὑπό τινος τῶν 2
βδελυρῶν καὶ ἀκολάστων ὅλην ἡμέραν ὑπέμεινε σιωπῇ κατ' ἀγοράν,
ἅμα τι τῶν ἐπειγόντων καταπραττόμενος· ἑσπέρας δ' ἀπῄει κοσμίως
οἴκαδε παρακολουθοῦντος τοῦ ἀνθρώπου καὶ πάσῃ χρωμένου βλασφημίᾳ
πρὸς αὐτόν. ὡς δ' ἔμελλεν εἰσιέναι σκότους ὄντος ἤδη, προσέταξέ τινι
τῶν οἰκετῶν φῶς λαβόντι παραπέμψαι καὶ καταστῆσαι πρὸς τὴν
οἰκίαν τὸν ἄνθρωπον. ὁ δὲ ποιητὴς Ἴων (fr. 15) μοθωνικήν φησι τὴν 3
ὁμιλίαν καὶ ὑπότυφον εἶναι τοῦ Περικλέους, καὶ ταῖς μεγαλαυχίαις
αὐτοῦ πολλὴν ὑπεροψίαν ἀναμεμεῖχθαι καὶ περιφρόνησιν τῶν ἄλλων·
ἐπαινεῖ δὲ τὸ Κίμωνος ἐμμελὲς καὶ ὑγρὸν καὶ μεμουσωμένον ἐν ταῖς
συμπεριφοραῖς. ἀλλ' Ἴωνα μὲν ὥσπερ τραγικὴν διδασκαλίαν ἀξιοῦντα
τὴν ἀρετὴν ἔχειν τι πάντως καὶ σατυρικὸν μέρος ἐῶμεν· τοὺς δὲ τοῦ
Περικλέους τὴν σεμνότητα δοξοκοπίαν τε καὶ τῦφον ἀποκαλοῦντας ὁ
Ζήνων (fr. A 17) παρεκάλει καὶ αὐτούς τι τοιοῦτο δοξοκοπεῖν, ὡς τῆς
προσποιήσεως αὐτῆς τῶν καλῶν ὑποποιούσης τινὰ λεληθότως ζῆλον
καὶ συνήθειαν. οὐ μόνον δὲ ταῦτα τῆς Ἀναξαγόρου συνουσίας ἀπέλαυσε **6**
Περικλῆς, ἀλλὰ καὶ δεισιδαιμονίας δοκεῖ γενέσθαι καθυπέρτερος, ἣν
τὸ πρὸς τὰ μετέωρα θάμβος ἐνεργάζεται τοῖς αὐτῶν τε τούτων τὰς
αἰτίας ἀγνοοῦσι καὶ περὶ τὰ θεῖα δαιμονῶσι καὶ ταραττομένοις δι'
ἀπειρίαν αὐτῶν, ἣν ὁ φυσικὸς λόγος ἀπαλλάττων ἀντὶ τῆς φοβερᾶς καὶ
φλεγμαινούσης δεισιδαιμονίας τὴν ἀσφαλῆ μετ' ἐλπίδων ἀγαθῶν εὐσέ-
βειαν ἐνεργάζεται. λέγεται δέ ποτε κριοῦ μονόκερω κεφαλὴν ἐξ ἀγροῦ 2
τῷ Περικλεῖ κομισθῆναι, καὶ Λάμπωνα μὲν τὸν μάντιν, ὡς εἶδε τὸ
κέρας ἰσχυρὸν καὶ στερεὸν ἐκ μέσου τοῦ μετώπου πεφυκός, εἰπεῖν ὅτι
δυεῖν οὐσῶν ἐν τῇ πόλει δυναστειῶν, τῆς Θουκυδίδου καὶ Περικλέους,
εἰς ἕνα περιστήσεται τὸ κράτος παρ' ᾧ γένοιτο τὸ σημεῖον· τὸν δ'
Ἀναξαγόραν τοῦ κρανίου διακοπέντος ἐπιδεῖξαι τὸν ἐγκέφαλον οὐ
πεπληρωκότα τὴν βάσιν, ἀλλ' ὀξὺν ὥσπερ ᾠὸν ἐκ τοῦ παντὸς ἀγγείου
συνωλισθηκότα κατὰ τὸν τόπον ἐκεῖνον, ὅθεν ἡ ῥίζα τοῦ κέρατος εἶχε
τὴν ἀρχήν. καὶ τότε μὲν θαυμασθῆναι τὸν Ἀναξαγόραν ὑπὸ τῶν 3
παρόντων, ὀλίγῳ δ' ὕστερον τὸν Λάμπωνα, τοῦ μὲν Θουκυδίδου
καταλυθέντος, τῶν δὲ τοῦ δήμου πραγμάτων ὁμαλῶς ἁπάντων ὑπὸ τῷ

4 Περικλεῖ γενομένων. ἐκώλυε δ' οὐδέν, οἶμαι, καὶ τὸν φυσικὸν ἐπι-
τυγχάνειν καὶ τὸν μάντιν, τοῦ μὲν τὴν αἰτίαν, τοῦ δὲ τὸ τέλος καλῶς
ἐκλαμβάνοντος· ὑπέκειτο γὰρ τῷ μέν, ἐκ τίνων γέγονε καὶ πῶς πέφυκε,
5 θεωρῆσαι, τῷ δέ, πρὸς τί γέγονε καὶ τί σημαίνει, προειπεῖν. οἱ δὲ τῆς
αἰτίας τὴν εὕρεσιν ἀναίρεσιν εἶναι λέγοντες τοῦ σημείου οὐκ ἐπινοοῦσιν
ἅμα τοῖς θείοις καὶ τὰ τεχνητὰ τῶν συμβόλων ἀθετοῦντες, ψόφους τε
δίσκων καὶ φῶτα πυρσῶν καὶ γνωμόνων ἀποσκιασμούς· ὧν ἕκαστον
αἰτίᾳ τινὶ καὶ κατασκευῇ σημεῖον εἶναί τινος πεποίηται. ταῦτα μὲν
οὖν ἴσως ἑτέρας ἐστὶ πραγματείας.
7 ὁ δὲ Περικλῆς νέος μὲν ὢν σφόδρα τὸν δῆμον εὐλαβεῖτο. καὶ γὰρ
ἐδόκει Πεισιστράτῳ τῷ τυράννῳ τὸ εἶδος ἐμφερὴς εἶναι, τήν τε φωνὴν
ἡδεῖαν οὖσαν αὐτοῦ καὶ τὴν γλῶτταν εὔτροχον ἐν τῷ διαλέγεσθαι καὶ
2 ταχεῖαν οἱ σφόδρα γέροντες ἐξεπλήττοντο πρὸς τὴν ὁμοιότητα. πλούτου
δὲ καὶ γένους προσόντος αὐτῷ λαμπροῦ καὶ φίλων, οἳ πλεῖστον ἐδύναντο,
φοβούμενος ἐξοστρακισθῆναι, τῶν μὲν πολιτικῶν οὐδὲν ἔπραττεν, ἐν
3 δὲ ταῖς στρατείαις ἀνὴρ ἀγαθὸς ἦν καὶ φιλοκίνδυνος. ἐπεὶ δ' Ἀριστείδης
μὲν ἀπετεθνήκει καὶ Θεμιστοκλῆς ἐξεπεπτώκει, Κίμωνα δ' αἱ στρατεῖαι
τὰ πολλὰ τῆς Ἑλλάδος ἔξω κατεῖχον, οὕτω δὴ φέρων ὁ Περικλῆς τῷ
δήμῳ προσένειμεν ἑαυτόν, ἀντὶ τῶν πλουσίων καὶ ὀλίγων τὰ τῶν
πολλῶν καὶ πενήτων ἑλόμενος παρὰ τὴν αὑτοῦ φύσιν ἥκιστα δημοτικὴν
4 οὖσαν. ἀλλ' ὡς ἔοικε δεδιὼς μὲν ὑποψίᾳ περιπεσεῖν τυραννίδος, ὁρῶν
δ' ἀριστοκρατικὸν τὸν Κίμωνα καὶ διαφερόντως ὑπὸ τῶν καλῶν κἀγα-
θῶν ἀνδρῶν ἀγαπώμενον, ὑπῆλθε τοὺς πολλούς, ἀσφάλειαν μὲν ἑαυτῷ
5 δύναμιν δὲ κατ' ἐκείνου παρασκευαζόμενος. εὐθὺς δὲ καὶ τοῖς περὶ τὴν
δίαιταν ἑτέραν τάξιν ἐπέθηκεν. ὁδόν τε γὰρ ἐν ἄστει μίαν ἑωρᾶτο τὴν
ἐπ' ἀγορὰν καὶ τὸ βουλευτήριον πορευόμενος, κλήσεις τε δείπνων καὶ
τὴν τοιαύτην ἅπασαν φιλοφροσύνην καὶ συνήθειαν ἐξέλιπεν, ὡς ἐν οἷς
ἐπολιτεύσατο χρόνοις μακροῖς γενομένοις πρὸς μηδένα τῶν φίλων ἐπὶ
δεῖπνον ἐλθεῖν, πλὴν Εὐρυπτολέμου τοῦ ἀνεψιοῦ γαμοῦντος ἄχρι τῶν
6 σπονδῶν παραγενόμενος εὐθὺς ἐξανέστη. δειναὶ γὰρ αἱ φιλοφροσύναι
παντὸς ὄγκου περιγενέσθαι, καὶ δυσφύλακτον ἐν συνηθείᾳ τὸ πρὸς
δόξαν σεμνόν ἐστι· τῆς ἀληθινῆς δ' ἀρετῆς κάλλιστα φαίνεται τὰ
μάλιστα φαινόμενα, καὶ τῶν ἀγαθῶν ἀνδρῶν οὐδὲν οὕτω θαυμάσιον
7 τοῖς ἐκτὸς ὡς ὁ καθ' ἡμέραν βίος τοῖς συνοῦσιν. ὁ δὲ καὶ τῷ δήμῳ, τὸ
συνεχὲς φεύγων καὶ τὸν κόρον, οἷον ἐκ διαλειμμάτων ἐπλησίαζεν, οὐκ
ἐπὶ παντὶ πράγματι λέγων οὐδ' ἀεὶ παριὼν εἰς τὸ πλῆθος, ἀλλ' ἑαυτὸν
ὥσπερ τὴν Σαλαμινίαν τριήρη, φησὶ Κριτόλαος (p. 373), πρὸς τὰς
μεγάλας χρείας ἐπιδιδούς, τἆλλα δὲ φίλους καὶ ἑταίρους ῥήτορας
8 καθιεὶς ἔπραττεν. ὧν ἕνα φασὶ γενέσθαι τὸν Ἐφιάλτην, ὃς κατέλυσε
τὸ κράτος τῆς ἐξ Ἀρείου πάγου βουλῆς, πολλὴν κατὰ τὸν Πλάτωνα

(*Rep.* 562*c*) καὶ ἄκρατον τοῖς πολίταις ἐλευθερίαν οἰνοχοῶν, ὑφ᾽ ἧς
ὥσπερ ἵππον ἐξυβρίσαντα τὸν δῆμον οἱ κωμῳδοποιοὶ λέγουσι (*Com.
adesp.* fr. 41) " πειθαρχεῖν οὐκέτι τολμᾶν, ἀλλὰ δάκνειν τὴν Εὔβοιαν
καὶ ταῖς νήσοις ἐπιπηδᾶν ". τῇ μέντοι περὶ τὸν βίον κατασκευῇ καὶ **8**
τῷ μεγέθει τοῦ φρονήματος ἁρμόζοντα λόγον ὥσπερ ὄργανον ἐξαρτυό-
μενος παρενέτεινε πολλαχοῦ τὸν Ἀναξαγόραν, οἷον βαφὴν τῇ ῥητορικῇ
τὴν φυσιολογίαν ὑποχεόμενος. τὸ γὰρ " ὑψηλόνουν τοῦτο καὶ πάντῃ 2
τελεσιουργόν ", ὡς ὁ θεῖος Πλάτων (*Phaedr.* 270a) φησί, " πρὸς τῷ
εὐφυὴς εἶναι κτησάμενος " ἐκ φυσιολογίας, καὶ τὸ πρόσφορον ἑλκύσας
ἐπὶ τὴν τῶν λόγων τέχνην, πολὺ πάντων διήνεγκε. διὸ καὶ τὴν ἐπί- 3
κλησιν αὐτῷ γενέσθαι λέγουσι· καίτοι τινὲς ἀπὸ τῶν οἷς ἐκόσμησε τὴν
πόλιν, οἱ δ᾽ ἀπὸ τῆς ἐν τῇ πολιτείᾳ καὶ ταῖς στρατηγίαις δυνάμεως
Ὀλύμπιον αὐτὸν οἴονται προσαγορευθῆναι· καὶ συνδραμεῖν οὐδὲν
ἀπέοικεν ἀπὸ πολλῶν προσόντων τῷ ἀνδρὶ τὴν δόξαν. αἱ μέντοι 4
κωμῳδίαι (*Com. adesp.* fr. 10) τῶν τότε διδασκάλων, σπουδῇ τε
πολλὰς καὶ μετὰ γέλωτος ἀφεικότων φωνὰς εἰς αὐτόν, ἐπὶ τῷ λόγῳ
μάλιστα τὴν προσωνυμίαν γενέσθαι δηλοῦσι, " βροντᾶν " μὲν αὐτὸν
καὶ " ἀστράπτειν " ὅτε δημηγοροίη, " δεινὸν δὲ κεραυνὸν ἐν γλώσσῃ
φέρειν " λεγόντων. διαμνημονεύεται δέ τις καὶ Θουκυδίδου τοῦ 5
Μελησίου λόγος εἰς τὴν δεινότητα τοῦ Περικλέους μετὰ παιδιᾶς
εἰρημένος. ἦν μὲν γὰρ ὁ Θουκυδίδης τῶν καλῶν καὶ ἀγαθῶν ἀνδρῶν
καὶ πλεῖστον ἀντεπολιτεύσατο τῷ Περικλεῖ χρόνον· Ἀρχιδάμου δὲ τοῦ
Λακεδαιμονίων βασιλέως πυνθανομένου πότερον αὐτὸς ἢ Περικλῆς
παλαίει βέλτιον, " ὅταν " εἶπεν " ἐγὼ καταβάλω παλαίων, ἐκεῖνος
ἀντιλέγων, ὡς οὐ πέπτωκε, νικᾷ καὶ μεταπείθει τοὺς ὁρῶντας." οὐ 6
μὴν ἀλλὰ καὶ αὐτὸς ὁ Περικλῆς περὶ τὸν λόγον εὐλαβὴς ἦν, ὥστ᾽ ἀεὶ
πρὸς τὸ βῆμα βαδίζων ηὔχετο τοῖς θεοῖς μηδὲ ῥῆμα μηδὲν ἐκπεσεῖν
ἄκοντος αὐτοῦ πρὸς τὴν προκειμένην χρείαν ἀνάρμοστον. ἔγγραφον 7
μὲν οὖν οὐδὲν ἀπολέλοιπε πλὴν τῶν ψηφισμάτων· ἀπομνημονεύεται δ᾽
ὀλίγα παντάπασιν· οἷον τὸ τὴν Αἴγιναν ὡς λήμην τοῦ Πειραιῶς ἀφελεῖν
κελεῦσαι, καὶ τὸ τὸν πόλεμον ἤδη φάναι καθορᾶν ἀπὸ Πελοποννήσου
προσφερόμενον. καί ποτε τοῦ Σοφοκλέους, ὅτε συστρατηγῶν ἐξέπλευσε 8
μετ᾽ αὐτοῦ, παῖδα καλὸν ἐπαινέσαντος " οὐ μόνον " ἔφη " τὰς χεῖρας
ὦ Σοφόκλεις δεῖ καθαρὰς ἔχειν τὸν στρατηγὸν ἀλλὰ καὶ τὰς ὄψεις."
ὁ δὲ Στησίμβροτός (fr. 9) φησιν, ὅτι τοὺς ἐν Σάμῳ τεθνηκότας ἐγκω- 9
μιάζων ἐπὶ τοῦ βήματος ἀθανάτους ἔλεγε γεγονέναι καθάπερ τοὺς
θεούς· οὐδὲ γὰρ ἐκείνους αὐτοὺς ὁρῶμεν, ἀλλὰ ταῖς τιμαῖς ἃς ἔχουσι
καὶ τοῖς ἀγαθοῖς ἃ παρέχουσιν ἀθανάτους εἶναι τεκμαιρόμεθα· ταὔτ᾽
οὖν ὑπάρχειν καὶ τοῖς ὑπὲρ τῆς πατρίδος ἀποθανοῦσιν.

ἐπεὶ δὲ Θουκυδίδης (*ii.* 65⁹) μὲν ἀριστοκρατικήν τινα τὴν τοῦ **9**

Περικλέους ὑπογράφει πολιτείαν, " λόγῳ μὲν οὖσαν δημοκρατίαν
ἔργῳ δ' ὑπὸ τοῦ πρώτου ἀνδρὸς ἀρχήν ", ἄλλοι δὲ πολλοὶ πρῶτον ὑπ'
ἐκείνου φασὶ τὸν δῆμον ἐπὶ κληρουχίας καὶ θεωρικὰ καὶ μισθῶν
διανομὰς προαχθῆναι κακῶς ἐθισθέντα καὶ γενόμενον πολυτελῆ καὶ
ἀκόλαστον ὑπὸ τῶν τότε πολιτευμάτων ἀντὶ σώφρονος καὶ αὐτουργοῦ,
2 θεωρείσθω διὰ τῶν πραγμάτων αὐτῶν ἡ αἰτία τῆς μεταβολῆς. ἐν
ἀρχῇ μὲν γὰρ ὥσπερ εἴρηται πρὸς τὴν Κίμωνος δόξαν ἀντιταττόμενος
ὑπεποιεῖτο τὸν δῆμον· ἐλαττούμενος δὲ πλούτῳ καὶ χρήμασιν, ἀφ' ὧν
ἐκεῖνος ἀνελάμβανε τοὺς πένητας, δεῖπνόν τε καθ' ἡμέραν τῷ δεομένῳ
παρέχων Ἀθηναίων καὶ τοὺς πρεσβυτέρους ἀμφιεννύων, τῶν τε χωρίων
τοὺς φραγμοὺς ἀφαιρῶν ὅπως ὀπωρίζωσιν οἱ βουλόμενοι, τούτοις ὁ
Περικλῆς καταδημαγωγούμενος τρέπεται πρὸς τὴν τῶν δημοσίων
διανομήν, συμβουλεύσαντος αὐτῷ Δαμωνίδου τοῦ Οἴηθεν, ὡς Ἀριστο-
3 τέλης (Ἀθ. Πολ. 27[4]) ἱστόρηκε. καὶ ταχὺ θεωρικοῖς καὶ δικαστικοῖς
λήμμασιν ἄλλαις τε μισθοφοραῖς καὶ χορηγίαις συνδεκάσας τὸ πλῆθος
ἐχρῆτο κατὰ τῆς ἐξ Ἀρείου πάγου βουλῆς, ἧς αὐτὸς οὐ μετεῖχε διὰ τὸ
μήτ' ἄρχων μήτε θεσμοθέτης μήτε βασιλεὺς μήτε πολέμαρχος λαχεῖν.
4 αὗται γὰρ αἱ ἀρχαὶ κληρωταί τ' ἦσαν ἐκ παλαιοῦ, καὶ δι' αὐτῶν οἱ
5 δοκιμασθέντες ἀνέβαινον εἰς Ἄρειον πάγον. διὸ καὶ μᾶλλον ἰσχύσας ὁ
Περικλῆς ἐν τῷ δήμῳ κατεστασίασε τὴν βουλήν, ὥστε τὴν μὲν ἀφαιρεθῆ-
ναι τὰς πλείστας κρίσεις δι' Ἐφιάλτου, Κίμωνα δ' ὡς φιλολάκωνα καὶ
μισόδημον ἐξοστρακισθῆναι, πλούτῳ μὲν καὶ γένει μηδενὸς ἀπολειπό-
μενον, νίκας δὲ καλλίστας νενικηκότα τοὺς βαρβάρους καὶ χρημάτων
πολλῶν καὶ λαφύρων ἐμπεπληκότα τὴν πόλιν, ὡς ἐν τοῖς περὶ ἐκείνου
(*Cim.* 10[1]) γέγραπται. τοσοῦτον ἦν τὸ κράτος ἐν τῷ δήμῳ τοῦ Περι-
κλέους.

10 ὁ μὲν οὖν ἐξοστρακισμὸς ὡρισμένην εἶχε νόμῳ δεκαετίαν τοῖς
φεύγουσιν· ἐν δὲ τῷ διὰ μέσου Λακεδαιμονίων στρατῷ μεγάλῳ ἐμ-
βαλόντων εἰς τὴν Ταναγρικὴν καὶ τῶν Ἀθηναίων εὐθὺς ὁρμησάντων ἐπ'
αὐτούς, ὁ μὲν Κίμων ἐλθὼν ἐκ τῆς φυγῆς ἔθετο μετὰ τῶν φυλετῶν εἰς
λόχον τὰ ὅπλα καὶ δι' ἔργων ἀπολύεσθαι τὸν λακωνισμὸν ἐβούλετο
συγκινδυνεύσας τοῖς πολίταις, οἱ δὲ φίλοι τοῦ Περικλέους συστάντες
2 ἀπήλασαν αὐτὸν ὡς φυγάδα. διὸ καὶ δοκεῖ Περικλῆς ἐρρωμενέστατα
τὴν μάχην ἐκείνην ἀγωνίσασθαι καὶ γενέσθαι πάντων ἐπιφανέστατος
3 ἀφειδήσας τοῦ σώματος. ἔπεσον δὲ καὶ τοῦ Κίμωνος οἱ φίλοι πάντες
ὁμαλῶς, οὓς Περικλῆς συνεπῃτιᾶτο τοῦ λακωνισμοῦ· καὶ μετάνοια
δεινὴ τοὺς Ἀθηναίους καὶ πόθος ἔσχε τοῦ Κίμωνος, ἡττημένους μὲν ἐπὶ
τῶν ὅρων τῆς Ἀττικῆς, προσδοκῶντας δὲ βαρὺν εἰς ἔτους ὥραν πόλε-
4 μον. αἰσθόμενος οὖν ὁ Περικλῆς οὐκ ὤκνησε χαρίσασθαι τοῖς πολλοῖς,
ἀλλὰ τὸ ψήφισμα γράψας αὐτὸς ἐκάλει τὸν ἄνδρα, κἀκεῖνος κατελθὼν

εἰρήνην ἐποίησε ταῖς πόλεσιν. οἰκείως γὰρ εἶχον οἱ Λακεδαιμόνιοι πρὸς αὐτόν, ὥσπερ ἀπήχθοντο τῷ Περικλεῖ καὶ τοῖς ἄλλοις δημαγω-
γοῖς. ἔνιοι δέ φασιν οὐ πρότερον γραφῆναι τῷ Κίμωνι τὴν κάθοδον 5
ὑπὸ τοῦ Περικλέους, ἢ συνθήκας αὐτοῖς ἀπορρήτους γενέσθαι δι' Ἐλπινίκης, τῆς Κίμωνος ἀδελφῆς, ὥστε Κίμωνα μὲν ἐκπλεῦσαι λαβόντα ναῦς διακοσίας καὶ τῶν ἔξω στρατηγεῖν καταστρεφόμενον τὴν
βασιλέως χώραν, Περικλεῖ δὲ τὴν ἐν ἄστει δύναμιν ὑπάρχειν. ἐδόκει 6
δὲ καὶ πρότερον ἡ Ἐλπινίκη τῷ Κίμωνι τὸν Περικλέα πραότερον παρασχεῖν, ὅτε τὴν θανατικὴν δίκην ἔφευγεν. ἦν μὲν γὰρ εἷς τῶν κατηγόρων ὁ Περικλῆς ὑπὸ τοῦ δήμου προβεβλημένος, ἐλθούσης δὲ πρὸς αὐτὸν τῆς Ἐλπινίκης καὶ δεομένης, μειδιάσας εἶπεν· "ὦ Ἐλπι-νίκη, γραῦς εἶ, γραῦς εἶ, ὡς πράγματα τηλικαῦτα πράσσειν." οὐ μὴν ἀλλὰ καὶ πρὸς τὸν λόγον ἅπαξ ἀνέστη τὴν προβολὴν ἀφοσιούμενος, καὶ
τῶν κατηγόρων ἐλάχιστα τὸν Κίμωνα λυπήσας ἀπεχώρησε. πῶς ἂν 7
οὖν τις Ἰδομενεῖ (fr. 8) πιστεύσειε κατηγοροῦντι τοῦ Περικλέους, ὡς τὸν δημαγωγὸν Ἐφιάλτην φίλον γενόμενον καὶ κοινωνὸν ὄντα τῆς ἐν τῇ πολιτείᾳ προαιρέσεως δολοφονήσαντος διὰ ζηλοτυπίαν καὶ φθόνον τῆς δόξης; ταῦτα γὰρ οὐκ οἶδ' ὅθεν συναγαγὼν ὥσπερ χολὴν τἀνδρὶ προσβέβληκε, πάντῃ μὲν ἴσως οὐκ ἀνεπιλήπτῳ φρόνημα δ' εὐγενὲς ἔχοντι καὶ ψυχὴν φιλότιμον, οἷς οὐδὲν ἐμφύεται πάθος ὠμὸν οὕτω καὶ
θηριῶδες. Ἐφιάλτην μὲν οὖν φοβερὸν ὄντα τοῖς ὀλιγαρχικοῖς καὶ 8
περὶ τὰς εὐθύνας καὶ διώξεις τῶν τὸν δῆμον ἀδικούντων ἀπαραίτητον ἐπιβουλεύσαντες οἱ ἐχθροὶ δι' Ἀριστοδίκου τοῦ Ταναγρικοῦ κρυφαίως ἀνεῖλον, ὡς Ἀριστοτέλης (Ἀθ. Πολ. 25[4]) εἴρηκεν.

ἐτελεύτησε δὲ Κίμων ἐν Κύπρῳ στρατηγῶν. οἱ δ' ἀριστοκρατικοὶ **11**
μέγιστον μὲν ἤδη τὸν Περικλέα καὶ πρόσθεν ὁρῶντες γεγονότα τῶν πολιτῶν, βουλόμενοι δ' ὅμως εἶναί τινα τὸν πρὸς αὐτὸν ἀντιτασ-σόμενον ἐν τῇ πόλει καὶ τὴν δύναμιν ἀμβλύνοντα, ὥστε μὴ κομιδῇ μοναρχίαν εἶναι, Θουκυδίδην τὸν Ἀλωπεκῆθεν, ἄνδρα σώφρονα καὶ κηδεστὴν Κίμωνος, ἀντέστησαν ἐναντιωσόμενον, ὃς ἧττον μὲν ὢν πολεμικὸς τοῦ Κίμωνος ἀγοραῖος δὲ καὶ πολιτικὸς μᾶλλον, οἰκουρῶν ἐν ἄστει καὶ περὶ τὸ βῆμα τῷ Περικλεῖ συμπλεκόμενος ταχὺ τὴν
πολιτείαν εἰς ἀντίπαλον κατέστησεν. οὐ γὰρ εἴασε τοὺς καλοὺς καὶ 2
ἀγαθοὺς καλουμένους ἄνδρας ἐνδιεσπάρθαι καὶ συμμεμεῖχθαι πρὸς τὸν δῆμον ὡς πρότερον, ὑπὸ πλήθους ἠμαυρωμένους τὸ ἀξίωμα, χωρὶς δὲ διακρίνας καὶ συναγαγὼν εἰς ταὐτὸ τὴν πάντων δύναμιν ἐμβριθῆ γενο-
μένην ὥσπερ ἐπὶ ζυγοῦ ῥοπὴν ἐποίησεν. ἦν μὲν γὰρ ἐξ ἀρχῆς διπλόη 3
τις ὕπουλος ὥσπερ ἐν σιδήρῳ, διαφορὰν ὑποσημαίνουσα δημοτικῆς καὶ ἀριστοκρατικῆς προαιρέσεως, ἡ δ' ἐκείνων ἅμιλλα καὶ φιλοτιμία τῶν ἀνδρῶν βαθυτάτην τομὴν τεμοῦσα τῆς πόλεως τὸ μὲν δῆμον τὸ δ'

4 ὀλίγους ἐποίησε καλεῖσθαι. διὸ καὶ τότε μάλιστα τῷ δήμῳ τὰς ἡνίας
ἀνεὶς ὁ Περικλῆς ἐπολιτεύετο πρὸς χάριν, ἀεὶ μέν τινα θέαν πανη-
γυρικὴν ἢ ἑστίασιν ἢ πομπὴν εἶναι μηχανώμενος ἐν ἄστει καὶ δια-
παιδαγωγῶν οὐκ ἀμούσοις ἡδοναῖς τὴν πόλιν, ἑξήκοντα δὲ τριήρεις καθ'
ἕκαστον ἐνιαυτὸν ἐκπέμπων, ἐν αἷς πολλοὶ τῶν πολιτῶν ἔπλεον ὀκτὼ
μῆνας ἔμμισθοι, μελετῶντες ἅμα καὶ μανθάνοντες τὴν ναυτικὴν ἐμ-
5 πειρίαν. πρὸς δὲ τούτοις χιλίους μὲν ἔστειλεν εἰς Χερρόνησον κληρού-
χους, εἰς δὲ Νάξον πεντακοσίους, εἰς δ' Ἄνδρον ⟨τοὺς⟩ ἡμίσεις τούτων,
εἰς δὲ Θρᾴκην χιλίους Βισάλταις συνοικήσοντας, ἄλλους δ' εἰς Ἰταλίαν
6 ἀνοικιζομένης Συβάρεως, ἣν Θουρίους προσηγόρευσαν. καὶ ταῦτ'
ἔπραττεν ἀποκουφίζων μὲν ἀργοῦ καὶ διὰ σχολὴν πολυπράγμονος
ὄχλου τὴν πόλιν, ἐπανορθούμενος δὲ τὰς ἀπορίας τοῦ δήμου, φόβον δὲ
καὶ φρουρὰν τοῦ μὴ νεωτερίζειν τι παρακατοικίζων τοῖς συμμάχοις.

12 ὃ δὲ πλείστην μὲν ἡδονὴν ταῖς Ἀθήναις καὶ κόσμον ἤνεγκε, μεγίστην
δὲ τοῖς ἄλλοις ἔκπληξιν ἀνθρώποις, μόνον δὲ τῇ Ἑλλάδι μαρτυρεῖ μὴ
ψεύδεσθαι τὴν λεγομένην δύναμιν αὐτῆς ἐκείνην καὶ τὸν παλαιὸν ὄλβον,
ἡ τῶν ἀναθημάτων κατασκευή, τοῦτο μάλιστα τῶν πολιτευμάτων τοῦ
Περικλέους ἐβάσκαινον οἱ ἐχθροὶ καὶ διέβαλλον ἐν ταῖς ἐκκλησίαις,
βοῶντες ὡς ὁ μὲν δῆμος ἀδοξεῖ καὶ κακῶς ἀκούει τὰ κοινὰ τῶν Ἑλλήνων
χρήματα πρὸς αὐτὸν ἐκ Δήλου μεταγαγών, ἣ δ' ἔνεστιν αὐτῷ πρὸς τοὺς
ἐγκαλοῦντας εὐπρεπεστάτη τῶν προφάσεων, δείσαντα τοὺς βαρβάρους
ἐκεῖθεν ἀνελέσθαι καὶ φυλάττειν ἐν ὀχυρῷ τὰ κοινά, ταύτην ἀνῄρηκε
2 Περικλῆς· καὶ δοκεῖ δεινὴν ὕβριν ἡ Ἑλλὰς ὑβρίζεσθαι καὶ τυραννεῖσθαι
περιφανῶς, ὁρῶσα τοῖς εἰσφερομένοις ὑπ' αὐτῆς ἀναγκαίως πρὸς τὸν
πόλεμον ἡμᾶς τὴν πόλιν καταχρυσοῦντας καὶ καλλωπίζοντας ὥσπερ
ἀλαζόνα γυναῖκα, περιαπτομένην λίθους πολυτελεῖς καὶ ἀγάλματα καὶ
3 ναοὺς χιλιοταλάντους. ἐδίδασκεν οὖν ὁ Περικλῆς τὸν δῆμον, ὅτι
χρημάτων μὲν οὐκ ὀφείλουσι τοῖς συμμάχοις λόγον, προπολεμοῦντες
αὐτῶν καὶ τοὺς βαρβάρους ἀνείργοντες, οὐχ ἵππον οὐ ναῦν οὐχ ὁπλίτην
ἀλλὰ χρήματα μόνον τελούντων, ἃ τῶν διδόντων οὐκ ἔστιν ἀλλὰ τῶν
4 λαμβανόντων, ἂν παρέχωσιν ἀνθ' οὗ λαμβάνουσι· δεῖ δὲ τῆς πόλεως
κατεσκευασμένης ἱκανῶς τοῖς ἀναγκαίοις πρὸς τὸν πόλεμον, εἰς ταῦτα
τὴν εὐπορίαν τρέπειν αὐτῆς, ἀφ' ὧν δόξα μὲν γενομένων ἀίδιος, εὐπορία
δὲ γινομένων ἑτοίμη πάρεσται, παντοδαπῆς ἐργασίας φανείσης καὶ
ποικίλων χρειῶν, αἳ πᾶσαν μὲν τέχνην ἐγείρουσαι πᾶσαν δὲ χεῖρα
κινοῦσαι σχεδὸν ὅλην ποιοῦσιν ἔμμισθον τὴν πόλιν ἐξ αὑτῆς ἅμα
5 κοσμουμένην καὶ τρεφομένην. τοῖς μὲν γὰρ ἡλικίαν ἔχουσι καὶ ῥώμην
αἱ στρατεῖαι τὰς ἀπὸ τῶν κοινῶν εὐπορίας παρεῖχον, τὸν δ' ἀσύντακτον
καὶ βάναυσον ὄχλον οὔτ' ἄμοιρον εἶναι λημμάτων βουλόμενος οὔτε
λαμβάνειν ἀργὸν καὶ σχολάζοντα, μεγάλας κατασκευασμάτων ἐπιβολὰς

καὶ πολυτέχνους ὑποθέσεις ἔργων διατριβὴν ἐχόντων ἐνέβαλε φέρων εἰς
τὸν δῆμον, ἵνα μηδὲν ἧττον τῶν πλεόντων καὶ φρουρούντων καὶ
στρατευομένων τὸ οἰκουροῦν ἔχῃ πρόφασιν ἀπὸ τῶν δημοσίων ὠφε-
λεῖσθαι καὶ μεταλαμβάνειν. ὅπου γὰρ ὕλη μὲν ἦν λίθος, χαλκός, 6
ἐλέφας, χρυσός, ἔβενος, κυπάρισσος, αἱ δὲ ταύτην ἐκπονοῦσαι καὶ
κατεργαζόμεναι τέχναι, τέκτονες, πλάσται, χαλκοτύποι, λιθουργοί,
βαφεῖς χρυσοῦ, μαλακτῆρες ἐλέφαντος, ζωγράφοι, ποικιλταί, τορευταί,
πομποὶ δὲ τούτων καὶ κομιστῆρες, ἔμποροι καὶ ναῦται καὶ κυβερνῆται
κατὰ θάλατταν, οἱ δὲ κατὰ γῆν ἁμαξοπηγοὶ καὶ ζευγοτρόφοι καὶ
ἡνίοχοι καὶ καλωστρόφοι καὶ λινουργοὶ καὶ σκυτοτόμοι καὶ ὁδοποιοὶ καὶ
μεταλλεῖς, ἑκάστη δὲ τέχνη, καθάπερ στρατηγὸς ἴδιον στράτευμα, τὸν
θητικὸν ὄχλον καὶ ἰδιώτην συντεταγμένον εἶχεν, ὄργανον καὶ σῶμα τῆς
ὑπηρεσίας γινόμενον, εἰς πᾶσαν ὡς ἔπος εἰπεῖν ἡλικίαν καὶ φύσιν αἱ
χρεῖαι διένεμον καὶ διέσπειρον τὴν εὐπορίαν. ἀναβαινόντων δὲ τῶν **13**
ἔργων ὑπερηφάνων μὲν μεγέθει μορφῇ δ' ἀμιμήτων καὶ χάριτι, τῶν
δημιουργῶν ἁμιλλωμένων ὑπερβάλλεσθαι τὴν δημιουργίαν τῇ καλλι-
τεχνίᾳ, μάλιστα θαυμάσιον ἦν τὸ τάχος. ὧν γὰρ ἕκαστον ᾤοντο πολλαῖς 2
διαδοχαῖς καὶ ἡλικίαις μόλις ἐπὶ τέλος ἀφίξεσθαι, ταῦτα πάντα μιᾶς
ἀκμῇ πολιτείας ἐλάμβανε τὴν συντέλειαν. καίτοι ποτέ φασιν Ἀγαθάρχου 3
τοῦ ζωγράφου μέγα φρονοῦντος ἐπὶ τῷ ταχὺ καὶ ῥᾳδίως τὰ ζῷα ποιεῖν
ἀκούσαντα τὸν Ζεῦξιν εἰπεῖν· "ἐγὼ δ' ἐν πολλῷ χρόνῳ." ἡ γὰρ ἐν τῷ 4
ποιεῖν εὐχέρεια καὶ ταχύτης οὐκ ἐντίθησι βάρος ἔργῳ μόνιμον οὐδὲ
κάλλους ἀκρίβειαν· ὁ δ' εἰς τὴν γένεσιν τῷ πόνῳ προδανεισθεὶς χρόνος
ἐν τῇ σωτηρίᾳ τοῦ γενομένου τὴν ἰσχὺν ἀποδίδωσιν. ὅθεν καὶ μᾶλλον
θαυμάζεται τὰ Περικλέους ἔργα πρὸς πολὺν χρόνον ἐν ὀλίγῳ γενόμενα.
κάλλει μὲν γὰρ ἕκαστον εὐθὺς ἦν τότ' ἀρχαῖον, ἀκμῇ δὲ μέχρι νῦν 5
πρόσφατόν ἐστι καὶ νεουργόν· οὕτως ἐπανθεῖ καινότης ἀεί τις ἄθικτον
ὑπὸ τοῦ χρόνου διατηροῦσα τὴν ὄψιν, ὥσπερ ἀειθαλὲς πνεῦμα καὶ
ψυχὴν ἀγήρω καταμεμειγμένην τῶν ἔργων ἐχόντων. πάντα δὲ διεῖπε 6
καὶ πάντων ἐπίσκοπος ἦν αὐτῷ Φειδίας, καίτοι μεγάλους ἀρχιτέκτονας
ἐχόντων καὶ τεχνίτας τῶν ἔργων. τὸν μὲν γὰρ ἑκατόμπεδον Παρθε- 7
νῶνα Καλλικράτης εἰργάζετο καὶ Ἰκτῖνος, τὸ δ' ἐν Ἐλευσῖνι τελεστή-
ριον ἤρξατο μὲν Κόροιβος οἰκοδομεῖν, καὶ τοὺς ἐπ' ἐδάφους κίονας
ἔθηκεν οὗτος καὶ τοῖς ἐπιστυλίοις ἐπέζευξεν· ἀποθανόντος δὲ τούτου
Μεταγένης ὁ Ξυπεταιὼν τὸ διάζωσμα καὶ τοὺς ἄνω κίονας ἐπέστησε·
τὸ δ' ὀπαῖον ἐπὶ τοῦ ἀνακτόρου Ξενοκλῆς ὁ Χολαργεὺς ἐκορύφωσε·
τὸ δὲ μακρὸν τεῖχος, περὶ οὗ Σωκράτης (Plato, *Gorg.* 455e) ἀκοῦσαί
φησιν αὐτὸς εἰσηγουμένου γνώμην Περικλέους, ἠργολάβησε Καλλι-
κράτης. κωμῳδεῖ δὲ τὸ ἔργον Κρατῖνος (fr. 300) ὡς βραδέως περαινό- 8
μενον·

πάλαι γὰρ αὐτό (φησί)
λόγοισι προάγει Περικλέης, ἔργοισι δ' οὐδὲ κινεῖ.

9 τὸ δ' Ὠιδεῖον, τῇ μὲν ἐντὸς διαθέσει πολύεδρον καὶ πολύστυλον, τῇ δ'
ἐρέψει περικλινὲς καὶ κάταντες ἐκ μιᾶς κορυφῆς πεποιημένον, εἰκόνα
λέγουσι γενέσθαι καὶ μίμημα τῆς βασιλέως σκηνῆς, ἐπιστατοῦντος καὶ
10 τούτῳ Περικλέους. διὸ καὶ πάλιν Κρατῖνος ἐν Θρᾴτταις (fr. 71) παίζει
πρὸς αὐτόν·

ὁ σχινοκέφαλος Ζεὺς ὅδε
προσέρχεται [Περικλέης] τᾡδεῖον ἐπὶ τοῦ κρανίου
ἔχων, ἐπειδὴ τοὔστρακον παροίχεται.

11 φιλοτιμούμενος δ' ὁ Περικλῆς τότε πρῶτον ἐψηφίσατο μουσικῆς
ἀγῶνα τοῖς Παναθηναίοις ἄγεσθαι, καὶ διέταξεν αὐτὸς ἀθλοθέτης
αἱρεθείς, καθότι χρὴ τοὺς ἀγωνιζομένους αὐλεῖν ἢ ᾄδειν ἢ κιθαρίζειν.
ἐθεῶντο δὲ καὶ τότε καὶ τὸν ἄλλον χρόνον ἐν Ὠιδείῳ τοὺς μουσικοὺς
12 ἀγῶνας. τὰ δὲ Προπύλαια τῆς ἀκροπόλεως ἐξειργάσθη μὲν ἐν πενταετίᾳ
Μνησικλέους ἀρχιτεκτονοῦντος· τύχη δὲ θαυμαστὴ συμβᾶσα περὶ τὴν
οἰκοδομίαν ἐμήνυσε τὴν θεὸν οὐκ ἀποστατοῦσαν ἀλλὰ συνεφαπτομένην
13 τοῦ ἔργου καὶ συνεπιτελοῦσαν. ὁ γὰρ ἐνεργότατος καὶ προθυμότατος
τῶν τεχνιτῶν ἀποσφαλεὶς ἐξ ὕψους ἔπεσε καὶ διέκειτο μοχθηρῶς, ὑπὸ
τῶν ἰατρῶν ἀπεγνωσμένος. ἀθυμοῦντος δὲ τοῦ Περικλέους, ἡ θεὸς
ὄναρ φανεῖσα συνέταξε θεραπείαν, ᾗ χρώμενος ὁ Περικλῆς ταχὺ καὶ
ῥᾳδίως ἰάσατο τὸν ἄνθρωπον. ἐπὶ τούτῳ δὲ καὶ τὸ χαλκοῦν ἄγαλμα
τῆς Ὑγιείας Ἀθηνᾶς ἀνέστησεν ἐν ἀκροπόλει παρὰ τὸν βωμόν, ὃς καὶ
14 πρότερον ἦν, ὡς λέγουσιν. ὁ δὲ Φειδίας εἰργάζετο μὲν τῆς θεοῦ τὸ
χρυσοῦν ἕδος, καὶ τούτου δημιουργὸς ἐν τῇ στήλῃ [εἶναι] γέγραπται,
πάντα δ' ἦν σχεδὸν ἐπ' αὐτῷ, καὶ πᾶσιν ὡς εἰρήκαμεν ἐπεστάτει τοῖς
15 τεχνίταις διὰ φιλίαν Περικλέους. καὶ τοῦτο τῷ μὲν φθόνον τῷ δὲ
βλασφημίαν ἤνεγκεν, ὡς ἐλευθέρας τῷ Περικλεῖ γυναῖκας εἰς τὰ ἔργα
φοιτώσας ὑποδεχομένου τοῦ Φειδίου. δεξάμενοι δὲ τὸν λόγον οἱ
κωμικοὶ (*Com. adesp.* fr. 59) πολλὴν ἀσέλγειαν αὐτοῦ κατεσκέδασαν,
εἴς τε τὴν Μενίππου γυναῖκα διαβάλλοντες, ἀνδρὸς φίλου καὶ ὑπο-
στρατηγοῦντος, εἴς τε τὰς Πυριλάμπους ὀρνιθοτροφίας, ὃς ἑταῖρος ὢν
Περικλέους αἰτίαν εἶχε ταῶνας ὑφιέναι ταῖς γυναιξὶν αἷς ὁ Περικλῆς
16 ἐπλησίαζε. καὶ τί ἄν τις ἀνθρώπους σατυρικοὺς τοῖς βίοις καὶ τὰς κατὰ
τῶν κρειττόνων βλασφημίας ὥσπερ δαίμονι κακῷ τῷ φθόνῳ τῶν πολλῶν
ἀποθύοντας ἑκάστοτε θαυμάσειεν, ὅπου καὶ Στησίμβροτος ὁ Θάσιος
(fr. 10b) δεινὸν ἀσέβημα καὶ μυθῶδες ἐξενεγκεῖν ἐτόλμησεν εἰς τὴν
γυναῖκα τοῦ υἱοῦ κατὰ τοῦ Περικλέους; οὕτως ἔοικε πάντῃ χαλεπὸν
εἶναι καὶ δυσθήρατον ἱστορίᾳ τἀληθές, ὅταν οἱ μὲν ὕστερον γεγονότες
τὸν χρόνον ἔχωσιν ἐπιπροσθοῦντα τῇ γνώσει τῶν πραγμάτων, ἡ δὲ τῶν

πράξεων καὶ τῶν βίων ἡλικιῶτις ἱστορία τὰ μὲν φθόνοις καὶ δυσμενείαις
τὰ δὲ χαριζομένη καὶ κολακεύουσα λυμαίνηται καὶ διαστρέφῃ τὴν
ἀλήθειαν. τῶν δὲ περὶ τὸν Θουκυδίδην ῥητόρων καταβοώντων τοῦ 14
Περικλέους ὡς σπαθῶντος τὰ χρήματα καὶ τὰς προσόδους ἀπολλύντος,
ἠρώτησεν ἐν ἐκκλησίᾳ τὸν δῆμον εἰ πολλὰ δοκεῖ δεδαπανῆσθαι· φησάν-
των δὲ πάμπολλα· "μὴ τοίνυν" εἶπεν "ὑμῖν ἀλλ' ἐμοὶ δεδαπανήσθω,
καὶ τῶν ἀναθημάτων ἰδίαν ἐμαυτοῦ ποιήσομαι τὴν ἐπιγραφήν." εἰπόν- 2
τος οὖν ταῦτα τοῦ Περικλέους, εἴτε τὴν μεγαλοφροσύνην αὐτοῦ
θαυμάσαντες εἴτε πρὸς τὴν δόξαν ἀντιφιλοτιμούμενοι τῶν ἔργων,
ἀνέκραγον κελεύοντες ἐκ τῶν δημοσίων ἀναλίσκειν καὶ χορηγεῖν μη-
δενὸς φειδόμενον. τέλος δὲ πρὸς τὸν Θουκυδίδην εἰς ἀγῶνα περὶ τοῦ 3
ὀστράκου καταστὰς καὶ διακινδυνεύσας, ἐκεῖνον μὲν ἐξέβαλε κατέλυσε
δὲ τὴν ἀντιτεταγμένην ἑταιρείαν.

ὡς οὖν παντάπασι λυθείσης τῆς διαφορᾶς καὶ τῆς πόλεως οἷον 15
ὁμαλῆς καὶ μιᾶς γενομένης κομιδῇ, περιήνεγκεν εἰς ἑαυτὸν τὰς Ἀθήνας
καὶ τὰ τῶν Ἀθηναίων ἐξηρτημένα πράγματα, φόρους καὶ στρατεύματα
καὶ τριήρεις καὶ νήσους καὶ θάλασσαν καὶ πολλὴν μὲν δι' Ἑλλήνων
πολλὴν δὲ καὶ διὰ βαρβάρων ἥκουσαν ἰσχὺν καὶ ἡγεμονίαν ὑπηκόοις
ἔθνεσι καὶ φιλίαις βασιλέων καὶ συμμαχίαις πεφραγμένην δυναστῶν,
οὐκέθ' ὁ αὐτὸς ἦν οὐδ' ὁμοίως χειροήθης τῷ δήμῳ καὶ ῥᾴδιος ὑπείκειν
καὶ συνενδιδόναι ταῖς ἐπιθυμίαις ὥσπερ πνοαῖς τῶν πολλῶν, ἀλλ' ἐκ
τῆς ἀνειμένης ἐκείνης καὶ ὑποθρυπτομένης ἔνια δημαγωγίας ὥσπερ
ἀνθηρᾶς καὶ μαλακῆς ἁρμονίας ἀριστοκρατικὴν καὶ βασιλικὴν ἐντεινά-
μενος πολιτείαν, καὶ χρώμενος αὐτῇ πρὸς τὸ βέλτιστον ὀρθῇ καὶ
ἀνεγκλίτῳ, τὰ μὲν πολλὰ βουλόμενον ἦγε πείθων καὶ διδάσκων τὸν
δῆμον, ἦν δ' ὅτε καὶ μάλα δυσχεραίνοντα κατατείνων καὶ προσβιβάζων
ἐχειροῦτο τῷ συμφέροντι, μιμούμενος ἀτεχνῶς ἰατρὸν ποικίλῳ νοσήματι
καὶ μακρῷ κατὰ καιρὸν μὲν ἡδονὰς ἀβλαβεῖς κατὰ καιρὸν δὲ δηγμοὺς
καὶ φάρμακα προσφέροντα σωτήρια. παντοδαπῶν γὰρ ὡς εἰκὸς παθῶν 2
ἐν ὄχλῳ τοσαύτην τὸ μέγεθος ἀρχὴν ἔχοντι φυομένων, μόνος ἐμμελῶς
ἕκαστα διαχειρίσασθαι πεφυκώς, μάλιστα δ' ἐλπίσι καὶ φόβοις ὥσπερ
οἴαξι προσστέλλων τὸ θρασυνόμενον αὐτῶν καὶ τὸ δύσθυμον ἀνιεὶς καὶ
παραμυθούμενος, ἔδειξε τὴν ῥητορικὴν κατὰ Πλάτωνα (*Phaedr.* 271c)
ψυχαγωγίαν οὖσαν καὶ μέγιστον ἔργον αὐτῆς τὴν περὶ τὰ ἤθη καὶ πάθη
μέθοδον, ὥσπερ τινὰς τόνους καὶ φθόγγους ψυχῆς μάλ' ἐμμελοῦς ἁφῆς
καὶ κρούσεως δεομένους. αἰτία δ' οὐχ ἡ τοῦ λόγου ψιλῶς δύναμις, ἀλλ', 3
ὡς Θουκυδίδης (*ii.* 65[8]) φησίν, ἡ περὶ τὸν βίον δόξα καὶ πίστις τοῦ
ἀνδρός, ἀδωροτάτου περιφανῶς γενομένου καὶ χρημάτων κρείττονος· ὃς
τὴν πόλιν ἐκ μεγάλης μεγίστην καὶ πλουσιωτάτην ποιήσας καὶ γενόμενος
δυνάμει πολλῶν βασιλέων καὶ τυράννων ὑπέρτερος, ὧν ἔνιοι καὶ †ἐπὶ

τοῖς υἱέσι διέθεντο, ἐκεῖνος μιᾷ δραχμῇ μείζονα τὴν οὐσίαν οὐκ ἐποίησεν
16 ἧς ὁ πατὴρ αὐτῷ κατέλιπε. καίτοι τὴν δύναμιν αὐτοῦ σαφῶς μὲν ὁ
Θουκυδίδης διηγεῖται, κακοήθως δὲ παρεμφαίνουσιν οἱ κωμικοί (*Com.*
adesp. fr. 60), Πεισιστρατίδας μὲν νέους τοὺς περὶ αὐτὸν ἑταίρους
καλοῦντες, αὐτὸν δ' ἀπομόσαι μὴ τυραννήσειν κελεύοντες, ὡς ἀσυμ-
μέτρου πρὸς δημοκρατίαν καὶ βαρυτέρας περὶ αὐτὸν οὔσης ὑπεροχῆς.
2 ὁ δὲ Τηλεκλείδης (fr. 42) παραδεδωκέναι φησὶν αὐτῷ τοὺς Ἀθηναίους

> πόλεών τε φόρους αὐτάς τε πόλεις, τὰς μὲν δεῖν, τὰς δ' ἀναλύειν,
> λάινα τείχη, τὰ μὲν οἰκοδομεῖν τὰ δὲ τἄμπαλιν καταβάλλειν,
> σπονδὰς δύναμιν κράτος εἰρήνην πλοῦτόν τ' εὐδαιμονίαν τε.

3 καὶ ταῦτα καιρὸς οὐκ ἦν οὐδ' ἀκμὴ καὶ χάρις ἀνθούσης ἐφ' ὥρᾳ πολι-
τείας, ἀλλὰ τεσσαράκοντα μὲν ἔτη πρωτεύων ἐν Ἐφιάλταις καὶ
Λεωκράταις καὶ Μυρωνίδαις καὶ Κίμωσι καὶ Τολμίδαις καὶ Θουκυδί-
δαις, μετὰ δὲ τὴν Θουκυδίδου κατάλυσιν καὶ τὸν ὀστρακισμὸν οὐκ
ἐλάττω τῶν πεντεκαίδεκα ἐτῶν διηνεκῆ καὶ μίαν οὖσαν ἐν ταῖς
ἐνιαυσίοις στρατηγίαις ἀρχὴν καὶ δυναστείαν κτησάμενος, ἐφύλαξεν
ἑαυτὸν ἀνάλωτον ὑπὸ χρημάτων, καίπερ οὐ παντάπασιν ἀργῶς ἔχων
πρὸς χρηματισμόν, ἀλλὰ τὸν πατρῷον καὶ δίκαιον πλοῦτον, ὡς μήτ'
ἀμελούμενος ἐκφύγοι μήτε πολλὰ πράγματα καὶ διατριβὰς ἀσχο-
λουμένῳ παρέχοι, συνέταξεν εἰς οἰκονομίαν ἣν ᾤετο ῥᾴστην καὶ
4 ἀκριβεστάτην εἶναι. τοὺς γὰρ ἐπετείους καρποὺς ἅπαντας ἀθρόους
ἐπίπρασκεν, εἶτα τῶν ἀναγκαίων ἕκαστον ἐξ ἀγορᾶς ὠνούμενος διῴκει
5 τὸν βίον καὶ τὰ περὶ τὴν δίαιταν. ὅθεν οὐχ ἡδὺς ἦν ἐνηλίκοις παισὶν
οὐδὲ γυναιξὶ δαψιλὴς χορηγός, ἀλλ' ἐμέμφοντο τὴν ἐφήμερον ταύτην
καὶ συνηγμένην εἰς τὸ ἀκριβέστατον δαπάνην, οὐδενὸς οἷον ἐν οἰκίᾳ
μεγάλῃ καὶ πράγμασιν ἀφθόνοις περιρρέοντος, ἀλλὰ παντὸς μὲν ἀναλώ-
6 ματος παντὸς δὲ λήμματος δι' ἀριθμοῦ καὶ μέτρου βαδίζοντος. ὁ δὲ
πᾶσαν αὐτοῦ τὴν τοιαύτην συνέχων ἀκρίβειαν εἷς ἦν οἰκέτης Εὐάγγελος,
ὡς ἕτερος οὐδεὶς εὖ πεφυκὼς ἢ κατεσκευασμένος ὑπὸ τοῦ Περικλέους
7 πρὸς οἰκονομίαν. ἀπᾴδοντα μὲν οὖν ταῦτα τῆς Ἀναξαγόρου σοφίας,
εἴγε καὶ τὴν οἰκίαν ἐκεῖνος ἐξέλιπε καὶ τὴν χώραν ἀνῆκεν ἀργὴν καὶ
μηλόβοτον ὑπ' ἐνθουσιασμοῦ καὶ μεγαλοφροσύνης, οὐ ταὐτὸν δ' ἐστὶν
οἶμαι θεωρητικοῦ φιλοσόφου καὶ πολιτικοῦ βίος, ἀλλ' ὁ μὲν ἀνόργανον
καὶ ἀπροσδεῆ τῆς ἐκτὸς ὕλης ἐπὶ τοῖς καλοῖς κινεῖ τὴν διάνοιαν,
τῷ δ' εἰς ἀνθρωπείας χρείας ἀναμειγνύντι τὴν ἀρετὴν ἔστιν οὗ γένοιτ'
ἂν οὐ τῶν ἀναγκαίων μόνον ἀλλὰ καὶ τῶν καλῶν ὁ πλοῦτος, ὥσπερ
8 ἦν καὶ Περικλεῖ βοηθοῦντι πολλοῖς τῶν πενήτων. καὶ μέντοι γε τὸν

15^{3}: ἐκεῖνος del. Lindskog, διέθεντο τοῖς ἐκείνου Sauppe, alii aliud. 16^{2}, l. 3: τὰ δὲ τἄμπαλιν αὖ Kock, τὰ δὲ αὐτὰ πάλιν codd., τὰ δ' ἔπειτα πάλιν Fuhr.

Ἀναξαγόραν αὐτὸν λέγουσιν ἀσχολουμένου Περικλέους ἀμελούμενον κεῖ-
σθαι συγκεκαλυμμένον ἤδη γηραιὸν ἀποκαρτεροῦντα· προσπεσόντος
δὲ τῷ Περικλεῖ τοῦ πράγματος, ἐκπλαγέντα θεῖν εὐθὺς ἐπὶ τὸν ἄνδρα
καὶ δεῖσθαι πᾶσαν δέησιν, ὀλοφυρόμενον οὐκ ἐκεῖνον ἀλλ' ἑαυτόν, εἰ
τοιοῦτον ἀπολεῖ τῆς πολιτείας σύμβουλον. ἐκκαλυψάμενον οὖν τὸν 9
Ἀναξαγόραν εἰπεῖν πρὸς αὐτόν· "ὦ Περίκλεις, καὶ οἱ τοῦ λύχνου
χρείαν ἔχοντες ἔλαιον ἐπιχέουσιν."

ἀρχομένων δὲ Λακεδαιμονίων ἄχθεσθαι τῇ αὐξήσει τῶν Ἀθηναίων, **17**
ἐπαίρων ὁ Περικλῆς τὸν δῆμον ἔτι μᾶλλον μέγα φρονεῖν καὶ μεγάλων
αὑτὸν ἀξιοῦν πραγμάτων γράφει ψήφισμα, πάντας Ἕλληνας τοὺς
ὁποίποτε κατοικοῦντας Εὐρώπης ἢ τῆς Ἀσίας παρακαλεῖν, καὶ μικρὰν
πόλιν καὶ μεγάλην, εἰς σύλλογον πέμπειν Ἀθήναζε τοὺς βουλευσομένους
περὶ τῶν Ἑλληνικῶν ἱερῶν, ἃ κατέπρησαν οἱ βάρβαροι, καὶ τῶν θυσιῶν,
ἃς ὀφείλουσιν ὑπὲρ τῆς Ἑλλάδος εὐξάμενοι τοῖς θεοῖς ὅτε πρὸς τοὺς
βαρβάρους ἐμάχοντο, καὶ τῆς θαλάττης, ὅπως πλέωσι πάντες ἀδεῶς καὶ
τὴν εἰρήνην ἄγωσιν. ἐπὶ ταῦτα δ' ἄνδρες εἴκοσι τῶν ὑπὲρ πεντήκοντα 2
ἔτη γεγονότων ἐπέμφθησαν, ὧν πέντε μὲν Ἴωνας καὶ Δωριεῖς τοὺς ἐν
Ἀσίᾳ καὶ νησιώτας ἄχρι Λέσβου καὶ Ῥόδου παρεκάλουν, πέντε δὲ τοὺς
ἐν Ἑλλησπόντῳ καὶ Θρᾴκῃ μέχρι Βυζαντίου τόπους ἐπῄεσαν, καὶ
πέντε ἐπὶ τούτοις εἰς Βοιωτίαν καὶ Φωκίδα καὶ Πελοπόννησον, ἐκ δὲ
ταύτης διὰ Λοκρῶν ἐπὶ τὴν πρόσοικον ἤπειρον ἕως Ἀκαρνανίας καὶ
Ἀμβρακίας ἀπεστάλησαν· οἱ δὲ λοιποὶ δι' Εὐβοίας ἐπ' Οἰταίους καὶ 3
τὸν Μαλιέα κόλπον καὶ Φθιώτας [καὶ] Ἀχαιοὺς καὶ Θεσσαλοὺς ἐπο-
ρεύοντο, συμπείθοντες ἰέναι καὶ μετέχειν τῶν βουλευμάτων ἐπ' εἰρήνῃ
καὶ κοινοπραγίᾳ τῆς Ἑλλάδος. ἐπράχθη δ' οὐδέν, οὐδὲ συνῆλθον αἱ 4
πόλεις Λακεδαιμονίων ὑπεναντιωθέντων ὡς λέγεται, καὶ τὸ πρῶτον
ἐν Πελοποννήσῳ τῆς πείρας ἐλεγχθείσης. τοῦτο μὲν οὖν παρεθέμην
ἐνδεικνύμενος αὐτοῦ τὸ φρόνημα καὶ τὴν μεγαλοφροσύνην.

ἐν δὲ ταῖς στρατηγίαις εὐδοκίμει μάλιστα διὰ τὴν ἀσφάλειαν, οὔτε **18**
μάχης ἐχούσης πολλὴν ἀδηλότητα καὶ κίνδυνον ἑκουσίως ἁπτόμενος,
οὔτε τοὺς ἐκ τοῦ παραβαλέσθαι χρησαμένους τύχῃ λαμπρᾷ καὶ θαυμα-
σθέντας ὡς μεγάλους ζηλῶν καὶ μιμούμενος στρατηγούς, ἀεί τε λέγων
πρὸς τοὺς πολίτας ὡς ὅσον ἐπ' αὐτῷ μενοῦσιν ἀθάνατοι πάντα τὸν
χρόνον. ὁρῶν δὲ Τολμίδην τὸν Τολμαίου διὰ τὰς πρότερον εὐτυχίας καὶ 2
διὰ τὸ τιμᾶσθαι διαφερόντως ἐκ τῶν πολεμικῶν σὺν οὐδενὶ καιρῷ
παρασκευαζόμενον εἰς Βοιωτίαν ἐμβαλεῖν καὶ πεπεικότα τῶν ἐν ἡλικίᾳ
τοὺς ἀρίστους καὶ φιλοτιμοτάτους ἐθελοντὰς στρατεύεσθαι χιλίους
γενομένους ἄνευ τῆς ἄλλης δυνάμεως, κατέχειν ἐπειρᾶτο καὶ παρα-
καλεῖν ἐν τῷ δήμῳ, τὸ μνημονευόμενον εἰπών, ὡς εἰ μὴ πείθοιτο
Περικλεῖ, τόν γε σοφώτατον οὐχ ἁμαρτήσεται σύμβουλον ἀναμείνας

3 χρόνον. τότε μὲν οὖν μετρίως εὐδοκίμησε τοῦτ' εἰπών· ὀλίγαις δ' ὕστερον ἡμέραις, ὡς ἀνηγγέλθη τεθνεὼς μὲν αὐτὸς Τολμίδης περὶ Κορώνειαν ἡττηθεὶς μάχῃ, τεθνεῶτες δὲ πολλοὶ κἀγαθοὶ τῶν πολιτῶν, μεγάλην τοῦτο τῷ Περικλεῖ μετ' εὐνοίας δόξαν ἤνεγκεν ὡς ἀνδρὶ φρονίμῳ καὶ φιλοπολίτῃ.

19 τῶν δὲ στρατηγιῶν ἠγαπήθη μὲν ἡ περὶ Χερρόνησον αὐτοῦ μάλιστα, σωτήριος γενομένη τοῖς αὐτόθι κατοικοῦσι τῶν Ἑλλήνων· οὐ γὰρ μόνον ἐποίκους Ἀθηναίων χιλίους κομίσας ἔρρωσεν εὐανδρίᾳ τὰς πόλεις, ἀλλὰ καὶ τὸν αὐχένα διαζώσας ἐρύμασι καὶ προβλήμασιν ἐκ θαλάττης εἰς θάλατταν ἀπετείχισε τὰς καταδρομὰς τῶν Θρᾳκῶν περικεχυμένων τῇ Χερρονήσῳ, καὶ πόλεμον ἐνδελεχῆ καὶ βαρὺν ἐξέκλεισεν, ᾧ συνείχετο πάντα τὸν χρόνον ἡ χώρα βαρβαρικαῖς ἀναμεμειγμένη γειτνιάσεσι καὶ
2 γέμουσα λῃστηρίων ὁμόρων καὶ συνοίκων· ἐθαυμάσθη δὲ καὶ διεβοήθη πρὸς τοὺς ἐκτὸς ἀνθρώπους περιπλεύσας Πελοπόννησον ἐκ Πηγῶν τῆς Μεγαρικῆς ἀναχθεὶς ἑκατὸν τριήρεσιν. οὐ γὰρ μόνον ἐπόρθησε τῆς παραλίας πολλὴν ὡς Τολμίδης πρότερον, ἀλλὰ καὶ πόρρω θαλάττης προελθὼν τοῖς ἀπὸ τῶν νεῶν ὁπλίταις τοὺς μὲν ἄλλους εἰς τὰ τείχη συνέστειλε δείσαντας αὐτοῦ τὴν ἔφοδον, ἐν δὲ Νεμέᾳ Σικυωνίους ὑποστάντας
3 καὶ συνάψαντας μάχην κατὰ κράτος τρεψάμενος ἔστησε τρόπαιον. ἐκ δ' Ἀχαΐας φίλης οὔσης στρατιώτας ἀναλαβὼν εἰς τὰς τριήρεις, ἐπὶ τὴν ἀντιπέρας ἤπειρον ἐκομίσθη τῷ στόλῳ, καὶ παραπλεύσας τὸν Ἀχελῷον Ἀκαρνανίαν κατέδραμε καὶ κατέκλεισεν Οἰνιάδας εἰς τὸ τεῖχος, καὶ τεμὼν τὴν γῆν καὶ κακώσας ἀπῆρεν ἐπ' οἴκου, φοβερὸς μὲν φανεὶς τοῖς πολεμίοις ἀσφαλὴς δὲ καὶ δραστήριος τοῖς πολίταις. οὐδὲν γὰρ οὐδ'
20 ἀπὸ τύχης πρόσκρουσμα συνέβη περὶ τοὺς στρατευομένους. εἰς δὲ τὸν Πόντον εἰσπλεύσας στόλῳ μεγάλῳ καὶ κεκοσμημένῳ λαμπρῶς, ταῖς μὲν Ἑλληνίσι πόλεσιν ὧν ἐδέοντο διεπράξατο καὶ προσηνέχθη φιλανθρώπως, τοῖς δὲ περιοικοῦσι βαρβάροις ἔθνεσι καὶ βασιλεῦσιν αὐτῶν καὶ δυνάσταις ἐπεδείξατο μὲν τῆς δυνάμεως τὸ μέγεθος καὶ τὴν ἄδειαν καὶ τὸ θάρσος, ᾗ βούλοιντο πλεόντων καὶ πᾶσαν ὑφ' αὑτοῖς πεποιημένων τὴν θάλασσαν, Σινωπεῦσι δὲ τρισκαίδεκα ναῦς ἀπέλιπε μετὰ
2 Λαμάχου καὶ στρατιώτας ἐπὶ Τιμησίλεων τύραννον. ἐκπεσόντος δὲ τούτου καὶ τῶν ἑταίρων, ἐψηφίσατο πλεῖν εἰς Σινώπην Ἀθηναίων ἐθελοντὰς ἑξακοσίους καὶ συγκατοικεῖν Σινωπεῦσι, νειμαμένους οἰκίας
3 καὶ χώραν ἣν πρότερον οἱ τύραννοι κατεῖχον. τἆλλα δ' οὐ συνεχώρει ταῖς ὁρμαῖς τῶν πολιτῶν, οὐδὲ συνεξέπιπτεν ὑπὸ ῥώμης καὶ τύχης τοσαύτης ἐπαιρομένων Αἰγύπτου τε πάλιν ἀντιλαμβάνεσθαι καὶ κινεῖν
4 τῆς βασιλέως ἀρχῆς τὰ πρὸς θαλάσσῃ. πολλοὺς δὲ καὶ Σικελίας ὁ δύσερως ἐκεῖνος ἤδη καὶ δύσποτμος ἔρως εἶχεν, ὃν ὕστερον ἐξέκαυσαν οἱ περὶ τὸν Ἀλκιβιάδην ῥήτορες. ἦν δὲ καὶ Τυρρηνία καὶ Καρχηδὼν

ἐνίοις ὄνειρος, οὐκ ἀπ' ἐλπίδος διὰ τὸ μέγεθος τῆς ὑποκειμένης ἡγε-
μονίας καὶ τὴν εὔροιαν τῶν πραγμάτων. ἀλλ' ὁ Περικλῆς κατεῖχε τὴν **21**
ἐκδρομὴν ταύτην καὶ περιέκοπτε τὴν πολυπραγμοσύνην, καὶ τὰ πλεῖστα
τῆς δυνάμεως ἔτρεπεν εἰς φυλακὴν καὶ βεβαιότητα τῶν ὑπαρχόντων,
μέγα ἔργον ἡγούμενος ἀνείργειν Λακεδαιμονίους καὶ ὅλως ὑπεναντιού-
μενος ἐκείνοις, ὡς ἄλλοις τε πολλοῖς ἔδειξε καὶ μάλιστα τοῖς περὶ τὸν
ἱερὸν πραχθεῖσι πόλεμον. ἐπεὶ γὰρ οἱ Λακεδαιμόνιοι στρατεύσαντες εἰς 2
Δελφοὺς Φωκέων ἐχόντων τὸ ἱερὸν Δελφοῖς ἀπέδωκαν, εὐθὺς ἐκείνων
ἀπαλλαγέντων ὁ Περικλῆς ἐπιστρατεύσας πάλιν εἰσήγαγε τοὺς Φωκέας.
καὶ τῶν Λακεδαιμονίων ἣν ἔδωκαν αὐτοῖς Δελφοὶ προμαντείαν εἰς τὸ 3
μέτωπον ἐγκολαψάντων τοῦ χαλκοῦ λύκου, λαβὼν καὶ αὐτὸς προμαντείαν
τοῖς Ἀθηναίοις εἰς τὸν αὐτὸν λύκον κατὰ τὴν δεξιὰν πλευρὰν ἐνεχάραξεν.

ὅτι δ' ὀρθῶς ἐν τῇ Ἑλλάδι τὴν δύναμιν τῶν Ἀθηναίων συνεῖχεν, **22**
ἐμαρτύρησεν αὐτῷ τὰ γενόμενα. πρῶτον μὲν γὰρ Εὐβοεῖς ἀπέστησαν,
ἐφ' οὓς διέβη μετὰ δυνάμεως. εἶτ' εὐθὺς ἀπηγγέλλοντο Μεγαρεῖς ἐκ-
πεπολεμωμένοι καὶ στρατιὰ πολεμίων ἐπὶ τοῖς ὅροις τῆς Ἀττικῆς οὖσα,
Πλειστώνακτος ἡγουμένου βασιλέως Λακεδαιμονίων. πάλιν οὖν ὁ 2
Περικλῆς κατὰ τάχος ἐκ τῆς Εὐβοίας ἀνεκομίζετο πρὸς τὸν ἐν τῇ
Ἀττικῇ πόλεμον· καὶ συνάψαι μὲν εἰς χεῖρας οὐκ ἐθάρσησε πολλοῖς καὶ
ἀγαθοῖς ὁπλίταις προκαλουμένοις, ὁρῶν δὲ τὸν Πλειστώνακτα νέον
ὄντα κομιδῇ χρώμενον δὲ μάλιστα Κλεανδρίδῃ τῶν συμβούλων, ὃν οἱ
ἔφοροι φύλακα καὶ πάρεδρον αὐτῷ διὰ τὴν ἡλικίαν συνέπεμψαν,
ἐπειρᾶτο τούτου κρύφα· καὶ ταχὺ διαφθείρας χρήμασιν αὐτὸν ἔπεισεν
ἐκ τῆς Ἀττικῆς ἀπαγαγεῖν τοὺς Πελοποννησίους. ὡς δ' ἀπεχώρησεν 3
ἡ στρατιὰ καὶ διελύθη κατὰ πόλεις, βαρέως φέροντες οἱ Λακεδαιμόνιοι
τὸν μὲν βασιλέα χρήμασιν ἐζημίωσαν, ὧν τὸ πλῆθος οὐκ ἔχων ἐκτεῖσαι
μετέστησεν ἑαυτὸν ἐκ Λακεδαίμονος, τοῦ δὲ Κλεανδρίδου φεύγοντος
θάνατον κατέγνωσαν. οὗτος δ' ἦν πατὴρ Γυλίππου τοῦ περὶ Σικελίαν 4
Ἀθηναίους καταπολεμήσαντος. ἔοικε δ' ὥσπερ συγγενικὸν αὐτῷ
προστρίψασθαι νόσημα τὴν φιλαργυρίαν ἡ φύσις, ὑφ' ἧς καὶ αὐτὸς
αἰσχρῶς ἐπὶ καλοῖς ἔργοις ἁλοὺς ἐξέπεσε τῆς Σπάρτης. ταῦτα μὲν
οὖν ἐν τοῖς περὶ Λυσάνδρου (*Lys.* 16–17[1]) δεδηλώκαμεν.

τοῦ δὲ Περικλέους ἐν τῷ τῆς στρατηγίας ἀπολογισμῷ δέκα ταλάντων **23**
ἀνάλωμα γράψαντος ἀνηλωμένων εἰς τὸ δέον, ὁ δῆμος ἀπεδέξατο μὴ 2
πολυπραγμονήσας μηδ' ἐλέγξας τὸ ἀπόρρητον. ἔνιοι δ' ἱστορήκασιν,
ὧν ἐστι καὶ Θεόφραστος ὁ φιλόσοφος, ὅτι καθ' ἕκαστον ἐνιαυτὸν εἰς
τὴν Σπάρτην ἐφοίτα δέκα τάλαντα παρὰ τοῦ Περικλέους, οἷς τοὺς ἐν
τέλει πάντας θεραπεύων παρῃτεῖτο τὸν πόλεμον, οὐ τὴν εἰρήνην
ὠνούμενος ἀλλὰ τὸν χρόνον ἐν ᾧ παρασκευασάμενος καθ' ἡσυχίαν
ἔμελλε πολεμήσειν βέλτιον.

3 αὖθις οὖν ἐπὶ τοὺς ἀφεστῶτας τραπόμενος καὶ διαβὰς εἰς Εὔβοιαν
πεντήκοντα ναυσὶ καὶ πεντακισχιλίοις ὁπλίταις κατεστρέψατο τὰς
4 πόλεις. καὶ *** Χαλκιδέων μὲν τοὺς ἱπποβότας λεγομένους πλούτῳ
καὶ δόξῃ διαφέροντας ἐξέβαλεν, Ἑστιεῖς δὲ πάντας ἀναστήσας ἐκ τῆς
χώρας Ἀθηναίους κατῴκισε, μόνοις τούτοις ἀπαραιτήτως χρησάμενος,
ὅτι ναῦν Ἀττικὴν αἰχμάλωτον λαβόντες ἀπέκτειναν τοὺς ἄνδρας.

24 ἐκ τούτου γενομένων σπονδῶν Ἀθηναίοις καὶ Λακεδαιμονίοις εἰς
ἔτη τριάκοντα, ψηφίζεται τὸν εἰς Σάμον πλοῦν, αἰτίαν ποιησάμενος
κατ' αὐτῶν ὅτι τὸν πρὸς Μιλησίους κελευόμενοι διαλύσασθαι πόλεμον
2 οὐχ ὑπήκουον. ἐπεὶ δ' Ἀσπασίᾳ χαριζόμενος δοκεῖ πρᾶξαι τὰ πρὸς
Σαμίους, ἐνταῦθ' ἂν εἴη καιρὸς διαπορῆσαι μάλιστα περὶ τῆς ἀνθρώπου,
τίνα τέχνην ἢ δύναμιν τοσαύτην ἔχουσα τῶν τε πολιτικῶν τοὺς πρω-
τεύοντας ἐχειρώσατο καὶ τοῖς φιλοσόφοις οὐ φαῦλον οὐδ' ὀλίγον ὑπὲρ
3 αὐτῆς παρέσχε λόγον. ὅτι μὲν γὰρ ἦν Μιλησία γένος, Ἀξιόχου θυγάτηρ,
ὁμολογεῖται· φασὶ δ' αὐτὴν Θαργηλίαν τινὰ τῶν παλαιῶν Ἰάδων
4 ζηλώσασαν ἐπιθέσθαι τοῖς δυνατωτάτοις ἀνδράσι. καὶ γὰρ ἡ Θαργηλία
τό τ' εἶδος εὐπρεπὴς γενομένη καὶ χάριν ἔχουσα μετὰ δεινότητος
πλείστοις μὲν Ἑλλήνων συνῴκησεν ἀνδράσι, πάντας δὲ προσεποίησε
βασιλεῖ τοὺς πλησιάσαντας αὐτῇ, καὶ ταῖς πόλεσι μηδισμοῦ δι' ἐκείνων
5 ὑπέσπειρεν ἀρχὰς δυνατωτάτων ὄντων καὶ μεγίστων. τὴν δ' Ἀσπασίαν
οἱ μὲν ὡς σοφήν τινα καὶ πολιτικὴν ὑπὸ τοῦ Περικλέους σπουδασθῆναι
λέγουσι· καὶ γὰρ Σωκράτης ἔστιν ὅτε μετὰ τῶν γνωρίμων ἐφοίτα, καὶ
τὰς γυναῖκας ἀκροασομένας οἱ συνήθεις ἦγον ὡς αὐτήν, καίπερ οὐ
κοσμίου προεστῶσαν ἐργασίας οὐδὲ σεμνῆς, ἀλλὰ παιδίσκας ἑταιρούσας
6 τρέφουσαν· Αἰσχίνης (fr. viii) δέ φησι καὶ Λυσικλέα τὸν προβατο-
κάπηλον ἐξ ἀγενοῦς καὶ ταπεινοῦ τὴν φύσιν Ἀθηναίων γενέσθαι πρῶτον
7 Ἀσπασίᾳ συνόντα μετὰ τὴν Περικλέους τελευτήν. ἐν δὲ τῷ Μενεξένῳ
τῷ Πλάτωνος (235e), εἰ καὶ μετὰ παιδιᾶς τὰ πρῶτα γέγραπται,
τοσοῦτόν γ' ἱστορίας ἔνεστιν, ὅτι δόξαν εἶχε τὸ γύναιον ἐπὶ ῥητορικῇ
πολλοῖς Ἀθηναίων ὁμιλεῖν. φαίνεται μέντοι μᾶλλον ἐρωτική τις ἡ τοῦ
8 Περικλέους ἀγάπησις γενομένη πρὸς Ἀσπασίαν. ἦν μὲν γὰρ αὐτῷ γυνὴ
προσήκουσα μὲν κατὰ γένος, συνῳκηκυῖα δ' Ἱππονίκῳ πρότερον, ἐξ
οὗ Καλλίαν ἔτεκε τὸν πλούσιον· ἔτεκε δὲ καὶ παρὰ τῷ Περικλεῖ
Ξάνθιππον καὶ Πάραλον. εἶτα τῆς συμβιώσεως οὐκ οὔσης αὐτοῖς
ἀρεστῆς, ἐκείνην μὲν ἑτέρῳ βουλομένην συνεξέδωκεν, αὐτὸς δὲ τὴν
9 Ἀσπασίαν λαβὼν ἔστερξε διαφερόντως. καὶ γὰρ ἐξιών ὥς φασι καὶ
εἰσιὼν ἀπ' ἀγορᾶς ἠσπάζετο καθ' ἡμέραν αὐτὴν μετὰ τοῦ καταφιλεῖν.
ἐν δὲ ταῖς κωμῳδίαις (*Com. adesp.* fr. 63) Ὀμφάλη τε νέα καὶ
Δηάνειρα καὶ πάλιν Ἥρα προσαγορεύεται. Κρατῖνος δ' ἄντικρυς
παλλακὴν αὐτὴν εἴρηκεν ἐν τούτοις (fr. 241)·

Ἥραν θ' οἱ [Ἀσπασίαν] τίκτει [καὶ] Καταπυγοσύνη
παλλακὴν κυνώπιδα.

δοκεῖ δὲ καὶ τὸν νόθον ἐκ ταύτης τεκνῶσαι, περὶ οὗ πεποίηκεν Εὔπολις 10
ἐν Δήμοις (fr. 98) αὐτὸν μὲν οὕτως ἐρωτῶντα·

ὁ νόθος δέ μοι ζῇ;

τὸν δὲ Μυρωνίδην ἀποκρινόμενον·

καὶ πάλαι γ' ἂν ἦν ἀνήρ,
εἰ μὴ τὸ τῆς πόρνης ὑπωρρώδει κακόν.

οὕτω δὲ τὴν Ἀσπασίαν ὀνομαστὴν καὶ κλεινὴν γενέσθαι λέγουσιν, ὥστε 11
καὶ Κῦρον τὸν πολεμήσαντα βασιλεῖ περὶ τῆς τῶν Περσῶν ἡγεμονίας
τὴν ἀγαπωμένην ὑπ' αὐτοῦ μάλιστα τῶν παλλακίδων Ἀσπασίαν ὀνο-
μάσαι, καλουμένην Μιλτὼ πρότερον. ἦν δὲ Φωκαῒς τὸ γένος, Ἑρμο- 12
τίμου θυγάτηρ· ἐν δὲ τῇ μάχῃ Κύρου πεσόντος ἀπαχθεῖσα πρὸς βασιλέα
πλεῖστον ἴσχυσε. ταῦτα μὲν ἐπελθόντα τῇ μνήμῃ κατὰ τὴν γραφὴν
ἀπώσασθαι καὶ παρελθεῖν ἴσως ἀπάνθρωπον ἦν.

τὸν δὲ πρὸς Σαμίους πόλεμον αἰτιῶνται μάλιστα τὸν Περικλέα **25**
ψηφίσασθαι διὰ Μιλησίους Ἀσπασίας δεηθείσης. αἱ γὰρ πόλεις ἐπολέ-
μουν τὸν περὶ Πριήνης πόλεμον, καὶ κρατοῦντες οἱ Σάμιοι, παύσασθαι
τῶν Ἀθηναίων κελευόντων καὶ δίκας λαβεῖν καὶ δοῦναι παρ' αὐτοῖς,
οὐκ ἐπείθοντο. πλεύσας οὖν ὁ Περικλῆς τὴν μὲν οὖσαν ὀλιγαρχίαν ἐν 2
Σάμῳ κατέλυσεν, τῶν δὲ πρώτων λαβὼν ὁμήρους πεντήκοντα καὶ
παῖδας ἴσους εἰς Λῆμνον ἀπέστειλε. καίτοι φασὶν ἕκαστον μὲν αὐτῷ
τῶν ὁμήρων διδόναι τάλαντον ὑπὲρ ἑαυτοῦ, πολλὰ δ' ἄλλα τοὺς μὴ
θέλοντας ἐν τῇ πόλει γενέσθαι δημοκρατίαν. ἔτι δὲ Πισσούθνης ὁ 3
Πέρσης ἔχων τινὰ πρὸς Σαμίους εὔνοιαν ἀπέστειλεν αὐτῷ μυρίους
χρυσοῦς παραιτούμενος τὴν πόλιν. οὐ μὴν ἔλαβε τούτων οὐδὲν ὁ Περι-
κλῆς, ἀλλὰ χρησάμενος ὥσπερ ἐγνώκει τοῖς Σαμίοις καὶ καταστήσας
δημοκρατίαν ἀπέπλευσεν εἰς τὰς Ἀθήνας. οἱ δ' εὐθὺς ἀπέστησαν, 4
ἐκκλέψαντος αὐτοῖς τοὺς ὁμήρους Πισσούθνου, καὶ τἆλλα παρ-
εσκευάσαντο πρὸς τὸν πόλεμον. αὖθις οὖν ὁ Περικλῆς ἐξέπλευσεν ἐπ'
αὐτοὺς οὐχ ἡσυχάζοντας οὐδὲ κατεπτηχότας ἀλλὰ καὶ πάνυ προθύμως
ἐγνωκότας ἀντιλαμβάνεσθαι τῆς θαλάττης. γενομένης δὲ καρτερᾶς 5
ναυμαχίας περὶ νῆσον ἣν Τραγίας καλοῦσι, λαμπρῶς ὁ Περικλῆς ἐνίκα,
τέσσαρσι καὶ τεσσαράκοντα ναυσὶν ἑβδομήκοντα καταναυμαχήσας, ὧν
εἴκοσι στρατιώτιδες ἦσαν. ἅμα δὲ τῇ νίκῃ καὶ τῇ διώξει τοῦ λιμένος **26**
κρατήσας ἐπολιόρκει τοὺς Σαμίους ἁμῶς γέ πως ἔτι τολμῶντας
ἐπεξιέναι καὶ διαμάχεσθαι πρὸ τοῦ τείχους. ἐπεὶ δὲ μείζων ἕτερος
στόλος ἦλθεν ἐκ τῶν Ἀθηνῶν καὶ παντελῶς κατεκλείσθησαν οἱ Σάμιοι,

24[10], l. 4: Μυρωνίδην C, Πυρωνίδην cett.

λαβὼν ὁ Περικλῆς ἑξήκοντα τριήρεις ἔπλευσεν εἰς τὸν ἔξω πόντον, ὡς μὲν οἱ πλεῖστοι λέγουσι, Φοινισσῶν νεῶν ἐπικούρων τοῖς Σαμίοις προσφερομένων, ἀπαντῆσαι καὶ διαγωνίσασθαι πορρωτάτω βουλόμενος, ὡς δὲ Στησίμβροτος (fr. 8), ἐπὶ Κύπρον στελλόμενος· ὅπερ οὐ
2 δοκεῖ πιθανὸν εἶναι. ὁποτέρῳ δ' οὖν ἐχρήσατο τῶν λογισμῶν, ἁμαρτεῖν ἔδοξε. πλεύσαντος γὰρ αὐτοῦ, Μέλισσος ὁ Ἰθαγένους, ἀνὴρ φιλόσοφος στρατηγῶν τότε τῆς Σάμου, καταφρονήσας τῆς ὀλιγότητος τῶν νεῶν ἢ τῆς ἀπειρίας τῶν στρατηγῶν, ἔπεισε τοὺς πολίτας ἐπιθέσθαι τοῖς
3 Ἀθηναίοις. καὶ γενομένης μάχης νικήσαντες οἱ Σάμιοι καὶ πολλοὺς μὲν αὐτῶν ἄνδρας ἑλόντες πολλὰς δὲ ναῦς διαφθείραντες, ἐχρῶντο τῇ θαλάσσῃ καὶ παρετίθεντο τῶν ἀναγκαίων πρὸς τὸν πόλεμον ὅσα μὴ πρότερον εἶχον. ὑπὸ δὲ τοῦ Μελίσσου καὶ Περικλέα φησὶν αὐτὸν
4 Ἀριστοτέλης (fr. 577) ἡττηθῆναι ναυμαχοῦντα πρότερον. οἱ δὲ Σάμιοι τοὺς αἰχμαλώτους τῶν Ἀθηναίων ἀνθυβρίζοντες ἔστιζον εἰς τὸ μέτωπον γλαῦκας· καὶ γὰρ ἐκείνους οἱ Ἀθηναῖοι σάμαιναν. ἡ δὲ σάμαινα ναῦς ἐστιν ὑόπρῳρος μὲν τὸ σίμωμα κοιλοτέρα δὲ καὶ γαστροειδής, ὥστε καὶ φορτοφορεῖν καὶ ταχυναυτεῖν. οὕτω δ' ὠνομάσθη διὰ τὸ πρῶτον ἐν Σάμῳ φανῆναι, Πολυκράτους τυράννου κατασκευάσαντος. πρὸς ταῦτα τὰ στίγματα λέγουσι καὶ τὸ Ἀριστοφάνειον (fr. 64) ᾐνίχθαι·

Σαμίων ὁ δῆμός ἐστιν ὡς πολυγράμματος.

27 πυθόμενος δ' οὖν ὁ Περικλῆς τὴν ἐπὶ στρατοπέδου συμφορὰν ἐβοήθει κατὰ τάχος. καὶ τοῦ Μελίσσου πρὸς αὐτὸν ἀντιταξαμένου, κρατήσας καὶ τρεψάμενος τοὺς πολεμίους εὐθὺς περιετείχιζε, δαπάνῃ καὶ χρόνῳ μᾶλλον ἢ τραύμασι καὶ κινδύνοις τῶν πολιτῶν περιγενέσθαι καὶ
2 συνελεῖν τὴν πόλιν βουλόμενος. ἐπεὶ δὲ δυσχεραίνοντας τῇ τριβῇ τοὺς Ἀθηναίους καὶ μάχεσθαι προθυμουμένους ἔργον ἦν κατασχεῖν, ὀκτὼ μέρη διελὼν τὸ πᾶν πλῆθος ἀπεκλήρου, καὶ τῷ λαβόντι τὸν λευκὸν κύαμον εὐωχεῖσθαι καὶ σχολάζειν παρεῖχε τῶν ἄλλων τρυχομένων.
3 διὸ καί φασι τοὺς ἐν εὐπαθείαις τισὶ γενομένους λευκὴν ἡμέραν ἐκείνην ἀπὸ τοῦ λευκοῦ κυάμου προσαγορεύειν. Ἔφορος (fr. 194) δὲ καὶ μηχαναῖς χρήσασθαι τὸν Περικλέα, τὴν καινότητα θαυμασταῖς, Ἀρτέμωνος τοῦ μηχανικοῦ παρόντος, ὃν χωλὸν ὄντα καὶ φορείῳ πρὸς τὰ κατεπείγοντα τῶν ἔργων προσκομιζόμενον ὀνομασθῆναι Περιφόρητον.
4 τοῦτο μὲν οὖν Ἡρακλείδης ὁ Ποντικὸς (p. 89) ἐλέγχει τοῖς Ἀνακρέοντος ποιήμασιν (fr. 16), ἐν οἷς " ὁ περιφόρητος " Ἀρτέμων ὀνομάζεται πολλαῖς ἔμπροσθεν ἡλικίαις τοῦ περὶ Σάμον πολέμου καὶ τῶν πραγμάτων ἐκείνων· τὸν δ' Ἀρτέμωνά φησι τρυφερόν τινα τῷ βίῳ καὶ πρὸς τοὺς φόβους μαλακὸν ὄντα καὶ καταπλῆγα τὰ πολλὰ μὲν οἴκοι καθέζεσθαι, χαλκῆν ἀσπίδα τῆς κεφαλῆς αὐτοῦ δυεῖν οἰκετῶν ὑπερεχόντων, ὥστε μηδὲν ἐμπεσεῖν τῶν ἄνωθεν, εἰ δὲ βιασθείη προελθεῖν, ἐν κλινιδίῳ

κρεμαστῷ παρὰ τὴν γῆν αὐτὴν περιφερόμενον κομίζεσθαι καὶ διὰ τοῦτο
κληθῆναι περιφόρητον. ἐνάτῳ δὲ μηνὶ τῶν Σαμίων παραστάντων ὁ **28**
Περικλῆς τὰ τείχη καθεῖλε καὶ τὰς ναῦς παρέλαβε καὶ χρήμασι πολλοῖς
ἐζημίωσεν, ὧν τὰ μὲν εὐθὺς εἰσήνεγκαν οἱ Σάμιοι, τὰ δ' ἐν χρόνῳ ῥητῷ
ταξάμενοι κατοίσειν ὁμήρους ἔδωκαν. Δοῦρις δ' ὁ Σάμιος (fr. 67) 2
τούτοις ἐπιτραγῳδεῖ, πολλὴν ὠμότητα τῶν Ἀθηναίων καὶ τοῦ Περι-
κλέους κατηγορῶν, ἣν οὔτε Θουκυδίδης (*i.* 117³) *ἱστόρηκεν οὔτ'*
Ἔφορος (fr. 195) *οὔτ' Ἀριστοτέλης* (fr. 578)· *ἀλλ' οὐδ' ἀληθεύειν*
ἔοικεν, ὡς ἄρα τοὺς τριηράρχους καὶ τοὺς ἐπιβάτας τῶν Σαμίων εἰς τὴν
Μιλησίων ἀγορὰν καταγαγὼν καὶ σανίσι προσδήσας ἐφ' ἡμέρας δέκα
κακῶς ἤδη διακειμένους προσέταξεν ἀνελεῖν, ξύλοις τὰς κεφαλὰς
συγκόψαντας, εἶτα προβαλεῖν ἀκήδευτα τὰ σώματα. Δοῦρις μὲν οὖν 3
οὐδ' ὅπου μηδὲν αὐτῷ πρόσεστιν ἴδιον πάθος εἰωθὼς κρατεῖν τὴν
διήγησιν ἐπὶ τῆς ἀληθείας, μᾶλλον ἔοικεν ἐνταῦθα δεινῶσαι τὰς τῆς
πατρίδος συμφορὰς ἐπὶ διαβολῇ τῶν Ἀθηναίων. ὁ δὲ Περικλῆς κατα- 4
στρεψάμενος τὴν Σάμον ὡς ἐπανῆλθεν εἰς τὰς Ἀθήνας, ταφάς τε τῶν
ἀποθανόντων κατὰ τὸν πόλεμον ἐνδόξους ἐποίησε καὶ τὸν λόγον εἰπών,
ὥσπερ ἔθος ἐστίν, ἐπὶ τῶν σημάτων ἐθαυμάσθη. καταβαίνοντα δ' 5
αὐτὸν ἀπὸ τοῦ βήματος αἱ μὲν ἄλλαι γυναῖκες ἐδεξιοῦντο καὶ στεφάνοις
ἀνέδουν καὶ ταινίαις ὥσπερ ἀθλητὴν νικηφόρον, ἡ δ' Ἐλπινίκη προσ-
ελθοῦσα πλησίον " ταῦτ' " ἔφη " θαυμαστά, Περίκλεις, καὶ ἄξια 6
στεφάνων, ὃς ἡμῖν πολλοὺς καὶ ἀγαθοὺς ἀπώλεσας πολίτας οὐ Φοίνιξι
πολεμῶν οὐδὲ Μήδοις, ὥσπερ οὑμὸς ἀδελφὸς Κίμων, ἀλλὰ σύμμαχον
καὶ συγγενῆ πόλιν καταστρεφόμενος ". ταῦτα τῆς Ἐλπινίκης λεγούσης, 7
ὁ Περικλῆς μειδιάσας ἀτρέμα λέγεται τὸ τοῦ Ἀρχιλόχου (fr. 27) *πρὸς*
αὐτὴν εἰπεῖν·

οὐκ ἂν μύροισι γραῦς ἐοῦσ' ἠλείφεο.

θαυμαστὸν δέ τι καὶ μέγα φρονῆσαι καταπολεμήσαντα τοὺς Σαμίους
φησὶν αὐτὸν ὁ Ἴων (fr. 16), *ὡς τοῦ μὲν Ἀγαμέμνονος ἔτεσι δέκα*
βάρβαρον πόλιν, αὐτοῦ δὲ μησὶν ἐννέα τοὺς πρώτους καὶ δυνατωτάτους
Ἰώνων ἑλόντος. καὶ οὐκ ἦν ἄδικος ἡ ἀξίωσις, ἀλλ' ὄντως πολλὴν 8
ἀδηλότητα καὶ μέγαν ἔσχε κίνδυνον ὁ πόλεμος, εἴπερ ὡς Θουκυδίδης
(*viii.* 76⁴) *φησὶ παρ' ἐλάχιστον ἦλθε Σαμίων ἡ πόλις ἀφελέσθαι τῆς*
θαλάττης τὸ κράτος Ἀθηναίους.

μετὰ ταῦτα κυμαίνοντος ἤδη τοῦ Πελοποννησιακοῦ πολέμου, Κερ- **29**
κυραίοις πολεμουμένοις ὑπὸ Κορινθίων ἔπεισε τὸν δῆμον ἀποστεῖλαι
βοήθειαν καὶ προσλαβεῖν ἐρρωμένην ναυτικῇ δυνάμει νῆσον, ὡς ὅσον
οὐδέπω Πελοποννησίων ἐκπεπολεμωμένων πρὸς αὐτούς. ψηφισαμένου
δὲ τοῦ δήμου τὴν βοήθειαν, ἀπέστειλε δέκα ναῦς μόνας ἔχοντα Λακε-
δαιμόνιον, τὸν Κίμωνος υἱόν, οἷον ἐφυβρίζων· πολλὴ γὰρ ἦν εὔνοια καὶ

2 φιλία τῷ Κίμωνος οἴκῳ πρὸς Λακεδαιμονίους. ὡς ἂν οὖν, εἰ μηδὲν
ἔργον μέγα μηδ᾽ ἐκπρεπὲς ἐν τῇ στρατηγίᾳ τοῦ Λακεδαιμονίου γένοιτο,
προσδιαβληθείη μᾶλλον εἰς τὸν λακωνισμόν, ὀλίγας αὐτῷ ναῦς ἔδωκε
καὶ μὴ βουλόμενον ἐξέπεμψε. καὶ ὅλως διετέλει κολούων, ὡς μηδὲ τοῖς
ὀνόμασι γνησίους ἀλλ᾽ ὀθνείους καὶ ξένους, ὅτι τῶν Κίμωνος υἱῶν
τῷ μὲν ἦν Λακεδαιμόνιος ὄνομα τῷ δὲ Θεσσαλὸς τῷ δ᾽ Ἠλεῖος.
3 ἐδόκουν δὲ πάντες ἐκ γυναικὸς Ἀρκαδικῆς γεγονέναι. κακῶς οὖν ὁ
Περικλῆς ἀκούων διὰ τὰς δέκα ταύτας τριήρεις, ὡς μικρὰν μὲν βοήθειαν
τοῖς δεηθεῖσι μεγάλην δὲ πρόφασιν τοῖς ἐγκαλοῦσι παρεσχηκώς,
ἑτέρας αὖθις ἔστειλε πλείονας εἰς τὴν Κέρκυραν, αἳ μετὰ τὴν μάχην
4 ἀφίκοντο. χαλεπαίνουσι δὲ τοῖς Κορινθίοις καὶ κατηγοροῦσι τῶν
Ἀθηναίων ἐν Λακεδαίμονι προσεγένοντο Μεγαρεῖς, αἰτιώμενοι πάσης
μὲν ἀγορᾶς ἁπάντων δὲ λιμένων ὧν Ἀθηναῖοι κρατοῦσιν εἴργεσθαι καὶ
ἀπελαύνεσθαι παρὰ τὰ κοινὰ δίκαια καὶ τοὺς γεγενημένους ὅρκους τοῖς
5 Ἕλλησιν· Αἰγινῆται δὲ κακοῦσθαι δοκοῦντες καὶ βίαια πάσχειν ἐπο-
τνιῶντο κρύφα πρὸς τοὺς Λακεδαιμονίους, φανερῶς ἐγκαλεῖν τοῖς
6 Ἀθηναίοις οὐ θαρροῦντες. ἐν δὲ τούτῳ καὶ Ποτίδαια, πόλις ὑπήκοος
Ἀθηναίων ἄποικος δὲ Κορινθίων, ἀποστᾶσα καὶ πολιορκουμένη μᾶλλον
7 ἐπετάχυνε τὸν πόλεμον. οὐ μὴν ἀλλὰ καὶ πρεσβειῶν πεμπομένων
Ἀθήναζε καὶ τοῦ βασιλέως τῶν Λακεδαιμονίων Ἀρχιδάμου τὰ πολλὰ
τῶν ἐγκλημάτων εἰς διαλύσεις ἄγοντος καὶ τοὺς συμμάχους πραΰνοντος,
οὐκ ἂν δοκεῖ συμπεσεῖν ὑπό γε τῶν ἄλλων αἰτιῶν ὁ πόλεμος τοῖς
Ἀθηναίοις, εἰ τὸ ψήφισμα καθελεῖν τὸ Μεγαρικὸν ἐπείσθησαν καὶ
8 διαλλαγῆναι πρὸς αὐτούς. διὸ καὶ μάλιστα πρὸς τοῦτο Περικλῆς
ἐναντιωθεὶς καὶ παροξύνας τὸν δῆμον ἐμμεῖναι τῇ πρὸς τοὺς Μεγαρεῖς
30 φιλονικίᾳ, μόνος ἔσχε τοῦ πολέμου τὴν αἰτίαν. λέγουσι δὲ πρεσβείας
Ἀθήναζε περὶ τούτων ἐκ Λακεδαίμονος ἀφιγμένης, καὶ τοῦ Περικλέους
νόμον τινὰ προβαλλομένου κωλύοντα καθελεῖν τὸ πινάκιον ἐν ᾧ τὸ
ψήφισμα γεγραμμένον ἐτύγχανεν, εἰπεῖν Πολυάλκη τῶν πρέσβεών τινα·
"σὺ δὲ μὴ καθέλῃς ἀλλὰ στρέψον εἴσω τὸ πινάκιον· οὐ γὰρ ἔστι νόμος
ὁ τοῦτο κωλύων." κομψοῦ δὲ τοῦ λόγου φανέντος, οὐδέν τι μᾶλλον ὁ
2 Περικλῆς ἐνέδωκεν. ὑπῆν μὲν οὖν τις ὡς ἔοικεν αὐτῷ καὶ ἰδία πρὸς
τοὺς Μεγαρεῖς ἀπέχθεια· κοινὴν δὲ καὶ φανερὰν ποιησάμενος αἰτίαν
κατ᾽ αὐτῶν ἀποτέμνεσθαι τὴν ἱερὰν ὀργάδα, γράφει ψήφισμα κήρυκα
πεμφθῆναι πρὸς αὐτοὺς καὶ πρὸς Λακεδαιμονίους τὸν αὐτὸν κατ-
3 ηγοροῦντα τῶν Μεγαρέων. τοῦτο μὲν οὖν τὸ ψήφισμα Περικλέους ἐστὶν
εὐγνώμονος καὶ φιλανθρώπου δικαιολογίας ἐχόμενον· ἐπεὶ δ᾽ ὁ πεμ-
φθεὶς κῆρυξ Ἀνθεμόκριτος αἰτίᾳ τῶν Μεγαρέων ἀποθανεῖν ἔδοξε,
γράφει ψήφισμα κατ᾽ αὐτῶν Χαρῖνος, ἄσπονδον μὲν εἶναι καὶ ἀκήρυκτον
ἔχθραν, ὃς δ᾽ ἂν ἐπιβῇ τῆς Ἀττικῆς Μεγαρέων θανάτῳ ζημιοῦσθαι, τοὺς

δὲ στρατηγοὺς ὅταν ὀμνύωσι τὸν πάτριον ὅρκον ἐπομνύειν, ὅτι καὶ δὶς
ἀνὰ πᾶν ἔτος εἰς τὴν Μεγαρικὴν εἰσβαλοῦσι· ταφῆναι δ' Ἀνθεμόκριτον
παρὰ τὰς Θριασίους πύλας, αἳ νῦν Δίπυλον ὀνομάζονται. Μεγαρεῖς 4
δὲ τὸν Ἀνθεμοκρίτου φόνον ἀπαρνούμενοι τὰς αἰτίας εἰς Ἀσπασίαν καὶ
Περικλέα τρέπουσι, χρώμενοι τοῖς περιβοήτοις καὶ δημώδεσι τούτοις
ἐκ τῶν Ἀχαρνέων στιχιδίοις (524–7)·

> πόρνην δὲ Σιμαίθαν ἰόντες Μέγαράδε
> νεανίαι κλέπτουσι μεθυσοκότταβοι·
> κᾆθ' οἱ Μεγαρῆς ὀδύναις πεφυσιγγωμένοι
> ἀντεξέκλεψαν Ἀσπασίας πόρνας δύο.

τὴν μὲν οὖν ἀρχὴν ὅπως ἔσχεν οὐ ῥᾴδιον γνῶναι, τοῦ δὲ μὴ λυθῆναι τὸ **31**
ψήφισμα πάντες ὡσαύτως τὴν αἰτίαν ἐπιφέρουσι τῷ Περικλεῖ. πλὴν
οἱ μὲν ἐκ φρονήματος μεγάλου μετὰ γνώμης κατὰ τὸ βέλτιστον
ἀπισχυρίσασθαί φασιν αὐτόν, πεῖραν ἐνδόσεως τὸ πρόσταγμα καὶ τὴν
συγχώρησιν ἐξομολόγησιν ἀσθενείας ἡγούμενον· οἱ δὲ μᾶλλον αὐθαδείᾳ
τινὶ καὶ φιλονικίᾳ πρὸς ἔνδειξιν ἰσχύος περιφρονῆσαι Λακεδαιμονίων.

ἡ δὲ χειρίστη μὲν αἰτία πασῶν, ἔχουσα δὲ πλείστους μάρτυρας, 2
οὕτω πως λέγεται. Φειδίας ὁ πλάστης ἐργολάβος μὲν ἦν τοῦ ἀγάλματος
ὥσπερ εἴρηται, φίλος δὲ τῷ Περικλεῖ γενόμενος καὶ μέγιστον παρ'
αὐτῷ δυνηθεὶς τοὺς μὲν δι' αὐτὸν ἔσχεν ἐχθροὺς φθονούμενος, οἱ δὲ
τοῦ δήμου ποιούμενοι πεῖραν ἐν ἐκείνῳ ποῖός τις ἔσοιτο τῷ Περικλεῖ
κριτής, Μένωνά τινα τῶν Φειδίου συνεργῶν πείσαντες ἱκέτην ἐν ἀγορᾷ
καθίζουσιν, αἰτούμενον ἄδειαν ἐπὶ μηνύσει καὶ κατηγορίᾳ τοῦ Φειδίου.
προσδεξαμένου δὲ τοῦ δήμου τὸν ἄνθρωπον καὶ γενομένης ἐν ἐκκλησίᾳ 3
διώξεως, κλοπαὶ μὲν οὐκ ἠλέγχοντο· τὸ γὰρ χρυσίον οὕτως εὐθὺς ἐξ
ἀρχῆς τῷ ἀγάλματι προσειργάσατο καὶ περιέθηκεν ὁ Φειδίας γνώμῃ τοῦ
Περικλέους, ὥστε πᾶν δυνατὸν εἶναι περιελοῦσιν ἀποδεῖξαι τὸν σταθμόν,
ὃ καὶ τότε τοὺς κατηγόρους ἐκέλευσε ποιεῖν ὁ Περικλῆς· ἡ δὲ δόξα τῶν
ἔργων ἐπίεζε φθόνῳ τὸν Φειδίαν, καὶ μάλισθ' ὅτι τὴν πρὸς Ἀμαζόνας
μάχην ἐν τῇ ἀσπίδι ποιῶν αὑτοῦ τινα μορφὴν ἐνετύπωσε πρεσβύτου
φαλακροῦ πέτρον ἐπηρμένου δι' ἀμφοτέρων τῶν χειρῶν, καὶ τοῦ Περι-
κλέους εἰκόνα παγκάλην ἐνέθηκε μαχομένου πρὸς Ἀμαζόνα. τὸ δὲ σχῆμα 4
τῆς χειρός, ἀνατεινούσης δόρυ πρὸ τῆς ὄψεως τοῦ Περικλέους, πεποιη-
μένον εὐμηχάνως οἷον ἐπικρύπτειν βούλεται τὴν ὁμοιότητα παρα-
φαινομένην ἑκατέρωθεν. ὁ μὲν οὖν Φειδίας εἰς τὸ δεσμωτήριον ἀπαχθεὶς 5
ἐτελεύτησε νοσήσας, ὡς δέ φασιν ἔνιοι φαρμάκοις, ἐπὶ διαβολῇ τοῦ
Περικλέους τῶν ἐχθρῶν παρασκευασάντων. τῷ δὲ μηνυτῇ Μένωνι
γράψαντος Γλύκωνος ἀτέλειαν ὁ δῆμος ἔδωκε, καὶ προσέταξε τοῖς
στρατηγοῖς ἐπιμελεῖσθαι τῆς ἀσφαλείας τοῦ ἀνθρώπου.

περὶ δὲ τοῦτον τὸν χρόνον Ἀσπασία δίκην ἔφευγεν ἀσεβείας, Ἑρμίπ- **32**

που τοῦ κωμῳδιοποιοῦ διώκοντος καὶ προσκατηγοροῦντος, ὡς Περικλεῖ
2 γυναῖκας ἐλευθέρας εἰς τὸ αὐτὸ φοιτώσας ὑποδέχοιτο. καὶ ψήφισμα
Διοπείθης ἔγραψεν εἰσαγγέλλεσθαι τοὺς τὰ θεῖα μὴ νομίζοντας ἢ λόγους
περὶ τῶν μεταρσίων διδάσκοντας, ἀπερειδόμενος εἰς Περικλέα δι'
3 Ἀναξαγόρου τὴν ὑπόνοιαν. δεχομένου δὲ τοῦ δήμου καὶ προσιεμένου
τὰς διαβολάς, οὕτως ἤδη ψήφισμα κυροῦται Δρακοντίδου γράψαντος,
ὅπως οἱ λόγοι τῶν χρημάτων ὑπὸ Περικλέους εἰς τοὺς πρυτάνεις
ἀποτεθεῖεν, οἱ δὲ δικασταὶ τὴν ψῆφον ἀπὸ τοῦ βωμοῦ φέροντες ἐν τῇ
4 πόλει κρίνοιεν. Ἅγνων δὲ τοῦτο μὲν ἀφεῖλε τοῦ ψηφίσματος, κρίνεσθαι
δὲ τὴν δίκην ἔγραψεν ἐν δικασταῖς χιλίοις καὶ πεντακοσίοις, εἴτε κλοπῆς
5 καὶ δώρων εἴτ' ἀδικίου βούλοιτό τις ὀνομάζειν τὴν δίωξιν. Ἀσπασίαν
μὲν οὖν ἐξῃτήσατο, πολλὰ πάνυ παρὰ τὴν δίκην, ὡς Αἰσχίνης (fr. xi)
φησίν, ἀφεὶς ὑπὲρ αὐτῆς δάκρυα καὶ δεηθεὶς τῶν δικαστῶν· Ἀναξαγόραν
6 δὲ φοβηθεὶς ἐξέπεμψεν ἐκ τῆς πόλεως. ὡς δὲ διὰ Φειδίου προσέπταισε
τῷ δήμῳ, φοβηθεὶς τὸ δικαστήριον μέλλοντα τὸν πόλεμον καὶ ὑπο-
τυφόμενον ἐξέκαυσεν, ἐλπίζων διασκεδάσειν τὰ ἐγκλήματα καὶ ταπεινώ-
σειν τὸν φθόνον, ἐν πράγμασι μεγάλοις καὶ κινδύνοις τῆς πόλεως
ἐκείνῳ μόνῳ διὰ τὸ ἀξίωμα καὶ τὴν δύναμιν ἀναθείσης ἑαυτήν. αἱ μὲν
οὖν αἰτίαι δι' ἃς οὐκ εἴασεν ἐνδοῦναι Λακεδαιμονίοις τὸν δῆμον, αὗται
λέγονται· τὸ δ' ἀληθὲς ἄδηλον.

33 οἱ δὲ Λακεδαιμόνιοι γινώσκοντες ὡς ἐκείνου καταλυθέντος εἰς πάντα
μαλακωτέροις χρήσονται τοῖς Ἀθηναίοις, ἐκέλευον αὐτοὺς τὸ ἄγος
ἐλαύνειν τὸ Κυλώνειον, ᾧ τὸ μητρόθεν γένος τοῦ Περικλέους ἔνοχον
2 ἦν, ὡς Θουκυδίδης (*i.* 127^{1}) ἱστόρηκεν. ἡ δὲ πεῖρα περιέστη τοῖς
πέμψασιν εἰς τοὐναντίον· ἀντὶ γὰρ ὑποψίας καὶ διαβολῆς ὁ Περικλῆς
ἔτι μείζονα πίστιν ἔσχε καὶ τιμὴν παρὰ τοῖς πολίταις, ὡς μάλιστα
3 μισούντων καὶ φοβουμένων ἐκεῖνον τῶν πολεμίων. διὸ καὶ πρὶν ἐμ-
βαλεῖν εἰς τὴν Ἀττικὴν τὸν Ἀρχίδαμον ἔχοντα τοὺς Πελοποννησίους
προεῖπε τοῖς Ἀθηναίοις, ἂν ἄρα τἆλλα δῃῶν ὁ Ἀρχίδαμος ἀπέχηται τῶν
ἐκείνου διὰ τὴν ξενίαν τὴν οὖσαν αὐτοῖς ἢ διαβολῆς τοῖς ἐχθροῖς
ἐνδιδοὺς ἀφορμάς, ὅτι τῇ πόλει καὶ τὴν χώραν καὶ τὰς ἐπαύλεις
ἐπιδίδωσιν. . . .

36^{1}: τὰ δ' οἰκεῖα μοχθηρῶς εἶχεν αὐτῷ κατὰ τὸν λοιμὸν οὐκ ὀλίγους
2 ἀποβαλόντι τῶν ἐπιτηδείων καὶ στάσει διατεταραγμένα πόρρωθεν. ὁ
γὰρ πρεσβύτερος αὐτοῦ τῶν γνησίων υἱῶν Ξάνθιππος φύσει τε δαπανη-
ρὸς ὢν καὶ γυναικὶ νέᾳ καὶ πολυτελεῖ συνοικῶν, Τεισάνδρου θυγατρὶ
τοῦ Ἐπιλύκου, χαλεπῶς ἔφερε τὴν τοῦ πατρὸς ἀκρίβειαν γλίσχρα καὶ
3 κατὰ μικρὸν αὐτῷ χορηγοῦντος. πέμψας οὖν πρός τινα τῶν φίλων ἔλα-
4 βεν ἀργύριον ὡς τοῦ Περικλέους κελεύσαντος. ἐκείνου δ' ὕστερον ἀπαι-
τοῦντος, ὁ μὲν Περικλῆς καὶ δίκην αὐτῷ προσέλαχε, τὸ δὲ μειράκιον

ὁ Ξάνθιππος ἐπὶ τούτῳ χαλεπῶς διατεθεὶς ἐλοιδόρει τὸν πατέρα,
πρῶτον μὲν ἐκφέρων ἐπὶ γέλωτι τὰς οἴκοι διατριβὰς αὐτοῦ καὶ τοὺς
λόγους οὓς ἐποιεῖτο μετὰ τῶν σοφιστῶν. πεντάθλου γάρ τινος ἀκοντίῳ 5
πατάξαντος Ἐπίτιμον τὸν Φαρσάλιον ἀκουσίως καὶ κτείναντος, ἡμέραν
ὅλην ἀναλῶσαι μετὰ Πρωταγόρου διαποροῦντα, πότερον τὸ ἀκόντιον
ἢ τὸν βαλόντα μᾶλλον ἢ τοὺς ἀγωνοθέτας κατὰ τὸν ὀρθότατον λόγον
αἰτίους χρὴ τοῦ πάθους ἡγεῖσθαι. πρὸς δὲ τούτοις καὶ τὴν περὶ τῆς 6
γυναικὸς διαβολὴν ὑπὸ τοῦ Ξανθίππου φησὶν ὁ Στησίμβροτος (fr. 11)
εἰς τοὺς πολλοὺς διασπαρῆναι, καὶ ὅλως ἀνήκεστον ἄχρι τῆς τελευτῆς
τῷ νεανίσκῳ πρὸς τὸν πατέρα διαμεῖναι τὴν διαφοράν· ἀπέθανε γὰρ ὁ
Ξάνθιππος ἐν τῷ λοιμῷ νοσήσας. ἀπέβαλε δὲ καὶ τὴν ἀδελφὴν ὁ 7
Περικλῆς τότε καὶ τῶν κηδεστῶν καὶ φίλων τοὺς πλείστους καὶ
χρησιμωτάτους πρὸς τὴν πολιτείαν. οὐ μὴν ἀπεῖπεν οὐδὲ προὔδωκε τὸ 8
φρόνημα καὶ τὸ μέγεθος τῆς ψυχῆς ὑπὸ τῶν συμφορῶν, ἀλλ᾽ οὐδὲ
κλαίων οὔτε κηδεύων οὔτε πρὸς τάφῳ τινὸς ὤφθη τῶν ἀναγκαίων, πρίν
γε δὴ καὶ τὸν περίλοιπον αὐτοῦ τῶν γνησίων υἱῶν ἀποβαλεῖν Πάραλον.
ἐπὶ τούτῳ δὲ καμφθεὶς ἐπειρᾶτο μὲν ἐγκαρτερεῖν τῷ ἤθει καὶ διαφυ- 9
λάττειν τὸ μεγαλόψυχον, ἐπιφέρων δὲ τῷ νέκρῳ στέφανον ἡττήθη τοῦ
πάθους πρὸς τὴν ὄψιν, ὥστε κλαυθμόν τε ῥῆξαι καὶ πλῆθος ἐκχέαι
δακρύων, οὐδέποτε τοιοῦτον οὐδὲν ἐν τῷ λοιπῷ βίῳ πεποιηκώς.

τῆς δὲ πόλεως πειρωμένης τῶν ἄλλων στρατηγῶν εἰς τὸν πόλεμον καὶ **37**
ῥητόρων, οὐδεὶς βάρος ἔχων ἰσόρροπον οὐδ᾽ ἀξίωμα πρὸς τοσαύτην
ἐχέγγυον ἡγεμονίαν ἐφαίνετο, ποθούσης δ᾽ ἐκεῖνον καὶ καλούσης ἐπὶ τὸ
βῆμα καὶ τὸ στρατήγιον, ἀθυμῶν καὶ κείμενος οἴκοι διὰ τὸ πένθος ὑπ᾽
Ἀλκιβιάδου καὶ τῶν ἄλλων ἐπείσθη φίλων προελθεῖν. ἀπολογησαμένου 2
δὲ τοῦ δήμου τὴν ἀγνωμοσύνην τὴν πρὸς αὐτόν, ὑποδεξάμενος αὖθις τὰ
πράγματα καὶ στρατηγὸς αἱρεθεὶς ᾐτήσατο λυθῆναι τὸν περὶ τῶν νόθων
νόμον, ὃν αὐτὸς εἰσενηνόχει πρότερον, ὡς μὴ παντάπασιν ἐρημίᾳ
διαδοχῆς [τὸν οἶκον] ἐκλίποι τοὔνομα καὶ τὸ γένος. εἶχε δ᾽ οὕτω τὰ 3
περὶ τὸν νόμον. ἀκμάζων ὁ Περικλῆς ἐν τῇ πολιτείᾳ πρὸ πάνυ πολλῶν
χρόνων καὶ παῖδας ἔχων ὥσπερ εἴρηται γνησίους, νόμον ἔγραψε, μόνους
Ἀθηναίους εἶναι τοὺς ἐκ δυεῖν Ἀθηναίων γεγονότας. ἐπεὶ δὲ τοῦ 4
βασιλέως τῶν Αἰγυπτίων δωρεὰς τῷ δήμῳ πέμψαντος τετρακισμυρίους
πυρῶν μεδίμνους ἔδει διανέμεσθαι τοὺς πολίτας, πολλαὶ μὲν ἀνεφύοντο
δίκαι τοῖς νόθοις ἐκ τοῦ γράμματος ἐκείνου τέως διαλανθάνουσι καὶ
παρορωμένοις, πολλοὶ δὲ καὶ συκοφαντήμασι περιέπιπτον. ἐπράθησαν
οὖν ἁλόντες ὀλίγῳ πεντακισχιλίων ἐλάττους, οἱ δὲ μείναντες ἐν τῇ
πολιτείᾳ καὶ κριθέντες Ἀθηναῖοι μύριοι καὶ τετρακισχίλιοι καὶ τεσσαρά-
κοντα τὸ πλῆθος ἐξητάσθησαν. ὄντος οὖν δεινοῦ τὸν κατὰ τοσούτων 5
ἰσχύσαντα νόμον ὑπ᾽ αὐτοῦ πάλιν λυθῆναι τοῦ γράψαντος, ἡ παροῦσα

δυστυχία τῷ Περικλεῖ περὶ τὸν οἶκον ὡς δίκην τινὰ δεδωκότι τῆς ὑπεροψίας καὶ τῆς μεγαλαυχίας ἐκείνης ἐπέκλασε τοὺς Ἀθηναίους, καὶ δόξαντες αὐτὸν νεμεσητά τε παθεῖν ἀνθρωπίνων τε δεῖσθαι, συνεχώρησαν ἀπογράψασθαι τὸν νόθον εἰς τοὺς φράτορας ὄνομα θέμενον τὸ
6 αὑτοῦ. καὶ τοῦτον μὲν ὕστερον ἐν Ἀργινούσαις καταναυμαχήσαντα Πελοποννησίους ἀπέκτεινεν ὁ δῆμος μετὰ τῶν συστρατήγων.

38 τότε δὲ τοῦ Περικλέους ἔοικεν ὁ λοιμὸς λαβέσθαι λαβὴν οὐκ ὀξεῖαν ὥσπερ ἄλλων οὐδὲ σύντονον, ἀλλὰ βληχρᾷ τινι νόσῳ καὶ μῆκος ἐν ποικίλαις ἐχούσῃ μεταβολαῖς διαχρωμένην τὸ σῶμα σχολαίως καὶ
2 ὑπερείπουσαν τὸ φρόνημα τῆς ψυχῆς. ὁ γοῦν Θεόφραστος ἐν τοῖς Ἠθικοῖς (fr. 146) διαπορήσας εἰ πρὸς τὰς τύχας τρέπεται τὰ ἤθη καὶ κινούμενα τοῖς τῶν σωμάτων πάθεσιν ἐξίσταται τῆς ἀρετῆς, ἱστόρηκεν ὅτι νοσῶν ὁ Περικλῆς ἐπισκοπουμένῳ τινὶ τῶν φίλων δείξειε περίαπτον ὑπὸ τῶν γυναικῶν τῷ τραχήλῳ περιηρτημένον, ὡς σφόδρα κακῶς ἔχων
3 ὁπότε καὶ ταύτην ὑπομένοι τὴν ἀβελτερίαν. ἤδη δὲ πρὸς τῷ τελευτᾶν ὄντος αὐτοῦ περικαθήμενοι τῶν πολιτῶν οἱ βέλτιστοι καὶ τῶν φίλων οἱ περιόντες λόγον ἐποιοῦντο τῆς ἀρετῆς καὶ τῆς δυνάμεως ὅση γένοιτο, καὶ τὰς πράξεις ἀνεμετροῦντο καὶ τῶν τροπαίων τὸ πλῆθος· ἐννέα
4 γὰρ ἦν ἃ στρατηγῶν καὶ νικῶν ἔστησεν ὑπὲρ τῆς πόλεως. ταῦθ' ὡς οὐκέτι συνιέντος ἀλλὰ καθῃρημένου τὴν αἴσθησιν αὐτοῦ διελέγοντο πρὸς ἀλλήλους· ὁ δὲ πᾶσιν ἐτύγχανε τὸν νοῦν προσεσχηκώς, καὶ φθεγξάμενος εἰς μέσον ἔφη θαυμάζειν ὅτι ταῦτα μὲν ἐπαινοῦσιν αὐτοῦ καὶ μνημονεύουσιν, ἃ καὶ πρὸς τύχην ἐστὶ κοινὰ καὶ γέγονεν ἤδη πολλοῖς στρατηγοῖς, τὸ δὲ κάλλιστον καὶ μέγιστον οὐ λέγουσιν. "οὐδεὶς γὰρ" ἔφη "δι' ἐμὲ τῶν ὄντων Ἀθηναίων μέλαν ἱμάτιον περιεβάλετο."

39 θαυμαστὸς οὖν ὁ ἀνὴρ οὐ μόνον τῆς ἐπιεικείας καὶ πραότητος, ἣν ἐν πράγμασι πολλοῖς καὶ μεγάλαις ἀπεχθείαις διετήρησεν, ἀλλὰ καὶ τοῦ φρονήματος, εἰ τῶν αὑτοῦ καλῶν ἡγεῖτο βέλτιστον εἶναι τὸ μήτε φθόνῳ μήτε θυμῷ χαρίσασθαι μηδὲν ἀπὸ τηλικαύτης δυνάμεως μηδὲ
2 χρήσασθαί τινι τῶν ἐχθρῶν ὡς ἀνηκέστῳ. καί μοι δοκεῖ τὴν μειρακιώδη καὶ σοβαρὰν ἐκείνην προσωνυμίαν ἓν τοῦτο ποιεῖν ἀνεπίφθονον καὶ πρέπουσαν, οὕτως εὐμενὲς ἦθος καὶ βίον ἐν ἐξουσίᾳ καθαρὸν καὶ ἀμίαντον Ὀλύμπιον προσαγορεύεσθαι, καθάπερ τὸ τῶν θεῶν γένος ἀξιοῦμεν αἴτιον μὲν ἀγαθῶν ἀναίτιον δὲ κακῶν πεφυκὸς ἄρχειν καὶ βασιλεύειν τῶν ὄντων, οὐχ ὥσπερ οἱ ποιηταὶ συνταράττοντες ἡμᾶς ἀμαθεστάταις δόξαις ἁλίσκονται τοῖς αὑτῶν μυθεύμασι, τὸν μὲν τόπον ἐν ᾧ τοὺς θεοὺς κατοικεῖν λέγουσιν, ἀσφαλὲς ἕδος καὶ ἀσάλευτον καλοῦντες, οὐ πνεύμασιν, οὐ νέφεσι χρώμενον, ἀλλ' αἴθρᾳ μαλακῇ καὶ φωτὶ καθαρωτάτῳ τὸν ἅπαντα χρόνον ὁμαλῶς περιλαμπόμενον, ὡς τοιαύτης

τινὸς τῷ μακαρίῳ καὶ ἀθανάτῳ διαγωγῆς μάλιστα πρεπούσης, αὐτοὺς δὲ τοὺς θεοὺς ταραχῆς καὶ δυσμενείας καὶ ὀργῆς ἄλλων τε μεστοὺς παθῶν ἀποφαίνοντες οὐδ' ἀνθρώποις νοῦν ἔχουσι προσηκόντων. ἀλλὰ 3
ταῦτα μὲν ἴσως ἑτέρας δόξει πραγματείας εἶναι.

τοῦ δὲ Περικλέους ταχεῖαν αἴσθησιν καὶ σαφῆ πόθον Ἀθηναίοις ἐνειργάζετο τὰ πράγματα. καὶ γὰρ οἱ ζῶντος βαρυνόμενοι τὴν δύναμιν ὡς ἀμαυροῦσαν αὐτούς, εὐθὺς ἐκποδὼν γενομένου πειρώμενοι ῥητόρων καὶ δημαγωγῶν ἑτέρων, ἀνωμολογοῦντο μετριώτερον ἐν ὄγκῳ καὶ σεμνότερον ἐν πραότητι μὴ φῦναι τρόπον· ἡ δ' ἐπίφθονος ἰσχὺς ἐκείνη, 4
μοναρχία λεγομένη καὶ τυραννὶς πρότερον, ἐφάνη τότε σωτήριον ἔρυμα τῆς πολιτείας γενομένη· τοσαύτη φθορὰ καὶ πλῆθος ἐπέκειτο κακίας τοῖς πράγμασιν, ἣν ἐκεῖνος ἀσθενῆ καὶ ταπεινὴν ποιῶν ἀπέκρυπτε καὶ κατεκώλυεν ἀνήκεστον ἐν ἐξουσίᾳ γενέσθαι.

Nicias

2[2]: *ἐκείνων δὲ* (sc. Nikias, Thucydides) *πρεσβύτερος μὲν ὁ Θουκυδίδης ἦν, καὶ πολλὰ καὶ Περικλεῖ δημαγωγοῦντι τῶν καλῶν καὶ ἀγαθῶν προϊστάμενος ἀντεπολιτεύσατο, νεώτερος δὲ Νικίας γενόμενος ἦν μὲν ἔν τινι λόγῳ καὶ Περικλέους ζῶντος, ὥστε κἀκείνῳ συστρατηγῆσαι καὶ καθ' αὐτὸν ἄρξαι πολλάκις, ...*

5[3]: *καὶ ὁ μάλιστα ταῦτα συντραγῳδῶν καὶ συμπεριτιθεὶς ὄγκον αὐτῷ καὶ δόξαν Ἱέρων ἦν, ἀνὴρ τεθραμμένος ἐπὶ τῆς οἰκίας τοῦ Νικίου περί τε γράμματα καὶ μουσικὴν ἐξησκημένος ὑπ' αὐτοῦ, προσποιούμενος δ' υἱὸς εἶναι Διονυσίου τοῦ Χαλκοῦ προσαγορευθέντος, οὗ καὶ ποιήματα σῴζεται* (Diehl i². 88) *καὶ τῆς εἰς Ἰταλίαν ἀποικίας ἡγεμὼν γενόμενος ἔκτισε Θουρίους.*

6[1]: *ὁρῶν δὲ τῶν ἐν λόγῳ δυνατῶν ἢ τῷ φρονεῖν διαφερόντων ἀποχρώμενον εἰς ἔνια ταῖς ἐμπειρίαις τὸν δῆμον, ὑφορώμενον δ' ἀεὶ καὶ φυλαττόμενον τὴν δεινότητα καὶ κολούοντα τὸ φρόνημα καὶ τὴν δόξαν, ὡς δῆλον ἦν τῇ Περικλέους καταδίκῃ καὶ τῷ Δάμωνος ἐξοστρακισμῷ . . . .*

28[3–4]: see Timaios, fr. 100.

Alcibiades

1[1]: *τὸ Ἀλκιβιάδου γένος ἄνωθεν Εὐρυσάκη τὸν Αἴαντος ἀρχηγὸν ἔχειν δοκεῖ, πρὸς δὲ μητρὸς Ἀλκμαιωνίδης ἦν, ἐκ Δεινομάχης γεγονὼς τῆς Μεγακλέους. ὁ δὲ πατὴρ αὐτοῦ Κλεινίας ἰδιοστόλῳ τριήρει περὶ Ἀρτεμίσιον ἐνδόξως ἐναυμάχησεν, ὕστερον δὲ Βοιωτοῖς μαχόμενος περὶ Κορώνειαν ἀπέθανε. τοῦ δ' Ἀλκιβιάδου Περικλῆς καὶ Ἀρίφρων οἱ* 2
Ξανθίππου, προσήκοντες κατὰ γένος, ἐπετρόπευον. λέγεται δ' οὐ 3
κακῶς ὅτι τῆς Σωκράτους πρὸς αὐτὸν εὐνοίας καὶ φιλανθρωπίας οὐ

μικρὰ πρὸς δόξαν ἀπέλαυεν, εἴγε Νικίου μὲν καὶ Δημοσθένους καὶ Λαμάχου καὶ Φορμίωνος Θρασυβούλου τε καὶ Θηραμένους, ἐπιφανῶν ἀνδρῶν γενομένων κατ' αὐτόν, οὐδενὸς οὐδ' ἡ μήτηρ ὀνόματος ἔτυχεν, Ἀλκιβιάδου δὲ καὶ τίτθην, γένος Λάκαιναν, Ἀμύκλαν ὄνομα, καὶ Ζώπυρον παιδαγωγὸν ἴσμεν, ὧν τὸ μὲν Ἀντισθένης τὸ δὲ Πλάτων (*Alc. mai.* 122a) ἱστόρηκε.

17¹: Σικελίας δὲ καὶ Περικλέους ἔτι ζῶντος ἐπεθύμουν Ἀθηναῖοι καὶ τελευτήσαντος ἥπτοντο.

Timoleon

23⁸: ὅτε δή φασι τὸν Γέλωνος ἀνδριάντα τοῦ παλαιοῦ τυράννου διατηρῆσαι τοὺς Συρακοσίους, καταχειροτονουμένων τῶν ἄλλων, ἀγαμένους καὶ τιμῶντας τὸν ἄνδρα τῆς νίκης ἣν πρὸς Ἱμέρᾳ Καρχηδονίους ἐνίκησεν.

Agesilaus

19²: πλησίον γὰρ (sc. to Koroneia) ὁ νεώς ἐστι τῆς Ἰτωνίας Ἀθηνᾶς, καὶ πρὸ αὐτοῦ τρόπαιον ἕστηκεν, ὃ πάλαι Βοιωτοὶ Σπάρτωνος στρατηγοῦντος ἐνταῦθα νικήσαντες Ἀθηναίους καὶ Τολμίδην ἀποκτείναντες ἔστησαν.

POLLUX. *Onomasticon*, ed. Bethe, Leipzig (Teubner, *Lexicographi Graeci* ix) 1900–37.

viii. 63: ἀπὸ συμβόλων δ' ἐνίοτε οἱ σύμμαχοι ἐδικάζοντο.

viii. 97: ἀποδέκται δὲ ἦσαν δέκα, οἳ τούς τε φόρους καὶ τὰς εἰσφορὰς καὶ τὰ τέλη ὑπεδέχοντο, καὶ τὰ περὶ τούτων ἀμφισβητούμενα ἐδίκαζον. εἰ δέ τι μεῖζον εἴη, εἰσῆγον εἰς δικαστήριον.

viii. 100: οἱ δὲ τεσσαράκοντα πρότερον μὲν ἦσαν τριάκοντα, οἳ περιιόντες κατὰ δήμους τὰ μέχρι δραχμῶν δέκα ἐδίκαζον, τὰ δὲ ὑπὲρ ταῦτα διαιτηταῖς παρεδίδοσαν· μετὰ δὲ τὴν τῶν τριάκοντα ὀλιγαρχίαν μίσει τοῦ ἀριθμοῦ τοῦ τριάκοντα τεσσαράκοντα ἐγένοντο.

viii. 114: καὶ ἑλληνοταμίαι οἱ τοὺς φόρους ἐκλέγοντες, καὶ ἐπὶ νήσων οἱ τὰ παρὰ τῶν νησιωτῶν εἰσπράττοντες καὶ τὰς πολιτείας αὐτῶν ἐφορῶντες.

ix. 91: οὕτω δ' ἂν καὶ ὁ Κρατῖνος ἐν ταῖς Θρᾴτταις (fr. 73) εἰρηκὼς εἴη τὸν χρυσὸν χρυσία·

ὅτι τοὺς κόρακας τἀξ Αἰγύπτου χρυσία κλέπτοντας ἔπαυσαν.

POLYAENUS. *Strategemata*, edd. Woelfflin, Melber, Leipzig (Teubner) 1887.

I. 27. *Γέλων*

i. 27[1]: *Γέλων Δεινομένους Συρακούσιος ἐν τῷ πρὸς Ἱμίλκωνα τὸν Καρχηδόνιον πολέμῳ στρατηγὸς αὐτοκράτωρ χειροτονηθείς, λαμπρῶς ἀγωνισάμενος, κρατήσας, παρελθὼν εἰς ἐκκλησίαν, εὐθύνας δοὺς τῆς αὐτοκράτορος ἀρχῆς, τῆς δαπάνης, τῶν καιρῶν, τῶν ὅπλων, τῶν ἵππων, τῶν τριήρων, ἐπὶ πᾶσιν ἐπαινεθεὶς τέλος ἐξέδυ τὴν ἐσθῆτα καὶ στὰς ἐν μέσῳ γυμνός· "οὕτως ἐγώ," ἔφη, "γυμνὸς ὑμῖν ἕστηκα, ὑμεῖς δὲ ἔνοπλοι, ὥστε, εἴ τί μοι πέπρακται βίαιον, χρήσασθε κατ' ἐμοῦ καὶ σιδήρῳ καὶ πυρὶ καὶ λίθοις." ὁ δῆμος ἐπεβόησεν ὡς ἄριστον στρατηγὸν ἐπαινῶν. ὁ δὲ ὑπολαβὼν ἔφη "καὶ εἰσαῦθις οὖν τοιοῦτον στρατηγὸν χειροτονήσατε." πάλιν ὁ δῆμος "ἀλλὰ τοιοῦτον ἄλλον οὐκ ἔχομεν." οὕτως δὴ παρακληθεὶς δεύτερον στρατηγῆσαι ἀντὶ στρατηγοῦ τύραννος ἐγένετο Συρακουσίων.*

I. 34. *Κίμων*

i. 34[1]: *Κίμων ἐπ' Εὐρυμέδοντι ποταμῷ νικᾷ τοὺς βασιλέως σατράπας καὶ πολλὰ σκάφη βαρβαρικὰ ἑλὼν ἐς ταῦτα τοὺς Ἕλληνας ἐμβῆναι κελεύει καὶ στολὰς ἐνδῦναι Μηδικὰς καὶ πλεῖν ἐπὶ Κύπρου. Κύπριοι τῇ ὄψει τοῦ βαρβαρικοῦ σχήματος ἐξαπατώμενοι τὸν στόλον ὡς φίλιον ὑποδέχονται· οἱ δὲ ἀποβάντες καὶ σφόδρα γε ἀντὶ βαρβάρων Ἕλληνες ἐφάνησαν καὶ Κυπρίους ἐνίκησαν μείζω τὴν ἔκπληξιν τῆς δυνάμεως ἔχοντες.*

i. 34[2]: *Κίμων ἀπὸ Σηστοῦ καὶ Βυζαντίου αἰχμάλωτα πολλὰ βαρβαρικὰ εἷλε καὶ τῶν συμμάχων δεηθέντων διανομεὺς ἐγένετο. μοῖραν μίαν ἔταξε γυμνὰ τὰ σώματα, μοῖραν ἑτέραν ἀναξυρίδας, κάνδυς, στρεπτὰ καὶ ὅσα τοιάδε. οἱ σύμμαχοι αἱροῦνται τὸν κόσμον· Ἀθηναῖοι γυμνὰ τὰ σώματα. γέλων ὀφλισκάνει Κίμων ὡς τὴν μείζω μοῖραν προέμενος τοῖς συμμάχοις. οὐκ ἐς μακρὰν τῶν αἰχμαλώτων οἱ συγγενεῖς ἀπὸ Λυδίας καὶ Φρυγίας καταβάντες μεγάλα λύτρα ὑπὲρ τῶν οἰκείων κατέβαλον. τότε ἡ σοφία Κίμωνος ἐθαυμάζετο· Ἀθηναῖοι δὲ πολλῷ πλείω χρήματα λαβόντες μάλα δὴ τῶν συμμάχων κατεκερτόμησαν.*

I. 35. *Μυρωνίδης*

i. 35[1]: *Ἀθηναῖοι καὶ Θηβαῖοι παρετάσσοντο. Μυρωνίδης Ἀθηναίοις παρήγγειλεν, ὅταν ὑποσημήνῃ, θεῖν ἐπὶ τοὺς πολεμίους ἀρξαμένους ἀπὸ τοῦ εὐωνύμου. ὁ μὲν ἐσήμηνεν· οἱ δ' ἔθεον. ὡς δὲ βραχὺ προῆλθον, Μυρωνίδης ἐπὶ τὸ δεξιὸν κέρας δραμὼν μέγα ἐβόα "νικῶμεν κατὰ τὸ* εὐώνυμον". Ἀθηναῖοι μὲν τῷ λόγῳ τῆς νίκης ἐπιρρωσθέντες προθυμότερον ἐμβάλλουσι· Θηβαῖοι δὲ τῷ ἀγγέλματι τῆς ἥττης καταπλαγέντες ἔκλιναν εἰς φυγήν.

i. 35[2]: Μυρωνίδης Ἀθηναίους ἦγεν ἐπὶ Θήβας, καὶ προελθὼν εἰς τὸ πεδίον ἐκέλευσεν αὐτοὺς θεῖναι τὰ ὅπλα καὶ περισκοπεῖν ἐν κύκλῳ. τῶν δὲ περισκοπούντων "ὁρᾶτε", ἔφη, "τὸ πεδίον ὅσον. ἐν πεδίῳ τόσῳ πολεμίων ἵππους ἐχόντων, ἢν μὲν φεύγωμεν, ἀνάγκη διωκόντων ἱππέων ἁλῶναι· ἢν δὲ μένωμεν, πολλαὶ τοῦ νικᾶν ἐλπίδες." οὕτως ἄρα πείθονται μένειν· καὶ προῆλθε Μυρωνίδης κρατῶν ἄχρι Φωκίδος καὶ Λοκρῶν.

I. 41. Ἀρχίδαμος

i. 41[1]: Ἀρχίδαμος ἐν Ἀρκαδίᾳ μέλλων παρατάσσεσθαι τῇ ὑστεραίᾳ ἐπέρρωσε τοὺς Σπαρτιάτας διὰ νυκτὸς βωμὸν ἱδρυσάμενος καὶ κοσμήσας ὅπλοις λαμπροτάτοις καὶ ἵππους δύο περιαγαγών. ἐπεὶ δὲ ἦν ἕως, οἱ λοχαγοὶ καὶ οἱ ταξίαρχοι καινὰ ὅπλα καὶ δυοῖν ἵπποιν ἴχνη καὶ βωμὸν αὐτόματον ἰδόντες διήγγειλαν, ὡς οἱ Διόσκουροι συμμαχήσοντες ἥκοιεν. οἱ στρατιῶται θαρρήσαντες καὶ τὰς γνώμας ἔνθεοι γενόμενοι γενναίως ἠγωνίσαντο καὶ τοὺς Ἀρκάδας ἐνίκησαν.

i. 41[2]: Ἀρχίδαμος ἐπολιόρκει Κόρινθον. ἦν ἐν τῇ πόλει στάσις τῶν πλουσίων καὶ τῶν πενήτων, τῶν μὲν ὡς ὀλιγαρχίαν πραττόντων, τῶν δὲ ὡς προδοσίαν. ταῦτα μαθὼν Ἀρχίδαμος ἀνῆκε τὸ σφοδρὸν τῆς πολιορκίας· οὐκέτι μηχανήματα προσῆγεν, οὐκέτι περιετάφρευεν, οὐκέτι τὴν χώραν ἔτεμνεν. οἱ πλούσιοι φοβηθέντες ὡς ἄρα τοῖς πένησι προδιδοῦσι χαρίζοιτο, φθάσαντες ἐπεκηρυκεύσαντο καὶ τὴν πόλιν ἐνέδωκαν Ἀρχιδάμῳ, σφίσιν αὐτοῖς ἀσφαλὲς πρὸς αὐτὸν συνθέμενοι.

i. 41[3]: Λακεδαιμονίων ἡ πόλις ἐσείσθη, καὶ πέντε μόναι διεσώθησαν οἰκίαι. Ἀρχίδαμος ὁρῶν τοὺς ἀνθρώπους ἐπὶ τὸ σώζειν τὰ ἐν ταῖς οἰκίαις τραπομένους δείσας, μὴ πάντες ἀποληφθέντες ἀπόλοιντο, τῇ σάλπιγγι πολεμίων ἔφοδον ἐσήμηνεν. πιστεύσαντες οἱ Λάκωνες πρὸς αὐτὸν συνέδραμον· αἱ μὲν οἰκίαι συνέπεσον, αὐτοὶ δὲ οὕτως ἐσώθησαν.

(N.B. 41[4] and 41[5] refer unambiguously to Archidamos III in the fourth century.)

II. 10. Κλεανδρίδας

ii. 10[1]: Κλεανδρίδας ὁ Λάκων ἐπὶ Τέριναν ἄγων τὴν στρατιὰν ὁδὸν κοίλην λάθρᾳ προσπεσεῖν ἐπεχείρησε τοῖς Τεριναίοις· οἱ δὲ προαισθόμενοι δι' αὐτομόλων σπεύσαντες ἐπὶ τὴν ὁδὸν ὑπὲρ κεφαλῆς ἐγένοντο τοῦ Κλεανδρίδου. ὁ δέ, τῶν στρατιωτῶν ἀθύμως ἐχόντων, θαρρεῖν αὐτοὺς κελεύσας τὸν κήρυκα διὰ τῆς στρατιᾶς ἦγε προστάξας ἀναβοᾶν· ὃς ἂν Τεριναίων τὸ σύνθημα λέγῃ τὸ προσυγκείμενον, τοῦτον φίλον *ἡγεῖσθαι. ἀκούσαντες οἱ Τεριναῖοι τοῦ συντάγματος ὑπόπτως ἔσχον ὡς δὴ σφῶν αὐτῶν ὄντας τινὰς προδότας, καὶ ἔδοξεν αὐτοῖς τὴν ταχίστην ἀπαλλαγεῖσι φυλάττειν τὴν πόλιν. οἱ μὲν ἐξαπατηθέντες ἀπεχώρουν. Κλεανδρίδας δὲ ἀκινδύνως ἀνεβίβασεν ἐπὶ τὰ ὑψηλὰ τὴν στρατιάν, προσέτι καὶ λεηλατήσας τὴν χώραν ἀσφαλῶς ἀπηλλάγη.*

ii. 10[2]: *Κλεανδρίδας Θουρίων ἡγούμενος μάχῃ νικήσας Λευκανοὺς μετὰ τὴν νίκην ἦγε τοὺς Θουρίους ἐπὶ τὸν τόπον τῆς μάχης δεικνύων αὐτοῖς, ὅτι αὐτοὶ μὲν ἐν τῷ αὐτῷ μείναντες διὰ τοῦτο ἐνίκησαν, οἱ πολέμιοι δὲ πολὺ ἀπ' ἀλλήλων πεσόντες τοῦτο ἔπαθον τῷ μὴ μένειν, ἀλλὰ διεσπάσθαι. ταῦτα διεξιόντος πρὸς τοὺς Θουρίους, ἐπεφάνησαν οἱ Λευκανοὶ πολλῷ πλείονα δύναμιν ἔχοντες. ὁ δὲ ἐκ τῆς εὐρυχωρίας ἐς στενόπορον χωρίον ὑπεξήγαγε τὴν ἑαυτοῦ στρατιάν, ἵνα τὸ πλῆθος τῶν πολεμίων ἀχρεῖον κατασκευάσας ἴσους τοὺς αὐτοῦ στρατιώτας [ἐν] τῇ στενότητι τοῦ τόπου πρὸς τὸν κίνδυνον καταστήσῃ· καὶ δὴ πάλιν Λευκανοὺς ἐνίκησαν οἱ Θούριοι.*

ii. 10[3]: *Κλεανδρίδας τοὺς ἀρίστους Τεγεατῶν λακωνίζειν ὑποπτευομένους ἐποίησεν ὑποπτοτέρους τὰ τούτων χωρία μόνον μὴ δῃώσας, τὰ δὲ τῶν ἄλλων λυμηνάμενος. οἱ μὲν οὖν Τεγεᾶται σὺν πολλῇ ὀργῇ τοὺς ἄνδρας ἐς δίκην προδοσίας ὑπήγαγον· οἱ δὲ ἁλῶναι δείσαντες τὴν ψῆφον προλαβόντες προέδωκαν τὴν πόλιν τὴν ψευδῆ ὑποψίαν ἀληθῆ ποιῆσαι φόβῳ βιασθέντες.*

ii. 10[4]: *Κλεανδρίδας Λευκανοῖς πολεμῶν ὑπερέχων ἡμιολίῳ πλήθει λογισάμενος ὡς, εἰ φανερὸν τὸ πλῆθος γένοιτο τοῖς πολεμίοις, ἀναχωρήσουσι ⟨μὴ⟩ διακινδυνεύσαντες, τὴν φάλαγγα συνήγαγεν ἐς βάθος. ἐπεὶ δὲ Λευκανοὶ καταφρονήσαντες ὡς ὀλίγων ἐπὶ μῆκος ἐξέτειναν τὰ ζυγὰ ὑπερφαλαγγῆσαι πειρώμενοι καὶ βουλόμενοι καὶ †ἦν αὐτοῖς ἡ ἀναχώρησις ἡπλωμένης τῆς φάλαγγος, παρήγγειλε τοὺς ἐπιστάτας μεταβαίνειν εἰς παραστάτην· πολλῷ δὲ ποιήσας ὑπερμηκεστέραν τὴν τάξιν ὑπερεφαλάγγησε τοὺς Λευκανούς. οἱ δὲ κυκλωθέντες, βαλλόμενοι πανταχόθεν πάντες ἀπώλοντο πλὴν ὀλίγων, ⟨οἳ⟩ διεσώθησαν αἰσχρῶς φεύγοντες.*

ii. 10[5]: *Κλεανδρίδας Θουρίοις ἐλάττοσιν οὖσι παραγγέλλων μὴ συμβάλλειν πλήθει πολεμίων ἔφη " ὅπου μὴ ἐξαρκεῖ ἡ λεοντῆ, τότε χρὴ καὶ τῆς ἀλωπεκῆς προσράπτειν ".*

II. 33. *Ἡγητορίδης*

ii. 33: *Θάσον ἐπολιόρκουν Ἀθηναῖοι. νόμον ἐκύρωσαν Θάσιοι· " τῷ γράψαντι σπείσασθαι πρὸς Ἀθηναίους θάνατος ἔστω." Ἡγητορίδης*

---

ii. 10[4], l. 5: " adiectivum latere videtur in his verbis corruptis " Melber, alii alia.

Θάσιος ὁρῶν πολλοὺς πολίτας ἀπολλυμένους μακρῷ πολέμῳ καὶ λιμῷ βρόχον τῷ τραχήλῳ περιβαλὼν ἐς ἐκκλησίαν εἰσελθὼν " ἄνδρες ", ἔφη, " πολῖται; ἐμοὶ μὲν ὡς βούλεσθε καὶ ὡς ὑμῖν συμφέρει χρήσασθε, τοὺς δὲ ὑπολειπομένους πολίτας διασώσατε τῷ ἐμῷ θανάτῳ λύσαντες τὸν νόμον ". Θάσιοι ταῦτα ἀκούσαντες καὶ τὸν νόμον ἔλυσαν καὶ τὸν Ἡγητορίδην σῶον ἐφύλαξαν.

III. 3. Τολμίδης

iii. 3: Τολμίδης, Ἀθηναίων ψηφισαμένων αὐτῷ δοθῆναι κατάλογον ἀνδρῶν χιλίων, ἑκάστῳ προσιὼν τῶν νέων ἔφασκεν, ὡς μέλλοι καταλέγειν αὐτόν, εἴη δὲ ἄμεινον ἑκόντα στρατεύεσθαι. τρισχίλιοι μὲν ἀπεγράψαντο ἑκόντες, οἱ λοιποὶ δὲ οὐκ ἐπείθοντο. Τολμίδης ἐκ τῶν μὴ πειθομένων κατέλεξε τοὺς χιλίους καὶ πεντήκοντα τριήρεις ἐπλήρωσεν ἀντὶ χιλίων τετρακισχιλίοις ἀνδράσιν.

III. 4. Φορμίων

iii. 4¹: Φορμίων ἀποβὰς ἐς τὴν Χαλκιδέων ἁρπάσας οὐκ ὀλίγα τῶν ἐκ τῆς χώρας Σκύρῳ προσέσχεν. Χαλκιδεῖς ἐπρεσβεύσαντο ἀπαιτοῦντες· ὁ δὲ κρύφα καθῆκεν ὑπηρετικὸν ὡς Ἀθήνηθεν ἧκον τοῦ δήμου καλοῦντος αὐτὸν ἐς Πειραιᾶ διὰ τάχους. τοῖς μὲν πρεσβευταῖς ἀπέδωκεν ὅσα ἔτυχον ἀπαιτοῦντες, αὐτὸς δὲ ἀναχθεὶς ὑπὸ νησίον ὡρμίσατο τὴν νύκτα. οἱ Χαλκιδεῖς καὶ τῷ κομίσασθαι τὰ ἴδια καὶ τῷ νομίσαι τὸν Φορμίωνα Ἀθήναζε πεπλευκέναι ἀφυλάκτως καὶ τῆς πόλεως καὶ τῆς χώρας εἶχον· ὁ δὲ ἀφυλάκτοις ἐπελθὼν ὀλίγου μὲν καὶ τὴν πόλιν κατέσχεν· ὅση δὲ ἦν λεία κατὰ τὴν χώραν, ἅπασαν ἐξήγαγεν.

VI. 53. Ἅγνων

vi. 53: Ἅγνων Ἀττικὴν ἀποικίαν ἤγαγεν οἰκίσαι βουλόμενος τὰς καλουμένας Ἐννέα ὁδοὺς ἐπὶ τῷ Στρυμόνι· ἦν γὰρ καὶ λόγιον Ἀθηναίοις τοιόνδε·

> τίπτε νέως κτίσσαι πολύπουν μενεαίνετε χῶρον,
> κοῦροι Ἀθηναίων; χαλεπὸν δὲ θεῶν ἄτερ ὔμμιν.
> οὐ γὰρ θέσφατόν ἐστι, πρὶν ἂν κομίσητ' ἀπὸ Τροίης
> Ῥήσου ἀνευρόντες καλάμην πατρίῃ δέ τ' ἀρούρῃ
> κρύψητ' εὐαγέως· τότε δ' ἂν τότε κῦδος ἄροισθε.

ταῦτα τοῦ θεοῦ χρήσαντος ὁ στρατηγὸς Ἅγνων ἐς Τροίαν ἔπεμψεν ἄνδρας, οἳ τὸ Ῥήσου σῆμα νύκτωρ ἀνορύξαντες ἀνείλοντο τὰ ὀστᾶ· καὶ καταθέντες τὰ ὀστᾶ ἐς χλαμύδα πορφυρᾶν κομίζουσιν ἐπὶ τὸν Στρυμόνα. οἱ μὲν δὴ κατέχοντες βάρβαροι τὴν χώραν διαβαίνειν τὸν ποταμὸν

iii. 4¹, l. 2: Σκύρῳ edd., Κύρῳ vel Κύρρῳ codd.

ἐκώλυον, Ἅγνων δὲ σπονδὰς ποιησάμενος τρεῖς ἡμέρας ἀπέπεμψε τοὺς βαρβάρους καὶ διὰ τῆς νυκτὸς τὸν Στρυμόνα μετὰ τοῦ στρατεύματος διελθὼν τά τε ὀστᾶ τοῦ Ῥήσου κατώρυξε παρὰ τὸν ποταμὸν καὶ τὸ χωρίον ἀποταφρεύσας ἐτείχιζε πρὸς τὴν σελήνην, ἡμέρας δὲ οὐκ εἰργάζοντο. καὶ δὴ ⟨τὸ⟩ πᾶν ἔργον ἐξετελέσθη τριῶν νυκτῶν. ὡς δὲ οἱ βάρβαροι μετὰ τρεῖς ἡμέρας ἐλθόντες τὸ τεῖχος εἶδον ἐγηγερμένον, ἐνεκάλουν Ἅγνωνι ὡς παραβάντι τὰς σπονδάς, ὁ δὲ οὐδὲν ἔφη ἀδικεῖν· σπείσασθαι γὰρ τρεῖς ἡμέρας, οὐ τρεῖς νύκτας. τούτῳ τῷ τρόπῳ τὰς Ἐννέα ὁδοὺς Ἅγνων οἰκίσας τὴν πόλιν Ἀμφίπολιν ἐκάλεσεν.

VII. 24. *Βόγης*

vii. 24: *Βόγης Ἠϊόνος τῆς ἐπὶ Στρυμόνος ἦρχε δόντος αὐτῷ τὴν ἀρχὴν μεγάλου βασιλέως. Ἕλληνες ἐπολιόρκουν τὴν Ἠϊόνα, ὁ δὲ Βόγης ἐπὶ μακρὸν ἀντέσχε τῇ πολιορκίᾳ. ὡς δὲ ἀπηγόρευεν, οὐχ ὑπομένων τὸ πιστευθὲν ἐκ βασιλέως χωρίον πολεμίοις προέσθαι τῇ πόλει πῦρ ἐνῆκεν, ὥστε αὐτός τε καὶ γυνὴ καὶ τέκνα καὶ ἡ πόλις ὁμοῦ συγκατεφλέγησαν.*

VIII. 51. *Θεανώ*

viii. 51: *Θεανὼ Παυσανίου μήτηρ, ἡνίκα Παυσανίας μηδίζων ἁλοὺς κατέφυγεν ἱκέτης ἐς τὸ ἱερὸν τῆς Ἀθηνᾶς τῆς Χαλκιοίκου, ὅθεν ἀποσπάσαι τὸν ἱκέτην οὐκ ἦν θέμις, αὕτη πρὸ τῶν ἄλλων ἀφικομένη πλίνθον πρὸς ταῖς θύραις ἀπηρείσατο. οἱ Λάκωνες θαυμάσαντες τὴν ἀνδρίαν ὁμοῦ καὶ τὴν σοφίαν ἕκαστος πλίνθον ἐνήρμοσε ταῖς θύραις, ὥστε ἄμφω γενέσθαι, οὔτε τὸν ἱκέτην ἀπέσπασαν καὶ τὸν προδότην ἐναποικοδομήσαντες διέφθειραν.*

VIII. 67. *Θάσιαι*

viii. 67: *Θάσιοι πολιορκούμενοι μηχανήματα ἔνδον τῶν τειχῶν ἐπαναστῆσαι τοῖς πολεμίοις βουλόμενοι σπάρτων ἠπόρουν, οἷς τὰ μηχανήματα συνδεῖν ἐχρῆν. αἱ Θάσιαι τὰς κεφαλὰς ἀπεκείραντο καὶ σύνδεσμοι τῶν μηχανημάτων ἐγένοντο τῶν γυναικῶν αἱ τρίχες.*

POLYBIOS. *Historiae*, ed. Büttner-Wobst, Leipzig (Teubner) 1922 (vol. i).

ii. 39[1]: *καθ' οὓς γὰρ καιροὺς ἐν τοῖς κατὰ τὴν Ἰταλίαν τόποις κατὰ τὴν Μεγάλην Ἑλλάδα τότε προσαγορευομένην ἐνεπρήσθη τὰ συνέδρια τῶν Πυθαγορείων, μετὰ ταῦτα γενομένου κινήματος ὁλοσχεροῦς περὶ* 2
τὰς πολιτείας, ὅπερ εἰκός, ὡς ἂν τῶν πρώτων ἀνδρῶν ἐξ ἑκάστης

3 *πόλεως οὕτω παραλόγως διαφθαρέντων, συνέβη τὰς κατ' ἐκείνους τοὺς τόπους Ἑλληνικὰς πόλεις ἀναπλησθῆναι φόνου καὶ στάσεως καὶ παντο-*
4 *δαπῆς ταραχῆς. ἐν οἷς καιροῖς ἀπὸ τῶν πλείστων μερῶν τῆς Ἑλλάδος πρεσβευόντων ἐπὶ τὰς διαλύσεις, Ἀχαιοῖς καὶ τῇ τούτων πίστει συνεχρήσαντο πρὸς τὴν τῶν παρόντων κακῶν ἐξαγωγήν.*

PORPHYRIOS. *FGrH* 260.

fr. 23: see Suidas s.v. *Γοργίας*.

POSSIS. *FGrH* 480 (*FHG* iv, p. 483).

Μαγνητικά

fr. 1 (1) (Athen. xii. 533d): *Πόσσις δ' ἐν τρίτῳ Μαγνητικῶν τὸν Θεμιστοκλέα φησὶν ἐν Μαγνησίᾳ τὴν στεφανηφόρον ἀρχὴν ἀναλαβόντα θῦσαι Ἀθηνᾷ καὶ τὴν ἑορτὴν Παναθήναια ὀνομάσαι, καὶ Διονύσῳ Χοοπότῃ θυσιάσαντα καὶ τὴν Χοῶν ἑορτὴν αὐτόθι καταδεῖξαι.*

SATYROS. *FHG* iii, pp. 159 ff.

fr. 14 (Diog. Laert. ii. 3. 12): *Σάτυρος δ' ἐν τοῖς βίοις ὑπὸ Θουκυδίδου φησὶν εἰσαχθῆναι τὴν δίκην* (sc. of Anaxagoras), *ἀντιπολιτευομένου τῷ Περικλεῖ· καὶ οὐ μόνον ἀσεβείας, ἀλλὰ καὶ μηδισμοῦ· καὶ ἀπόντα καταδικασθῆναι θανάτου.*

SIMONIDES. Diehl, *Anthologia Lyrica*² v, pp. 76 ff. (Edmonds, *Lyra Graeca* ii, pp. 246 ff.).

fr. 19 n. (46 n.): see Athenaeus i. 3e.

fr. 76 (160) (*Hephaistion iv. 6, p. 14*): see B 5.

fr. 77 (176) (*Syrian. in Hermog., p. 86 R.*; *Tzetzes in Anecd. Oxon. ed. Cramer, iii. 353*; Plut. *785a*, cf. *Arist.* 1[6]):

ἦρχεν Ἀδείμαντος μὲν Ἀθηναίοισ', ὅτ' ἐνίκα 477/6
Ἀντιοχὶς φυλὴ δαιδάλεον τρίποδα.
Ξεινοφίλου δέ τις υἱὸς Ἀριστείδης ἐχορήγει
πεντήκοντ' ἀνδρῶν καλὰ μαθόντι χορῷ.
ἀμφὶ διδασκαλίῃ δὲ Σιμωνίδῃ ἕσπετο κῦδος
ὀγδωκονταέτει παιδὶ Λεωπρέπεος.

fr. 89 (131) (Aristid. XLIX. ii, p. 511):

ἀμφί τε Βυζάντειον ὅσοι θάνον, ἰχθυόεσσαν
ῥυόμενοι χώραν, ἄνδρες ἀρηίθοοι.

Simonides 77³: *τις* codd., Diehl, *τόθ'* Bergk, *τοι* Hemsterhuys. 89¹: *Βυζάντειον* Scaliger, *Βυζάντιον* codd., *Βυζάντειαν* ex *Steph. Byz. s.v. Βυζάντιον* Bergk.

fr. 101 (179) (*Anth. Pal. vi. 144*): see B 11.

fr. 102 (168) (Diod. xi. 33[2]):

> Ἑλλάδος εὐρυχόρου σωτῆρες τόνδ' ἀνέθηκαν
> δουλοσύνης στυγερᾶς ῥυσάμενοι πόλιας.

fr. 103 (171) (Diod. xi. 62[3]; Aristid. XLVI. ii, p. 209, XLIX. ii, p. 512, *schol. iii, p. 209* εἰς τὰς αὐθημερὸν ταύτας νίκας Σιμωνίδης ὕμνησε λέγων; *Anth. Pal. vii. 296* Σιμωνίδου τοῦ Κηΐου· εἰς τοὺς μετὰ Κίμωνος στρατευσαμένους ἐν Κύπρῳ Ἀθηναίους, ὅτε τὰς ρ' ναῦς τῶν Φοινίκων ἔλαβον):

> ἐξ οὗ γ' Εὐρώπην Ἀσίας δίχα πόντος ἔνειμε
> καὶ πόλιας θνητῶν θοῦρος Ἄρης ἐπέχει,
> οὐδέν πω τοιοῦτον ἐπιχθονίων γένετ' ἀνδρῶν
> ἔργον ἐν ἠπείρῳ καὶ κατὰ πόντον ἅμα.
> οἵδε γὰρ ἐν Κύπρῳ Μήδους πολλοὺς ὀλέσαντες
> Φοινίκων ἑκατὸν ναῦς ἕλον ἐν πελάγει
> ἀνδρῶν πληθούσας. μέγα δ' ἔστενεν Ἀσὶς ὑπ' αὐτῷ
> πληγεῖσ' ἀμφοτέραις χερσὶ κράτει πολέμου.

fr. 105 (167) (*Thuc. i. 132*[2]; *Plut. 873c*; *Dem. lix. 97; etc.; *Anth. Pal. vi. 197* Σιμωνίδου· ἀνάθημα τῷ Ἀπόλλωνι Παυσανίου):

> Ἑλλήνων ἀρχηγὸς ἐπεὶ στρατὸν ὤλεσε Μήδων
> Παυσανίας Φοίβῳ μνῆμ' ἀνέθηκε τόδε.

fr. 106 (170) (schol. Pind. *Pyth.* i. 79 (152)b; *Anth. Pal. vi. 214* ἀνάθημα τοῦ αὐτοῦ (sc. Σιμωνίδου); Suidas s.v. Δαρετίου; cf. Athen. vi. 231f, Diod. xi. 26[7]):

> φημὶ Γέλων' Ἱέρωνα Πολύζηλον Θρασύβουλον,
> παῖδας Δεινομένευς, τοὺς τρίποδας θέμεναι
> βάρβαρα νικήσαντας ἔθνη, πολλὴν δὲ παρασχεῖν
> σύμμαχον Ἕλλησιν χεῖρ' ἐς ἐλευθερίην.

pro vv. 2–4, *Anth. Pal.* et Suidas habent:

> τὸν τρίποδ' ἀνθέμεναι
> ἐξ ἑκατὸν λιτρῶν καὶ πεντήκοντα ταλάντων
> Δαρετίου χρυσοῦ, τᾶς δεκάτας δεκάταν.

103[1]: ἐξ οὗ τ', ἔκρινεν Aristid. 103[2]: πόλεμον λαῶν *Anth. Pal.*, ἐφέπει Aristid., *Anth. Pal.* 103[3]: οὐδενί πω κάλλιον Aristid., οὐδαμά πω κάλλιον *Anth. Pal.* 103[4] ὁμοῦ Aristid. 103[5]: ἐν γαίῃ Aristid., Μήδων Aristid., *Anth. Pal.* 103[7]: ὑπ' αὐτῶν Aristid., def. *Anth. Pal.* 106[1]: Γέλων' edd. plur.

fr. 10[7] (169) (*Plut. 873b, Arist. 19[7]; Anth. Pal. vi. 50* εἰς ναὸν ἀνατεθέντα τῷ Διί, in ras. Σιμωνίδου):

τόνδε ποθ' Ἕλληνες Νίκης κράτει ἔργῳ Ἄρηος
Πέρσας ἐξελάσαντες ἐλευθέρᾳ Ἑλλάδι κοινὸν
ἱδρύσαντο Διὸς βωμὸν Ἐλευθερίου.

fr. 112 (190) (*Plut. 436a; Paus. x. 27[4]* κατὰ τοῦτο τῆς γραφῆς καὶ ἐλεγεῖόν ἐστι Σιμωνίδου, cf. x. 25[1]; *Anth. Pal. ix. 700* Σιμωνίδου):

γράψε Πολύγνωτος, Θάσιος γένος, Ἀγλαοφῶντος
υἱός, περθομέναν Ἰλίου ἀκρόπολιν.

fr. 115 (132) (*Anth. Pal. vii. 258* Σιμωνίδου· εἰς τοὺς μετὰ Κίμωνος ἐν Εὐρυμέδοντι ἀριστεύσαντας):

οἵδε παρ' Εὐρυμέδοντά ποτ' ἀγλαὸν ὤλεσαν ἥβην
μαρνάμενοι Μήδων τοξοφόρων προμάχοις
αἰχμηταί, πεζοί τε καὶ ὠκυπόρων ἐπὶ νηῶν,
κάλλιστον δ' ἀρετῆς μνῆμ' ἔλιπον φθίμενοι.

fr. 116 (133) (*Anth. Pal. vii. 443* Σιμωνίδου· εἰς τοὺς πεσόντας παρ' Εὐρυμέδοντα ποταμὸν Ἕλληνας):

τῶνδέ ποτ' ἐν στέρνοισι τανυγλώχινας ὀιστούς
λοῦσεν φοινίσσᾳ θοῦρος Ἄρης ψακάδι·
ἀντὶ δ' ἀκοντοδόκων ἀνδρῶν μναμεῖα θανόντων
ἄψυχ' ἐμψύχων ἅδε κέκευθε κόνις.

fr. 117 (135) (*Anth. Pal. vii. 254* Σιμωνίδου· εἰς τοὺς Ἀθηναίων προμάχους): see B 17.

fr. 122 (129) (*Anth. Pal. vii. 512* τοῦ αὐτοῦ (sc. Σιμωνίδου)· εἰς τοὺς Ἕλληνας τοὺς τὴν Τεγέαν ἐλευθεροποιήσαντας):

τῶνδε δι' ἀνθρώπων ἀρετὰν οὐχ ἵκετο καπνὸς
αἰθέρα δαιομένας εὐρυχόρου Τεγέας·
οἳ βούλοντο πόλιν μὲν ἐλευθερίᾳ τεθαλυῖαν
παισὶ λιπεῖν, αὐτοὶ δ' ἐν προμάχοισι θανεῖν.

fr. — (189): see Plutarch, *Them.* 1[4].
See also Diogenes Laertios viii. 2. 65.

SOPHOKLES. *Fragmenta*, edd. Jebb, Pearson, Cambridge 1917.

Ἑλένης ἀπαίτησις

fr. 178: see Schol. Aristophanes, *Eq.* 84.

Simonides 107[1]: ῥώμῃ χερός, ἔργῳ *Anth. Pal.* post v. 1, εὐτόλμῳ ψυχῆς λήματι πειθόμενοι *Anth. Pal.* 107[2]: ἐλεύθερον Ἑλλάδι κόσμον *Anth. Pal.* 115[1]: Εὐρυμέδοντ' ἀπὸ τίμιον Wade-Gery.

Τριπτόλεμος

fr. 600: see Pliny, *N.H.* xviii. 7. 65.

STEPHANUS BYZANTINUS. *Ethnica*, ed. Meineke, Berlin 1849.

Ἀγνώνεια· πόλις Θρᾴκης πλησίον Ἀμφιπόλεως, Ἅγνωνος κτίσμα τοῦ στρατηγοῦ τῶν Ἀθηναίων.

Ἁλιεῖς, πόλις Ἀργολικῆς παραθαλασσία. τὸ ἐθνικὸν ὁμοίως, ὡς ἀπὸ τοῦ Ἁλιεύς. Ἔφορος ἐν τῷ ἕκτῳ (fr. 56) *ὅτι Τιρύνθιοί εἰσιν οὗτοι καὶ ἐξαναστάντες ἐβουλεύοντο οἰκεῖν τινα τόπον καὶ ἠρώτων τὸν θεόν. ἔχρησε δὲ οὕτως· "ποῖ τυ λαβὼν καὶ ποῖ τυ καθίξω καὶ ποῖ τυ οἴκησιν ἔχων ἁλιέα τε κεκλῆσθαι." ἐλέγοντο δ' οὕτως διὰ τὸ πολλοὺς Ἑρμιονέων ἁλιευομένους κατὰ τοῦτο τὸ μέρος οἰκεῖν τῆς χώρας.*

Βρέα, πόλις ⟨Θρᾴκης⟩, εἰς ἣν ἀποικίαν ἐστείλαντο Ἀθηναῖοι. τὸ ἐθνικὸν ἔδει Βρεάτης. ἔστι δὲ Βρεαῖος παρὰ Θεοπόμπῳ εἰκοστῷ τρίτῳ (fr. 145).

Δῶρος, πόλις Φοινίκης . . . ἔστι καὶ Καρίας Δῶρος πόλις, ἣν συγκαταλέγει ταῖς πόλεσιν ταῖς Καρικαῖς Κρατερὸς ἐν τῷ περὶ ψηφισμάτων τρίτῳ (fr. 1)· *"Καρικὸς φόρος· Δῶρος, Φασηλῖται."*

Λάμψακος, πόλις κατὰ τὴν Προποντίδα, . . . ἔστι δὲ εὔοινος. ὅθεν Θεμιστοκλεῖ παρὰ τοῦ τῶν Περσῶν ἐδόθη βασιλέως εἰς οἶνον.

Ὄα, δῆμος τῆς Ἀττικῆς, τῆς Πανδιονίδος φυλῆς . . . ὁ μέντοι δημότης Ὄαθεν λέγεται "Δάμων Δαμωνίδου Ὄαθεν".

Παλική, see Aeschylus, fr. 7.

Πίακος, πόλις Σικελίας. οἱ πολῖται Πιακῖνοι.

Τίρυνς, πόλις τῆς Πελοποννήσου . . . ἐκαλεῖτο δὲ πρότερον Ἁλιεῖς, διὰ τὸ πολλοὺς Ἑρμιονέων ἁλιευομένους οἰκεῖν αὐτοῦ.

Χαιρώνεια, see Theopompos, fr. 407.

STESIMBROTOS. *FGrH* 107 (*FHG* ii, pp. 52 ff.).

περὶ Θεμιστοκλέους καὶ Θουκυδίδου καὶ Περικλέους

fr. 1 (1): see Plutarch, *Them.* 2[5].
fr. 2: see Plutarch, *Them.* 4[5].
fr. 3 (2): see Plutarch, *Them.* 24[6].
fr. 4 (3): see Plutarch, *Cim.* 4[5].
fr. 5 (4): see Plutarch, *Cim.* 14[5].
fr. 6 (5): see Plutarch, *Cim.* 16[1].
fr. 7 (6): see Plutarch, *Cim.* 16[3].

Steph. *Ἁλιεῖς*: oraculum sic restituit Meineke *⟨δίζῃ⟩ ποῖ τυ λαβὼν ⟨ἄξω⟩ καὶ ποῖ τυ καθίξω . . . ἔνθα τυ τὰν οἴκησιν ἔχειν ἁλιῆ τε* (vel *ἔχων ἁλιῆα*) *κεκλῆσθαι.*
Βρέα: *Θρᾴκης* suppl. Meineke.

fr. 8 (7): see Plutarch, *Per.* 26^{1}.
fr. 9 (8): see Plutarch, *Per.* 8^{9}.
fr. 10a (10): see Athenaios xiii. 589d.
fr. 10b (9): see Plutarch, *Per.* 13^{16}
fr. 11 (11): see Plutarch, *Per.* 36^{6}.

STRABO. *Geographica*, ed. Meineke, Leipzig (Teubner) 1852–3.

i. 3^{1}. 47: *οὐδὲ τοῦτ' εὖ Ἐρατοσθένης, ὅτι ἀνδρῶν οὐκ ἀξίων μνήμης ἐπὶ πλέον μέμνηται, τὰ μὲν ἐλέγχων τὰ δὲ πιστεύων καὶ μάρτυσι χρώμενος αὐτοῖς, οἷον Δαμάστῃ . . . καὶ τούτου* (fr. 8) *δ' ἕνα τῶν λήρων αὐτὸς λέγει, τὸν μὲν Ἀράβιον κόλπον λίμνην ὑπολαμβάνοντος εἶναι, Διότιμον δὲ τὸν Στρομβίχου πρεσβείας Ἀθηναίων ἀφηγούμενον διὰ τοῦ Κύδνου ἀναπλεῦσαι ἐκ τῆς Κιλικίας ἐπὶ τὸν Χοάσπην ποταμόν, ὃς παρὰ τὰ Σοῦσα ῥεῖ, καὶ ἀφικέσθαι τετταρακοσταῖον εἰς Σοῦσα· ταῦτα δ' αὐτῷ διηγήσασθαι αὐτὸν τὸν Διότιμον. εἶτα θαυμάζειν εἰ τὸν Εὐφράτην καὶ τὸν Τίγριν ἦν δυνατὸν διακόψαντα τὸν Κύδνον εἰς τὸν Χοάσπην ἐκβαλεῖν.*

v. 4^{9}. 247: *Πιθηκούσσας δ' Ἐρετριεῖς ᾤκισαν καὶ Χαλκιδεῖς, εὐτυχήσαντες ⟨δὲ⟩ δι' εὐκαρπίαν καὶ διὰ τὰ χρυσεῖα ἐξέλιπον τὴν νῆσον κατὰ στάσιν, ὕστερον δὲ καὶ ὑπὸ σεισμῶν ἐξελαθέντες καὶ ἀναφυση-*
248 *μάτων πυρὸς καὶ θαλάττης καὶ θερμῶν ὑδάτων· ἔχει γὰρ τοιαύτας ἀποφορὰς ἡ νῆσος, ὑφ' ὧν καὶ οἱ πεμφθέντες παρὰ Ἱέρωνος τοῦ τυράννου τῶν Συρακοσίων ἐξέλιπον τὸ κατασκευασθὲν ὑφ' ἑαυτῶν τεῖχος καὶ τὴν νῆσον· ἐπελθόντες δὲ Νεαπολῖται κατέσχον.*

vi. 1^{1}. 253: *μετὰ δὲ Παλίνουρον Πυξοῦς ἄκρα καὶ λιμὴν καὶ ποταμός· ἓν γὰρ τῶν τριῶν ὄνομα· ᾤκισε δὲ Μίκυθος ὁ Μεσσήνης ἄρχων τῆς ἐν Σικελίᾳ, πάλιν δ' ἀπῆραν οἱ ἱδρυθέντες πλὴν ὀλίγων.*

vi. 1^{5}. 256: *ἐκδέχεται δ' ἐντεῦθεν τὸ Σκύλλαιον, πέτρα χερρονησί-*
257 *ζουσα ὑψηλή, τὸν ἰσθμὸν ἀμφίδυμον καὶ ταπεινὸν ἔχουσα, ὃν Ἀναξίλαος ὁ τύραννος τῶν Ῥηγίνων ἐπετείχισε τοῖς Τυρρηνοῖς κατασκευάσας ναύσταθμον, καὶ ἀφείλετο τοὺς λῃστὰς τὸν διὰ τοῦ πορθμοῦ διάπλουν.*

vi. 1^{8}. 260: see Ephoros, fr. 139.

vi. 1^{13}. 263: *ὕστερον δ' οἱ περιγενόμενοι* (sc. *Συβαρῖται*) *συνελθόντες ἐπῴκουν ὀλίγοι· χρόνῳ δὲ καὶ οὗτοι διεφθάρησαν ὑπὸ Ἀθηναίων καὶ ἄλλων Ἑλλήνων, οἳ συνοικήσοντες μὲν ἐκείνοις ἀφίκοντο, καταφρονήσαντες δὲ αὐτῶν τοὺς μὲν διεχειρίσαντο *** τὴν δὲ πόλιν εἰς ἕτερον τόπον μετέθηκαν πλησίον καὶ Θουρίους προσηγόρευσαν ἀπὸ κρήνης ὁμωνύμου.*

vi. 1^{14}. 264: see Antiochos, fr. 11.

vi. 2^{3}. 268: *ἀπέβαλε δὲ τοὺς οἰκήτορας τοὺς ἐξ ἀρχῆς ἡ Κατάνη, κατοικίσαντος ἑτέρους Ἱέρωνος τοῦ Συρακουσσίων τυράννου καὶ προσαγορεύσαντος αὐτὴν Αἴτνην ἀντὶ Κατάνης. ταύτης δὲ καὶ Πίνδαρος κτίστορα λέγει αὐτὸν ὅταν φῇ* (fr. 94) " *ξύνες ⟨ὅ⟩ τοι λέγω, ζαθέων ἱερῶν ὁμώνυμε πάτερ, κτίστορ Αἴτνας* ". *μετὰ δὲ τὴν τελευτὴν τοῦ Ἱέρωνος κατελθόντες οἱ Καταναῖοι τούς τε ἐνοίκους ἐξέβαλον καὶ τὸν τάφον ἀνέσκαψαν τοῦ τυράννου. οἱ δὲ Αἰτναῖοι παραχωρήσαντες τὴν Ἴννησαν καλουμένην τῆς Αἴτνης ὀρεινὴν ᾤκησαν καὶ προσηγόρευσαν τὸ χωρίον Αἴτνην διέχον τῆς Κατάνης σταδίους ὀγδοήκοντα, καὶ τὸν Ἱέρωνα οἰκιστὴν ἀπέφηναν.*

viii. 3^{2}. 336: *ὀψὲ δέ ποτε συνῆλθον εἰς τὴν νῦν πόλιν Ἦλιν, μετὰ τὰ Περσικά, ἐκ πολλῶν δήμων.*

viii. 3^{2}. 337: . . . *οἷον τῆς Ἀρκαδίας Μαντίνεια μὲν ἐκ πέντε δήμων ὑπ' Ἀργείων συνῳκίσθη . . . οὕτω δὲ καὶ ἡ Ἦλις ἐκ τῶν περιοικίδων συνεπολίσθη.*

viii. 3^{30}. 353: *μέγιστον δὲ τούτων ὑπῆρξε τὸ τοῦ Διὸς ξόανον, ὃ ἐποίει Φειδίας Χαρμίδου Ἀθηναῖος ἐλεφάντινον, τηλικοῦτον τὸ μέγεθος ὡς καίπερ μεγίστου ὄντος τοῦ νεὼ δοκεῖν ἀστοχῆσαι τῆς συμμετρίας τὸν τεχνίτην, καθήμενον ποιήσαντα, ἁπτόμενον δὲ σχεδόν τι τῇ κορυφῇ τῆς ὀροφῆς ὥστ' ἔμφασιν ποιεῖν, ἐὰν ὀρθὸς γένηται διαναστάς, ἀποστεγάσειν τὸν νεών. ἀνέγραψαν δέ τινες τὰ μέτρα τοῦ ξοάνου, καὶ* 354
Καλλίμαχος ἐν ἰάμβῳ τινὶ (fr. 196) *ἐξεῖπε. πολλὰ δὲ συνέπραξε τῷ Φειδίᾳ Πάναινος ὁ ζωγράφος, ἀδελφιδοῦς ὢν αὐτοῦ καὶ συνεργολάβος, πρὸς τὴν τοῦ ξοάνου διὰ τῶν χρωμάτων κόσμησιν καὶ μάλιστα τῆς ἐσθῆτος.*

viii. 6^{10}. 372: *κατασχόντες γὰρ οὗτοι* (sc. *οἱ Ἡρακλεῖδαι*) *τὴν Πελοπόννησον ἐξέβαλον τοὺς πρότερον κρατοῦντας ὥσθ' οἱ τὸ Ἄργος ἔχοντες εἶχον καὶ τὰς Μυκήνας συντελούσας εἰς ἕν· χρόνοις δ' ὕστερον κατεσκάφησαν ὑπ' Ἀργείων ὥστε νῦν μηδ' ἴχνος εὑρίσκεσθαι τῆς Μυκηναίων πόλεως.*

viii. 6^{11}. 373: . . . *ἠρήμωσαν δὲ τὰς πλείστας* (sc. the cities of the Argolid) *οἱ Ἀργεῖοι ἀπειθούσας. οἱ δ' οἰκήτορες οἱ μὲν ἐκ ⟨τῆς⟩ Τίρυνθος ἀπῆλθον εἰς Ἐπίδαυρον, οἱ δὲ ἐ⟨κ τῆς ***⟩ εἰς τοὺς Ἁλιεῖς καλουμένους, οἱ δ' ἐκ τῆς Ἀ⟨σίνης . . .⟩* . . .

viii. 6^{19}. 377: *μετὰ δὲ τὴν ἐν Σαλαμῖνι ναυμαχίαν Ἀργεῖοι μετὰ Κλεωναίων καὶ Τεγεατῶν ἐπελθόντες ἄρδην τὰς Μυκήνας ἀνεῖλον καὶ τὴν χώραν διενείμαντο.*

ix. 1^{12}. 395: *εἶτ' Ἐλευσὶς πόλις, ἐν ᾗ τὸ τῆς Δήμητρος ἱερὸν τῆς Ἐλευσινίας καὶ ὁ μυστικὸς σηκός, ὃν κατεσκεύασεν Ἰκτῖνος ὄχλον*

---

viii. 6^{11}. 373: locus nondum sanatus (v. Krameri editionem); fortasse legendum *εἰς Ἐπίδαυρον, ἐκ δ' Ἐπιδαύρου εἰς τοὺς* vel simile quid.

θεάτρου δέξασθαι δυνάμενον, ὃς καὶ τὸν Παρθενῶνα ἐποίησε τὸν ἐν ἀκροπόλει τῇ Ἀθηνᾷ, Περικλέους ἐπιστατοῦντος τῶν ἔργων.

ix. 1^{16}. 396: *τὸ δ' ἄστυ αὐτὸ πέτρα ἐστὶν ἐν πεδίῳ περιοικουμένη κύκλῳ· ἐπὶ δὲ τῇ πέτρᾳ τὸ τῆς Ἀθηνᾶς ἱερὸν ὅ τε ἀρχαῖος νεὼς ὁ τῆς Πολιάδος ἐν ᾧ ὁ ἄσβεστος λύχνος, καὶ ὁ Παρθενὼν ὃν ἐποίησεν Ἰκτῖνος, ἐν ᾧ τὸ τοῦ Φειδίου ἔργον ἐλεφάντινον ἡ Ἀθηνᾶ.*

ix. 1^{17}. 396: . . . *Ῥαμνοῦς δὲ τὸ τῆς Νεμέσεως ξόανον, ὅ τινες μὲν Διοδότου φασὶν ἔργον τινὲς δὲ Ἀγορακρίτου τοῦ Παρίου, καὶ μεγέθει καὶ κάλλει σφόδρα κατωρθωμένον καὶ ἐνάμιλλον τοῖς Φειδίου ἔργοις.*

x. 1^{3}. 445: see Theopompos, fr. 387.

xii. 3^{14}. 547: see Theopompos, fr. 389.

xii. 4^{2}. 563: *ἦν δ' ἐν αὐτῷ τῷ κόλπῳ καὶ Ἀστακὸς πόλις, Μεγαρέων κτίσμα καὶ Ἀθηναίων καὶ μετὰ ταῦτα Δοιδαλσοῦ, ἀφ' ἧς καὶ ὁ κόλπος ὠνομάσθη.*

xiv. 1^{25}. 642: *ἄνδρες δ' ἀξιόλογοι γεγόνασιν ἐν αὐτῇ* (sc. Ephesos) *τῶν μὲν παλαιῶν Ἡράκλειτός τε ὁ σκοτεινὸς καλούμενος καὶ Ἑρμόδωρος . . . δοκεῖ δ' οὗτος ὁ ἀνὴρ νόμους τινὰς Ῥωμαίοις συγγράψαι.*

STRATOKLES. See CICERO, *Brut.* 11. 42.

SUIDAS. *Lexicon*, ed. Adler, Leipzig (Teubner, Lexicographi Graeci I) 1928–38.

ἀπόταξις· (= Harpokration, s.v.).

Ἀσπασία· πολυθρύλητος γέγονεν αὕτη. . . . (= Harpokration s.v.) . . . *ὅτι Ἀσπασίαι δύο ἑταῖραι. τῇ δὲ μιᾷ τούτων ἐκέχρητο ὁ Περικλῆς, δι' ἣν ὀργισθεὶς ἔγραψε τὸ κατὰ Μεγαρέων ψήφισμα, ἀπαγορεῦον δέχεσθαι αὐτοὺς εἰς τὰς Ἀθήνας. ὅθεν ἐκεῖνοι εἰργόμενοι τῶν Ἀθηναίων προσέφυγον τοῖς Λακεδαιμονίοις. ἡ δὲ Ἀσπασία σοφίστρια ἦν καὶ διδάσκαλος λόγων ῥητορικῶν. ὕστερον δὲ καὶ γαμετὴ αὐτοῦ γέγονεν.*

Γοργίας, Χαρμαντίδου, Λεοντῖνος, ῥήτωρ, μαθητὴς Ἐμπεδοκλέους, διδάσκαλος Πώλου Ἀκραγαντίνου καὶ Περικλέους καὶ Ἰσοκράτους καὶ Ἀλκιδάμαντος τοῦ Ἐλεάτου, ὃς αὐτοῦ καὶ τὴν σχολὴν διεδέξατο· ἀδελφὸς δὲ ἦν τοῦ ἰατροῦ Ἡροδίκου. Πορφύριος (fr. 23) *δὲ αὐτὸν ἐπὶ τῆς π' ὀλυμπιάδος τίθησιν· ἀλλὰ χρὴ νοεῖν πρεσβύτερον αὐτὸν εἶναι.* 460/56
οὗτος πρῶτος τῷ ῥητορικῷ εἴδει τῆς παιδείας δύναμίν τε φραστικὴν καὶ τέχνην ἔδωκε, τροπαῖς τε καὶ μεταφοραῖς καὶ ἀλληγορίαις καὶ ὑπαλλαγαῖς καὶ καταχρήσεσι καὶ ὑπερβάσεσι καὶ ἀναδιπλώσεσι καὶ ἐπαναλήψεσι καὶ ἀποστροφαῖς καὶ παρισώσεσιν ἐχρήσατο. ἔπραττε δὲ τῶν μαθητῶν ἕκαστον μνᾶς ρ'. ἐβίω δὲ ἔτη ρθ', καὶ συνεγράψατο πολλά.

Strabo ix. 1^{17}. 396: *Διοδότου* codd., *Φειδίου αὐτοῦ* coni. edd.

Δαρετίου· *τὸν τρίποδ' ἀνθέμεναι*
ἐξ ἑκατὸν λιτρῶν καὶ πεντήκοντα ταλάντων
Δαρετίου χρυσοῦ τᾶς δεκάτας δεκάταν (Simonides, fr. 106).

δέον· ὥσπερ Περικλέης εἰς τὸ δέον ἀνάλωσα (Aristophanes, *Nub.* 859). *Περικλέης Ἀθηναίων στρατηγός, λόγον ἀπαιτούμενος ὑπὲρ χρημάτων Κλεάνδρῳ τῷ ἁρμοστῇ Λακεδαιμονίων ἐπὶ προδοσίᾳ, τοῦτο οὐκ ἐδήλου, ἀλλ' εἰς τὸ δέον ἔλεγεν ἀναλῶσαι αὐτά. οἱ δὲ ἄλλως φασί. πολλῶν ὄντων χρημάτων ἐν τῇ ἀκροπόλει, εἰς τὸν πόλεμον τὰ πλεῖστα ἀνάλωσε. φασὶ δὲ ὅτι καὶ λογισμοὺς διδοὺς ν' ταλάντων ἁπλῶς εἰπεῖν εἰς τὸ δέον ἀνηλωκέναι. μετὰ δὲ ταῦτα μαθόντες Λακεδαιμόνιοι Κλεανδρίδην μὲν ἐδήμευσαν, Πλειστοάνακτα δὲ ε' ταλάντοις ἐζημίωσαν ὑπολαβόντες δωροδοκήσαντας αὐτοὺς φείσασθαι τῆς λοιπῆς Ἀθηναίων γῆς, καὶ τὸν Περικλέα, ἵνα μὴ γυμνῶς εἴπῃ ὅτι δέδωκα τοῖς Λακεδαιμονίων βασιλεῦσι ταῦτα, οὕτως αἰνίξασθαι.*

δημοποίητος· ὁ ὑπὸ τοῦ δήμου εἰσποιηθεὶς καὶ γεγονὼς πολίτης. Περικλῆς γὰρ ὁ Ξανθίππου, νόμον γράψας τὸν μὴ ἐξ ἀμφοῖν ἀστυπολίτην μὴ εἶναι, οὐ μετὰ μακρὸν τοὺς γνησίους ἀποβαλών, ἄκων καὶ στένων καὶ λύσας τὸν ἑαυτοῦ νόμον καὶ ἀσχημονήσας, ἐλεεινὸς ἅμα καὶ μισητὸς ἔτυχεν ὧν ἐβούλετο. ὅμως γε μὴν ἀντιβολοῦντος καὶ δεκάσαντος τοὺς ἐντεῦθεν ζῶντας, ὀψὲ καὶ μόλις τὸν νόθον οἱ παῖδα τὸν ἐξ Ἀσπασίας τῆς Μιλησίας ἐποίησε δημοποίητον. δημοποίητος οὖν ὁ φύσει ξένος, ὑπὸ δὲ τοῦ δήμου πολίτης γεγονώς.

ἐκλογεῖς· (= Harpokration s.v.).

ἐκλογεῖς· ὁπότε δέοι χρήματα τοὺς πολίτας εἰσφέρειν, τούτους κατὰ δύναμιν οἱ καλούμενοι ἐκλογεῖς διέγραφον. ἀλλὰ καὶ οἱ τοὺς φόρους ἀπὸ τῶν ὑπηκόων ἀθροίζοντες πόλεων οὕτως ἐλέγοντο.

ἐπίσκοπος· οἱ παρ' Ἀθηναίων εἰς τὰς ἐπηκόους πόλεις ἐπισκέψασθαι τὰ παρ' ἑκάστοις πεμπόμενοι ἐπίσκοποι καὶ φύλακες ἐκαλοῦντο· οὓς οἱ Λάκωνες ἁρμοστὰς ἔλεγον.

Ἐπίχαρμος, Τιτύρου ἢ Χειμάρου καὶ Σικίδος, Συρακούσιος ἢ ἐκ πόλεως Κραστοῦ τῶν Σικανῶν· ὃς εὗρε τὴν κωμῳδίαν ἐν Συρακούσαις ἅμα Φόρμῳ. ἐδίδαξε δὲ δράματα νβ', ὡς δὲ Λύκων φησὶ λε'. τινὲς δὲ αὐτὸν Κῷον ἀνέγραψαν, τῶν μετὰ Κάδμου εἰς Σικελίαν μετοικησάντων, ἄλλοι Σάμιον, ἄλλοι Μεγάρων τῶν ἐν Σικελίᾳ. ἦν δὲ πρὸ τῶν Περσικῶν ἔτη ἕξ, διδάσκων ἐν Συρακούσαις· ἐν δὲ Ἀθήναις Εὐέτης καὶ Εὐξενίδης καὶ Μύλος ἐπεδείκνυντο.

Ἡρόδοτος, Λύξου καὶ Δρυοῦς, Ἁλικαρνασεύς, τῶν ἐπιφανῶν, καὶ ἀδελφὸν ἐσχηκὼς Θεόδωρον. μετέστη δ' ἐν Σάμῳ διὰ Λύγδαμιν τὸν

δέον, l. 4: *οἱ δὲ ἄλλως κτλ.*, cf. Schol. Ar. *Nub.* 859. *Ἐπίχαρμος*, l. 3: *Λύκων* codd., *Λυκόφρων* Kaibel.

ἀπὸ Ἀρτεμισίας τρίτον τύραννον γενόμενον Ἁλικαρνασσοῦ· Πισίνδηλις γὰρ ἦν υἱὸς Ἀρτεμισίας, τοῦ δὲ Πισινδήλιδος Λύγδαμις. ἐν οὖν τῇ Σάμῳ καὶ τὴν Ἰάδα ἠσκήθη διάλεκτον καὶ ἔγραψεν ἱστορίαν ἐν βιβλίοις θ′, ἀρξάμενος ἀπὸ Κύρου τοῦ Πέρσου καὶ Κανδαύλου τοῦ Λυδῶν βασιλέως. ἐλθὼν δὲ εἰς Ἁλικαρνασσὸν καὶ τὸν τύραννον ἐξελάσας, ἐπειδὴ ὕστερον εἶδεν ἑαυτὸν φθονούμενον ὑπὸ τῶν πολιτῶν, εἰς τὸ Θούριον ἀποικιζόμενον ὑπὸ Ἀθηναίων ἐθελοντὴς ἦλθε κἀκεῖ τελευτήσας ἐπὶ τῆς ἀγορᾶς τέθαπται. τινὲς δ' ἐν Πέλλαις αὐτὸν τελευτῆσαί φασιν.

Θεμιστοκλῆς, Ἀθηναῖος δημαγωγός, Νεοκλέους υἱός, ἄσωτος τὴν πρώτην ἡλικίαν γενόμενος, μετὰ δὲ ταῦτα στρατηγὸς αἱρεθεὶς καὶ κτίσας τὸν Πειραιᾶ καὶ ναυμαχίᾳ νικήσας τοὺς Πέρσας κατὰ Σαλαμῖνα καὶ φθονηθεὶς φεύγει πρὸς Ἀρταξέρξην τὸν τῶν Περσῶν βασιλέα καὶ σφόδρα τιμηθεὶς ὑπ' αὐτοῦ ἠναγκάζετο μετὰ ταῦτα τοῖς Ἕλλησι πολεμεῖν. καὶ μὴ βουληθεὶς προδοῦναι τὴν πατρίδα καὶ τὸ ἑαυτοῦ κλέος, ταύρειον αἷμα πιὼν ἀπώλετο. ἔγραψεν ἐπιστολὰς φρονήματος γεμούσας.

Θεμιστοκλῆς, στρατηγὸς Ἀθηναίων, ὁ καταναυμαχήσας . . . (= Schol. Ar. *Eq*. 84).

Θεμιστοκλέους παῖδες, Νεοκλῆς καὶ Δημόπολις ἀγωνισάμενοι τὸν ἐπιτάφιον ἀγῶνα ἐν Ἀθήναις καὶ νικήσαντες ἐστεφανώθησαν ἀγνοούμενοι. καὶ Νεοκλῆς μὲν δόλιχον ἐνίκησε, Δημόπολις δὲ στάδιον. γνωρισθέντες δὲ μετὰ τὸν ἀγῶνα καταλευσθῆναι ἐκινδύνευσαν ὑπὸ τῶν Θεμιστοκλέους ἐχθρῶν, ὑπομνησάντων τοὺς Ἀθηναίους τοὺς νόμους τοὺς περὶ τῶν φυγάδων.

θουριομάντεις· . . . θουριομάντεις δὲ οὐ τοὺς ἀπὸ Θουρίου μάντεις, ἀλλὰ τοὺς εἰς Θούριον πεμφθέντας. ἁλούσης γὰρ Συνάρεως, Θούριοι ἐκλήθησαν ἀπὸ κρήνης Θουρίας. ἐξέπεμψαν δὲ εἰς τὴν κτίσιν αὐτῶν Ἀθηναῖοι δέκα ἄνδρας, ὧν καὶ Λάμπων ἦν ὁ μάντις, ἐξηγητὴς ἐσόμενος τῆς κτίσεως τῆς πόλεως.

ἱερὸς πόλεμος· δύο ἐγένοντο ἱεροὶ πόλεμοι· Ἀθηναίοις πρὸς Βοιωτοὺς βουλομένους ἀφελέσθαι Φωκέων τὸ μαντεῖον, νικήσαντες δὲ Φωκεῦσι πάλιν ἀπέδωκαν· ὁ δὲ ἕτερος Ἀθηναίοις πρὸς Λακεδαιμονίους ὑπὲρ Φωκέων, διὰ τὸ ἐν Δελφοῖς ἱερόν.

Καλλίας, ὁ Λακκόπλουτος ἐπικληθείς, στρατηγῶν πρὸς Ἀρταξέρξην τοὺς ἐπὶ Κίμωνος τῶν σπονδῶν ἐβεβαίωσεν ὅρους· καθ' ὃν εἰσβαλόντες Λακεδαιμόνιοι, Πλειστοάνακτος τοῦ Παυσανίου βασιλεύοντος, ἐδῃώσαντο τὴν Ἐλευσῖνα καὶ τὸ Θριάσιον πεδίον, ἔτι τῆς πεντηκονταετίας οὔσης, ἥτις ἤρχετο μετὰ τὴν ἐν Πλαταιαῖς μάχην, ἔληγε δὲ εἰς ἅλωσιν Σάμου καὶ ἀρχὴν τῶν Κερκυραϊκῶν.

θουριομάντεις, l. 2: *Συνάρεως* codd., Adler, *Συβάρεως* edd. plurimi. *Καλλίας*, l. 2: *καθ' ὃν* A, *καθ' ὧν* cett.

Κίμων, Μιλτιάδου, ἐπὶ τοὺς σὺν Θεμιστοκλεῖ κατελθόντας βαρβάρους ἐστρατήγησε καὶ πλεύσας εἰς Κύπρον καὶ Παμφυλίαν ἐπολέμησε καὶ ἐπ' Εὐρυμέδοντι ποταμῷ ναυσὶ καὶ πεζῷ νικᾷ ἐπὶ τῆς αὐτῆς ἡμέρας. οὗτος ἔταξε καὶ τοὺς ὅρους τοῖς βαρβάροις· ἐκτός τε γὰρ Κυανέων καὶ Χελιδονέων καὶ Φασήλιδος (πόλις δὲ αὕτη τῆς Παμφυλίας) ναῦν Μηδικὴν μὴ πλεῖν νόμῳ πολέμου, μηδὲ ἵππου δρόμον ἡμέρας ἐντὸς ἐπὶ θάλατταν καταβαίνειν βασιλέας· αὐτονόμους τε εἶναι τοὺς Ἕλληνας καὶ τοὺς ἐν τῇ Ἀσίᾳ. ἐν Κιτίῳ δὲ τῆς Κύπρου τελευτᾷ.

Μέτων· (= Schol. Aristophanes, *Av.* 997).

Πολύγνωτος· (= Harpokration, s.v.).

Προπύλαια ταῦτα· (= Harpokration s.v.).

Ῥαμνουσία Νέμεσις· . . . τὸ δὲ ἄγαλμα Φειδίας ἐποίησεν· οὗ τὴν ἐπιγραφὴν ἐχαρίσατο Ἀγορακρίτῳ τῷ Παρίῳ ἐρωμένῳ.

ταμίαι· (= Bekker, *Anecd.* i, p. 306[7]).

Φειδίας, ἀγαλματοποιός, ὃς ἐλεφαντίνης Ἀθηνᾶς εἰκόνα ἐποίησε. Περικλῆς δὲ ἐπὶ τοῖς ἀναλώμασι ταχθεὶς ἐνοσφίσατο ν' τάλαντα, καὶ ἵνα μὴ δῷ τὰς εὐθύνας, πόλεμον ἐκίνησε.

Φόρμος, Συρακούσιος, κωμικός, σύγχρονος Ἐπιχάρμῳ, οἰκεῖος δὲ Γέλωνι τῷ τυράννῳ Σικελίας καὶ τροφεὺς τῶν παίδων αὐτοῦ . . . ἐχρήσατο δὲ πρῶτος ἐνδύματι ποδήρει καὶ σκηνῇ δερμάτων φοινικῶν.

SYMMACHOS. See SCHOL. ARISTOPHANES, *Eq.* 84.

TELEKLEIDES. Kock, *Comicorum Atticorum Fragmenta* i, pp. 209 ff.

Ἡσίοδοι

fr. 17: see Athenaios, x. 436 f.

Ἄδηλα

fr. 42: see Plutarch, *Per.* 16[2].
fr. 44: see Plutarch, *Per.* 3[6].

THEOPHRASTOS. *Fragmenta*, ed. Wimmer (vol. iii operum), Leipzig (Teubner) 1862.

fr. 126: see Plutarch, *Them.* 25[1].
fr. 129: see Harpokration s.v. *ἐπίσκοπος*.
fr. 136: see Plutarch, *Arist.* 25[2].
fr. 146: see Plutarch, *Per.* 38[2].
See also: Harpokration s.v. *Ἀσπασία*; Schol. Pindar, *Pyth.* ii. 1 (2); Plutarch, *Them.* 25[3], *Per.* 23[2].

THEOPOMPOS. *FGrH* 115 (*FHG* i, pp. 278 ff.).

Φιλιππικαὶ ἱστορίαι

fr. 85 (89): see Plutarch, *Them.* 19[1].
fr. 86 (90): see Plutarch, *Them.* 25[3].
fr. 87 (91): see Plutarch, *Them.* 31[3].

fr. 88 (92) (Schol. Aristid. XLVI. iii, p. 528): *Θεόπομπος ἐν τῷ δεκάτῳ τῶν Φιλιππικῶν περὶ Κίμωνος· " οὐδέπω δὲ πέντε ἐτῶν παρεληλυθότων πολέμου συμβάντος πρὸς Λακεδαιμονίους ὁ δῆμος μετεπέμψατο τὸν Κίμωνα, νομίζων διὰ τὴν προξενίαν ταχίστην ἂν αὐτὸν εἰρήνην ποιήσασθαι. ὁ δὲ παραγενόμενος τῇ πόλει τὸν πόλεμον κατέλυσε."*

fr. 89 (94) (Athen. xii. 533a): *περὶ οὗ καὶ αὐτοῦ ἱστορῶν ἐν τῇ δεκάτῃ τῶν Φιλιππικῶν ὁ Θεόπομπός φησι· " Κίμων ὁ Ἀθηναῖος ἐν τοῖς ἀγροῖς καὶ τοῖς κήποις οὐδένα τοῦ καρποῦ καθίστα φύλακα, ὅπως οἱ βουλόμενοι τῶν πολιτῶν εἰσιόντες ὀπωρίζωνται καὶ λαμβάνωσιν εἴ τινος δέοιντο τῶν ἐν τοῖς χωρίοις. ἔπειτα τὴν οἰκίαν παρεῖχε κοινὴν ἅπασι· καὶ δεῖπνον αἰεὶ εὐτελὲς παρασκευάζεσθαι πολλοῖς ἀνθρώποις, καὶ τοὺς ἀπόρους [προσιόντας] τῶν Ἀθηναίων εἰσιόντας δειπνεῖν. ἐθεράπευεν δὲ καὶ τοὺς καθ' ἑκάστην ἡμέραν αὐτοῦ τι δεομένους, καὶ λέγουσιν ὡς περιήγετο μὲν ἀεὶ νεανίσκους δύ' ἢ τρεῖς ἔχοντας κέρματα τούτοις τε διδόναι προσέταττεν, ὁπότε τις προσέλθοι αὐτοῦ δεόμενος. καί φασι μὲν αὐτὸν καὶ εἰς ταφὴν εἰσφέρειν. ποιεῖν δὲ καὶ τοῦτο πολλάκις, ὁπότε τῶν πολιτῶν τινα ἴδοι κακῶς ἠμφιεσμένον, κελεύειν αὐτῷ μεταμφιέννυσθαι τῶν νεανίσκων τινὰ τῶν συνακολουθούντων αὐτῷ. ἐκ δὴ τούτων ἁπάντων ηὐδοκίμει καὶ πρῶτος ἦν τῶν πολιτῶν.*

fr. 91 (98): see Schol. Aristophanes, *Vesp.* 947.
fr. 104 (115): see Schol. Aristophanes, *Av.* 880.
fr. 136 (148): see Harpokration s.v. *Λύκειον*.
fr. 145 (157): see Stephanus Byz. s.v. *Βρέα*.

fr. 153 (167) (*Theon, Progymn.* 2): *παρὰ δὲ Θεοπόμπου ἐκ τῆς πέμπτης καὶ εἰκοστῆς τῶν Φιλιππικῶν, ὅτι ⟨ὁ⟩ Ἑλληνικὸς ὅρκος καταψεύδεται, ὃν Ἀθηναῖοί φασιν ὀμόσαι τοὺς Ἕλληνας πρὸ τῆς μάχης τῆς ἐν Πλαταιαῖς πρὸς τοὺς βαρβάρους, καὶ αἱ πρὸς βασιλέα [Δαρεῖον] Ἀθηναίων [πρὸς Ἕλληνας] συνθῆκαι· ἔτι δὲ καὶ τὴν ἐν Μαραθῶνι μάχην οὐχ οἵαν ἅπαντες ὑμνοῦσι γεγενημένην, " καὶ ὅσα ἄλλα " φησὶν " ἡ Ἀθηναίων πόλις ἀλαζονεύεται καὶ παρακρούεται τοὺς Ἕλληνας ".*

153: *Δαρεῖον* secl. Spengel, fortasse retinendum censet Wade-Gery. *πρὸς Ἕλληνας* secl. Spengel, *Ἀθηναίων ⟨καλλίονες ἢ βασιλέως⟩ πρὸς Ἕλληνας* Schwartz, *περὶ Ἑλλήνων*? Jacoby.

fr. 154 (168) (Harpokr. s.v. *Ἀττικοῖς γράμμασιν*): *Θεόπομπος δ' ἐν τῇ κε' τῶν Φιλιππικῶν ἐσκευωρῆσθαι λέγει τὰς πρὸς τὸν βάρβαρον συνθήκας, ἃς οὐ τοῖς Ἀττικοῖς γράμμασιν ἐστηλιτεῦσθαι, ἀλλὰ τοῖς τῶν Ἰώνων.*

fr. 156: see Schol. Aristophanes, *Av.* 556.

fr. 193 (219): see Athenaios, vi. 231e.

fr. 387 (164) (Strabo x. 1^{3}. 445): *Θεόπομπος δέ φησι Περικλέους χειρουμένου Εὔβοιαν τοὺς Ἱστιαιεῖς καθ' ὁμολογίας εἰς Μακεδονίαν μεταστῆναι, δισχιλίους δ' ἐξ Ἀθηναίων ἐλθόντας τὸν Ὠρεὸν οἰκῆσαι, δῆμον ὄντα πρότερον τῶν Ἱστιαιέων.*

fr. 389 (202) (Strabo xii. 3^{14}. 547): *Ἀμισός . . . φησὶ δ' αὐτὴν Θεόπομπος πρώτους Μιλησίους κτίσαι, ⟨εἶτα ***⟩ Καππαδόκων ἄρχοντα, τρίτον δ' ὑπ' Ἀθηνοκλέους καὶ Ἀθηναίων ἐποικισθεῖσαν Πειραιᾶ μετονομασθῆναι.*

fr. 407 (Steph. Byz. s.v. *Χαιρώνεια*) . . . " *Ἀθηναῖοι καὶ ⟨οἱ⟩ μετ' αὐτῶν ἐπὶ τοὺς ὀρχομενίζοντας τῶν Βοιωτῶν ἐπερχόμενοι καὶ Χαιρώνειαν πόλιν Ὀρχομενίων εἷλον* ".

THEOTIMOS. *FGrH* 470 (*FHG* iv, p. 517).

fr. 1 (1): see Schol. Pindar, *Pyth.* v. 26 (34) (Didymos).

THRASYMACHOS. Diels^{5} 85.

Μεγάλη τέχνη fr. B 3: see schol. Ar. *Av.* 880.

(THUCYDIDES). *Vita anonyma Thucydidis*, edd. Stuart Jones, Powell (OCT, Thucydides), Oxford 1942.

6: *ἦν δὲ τῶν πάνυ κατὰ γένος Ἀθήνησι δοξαζομένων ὁ Θουκυδίδης. δεινὸς δὲ δόξας εἶναι ἐν τῷ λέγειν πρὸ τῆς συγγραφῆς προέστη τῶν πραγμάτων. πρώτην δὲ τῆς ἐν τῷ λέγειν δεινότητος τήνδε ἐποίησατο τὴν ἐπίδειξιν· Πυριλάμπης γάρ τις τῶν πολιτῶν ἄνδρα φίλον καὶ ἐρώμενον ἴδιον διά τινα ζηλοτυπήσας ἐφόνευσε, ταύτης δὲ τῆς δίκης ἐν Ἀρείῳ πάγῳ κρινομένης πολλὰ τῆς ἰδίας σοφίας ἐπεδείξατο, ἀπολογίαν ποιούμενος ὑπὲρ τοῦ Πυριλάμπους, καὶ Περικλέους κατηγοροῦντος ἐνίκα. ὅθεν καὶ στρατηγὸν αὐτὸν ἑλομένων Ἀθηναίων ἄρχων προέστη τοῦ δήμου. μεγαλόφρων δὲ ἐν τοῖς πράγμασι γενόμενος,* 7
ἅτε φιλοχρηματῶν, οὐκ εἴατο πλείονα χρόνον προστατεῖν τοῦ δήμου. πρῶτον μὲν γὰρ ὑπὸ τοῦ Ξενοκρίτου, ὡς Σύβαριν ἀποδημήσας, ὡς ἐπανῆλθεν εἰς Ἀθήνας, συγχύσεως δικαστηρίου φεύγων ἑάλω· ὕστερον δὲ

Theopompos 407: Theopompo tribuit O. Mueller.

ἐξοστρακίζεται ἔτη δέκα. φεύγων δὲ ἐν Αἰγίνῃ διέτριβε, κἀκεῖ λέγεται τὰς ἱστορίας αὐτὸν συντάξασθαι. τότε δὲ τὴν φιλαργυρίαν αὐτοῦ μάλιστα φανερὰν γενέσθαι· ἅπαντας γὰρ Αἰγινήτας κατατοκίζων ἀναστάτους ἐποίησεν.

TIMAIOS. *FGrH* 566 (*FHG* i, pp. 193 ff.).

Ἱστορίαι

fr. 2 (88): see Diogenes Laertius viii. 2. 66.
fr. 19 (91a): see Schol. Pindar, *Ol.* v. 9 (19)a, b.
fr. 20 (89): see Schol. Pindar, *Pyth.* ii. 1 (2).
fr. 21 (84): see Schol. Pindar, *Nem.* ix. 40 (95)a.
fr. 93a (86): see Schol. Pindar, *Ol.* ii inscr.
fr. 93b (90): see Schol. Pindar, *Ol.* ii. 15 (29)d.
fr. 97 (Philistos fr. 45): see Schol. Pindar, *Pyth.* i. 58 (112).
fr. 98 (99): see Schol. Lykophron 732.

fr. 100 (102) (Plut. *Nic.* 28^3): Γύλιππον δὲ . . . κακῶς ἔλεγον (sc. the Syracusans), ἄλλως τε καὶ παρὰ τὸν πόλεμον αὐτοῦ τὴν τραχύτητα καὶ τὸ Λακωνικὸν τῆς ἐπιστασίας οὐ ῥᾳδίως ἐνηνοχότες· ὡς δὲ Τίμαιός φησι, καὶ μικρολογίαν τινὰ καὶ πλεονεξίαν κατεγνωκότες, ἀρρώστημα πατρῷον ἐφ᾽ ᾧ καὶ Κλεανδρίδης ὁ πατὴρ αὐτοῦ δώρων ἁλοὺς ἔφυγε.

fr. 134 (88a): see Diogenes Laertius viii. 2. 64.

TIMOKREON. Diehl, *Anthologia Lyrica*^{2} v, pp. 148 ff. (Edmonds, *Lyra Graeca* ii, pp. 418 ff.).
fr. 1–3 (1–3): see Plutarch, *Them.* 21.
fr. 5 (8): see Schol. Aristophanes, *Ach.* 532.

TIMON. Diels, *Poetarum Philosophorum Fragmenta* 173 ff., Berlin 1901.
fr. 45: see Plutarch, *Per.* 4^5.

TZETZES. See LYKOPHRON.

VITRUVIUS. *De architectura*, ed. Krohn, Leipzig (Teubner) 1912.

v. 9^1: . . . et exeuntibus e theatro sinistra parte odeum, quod Themistocles columnis lapideis dispositis navium malis et antemnis e spoliis Persicis pertexit.

XANTHOS. *FHG* i, pp. 36 ff.
fr. 30: see Diogenes Laertius viii. 2. 63.

XENOPHON. *Opera*, ed. Marchant, Oxford (OCT) 1900–19.

Memorabilia

iii. 4^{1}: *ἰδὼν δέ ποτε Νικομαχίδην ἐξ ἀρχαιρεσιῶν ἀπιόντα ἤρετο· "τίνες, ὦ Νικομαχίδη, στρατηγοὶ ᾕρηνται;" καὶ ὅς, "οὐ γάρ," ἔφη, "ὦ Σώκρατες, τοιοῦτοί εἰσιν Ἀθηναῖοι, ὥστε ἐμὲ μὲν οὐχ εἵλοντο, ὃς ἐκ καταλόγου στρατευόμενος κατατέτριμμαι καὶ λοχαγῶν καὶ ταξιαρχῶν καὶ τραύματα ὑπὸ τῶν πολεμίων τοσαῦτα ἔχων"—ἅμα δὲ καὶ τὰς οὐλὰς τῶν τραυμάτων ἀπογυμνούμενος ἐπεδείκνυεν—"Ἀντισθένη δέ," ἔφη, "εἵλοντο τὸν οὔτε ὁπλίτην πώποτε στρατευσάμενον ἔν τε τοῖς ἱππεῦσιν οὐδὲν περίβλεπτον ποιήσαντα ἐπιστάμενόν τε ἄλλο οὐδὲν ἢ χρήματα συλλέγειν;"*

iii. 5^{4}: *"ταῦτα μὲν ἀληθῆ λέγεις πάντα, ὦ Σώκρατες· ἀλλ' ὁρᾷς, ὅτι, ἀφ' οὗ ἥ τε σὺν Τολμίδῃ τῶν χιλίων ἐν Λεβαδείᾳ συμφορὰ ἐγένετο καὶ ἡ μεθ' Ἱπποκράτους ἐπὶ Δηλίῳ, ἐκ τούτων τεταπείνωται μὲν ἡ τῶν Ἀθηναίων δόξα πρὸς τοὺς Βοιωτούς, ἐπῆρται δὲ τὸ τῶν Θηβαίων φρόνημα πρὸς τοὺς Ἀθηναίους· ὥστε Βοιωτοὶ μέν, οἱ πρόσθεν οὐδ' ἐν τῇ ἑαυτῶν τολμῶντες Ἀθηναίοις ἄνευ Λακεδαιμονίων τε καὶ τῶν ἄλλων Πελοποννησίων ἀντιτάττεσθαι, νῦν ἀπειλοῦσιν αὐτοὶ καθ' αὑτοὺς ἐμβαλεῖν εἰς τὴν Ἀττικήν, Ἀθηναῖοι δέ, οἱ πρότερον [ὅτε Βοιωτοὶ μόνοι ἐγένοντο] πορθοῦντες τὴν Βοιωτίαν, φοβοῦνται μὴ Βοιωτοὶ δῃώσωσι τὴν Ἀττικήν."*

Anabasis Cyri

vii. 1^{27}: *ἡμεῖς γὰρ οἱ Ἀθηναῖοι ἤλθομεν εἰς τὸν πόλεμον τὸν πρὸς Λακεδαιμονίους καὶ τοὺς συμμάχους ἔχοντες τριήρεις τὰς μὲν ἐν θαλάττῃ τὰς δ' ἐν τοῖς νεωρίοις οὐκ ἐλάττους τριακοσίων, ὑπαρχόντων δὲ πολλῶν χρημάτων ἐν τῇ πόλει καὶ προσόδου οὔσης κατ' ἐνιαυτὸν ἀπό τε τῶν ἐνδήμων καὶ τῆς ὑπερορίας οὐ μεῖον χιλίων ταλάντων.*

vii. 2^{22}: *ἐλέγετο γὰρ καὶ πρόσθεν Τήρης ὁ τούτου πρόγονος ἐν ταύτῃ τῇ χώρᾳ πολὺ ἔχων στράτευμα ὑπὸ τούτων τῶν ἀνδρῶν πολλοὺς ἀπολέσαι καὶ τὰ σκευοφόρα ἀφαιρεθῆναι· ἦσαν δ' οὗτοι Θυνοί, πάντων λεγόμενοι εἶναι μάλιστα νυκτὸς πολεμικώτατοι.*

vii. 8^{8}: *ἐνταῦθα* (sc. at Pergamon) *δὴ ξενοῦται Ξενοφῶν Ἑλλάδι τῇ Γογγύλου τοῦ Ἐρετριέως γυναικὶ καὶ Γοργίωνος καὶ Γογγύλου μητρί.*

Respublica Lacedaemoniorum

13^{4}: *πάρεισι δὲ περὶ τὴν θυσίαν πολέμαρχοι, λοχαγοί, πεντηκοντῆρες,* ξένων στρατίαρχοι, στρατοῦ σκευοφορικοῦ ἄρχοντες, καὶ τῶν ἀπὸ τῶν πόλεων δὲ στρατηγῶν ὁ βουλόμενος.

De vectigalibus

5[5]: εἰ δὲ πρὸς ταῦτα μὲν οὐδεὶς ἀντιλέγει, τὴν δὲ ἡγεμονίαν βουλόμενοί τινες ἀναλαβεῖν τὴν πόλιν, ταύτην διὰ πολέμου μᾶλλον ἢ δι' εἰρήνης ἡγοῦνται ἂν καταπραχθῆναι, ἐννοησάτωσαν πρῶτον μὲν τὰ Μηδικά, πότερον βιαζόμενοι ἢ εὐεργετοῦντες τοὺς Ἕλληνας ἡγεμονίας
6 τε τοῦ ναυτικοῦ καὶ ἑλληνοταμιείας ἐτύχομεν. ἔτι δὲ ἐπεὶ ὠμῶς ἄγαν δόξασα προστατεύειν ἡ πόλις ἐστερήθη τῆς ἀρχῆς, οὐ καὶ τότε, ἐπεὶ τοῦ ἀδικεῖν ἀπεσχόμεθα, πάλιν ὑπὸ τῶν νησιωτῶν ἑκόντων προστάται τοῦ ναυτικοῦ ἐγενόμεθα;

**Respublica Atheniensium*

1[1]: περὶ δὲ τῆς Ἀθηναίων πολιτείας, ὅτι μὲν εἵλοντο τοῦτον τὸν τρόπον τῆς πολιτείας οὐκ ἐπαινῶ διὰ τόδε, ὅτι ταῦθ' ἑλόμενοι εἵλοντο τοὺς πονηροὺς ἄμεινον πράττειν ἢ τοὺς χρηστούς· διὰ μὲν οὖν τοῦτο οὐκ ἐπαινῶ. ἐπεὶ δὲ ταῦτα ἔδοξεν οὕτως αὐτοῖς, ὡς εὖ διασῴζονται τὴν πολιτείαν καὶ τἆλλα διαπράττονται ἃ δοκοῦσιν ἁμαρτάνειν τοῖς ἄλλοις Ἕλλησι, τοῦτ' ἀποδείξω.

2 πρῶτον μὲν οὖν τοῦτο ἐρῶ, ὅτι δικαίως ⟨δοκοῦσιν⟩ αὐτόθι [καὶ] οἱ πένητες καὶ ὁ δῆμος πλέον ἔχειν τῶν γενναίων καὶ τῶν πλουσίων διὰ τόδε, ὅτι ὁ δῆμός ἐστιν ὁ ἐλαύνων τὰς ναῦς καὶ ὁ τὴν δύναμιν περιτιθεὶς τῇ πόλει, καὶ οἱ κυβερνῆται καὶ οἱ κελευσταὶ καὶ οἱ πεντηκόνταρχοι καὶ οἱ πρῳρᾶται καὶ οἱ ναυπηγοί—οὗτοί εἰσιν οἱ τὴν δύναμιν περιτιθέντες τῇ πόλει πολὺ μᾶλλον ἢ οἱ ὁπλῖται καὶ οἱ γενναῖοι καὶ οἱ χρηστοί. ἐπειδὴ οὖν ταῦτα οὕτως ἔχει, δοκεῖ δίκαιον εἶναι πᾶσι τῶν ἀρχῶν μετεῖναι ἔν τε τῷ κλήρῳ καὶ ἐν τῇ χειροτονίᾳ, καὶ λέγειν ἐξεῖναι τῷ βουλομένῳ τῶν
3 πολιτῶν. ἔπειτα ὁπόσαι μὲν σωτηρίαν φέρουσι τῶν ἀρχῶν χρησταὶ οὖσαι καὶ μὴ χρησταὶ κίνδυνον τῷ δήμῳ ἅπαντι, τούτων μὲν τῶν ἀρχῶν οὐδὲν δεῖται ὁ δῆμος μετεῖναι—οὔτε τῶν στρατηγιῶν κλήρῳ οἴονταί σφισι χρῆναι μετεῖναι οὔτε τῶν ἱππαρχιῶν—γιγνώσκει γὰρ ὁ δῆμος ὅτι πλείω ὠφελεῖται ἐν τῷ μὴ αὐτὸς ἄρχειν ταύτας τὰς ἀρχάς, ἀλλ' ἐᾶν τοὺς δυνατωτάτους ἄρχειν· ὁπόσαι δ' εἰσὶν ἀρχαὶ μισθοφορίας
4 ἕνεκα καὶ ὠφελείας εἰς τὸν οἶκον, ταύτας ζητεῖ ὁ δῆμος ἄρχειν. ἔπειτα δὲ ὃ ἔνιοι θαυμάζουσιν ὅτι πανταχοῦ πλέον νέμουσι τοῖς πονηροῖς καὶ πένησι καὶ δημοτικοῖς ἢ τοῖς χρηστοῖς, ἐν αὐτῷ τούτῳ φανοῦνται τὴν δημοκρατίαν διασῴζοντες. οἱ μὲν γὰρ πένητες καὶ οἱ δημόται καὶ οἱ χείρους εὖ πράττοντες καὶ πολλοὶ οἱ τοιοῦτοι γιγνόμενοι τὴν δημοκρατίαν αὔξουσιν· ἐὰν δὲ εὖ πράττωσιν οἱ πλούσιοι καὶ οἱ χρηστοί,

ἰσχυρὸν τὸ ἐναντίον σφίσιν αὐτοῖς καθιστᾶσιν οἱ δημοτικοί. ἔστι δὲ 5
πάσῃ γῇ τὸ βέλτιστον ἐναντίον τῇ δημοκρατίᾳ· ἐν γὰρ τοῖς βελτίστοις
ἔνι ἀκολασία τε ὀλιγίστη καὶ ἀδικία, ἀκρίβεια δὲ πλείστη εἰς τὰ χρηστά,
ἐν δὲ τῷ δήμῳ ἀμαθία τε πλείστη καὶ ἀταξία καὶ πονηρία· ἥ τε γὰρ
πενία αὐτοὺς μᾶλλον ἄγει ἐπὶ τὰ αἰσχρὰ καὶ ἡ ἀπαιδευσία καὶ ἡ ἀμαθία
⟨ἡ⟩ δι' ἔνδειαν χρημάτων ἐνίοις τῶν ἀνθρώπων.—εἴποι δ' ἄν τις ὡς 6
ἐχρῆν αὐτοὺς μὴ ἐᾶν λέγειν πάντας ἑξῆς μηδὲ βουλεύειν, ἀλλὰ τοὺς
δεξιωτάτους καὶ ἄνδρας ἀρίστους. οἱ δὲ καὶ ἐν τούτῳ ἄριστα βουλεύονται
ἐῶντες καὶ τοὺς πονηροὺς λέγειν. εἰ μὲν γὰρ οἱ χρηστοὶ ἔλεγον καὶ
ἐβουλεύοντο, τοῖς ὁμοίοις σφίσιν αὐτοῖς ἦν ἀγαθά, τοῖς δὲ δημοτικοῖς
οὐκ ἀγαθά· νῦν δὲ λέγων ὁ βουλόμενος ἀναστάς, ἄνθρωπος πονηρός,
ἐξευρίσκει τὸ ἀγαθὸν αὐτῷ τε καὶ τοῖς ὁμοίοις αὐτῷ. εἴποι τις ἄν, 7
"τί ἂν οὖν γνοίη ἀγαθὸν αὐτῷ ἢ τῷ δήμῳ τοιοῦτος ἄνθρωπος;" οἱ
δὲ γιγνώσκουσιν ὅτι ἡ τούτου ἀμαθία καὶ πονηρία καὶ εὔνοια μᾶλλον
λυσιτελεῖ ἢ ἡ τοῦ χρηστοῦ ἀρετὴ καὶ σοφία καὶ κακόνοια. εἴη μὲν οὖν 8
ἂν πόλις οὐκ ἀπὸ τοιούτων διαιτημάτων ἡ βελτίστη, ἀλλ' ἡ δημοκρατία
μάλιστ' ἂν σῴζοιτο οὕτως. ὁ γὰρ δῆμος βούλεται οὐκ εὐνομουμένης τῆς
πόλεως αὐτὸς δουλεύειν, ἀλλ' ἐλεύθερος εἶναι καὶ ἄρχειν, τῆς δὲ κακο-
νομίας αὐτῷ ὀλίγον μέλει· ὃ γὰρ σὺ νομίζεις οὐκ εὐνομεῖσθαι, αὐτὸς
ἀπὸ τούτου ἰσχύει ὁ δῆμος καὶ ἐλεύθερός ἐστιν. εἰ δ' εὐνομίαν ζητεῖς, 9
πρῶτα μὲν ὄψει τοὺς δεξιωτάτους αὐτοῖς τοὺς νόμους τιθέντας· ἔπειτα
κολάσουσιν οἱ χρηστοὶ τοὺς πονηροὺς καὶ βουλεύσουσιν οἱ χρηστοὶ
περὶ τῆς πόλεως καὶ οὐκ ἐάσουσι μαινομένους ἀνθρώπους βουλεύειν
οὐδὲ λέγειν οὐδὲ ἐκκλησιάζειν. ἀπὸ τούτων τοίνυν τῶν ἀγαθῶν τάχιστ'
ἂν ὁ δῆμος εἰς δουλείαν καταπέσοι.

τῶν δούλων δ' αὖ καὶ τῶν μετοίκων πλείστη ἐστὶν Ἀθήνησιν ἀκο- 10
λασία, καὶ οὔτε πατάξαι ἔξεστιν αὐτόθι οὔτε ὑπεκστήσεταί σοι ὁ
δοῦλος. οὗ δ' ἕνεκέν ἐστι τοῦτο ἐπιχώριον ἐγὼ φράσω. εἰ νόμος ἦν
τὸν δοῦλον ὑπὸ τοῦ ἐλευθέρου τύπτεσθαι ἢ τὸν μέτοικον ἢ τὸν ἀπ-
ελεύθερον, πολλάκις ἂν οἰηθεὶς εἶναι τὸν Ἀθηναῖον δοῦλον ἐπάταξεν ἄν·
ἐσθῆτά τε γὰρ οὐδὲν βελτίων ὁ δῆμος αὐτόθι ἢ οἱ δοῦλοι καὶ οἱ μέτοικοι
καὶ τὰ εἴδη οὐδὲν βελτίους εἰσίν. εἰ δέ τις καὶ τοῦτο θαυμάζει, ὅτι 11
ἐῶσι τοὺς δούλους τρυφᾶν αὐτόθι καὶ μεγαλοπρεπῶς διαιτᾶσθαι ἐνίους,
καὶ τοῦτο γνώμῃ φανεῖεν ἂν ποιοῦντες. ὅπου γὰρ ναυτικὴ δύναμίς
ἐστιν, ἀπὸ χρημάτων ἀνάγκη τοῖς ἀνδραπόδοις δουλεύειν, ἵνα λαμβάνω-
μεν ⟨ὧν⟩ πράττῃ τὰς ἀποφοράς, καὶ ἐλευθέρους ἀφιέναι. ὅπου δ' εἰσὶ
πλούσιοι δοῦλοι, οὐκέτι ἐνταῦθα λυσιτελεῖ τὸν ἐμὸν δοῦλον σὲ δεδιέναι·
ἐν δὲ τῇ Λακεδαίμονι ὁ ἐμὸς δοῦλος σ' ἐδεδοίκει· ἐὰν δὲ δεδίῃ ὁ σὸς
δοῦλος ἐμέ, κινδυνεύσει καὶ τὰ χρήματα διδόναι τὰ ἑαυτοῦ ὥστε μὴ
κινδυνεύειν περὶ ἑαυτοῦ. διὰ τοῦτ' οὖν ἰσηγορίαν καὶ τοῖς δούλοις πρὸς 12

τοὺς ἐλευθέρους ἐποιήσαμεν—καὶ τοῖς μετοίκοις πρὸς τοὺς ἀστούς,
διότι δεῖται ἡ πόλις μετοίκων διά τε τὸ πλῆθος τῶν τεχνῶν καὶ διὰ
τὸ ναυτικόν· διὰ τοῦτο οὖν καὶ τοῖς μετοίκοις εἰκότως τὴν ἰσηγορίαν
ἐποιήσαμεν.
13 τοὺς δὲ γυμναζομένους αὐτόθι καὶ τὴν μουσικὴν ἐπιτηδεύοντας
καταλέλυκεν ὁ δῆμος, νομίζων τοῦτο οὐ καλὸν εἶναι, γνοὺς ὅτι οὐ
δυνατὸς ταῦτά ἐστιν ἐπιτηδεύειν. ἐν ταῖς χορηγίαις αὖ καὶ γυμνασιαρ-
χίαις καὶ τριηραρχίαις γιγνώσκουσιν ὅτι χορηγοῦσι μὲν οἱ πλούσιοι,
χορηγεῖται δὲ ὁ δῆμος, καὶ γυμνασιαρχοῦσιν οἱ πλούσιοι καὶ τριηραρ-
χοῦσιν, ὁ δὲ δῆμος τριηραρχεῖται καὶ γυμνασιαρχεῖται. ἀξιοῖ γοῦν
ἀργύριον λαμβάνειν ὁ δῆμος καὶ ᾄδων καὶ τρέχων καὶ ὀρχούμενος καὶ
πλέων ἐν ταῖς ναυσίν, ἵνα αὐτός τε ἔχῃ καὶ οἱ πλούσιοι πενέστεροι
γίγνωνται. ἔν τε τοῖς δικαστηρίοις οὐ τοῦ δικαίου αὐτοῖς μᾶλλον μέλει
ἢ τοῦ αὐτοῖς συμφόρου.
14 περὶ δὲ τῶν συμμάχων, ὅτι ἐκπλέοντες συκοφαντοῦσιν ὡς δοκοῦσι
καὶ μισοῦσι τοὺς χρηστούς—γιγνώσκοντες ὅτι μισεῖσθαι μὲν ἀνάγκη
τὸν ἄρχοντα ὑπὸ τοῦ ἀρχομένου, εἰ δὲ ἰσχύσουσιν οἱ πλούσιοι καὶ οἱ
χρηστοὶ ἐν ταῖς πόλεσιν, ὀλίγιστον χρόνον ἡ ἀρχὴ ἔσται τοῦ δήμου
τοῦ Ἀθήνησι, διὰ ταῦτα οὖν τοὺς μὲν χρηστοὺς ἀτιμοῦσι καὶ χρήματα
ἀφαιροῦνται καὶ ἐξελαύνονται καὶ ἀποκτείνουσι, τοὺς δὲ πονηροὺς
αὔξουσιν. οἱ δὲ χρηστοὶ Ἀθηναίων τοὺς χρηστοὺς ἐν ταῖς συμμαχίσι
πόλεσι σῴζουσι, γιγνώσκοντες ὅτι σφίσιν ἀγαθόν ἐστι τοὺς βελτίστους
15 σῴζειν ἀεὶ ἐν ταῖς πόλεσιν. εἴποι δέ τις ἂν ὅτι ἰσχύς ἐστιν αὕτη
Ἀθηναίων, ἐὰν οἱ σύμμαχοι δυνατοὶ ὦσι χρήματα εἰσφέρειν. τοῖς δὲ
δημοτικοῖς δοκεῖ μεῖζον ἀγαθὸν εἶναι τὰ τῶν συμμάχων χρήματα ἕνα
ἕκαστον Ἀθηναίων ἔχειν, ἐκείνους δὲ ὅσον ζῆν, καὶ ἐργάζεσθαι ἀδυ-
νάτους ὄντας ἐπιβουλεύειν.
16 δοκεῖ δὲ ὁ δῆμος ὁ Ἀθηναίων καὶ ἐν τῷδε κακῶς βουλεύεσθαι, ὅτι
τοὺς συμμάχους ἀναγκάζουσι πλεῖν ἐπὶ δίκας Ἀθήναζε. οἱ δὲ ἀντι-
λογίζονται ὅσα ἐν τούτῳ ἔνι ἀγαθὰ τῷ δήμῳ τῷ Ἀθηναίων· πρῶτον μὲν
ἀπὸ τῶν πρυτανείων τὸν μισθὸν δι' ἐνιαυτοῦ λαμβάνειν· εἶτ' οἴκοι
καθήμενοι ἄνευ νεῶν ἔκπλου διοικοῦσι τὰς πόλεις τὰς συμμαχίδας, καὶ
τοὺς μὲν τοῦ δήμου σῴζουσι, τοὺς δ' ἐναντίους ἀπολλύουσιν ἐν τοῖς
δικαστηρίοις· εἰ δὲ οἴκοι εἶχον ἕκαστοι τὰς δίκας, ἅτε ἀχθόμενοι
Ἀθηναίοις τούτους ἂν σφῶν αὐτῶν ἀπώλλυσαν οἵτινες φίλοι μάλιστα
17 ἦσαν Ἀθηναίων τῷ δήμῳ. πρὸς δὲ τούτοις ὁ δῆμος τῶν Ἀθηναίων
τάδε κερδαίνει τῶν δικῶν Ἀθήνησιν οὐσῶν τοῖς συμμάχοις. πρῶτον
18 μὲν γὰρ ἡ ἑκατοστὴ τῇ πόλει πλείων ἡ ἐν Πειραιεῖ· ἔπειτα εἴ τῳ
συνοικία ἐστίν, ἄμεινον πράττει· ἔπειτα εἴ τῳ ζεῦγός ἐστιν ἢ ἀνδρά-
ποδον μισθοφοροῦν· ἔπειτα οἱ κήρυκες ἄμεινον πράττουσι διὰ τὰς

ἐπιδημίας τὰς τῶν συμμάχων. πρὸς δὲ τούτοις, εἰ μὲν μὴ ἐπὶ δίκας ᾖεσαν οἱ σύμμαχοι, τοὺς ἐκπλέοντας Ἀθηναίων ἐτίμων ἂν μόνους, τούς τε στρατηγοὺς καὶ τοὺς τριηράρχους καὶ πρέσβεις· νῦν δ' ἠνάγκασται τὸν δῆμον κολακεύειν τὸν Ἀθηναίων εἷς ἕκαστος τῶν συμμάχων, γιγνώσκων ὅτι δεῖ [μὲν] ἀφικόμενον Ἀθήναζε δίκην δοῦναι καὶ λαβεῖν οὐκ ἐν ἄλλοις τισὶν ἀλλ' ἐν τῷ δήμῳ, ὅς ἐστι δὴ νόμος Ἀθήνησι· καὶ ἀντιβολῆσαι ἀναγκάζεται ἐν τοῖς δικαστηρίοις καὶ εἰσιόντος του ἐπιλαμβάνεσθαι τῆς χειρός. διὰ τοῦτο οὖν οἱ σύμμαχοι δοῦλοι τοῦ δήμου τῶν Ἀθηναίων καθεστᾶσι μᾶλλον.

πρὸς δὲ τούτοις διὰ τὴν κτῆσιν τὴν ἐν τοῖς ὑπερορίοις καὶ διὰ τὰς 19
ἀρχὰς τὰς εἰς τὴν ὑπερορίαν λελήθασι μανθάνοντες ἐλαύνειν τῇ κώπῃ
αὐτοί τε καὶ οἱ ἀκόλουθοι· ἀνάγκη γὰρ ἄνθρωπον πολλάκις πλέοντα
κώπην λαβεῖν καὶ αὐτὸν καὶ τὸν οἰκέτην, καὶ ὀνόματα μαθεῖν τὰ ἐν
τῇ ναυτικῇ· καὶ κυβερνῆται ἀγαθοὶ γίγνονται δι' ἐμπειρίαν τε τῶν 20
πλόων καὶ διὰ μελέτην· ἐμελέτησαν δὲ οἱ μὲν πλοῖον κυβερνῶντες, οἱ
δὲ ὁλκάδα, οἱ δ' ἐντεῦθεν ἐπὶ τριήρεσι κατέστησαν· οἱ δὲ πολλοὶ
ἐλαύνειν εὐθὺς [ὡς] οἷοί τε εἰσβάντες εἰς ναῦς, ἅτε ἐν παντὶ τῷ βίῳ
προμεμελετηκότες.

τὸ δὲ ὁπλιτικὸν αὐτοῖς, ὃ ἥκιστα δοκεῖ εὖ ἔχειν Ἀθήνησιν, οὕτω **2**
καθέστηκεν, καὶ τῶν μὲν πολεμίων ἥττους τε σφᾶς αὐτοὺς ἡγοῦνται
εἶναι καὶ ὀλείζους, τῶν δὲ συμμάχων, οἳ φέρουσι τὸν φόρον, καὶ κατὰ
γῆν κρατιστεύουσι, καὶ νομίζουσι τὸ ὁπλιτικὸν ἀρκεῖν, εἰ τῶν συμ-
μάχων κρείττονές εἰσι. πρὸς δὲ καὶ κατὰ τύχην τι αὐτοῖς τοιοῦτον 2
καθέστηκε· τοῖς μὲν κατὰ γῆν ἀρχομένοις οἷόν τ' ἐστὶν ἐκ μικρῶν
πόλεων συνοικισθέντας ἀθρόους μάχεσθαι, τοῖς δὲ κατὰ θάλατταν
ἀρχομένοις, ὅσοι νησιῶταί εἰσιν, οὐχ οἷόν τε συνάρασθαι εἰς τὸ αὐτὸ
τὰς πόλεις· ἡ γὰρ θάλαττα ἐν τῷ μέσῳ, οἱ δὲ κρατοῦντες θαλασσο-
κράτορές εἰσιν· εἰ δ' οἷόν τε καὶ λαθεῖν συνελθοῦσιν εἰς ταὐτὸ τοῖς
νησιώταις εἰς μίαν νῆσον, ἀπολοῦνται λιμῷ· ὁπόσαι δ' ἐν τῇ ἠπείρῳ 3
εἰσὶ πόλεις ὑπὸ τῶν Ἀθηναίων ἀρχόμεναι, αἱ μὲν μεγάλαι διὰ δέος
ἄρχονται, αἱ δὲ μικραὶ πάνυ διὰ χρείαν· οὐ γὰρ ἔστι πόλις οὐδεμία ἥτις
οὐ δεῖται εἰσάγεσθαί τι ἢ ἐξάγεσθαι. ταῦτα τοίνυν οὐκ ἔσται αὐτῇ, ἐὰν
μὴ ὑπήκοος ᾖ τῶν ἀρχόντων τῆς θαλάττης. ἔπειτα δὲ τοῖς ἄρχουσι τῆς 4
θαλάττης οἷόν τ' ἐστὶ ποιεῖν ἅπερ τοῖς τῆς γῆς ἐνίοτε, τέμνειν τὴν γῆν
τῶν κρειττόνων· παραπλεῖν γὰρ ἔξεστιν ὅπου ἂν μηδεὶς ᾖ πολέμιος ἢ
ὅπου ἂν ὀλίγοι, ἐὰν δὲ προσίωσιν, ἀναβάντα ἀποπλεῖν· καὶ τοῦτο
ποιῶν ἧττον ἀπορεῖ ἢ ὁ πεζῇ παραβοηθῶν. ἔπειτα δὲ τοῖς μὲν κατὰ 5
θάλατταν ἄρχουσιν οἷόν τ' ἀποπλεῦσαι ἀπὸ τῆς σφετέρας αὐτῶν
ὁπόσον βούλει πλοῦν, τοῖς δὲ κατὰ γῆν οὐχ οἷόν τε ἀπὸ τῆς σφετέρας
αὐτῶν ἀπελθεῖν πολλῶν ἡμερῶν ὁδόν· βραδεῖαί τε γὰρ αἱ πορεῖαι καὶ

σῖτον οὐχ οἷόν τε ἔχειν πολλοῦ χρόνου πεζῇ ἰόντα. καὶ τὸν μὲν πεζῇ
ἰόντα δεῖ διὰ φιλίας ἰέναι ἢ νικᾶν μαχόμενον, τὸν δὲ πλέοντα, οὗ μὲν
ἂν ᾖ κρείττων, ἔξεστιν ἀποβῆναι, ⟨οὗ δ' ἂν μὴ ᾖ, μὴ ἀποβῆναι⟩ ταύτῃ
τῆς γῆς, ἀλλὰ παραπλεῦσαι, ἕως ἂν ἐπὶ φιλίαν χώραν ἀφίκηται ἢ ἐπὶ
6 ἥττους αὐτοῦ. ἔπειτα νόσους τῶν καρπῶν αἳ ἐκ Διός εἰσιν οἱ μὲν κατὰ
γῆν κράτιστοι χαλεπῶς φέρουσιν, οἱ δὲ κατὰ θάλατταν ῥᾳδίως. οὐ γὰρ
ἅμα πᾶσα γῆ νοσεῖ· ὥστε ἐκ τῆς εὐθενούσης ἀφικνεῖται τοῖς τῆς
θαλάττης ἄρχουσιν.

7 εἰ δὲ δεῖ καὶ σμικροτέρων μνησθῆναι, διὰ τὴν ἀρχὴν τῆς θαλάττης
πρῶτον μὲν τρόπους εὐωχιῶν ἐξηῦρον ἐπιμισγόμενοι ἄλλῃ ἄλλοις·
⟨ὥστε⟩ ὅ τι ἐν Σικελίᾳ ἡδὺ ἢ ἐν Ἰταλίᾳ ἢ ἐν Κύπρῳ ἢ ἐν Αἰγύπτῳ ἢ ἐν
Λυδίᾳ ἢ ἐν τῷ Πόντῳ ἢ ἐν Πελοποννήσῳ ἢ ἄλλοθί που, ταῦτα πάντα
8 εἰς ἓν ἤθροισται διὰ τὴν ἀρχὴν τῆς θαλάττης. ἔπειτα φωνὴν πᾶσαν
ἀκούοντες ἐξελέξαντο τοῦτο μὲν ἐκ τῆς, τοῦτο δὲ ἐκ τῆς· καὶ οἱ μὲν
Ἕλληνες ἰδίᾳ μᾶλλον καὶ φωνῇ καὶ διαίτῃ καὶ σχήματι χρῶνται,
Ἀθηναῖοι δὲ κεκραμένῃ ἐξ ἁπάντων τῶν Ἑλλήνων καὶ βαρβάρων.

9 θυσίας δὲ καὶ ἱερὰ καὶ ἑορτὰς καὶ τεμένη γνοὺς ὁ δῆμος ὅτι οὐχ οἷόν
τέ ἐστιν ἑκάστῳ τῶν πενήτων θύειν καὶ εὐωχεῖσθαι καὶ ἵστασθαι ἱερὰ
καὶ πόλιν οἰκεῖν καλὴν καὶ μεγάλην, ἐξηῦρεν ὅτῳ τρόπῳ ἔσται ταῦτα.
θύουσιν οὖν δημοσίᾳ μὲν ἡ πόλις ἱερεῖα πολλά· ἔστι δὲ ὁ δῆμος ὁ
10 εὐωχούμενος καὶ διαλαγχάνων τὰ ἱερεῖα. καὶ γυμνάσια καὶ λουτρὰ καὶ
ἀποδυτήρια τοῖς μὲν πλουσίοις ἔστιν ἰδίᾳ ἐνίοις, ὁ δὲ δῆμος αὐτὸς αὑτῷ
οἰκοδομεῖται ἰδίᾳ παλαίστρας πολλάς, ἀποδυτήρια, λουτρῶνας· καὶ
πλείω τούτων ἀπολαύει ὁ ὄχλος ἢ οἱ ὀλίγοι καὶ οἱ εὐδαίμονες.

11 τὸν δὲ πλοῦτον μόνοι οἷοί τ' εἰσὶν ἔχειν τῶν Ἑλλήνων καὶ τῶν
βαρβάρων. εἰ γάρ τις πόλις πλουτεῖ ξύλοις ναυπηγησίμοις, ποῖ δια-
θήσεται, ἐὰν μὴ πείσῃ τὸν ἄρχοντα τῆς θαλάττης; τί δ' εἴ τις σιδήρῳ
ἢ χαλκῷ ἢ λίνῳ πλουτεῖ πόλις, ποῖ διαθήσεται, ἐὰν μὴ πείσῃ τὸν
ἄρχοντα τῆς θαλάττης; ἐξ αὐτῶν μέντοι τούτων καὶ δὴ νῆές μοί εἰσι,
παρὰ μὲν τοῦ ξύλα, παρὰ δὲ τοῦ σίδηρος, παρὰ δὲ τοῦ χαλκός, παρὰ δὲ
12 τοῦ λίνον, παρὰ δὲ τοῦ κηρός. πρὸς δὲ τούτοις ἄλλοσε ἄγειν οὐκ
ἐάσουσιν οἵτινες ἀντίπαλοι ἡμῖν εἰσιν ἢ οὐ χρήσονται τῇ θαλάττῃ. καὶ
ἐγὼ μὲν οὐδὲν ποιῶν ἐκ τῆς γῆς πάντα ταῦτα ἔχω διὰ τὴν θάλατταν,
ἄλλη δ' οὐδεμία πόλις δύο τούτων ἔχει, οὐδ' ἔστι τῇ αὐτῇ ξύλα καὶ
λίνον, ἀλλ' ὅπου λίνον ἐστὶ πλεῖστον, λεία χώρα καὶ ἄξυλος· οὐδὲ
χαλκὸς καὶ σίδηρος ἐκ τῆς αὐτῆς πόλεως οὐδὲ τἆλλα δύο ἢ τρία μιᾷ
πόλει, ἀλλὰ τὸ μὲν τῇ, τὸ δὲ τῇ.

13 ἔτι δὲ πρὸς τούτοις παρὰ πᾶσαν ἤπειρόν ἐστιν ἢ ἀκτὴ προὔχουσα ἢ
νῆσος προκειμένη ἢ στενόπορόν τι· ὥστε ἔξεστιν ἐνταῦθα ἐφορμοῦσι
τοῖς τῆς θαλάττης ἄρχουσι λωβᾶσθαι τοὺς τὴν ἤπειρον οἰκοῦντας.

ἑνὸς δὲ ἐνδεεῖς εἰσιν· εἰ γὰρ νῆσον οἰκοῦντες θαλασσοκράτορες ἦσαν 14
Ἀθηναῖοι, ὑπῆρχεν ἂν αὐτοῖς ποιεῖν μὲν κακῶς, εἰ ἐβούλοντο, πάσχειν
δὲ μηδέν, ἕως τῆς θαλάττης ἦρχον, μηδὲ τμηθῆναι τὴν ἑαυτῶν γῆν
μηδὲ προσδέχεσθαι τοὺς πολεμίους· νῦν δὲ οἱ γεωργοῦντες καὶ οἱ
πλούσιοι Ἀθηναίων ὑπέρχονται τοὺς πολεμίους μᾶλλον, ὁ δὲ δῆμος,
ἅτε εὖ εἰδὼς ὅτι οὐδὲν τῶν σφῶν ἐμπρήσουσιν οὐδὲ τεμοῦσιν, ἀδεῶς
ζῇ καὶ οὐχ ὑπερχόμενος αὐτούς. πρὸς δὲ τούτοις καὶ ἑτέρου δέους 15
ἀπηλλαγμένοι ἂν ἦσαν, εἰ νῆσον ᾤκουν, μηδέποτε προδοθῆναι τὴν πόλιν
ὑπ᾽ ὀλίγων μηδὲ πύλας ἀνοιχθῆναι μηδὲ πολεμίους ἐπεισπεσεῖν· πῶς
γὰρ νῆσον οἰκούντων ταῦτ᾽ ἂν ἐγίγνετο; μηδ᾽ αὖ στασιάσαι τῷ δήμῳ
μηδέν, εἰ νῆσον ᾤκουν· νῦν μὲν γὰρ εἰ στασιάσαιεν, ἐλπίδα ἂν ἔχοντες ἐν
τοῖς πολεμίοις στασιάσειαν, ὡς κατὰ γῆν ἐπαξόμενοι· εἰ δὲ νῆσον
ᾤκουν, καὶ ταῦτ᾽ ἂν ἀδεῶς εἶχεν αὐτοῖς. ἐπειδὴ οὖν ἐξ ἀρχῆς οὐκ 16
ἔτυχον οἰκήσαντες νῆσον, νῦν τάδε ποιοῦσι· τὴν μὲν οὐσίαν ταῖς νήσοις
παρατίθενται, πιστεύοντες τῇ ἀρχῇ τῇ κατὰ θάλατταν, τὴν δὲ Ἀττικὴν
γῆν περιορῶσι τεμνομένην, γιγνώσκοντες ὅτι εἰ αὐτὴν ἐλεήσουσιν,
ἑτέρων ἀγαθῶν μειζόνων στερήσονται.

ἔτι δὲ συμμαχίας καὶ τοὺς ὅρκους ταῖς μὲν ὀλιγαρχουμέναις πόλεσιν 17
ἀνάγκη ἐμπεδοῦν· ἢν δὲ μὴ ἐμμένωσι ταῖς συνθήκαις, †ἢ ὑφ᾽ ὅτου
ἀδικεῖ† ὀνόματα ἀπὸ τῶν ὀλίγων οἳ συνέθεντο· ἅσσα δ᾽ ἂν ὁ δῆμος
συνθῆται, ἔξεστιν αὐτῷ ἑνὶ ἀνατιθέντι τὴν αἰτίαν τῷ λέγοντι καὶ τῷ
ἐπιψηφίσαντι ἀρνεῖσθαι τοῖς ἄλλοις ὅτι "οὐ παρῆν οὐδὲ ἀρέσκει
ἔμοιγε", ἃ συγκείμενα πυνθάνονται ἐν πλήρει τῷ δήμῳ, καὶ εἰ μὴ
δόξαι εἶναι ταῦτα, προφάσεις μυρίας ἐξηύρηκε τοῦ μὴ ποιεῖν ὅσα ἂν
μὴ βούλωνται. καὶ ἂν μέν τι κακὸν ἀναβαίνῃ ἀπὸ ὧν ὁ δῆμος ἐβού-
λευσεν, αἰτιᾶται ὁ δῆμος ὡς ὀλίγοι ἄνθρωποι αὐτῷ ἀντιπράττοντες δι-
έφθειραν, ἐὰν δέ τι ἀγαθόν, σφίσιν αὐτοῖς τὴν αἰτίαν ἀνατιθέασι.

κωμῳδεῖν δ᾽ αὖ καὶ κακῶς λέγειν τὸν μὲν δῆμον οὐκ ἐῶσιν, ἵνα μὴ 18
αὐτοὶ ἀκούωσι κακῶς, ἰδίᾳ δὲ κελεύουσιν, εἴ τίς τινα βούλεται, εὖ
εἰδότες ὅτι οὐχὶ τοῦ δήμου ἐστὶν οὐδὲ τοῦ πλήθους ὁ κωμῳδούμενος ὡς
ἐπὶ τὸ πολύ, ἀλλ᾽ ἢ πλούσιος ἢ γενναῖος ἢ δυνάμενος, ὀλίγοι δέ τινες
τῶν πενήτων καὶ τῶν δημοτικῶν κωμῳδοῦνται, καὶ οὐδ᾽ οὗτοι ἐὰν
μὴ διὰ πολυπραγμοσύνην καὶ διὰ τὸ ζητεῖν πλέον τι ἔχειν τοῦ δήμου·
ὥστε οὐδὲ τοὺς τοιούτους ἄχθονται κωμῳδουμένους. φημὶ οὖν ἔγωγε 19
τὸν δῆμον τὸν Ἀθήνησι γιγνώσκειν οἵτινες χρηστοί εἰσι τῶν πολιτῶν
καὶ οἵτινες πονηροί· γιγνώσκοντες δὲ τοὺς μὲν σφίσιν αὐτοῖς ἐπιτηδείους
καὶ συμφόρους φιλοῦσι, κἂν πονηροὶ ὦσι, τοὺς δὲ χρηστοὺς μισοῦσι
μᾶλλον· οὐ γὰρ νομίζουσι τὴν ἀρετὴν αὐτοῖς πρὸς τῷ σφετέρῳ ἀγαθῷ
πεφυκέναι, ἀλλ᾽ ἐπὶ τῷ κακῷ· καὶ τοὐναντίον γε τούτου ἔνιοι, ὄντες ὡς
ἀληθῶς τοῦ δήμου, τὴν φύσιν οὐ δημοτικοί εἰσι. δημοκρατίαν δ᾽ ἐγὼ 20

μὲν αὐτῷ τῷ δήμῳ συγγιγνώσκω· αὐτὸν μὲν γὰρ εὖ ποιεῖν παντὶ
συγγνώμη ἐστίν· ὅστις δὲ μὴ ὢν τοῦ δήμου εἵλετο ἐν δημοκρατουμένῃ
πόλει οἰκεῖν μᾶλλον ἢ ἐν ὀλιγαρχουμένῃ, ἀδικεῖν παρεσκευάσατο καὶ
ἔγνω ὅτι μᾶλλον οἷόν τε διαλαθεῖν κακῷ ὄντι ἐν δημοκρατουμένῃ πόλει
3 μᾶλλον ἢ ἐν ὀλιγαρχουμένῃ. καὶ περὶ τῆς Ἀθηναίων πολιτείας, τὸν μὲν
τρόπον οὐκ ἐπαινῶ· ἐπειδήπερ δ' ἔδοξεν αὐτοῖς δημοκρατεῖσθαι, εὖ
μοι δοκοῦσι διασῴζεσθαι τὴν δημοκρατίαν τούτῳ τῷ τρόπῳ χρώμενοι
ᾧ ἐγὼ ἐπέδειξα.

ἔτι δὲ καὶ τάδε τινὰς ὁρῶ μεμφομένους Ἀθηναίους, ὅτι ἐνίοτε οὐκ
ἔστιν αὐτόθι χρηματίσαι τῇ βουλῇ οὐδὲ τῷ δήμῳ ἐνιαυτὸν καθημένῳ
ἀνθρώπῳ. καὶ τοῦτο Ἀθήνησι γίγνεται οὐδὲν δι' ἄλλο ἢ διὰ τὸ πλῆθος
τῶν πραγμάτων οὐχ οἷοί τε πάντας ἀποπέμπειν εἰσὶ χρηματίσαντες.
2 πῶς γὰρ ἂν καὶ οἷοί τε εἶεν, οὕστινας πρῶτον μὲν δεῖ ἑορτάσαι ἑορτὰς
ὅσας οὐδεμία τῶν Ἑλληνίδων πόλεων (ἐν δὲ ταύταις ἧττόν τινα δυνατόν
ἐστι διαπράττεσθαι τῶν τῆς πόλεως), ἔπειτα δὲ δίκας καὶ γραφὰς καὶ
εὐθύνας ἐκδικάζειν ὅσας οὐδ' οἱ σύμπαντες ἄνθρωποι ἐκδικάζουσι, τὴν
δὲ βουλὴν βουλεύεσθαι πολλὰ μὲν περὶ τοῦ πολέμου, πολλὰ δὲ περὶ
πόρου χρημάτων, πολλὰ δὲ περὶ νόμων θέσεως, πολλὰ δὲ περὶ τῶν
κατὰ πόλιν ἀεὶ γιγνομένων, πολλὰ δὲ καὶ ⟨περὶ τῶν ἐν⟩ τοῖς συμμάχοις,
καὶ φόρον δέξασθαι καὶ νεωρίων ἐπιμεληθῆναι καὶ ἱερῶν; ἆρα δή τι
θαυμαστόν ἐστιν, εἰ τοσούτων ὑπαρχόντων πραγμάτων μὴ οἷοί τ' εἰσὶ
3 πᾶσιν ἀνθρώποις χρηματίσαι; λέγουσι δέ τινες, "ἤν τις ἀργύριον
ἔχων προσίῃ πρὸς βουλὴν ἢ δῆμον, χρηματιεῖται". ἐγὼ δὲ τούτοις
ὁμολογήσαιμ' ἂν ἀπὸ χρημάτων πολλὰ διαπράττεσθαι Ἀθήνησι, καὶ
ἔτι ἂν πλείω διαπράττεσθαι, εἰ πλείους ἔτι ἐδίδοσαν ἀργύριον· τοῦτο
μέντοι εὖ οἶδα, διότι πᾶσι διαπρᾶξαι ἡ πόλις *** τῶν δεομένων οὐχ
4 ἱκανή, οὐδ' εἰ ὁποσονοῦν χρυσίον καὶ ἀργύριον διδοίη τις αὐτοῖς. δεῖ δὲ
καὶ τάδε διαδικάζειν, εἴ τις τὴν ναῦν μὴ ἐπισκευάζει ἢ κατοικοδομεῖ τι
δημόσιον· πρὸς δὲ τούτοις χορηγοῖς διαδικάσαι εἰς Διονύσια καὶ
Θαργήλια καὶ Παναθήναια καὶ Προμήθια καὶ Ἡφαίστια ὅσα ἔτη· καὶ
τριήραρχοι καθίστανται τετρακόσιοι ἑκάστου ἐνιαυτοῦ, καὶ τούτων
τοῖς βουλομένοις ⟨δεῖ⟩ διαδικάσαι ὅσα ἔτη· πρὸς δὲ τούτοις ἀρχὰς
δοκιμάσαι καὶ διαδικάσαι καὶ ὀρφανοὺς δοκιμάσαι καὶ φύλακας δεσμω-
5 τῶν καταστῆσαι. ταῦτα μὲν οὖν ὅσα ἔτη· διὰ χρόνου δὲ δικάσαι δεῖ
†στρατιᾶς καὶ ἐάν τι ἄλλο ἐξαπιναῖον ἀδίκημα γίγνηται, ἐάν τε
ὑβρίζωσί τινες ἄηθες ὕβρισμα ἐάν τε ἀσεβήσωσι. πολλὰ ἔτι πάνυ
παραλείπω· τὸ δὲ μέγιστον εἴρηται πλὴν αἱ τάξεις τοῦ φόρου· τοῦτο
δὲ γίγνεται ὡς τὰ πολλὰ δι' ἔτους πέμπτου. φέρε δὴ τοίνυν, ταῦτα οὐκ

3^{5}: στρατιᾶς BC, στρατιὰς M, παραστρατηγίας Kalinka, στρατηγικὰς Lipsius, ἀστρατείας Brodaeus.

οἴεσθαι ⟨χρὴ⟩ χρῆναι διαδικάζειν ἅπαντα; εἰπάτω γάρ τις ὅ τι οὐ 6
χρῆν αὐτόθι διαδικάζεσθαι. εἰ δ' αὖ ὁμολογεῖν δεῖ ἅπαντα χρῆναι
διαδικάζειν, ἀνάγκη δι' ἐνιαυτοῦ· ὡς οὐδὲ νῦν δι' ἐνιαυτοῦ δικάζοντες
ὑπάρχουσιν ὥστε παύειν τοὺς ἀδικοῦντας ὑπὸ τοῦ πλήθους τῶν
ἀνθρώπων. φέρε δή, ἀλλὰ φήσει τις χρῆναι δικάζειν μέν, ἐλάττους δὲ 7
δικάζειν. ἀνάγκη τοίνυν, ἐὰν μὴ ὀλίγα ποιῶνται δικαστήρια, ὀλίγοι ἐν
ἑκάστῳ ἔσονται τῷ δικαστηρίῳ· ὥστε καὶ διασκευάσασθαι ῥᾴδιον ἔσται
πρὸς ὀλίγους δικαστὰς καὶ συνδεκάσαι πολὺ ἧττον δικαίως δικάζειν.
πρὸς δὲ τούτοις οἴεσθαι χρὴ καὶ ἑορτὰς ἄγειν χρῆναι Ἀθηναίους, ἐν αἷς 8
οὐχ οἷόν τε δικάζειν. καὶ ἄγουσι μὲν ἑορτὰς διπλασίους ἢ οἱ ἄλλοι· ἀλλ'
ἐγὼ μὲν τίθημι ἴσας τῇ ὀλιγίστας ἀγούσῃ πόλει.

τούτων τοίνυν τοιούτων ὄντων οὔ φημι οἷόν τ' εἶναι ἄλλως ἔχειν τὰ
πράγματα Ἀθήνησι ἢ ὥσπερ νῦν ἔχει, πλὴν ἢ κατὰ μικρόν τι οἷόν τε
τὸ μὲν ἀφελεῖν τὸ δὲ προσθεῖναι· πολὺ δ' οὐχ οἷόν τε μετακινεῖν, ὥστε
μὴ οὐχὶ τῆς δημοκρατίας ἀφαιρεῖν τι. ὥστε μὲν γὰρ βέλτιον ἔχειν τὴν 9
πολιτείαν, οἷόν τε πολλὰ ἐξευρεῖν, ὥστε μέντοι ὑπάρχειν μὲν δημο-
κρατίαν εἶναι, ἀρκούντως δὲ τοῦτο ἐξευρεῖν, ὅπως βέλτιον πολιτεύσον-
ται, οὐ ῥᾴδιον, πλήν, ὅπερ ἄρτι εἶπον, κατὰ μικρόν τι προσθέντα ἢ
ἀφελόντα.

δοκοῦσι δὲ Ἀθηναῖοι καὶ τοῦτό μοι οὐκ ὀρθῶς βουλεύεσθαι, ὅτι τοὺς 10
χείρους αἱροῦνται ἐν ταῖς πόλεσι ταῖς στασιαζούσαις. οἱ δὲ τοῦτο
γνώμῃ ποιοῦσιν. εἰ μὲν γὰρ ᾑροῦντο τοὺς βελτίους, ᾑροῦντ' ἂν οὐχὶ τοὺς
ταὐτὰ γιγνώσκοντας σφίσιν αὐτοῖς· ἐν οὐδεμιᾷ γὰρ πόλει τὸ βέλτι-
στον εὔνουν ἐστὶ τῷ δήμῳ, ἀλλὰ τὸ κάκιστον ἐν ἑκάστῃ ἐστὶ πόλει εὔνουν
τῷ δήμῳ· οἱ γὰρ ὅμοιοι τοῖς ὁμοίοις εὖνοί εἰσι. διὰ ταῦτα οὖν Ἀθηναῖοι
τὰ σφίσιν αὐτοῖς προσήκοντα αἱροῦνται. ὁποσάκις δ' ἐπεχείρησαν 11
αἱρεῖσθαι τοὺς βελτίστους, οὐ συνήνεγκεν αὐτοῖς, ἀλλ' ἐντὸς ὀλίγου
χρόνου ὁ δῆμος ἐδούλευσεν ὁ ἐν Βοιωτοῖς· τοῦτο δὲ ὅτε Μιλησίων
εἵλοντο τοὺς βελτίστους, ἐντὸς ὀλίγου χρόνου ἀποστάντες τὸν δῆμον
κατέκοψαν· τοῦτο δὲ ὅτε εἵλοντο Λακεδαιμονίους ἀντὶ Μεσσηνίων,
ἐντὸς ὀλίγου χρόνου Λακεδαιμόνιοι καταστρεψάμενοι Μεσσηνίους
ἐπολέμουν Ἀθηναίοις.

ὑπολάβοι δέ τις ἂν ὡς οὐδεὶς ἄρα ἀδίκως ἠτίμωται Ἀθήνησιν. ἐγὼ 12
δέ φημί τινας εἶναι οἳ ἀδίκως ἠτίμωνται. ὀλίγοι μέντοι τινές ⟨εἰσιν⟩·
ἀλλ' οὐκ ὀλίγων δεῖ τῶν ἐπιθησομένων τῇ δημοκρατίᾳ τῇ Ἀθήνησιν,
ἐπεί τοι καὶ οὕτως ἔχει, οὐδὲν ἐνθυμεῖσθαι ἀνθρώπους οἵτινες δικαίως 13
ἠτίμωνται, ἀλλ' εἴ τινες ἀδίκως. πῶς ἂν οὖν ἀδίκως οἴοιτό τις ἂν τοὺς
πολλοὺς ἠτιμῶσθαι Ἀθήνησιν, ὅπου ὁ δῆμός ἐστιν ὁ ἄρχων τὰς ἀρχάς;

3^{11}, ll. 2–3: post ἀλλ' lacunam statuit Madvig; ὁ ἐν Madvig, ὁ μὲν BM, τοῦτο μὲν C.

ἐκ δὲ τοῦ μὴ δικαίως ἄρχειν μηδὲ λέγειν τὰ δίκαια ⟨μηδὲ⟩ πράττειν, ἐκ τοιούτων ἄτιμοί εἰσιν Ἀθήνησι. ταῦτα χρὴ λογιζόμενον μὴ νομίζειν εἶναί τι δεινὸν ἀπὸ τῶν ἀτίμων Ἀθήνησιν.

ZENO. Diels, *Fragm. der Vorsokratiker*^{5} 29.

fr. A 17: see Plutarch, *Per.* 5^3.

B. INSCRIPTIONS

I. ATTIC

1. *IG* i². 608+714; D 21.

(?) Victor statue of Kallias son of Didymias. Before 480 B.C.

[- - - - - - - - - - - - - - -]ισι παίδον
Καλλία[ς - - - - - - - - - - - Διδυ]μίο.

2. *SEG* x. 319.

Dedication by Leagros to the Twelve Gods. Before 480 B.C.

[Λ]έαγρος ⁝ ἀνέθεκεν ⁝ Γλαύκονος
δόδεκα θεοῖσιν.

See Meritt, *Hesp*. v (1936), 359; Raubitschek, *Hesp*. viii (1939), 160.

3. *IG* i². 474; D 102.

Dedication by Strombichos, (?) father of Diotimos. *c*. 480 B.C.

Στρόνβ[ιχος ἀνέθεκεν ho]
Στρονβιχ[ίδο τἀθεναίαι].

4. *IG* i². 887–902a; *SEG* x. 376–88.

Building of the Peiraeus. After 479 B.C.

887: ἐμπορί[ο] | καὶ hοδô | hόρος.

892: [ἀ]π[ὸ] τê[σ]|δε τêς [h]|οδô τὸ | πρὸς τô | [λ]ιμέν[ος h|ά]παν δ|εμό-σ[ι]|όν ἐσ[τι].

899: [δ]εῦρ' Ἐπα[κ]|ρέον τριτ|τὺς τελευ|τâι, Θριασ|ίον δὲ ἄρχ|εται τριτ|τύς.

900: δεῦρε Αἰαντὶς | φυλὲ τελευτâι, Τ|ετραπολέον δὲ | τριττύς, Ἀκαμα|ντὶς δὲ φυλὲ ἄρ|χεται, Χολαργέ|ον δὲ τριττύς.

Further examples of Peiraeus boundary markers in the series *IG* i². 887–902a. Most examples have ϟ and other early letter-forms. 899: [δ]εῦρε Π[εδ]|ιέον Wade-Gery.

5. Meritt, *Hesp*. v (1936), 355; *SEG* x. 320 (Simonides, fr. 76).

New statue-group of the tyrannicides. *c*. 477 B.C.

[ἦ μέγ' Ἀθεναίοισι φόος γένεθ' hενίκ' Ἀριστογείτον hίππαρχον κτεῖνε καὶ] hαρμόδιο[ς]
[- ἰσόνομον πα]τρίδα γêν ἐθέτεν.

6. *IG* i². 607; D 111.

Victor statue of Kallias son of Hipponikos. (?) Before 470 B.C.

Καλλίας hιππονίκο ἀνέθ-
εκ[ε]ν.

7. *IG* ii². 2318.

Perikles as choregos, 472 B.C.

τραγωιδῶν
Περικλῆς Χολαρ(γεὺς) : ἐχορή(γει),
Αἰσχύλος ἐ[δ]ίδασκε.

Extract from the official list of victors at the Dionysia, inscribed at the end of the fourth century. The entry belongs to 473/2 B.C.

8. *IG* i². 6+9; revised, with new fragments, by Meritt, *Hesp.* xiv (1945) 61, xv (1946) 249; *SEG* x. 6.

Eleusinian regulations. *c.* 460 B.C.

A

[. . . .⁹. . . . .]ι : τὸν Ἀθεναῖον μὲ *στοιχ.* 23
[ἐκ γ]ε͂ς [πο τ]ούτον τῶν πόλεον μ-
[ε]δὲ hαμο͂[ς β]ιᾶσθαι ἐὰν μὲ [δί]κ-
[ε]ṿ ὀφλόν[τα] ἐπιχορίαν ἒ ἐς πο-
[λ]εμίος λ[εφ]θέντα· hέτις δ' ἂν τ-
[ο͂]μ πόλεον μὲ ἐθέλει, δ[ί]κας δι-
[δ]όναι καὶ δέχεσθαι Ἀθ̣εναί[ο]-
[ι]σιν ἀπὸ χσυ⟨μ⟩βολο͂ν.

37: [ἐχσ]έσ[το], 37–8: τῶν πόλεον μ|[ε]δὲ hαμο͂ [πρ]ίασθαι Wade-Gery.

C

το͂ δὲ hιερο͂ ἀργυρί[ο τε͂ς φυλα]- *στοιχ.* 23
[κ]ε͂ς ἐχ̣[σε]ῖναι Ἀθεν[αίοις μέλ]-
[ε]σθαι, h[έ]ος ἂν βόλο[νται, καθά]-
περ το͂ τε͂ς Ἀθεναία[ς ἀργυρίο]
το͂ ἐμ πόλει· τὸ δὲ ἀρ[γύριον τὸ]-
ς hιεροποιὸς τ̣[ὸ] το[ῖν θεοῖν ἐ]-̣
[μ] πόλει ταμιεύεσθ[αι· Εὐμολπ]-
[ί]δ[ας δ' ἔ]χεν ἐν το͂ι μ̣[έσοι τὲν β]-
[ύ]β[λον τ]ὲν τῶν [ὀ]ρφ[ανο͂ν· γράφε]-
[ν] τὸς ὀρφανὸς παῖ[δας καὶ τὸς]
[μ]ύστας hεκάστο με̣[νὸς χορίς],
[τ]ὸς μύστας τὸς 'Ελε[υσῖνι μυο]-

[μ]ένος ἐν τε̂ι αὐλε̂ι [ἐντὸς τô h]-
[ι]ερô, τὸς δὲ ἐν ἄστει [μυομένο]-
ς ἐν τôι Ἐλευσινίοι. vacat

9. *IG* i². 928; *SEG* x. 405.

Casualty list. *c.* 465 B.C.

Preserved headings are: *ἐν Θάσ[οι]* (43, 74); *ἐπὶ Σιγείοι* (32, 99); *[ἐν Καρ]δίαι* (35); *[ἐμ Παιô]νι* (37). The first column, which has no heading preserved, may record casualties at Drabeskos, cf. Paus. i. 29⁴. The list includes, besides Athenians, *[Μαδ]ύτιοι* (34); *[Βυζάν]τιο[ι]* (98). 37: *ATL* iii. 109, restores *[Κεβρέ]νι(οι)*.

10. *IG* i². 16; Tod 32; *SEG* x. 16.

Judicial relations with Phaselis. After the Eurymedon.

3: *[Μ]ṿᾳσιππος* Wade-Gery. 15–16: *ἐὰν δέ τ|[ις ἄλλη τῶ]ν ἀρχῶν δέξηται* Wilhelm, *Sb. Ak. Wien* 217, 5 (1939), 60. 17–18: *Φασηλιτῶν τινος | [Ἀθήνησιν]* Wilhelm.

Dated *c.* 450 B.C., cf. Tod; before Ephialtes' reform, Wade-Gery.

11. *IG* i². 821; *SEG* x. 340 (Simonides, fr. 101).

Dedication by Leokrates son of Stroibos. Before 460 B.C.

[Σ]τροίβο π[α]ῖ, τό[δ' ἄγαλ]μα ⁝ Λεόḳ[ρατες, εὖτ' ἀνέθεκας]
hερμε̂ι, καλλικόμως οὐκ ἔλαθες [Χάριτας].

12. D 172.

(?) Base of Athena Promachos. (?) Before 460 B.C.

[Ἀθεναῖοι ⁝ ἀν]έθε[σαν] ⁝ ἐκ τ[ôν ⁝ Μεδικôν].

See Raubitschek and Stevens, *Hesp.* xv (1946), 107.

13. *IG* i². 338; *SEG* x. 243.

Accounts of Athena Promachos. (?) After 460 B.C.

For identification see Dinsmoor, *AJA* xxv (1921), 118.

ii. 67 X𐅅HHHH *μ[ισθοὶ ἐπιστ]άτεσι κα[ὶ γραμμα]-*
𐅄Δ⊢⊢⊢II *τ[εῖ καὶ hυπερ]έτει.*

For this entry see Schweigert, *Hesp.* vii (1938), 267 and Raubitschek, *Hesp.* xii (1943), 15.

iii. 28 *[hότε . .⁵. . .]ς : ἐγραμμάτευε*
[. . . . .⁹. . . .]ν : ἐπιστάται
[ἔλαβον πα]ρὰ κολακρετôν
[amount lost] *[σύνπαν]·*

14. *IG* i². 929; Tod 26; *SEG* x. 406.

Casualty list of the Erechtheid tribe. *c.* 459 B.C.

Ἐρεχθεΐδος

ℎοίδε ⁝ ἐν τôι ⁝ πολέμοι ⁝ ἀπέθανον ⁝ ἐν Κύπροι ⁝ ἐν Αἰγ[ύ]-
πτοι ⁝ ἐν Φοινίκει [⁝] ἐν Ἁλιεῦσιν [⁝] ἐν Αἰγίνει ⁝ Μεγαροῖ
τô αὐτô ἐνιαυτô.

The casualties include two generals: [σ]τ[ρα]τεγôν | Φ[ρύνι]χος (5–6); στρατεγός : | ℎιπποδάμας (62–3).

15. *IGA* 5.

Commemoration at Dodona of naval victory over Peloponnesians. (?) *c.* 459 B.C.

Ἀθεναῖοι ⁝ ἀπὸ Πελοπον[ν]εσίον. ναυμαχίαι ⁝ νικέσαντες ⁝ ἀ[νέθεσαν].

16. *IG* i². 933.

Casualty list. (?) Before 455 B.C.

Includes Δελόδοτος:Κεῖος (13).

17. *IG* i². 946; *SEG* x. 415 (Simonides, fr. 117).

(?) Epitaph of Athenian cavalry who fell at Tanagra. (?) *c.* 457 B.C.

[χαίρετε ἀριστῆες πολέμο μέγα] κῦδο[ς ἔχόντες]
[κôροι Ἀθεναίον ἔχσοχοι ℎιππ]οσύνα[ι],
[ℎοί ποτε καλλιχόρο περὶ πατ]ρίδος ὀ[λέσαθ' ℎέβεν]
[πλείστοις ℎελλάνον ἀντία μ]αρνάμε[νοι].

18. *IG* i². 931/932; Tod 28; revised, with new fragments, by Meritt, *Hesp.* xiv (1945), 134; *SEG* x. 407.

Memorial to Argives who fell at Tanagra. *c.* 457 B.C.

Ἀργε[ίον τοίδ' ἐν Ταν]άγραι Λακ[εδαιμονίοισι]
[γᾶς πέ]ρι μαρνάμ[ενοι πατρίδ]ι πένθο[ς ἔθεν].

Fragments formerly thought to be from two memorials, to Argives and to Kleonaians, now shown to be from a single memorial to Argives. The first column of names is headed ℎυλλεῖς.

19. *IG* i². 394; Tod 43; D 173.

Restored memorial of earlier victories over Boiotia and Chalkis. Before 445 B.C.

Usually associated with reduction of Euboia in 446, cf. Tod; with Oinophyta by Raubitschek D 173. For the monument cf. *Her.* v. 77⁴; Paus. i. 28².

20. *IG* i². 400; D 135.

Dedication by Athenian Hippeis. Before 445 B.C.

hοι hι[ππ]ε͂ς [⁝] ἀπὸ τõν [πο]λεμίον ⁝ hιππαρ[χ]ό[ν]-
τον ⁝ Λακεδαιμονίο [⁝] Ξ[ε]νοφõντος ⁝ Προν[ά]π[ο]-
ς ⁝ Λύκιο[ς ⁝ ἐ]ποίησεν [⁝] Ἐλευθερεὺς [⁝ Μ]ύ[ρ]ον[ος].

Inscription on base of a bronze monument, a man leading a horse. Possibly commemorates Oinophyta.

21. *IG* i². 26; Tod 39; Meritt, *AJP* lxix (1948), 312; *SEG* x. 18.

(?) Treaty with the Amphiktyonic League. Before 445 B.C.

[ἔδοχσεν τε͂ι βο]λε̣͂ι καὶ τõ[ι δέμ]- στοιχ. 24
[οι· . . . ντὶς ἐπρ]υτάνευε, Αἰ[. . .]-
[. . . . ἐγραμμάτ]ευε, Μένυλλ[ος ἐ]-
[πεστάτε, . . .⁵. .]ίες εἶπε· χσ[υνθ]-
[έκας ἔναι καὶ χ]συνμαχίαν [τοῖ]-
[ς μετέχοσι τε͂ς] Πυλαίας ἅπα̣[σι]·
[hόρκος δὲ δõνα]ι τοῖς Ἀμφι[κτί]-
[οσι hοῖσπερ μέ]τεσστιν τõ ḥ[ιε]-
[ρõ, ἐμμενε͂ν τε ὀ]μόσαντας ἐν [τε͂]-
[ι χσυνμαχίαι νὲ τ]ὸν Ἀπόλλο [κα]-
[ὶ τὲν Λετὸ καὶ τὲν] Ἄρτεμιν ἐ[χσ]-
[όλειάν τε ἐμῖν α]ὐ̣τοῖς ἐπαρ[ομ]-
[ένος, ἐὰν παραβαί]ν̣ομεν· φσε̣[φί]-
[σματος δὲ γενομένο] τριõν ἐ̣[με]-
[ρõν πρέσβες πέμφσαι] ἐς Πύλ[ας]
[hοὶ ἀπαγγελõσι τὰ ἐφσε]φισ[μέ]-
[να -]

Meritt connects this treaty with the Oinophyta campaign. For previous interpretations see Tod.

22. *IG* i². 19/20; Tod 31; Raubitschek, *TAPA* lxxv (1944), 10; *SEG* x. 7.

Alliance with Egesta. 458/7 B.C.

Raubitschek restores in l. 3 *[hά]βρον ἔρχε* (458/7), and shows that *IG* i². 20¹⁻² are the last lines of *IG* i². 19.

23. *IG* i². 335; *SEG* x. 244.

Accounts of public work (unidentified). *c.* 450 B.C.

Accounts spread over at least 8 years. Paying authority not specified.

24. *IG* i². 18; *SEG* iii. 5; *SEG* x. 8.

Regulations for Aigina. Between *c.* 457 and 445 B.C.

[. . . . .⁹. . . .]ϵ̣[.]λ̣[- - - - - - - - - - -] στοιχ.
[. . . .] τ̣οῖς Αἰγι[νετ - - - - - - - - κ]-
ακοργίαι δὲ τε[- - - - - - - - - - - - -]
ν τὲμ vv φυλακὲ[ν - - - - - - - - - -]
ν τὰ χσυνκείμε[να - - - - - - - - - - -]
ι εἰσιν αὐτοῖς, μ̣[εδὲ - - - - - - ἐπὶ]
βλάβει τε̂ι Ἀθεν̣[αίον - - - - - - - - -]
ον μὴ πεμαίν vv ε[ν - - - - - - - - - -]
ν· ἐὰν δὲ αἴτιοι γ[ίγνονται - - στρ]-
ατεύεσθαι ἐπὶ τ[- - - - - - - φυλα]-
κε̂ς(?) ὅσες α̣ὐτ̣ο̣ῖ̣ς̣ [- - - - - - - - - -]

25. *IG* i². 37; Meritt, *Hesp.* xiii (1944), 224; *SEG* x. 9.

(?) Relations with Messenians in Naupaktos. *c.* 450 B.C.

[- - - - -]οκλε̂ς Φι[- - - - ἐγραμμάτευε].
Μεσσέ[νε]
πρ[- - - - - -]

The first line inscribed on the moulding above a relief, the second and third lines in the background of the relief, to the right of a female figure (? Messene). A decree may have been inscribed below the relief.

26. *IG* i². 10+11+12/13a; Tod 29; *SEG* x. 11; *ATL* ii. D 10.

Regulations for Erythrai. (?) 453/2 B.C.

IG i². 10. στοιχ. 47

[ἔδοχσεν τε̂ι βολε̂ι καὶ το̂ι δέμοι· -ᶜ·-⁸- ἐπρυτάνευε, . . .]
[. . . .] ἐπεστάτε, Λ[υσι]κ̣[ράτες ε̂̓ρχε· γνόμε το̂ν χσυγγραφέον· Ἐρ]-
[υθραί]ος ἀπάγεν̣ σ[ι̂]το[ν] ἐ̣[ς] Παναθέναια τὰ με̣γ̣ά[λα] ἄ̣χσ[ιον μὲ ὀ]-
[λέζον]ος ἒ τριο̂ν μνο̂ν καὶ νέ̣με̣ν Ἐρυθραίον [τ]ο[ι̂]ς παρο̂σι̣ [το̂ σ]-
[ίτο τ]ὸ{ι}ς hιερ̣οπο[ι]ὸς ḥε̣μ̣ί̣χ̣ον ḥε̣κ̣άσ̣[τ]οι· ἐ̣ὰν δὲ̣ ἀπ̣άγο̣σ̣ι[ν ὀλέ]-
[ζονο]ς̣ ἄχσιο̣[ν] ἒ τρ̣ι̣ο̂ν̣ μνο̣̂ν̣ κατ̣ὰ τ̣ὰ τ̣α̣[χθ]έντ̣α πρί[α]σθαι σ̣ι̂[το]-
[ν τὲ]ν̣ ḥι̣έρ̣εα[ν], τὸν [δὲ δε̂]μον τ̣ὸ[ν Ἐ]ρ̣υθ̣ρ̣α̣ί̣ον ὀφέ̣λ̣ε̣ν δ̣[έ]κ̣α μ̣ν̣α̣̂ς̣·
[ε̂̓ναι δ]ὲ̣ π̣[α]ρ̣έ̣χ̣ε̣[σ]θ̣αι̣ [τὸν σι̂]τ̣ον το̂ι̣ β̣ολομένοι Ἐρυθραίον· ἀ̣π-
[ὸ κ]υάμο δ̣[ὲ] βολὲν̣ ε̂̓ναι̣ εἴ̣κοσ̣ι καὶ ḥεκατὸν ἄνδ̣ρας· τὸν δὲ κ̣[υα]-
[με]υθ̣έντ̣α ἐ̣λ̣[έ]γχ̣ε̣ν ἐν τ̣ε̂ι [β]ολε̂ι καὶ μ̣ὲ̣ χ̣σέ̣νον ε̂̓ναι βολε[ύεν]
[με]δ' ὄλεζον̣ ἒ τρ̣ιάκοντα ἔ̣τ̣ε̣ γεγονότ̣α· δίοχσιν δ' ε̂̓ναι [κατὰ τ]-
ο̂ν̣ ἐ̣λε[γ]χθ̣έν[τ]ον̣· βολεύεν δὲ μὲ ἐντ̣ὸ̣ς τεττάρον ἐ{ι}το̂ν [δίς· ἀπο]-
κυαμεῦσαι̣ [δ]ὲ καὶ καταστ̣ε̂σαι τ̣ὲ̣ν μὲν νυ̣̂ν̣ βολὲν τ̣ός τ̣' [ἐπισκ]-

ọ̣πος καὶ [τὸν] φρ[ό]ρ̣αρχον τὸ δὲ λοιπὸν τὲ̣ν βολὲν καὶ τὸν [φρόρ]-
αρχον μὲ̣ ὄλεζον ἒ τ̣ρ̣ιάκ̣οντα ἐ̣μέ[ρ]ας π̣[ρὶν] ἐ̣χσιέναι [τὲν βολ]-
έν· ὀμνύναι [δὲ Δ]ία κα[ὶ] Ἀπόλ̣λο καὶ Δέμε[τρα] ἐ̣παρομ̣ένο[ς ἐχσό]-
λ̣ειαν ἐφ[ιορκôσι κ]αὶ παι[σ]ὶν ἐχσό[λ]ε̣[ια]ν· [τὸ]ν δὲ ḥό[ρ]κ̣ον ὀ[μνύ]-
[να]ι̣ κατ̣ὰ [h]ιερ̣ôν [κ]α̣ιο̣μ̣ένο̣ν· τ̣ὲ̣ν δὲ βολὲν μ̣ὲ̣ ὄλ[ε]ζον κ̣ατα[καί]-
[εν ἒ β]ôν τὰ ḥι̣ε̣ρ̣ε̂α̣ ἐ̣ὰ̣ν δὲ μέ, ἐ̂ναι ζεμιôσαι [χι]λί̣[α]σ[ι] δ̣ρ̣αχ̣[με̂σ]-
[ι καὶ h]ό[τ]αν ḥο δε̂μος̣ ὀμνύ̣ε̣ι̣ τ̣ὸν δε̂μον κατακαίεν μὲ ὄλεζον·
ὀμνύ̣να[ι δ]ὲ̣ [τά]δε [τὲν] β̣ολέν· β̣ολεύσο hος ἂν [δύ]νο[μ]α̣[ι] ἄρ̣ι̣στ[α κ]-
[αὶ] δι̣κα[ιότα]τα Ἐρυθραίον τôι πλέθει καὶ Ἀθεναίον καὶ τôν
[χσυ]νμά[χ]ον [κ]αὶ οὐκ [ἀποσ]τέσομαι Ἀθεναίον τô π[λ]έθος οὐδὲ [τ]-
[ôν] χσυνμάχον τôν Ἀθεναίον οὔτ' αὐτὸς ἐγὸ ο[ὔ]τ' ἄ[λ]λοι π̣ε[ί]σομ̣-
[αι οὐ]δ' α̣ὐ̣τομολ̣[έ]σο [ο]ὔτ' αὐτὸς ἐγὸ οὔτ' ἄλλοι̣ [π]εί[σομαι οὐδέ π]-
[οτε] τôν φ[υγά]δον [κατ]αδέχσομαι οὐδ[ὲ] hένα οὔτ' α̣[ὐ]τ̣ὸ̣ς̣ ἐ̣γ̣ὸ̣ ο̣ὔ̣[τ']
[ἄλλο]ι πείσο̣[μ]α[ι τôν ἐς] Μέδος φευ̣γό[ντο]ν ἄνευ τε̣̂[ς] β̣ο̣λε̣̂ς̣ τ̣[ε̂ς]
[Ἀθε]ναίον καὶ τô [δ]έ̣μο [ο]ὐδὲ τôν μενόντον ἐχσελô [ἄ]ν̣ε̣υ̣ τε̣̂ς β̣ο-
[λε̂ς] τ̣ε̂ς Ἀθεναίον καὶ τ̣[ô] δ̣έμο· ἐὰν δέ τι̣ς ἀποκτε̣[ί]νει̣ [Ἐρυθρα]-
ι̣̂ος hέτερον Ἐρ̣υ̣θ̣ρ̣[αῖ]ον, τεθ[ν]άτο ἐὰν [γν]οσθε̂ι, ἐ̣[ὰ]ν δ[ὲ φεύγεν]
γ̣ν̣οσθε̣̂ι̣ φευγέτο ḥάπ̣ασα̣ν̣ τὲ̣ν Ἀθεναίον χσυνμαχί̣[δα καὶ αὐ]-
[τô τ]ὰ χρέματα δεμόσ[ια ἔσ]τ̣ο Ἐρυθραίον· ἐὰν δέ̣ τ̣ις [hα]λ̣ô[ι προ]-
[διδ]ὸς το[ι̂]ς τυράννοις τὲμ π̣ό̣λ̣[ιν τ]ὲ̣ν Ἐρυθραί[ο]ν καὶ [αὐτ]ός [τ]-
[ε νεπο]ι̣ν̣ε̣ὶ τεθνάτο [κ]α̣[ὶ hοι] παι̂δες̣ ḥοι ἐχς ἐ̣κένο̣· ἐὰ̣[ν] δ̣ὲ φ[αν]-
[ερ]ο̣ὶ ὄσ̣ι̣ φιλί̣ο̣[ς] ἔχο̣[ντες hοι] π̣αι̂δες [h]οι ἐχς [ἐ]κέν[ο τôι δέμο]-
[ι τôι] Ἐρυθραίο[ν] καὶ [τô]ι̣ Ἀθεναίον σ̣ο̣θ̣έ̣ν̣τον, τὰ δὲ χρέματα [π]-
[άντ]α̣ κατα[θ]έντ̣ε̣ς [λ]α̣βόντο[ν π]αι̂δες τ[ὸ] ḥ̣έ̣μ̣υ[συ] τὰ [δὲ ἄλλα δεμ]-
[ευ]έσθο· κατασ̣τε̣̂σ̣αι [δὲ τὸν φρόρα]ρ̣χον τὸν Ἀθεναίον [τὲν δέο]-
[σαν] φ̣υ̣λ̣ακ̣ὲν [παντα]χ̣ο̣̂ Ἐρυθρâσι τ . . . . .21. . . . .

40–4 are too uncertain to be restored.

[. . .c.6. .] βολε̂[ς δέ]κα ἄ̣ν̣[δ]ρ̣ας ḥέ̣ν̣α ἐ̣κ̣ τε̣̂ς φυλε̂ς hεκάστες χ[. . .]

46 apparently contains the word *Ἀθεναίον*.

lacuna

IG i². 11: contains [ἐ]πισκόπος (50); [φ]ρόραρχον (52); φροροι̂ς (55); τôν δὲ πρυτα[νείον] (61); [δι]κάζεν (62).

lacuna

IG i². 12/13a.

67 *[- τὸν δὲ hόρκο]-*
[ν ὀμνύναι κατὰ hιερôν καιομένον Δία καὶ Ἀπόλλο καὶ Δέμετ]-
[ρα ἐ]ναντί[ον τε̂ς βολε̂ς Ἐρυθρâσι καὶ τô φρουράρχο, ἐφιορκôσ]-
[ι ἐ]παρομέ[νος ἐχ]σόλε[ιαν καὶ παισί· ὀμνύναι δὲ τὸν δε̂μον τά]-
δ̣ε· οὐκ ἀπο[στέ]σομα[ι] Ἀ[θεναίον τô πλέθος οὔτε τôν χσυνμάχο]-

ν τôν Ἀθεν[αίο]ν οὔτ' αὐ[τὸς ἐγὸ οὔτ' ἄλλοι πείσομαι, τêι δὲ γνό]-
[μ]ει τê[ι] Ἀθ[ε]ναίον πείσ[ομαι· ἀναγράφσαι δὲ ταῦτα καὶ τὸν hó]-
[ρ]κον ἐ[ν] λι[θ]ίνει στέλει [καὶ τὸν hóρκον τὸν τêς βολêς ἐμ πόλ]-
ει, 'Ε[ρυθ]ρᾶ[σ]ι δὲ ἐν τêι ἀκρ[οπόλει τὸν φρόραρχον ἀναγράφσα]-
ι ταṿ̀[τά ^{v}] vacat

27. *IG* i^2. 580; D 384.
Dedication by Epiteles and Oinochares. *c.* 450 B.C.

'Επιτέλες | Οἰνοχάρες | Σοιναύτο | Περγασêθεν | Ποσειδôνι | 'Ερεχθεî | ἀνεθέτεν.

28. *IG* i^2. 32; revised, with new fragment, by Meritt, *Hesp.* v (1936), 360; *SEG* x. 13.
Praise of Sigeion. 451/0 B.C.

Σιγ[ειέον].
[ἔ]δοχσεν τê[ι βολêι καὶ τôι δέ]- στοιχ. 23
[μ]οι· Οἰνε[ῒ]ς [ἐπρυτάνευε, ...]
[.]ς ἐγραμμάτ[ευε, ...^{9}. . . . ἐ]-
πεστάτε, Ἀν[τίδοτος ἐ̑ρχε, . . .]
[ο]χίδες ε[ἶ]π[εν· ἐπαινέσαι μὲν]
[Σι]γειεῦ[σ]ιν [ὁ̔ς ὄ̑σιν ἀνδράσι]-
[ν ἀγ]αθοῖς ἐς [τὸν δêμον τὸν Ἀθ]-
[εναίον - - - - - - - - - - - - - - - -]
lacuna
[- - - - - - - - - - - - - - - - ἐν σ]-
[τέλει λιθί]νει τ̣[έλεσι τοῖς Σ]-
ιγε̣[ιô]ν καὶ καταθέτο ἐμ πό[λε]-
ι, καθάπερ αὐτοὶ δέονται, ὅπο-
ς ἂν ἐ̑ι γεγραμμένον, καὶ μὲ ἀδ-
ικôνται μεδὲ ὑφ' ἑνὸς τôν ἐν τ-
êι ἐπείροι. vacat

29. Oliver, *Hesp.* ii (1933), 494; *SEG* x. 15.
Treaty with Hermione. *c.* 450 B.C.

[Θε]όδορος Πρασιεὺς ἐγραμμάτευε.
[χσ]υνθêκαι ⁝ 'Ερμιονέον ⁝ καὶ Ἀθεναίο[ν].
[ἔ]δοχσεν τêι βολêι καὶ τôι δέμοι· Ἀντιοχ[ὶς ἐ]- στοιχ. 35
[π]ρυτάνευε, Θεόδορος ἐγραμμάτευε, Σι[. . . . .]
[.] ἐπεστάτε.
[Λ]ε̣όν ε[ἶ]π[ε]· χσυνθέσθαι hὰ hοι 'Ερμιο[νêς . . . .]

30. *IG* i². 22; revised, with new fragment, by Oliver, *TAPA* lxvi (1935), 177; *SEG* x. 14; *ATL* ii. D 11.
Regulations for Miletos. 450/49 B.C.

[Μι]λεσί̣[οις χσυγ]γρ[αφαί]. στοιχ. 58–64
[ἔδοχσεν] τε͂ι βολε͂ι κα[ὶ τοῖ δέμοι· Κεκροπὶς ἐπρ]υτάν[ευε, . . . 6 . . . ἐγραμμάτ]-
[ευε, Ὀνέτ]ορ ἐπεστάτε, [Εὔθυνος ἐ͂ρχε· τάδε hοι χ]συ̣ν̣γγρα[φε͂ς χσυνέγραφσαν· τε]-
[λε͂ν τὰ ν]ομιζόμενα το[ῖς θεοῖς, hελέσθαι δ]ὲ̣ πέντε ἄν[δρας τὸν δε͂μον ἐχς hαπ]-
5 [άντον α]ὐ̣τίκα μάλα ḥ[υπὲρ τριάκοντα ἔτε] γεγονότα[ς, ἐχσομοσίαν δὲ μὲ ἐ͂να]-
[ι αὐτοῖς μ]εδὲ ἀνθ⟨α⟩ί[ρεσιν, τούτος δὲ ἄρ]χεν καὶ συν[βολεύεν τοῖ τε αἰσυμνέ]-
[τει καὶ τ]οῖς προσε[ταίρος . . . . 7 . . .]ι μετὰ το α̣ι̣[- - - - - - - - - - - -]

10–22 may contain provision for the supply of troops by Miletos. The rest of the decree seems to be concerned primarily with judicial arrangements:

28 [- - - - - - - - - - τ]-
[ο͂ν χσυ]μμάχον hότι ἂμ μὲ Ἀθε[ναίοις ἐπιτέδειον ἐ͂ι· ἐὰν δέ τι τούτον ποιε͂ι, ἄτ]-
30 [ιμο]ς ἔ̣στο καὶ τὰ χρέματα α[ὐτο͂ δεμόσια ἔστο καὶ τε͂ς θεο͂ τὸ ἐπιδέκατον· τὰ]-
[ς] δὲ δίκας ἐ̣͂ναι Μιλεσίοις κα[- -]
δραχμ̣ὰς ἀπὸ το͂ν ἐπιδεκάτο[ν - τὰ]
δ̣ὲ πρυτανεῖα τιθέντον πρὸς [τὸς ἄρχοντας - - - - - - - - - - - - - - - - ha]-
[ι δ]ὲ δίκαι Ἀθένεσι ὄντον ἐν τ[- Ἀνθεσ]-
35 [τε]ριο͂νι καὶ Ἐλαφεβολιο͂νι·
72 [. . . . 6 . . h]ο̣ι̣ δὲ ἄ[λλοι Μι]λέσι[οι -]
[. . . . 7 . . . h]ορκό[ντον δ]ὲ hοι πέ[ντε -]
[. . . . 8 . . . .]εοντο[. . . .]ν ἂν ὀμόσε[ι -]
75 [- - - -]σοντο [. . .]λετο hὸς ἂν σ[χ]ε̣͂ι̣ hε[- -]
[- - - - -] ἐπιμελ[ό]σθον hόπος ἂν ἄριστ̣[α -]
[. . . . το͂ν Μιλ]εσίον ἐ͂ [το͂]ν φρουρο͂ν κύριοι ὄ[ντον - - - - - - - - - - - - -]
[- - - - -] μ̣έζονο[ς ἄ]χσ[ι]ος ἐ͂ι ζεμίας Ἀθε[να- - - - - - - - - - - - - - - - -]
[- - - - ἐπιβ]α̣λόντε[ς h]οπόσες ἂν δοκε͂ι ἄχσ[ιος ἐ͂ναι - - - - - - - - - - - - -]
80 [- - - - - ἐσφ]έρεσ⟨θ⟩[αι ἐ]ς τὸν δε͂μον hυπὸ το[- - - - - - - - - - - - - - - -]
[. . . 5 . . ἐφσεφ]ίσθαι αὐ̣[το]ῖς ἔτι εἴτε ἄλλο τι δ[- - - - - - - - - - - - - - - - -]
[- - - - - - -]ντες Μ[ιλέ]σιοι· ἐὰν δὲ σοφρονο͂[σι - - - - - - - - - - - - - - -]

3: The archon's name, restored here, is given in full at 63 [ἐ]π' Εὐθύνο ἄρχοντος, cf. 88 ἐπ' [Εὐθ]ύνο ἄρχοντος. 4: The five Athenian commissioners are referred to also at (?) 44, 64, 73. 6–7: *hoι πρυτάνες hoι Μιλεσ[ίον]* occur at 67. 76–80: The following modification of the suggestion of Schöll, *Sb. Ak. München* 1887, 19, is given in *ATL* ii, p. 60:

[ἐὰν δέ τις ἀπειθêι αὐ]-
[τοῖς τôν Μιλ]εσίον ε̄ [τô]ν φρουρôν, κύριοι ὄ[ντον αὐτοὶ ζεμιôν μέχρι - - δραχ]-
[μôν· ἐὰν δέ τις] μέζονο[ς ἄ]χσιος ε̑ι ζεμίας, Ἀθέ[ναζε προσκαλεσάμενοι αὐτὸν καὶ τὲν]
[ζεμίαν ἐπιβ]ạλόντε[ς h]οπόσες ἂν δοκêι ἄχσ[ιος ε̑ναι ἐσαγόντον ἐς τὸ δικαστέριο]-
[ν].

31. *IG* i². 24; Tod 40; *SEG* x. 30.

The temple of Athena Nike, and her priestess. *c.* 448 B.C.

Meritt, *Hesp.* x (1941), 307, shows that the motion of Glaukos is an amendment, not the main proposal.

32. Raubitschek, *Hesp.* xii (1943), 18; D 136.

Dedication by Kallias (? son of Hipponikos) of statue (? of Aphrodite) by Kalamis. Before 445 B.C.

[Καλ]λίας | [ἀνέ]θηκε | [Κάλ]αμις | [ἐπόε].

Cf. Paus. i. 23².

33. *IG* i². 28a; revised by Wilhelm, *Sb. Ak. Wien* 217, 5 (1939), 19, who shows that fragment b does not belong; *SEG* x. 23.

Protection for a friend of Athens. Before 445 B.C.

[. . . . ε̑ναι] δ' α[ὐτὸν πρόχσενον Ἀθενα]- στοιχ. 28
[ίον καὶ ε]ὐεργέτ[εν· ἐὰν δὲ ὑπό τινος]
[ἀδικêτ]αι Ἀχελοΐο[ν, τὰς δίκας λαγχ]-
[άνεν κ]ατὰ τούτον Ἀ[θένεσιν πρὸς τὸ]-
[μ πολ]έμαρχον, πρυτ[ανεîα δὲ μὲ τελε̑]-
[ν πλ]ὲν πέντε δραχμ[ὰς μεδὲ τἀπιδέκ]-
[ατα(?)]· ἐὰν δέ τις ἀπο[κτένει Ἀχελοΐον]-
[α ε̑ τ]ôν παίδον τιν[ὰ ἐν τôν πόλεόν πο]
[ὁπό]σον Ἀθεναîο[ι κρατôσιν, τὲν πόλ]-
[ιν π]έντε τάλαντ[α ὀφέλεν, ὃς ἐὰν Ἀθε]-
[ναί]ον τις ἀποθά[νει, καὶ τὰς τιμορί]-
[ας ε̑]ναι κατὰ τ[ούτο καθάπερ Ἀθεναί]-
[ο ἀπο]θανόν[τος].

34. *IG* i². 27; *SEG* x. 19.

Athens honours men of (?) Abydos. *c.* 450 B.C.

ἔδοχσεν τ[ε̑ι βọλε̑ι καὶ τôι δέ]- στοιχ. 23
μοι· Λεοντ[ὶς ἐπρυτάνευε, Νικ]-

όστρατος [ἐπεστάτε, Ἀριστοκ]-
ράτες ἐγρ[αμμάτευε, . . .⁷. . . .]
χος εἶπε· Ἀ[λεχσομενὸν καὶ τὸ]-
ς ἀδελφὸς [καὶ τὸς . . .⁵. . ἀδελ]-
φὸς καὶ τὸμ [πάππον . . .⁵. . ἀνα]-
γράφσαι τὸν [γραμματέα τε̃ς β]-
ολε̃ς ἐμ πόλε[ι ἐστέλει καὶ ἐν]
τõι βολευτε[ρίοι προχσένος]
Ἀθεναίον εὐ[εργετο̃ντας καὶ]
λόγοι καὶ ἔρ[γοι ὅ, τι ἂν δυνατ]-
ὸν ε̃ι, καὶ ἄν τ[ις ἀποκτείνει τ]-
ιν' αὐτõν ἐν [τõν πόλεον ὅσον Ἀ]-
θεναĩο[ι κρατõσιν, τιμορίαν]
ε̃ναι [αὐτõι ἕπερ τοĩς προχσέ]-
νο[ις ἐφσέφισται].

16–17: *ε̃ναι [καθάπερ Ἀθεναίο ἀποθα]|νό[ντος]* Meiggs, *CR* lxiii (1949), 11.

35. *IG* i². 30+23; joined and revised by Loughran and Raubitschek, *Hesp.* xvi (1947), 79, who offer tentative restorations; *SEG* x. 20.

Athens honours two men of Parium. *c.* 450 B.C.

The heading gives the names of two Parians, *προ[χσένον καὶ εὐεργετõν]*. The decree, very fragmentary, contains: [- - -]|*χας κατὰ Ἴσọ[αν]* (15–16); *τὲν τριακ[όντερον - - - καὶ τὲν]* | *πεντεκόντε[ρον - - -]* (17–18); [- - *σ*|*τρατιότας* (19); *ἐς Λέσβο[ν - -]* (20).

36. Kyparissis *Ἀρχ. Δελτ.* xi (1927–8), 133; D 174.

Dedication by Pronapes. After 450 B.C.

Προναπίδο Προνάπης [τάσδ' ἀνέθηκε θεοĩς].
Νέμ[ε]α Ἴσθ⟨μ⟩ια Παναθήναια [- - - - - - -].

37. *IG* i². 606; D 164.

Victor statue of Kallias son of Didymias. After 450 B.C.

Καλλίας Δ[ιδυμίο ἀνέθεκεν]. | *Νĩκαι·* | *'Ολυ[μ]πίασι* | *Πύθια* ⁝ *δὶς* | *Ἴσθμια* ⁝ *πεντάκις* | *Νέμεια* ⁝ *τετράκις* | *Παναθέναια με⟨γ⟩άλ[α].*

7: *μεαάλ[α]* in mistake for *μεγάλα*.

38. *IG* i². 375; *SEG* x. 302.

(?) Establishment of cleruchy in the Chersonese. (?) 448/7 B.C.

[ἐγ Χερ]ρο[νέσοι - - - - -]	*ἐγ Χερρον[έσοι - - - - -]*
2 *ἐπὶ Φαινο(?)[- - - - - - -]*	4 *ἐγ Χερρον[έσοι - - - - -]*

ἐγ Χερρον[έσοι - - - - -]
ἐγ Χερρον[έσοι - - - - -]
ἐγ Χερρον[έσοι - - - - -]
ἐγ Χερρον[έσοι - - - - - -]
ἐν Τυροδί[ζει - - - - - - -]
θάλαττα ε[- - - - - - - - -]

2: perhaps part of ἐπιφαίνομαι.

39. *IG* i², p. 295; Tod 67; Segre, *Clara Rhodos*, ix (1938), 175, composite text based on fragments of various copies; *ATL* i. T 69; *SEG* x. 25; *ATL* ii. D 14.

Enforcement of Athenian coinage, weights, measures. Before 445 B.C.

(1) [(1) - - - - -]ολε[- - - -$^{c. 27}$- - -]αι τὰ γ[. . . . .$^{c. 19}$. . . . . ἄρχ]οντε[ς ἐν ταῖς π]όλεσι ἢ ἄρ[χοντες Ἀθηναίων . . . . . .$^{c. 14}$. . . . . . .
(2) (2) οἱ] δὲ ἑλληνοταμ[ίαι τὰ ἀργυροκόπια ἐν ταῖς πόλεσι ἀ]ναγραφόντων· ἐά[ν δὲ μὴ ὀρθῶς ἀναγραφῆι τὸ ἐκ τῶν π]όλεών τινος, ἐσα[γέτω ὁ βουλόμενος αὐτίκα μάλα εἰς τ]ὴν ἡλιαίαν τὴν τῶ[ν θεσμοθετῶν τοὺς ἠδικηκότας· ο]ἱ δὲ θεσμοθέ[τ]αι πέ[νθ' ἡμερῶν δό]ντων [δίκας τοῖς
(3) φήν]ασι ἕκαστον. (3) ἐὰν δὲ [ἄλλος ἔξω τ]ῶν ἀρχόν[των ἐν τ]αῖς πόλεσι μὴ ποιῆι κα[τὰ τὰ ἐψηφισ]μένα ἢ τῶν [πολι]τῶν ἢ τῶν ξένων, [ἄτ]ιμ[ος ἔστω καὶ τὰ χρή]ματα [αὐτοῦ] δημόσια [ἔσ]τω καὶ τῆς θεοῦ τ[ὸ ἐπιδέκα-
(4) τον· (4) καὶ εἰ μ]ή ,εἰσι[ν] ἄρχοντες Ἀθηναίων, ἐ[πιτελεσάντων ὅσα ἐν τῶι ψ]ηφίσματι οἱ ἄρχοντε[ς οἱ ἑκάστης τῆς πόλεως· καὶ] ἐὰμ μὴ ποιῶσι κατὰ τ[ὰ ἐψηφισμένα, ἔστω κατὰ τῶν ἀρχ]όντων τούτων περὶ
(5) [ἀτιμίας δίωξις Ἀθήνησι· (5) ἐν δὲ τῶ]ι ἀργυροκοπίωι τὸ ἀργύ[ριον δεξαμένους κόψαι μὴ ἔλ]αττον ἢ ἥμυσυ καὶ ἀ[ποδόσθαι ὡς ἂν νόμισμα ἱκανὸν ἔχωσ]ι αἱ πόλεις· πράττ[εσθαι δὲ ἀεὶ τοὺς ἐπιστάτας τρεῖς] δραχμὰς ἀπὸ τῆς μν[ᾶς· τὸ δὲ ἄλλο ἥμυσυ πέντε μηνῶν κατ]αλλάττειν
(6) ἢ ἐνόχο[υς εἶναι κατὰ τὸν νόμον· (6) ὃ δὲ ἂν περιγ]ίγνηται ἀργυρίο[υ τοῦ πεπραγμένου κόψαι καὶ ἀποδό]σθαι ἢ τοῖς στρατ[ηγοῖς ἢ τοῖς
(7) ἀποδέκταις εὐθύς· (7) ἐπε]ιδὰν δὲ ἀποδοθῆι, [ψηφίσασθαι καὶ περὶ τῶν
(8) τῆι Ἀθηναί]αι καὶ τῶι Ἡφαίσ[τωι ὀφειλομένων· (8) καὶ ἐάν τι]ς εἴπ[ηι ἢ] ἐπιψηφίσηι περ[ὶ τούτων, ὅτι ἔστι ξενικῶι νομίσμα]τι χρῆσθαι ἢ δανε[ίζειν, ἀπογραφέσθω αὐτίκα μάλα πρὸς] τοὺς ἕνδεκα· οἱ δ[ὲ ἕνδεκα θαν]άτωι ζ[ημιωσάντων· ἐὰν] δὲ ἀμφισβητῆι, εἰσ[αγαγόντων εἰς τὸ
(9) δικαστήρι]ον· (9) κήρυκας δὲ ἑλέσθαι τὸ[ν δῆμον καὶ πέμψαι εἰς τὰς πόλεις κατὰ τὰ ἐψηφισμ]ένα, ἕνα μὲν ἐπὶ Νή[σους, ἕνα δὲ ἐπὶ Ἰωνίαν, ἕνα δὲ ἐφ' Ἑλλήσπο]ντον, ἕν[α] δὲ ἐ[πὶ τὰ ἐπ]ὶ Θράικης· το[ύτοις δὲ τὴν πορείαν ἑκάστωι συγγράψαντες οἱ στρατηγοὶ ἀ]ποστειλάντ[ων· εἰ δὲ
(10) μή, καθ' ἕνα ἕκαστον εὐθυ]νόσθωμ [μ]υρ[ίαις δραχμαῖς· (10) καταθεῖ]ναι δὲ τὸ ψήφισμα τ[όδε τοὺς ἄ]ρχοντα[ς τ]οὺ[ς ἐ]ν ταῖς πόλεσιν [ἀναγράψαντας ἐν στή]λῃι λιθίνηι ἐν τῆι ἀγορᾶι τῆ[ς πό]λεως [ἑκάστης]

καὶ τοὺς ἐπιστ[άτας ἔμπροσθεν] τοῦ ἀργυροκοπίου· ταῦτα δὲ ἐπ[ιτελέσαι
(11) Ἀθηναίους, ἐ]ὰμ μὴ αὐτοὶ βούλωνται· (11) δεηθῆναι δὲ αὐτῶ[ν] τὸγ
(12) κήρυκα τὸν ἰόντ[α ὅσα κελεύουσιν] Ἀθηναῖοι· (12) προσγράψαι δὲ πρὸς
τὸν ὅρκ[ον τὸν τῆς] βουλῆς τὸν γραμματέα τὸν τῆς [βουλῆς εἰς τὸ
λοιπὸν τα]δί· ἐάν τις κόπτηι νόμισ[μα] ἀργυρίου ἐν ταῖς πό[λεσι ἢ
μ]ὴ χρῆται νομ[ίσμασιν τοῖς Ἀθηνα]ίων ἢ σταθμοῖς ἢ μέτ[ροις, ἀλλὰ
ξενικοῖς νομίσμασι]ν καὶ μέτροις καὶ σταθμοῖς, [τιμωρήσομαι κα]ὶ
(13) ζ[ημιώσω κατὰ τὸ πρότε]ρον ψήφισμα ὃ Κλέαρχ[ος εἶπεν· (13) ἐξεῖναι
δὲ καὶ ὁτωιοῦν ἀποδιδόν]αι τὸ ξενικὸν ἀργύριον [ὃ ἂν ἔχηι καὶ καταλ-
λάττειν κατὰ ταὐτὰ ὅ]ταμ βούληται· τὴν δὲ πό[λιν ἀνταποδοῦναι αὐτῶι
νόμισμα ἡμεδαπόν·] αὐτὸν δὲ τὰ [ἑ]αυτοῦ ἕκαστ[ον κομίζειν Ἀθήναζε
(14) καὶ θεῖναι εἰς τὸ ἀργυ]ροκόπιον· (14) ο[ἱ δὲ] ἐπιστάτ[αι ἅπαντα τὰ παρ'
ἑκάστων ἀποδοθέντα ἀνα]γράψαντες κατα[θέντων παρὰ τὴν στήλην
ἔμπροσθεν τοῦ ἀργυροκο]πίου σκοπεῖν τῶι βου[λομένωι· ἀναγραψάντων
δὲ καὶ ξύμπαν τὸ νόμισμα τὸ] ξενικόν, χω[ρὶς τό τε ἀργύριον καὶ τὸ
χρυσίον, καὶ ξύμπαν τὸ ἡμεδαπὸ]ν ἀργύρι[ον - - - - - - - - - - - - - - - -].

40. *IG* i². 336; *SEG* x. 245.
Accounts of work at Eleusis. Before 445 B.C.

41. Kourouniotes, Ἐλευσινιακά i (1932), 173; *SEG* x. 24.
Appointment of Eleusinian epistatai. After 450 B.C.

[. .]αι̣ [. . . . . 28 . . . .] στοιχ. 32
[hι]ε̣ρο̣ποιὸς καὶ τ[. . . . . 18 . . . .]
[κ]αὶ ἀναλισκοντ[. . . . . 19 . . . .]
[. .] τὸ αὐτό· προσαγό[ν]το[ν δὲ h]ο̣ι̣ πρυτάνες
πρὸς τὲν βολὲν τὸς θε[.]σ[. .]ινος hόταν δέ-
ονται ⁝ Θεσπιεὺς [εἶπε· τὰ μὲν] ἄλλα καθάπε-
ρ τε̃[ι β]ο[λ]ε̃ι, ἄ[νδρας δὲ hελέσ]θ̣[αι Ἀ]θεναίο-
ν πέ[ν]τε, τ̣ούτ[ος δὲ φέρεν τέττ]αρας ὀβολὸ-
[ς] hέκασ[τ]ον π[α]ρ̣ὰ τõν κολ[ακρ]ετõν, hένα δ[ὲ]
[τ]ούτον [γρ]αμμ̣ατε[ύ]ε[ν κατὰ] φσε̃[φ]ο̣ν· τούτο-
[ς] δὲ ἐπισ[τε̃]ναι [τ]οῖς χρέμασι τοῖς τοῖν θ-
[ε]οῖν καθάπερ hοι ἐπὶ τοῖς ἐμ πό[λ]ει ἔργ[ο]-
[ι]ς ἐπε̣στ[ά]το[ν] τõι νεõι καὶ τõι ἀ[γ]άλματι·
[ἐχ]σομοσίαν δὲ μὲ ἒν[α]ι· [τὸς δὲ] hειρεμένο-
[ς] προσιόντας πρὸς τὲν βολέν, ἐάν τι ὀφελ-
ό[μ]ενον ἒ[ι] τοῖν θεοῖν, φρά[ζ]εν καὶ ἀ[ν]απρά-
[τ]τεν· ἄρχεν δὲ ἐπ' ἐνιαυτὸ[ν] ὀμόσαντας με-
ταχσὺ τοῖν βομοῖν Ἐλευσῖνι καὶ τὸ λοιπ-

ὸν κατὰ ταὐτὰ hαιρε͂σθαι κ[α]τ' ἐνιαυτὸν τ-
ὸς ἄνδ[ρ]ας· ἐπιμέλεσθαι δὲ καὶ τôν ἐπετε-
ίον hὰ λαμβάνεται τ̣οῖ[ν θ]εοῖν καὶ ἐάν τι
[ἀ]πολολὸς πυνθάνονται [ἀ]νασόι[ζε]ν· τὸς δ-
ὲ λογιστὰς λογίζεσθαι Ἐλευσῖνι μὲν τὰ
Ἐλευσῖνι ἀνελομένα, ἐν ἄστει δὲ τὰ ἐν ἄσ-
τει ἀνελομένα ἀνακαλôντας τὸν ἀρχιτέ-
κτονα Κόροιβον καὶ Λυσανίαν ἐν τôι Ἐλε-
υσινίοι, Φαλεροῖ δὲ ἐν τôι hιερôι hὰ Φαλ-
ερόνδε ἀνέλοται· ἀναλίσκεν δὲ ὅ, τι ἂν [μά]-
λιστα δέει μετὰ τôν hιερέον καὶ τε͂ς β[ολ]-
ε͂ς βολευομένος τὸ λοιπόν· ἀνα[κ]αλε͂ν δ[ὲ ἀ]-
πὸ τε͂ς ἀ[ρ]χε͂ς ἀρχ[σ]αμένος hεκτε[. . . .7. . .]
[.]σο[. . .] τὰ χρέματα· γράφσαι δὲ τὸ [φσέφισ]-
μα ἐν στέλει Ἐλευσῖνι κα[ὶ ἐν ἄστει καὶ Φ]-
αλ̣[ε]ροῖ ἐν τôι Ἐλευσιν[ίοι· Λυσανίας εἶπ]-
ε· τὰ μὲν ἄλλα καθά[περ Θεσπιεύς· τὲν δὲ ἀρ]-
[ίθμ]εσιν ποιε͂σθα̣[ι τôν χρεμάτον hôν hοι]
[τα]μίαι παρέδοσ̣[αν τὸς hειρεμένος πέντ]-
[ε καὶ] τὸν ἀ̣ρχ[ι]τ̣[έκτονα . . . . . . .14. . . . . .]

l. 5: θε[.]σ[..]ινος *SEG* x. From a squeeze we can read only .ε...6... ος.

42. D 127.

Dedication by Karkinos. *c.* 450 B.C.

[τἀθεναίαι Κα]ρκίν̣[ος]
[Χσ]ενοτ̣[ίμο Θο]ρ̣ίκ̣[ιος]
[τρ]ι̣ερ[αρχôν ἀνέθεκε].

43. *IG* i². 339–53; Tod 52 (*IG* i². 352); *ATL* ii. T 72 a; *SEG* x. 246–56.

Accounts of the Parthenon. 447/6 to 433/2 B.C.

IG i². 342[36] may give the ἀπαρχή on the tribute of 444/3 B.C.:

παρὰ hελλε[νοταμιôν hοῖς]
[ΜΜΜ𐅈]ΧΧ𐅇Η𐅅ΔΔ𐅃ΙΙΙΙΙ Στρόμβιχο[ς ἐγραμμάτευε]
Χολλείδε[ς].

44. *IG* i². 354–62; Tod 47 (*IG* i². 355a, 355); *SEG* x. 257–63.

Accounts of the chryselephantine statue of Athena. (?) 447/6 to 438/7 B.C.

Meritt, *AFD* 30, Dinsmoor, *Athenian Studies* 157, discuss the arrangement of extant fragments. Dinsmoor, Ἐφ. Ἀρχ. 1937, 507 revises *IG* i². 354 as the final summation.

ἐπιστά[ται ἀγάλματος χρυσô]
τάδε ἔλ[αβον παρὰ ταμιôν· ἀργ]-
ύριον.
𐅌𐅋𐅋[𐅋𐅉𐅉𐅉𐅉𐅈ΤΤ]
𐅅ΔΔ[- - - -]

45. *IG* i². 44; *SEG* x. 32.

Protective work on the Akropolis. Before 445 B.C.

στοιχ. 15

[. . .]ιε[. . .⁶. . . κατὰ]
[τ]ὲν πόλιν [τ]ὰ ὀχ̣[υρὰ]
οἰκο[δ]ομêσαι ⁝ hόπ̣[ο]-
[ς] ἂν ⁝ δραπέτες μὲ ἐ[σ]-
[ί]ει ⁝ μεδὲ λοποδύτ[ε]-
[ς] ⁝ ταῦτα δὲ χσυνγρά̣-
φσα[ι] μὲν Καλλικρά-
[τ]ε ⁝ hόπος ἄριστα κα-
ὶ εὐτελέστατα σκε̣-
νάσαι, ἀπ̣ομισθôσα-
[ι] δὲ τὸ[ς] πολετ[ά]ς ⁝ hό-
[π]ος ἂν ⁝ ἐντὸς hεχσέ-
[κ]οντα ⁝ ἑμερôν ⁝ ἐπισκ-
[ε]υασθêι ⁝ φύλακας δὲ
[ἐ̂]ναι τρêς μὲν τοχσό-
[τ]ας ⁝ ἐκ τêς φυλêς τêς
[π]ρυτανευόσες.

2–3: [τ]ὲν πόλιν [κ]αθ̣' ἕ̣[ο ἀπ]|οικο[δ]ομêσαι Graindor, *Rev. Arch.* xix (1924), 174.

46. *IG* i². 66; revised, with new fragments, by Meritt and Hill, *Hesp.* xiii (1944), 1; *SEG* x. 31; *ATL* ii. D 7.

Tightening-up of tribute collection. (?) 447 B.C.

Θεο̣ί.

στοιχ. 23

ἔδοχσεν τêι βολ[êι καὶ τôι] δέ-
μοι· Οἰνεῒς ἐπρυ̣[τάνευε, Σπ]ου-
δίας ἐγραμμάτε[υε, . . .⁶. . .]ον
ἐπεστάτε, Κλεωί[ας εἶπε· τὲ]μ β-
ολὲν καὶ τὸς ἄρχ[οντας ἐν] τêσ-
ι πόλεσι καὶ τὸς [ἐπισκό]πος ἐ-
πιμέλεσθαι hόπ[ος ἂν χσ]υλλέ-
γεται hο φόρος κ[ατὰ τὸ ἔ]τος h-
έκαστον καὶ ἀπά[γεται] Ἀθένα-
ζε· χσύμβολα δὲ π[οιέσα]σθαι π-
ρὸς τὰς πόλες, hό[πος ἂ]μ μὲ ἐχσ-
êι ἀδικêν τοῖς ἀ[πάγο]σι τὸμ φ-
όρον· γράφσασα δ[ὲ hε] πόλις ἐς

στοιχ. 40

γραμματεῖον τὸ[μ φό]ρον, hόντιν' ἂν ἀποπέμπει, σεμε-
ναμένε τôι συμβ[όλο]ι ἀποπεμπέτο Ἀθέναζε· τὸς δὲ ἀ-
πάγοντας ἀποδô[ναι] τὸ γραμματεῖον ἐν τêι βολêι ἀ-

ναγνο͂ναι hόταμ[πε]ρ̣ τὸμ φόρον ἀποδιδο͂σι· hοι δὲ πρ-
υτάνες μετὰ Διο[νύ]σια ἐκκλεσίαν ποιεσάντον τοῖ-
ς hελλενοταμία[σι ἀ]ποδεῖχσαι Ἀθεναίοις το͂μ πόλ-
εον τὰς ἀποδόσα[ς τὸμ φόρον ἐ]ντελε͂ καὶ τὰς ἐλλιπό-
σας χορίς, hόσαι [ἄν τινες ὄ͂σιν· Ἀθ]εναίος δὲ hελομέ-
νος ἄνδρας τέττ[αρας ἀποπέμπεν ἐπὶ] τὰς πόλες ἀντ-
ιγραφσομένος τ[ὸμ φόρον τε͂σι ἀποδόσεσι κα]ὶ ἀπαι-
τέσοντας τὸμ μ̣ὲ̣ [ἀποδοθέντα παρὰ το͂ν ἐλλιποσ]ο͂ν, τ-
ὸ μὲν δύο πλε͂ν ἐπ̣[ὶ τὰς ἐπὶ Νέσον καὶ ἐπ' Ἰονίας ἐπὶ] τ-
ριέρος ταχείας, [τὸ δὲ δύο ἐπὶ τὰς ἐφ' Ἑλλεσπόντο κα]-
ὶ ἐπὶ Θράικες· ἐ[σάγεν δὲ ταῦτα τὸς πρυτάνες ἐς τὲμ]
βολὲν καὶ ἐς τὸ[ν δε͂μον εὐθὺς μετὰ Διονύσια καὶ βο]-
λεύεσθαι περὶ τ[ούτον χσυνεχο͂ς hέος ἂν διαπραχθ]-
ε͂ι· ἐὰν δέ τις Ἀθ[εναῖος ἒ χσύμμαχος ἀδικε͂ι περὶ τὸ]-
ν φόρον, hὸν δεῖ [τὰς πόλες γραφσάσας ἐς γραμματεῖ]-
ον τοῖς ἀπάγοσ̣[ιν ἀποπέμπεν Ἀθέναζε, ἔστο αὐτὸν γ]-
ράφεσθαι πρὸς [τὸς πρυτάνες το͂ι β]ολομένο[ι Ἀθενα]-
ίον καὶ το͂ν χσ[υμμάχον· hοι δὲ πρυτά]νες ἐσαγ̣[όντον]
ἐς τὲμ βολὲν [τὲν γραφὲν hέν τι]ς ἂγ γράφσετα̣[ι ἒ εὐθ]-
υνέσθο δόρο[ν μυρίαισι δραχμ]ε̣͂σ[ι h]έκαστος· [hο͂ δ' ἂν]
καταγνο͂ι h[ε βολέ, μὲ τιμᾶν αὐτ]ο̣͂ι κυ̣ρία ἔστο [ἀλλ' ἐσ]-
φερέτο ἐς τ[ὲν ἐλιαίαν εὐθύ]ς̣· ὅ̣ταν δὲ δόχσει [ἀδικε͂]-
ν, γνόμας πο[ιόντον hοι πρυ]τ̣ά̣ν̣ες hό, τι ἂν δοκ[ε͂ι αὐτ]-
ὸμ παθε͂ν ἒ ἀ[ποτεῖσαι· καὶ ἐ]άν τις περὶ τὲν ἀπα̣[γογὲ]-
ν τε͂ς βοὸς ἒ [τε͂ς πανhοπλία]ς ἀδικε͂ι, τὰς γραφὰ̣[ς ἔ͂να]-
ι κατ' αὐτο͂ κ̣[αὶ τὲν ζεμίαν κ]ατὰ ταὐτά· τὸς δὲ [hελλεν]-
ο[ταμίας ἀναγράφσαντας ἐ]ς̣ πινάκιον λελ[ευκομέν]-
[ον ἀποφαίνεν καὶ τὲν τάχσι]ν το͂ φόρο κα̣ὶ [τὰς πόλες]
[hόσαι ἂν ἀποδο͂σιν ἐντελε͂ κα]ὶ ἀπογ̣[ράφεν . . .^{7}. . . .]

lacuna c. 10 vs.

[. . . . .^{9}. . . . χρεματίσαι δὲ καὶ τὲμ] βολὲν τὲν ἐσι[ο͂σ]-
[αν περὶ το͂ν ἀπαγόντον τὸμ φόρον· h]όσοι δὲ το͂ν ἀπα[γ]-
[όντον Ἀθέναζε ἐς τὸ πινάκιον ἀν]αγεγράφαται ὀφέ-
[λοντες ἐν τε͂ι βολε͂ι, τὲμ βολὲν ἐπ]ιδεῖχσαι το͂ι δέμ-
[οι κατὰ τὲν πόλιν hεκάστεν· ἐὰν δ]έ τις το͂μ πόλεον ἀ-
[μφισβετε͂ι περὶ το͂ φόρο τε͂ς ἀποδ]όσεος, φάσκοσα ἀπ-
[οδεδοκέναι . . . .^{16}. . . . .]θαι τὸ κοινὸν τε͂ς
[πόλεος· . . . .^{20}. . . . .]ας τὰς πόλες καὶ τ-
[. . . . .^{20}. . . . . γράφεσ]θαι δὲ μὲ ἐχσε͂ναι
[. . . . . . .^{16}. . . . ., το͂ δὲ γραφέν]τος ὀφελέτο hο γρ-

[ἀφσάμενος τὲν τιμὲν ἐὰν φεύγει·] τὲν δὲ γραφὲν ἐ̃να-
[ι πρὸς τὸν πολέμαρχον μενὶ Γαμε]λιο̂νι· ἐὰν δέ τις ἀ-
[μφισβετε̂ι . . . . .17. . . . .] κλέσες, hε βολὲ βο-
[λευσαμένε . . . . .17. . . . .], ἐσαγόντον δὲ hοι
[ἐσαγογε̂ς ἐς τὲν ἑλιαίαν τὸς Ἀθε]ναίοις τὸμ φόρον
[ὀφέλοντας hεχσε̂ς κατὰ τὸμ πίνα]κα τε̂ς μενύσεος· ἐ-
[. . . . . .21. . . . . τô νέο] φόρο καὶ τô περυσ-
[ινô . . . . .12. . . . . .· τὲν δὲ βολὲν π]ροβολεύσασαν ἐχ-
[σενεγκε̂ν . . . . .18. . . . .] πέρι τε̂ι hυστερα-
[ίαι ἐς τὸν δε̂μον· . . . . .12. . . . . . τ]ε̂ς hαιρέσεος χρε-
[ματίσαι - - - - - - - - - - - -] vacat

47. *IG* i². 31; *SEG* x. 22.

Relief to Athens in corn shortage. Before 445 B.C.

[- - -]κ[λε̂ς ἐγραμμάτευε].
[ἔδοχσεν] τε̂ι βολε̂ι κ[αὶ τôι δέμοι· - - - - ἐπρυτάνευε,] non-στοιχ.
[. . .6. . . κ]λε̂ς ἐγραμμ[άτευε, - - - - ἐπεστάτε, - - -]
[. . . .7. . .] εἶπε· ἐπειδὲ [- - - - - - - - - - - - - - - -]
[. . .6. . .]στράτο Θερα[ῖος - - - - - - - - - - - - - - - -]
[. . .6. . .]ς ἐσσίτο ἐνδε[ίαι - - - - - - - - - - - - - - - -]
[τô δέμο(?) τ]ô [Λ]ακεδαι[μονίον - - - - - - - - - - - -]

6: [ὅ]σες σίτο ἐνδε[ίας] *SEG* x. 22 n.

48. *IG* i². 36; revised, with new fragment, by Loughran and Raubitschek, *Hesp.* xvi (1947), 78; *SEG* x. 33.

Friends of Athens in Thespiai. (?) Before 446 B.C.

[ἔ]δοχσεν τε̂[ι βολε̂ι καὶ τôι δέμ]- non-στοιχ. c. 25
[οι]· Αἰαντὶς ἐπ[ρυτάνευε, . .c.5. . ἐ]-
[γρ]αμμάτε[υε, . . .c.6. . ἐπεστάτε,]
[.c.3.]λεος εἶπε· Κορ[ρα]γίδεν κ[αὶ^v]
Θαλυκίδεν καὶ Μ[ε]νέστρατον ḳ-
αὶ Ἀθέναιον τὸς Θεσπιᾶς ἀναγρ-
[ά]φσαι προχσένος καὶ εὐεργέτα-
[ς Ἀ]θεναίον καὶ τὸς παῖδας τὸς
[ἐκένο]ṿ ἐμ πόλ[ε]ι ἐν στέλει λιθί-
[νει· οἱ δὲ] πολετ[α]ὶ ἀπομισθοσά-
[ντον τὲν στέλεν· τ]ὸ δὲ ἀργύριον
[ἀποδόντον οἱ κολακρ]έται· ḳ[αλ]-
[έσαι δὲ - - - - - - - - - - - - - -]

49. *IG* i². 14/15; *SEG* x. 17; *ATL* ii. D 15.

Regulations for Kolophon. (?) 447/6 B.C.

1–35, very fragmentary, contain: *Ἀθενôν μεδεοσ*[--] (14); *οἱ δ' αἱρεθέντες πέ*[*ντε*] (19); [*τὸ*] *δὲ ἀργύριον ὀφε*[*λόντον Κολοφόνιοι καὶ Λ*|*εβέδιο*]*ι καὶ Διοσιρῖται κ*[- - -] (25–6).

non-*στοιχ*. 39–42

[*τὸ*] *δὲ ψέφισμ*[*α τόδε καὶ τὸν ὅρκον ἀναγραψάτο ὁ γραμ*]-
[*μα*]*τεὺς ὁ τε̂ς β*[*ολε̂ς ἐστέλει λιθίνει ἐμ πόλει τέλεσ*]-
[*ι τ*]*οῖς Κολοφο*[*νίον· Κολοφôνι δὲ ταῦτα καὶ τὸν ὅρκ*]-
[*ον*] *ἀναγράψαν*[*τες ἐστέλει λιθίνει οἱ ἐς Κολοφôνα*]
οἰκισταὶ κατα[*θέντον ἐν ἀγορâι τέλεσι τοῖς Κολοφ*]-
ονίον {*ον*}· *ὀμοσ*[*άντον δὲ Κολοφόνιοι τάδε· δράσο καὶ ἐ*]-
ρô καὶ βολεύσο [*ὅ, τι ἂν δύνομαι καλὸν καὶ ἀγαθὸν πε*]-
ρὶ τὸν δε̂μον τ[*ὸν Ἀθεναίον καὶ περὶ τὸς ξυμμάχος αὐτ*]-
[*ô*]*ν καὶ οὐκ ἀποστ*[*έσομαι τô δέμο τô Ἀθεναίον οὔτε*]
[*λ*]*όγοι οὔτ' ἔργ*[*οι οὔτ' αὐτὸς ἐγὸ οὔτ' ἄλλοι πείσομαι*]
[*κ*]*αὶ φιλέσο τὸ*[*ν δε̂μον τὸν Ἀθεναίον καὶ οὐκ αὐτομο*]-
[*λ*]*έσο καὶ δεμο*[*κρατίαν οὐ καταλύσο Κολοφôνι οὔτ' α*]-
ụτὸς ἐγὸ οὔτ' ἄ[*λλοι πείσομαι οὔτ' ἐς ἄλλεν ἀφιστά*]-
μενος πόλιν ο[*ὔτ' αὐτόθι στασιάζον, κατὰ δὲ τὸν ὅρκ*]-
ον ἀλεθε̂ [*τ*]*αῦτ*[*α ἐμπεδόσο ἀδόλος καὶ ἀβλαβôς νὲ τὸν*]
[*Δ*]*ία καὶ τὸν Ἀπό*[*λλο καὶ τὲν Δέμετρα, καὶ εἰ μὲν ταῦτ*]-
[*α*] *παραβ*⟨*α*⟩*ίνοιμ*[*ι ἐξόλες εἴεν καὶ αὐτὸς ἐγὸ καὶ τὸ γ*]-
[*έ*]*νος τὸ ἐμὸν* [*ἐς τὸν ἅπαντα χρόνον, εὐορκôντι δὲ εἴε*]
μοι πο[*λ*]*λὰ καὶ* [*ἀγαθά*].

41–6: Kolbe, *Hermes* lxxiii (1938), 257, restores:

κατ̣ὰ̣ [*τάδε Κολοφονίος ὀμόσαι, καθ' ἃ Κολοφ*]-
ονίον ὁ νόμος [*κελεύει κατὰ ἱερôν καιομένον· κατε*]-
ρô καὶ βολεύσο [*ὅ, τι ἂν δύνομαι δίκαιον̣ καὶ ἀγαθὸν πε*]-
ρ̣ὶ τὸν δε̂μον τ[*ὸν Κολοφονίον καὶ τὸν δε̂μον τὸν Ἀθεναί*]-
[*ο*]*ν καὶ οὐκ ἀποσ*[*τέσομαι Ἀθεναίον τô πλέθος οὔτε*]
[*λ*]*όγοι οὔτ' ἔργ*[*οι οὔτ' αὐτὸς ἐγὸ οὔτ' ἄλλοι πείσομαι·*]

IG i². 34 (before 445 B.C.) also contains regulations for Kolophon. *IG* i². 35 (inscribed on the back of *IG* i². 34, (?) later than it) refers to a Kolophonian embassy welcomed at Athens.

50. Kyparissis and Peek, *AM* lvii (1932), 142; Bowra, *CQ* xxxii (1938), 80; *SEG* x. 410.

Epitaph of those who fell at Koroneia. *c.* 447 B.C.

τλέμονες hοῖον [*ἀ*]*γôνα μάχες τελέσαντες ἀέλπ*[*τος*]
φσυχὰς δαιμονίος ὀλέσατ' ἐμ πολέμοι·

οὐ κατὰ δ[υσ]μενέ[ο]ν̣ ἀ̣νδρôν σθένος, ἀλλά τις hυμᾶς
hεμιθέον, θείαν ε⟨ἴ⟩σοδον ἀντιάσας,
ἔβλαφσεν· πρόφρον [⏑ ⏑ – ⏑]δ̣ε δύσμαχον ἄγραν
ἐχθροῖς θερεύσας [– ⏑ ⏑ h]υμετέροι
σὺν κακôι ἐχσετέλεσσε, βροτοῖσι δὲ πᾶσι τὸ λοιπὸ̣ν̣
φράζεσθαι λογίον πιστὸν ἔθεκε τέλος.

1: ἀ̣έλπ[το] Bowra. 4: εισοδο postea inscriptum; [ἐς hοδὸ]ν̣ Bowra. 5: [γὰρ hὸ πέφρα]δε Peek. 6: [θέσφατον] Maas.

51. *IG* i². 1085; Tod 41; *SEG* x. 411.
Athenian expedition to Megarid. 446 B.C.

52. *IG* i². 17; revised by Schweigert, *Hesp.* vi (1937), 319; *SEG* x. 35; *ATL* ii. D 16.
Regulations for Eretria after revolt. 446 B.C.

[- - - - - - - - - - - - - - - ταῦτα δὲ ἐμπεδώσω Ἐρε]- non-στοιχ. 33–5
[τρι]ε̣ῦσιν̣ [πει]θ̣[ομένοις τῶι δήμωι τῶι Ἀθην]-
[αίω]ν· ὁρκῶσα[ι] δ̣[ὲ πρεσβείαν ἐλθôσαν ἐξ Ἐρε]-
[τρί]α̣ς μετὰ τῶν ὁ[ρκωτῶν Ἀθηναίος καὶ ἀπογρ]-
[άψαι] τὸς ὀμόσαν̣τ̣ας· ὅπ̣[ως δ' ἂν ὀμόσωσιν ἅπαν]-
[τες] ἐπιμελόσθ[ω]ν̣ οἱ σ̣τ̣[ρατηγοί· κατὰ τάδε]
[αὐτ]ὸς ὀμόσαι· οὐκ ἀποσ̣[τήσομαι ἀπὸ τô δήμ]-
[ο τ]ô Ἀθηναίω̣ν οὔτε τέ[χνηι οὔτε μηχανῆι οὐδ]-
[ε]μιᾶι οὐδ' ἔπε̣ι οὐδὲ [ἔργωι οὐδὲ τῶι ἀφισταμ]-
[έν]ωι πείσομαι καὶ ἐ̣ὰ̣[ν ἀφιστῆι τις κατερῶ]
[Ἀθ]η̣[να]ίοις καὶ τὸν φό[ρον ὑποτελῶ τοῖς Ἀθην]-
[αίοις ὃν ἂν] πείθω [Ἀθηναίος - - - - - - - -]

IG i². 49; *SEG* x. 49 (after 446 B.C.) deals with judicial relations with Eretria.

53. *IG* i². 39; Tod 42; *SEG* x. 36; *ATL* ii. D 17.
Regulations for Chalkis after revolt. 446 B.C.

54. *IG* i². 40/41; *SEG* x. 37.
Regulations for Hestiaia. (?) After 446 B.C.

Two decrees, mainly concerned with judicial arrangements, on front and back of a stele. Some of the readings in *IG* i² are incorrect (Meritt); many of the restorations are unsatisfactory; the lengths of line cannot be right for both decrees.

For *IG* i². 40 a stoichedon line of 36 letters has been suggested on the basis of the following restoration of ll. 19–24 (*ATL* iii. 301, note 4):

ἐ[ὰν δέ τις πορθμεύει ἐκ Χ]-
[α]λκίδος ἐς ᾽Οροπὸν πρ[αττέσθο δύο ὀβολό· ἐὰν δ]-
έ τις ἐχς ᾽Οροπô ἐ[ς] hεσ[τίαιαν ἒ ἐχς ῾Εστιαίας ἐ]-
ς ᾽Οροπὸν πορθμεύει πρ[αττέσθο δραχμέν· ἐὰν δ]-
έ τις ἐκ Χαλκίδος ἐς hε[στίαιαν πέμπει πρατ]-
[έ]σθο τέτταρας ὀβολός.

To *IG* i². 40 belongs *IG* i². 43 (reverse), which joins, and perhaps 42 (Meritt and Raubitschek in *SEG* x. 37). *IG* i². 42 includes (ll. 18–24):

[. . . . . . . 14 . . . . . .]ι τον Ἀθε[ναιον] ἐάν τις ἀμφι̣-
[. . . . . . 13 . . . . . .] τὰς ἄλλας δ[ίκας] τὰς ἐχς hεστ-
[ιαίας . . . . . 9 . . . .]ατα ἐᾶι ἐπ[ιδôν]αι ⁝ δορειὰν δ-
[. . . . . 11 . . . . .] ἀ̣τελê ἒναι με[δὲ hέ]να χρεμάτον
[. . . . . 10 . . . .] τêι κυρίαι ἐκ[κλεσία]ι μὲ ἐλαττ[.]-
[. . . . . 9 . . . .] χρεμάτον ἐσφο[ρâς μὲ ἒ]ναι ἐπιφσε-
[. . . . . 9 . . . .] ἐὰμ μὲ λειστôν [. . . ? . . .] συλλεφσε-

The letters of *IG* i². 41 are more crowded than those of *IG* i². 40, suggesting a stoichedon line of *c.* 48 letters (Meritt).

[. . . . . c. 24 . . . . ἐ]ν τôι αὐτôι μενὶ hοι ναυτοδ[ί]-
[και . . . . c. 21 . . . .]ο δικαστέριον παρεχόντον πλ-
[. . . . . c. 22 . . . . εὐ]θυνέσθο hαι δὲ πράχσες ὄντον
[. . . . . c. 18 . . . . καθάπε]ρ Ἀθένεσι hαι παρὰ τôν δικαστ-
[. . . . . c. 22 . . . . βι]α̣ίον καὶ ἀδικεμάτον τὰς δίκ[α]-
[ς . . . . c. 24 . . . .]οθεσμια ἐχσέκει· ἐὰν δέ τι[. .]
[. . . . . c. 25 . . . .] hο hαλὸς hεστιαιας hέος π[. .]
[. . . . . c. 25 . . . .]τα ἄνδρας ἐκ τôν οἰκόντον ἐ[ν]
[. . . . . c. 25 . . . .]ιδοναι τὰς εὐθύνας ἐν hεστ[ι]-
[αίαι . . . . c. 19 . . . .] τêι ἐν hεσ[τ]ιαίαι διδον[. . . .]
[. . . . . c. 25 . . . .]α δεμος ἐν [h]ε̣στιαίαι τρ[. . . .]
[. . . . . c. 25 . . . .]δε τὸς αὐτὸς καὶ ἐν Δίο[ι . . . .]
[. . . . . c. 25 . . . .] ᾽Ελλοπία[ι h]έτερον δι[. . 6 . . .]
[. . . . . c. 25 . . . .]λ̣λόπιοι̣ [. . .] ἐν ᾽Ελλοπίαι [. . .]
[. . . . . c. 26 . . . .] hο ἄρχον hο Ἀθένεσι δοι[. . .]

To *IG* i². 41 belongs *IG* i². 43 and perhaps 48 (Meritt and Raubitschek in *SEG* x. 37).

The readings in the extracts quoted have been taken from Meritt's unpublished copy.

55. *IG* i^{2}. 45; Tod 44; opening lines revised, with new fragment, by Meritt, *Hesp.* x (1941), 319, xiv (1945), 87; *SEG* x. 34.
Establishment of colony at Brea. *c.* 445 B.C.

[. . .^{6}. . .]νε[- - - - - - - - - - - - - - - - - - - -] στοιχ. 35
[. . .^{6}. . .]ελι[- - - - - - - - - - - - - - - - - - - -]
[. . .^{6}. . .] ἀρχ[έν· hε δὲ ἀρχ]ὲ πρὸς hὲν ἂν φα[ίνοντ]-
[αι, καθ' ἕ]να ἐ[σ]αγέτο· ἐὰν δὲ ἐσάγει ἐνέχ[υρα ἄχ]-
[σια θέτο] hο φένας ἒ hο γραφσάμενος· πό[ρον δ' ἐ]-
[ς θυσία]ν αὐτοῖς παρασχόντον hοι ἀπο[ικιστ]-
[αὶ καλλ]ιερε̂σαι hυπὲρ τε̂ς ἀποικίας [καθότι]
[ἂν αὐτο]ι̂ς δοκε̂ι.

For the remainder see Tod 44^{6-42}.

56. *IG* i^{2}. 46.
Establishment of a colony (unidentified). (?) After 450 B.C.

57. *IG* i^{2}. 396; D 301.
Dedication for colony. After 450 B.C.

τε̂ς ἀποι[κίας]
τε̂ς ἐς 'Ερ[- - -]

58. *IG* i^{2}. 51; Tod 58; *SEG* x. 48.
Alliance with Rhegion (renewed in 433/2 B.C.). After 450 B.C.
See B 73.

59. *IG* i^{2}. 52; Tod 57; *SEG* x. 48.
Alliance with Leontinoi (renewed in 433/2 B.C.). After 450 B.C.
See B 74.

60. *IG* i^{2}. 943; Tod 48; *SEG* x. 413.
Casualty list. (?) 440/39 B.C.
Covers operations in the Chersonese (1), Byzantium (45), and "in the other wars" (41–2). Names include 'Επιτέλες : στρατεγός (4); *Καρυστόνικος* (27); *Ναχσιάδες* (75).

61. *IG* i^{2}. 293; Tod 50; Meritt, *AFD* 47, new fragment *AJA* xxxviii (1934), 69, revised *AJP* lv (1934), 365; *SEG* x. 221.
Expenses of the Samian revolt. 440/39 B.C.

στοιχ. *c.* 64

[. . .^{5}. .]εκ[- -]
[. . . .]εσε[- -]
[. . .]σοσι[- -]

[. . .] *Φρεά[ρριος -]*
𐅋𐅉𐅉𐅈ΤΤΤ[- -]
Ἀθεναῖοι ἀ[νέλοσαν ἐπὶ Τιμοκλέος καὶ ἐπὶ Μορυχίδο ἄρχοντος Ἀθεναίοις ἐς τὸν]
πρὸς Σαμίο[ς πόλεμον· τάδε παρέδοσαν hοι ταμίαι ἐκ πόλεος ἀπὸ τôν χρεμάτον τε̂ς]
Ἀθεναίας Π[ολιάδος στρατεγοῖς τοῖς πρὸς Σαμίος· ἀνάλομα παρὰ ταμιôν ἐκ πόλεο]-
ς, hοῖς Φυρό[μαχος ἐγραμμάτευε, ἐπὶ τε̂ς βολε̂ς hε̂ι . . . . . .[12]. . . . . . πρôτος ἐγραμμά]-
τευε· ταμία[ι - ἐ]-
χς Οἴο Ναυσ[- -]
𐅋𐅋𐅋𐅊𐅉𐅈ΤΤΤ[- -]
παρὰ ταμιô[ν ἐκ πόλεος, hοῖς Δεμόστρατος ἐγραμμάτευε, ἐπὶ τε̂ς βολε̂ς, hε̂ι 'Επιχαρ]-
ῖνος Περαι[εὺς πρôτος ἐγραμμάτευε, στρατεγοῖς τοῖς πρὸς Σαμίος ἀνάλομα δεύτ]-
ερον· hοίδε [ταμίαι ε̂σαν -]
Ἀφιδναῖος [-]
𐅌𐅋𐅋𐅋𐅋𐅈ΤΤΤ[- -]
χσύμπαντο[ς κεφάλαιον τô ἐς Βυζαντίος καὶ ἐς Σαμίος ἀναλόματος - - - -]
𐅍𐅋[𐅋]𐅋𐅋[- -]

Unplaced, a small fragment broken on all sides.

62. *IG* i². 50; Wade-Gery, *CP* xxvi (1931), 309; Merritt, *AFD* 48; *SEG* x. 39; *ATL* ii. D 18.

Regulations for Samos after revolt. 439/8 B.C.

Fr. a (1–14), very fragmentary, contains *Λεμνο* (4); *[Πελο]-ποννεσ[- -]* (7).

lacuna

[- δρ]- *στοιχ.* 35
[άσο καὶ ἐρô καὶ βολεύσο τôι δέμοι τôι Ἀθενα]-
[ίον hó, τι ἂν δύνομαι καλὸν κ]αὶ ἀ[γ]αθόν, [οὐδὲ ἀ]-
[ποστέσομαι ἀπὸ τô δέμο τô Ἀ]θεναίον οὔτε λ[ό]-
[γοι οὔτε ἔργοι οὔτε ἀπὸ τôν] χσυμμάχον τôν Ἀ-
[θεναίον, καὶ ἔσομαι πιστὸς τ]ôι δέμοι τôι Ἀθ-
[εναίον· Ἀθεναίος δ' ὀμόσαι· δρ]άσο καὶ ἐρô καὶ
[βολεύσο καλὸν τôι δέμοι τôι] Σαμίον hó, τι ἂν
[δύνομαι καὶ ἐπιμελέσομαι Σα]μίον κατὰ hὰ [h]-
[ομολόγεσαν hοι στρατεγοὶ hοι] Ἀθεναίον [κα]-

25 *[ὶ hοι ἄρχοντες hοι Σαμίον· Καλλι]κράτε[ς εἶπ]-*
[ε· -]λ̣[. . .^{6}. . .]

lacuna 14 vs.

41 *[στ]ρατεγ[οὶ ὄμνυον τὸν hόρκον ⁝ Σοκράτες Ἐρε]-*
χθεῖδος ⁝ Δεμ[οκλείδες Αἰγεῖδος ⁝ Φορμίον Πα]-
νδιονίδος ⁝ Χ[. . . .^{10}. . . . . Λεοντίδος ⁝ Περικλ]-
ε͂ς ⁝ Γλαύκον Ἀ[καμαντίδος ⁝ Καλλ]ί[σστρατος Οἰ]-
45 *ν̣ε̣ῖδος ⁝ Χ̣σ̣ε̣[νοφο͂ν Κεκροπίδ]ος ⁝ Τλεμπ[όλεμος]*
[Αἰαντίδος ⁝ . . . . Ἀντιοχίδο]ς ⁝ βολὲ ἔρχε ḥό[τε]
[. . . . .^{16}. . . . . . . προ͂τ]ος ἐγραμμάτευε Ῥα-
[μνόσιος. vacat] vacat

63. Samian indemnity. From 439/8 B.C.

Thucydides records, in the terms of settlement, the repayment by Samos in instalments of the costs of the war (i. 117^{3}: *χρήματα τὰ ἀναλωθέντα ταξάμενοι κατὰ χρόνους ἀποδοῦναι*). The following extracts may refer to such payments:

(*a*) B 86$^{21-5}$. 426/5 B.C.

21 *[ἔ]σ̣το δὲ καὶ Σα-* στοιχ. 36
μίοις καὶ Θεραίοι[ς καταβολὰ]ς [το͂ν ὀφελομέν]-
ον χρεμάτον ὃν τε χ[ρεὸν ἀπάγ]εν [διὰ το͂ν hεκόν]-
[τ]ον ἀνδρο͂ν καὶ εἴ τ[ις ἄλλ]ε πόλ[ις ἐτάχσατο χρ]-
25 *[έ]μ̣ατα ἀπάγεν Ἀθέν[αζε·]*

(*b*) B 88$^{41-3}$ (Tod 64). Extract from Treasurers' payments in 423/2 B.C.

στοιχ. 75

41 *[τρίτε δόσι]ς̣ [ἐπὶ τε͂]-*
[ς . . .^{6}. . . ίδος πρυτανείας τετά]ρ̣τες πρυτανευόσες, τετάρτει τε͂ς
πρυτα[νείας, παρὰ] Σαμ[ίον ⍚Τ]
[ΧΧΧΗΗΗ, *τόκος τούτοις ἐγένετο*] 𐅅𐅄ΔΔΔ⊢⊢Ι̣^{v}.

(*c*) *IG* i^{2}. 302$^{17-18}$; Tod 75$^{18-19}$; *SEG* x. 228$^{17-18}$. Extract from Treasurers' payments in 418/17 B.C.

17(18) *[ἐπὶ τε͂ς Πανδιονίδος ἐνά]τες πρυτανευόσες, τ[ρίτει καὶ δεκάτει hεμέραι τε͂ς π]ρυτανείας, παρέδομεν τὸ ἐχ Σ-*
18(19) *[άμο κατὰ τὸν ἐνιαυτὸν ἐ]πελθόντος hελλενοτ[αμίαις κτλ.]*

The amount of the payment is lost. West restores *τὸ ἐχς* | *[Σάμο κατὰ hομολογίαν ἀ]πελθόντος*

(*d*) *IG* i². 297^{16-17}; *SEG* x. 229. Extract from Treasurers' payments in 414/13 B.C., (?) ninth prytany.

16–17 [*παρὰ Σα*]*μίον παρέ*||[*δομεν* - - -]

(?) (*e*) *IG* i². $304A^{20-1}$; Tod 83; *SEG* x. 232. Extract from Treasurers' payments in 410/09 B.C., sixth prytany.

non-*στοιχ*.

τριακοστει̂ τε̂ς πρυτανείας τὰ ἐχ Σάμο ἀνομολογέθε ⁝ *hελλενοταμίαι* ⁝ *Ἀναιτίοι Σφεττίοι καὶ παρέδροι* [*Π*]- *ολυαράτοι Χολαργει̂* ⁝ 𐅄𐅅TTX.

(?) (*f*) *IG* i². $304A^{34-7}$. Ninth prytany.

ἕκτει καὶ τριακοστει̂ τε̂ς πρυτανείας τὰ ἐχ Σάμο ἀνομολογέσα[*ντο hοι σύ*]*μμαχ*[*οι*] [⁝ *το*]*ι̂ς στρατεγοι̂ς ἐς Σάμοι Δεχσικράτει Αἰγιλιει̂* ⁝ ΨΨTX ⁝ *Πασιφο̂ντι Φρεαρρίοι* ⁝ 𐅈T ⁝ *Ἀριστοκρά*[*τει* . . . .⁸. . . .]*ι* ⁝ 𐅈 ⁝ *E*[. . .] [. . . .] *Εὐονυμει̂* ⁝ 𐅈XXX𐅅HHH𐅄ΔΔΔΓ⊢ ⁝ *Νικεράτοι Κυδαντίδει τριεράρχοι* ⁝ XXX ⁝ *Ἀριστοφάνει Ἀνα*[*φλυστίοι τριε*]*ράρ*[*χοι*] [. . . .⁷. . .]

64. Meritt, *Hesp*. viii (1939), 48; *SEG* x. 322.

Leagros as choregos. *c*. 440 B.C.

[*Ἀκα*]*μαντὶς* ᵛ [*ἐνίκα.*]
[*Λέα*]*γρος* ᵛᵛ [*ἐχορέγε.*]
[*Παντ*]*ακλε̂ς* [ᵛ *ἐδίδασκε.*]

65. *IG* i². 363–7; Tod 53 (*IG* i². 366); *SEG* x. 264–6; *ATL* ii. T 72–72f.

Accounts of the Propylaia. 437/6 to 433/2 B.C.

IG i². 365^{13} (*ATL* ii. T 72d). 435/4 B.C.

[*ἀπὸ στρατι*]*ᾶς τε̂ς με*[*τ*]*ὰ Γ*[*λαύκονος*] [*παρὰ hελλενοτ*]*αμιο̂ν ἀπὸ σ*[*τρατ*]*ιᾶς*: [*τε̂ς μετὰ Προ*]*τέο*: *παρὰ Δεμ*[*ο*]*χάρος* [. . . .ᶜ·¹⁰. . . .]*ασίππο Φλυέος*.

IG i². 367^{4} (*ATL* ii. T 72f). 433/2 B.C.

παρὰ hελλε[*νοταμιο̂ν ἀπὸ στρατιᾶς τε̂ς*] *μετ' Ἀρχενα*[*ύτο.*]

66. *IG* i². 71; Davis, *AJA* xxx (1926), 179; *SEG* x. 86; the following restoration of 47–53, with increased length of line, is put forward in *ATL* iii. 313 n. 61.

Treaty between Athens and Perdikkas. (?) *c*. 436 B.C.

1–46 (the first decree) contain (in the oath to be sworn by Perdikkas): [*καὶ τὸς*] *αὐτὸς φίλος νομιô καὶ ἐχθρ*[*ὸς hόσπερ Ἀθεν*|*αῖοι*] (20); [*οὐδὲ κο*]*πέας ἐχσάγεν ἐάσο ἐὰμ μὲ Ἀθε*[*ναίοις*] (23). The contracting party is described as [*Περδίκκαν τε*] *καὶ τὸς βασιλέας τὸς μετὰ Περ*[*δίκκο*] (27). A second decree begins at 47:

στοιχ. 100

[ἔδοχσεν τêι βολêι καὶ τôι] δέμοι· Αἰαντὶ[ς ἐπρυτάνευε, γνόμε] στρατε-
γôν· ἄρχεν τὲν [φιλίαν καὶ τὲν χσυμμαχίαν ταύτεν αὐτίκα μ]-
[άλα· hυπάρχεν δὲ χρêσιν ἐμ]π̣ορίον Ἀρραβ[αίοι καὶ τοῖς χσυμ]μάχοις
hέπερ ἂν κα̣ὶ̣ Περδ[ίκκαι καὶ τοῖς χσυμμάχοις· περὶ δὲ τούτον]
[γνόμεν ἐχσενεγκέτο hε βο]λὲ Ἀρραβαίοι [καὶ τοῖς χσυμμάχ]οις· ποιέτο
δὲ καὶ Ἀρραβ[αῖος πρὸς Περδίκκαν χσυμμαχίαν καθάπερ Ἀ]-
[θεναῖοι κελεύοσιν, καὶ hό]ταν φίλος γίγ[νεται Ἀρραβαῖο]ς ποιêν καὶ
Ἀρραβαίοι φιλ[ίαν καὶ χσυμμαχίαν· τὸ δὲ φσέφισμα τόδε τό]-
[ν γραμματέα τὸν τêς βολêς π]ροσγράφσαι [πρὸς τὸ πρότερ]ον φσέφισμα.
vacat
[ὄμνυον ἄρχο]ν̣τ̣ες Μακεδ[όνο]ν· Περδίκκας [Ἀλεχσάνδρο,] Ἀλκέτες Ἀλε-
χσάνδρο, Ἀρχέλας Π[ερδίκκο, Φίλιππος Ἀλεχσάνδρο, Ἀμύντας Φ]-
[ιλίππο], Μενέλαος Ἀλεχσά[νδρ]ο, Ἀγέλαος Ἀ[λκέτο κτλ.]

The list of names includes also *Ἀρραβαῖος* (59); [*Δέ*]*ρδας* (61).

67. *IG* i². 91–2; Tod 51 A–B; *ATL* i. D 1–2; *SEG* x. 45; *ATL* ii. D 1–2.

Financial decrees of Kallias. 434/3 B.C.

A. *IG* i². 91: see Tod, *ATL*.

B. *IG* i². 92.

στοιχ. 51

[ἔδοχσεν τêι βολêι καὶ τôι δέμοι· Κεκροπὶς ἐπρυτάνευε, Μνεσίθε]-
[ος ἐγραμμάτευε, Ε]ὐ̣π̣[ε]ίθες [ἐπεστάτε, Κ]α̣λ̣λ̣ίας ε̣ἶ̣π̣[ε· ἐκποιêν τἀγά]-
[λματα τὰ λί]θ̣ινα καὶ τὰς Νί[κας τὰς χ]ρ̣υσᾶς καὶ τὰ Προ[πύλαια· hέος]
[δὲ ἂν ἐκποι]εθêι παντελôς [ἀπαναλό]σει χρêσθαι ἀπ[ὸ τôν χρεμάτο]-
[ν Ἀθεναίας] κατὰ τὰ ἐφσεφι[σμένα], καὶ τὲν ἀκρόπολιν [νέμεν πλὲν ε]-
[ἰ μὲ τὰ ἐχσε]ρ̣γ̣μένα καὶ ἐπι[σκευά]ζεν δέκα τάλαντα ἀ[ναλίσκοντα]-
[ς τô ἐνιαυτ]ô hεκάστο hέος [ἂν νεμε]θêι καὶ ἐπισκευα̣[σθêι hος κάλ]-
[λιστα· συνε]πιστατόντ[ο]ν δ̣[ὲ τôι ἔρ]γ[ο]ι [ο]ἱ ταμίαι καὶ [οἱ ἐπιστάτα]-
[ι· τὸ δὲ γράμ]μα τὸν ἀρχιτέκ[τονα ποι]êν [ὅ]σπερ τôμ̣ Προ[πυλαίον· hοῦ]-
[τος δὲ ἐπιμ]ε̣λέσ[θο] μετὰ τô[ν ἐπιστ]α̣τôν hόπος ἄριστ̣[α καὶ εὐτελέ]-
[στατα νεμεθ]έσεται hε ἀκρ[όπολις] καὶ ἐπισκευασθέ[σεται τὰ δεό]-
[μενα· τοῖς δ]ὲ ἄλλοις χρέμα[σιν τοῖ]ς τêς Ἀθεναίας το[ῖς τε νῦν ὄσι]-

[ν ἐμ πόλει κ]αὶ hάττ' ἂν τ[ὸ] λο[ιπὸν ἀν]αφέρεται μὲ χρε͂σ[θ]α[ι μεδὲ ἀπα]-
[ναλίσκεν ἀ]π' αὐτο͂ν ἐ[ς] ἄλλο μ̣[εδὲν ἒ] ἐς ταῦτα hυπὲρ μυ[ρ]ί[ας δραχμὰ]-
[ς ἒ ἐς ἐπισκ]ευὲν ἐάν τι δέε[ι· ἐς ἄλλ]ο δὲ μεδὲν χρε͂σ[θ]α[ι τοῖς χρέμα]-
[σιν ἐὰμ μὲ τ]ὲν ἄδειαν φσεφ[ίσεται] ὁ δε͂μος καθάπερ ἐ[ὰμ φσεφίσετ]-
[αι περὶ ἐσφ]ορᾶς· ἐὰν δέ τις [εἴπει ἒ] ἐπιφσεφί̣[σ]ει μὲ ἐ[φσεφισμένε]-
[ς πο τε͂ς ἀδεί]ας χρε͂σθαι το[ῖς χρέμ]ασιν τοῖ[ς] τε͂ς Ἀθε[ναίας ἐνεχέ]-
[σθο τοῖς α]ὐ̣τοῖς hοῖσπερ ἐά[ν τι ἐσ]φέρεν εἴπει ἒ ἐπιφ[σεφίσει· θε]-
[οῖς δὲ πᾶσ]ι̣ν̣ κατατιθέναι κ[ατὰ τὸ]ν ἐνιαυτὸν τὰ hεκά[στοι ὀφελό]-
[μενα παρὰ τ]ο̣ῖς ταμίασι το͂ν [τε͂ς Ἀθ]εναίας τὸς ἑλλενο[ταμίας· ἐπε]-
[ιδὰν δ' ἀπὸ] τ̣[ο͂]ν διακοσίον τα[λάντο]ν hὰ ἐς ἀπόδοσιν ἐφ[σεφίσατο h]-
[ο δε͂μος τοῖ]ς ἄλλοις θεοῖς ἀ[ποδοθ]ε͂ι τὰ ὀφελόμενα τα[μιευέσθο τ]-
[ὰ μὲν τε͂ς Ἀθ]ε̣ναίας χρέματα [ἐν το͂ι] ἐπὶ δεχσιὰ το͂ Ὀπισ[θοδόμο, τὰ δ]-
[ὲ το͂ν ἄλλον θ]εο͂ν ἐν το͂ι ἐπ' ἀρ[ιστερ]ά.
[hοπόσα δὲ το͂]ν χρεμάτον το͂ν [hιερο͂]ν ἄστατά ἐστιν ἒ ἀν[αρίθμετα h]-
[οι ταμίαι] ḥ[ο]ι νῦν μετὰ το͂ν τε̣[ττάρο]ν ἀρχο͂ν hαὶ ἐδίδο[σαν τὸν λόγ]-
[ον τὸν ἐκ Πα]ν̣αθεναίον ἐς Παν̣[αθένα]ια hοπόσα μὲγ χρυ[σᾶ ἐστιν αὐ]-
[το͂ν ἒ ἀργυρᾶ] ἒ ὑ̣π̣ά̣ρ̣γ̣υ̣ρ̣α̣ στε[σάντον, τὰ δ]ὲ̣ ἄ̣λ̣λ̣[α ἀριθμεσάντον . . .]
[- -]

Wilhelm, *JHS* lxviii (1948), 124, proposes in 3–6:

[hόπο]-
[ς δ' ἂν ἐκποι]εθε͂ι παντελο͂ς [διασκέφ]σει χρε͂σθαι ἀπ[αναλίσκοντα]-
[ς ἐς τὸ δέον] κατὰ τὰ ἐφσεφι[σμένα]· καὶ τὲν ἀκρόπολιν [hε͂ρχσαι hόσ]-
[α μέ ἐστι hε]ργμένα. 7: hέος [ἂν hερχθ]ε͂ι. 10–11: hόπος ἄριστ[α καὶ ἀσφαλέ|στατα hερχθ]έσεται.

68. *IG* i². 232–92b; Tod 69 (*IG* i². 280), 70 (*IG* i². 264), 78 (*IG* i². 248); *SEG* x. 184–209.

Inventories of the Parthenon. From 434/3 B.C.

69. *IG* i². 54; *ATL* i. T 73; *SEG* x. 47; *ATL* ii. D 19; 5–12 revised by Wilhelm, *JHS* lxviii (1948), 128.

Work on the water-supply. Before 431 B.C.

1–2 contain the name [hιππ]|όνικο[ς].

στοιχ. 56

[Νικόμαχος εἶπε· τ]-
[ὰ] μὲν ἄλλα καθ[άπερ τε͂ι βολε͂ι· ἐπιμέλεσθαι δὲ το͂ν κρενο͂ν το͂ν ἐν το͂ι ἄστ]-
ει, hόπος ἂν ῥέοσ[ι πᾶσαι hος κάλλισται καὶ καθαρόταται· hόπος δ' ἂν ἀπ' ὀ]-
λιγίστον χρεμάτο[ν συντελεσθε͂ι τὰ ἔργα, τὸς πρυτάνες οἵτινες ἂν λάχ]-

οσι πρôτοι πρυτανεύ[εν προσαγαγêν τὸν ἀρχιτέκτονα ἐν τêι πρότει τôν]
κυρίον ἐκκλεσιôν προṭ[ον μετὰ τὰ hιερά, πράττοντας hότι ἂν δοκêι ἀγα]-
θὸν ἐ̑ναι τôι δέμοι τôι Ἀθε[ναίον· ἐπιμέλεσθαι δὲ hόπος ἂν μέλλεσις με]-
δεμία γίγνεται καὶ ἔχει Ἀθε[ναίοις hος ἄριστα καὶ κάλλιστα· . . . .⁷. . . ε]-
ἶπε· τὰ μὲν ἄλλα καθάπερ Νικόμα[χος· ἐπαινέσαι δὲ καὶ Περικλεῖ καὶ Παρ]-
άλοι καὶ Χσανθίπποι καὶ τοῖς ὑέ[σιν· ἀπαναλίσκεν δὲ ἀπὸ τôν χρεμάτον
hόσα ἐς τὸν φόρον τὸν Ἀθεναίον τελ[êται, ἐπειδὰν hε θεὸς ἐχς αὐτôν λαμ]-
βάνει τὰ νομιζόμενα. vacat

70. Meritt, *Hesp.* xiv (1945), 89; *SEG* x. 44.
Public work, possibly in the Eleusinion at Athens. Before 431 B.C.

71. *IG* i². 77; *SEG* x. 40.
Qualifications for entertainment in the Prytaneion. Before 431 B.C.

[- -] ἐγραμ[μάτευε]. στοιχ. 45
[ἔδοχσεν τêι βολêι καὶ τôι δέμ]οι, Ἐρεχθεῒς ἐ[πρυτάνευε, .]
[. . . .⁷. . . ἐγραμμάτευε, Χσάν]θιππος ἐπεστάτε, [. . .]ι ι[.]ες [ε]-
[ἶπε· ἐ̑ναι τὲν σίτεσιν τὲν ἐ]μ πρυτανείοι πρôτον [μ]ὲν τοῖ[σ]-
[ιν hιερεῦσι τοῖν θεοῖν κ]ατὰ τὰ π[ά]τρια· ἔπειτα τοῖσι Ἁρμ-
[οδίο καὶ τοῖσι Ἀριστογέ]τονος, hὸς ἂν ἐ̑ι ἐγγυτάτο γένος
[hυιôν γνεσίον μὲ ὄντον, ἐ̑ν]αι αὐτοῖσι τὲν σίτεσι[ν κ]αὶ ἐ[ς]
[τὸ λοιπὸν ὑπάρχεν δορειὰ]ν παρὰ Ἀθεναίον κατὰ τὰ [δ]εδομ-
[ένα κατὰ τὲν μαντείαν hὲ]ν hο Ἀπόλλον ἀνhêλ[εν] ἐχ[σ]εγόμε-
[νος τὰ πάτρια, λαβêν τούτο]ς σίτεσιν, καὶ τὸ λοιπόν, hὸς ἂν
[γένεται, τὲν σίτεσιν ἐ̑ναι] αὐτοῖσι κατὰ ταὐτά· κα[ὶ hοπόσ]-
[οι νενικέκασι Ὀλυμπίασι] ἒ Πυθοῖ ἒ hισθμοῖ ἒ Νεμέ[αι τὸς γ]-
υμνικὸς ἀγôνας, ἐ̑ναι αὐτ]οῖσι τὲν σίτεσιν ἐν πρυτανε[ίο]-
[ι καὶ ἄλλας ἰδίαι τιμὰς π]ρὸς τêι σιτέσει κατὰ τα[ὐτά], ἔ[τι]
[δὲ hευρέσθαι σίτεσιν ἐν] τôι πρυτανείοι hο[π]όσο[ι ζεύγε]-
[ι ἒ χσυνορίδι ἒ hίπποι κ]έλετι νενι[κ]έκασι Ὀλυμπί[ασιν ἒ]
[Πυθοῖ ἒ hισθμοῖ ἒ Νεμέαι ἒ] νικέσοσι τὸ λοιπό[ν]· ἐ̑ναι [δὲ αὐτ]-
[οῖσι τὰς τιμὰς κατὰ τὰ ἐς τ]ὲν στέλε[ν] γεγραμ[μ]ένα π[. . . .]
[. . . . . .²⁰. . . . . τô]ι περὶ τὸ στρατ[έγιον . . .⁶. . .]
[. . . . . .²³. . . . .] δορειὰν κ[. . . . . .¹⁴. . . . . . .]
[- -]ịδε[- - - - - - - - - - - - - - - -]

3–4: [Περ]ικ[λ]ês [ε|ἶπε] Wade-Gery, *BSA* xxxiii (1932/3), 123–5.

9–11: [καὶ ἐχσεγετὰς *h*ὸς νῦ]ν *h*ο Ἀπόλλον ἀν*h*ε͂λ[ε]ν ἐχ[σ]εγομέ-
[νος τὰ πάτρια λαβε͂ν πάντα]ς σίτεσιν καὶ τὸ λοιπὸν *h*ὸς ἂν
[ἀν*h*έλει, τὲν σίτεσιν ἐ͂ναι] αὐτοῖσι κατὰ ταὐτά Wade-Gery.

72. *IG* i². 295; Tod 55; *SEG* x. 222.
Expenses of Corcyra expedition. 433 B.C.

73. *IG* i². 51; Tod 58; 10–16 revised by Meritt, *CQ* xl (1946), 88; *SEG* x. 48.
Alliance with Rhegion renewed. 433/2 B.C.

[τὸν δὲ *h*όρκο]ν ὀμοσάντον Ἀθενα-
[ῖοι *h*ίνα ε͂ι τὰ πάντα πι]στὰ καὶ ἄδολα καὶ *h*-
[απλᾶ παρ' Ἀθεναίον ἐς ἀί]διον Ῥεγίνοις, κα-
[τὰ τάδε ὀμνύντες· χσύμ]μαχοι ἐσόμεθα πισ-
[τοὶ καὶ δίκαιοι καὶ ἰσ]χυροὶ καὶ ἀβλαβε͂ς
[ἐς ἀίδιον Ῥεγίνοις καὶ] ὀφελέσομεν ἐ[άν τ]-
[ο δέονται - - - - - - - - - - - - - - - - - - -]
Cf. B 58.

74. *IG* i². 52; Tod 57; 20–7 revised by Meritt, *CQ* xl (1946), 89; *SEG* x. 48.
Alliance with Leontinoi renewed. 433/2 B.C.

[ὀμόσ]αι δὲ Ἀθεναί-
[ος τάδε· σύ]νμα[χ]οι ἐσόμ-
[εθα Λεοντ]ίν[οις ἀί]διο-
[ι ἀδόλος κ]αὶ [ἀβλα]βο͂ς·
[Λεοντίνο]ς ὁ[μο͂ς ὀ]μόσ-
[αι· σύνμαχοι ἐσόμ]εθα
[Ἀθεναίοις ἀίδιοι] ἀδό-
[λος καὶ ἀβλαβο͂ς· π]ερὶ
Cf. B 59.

75. Peek, *Kerameikos* iii. 26, no. 26; *IG* ii². 5220.
Epitaph of a Rhegine envoy. *c.* 433/2 B.C.

Εὐρύχοροί ποτ' ἔθαψαν Ἀθῆναι τόνδε τὸν ἄνδρα
ἐλθόντ' ἐκ πάτρας δεῦρ' ἐπὶ συμμαχίαν.
ἐστὶ δὲ Σιληνὸς παῖς Φώκο, τόμ ποτ' ἔθρεψεν
Ῥήγιον εὔδαιμον, φῶτα δι[κ]αιότατον.

• **76.** *IG* i². 945; Tod 59; *SEG* x. 414.
Monument to Athenians killed at Potidaia. 432 B.C.

77. *IG* i^{2}. 377; Tod 54; *SEG* x. 303.

Athenian administration of Delian temples. 434–432 B.C.

78. *IG* i^{2}. 395; D 166.

Public dedication of statue of Hygieia. (?) After 432 B.C.

Ἀθεναῖοι τε͂ι Ἀθεναίαι τε͂ι Ὑγιείαι.
Πύρρος ἐποίησεν Ἀθεναῖος.

79. *IG* i^{2}. 296+309 *a*; Meritt, *AFD* 80; *SEG* x. 223.

Expenses of campaigns of 432/1. 432/1 B.C.

Θ[εοί]. στοιχ. 84
[Ἀθεναῖοι ἀνέλ]οσαν ἐς Μα[κεδονίαν καὶ ἐς Πελοπόννεσον τάδε· ἐπὶ Πυθοδόρο ἄρχοντος καὶ ἐπὶ τε͂ς βολε͂ς hε͂]-
[ι . . . .[9]. . . . . Δ]ιοτίμο Φεγαιε[ὺς προ͂τος ἐγραμμάτευε, ταμίαι hιερο͂ν χρεμάτον τε͂ς Ἀθεναίας Εὐρέκτες . . .]
[. . . . Ἀτενεὺ]ς καὶ χσυνάρχοντ[ες, hοῖς Ἀπολλόδορος Κριτίο Ἀφιδναῖος ἐγραμμάτευε, παρέδοσαν στρατεγο]-
[ῖς τοῖς ἐς Μακ]εδονίαν Εὐκράτ[ει . . . .[8]. . . . καὶ χσυνάρχοσι φσεφισαμένο τõ δέμο ἐπὶ τε͂ς . . .[6]. . . ίδος πρυτ]-
[ανείας δευτέρ]ας πρυτανευό[σες, ἑμέραι ἐσελελυθυῖαι ἐ͂σαν . . . .[21]. . . . . τάδε ἐς Μακεδονία]-
[ν καὶ Ποτείδαιαν] παρέδομ[εν hελλενοταμίασι . . . .[16]. . . . . , Φιλεταίροι Ἰκαριεῖ, Φιλοχσένοι . . . .]
[., hιε]ρονύμο[ι . .[5]. . .]ίδε[ι, ...[39]. . . . ., Χαρίαι Δαιδαλίδει, ...[9]. . . . .]
[. . .]ιεῖ, Ὀλυμπ[ιοδόροι . . . .[26]. . . . . hοῖς . . μοχάρες Μυρρινόσιος ἐγραμμάτευε, ἐπὶ τε͂]-
[ς Π]ανδιονίδος π[ρυτανείας τρίτες πρυτανευόσες, ἑμέραι ἐσελελυθυῖαι ἐ͂σαν . . . .[22]. . . . .]
[τ]αῦτα ἐδόθε τε͂ι [στρατιᾶι τε͂ι ἐς Μακεδονίαν καὶ Ποτείδαιαν· δευτέρα δόσις hελλενοταμίασι ἐπὶ τε͂ς Λεο]-
ντίδος πρυτανεία[ς τετάρτες πρυτανευόσες, ἑμέραι ἐσελελυθυῖαι ἐ͂σαν . . . .[26]. . . . .]
[.] ταῦτα ἐ͂γε τε͂ι ἐς [Ποτείδαιαν καὶ Μακεδονίαν στρατιᾶι στρατεγὸς ἐς τὰ ἐπὶ Θράικες Φορμίον Παιανιεύς·]
τρίτε δόσις hελλ[ενοταμίασι ἐπὶ τε͂ς .ι.εἴδος πρυτανείας πέμπτες πρυτανευόσες ἑμέραι ἐσελελυθυῖα]-
ι ἐ͂σαν δόδεκα: Ϙ[. . . . .[9]. . . . : ταῦτα ἐδόθε τε͂ι στρατιᾶι τε͂ι ἐς Μακεδονίαν καὶ Ποτείδαιαν· τετάρτε δόσις]
hελλενοταμία[σι ἐπὶ τε͂ς .ι.εἴδος πρυτανείας hέκτες πρυτανευόσες, ἑμέραι ἐσελελυθυῖαι ἐ͂σαν δύο καὶ]

εἴκοσι : 𐅋𐅊𐅉𐅈 : [ταῦτα ἐ͂γε τε͂ι ἐς Μακεδονίαν καὶ Ποτείδαιαν στρατιᾶι . . . . .[12]. . . . . . πέμπτε δόσις hελλε]-
νοταμίασι ἐπ[ὶ τε͂ς . . .[6]. . . ίδος πρυτανείας hεβδόμες πρυτανευόσες, ἑμέραι ἐσελελυθυῖαι ἐ͂σαν . . .[5]. . κα]-
ὶ δέκα : 𐅉𐅉 : ταῦτα [ἐ͂γε τε͂ι στρατιᾶι τε͂ι ἐς Μακεδονίαν καὶ Ποτείδαιαν . . . .[18]. . . . . hέκτε δόσις]
hελλενοταμίασι [ἐπὶ τε͂]ς Αἰ[αντίδος πρυτανείας ὀγδόες πρυτανευόσες, ἑμέραι ἐσελελυθυῖαι ἐ͂σαν τέττα]-
ρες καὶ δέκα : Τ[. .[5]. . .]ΗΗ𐅄ΔΔ[. : ταῦτα ἐδόθε μισθὸς hιππεῦσι Μακεδόσι . .[5]. . . κοσίοις· hεβδόμε δόσις hελλ]-
ενοταμίασι ἐ[πὶ τε͂ς] hιπποθον[τίδος πρυτανείας ἐνάτες πρυτανευόσες, ἑμέραι ἐσελελυθυῖαι ἐ͂σαν δέκα h]-
έχς : 𐅉𐅉𐅉𐅉 : ταῦ[τα ἐ]δόθε τε͂ι στρ[ατιᾶι τε͂ι ἐς Ποτείδαιαν Φορμίονι Παιανιεῖ· ὀγδόε δόσις hελλενοταμίασ]-
ι ἐπὶ τε͂ς hιππ[οθον]τίδος πρυταν[είας ἐνάτες πρυτανευόσες, ἑμέραι λοιπαὶ ἐ͂σαν τε͂ι πρυτανείαι . . .[7]. . . .]
𐅉𐅉𐅆𐅅ΔΔΔ𐅃 : τ[αῦτα] ἐ͂γε τε͂ι ἐς Ποτε[ίδαιαν στρατιᾶι στρατεγὸς ἐς τὰ ἐπὶ Θράικες . . . .[20]. . . . .]
ἐνάτε δόσις [hελλ]ενοταμίασι ἐπὶ τ[ε͂ς {τε͂ς} Ἀκαμαντίδος πρυτανείας δεκάτες πρυτανευόσες, ἑμέραι ἐσελε]-
λυθυῖαι ἐ͂σα[ν hε]πτὰ καὶ δέκ[α] : 𐅉𐅈ΤΤ[. . . : ταῦτα ἐδόθε μισθὸς hιππεῦσι Μακέδοσι . .[5]. . . κοσίοις καὶ σῖτος]
[h]ίπποις : κ[εφ]άλαιον τô ἐς Μα[κεδονίαν καὶ Ποτείδαιαν ἀναλόματος - - - - - - - - - - - -]

5: [τοῖς ἐς Μακ]εδονίαν Εὐκράτ[ει - - - Ἀρχεστράτοι - - - ἐπὶ τε͂ς] Wade-Gery, *JHS* liii (1933), 135.

80. *IG* i². 56; *SEG* x. 55.

Athens honours Leonidas of Halikarnassos. *c.* 430 B.C.

στοιχ. 23

[- - - - - - - - - - - - - - - - - -]
ἐὰν ἀδικε͂ν μέτ[ε Ἀ]θε̣[νεσ]ι̣ [μέτ]-
ε hόσες Ἀθεναῖοι κρατôσι· ἐ[π]-
ιμέλεσθαι δὲ αὐτô Ἀθένεσι μ-
[ὲ]ν τὸς πρυτάνες καὶ τὲμ βολέ-
ν, ἐν δὲ τε͂σι ἄλλεσι πόλεσι hο-
ίτινες Ἀθεναίον ἄρχοσι ἐν τ-
ε͂ι hυπερορίαι hό, τι ἂν hέκασ-
τοι δυνατοὶ ὄ͂σιν, hος ἂμ μὲ ἀδ-
ικôνται : ἔδοχσεν τε͂ι βολε͂ι
καὶ τôι δέμοι· Ἀντιοχὶς ἐπρυ-
τάνευε, Χαροιάδες ἐγραμμάτ-
ευε, hεγέσανδρος ἐπεστάτε, Χ-
αιρέστρατος εἶπε· Λεονίδεν
ἐάν τις ἀποκτένει ἐν τôν πόλ-
εον hôν Ἀθεναῖοι κρατôσι, τὲ-
ν τιμορίαν ἐ͂ναι καθάπερ ἐὰν
τις Ἀθεναίον ἀποθάνει· ἐπαι-
νέσαι δὲ ἀγαθὰ hόσα ποιεῖ πε̣-
ρὶ Ἀθεναίος Λεονίδες. περὶ [δ]-

ἐ Λεονίδο τὰ ἐφσεφισμένα ἀ[ν]-
αγραφσάτο *h*ο γραμματεὺς τε̃-
ς βολε̃ς τέλεσι τοι̃ς Λεονίδο
ἐν στέλαιν δυοι̃ν, καὶ τὲν μὲν
*h*ετέραν στε̃σαι ἐμ πόλει, τὲν
δὲ *h*ετέραν ἐν *h*ạλικαρνασσô-
ι ἐν τôι *h*ιερôι τô Ἀπόλλονος·
ἄνδρα δὲ προσελέσθο Λεονίδ-
ες *h*όστις ἄχσει τὲστέλεν καὶ
στέσει.

81. *IG* i². 310; Johnson, *AJA* xxxv (1931), 31; *SEG* x. 225.
Inventory of the Treasurers of the other gods. 429/8 B.C.

88 ταμίαι τôν ἀλ[λον θεôν ἐπὶ τε̃ς βολ]- στοιχ. 27
ε̃ς, ε̃ι Κ[α]λλίστρατο[ς . . . . .¹¹. . . . .]
πρôτος ἐγραμμάτευ[ε, ἐπὶ Ἐπαμεί]-
νονος ἄρχ̣οντος.
96 τάδε παρέδ[οσαν παραδεχσάμενοι]
παρὰ τôν π̣[ροτέρον ταμιôν, οἷς . . .]
στρατ[ος . . . .⁸. . . . ἐγραμμάτευεν]·

82. *IG* i². 57; Tod 61; *ATL* i. D 3–6; *SEG* x. 66; *ATL* ii. D 3–6.
Relations with Methone. 430/29 to 424/3 B.C.

83. *IG* ii². 55; Meritt, *Hesp*. xiii (1944), 211, adds two new fragments; *SEG* x. 67; *ATL* ii. D 21.
Relations with Aphytis and Poteidaia. *c*. 428 B.C. στοιχ. 50

3 ὀκτακοσίων μ[εδίμνων - - - - - -]ṿι[. . . . .⁹. . . . π]-
[ό]λεμον τὸ κεφάλαιον· περὶ δ̣ὲ̣ τ[. . . .⁷. . .]ε̣ο̣[. . .]ι Ἀφυ[ταίος ἐπιμέ]-
[λ]εσθαι μέχρι μυρίων μεδίμνω[ν· ἡ δὲ τιμ]ὴ ἔστω αὐτο[ι̃ς καθάπερ Μ]-
[ε]θωναίοις· τὸς δὲ ἄρχοντας σι̣[τοδοτό]ντων τὸς ἐν Ἄ[φυτι παρ' ἑαυ]-
[τω̃]ν Θραμβαι̃οι κατὰ [τ]ὸ πλη̃θος· σ[υντελ]όντων δὲ καὶ α[ἱ ἄλλαι πόλ]-
[ε]ις καθάπερ Μεθωναίοις κατὰ τὸ [αὐτὸ]ν ψήφισμα·

84. *IG* i². 58; Meritt, *Hesp*. xiii (1944), 218; *SEG* x. 74.
Relations with Aphytis. *c*. 426 B.C.

μ[ὲ κολύεν δὲ Ἀθεναίον μεδὲ χσυ]- non-στοιχ.
μμάχον τôν Ἀθεναίον [μεδένα Ἀφυταίος χρέματα ἄ]-
[γ]ε̣ν ὁπόθεν ἂν βόλοντ[αι, ἀλλ' ἐχσε̃ναι Ἀφυταίον τ]-
ôι βολομένοι πλὲν Ἀθ[έναζε καὶ ἄγεν Ἀθεναίοις χ]-
ρέματα ἀσυλεὶ καὶ ἀσ[πονδεί· τὸς δὲ βολομένος α]-
ὐτôν ἄγεν καὶ σι̃τον κ[ατὰ τὰ φσεφίσματα τὰ ἐφσε]-
φισμένα τôι δέμοι κ[αὶ ἐσεμπορεύεσθαι τελôντ]-
ας τὰ τέλε, *h*ὰ ἂν φσε[φίσεται ὁ δε̃μος ὁ Ἀθεναίον· ἐ]-
ὰν δέ τις ἀπο[κ]ο[λύει Ἀφυταίος πλὲν Ἀθέναζε, ὀφελέτ]-
ο μυρ[ίας δραχμὰς -]

85. *IG* i². 60; Tod 63; *SEG* x. 69; *ATL* ii. D 22.
Relations of Mytilene and cleruchs. 427/6 B.C.

[καὶ ἀπὸ χσυμβολ]- στοιχ. 38
[ôν δί]κας διδόν[τα]ς πρὸς Ἀθεν[αίος καὶ δεχομένο]-
[ς κα]τὰ τὰς χσυ[μβο]λὰς hαὶ ἐ͂σαν [πρὸ τô·]

86. *IG* i². 65; *ATL* i. D 8; *SEG* x. 72; *ATL* ii. D 8, with new fragment.
Appointment of Eklogeis in allied cities. 426/5 B.C.

87. *IG* i². 63; Tod 66; *ATL* i. A 9; *SEG* x. 75; *ATL* ii. A 9.
Athenian assessment of 425. 425 B.C.

Θ[εοί]
τά[χσι]ς [φ]ό[ρο]. στοιχ. 70
ἔδοχσεν τε͂[ι βολε͂ι καὶ τôι δέμοι· Λεοντὶς] ἐπρ̣[υτάνευε, . . .]\ον ἐγρα[μμάτευε, ...⁷. . . ἐπε]-
στάτε, Θόδι[ππος εἶπε· πέμφσαι κέρυκας] ἐ̣κ τôν̣ [μισθοτôν hòς] ἂν χερο[τονέσει hε βολὲ ἐς τὰ]-
ς πόλες δύο [μὲν ἐπ' Ἰονίαν καὶ Καρίαν] δ̣ύο δὲ ἐ[πὶ Θράικεν δύο δ]ὲ ἐπὶ Ν[έσος δύο δὲ ἐφ' Ἑλλέσπ]-
οντον· hοῦτ[οι δὲ ἀνειπόντον ἐν τôι] κοινôι h[εκάστες τε͂ς πόλ]ε̣ος πα[ρε͂ναι πρέσβες τô Μαι]-
μακτεριôν[ος μενός· κυαμεῦσαι δὲ ἐ]σαγογέα[ς τριάκοντα· τούτ]ος δὲ [hελέσθαι καὶ γραμμα]-
τέα καὶ χσυ[γγραμματέα ἐχς hαπάντ]ον· hε δὲ β[ολὲ τὸν φόρον hελέ]σ̣θο [hοὶ τάχσοσι δέκα ἄνδ]-
ρας· hοῦτοι [δὲ τὰς πόλες πέντε ἐμερ]ôν ἀφ' ἐ͂ς ἂ[ν hαιρεθôσι ὀμομοκότες ἀναγραφσάντον ἒ τ]-
ε͂ς ἐμέρας h[εκάστες χιλίας δραχμὰς] hέκαστ[ος ἀποτεισάτο· τὸς δὲ τάκτας hορκοσάντον h]-
οι hορκοτα[ὶ τε͂ι αὐτε͂ι ἐμέραι ἐπειδὰν] τυγχ[άνοσιν hαιρεθέντες ἒ ὀφελέτο hέκαστος τὲ]-
ν αὐτὲν ζεμ[ίαν· τôν δὲ διαδικασιôν hοι] ἐ̣σ̣[α]γ̣[ογε͂ς ἐπ]ι̣μ̣ε̣[λεθέντον τô φόρο καθάπερ ἂν φσε]-
φίσεται hο [δε͂μος· hοῦτοι δὲ καὶ hο ἄρ]χ̣ον̣ κα[ὶ h]ο πολέμαρ[χος ἀνακρινάντον τὰς δίκας ἐν τ]-
ε͂ι ἐλιαίαι [καθάπερ τὰς δίκας τὰς ἄλ]λας τô[ν ἐ]λιαστôν· ἐ̣[ὰν δὲ hοι τάκται μὲ τάττοσι τε͂σι]
πόλεσ[ι] κατ[ὰ τὰς δ]ια[δικασίας εὐθυ]νέσθο μ[υ]ρίασι δραχ̣[με͂σι κατὰ τὸν νόμον hέκαστος αὐ]-

τôν· hοι δὲ [νομο]θ̣έτα[ι δικαστέριον] νέον κα[θ]ιστάντον χ̣[ιλίος δικαστάς· τô δὲ φόρο, ἐπειδ]-
ὲ ὀλέζον ἐγ[ένε]το, τὰς [νῦν τάχσες χσ]ὺν τêι [βο]λêι χσυντα[χσάντον καθάπερ ἐπὶ τês τελευτ]-
αίας ἀρχ̣ês [πρὸς] μέρο[ς hαπάσας τô Π]ο̣σιδε[ιô]νος μενός· χ[ρεματιζόντον δὲ καὶ hοσεμέραι]
[ἀ]πὸ νομενί[ας κα]τὰ τ[αὐτὰ hίνα ταχθ]ê[ι] ḥο φό[ρ]ος ἐν τôι Πο[σιδειôνι μενί· hε δὲ βολὲ πλέθοσ]-
[α] χρεματι[ζέτο κ]αὶ χ[συνεχὲς hίνα τ]ά̣[χσ]ες γ[έ]νονται ἐὰμ [μέ τι ἄλλο φσεφίζεται hο δêμο]ς̣· τ̣-
[ὸ]ν δὲ φόρο[ν ὀλέζ]ο μὲ π̣[όλει νῦν ταχσάντ]ον μ[ε]δεμιâι ἒ hο[πόσον πρὸ τô ἐτύγχανον ἀπάγ]οντ̣-
[ες] ἐὰμ μέ τ[ις φαίν]ετα[ι ἀπορία hόστε ὅσ]ες τ[ê]ς χόρας ἀδυ[νάτο μὲ πλείο ἀπάγεν· τένδε] δὲ τ[ὲ]-
[ν γ]νόμεν [καὶ τὸ φσέ]φ̣[ισμα τόδε καὶ τὸμ φ]όρο[ν] hὸς ἂν ταχθ[êι τêι πόλει hεκάστει ἀνα]γρά[φσ]-
[ας] hο γρ[αμματεὺς τês βολês ἐν δυοῖν στ]έλα[ι]ṿ λιθίνα̣ιṿ [καταθέτο τὲμ μὲν ἐν τôι βο]λευ[τε]-
[ρ]ίοι τὲ[ν δὲ ἐμ πόλει· ἀπομισθοσάντον δὲ] hο[ι] πολετ̣αί, τ[ὸ δὲ ἀργύριον παρασχόντον] hοι κ[ο]-
λ̣ακρέτ[αι· τὸ δὲ λοιπὸν ἀποφαίνεν τêσι π]όλ[ε]σι περὶ τô φ̣[όρο πρὸ τôμ Παναθεναίον τ]ôμ με[γ]-
άλον· ἐσ̣[άγεν δὲ τ̣ὲμ πρυτανείαν hέτις ἂν] τυ[γ]χάνει πρυτ[ανεύοσα τὰς τάχσες κατὰ Π]αναθ[έ]-
ναια· [ἐὰν δὲ hοι πρυτάνες μὲ τότε ἐσάγο]σι ἐ[ς] τὸν δêμον κ[αὶ μὲ φσεφίζονται δικαστ]έριον
περὶ τộ [φόρο καὶ μὲ τότε χρεματίζοσι ἐ]πὶ σ[φ]ôν αὐτôν ὀφ[έλεν hεκατὸν δραχμὰς hιε]ρ̣ὰς τê-
[ι Ἀ]θενα̣[ίαι hέκαστον τôμ π]ρ[υτάνεον κ]α̣ὶ τô[ι] δεμοσίοι h[εκατὸν καὶ εὐθύνεσθαι χιλί]ασι
[δρα]χμê[σι hέκαστον τôμ πρ]υτ̣ά̣[νεον, κα]ὶ ἐάν τις ἄλλος δι[δôι φσêφον τê]σ̣ι [πόλεσι μ]ὲ ἒναι τ-
[ὰς] τάχσ[ες κατὰ Π]α̣[ναθένα]ια τὰ μ̣[εγάλα] ἐπὶ τ̣ês πρυτανεί[ας hέτις ἂν πρ]ότε̣ [πρυτα]νεύει ἄτ-
[ι]μος ἔσ[το καὶ] τὰ χ[ρέματα] αὐτô δ[εμόσι]α ἔσ[τ]ο καὶ τês θεô [τὸ ἐπιδέκατ]ο̣ν· ἐχ[σενε]γκέτο δὲ τ-
αῦτα ἐς [τὸν] δêμον [hε Οἰνε]ὶς π[ρ]υτα̣[νεί]α ἐπά̣ναγκες ἐπει[δὰν hέκει hε] στρα[τιὰ] ἐς τρίτεν ἑ-
μέραν [πρôτ]ον μετ[ὰ τὰ hιε]ρά· ἐ[ὰν] δ̣ὲ [μὲ δ]ιαπ[ρ]αχθêι ἐν ταύ[τει χρεματί]ζεν πε̣[ρ]ὶ τούτο πρô[τ]-

ον τε̑ι [hυσ]τεραία[ι χσυνε]χο̑ς [hέ]ος [ἂν δ]ιạπ[ρ]αχθε̑ι ἐπὶ τε̑[ς εἰρεμένε]ṣ πρυτανείας· ἐὰν δ[ὲ μ]-
ὲ ἐχσε[νέγ]ḳοσι ἐς [τὸν δε̑μ]ον ἒ̣ [μὲ] δι[απρά]χσ[ο]σι ἐπὶ σφο̑ν α[ὐτο̑ν εὐθυν]έσθο μυ̣ρίασι δρ[αχμε̑]-
σιν hέ[καστ]ος το̑μ [πρυτάν]ε̣ου̣ [φό]ρο[ν hος] διạκολύον ἐπιδ[ο̑ναι ἐς τὰ]ς στρα[τι]άς· τὸς δ[ὲ κέρυ]-
κας πρ̣[οσκε]κλεμέ[νος ἀχθ]ε̑νạ[ι h]υπ[ὸ το̑ν] δεμοσίον κλετέ[ρον hίνα h]ε βολ̣[ὲ δικά]σ̣ε[ι αὐτὸς ἐ]-
ὰμ μὲ ὀ[ρθο̑ς] δοκο̑σ[ι διακο]νε̑[ν· τὰ]ς δ[ὲ πορ]είạς τοῖς κέρυχ[σι τοῖς ἰο̑σι χσυγγράφσαι κατὰ τ]-
ὸν hόρ[κον τὸ]ς̣ τάκ[τας hέο]ς τ[ο̑ πο]ρε[υθέσ]ον[τα]ι hίνα μὲ αὐ[τοὶ ἄτακτοι ἴοσι· hοι δὲ κέρυκες]
τὰς τά[χσ]ες τε̑σι π[όλεσι ἐπ]ạ[ναγ]ḳα[σθέντ]ο[ν hό]πο ἂν δοκε̑[ι τοῖς ἄρχοσι ἀνειπε̑ν· hό, τι δὲ πε]-
ρὶ το̑ν [τ]άχσεον κα[ὶ το̑ φσεφίσμα]τ̣ο[ς τε̑σι] π̣[όλεσι] χρὲ λέγ[εσθαι περὶ τούτο τὸν δε̑μον φσε]φ-
ίζεσθ[α]ι καὶ ἐάν τ[ι ἄλλο ἐσάγοσι] h[οι πρυτάνες πε]ρὶ το̑ δ[έοντος· hόπος δὲ ἂν τὸμ φόρον] ἀπά-
[γ]οσιν [h]αι πόλες [ἐπιμελόσθον hοι στρατεγοὶ εὐθὺ]ς̣ hότ[αν χσυντάχσει hε βολὲ τ]ὲ̣ν τάχσι-
[ν το̑] φ̣ό̣[ρ]ο hίνα ε̑ι [το̑ι δέμοι ἀργύριον hικανὸν ἐς τὸμ] π̣όλ[εμον· τὸς δὲ στρατεγὸς] χρε̑σθαι π-
[ερὶ το̑ φ]όρο κατα[σκέφσει καθ' ἕκαστον ἐνιαυτὸν ἐχσετ]ά̣[σαντας κατὰ γε̑ν κα]ὶ θάλατταν πρ-
[ο̑τον πόσ]α δεῖ ε̑ ἐ[ς τὰς στρ]α[τιὰς ε̑ ἐς ἄλλο τι ἀναλίσκεν· ἐν δὲ τε̑ι hέδραι τ]ε̣̑ς βολε̑ς τε̑ι πρό-
[τει περὶ] τ[ο]ύτο ạ[ἰεὶ δίκ]ạς [ἐσαγόντον ἄνευ τε̑ς ἐλιαίας καὶ τ]ο̑ν ἄλλον δικαστερίον ἐὰμ μ-
[ὲ δικαστο̑ν] προ̑[τον δικα]σ̣ά[ντον ἐσάγεν φσεφίζεται hο] δε̑μ[ος·] τοῖς δὲ κέρυχσι τοῖς ἰο̑σι τ-
[ὸμ μισθὸν] ạ̓ποδ[όντον hο]ι ḳ[ολακρέται . . . .⁹. . . . . εἶπ]ε̣· τὰ μὲ[ν] ἄλλα καθάπερ τε̑ι βολε̑ι· τὰς
[δὲ τάχσες] hόσαι [ἂν κατ]ạ̀ π[όλιν διαδικάζονται τὸς πρ]υτάνε[ς] hοὶ ἂν τότε τυγχάνοσι πρυτ-
[ανεύοντ]ες καὶ τὸ[ν γρα]μμ[ατέα τε̑ς βολε̑ς δελο̑σαι ἐς τ]ὸ δικαστ̣έριον hόταν περὶ το̑ν τάχσ-
[εον ε̑ι h]όπος ἂν α[ὐτὰς ἀ]νθ[ομολογο̑νται hοι δικαστα]ί ᵛ ἔδοχσ[εν] τε̑ι βολε̑ι καὶ το̑ι δέμοι· Α-
[ἰγεῒς ἐ]πρυτάνευ[ε, Φίλ]ιπ[πος ἐγραμμάτευε, . . .⁷. . . .]ορος ἐπεσ[τάτε], Θόδιππος εἶπε· hοπόσ-

[εσι πό]λεσι φόρος [ἐτάχ]θ̣[ε ἐπὶ τ]ε̂ς [βολε̂ς hε̂ι Πλειστί]ας πρôτος [ἐγρα]μμάτευε ἐπὶ Στρατοκ-
[λέος] ἄ̣ρχοντος βô[ν καὶ πανhοπ]λ[ίαν ἀπάγεν ἐς Παναθ]έναια τὰ με̣[γάλα] hαπάσας· πεμπόντον
δ[ὲ ἐν] τ̣ε̂ι πομπε̂ι [καθάπερ ἄποι]κ[οι vvv κατὰ τάδε ἔτα]χσεν τὸμ φό[ρον τε̂]σι πόλεσιν hε βολ[ὲ]
hε̂ι [Πλ]ε̣ιστίας π[ρôτος ἐγραμμ]ά[τευε . . . . 11 . . . . . ἐ]πὶ Στρατοκλ[έος ἄ]ρχοντος ἐπὶ [τô]ν [ἐσ]-
αγογ̣[έο]ν hοîς Κα[. . . 8 or 10 . . ἐγρ]α̣[μμάτευε . . . 9 or 7 . . .]ς.

88. *IG* i². 324; Tod 64; *SEG* x. 227.
Borrowings from Treasuries of the gods, 433–422. 422 B.C.

89. *IG* i². 108; Tod 84; *SEG* x. 124.
Neapolis in Thrace honoured. 410/09 B.C.

90. *IG* i². 116; Tod 88; *SEG* x. 132.
Ratification of treaty with Selymbria. 407 B.C.

91. *IG* i². 118; Tod 90; *SEG* x. 134.
Oiniades of Skiathos honoured. 408/7 B.C.

92. *IG* ii². 1 (i². 126); Tod 96; *SEG* x. 143.
Athens honours the Samians. 405/4 B.C.

93. *IG* ii². 43; Tod ii. 123.
The Second Athenian Confederacy. 377 B.C.

94. *IG* ii². 126; Tod ii. 151; *ATL* ii. T 78d.
Alliance between Athens and Thracian kings. 357/6 B.C.

95. Robert *Études épigraphiques et philologiques*, 302; Tod ii. 204.
Oath taken before Plataea. Late fourth century B.C.

96. Athenian sacred property in the empire.
(*a*) *Aigina.*

(i) *IG* iv. 29: [*h*]όρος | τεμένος | Ἀθεναίας.

Other examples, ibid. 30–2. 29 has ϟ, 30–2 Σ. The letter-forms in general suggest the period before the Thirty Years' Peace.

(ii) *IG* iv. 33: *h*όρος | τεμένος.

Other examples, ibid. 34–8. All have ϟ. In 33–6, Ἀπόλλωνος | Ποσειδῶνος have been added later.

(*b*) *Euboia.*

(i) *IG* i². 376; revised by Raubitschek, *Hesp.* xii (1943), 28, with new fragment; *SEG* x. 304.

After 446 B.C., possibly after 430 B.C.:

A [Θ]εο[ί].
[-c. 5-]ς τεμένε.
[ἐν Χαλκί]δι παρὰ τὸ τε̑ς Ἀθεναίας προσ[τôιον (?) - -c. 13- -] στοιχ. (?)48
[. . . . hι]ππέος ||| γύαι φσιλε̑ς πλέθρα [- - - c. 20 - - -]
[. . 5. . .]εῦσι 𐅄ΔΔΔΔ vacat
[ἐν Ἑσ]τιαίαι Ὀροβίασι Παναιτι[- - - c. 23 - - - - - - - -]
[. . . .]ι ἐλαῖαι, φσιλὲ ΔΔ, γείτο[ν - - - c. 24 - - - - - -]
[. . . .]γροι vacat
[ἐν Ἐρε]τρίαι Αἰγαλ̣[έθεν .]ι̣[- - - - c. 24 - - - - - - - - - -]
lacuna

B ἐμ Π[οσιδείοι (?) - - -]
ἐν Χα[λκίδι - - - - - -]
ἐλαῖο[ν - - - - - - - - -]
γείτο[ν - - - - - - - - -]
ἐν Ἐρε[τρίαι - - - - -]
γείτο[ν - - - - - - - - -]
ελαιδ[- - - - - - - - - -]
χοριο[- - - - - - - - - -]
χρομε[- - - - - - - - - -]
παρὰ τ[- - - - - - - - - -]
γείτο[ν - - - - - - - - - -]
ἐν Ἀνδ[- - - - - - - - - -]
ἐν Χαλ[κίδι - - - - - - -]
πλέθ̣[ρα - - - - - - - - - -]
vacat
vacat
ἐμ Π̣[οσιδείοι (?) - - -]
πρ̣[- - - - - - - - - - - - -]

(ii) Chalkis, *IG* xii. 9. 934: [τ]έμενος | [Ἀ]θηναίης.

Ϟ. The stone cannot now be seen. Perhaps the restoration should be: [*hóρος*] | [τ]εμένος | [Ἀ]θηναίης.

(*c*) *Kos.*

Inscriptions of Cos (Paton and Hicks), p. 160, no. 148: *hóρος* τ̣ε̣μ̣|ένος Ἀθην|α̑ς Ἀθηνῶν | μεδεόσης.

Ϟ.

(*d*) *Samos.*

(i) *SEG* i. 375: [*hó*]ρος ⁝ τεμέ[νος | Ἀ]θεναίας | Ἀθενôν | μεδεόσες.

Though normally associated with the settlement of Samos after revolt, the inscription has ϟ and other early letter-forms. A later example, in Ionic, *SEG* i. 376: ὅρος τε|μένεος | Ἀθηνα̑ς | Ἀθηνῶν | μεδεόσης.

(ii) *BCH* viii (1884), 160: *hóρος* | τεμένος | *Ιονος | Ἀθένεθεν.

ϟ.

(iii) *IGA* 8: *hόρος | τεμένος | ἐπονύμον | Ἀθένηθ[ε]ν.*
S.

97. *IG* i². 911–12; Tod 15, 45; *Hesp.* (see below); *SEG* x. 390.
Ostracism at Athens.

Many further ostraka have been found in the Agora and Kerameikos. References up to 1946 in Tod, addenda to No. 15. See especially *Hesp.* v (1936), 40, Kallias son of Didymias (cf. *Andok. iv. 32); *Hesp.* vii (1938), 361, a summary to 1937; ibid. (1938), 228, a hoard of 190 ostraka prepared for use against Themistokles; ibid. x (1941) 2, Perikles (archaic letters); ibid. xvii (1948), 193; *Kerameikos* iii. 51, Kimon.

II. NON-ATTIC

98. *SIG*³ 31; *DGE* 11; Buck 64; Tod 19.
"Serpent column" commemorating the Greeks who fought against Persia. 479 B.C.

99. *SIG*³ 21.
Tarentine dedication at Delphi, from Messapians. (?) After 480 B.C.

[ἀπὸ Μεσσαπίον Ταραντ]ῖνο[ι ἀνέθεν hελ]όντες [δεκάταν].

Restoration from Paus. x. 10⁶ and a fourth-century recutting of the inscription.

100. *IvO* 266.
Dedication of Praxiteles at Olympia. (?) After 480 B.C.

Πραξιτέλες ἀνέθεκε Συρακόσιος τόδ' ἄγαλμα
καὶ Καμαριναῖος, πρόσθα δὲ Μαντινέαι
Κρίνιος hυιὸς ἔναιεν ἐν Ἀρκαδίαι πολυμέλοι,
hεσλὸς ἐόν, καί ϝοι μνᾶμα τόδ' ἐστ' ἀρετᾶς.

101. *SIG*³ 35 D; Hiller 44; *SEG* iii. 396; Wade-Gery, *JHS* liii (1933), 102.
Dedication by Polyzalos at Delphi. (?) 477 B.C.

[νικάσας ἵπποισι Π]ολύζαλός μ' ἀνέθηκ[εν]
[ὑὸς Δεινομένεος τ]ὸν ἄεξ' εὐόνυμ' Ἀπόλ[λον].

The original first line, erased and replaced by l. 1 above, is still partly visible:

[μνᾶμα Πολύζαλός μ' ὁ] Γέλας ἀνέθεκε ϝανάσσ[ον].

For the question of the visibility of these letters see Wade-Gery. For the bronze charioteer dedicated see Richter, *Sculpture and Sculptors of the Greeks*², 41 and figs. 162, 285.

102. *SIG*³ 35 Ba; Hiller 37; Tod 22.

Hieron's dedication at Olympia for Cumae. 474 B.C.

103. *SIG*³ 40.

Tarentine dedication at Delphi, from Peuketians. (?) 470–460 B.C.

[*Ταραντῖνοι ἀνέθεν δεκάταν ἑλόντες ἀπὸ*] *Πευκε*[*τίων*].

Restoration based on a later renewal of the inscription. Cf. Paus. x. 13[10].

104. *SIG*³ 37–8; *DGE* 710; Buck 3; Tod 23.

Public imprecations at Teos. *c.* 470 B.C.

105. *DGE* 679; Buck 19.

Persian operations in Cyprus. (?) Before 450 B.C.

Bronze tablet with a long inscription in the Cypriot syllabary, recording payment of an indemnity by the king and state of Idalion to the physician Onasilos and his brothers, who tended the wounded without fee "when the Medes and Kitians were besieging the city". Dated by some to the period of the Ionic revolt: discussed by Hill, *History of Cyprus*, i. 153–5.

106. *SIG*³ 47; *DGE* 362; Buck 55; Tod 24.

Colonization of Naupaktos by Eastern Lokrians. Before 460 B.C.

107. *DGE* 794.

Dedications of Mikythos at Olympia. *c.* 460 B.C.

[*Μίκυθος ὁ Χοίρο Ῥεγῖνος καὶ Μεσσέ*]*νιος ϝοικέον ἐν Τεγέει*
[*τἀγάλματα τάδε θεοῖς ἀνέθεκε πᾶσι*]*ν καὶ θεαῖς πάσαις·*
[*παιδὸς δὲ νόσον φθινάδα νοσέοντος κ*]*αὶ χρεμάτον, hόσσα ϝοι πλεῖστα ἐγέν*[*ετο δυνατὸν*]
[*ἰετροῖς δαπανεθέντον, ἐς Ὀλυμπίεν*] *ἐλθόν, ἔπειτα εὐξάμεν-*
[*ος - - - - ἀνέθεκεν*].

Inscription repeated on a second, and possibly on a third, base (*IvO* 267–9). Restoration based on Paus. v. 26[5], cf. *Her. vii.* 170[4].

108. Hondius, *BSA* xxiv (1919–21), 137; Hiller 45.

Dedication in Laconia by queen of Kyrene. *c.* 460 B.C.

[Ἀρκεσίλα μ' ἀν]έθεκε δάμαρ [βασίλισσα] | Κυράνας
[Ἀπόλλονι ∪ – ∪]· Κυραναῖος δέ μ' ἐπο[ίε].

From the temple of Apollo Hyperteleatas.

109. Hicks and Hill 24; *DGE* 7; Hiller 13; Buck 63; Jeffery, *JHS* lxix (1949), 26.

Spartan dedication at Olympia after Messenian revolt. *c.* 460 or *c.* 455 B.C.

[Δέξ]ο ϝάν[α]ξ Κρονίδα{ι} Δ̣εῦ 'Ολύνπ|ιε καλὸν ἄγαλμα |
hιλέϝο[ι θυ]μôι τοῖ(λ) Λακεδαιμονίο[ις].

See Paus. v. 24[3].

110. Hicks and Hill 31; *DGE* 80; Buck 80.

Argive dedication at Olympia of spoils from Corinth. (?) *c.* 460 B.C.

τἀργ[εῖ]οι ἀνέθεν τôι Διϝὶ τôν Ϙορινθόθεν.

111. *SIG*[3] 45; *DGE* 744; Buck 2; Tod 25.

Halikarnassian law concerning disputed property. 460–455 B.C.

112. Hiller 46; Tod 27.

Spartan dedication at Olympia for Tanagra. *c.* 457 B.C.

113. Peek, *Klio* xxxii (1939), 289; *ATL* iii. 253, n. 37.

Samian commemoration of victory in Egypt. *c.* 460 B.C.

[τόδ'] ἔργο πολλοὶ π̣ά̣ρ̣α̣ [μάρτ]υ̣ρ̣ε̣[ς, εὖτ' ἐπὶ Νείλωι]
[Μέμ]φιος ἀμφ' ἐρατῆς νηυσὶν ἔθηκ̣[ε μάχην]
[θο]ῦρος Ἄρης Μήδων τε καὶ Ἑλλήν[ων, Σάμιοι δὲ]
[νῆ]ας Φοινίκων πέντε τε καὶ δ[έχ' ἕλον]·
[ἀλλ'] Ἡγησα[γ]όρην Ζωιλότο καὶ [- - - - - - - -]

Found in Heraion at Samos.

114. *SIG*[3] 58; *DGE* 727; Tod 35.

Milesian law against tyrants. *c.* 450 B.C.

115. *SIG*[3] 57; *DGE* 726.

Publication of sacred laws at Miletos. 450/49 B.C.

Decree of the μολποί ordering the publication of a list of τὰ ὄργια, followed by the list itself. Dated ἐπὶ Φιλτέω τô Διονυσίο μολπῶν αἰσυμνῶντος, προσέταιροι ἦσαν Οἰνώ|πων Ἀγαμήδης Ἀριστοκράτεος, ʽΟπλήθων Λύκος Κλέαντος, | Βίων Ἀπολλοδώρο, Βωρ⟨έ⟩ων Κρηθεὺς ʽΕρμώνακτος, Θράσων Ἀν|τιλέοντος (1–4), cf. B 30[6–7]: Philteas' year is known from a list of αἰσυμνῆται μολπῶν, *Milet* i. 3, no. 122. Other officials mentioned are στεφανηφόροι (14, etc.) and βασιλεύς (22–3: τούτοισι τοῖσ' ἱεροῖσιν ὁ βασιλεὺς παρίσταται, λαγχάνει δὲ | οὐδὲν πλῆον τῶν ἄλλων μολπῶν).

Preserved in a late Hellenistic copy.

116. *DGE* 701.

Qualifications for office at Erythrai. (?) *c.* 450 B.C.

A

[. . . . . . .[12]. . . .] μηδ[ὲ] στοιχ. 16
κύαμ[ον . . .[6]. . .] μηδὲ
τιμάς· ἢ̣ν [δ'] ἁμαρτάνη-
ι, ὀφελέτω δέκα στατ-
ῆρας· δίωξιν δ' ἦναι τ-
ῶι βολομένωι, καὶ τῶ-
ι καταλαβόντι τὤμι-
συ, τὸ δ' ἥμισυ τῆς πόλ-
εως· ἢν δ' ἐκχωρῆι ὁ δι-
ώξας, ὀφελέτω, ὅπερ ο-
ἶ νικῶντι γίνεται, κ-
αὶ τούτο δίωξιν ἦνα-
ι κατὰ ταὐτά· δικάζε-
ν δὲ ἀπὸ τῶν φυλέων ἄ-
νδρας ἐννέα ἀπ' ἑκάσ-
της, οἶσίν ἐστιν μὴ ἐ-
λάΤονος ἄξια ἢ τριή-
κοντα στατήρων, ὀμό-
σαντας τὸν αὐτὸν ὅρ-
κον τῆι βολῆι δικᾶν
κατὰ νόμος καὶ ψηφί-
σματα· πληρôν δὲ τ[ὸ δ]-
ικαστήριον μὴ [ἐλάσ]-
σονας ἢ ἑξήκο[ντα κα]-
ὶ ἕνα· δικάζεν [δὲ] πλη-
σίον τιθέντ[α κ]ατὰ τ-
[ὸ]ν νόμον· ἐσάγεν δὲ τ-
[ὰς] δίκας καὶ συγγρ[ά]-
[φεν] πρυτάνεας καὶ [γ]-

B

[. τὸ ψ]ή[φ]- στοιχ. 6
[ισ]μα ἐ[σ]-
[τ]ήλῃι [λ]-
[ι]θίνῃι
καὶ ἐς [τ]-
ὸγ κύκλ-
ον στῆσ-
αι τô Ζη-
νὸς τὠγ-
οραίο τ-
ὴν δευτ-
έρην πρ-
υτανη[ί]-
ην· δίωξ-
ιν δ' ἦνα-
ι, ὅτις α-
ὐ̣τὸς ζώ̣-
ει μὴ κα-
τὰ νόμο-
ν τραφ- στοιχ. 5
ὲς ἢ ἐξ-
ελευθ-
έρο παῖ- στοιχ. 6
ς ἢ ξένο·
ὅτεο δὲ
π̣ατὴ[ρ] ἢ
παλαιό-
τερον τ̣-
ιμὰς ἔσ-

C

[. ἐπι]οπ- στοιχ. 6
[τε]ύ̣εν· ἢ-
[ν δ'] ἀπὸ ν-
[ό]θο ἦι, ἐ-
πιοπτε-
υέτω κα-
ὶ ὑποζυ-
γὴν ἦνα-
ι· τῶν δ' ἀ-
ληθῶν ὅ-
ς ἂμ μὴ ἔ̣-
λθηι ἐπ̣-
[α]γγελά-
ντων τῶ-
μ πρυτά-
νεων, ὀφ-
ελέτω στοιχ. 5
ἡμιστ-
άτηρον· στοιχ. 6
ἔστω δὲ
τῶμ πρυ-
τάνεων,
ἥν τι μὴ
τῶν ἀνα-
γκαίων
ἀπέρ[γη]-
ι.

[ῥάφε]σθαι τὸν ὀφ[έλο]-
[ντα· ἢ]ν δὲ μή, αὐτ[ὸς ὀφ]-
[έλεν, ἐ]γδικάζ[εν . . .]

[χ]εν ἢ κύ-
[α]μον ἐδ-
[έ]ξατο [.]
[. .]περ[.]

(?) Associated with democratic constitution imposed by Athens.

117. *SIG*³ 56; *DGE* 83; Buck 80² (p. 285); Tod 33.
Regulation by Argos of relations between Knossos and Tylissos. *c.* 450 B.C.

118. *DGE* 363; Buck 56; Tod 34.
Treaty between Oiantheia and Chaleion, and Law of Oiantheia. *c.* 450 B.C.

119. *DGE* 179; Buck 110; Tod 36 (col. I).
Civil Laws of Gortyn. *c.* 450 B.C.

120. *SIG*³ 1122; *DGE* 166; Buck 91; Tod 37.
Memorial of victories of Selinous. *c.* 450 B.C.

121. *SIG*³ 61; Tod 49.
Tarentine dedication at Olympia for victory over Thourioi. After 440 B.C.

122. Lolling, *AM* vi (1881), 103; Highby, *The Erythrae Decree*, 47.
Honours paid to Themistokles at Lampsakos. *c.* 200 B.C.

ἔδοξεν τῶ[ι δήμωι . . . . *c.* 9 . . . .]
[σι]άνακτος γνώμ[ηι, εἰσηγησαμένων]
[τ]ῶν ἀρχόντων [τῶν ἐν ἀρχῆι, κύρια εἶ]-
ναι τὰ ἐψηφισμέ[να, ἐν δὲ τῆι ἑορτῆι]
τῆι Θεμιστοκλεῖ [ἀγομένηι δι' ἐνιαυ]-
τοῦ εἶναι πάντα α[ὐτῶι τἀγαθὰ ἃ ἐδόθη]-
σαν Κλεοφάντωι κ[αὶ τοῖς ἀπογόνοις].

The individual here honoured has been made proxenos in a separate decree (1–9).

123. Klaffenbach, *AM* li (1926), 27; Wade-Gery *JHS* liii (1933), 99; Peek, *Athenian Studies*, 120.
Hellenistic monument of Eurymedon.

[πλεῖστα τρόπαια φέρεν] Μαιάνδριος, εὖτ' ἐπὶ καλῶι
ἐστήσαντο μάχην Εὐρυμέδο[ντι νέες·]
[ὃν δῆμος τίμησεν, ἀριστ]εύσας γὰρ ἐκείνηι
ναυμαχίηι πάντων κλέος ἔθετ' ἀθάν[ατον].

[ὀκτὼ νῆας ἕλεν Μαιάν]δριος, ὧν ἀπ' ἑκάστης
ἀσπὶς πρύμναν ἔχει χείρ τ' ὑποδεξ[αμένη·]
[πάσας δ' αὐτάνδρους ἁλ]ὶ τὰς ὑπεδέξατο πόντος
κρυφθείσας, Μήδων συμμαχ[ίην ἄλιον].

Found in Heraion of Samos.

124. *DGE* 409 ff.; Buck 57 ff.

Elean decrees. (?) Fifth century B.C.

The dating of the earlier Elean bronze inscriptions from Olympia is highly controversial, and in many cases the interpretation also. Several of them have been held to belong to the fifth century. The main references to the machinery of government are the following (in view of the dialect, we add a rough translation):

(*a*) *DGE* 409; Buck 57.

2 αἰ ζὲ μὲ 'πιθεῖαν τὰ ζίκαια ὂρ μέγιστον τέλος ἔχοι καὶ τοὶ βασιλᾶες, ζέκα μναίς κα ἀποτίνοι ϝέκαστος τôν μὲ 'πιποεόντον κα(θ)θυταὶς τοῖ Ζὶ 'Ολυνπίοι· ἐπενπôι ζέ κ' 'Ελλανοζίκας καὶ τἄλλα ζίκαια ἐπενπέτο ἁ ζαμιοργία.

"If the holder of the highest office and the kings do not impose the fines, each of those who do not impose them shall pay ten minae consecrated to Olympian Zeus. The Hellanodikas (*or*, A Hellanodikas) shall enforce this, and the damiorgia shall enforce the other fines."

(*b*) *DGE* 410.

8 ἄνευς : βολὰν : καὶ ζᾶμον πλαθύοντα.

"Without the council and a full meeting of the people."

(*c*) *DGE* 412; Buck 59.

3 τôν δέ κα γραφέον ὅτι δοκέοι κα(λ)λιτέρος ἔχεν πὸ(τ) τὸν θ⟨ε⟩όν, ἐξαγρέον καὶ ἐνποιôν σὺν βολᾶι ⟨π⟩εντακατίον ἀϝλανέος καὶ δάμοι πλεθύοντι δινάκοι.

3: κ' ἀλιτέρος (i.e. καὶ ἀλιτήρως) Kirchhoff. καὶ: κ' ἄ(λ)λ' (i.e. καὶ ἄλλα) alii.

"One shall make whatever change in the regulations seems desirable in the sight of the god (*or*, Whatever in the regulations seems to be wrongly made in the sight of the god, one shall change it), by taking out and adding with the whole Council of Five Hundred and a full meeting of the people."

CONCORDANCE OF ATTIC INSCRIPTIONS

IG i²	Tod	*SEG* x	
6+9	—	6	8
10+11+12/13*a*	29	11	26
14/15	—	17	49
16	32	16	10
17	—	35	52
18	—	8	24
19/20	31	7	22
22	—	14	30
23+30	—	20	35
24	40	30	31
26	39	18	21
27	—	19	34
28	—	23	33
30+23	—	20	35
31	—	22	47
32	—	13	28
36	—	33	48
37	—	9	25
39	42	36	53
40/41	—	37	54
44	—	32	45
45	44	34	55
46	—	—	56
50	—	39	62
51	58	48	58, 73
52	57	48	59, 74
54	—	47	69
56	—	55	80
57	61	66	82
58	—	74	84
60	63	69	85
63	66	75	87
65	—	72	86, 63(*a*)
66	—	31	46
71	—	86	66
77	—	40	71
91–2	51	45	67
108	84	124	89
116	88	132	90
118	90	134	91
126	96	143	92
232–92*b*	69, 70, 78	184–209	68
293	50	221	61
295	55	222	72
296+309*a*	—	223	79
297	—	229	63(*d*)
302	75	228	63(*c*)
304A	83	232	63(*e*), (*f*)

IG i²	Tod	*SEG* x	
309*a* + 296	—	223	79
310	—	225	81
324	64	227	88, 63(*b*)
335	—	244	23
336	—	245	40
338	—	243	13
339–53	52	246–56	43
354–62	47	257–63	44
363–7	53	264–6	65
375	—	302	38
376	—	304	96(*b*) (i)
377	54	303	77
394	43	(D 173)	19
395	—	(D 166)	78
396	—	(D 301)	57
400	—	(D 135)	20
474	—	(D 102)	3
580	—	(D 384)	27
606	—	(D 164)	37
607	—	(D 111)	6
608 + 714	—	(D21)	1
821	—	340	11
887–902*a*	—	376–89	4
911–12	15, 45	390	97
928	—	405	9
929	26	406	14
931/932	28	407	18
933	—	—	16
943	48	413	60
945	59	414	76
946	—	415	17
1085	41	411	51
p. 295	67	25	39
IG ii²			
1	96	143	92
43	123	—	93
55	—	67	83
126	151	—	94
2318	—	—	7
5220	—	—	75

C. COINS

1. BOIOTIA, BEFORE TANAGRA

(*a*) *Tanagra*

Obv. Boiotian shield, in the openings on either side T A.
Rev. B in a circle (= BO), in the centre of a mill-sail incuse.
Æ. 12·36 grms., Aiginetic didrachm.
Head, *Coins of Boeotia* (*Num. Chron.* 1881, 177), p. 21 (197) and pl. i. 13.

(*b*) *Tanagra*

Obv. Similar, on rim also T.
Rev. BOI in three quarters of a four-spoked wheel.
Æ. 12·10 grms., Aiginetic didrachm.
Ibid., p. 21 (197) and pl. i. 14.

(*c*) *Thebes*

Obv. Boiotian shield.
Rev. Amphora in square incuse.
Æ. 11·80 grms., Aiginetic didrachm.
Ibid., p. 23 (199) and pl. i. 18.

(*d*) *Orchomenos*

Obv. Sprouting corn-grain, on either side ER.
Rev. Patterned incuse as on latest coins of Aigina.
Æ. 0·81 grm., Aiginetic obol.
Ibid., p. 24 (200) and pl. i. 11.

2. BOIOTIA, TANAGRA TO KORONEIA

(*a*) *Akraiphion*

Obv. Boiotian shield.
Rev. Kantharos, on either side AK; above, bayleaf.
Æ. 11·75 grms., Aiginetic didrachm.
Ibid., p. 26 (202) and pl. ii. 1.

(*b*) *Koroneia*

Obv. Similar.
Rev. Gorgon's head, KORO.

AR. 2·90 grms., Aiginetic hemidrachm.
Ibid., p. 26 (202) and pl. ii. 2.

(c) Haliartos

Obv. Similar.
Rev. Amphora, with ivy wreath, ARI reversed.
AR. 12·21 grms., Aiginetic didrachm.
Ibid., p. 27 (203) and pl. ii. 3.

(d) Tanagra

Obv. Similar.
Rev. Forepart of horse, springing to left, TA.
AR. 12·18 grms., Aiginetic didrachm.
Ibid., p. 27 (203) and pl. ii. 4.

(e) Thebes

Obv. Similar.
Rev. Amphora, below on left and right, ⊕ E, reversed.
AR. 12·15 grms., Aiginetic didrachm.
Ibid., p. 29 (205) and pl. ii. 6.

3. BOIOTIA (THEBES ONLY), AFTER KORONEIA

(a)

Obv. Similar.
Rev. Herakles naked, holding club in right hand and bow in left, advancing to right; ⊕EB.
AR. 12·05 grms., Aiginetic didrachm.
Ibid., p. 31 (207) and pl. ii. 8.

(b)

Obv. Similar.
Rev. Herakles, kneeling to right, stringing bow; ⊕EBAIOS.
AR. 12·20 grms., Aiginetic didrachm.
Ibid., p. 31 (207) and pl. ii. 9.

(c)

Obv. Similar.
Rev. Herakles striding to right, holding tripod in left hand and brandishing club in right; [⊕]EBAION.
AR. 11·99 grms., Aiginetic didrachm.
Ibid., p. 31 (207) and pl. ii. 10.

(*d*)

Obv. Similar.

Rev. Harmonia, in long peplos, seated to right, holding helmet; ΘΕΒΑ.

Æ. 12·03 grms., Aiginetic didrachm.

Head, *Coins of Boeotia* (*Num. Chron.* 1881, 177), p. 32 (208) and pl. ii. 13.

4. THE CHALKIDIANS, SECOND QUARTER OF FIFTH CENTURY B.C.

Obv. Free horse, prancing to right.

Rev. ΨΑ ΛΚ (boustrophedon) in four corners of square incuse; within, eagle flying to right, with serpent in beak and claws.

Æ. 2·66 grms., Euboic-Chalkidian sixth (cf. E. S. G. Robinson, *JHS* lxvi (1946), 14).

D. M. Robinson and Clement, *The Chalcidic Mint* (Excavations at Olynthus, ix), p. 292, no. 3, and pl. xxxiv*a*.

5. SPARADOKOS, THIRD QUARTER OF FIFTH CENTURY B.C.

(*a*)

Obv. Horseman with two spears, wearing Thracian cap, hooded, cloak and breeches, at the walk to the left; in field behind, helmet.

Rev. ΣΠΑΡΑΔΟΚΟ; eagle to left, attacking serpent.

Æ. 17·10 grms., Euboic-Attic tetradrachm.

Traité, pl. cccxxx. 1.

(*b*)

Obv. ΣΠΑΡΑΔΟΚΟ; horse at the walk to left.

Rev. Eagle with serpent, as C 4 (the Chalkidians).

Æ. 3·89 grms., Euboic-Attic drachm.

Ibid. 2.

(*c*)

Obv. ΣΠΑ, forepart of horse, prancing to left.

Rev. Eagle with serpent, as C 4 (the Chalkidians).

Æ. 1·29 grm., Euboic-Attic diobol.

Ibid. 5.

6. BISALTAI, 500–480 B.C.

Obv. ΒΙΣΑΛΤΙΚΟΝ (retrograde); naked youth to right, in kausia, carrying two spears, leading his horse.

Rev. Square incuse, divided into four rectangles.

Æ. 28·88 grms., octodrachm.

Ibid., pl. xlv. 1.

7. ALEXANDER I OF MACEDON, *c.* 475 B.C.

Obv. Similar to C 6, without inscription; youth wears cloak as well as kausia; in field behind him, waning moon; later style.

(NB. The adjunct of the waning moon, constant on Athenian tetradrachms after Marathon, is found otherwise only in fourth-century Sigeion.)

Rev. Similar to C 6, in rectangular frame; inscribed ΑΛΕΞΑΝΔΡΟ.

Æ. 29·00 grms., octodrachm.

Ibid., pl. xlvii. 6.

8. KYZIKOS, *c.* 430 B.C.

Obv. Figures of Athenian cult or myth, as below; in field, tunny-fish.

Rev. Square incuse divided into four rectangles.

(*a*) Harmodios and Aristogeiton, advancing to right; each carries a sword in his right hand, and a chlamys wrapped over his left arm.

El. 15·94 grms., Kyzikene stater.

Ibid., pl. clxxiv. 13.

(*b*) Orestes, wearing chlamys fastened at the throat and holding sword in his lowered right hand, kneeling beside the Delphic omphalos.

El. 15·94 grms., Kyzikene stater.

Ibid. 24.

(*c*) Ge, wearing chiton with overfold, to right, rising from the ground with the infant Erichthonios in her arms.

El. 16·00 grms., Kyzikene stater.

Ibid., pl. clxxv. 6.

(*d*) Kekrops, to left, bearded and human form from the waist up, below, a coiling serpent, resting his left hand on his hip, his right on an olive-stock.

El. 16·08 grms., Kyzikene stater.

Traité, pl. clxxv. 34.

(*e*) Triptolemos, holding two heads of corn, driving to right in chariot drawn by two winged serpents.

El. 15·95 grms., Kyzikene stater.

Ibid. 1.

9. AMISOS–PEIRAIEUS, EARLY FOURTH CENTURY B.C.

Obv. Draped bust of city-goddess, wearing turreted crown richly decorated.

Rev. Owl displayed, standing on shield; on left and right magistrate's name, ΑΦ ΡΟ; beneath, ΠΕΙΡΑ.

Æ. 5·70 grms., light Aiginetic drachm.

Ibid., pl. clxxxv. 10.

10. MAGNESIA

(*a*) *Themistokles*

Obv. Apollo wearing chlamys, walking to left; he leans his left arm on a branch of bay, and launches a bird (raven?) from his outstretched right hand; around, ΘΕΜΙΣ[ΤΟΚΛΕ]ΟΣ.

Rev. Bird (raven?) displayed diagonally in square, pearled frame; below on left and right, Μ Α.

Æ. 8·59 grms., Attic didrachm. Of four examples known, two are plated.

Ibid., pl. lxxxviii. 3.

(*b*) *Antoninus Pius*

Obv. ΤΑΙΛΙΟϹΚΑΙϹΑΡΑΝΤΩΝΕΙΝΟϹ; cloaked bust to right, laureate.

Rev. Statue of Themistokles standing naked to left; he grasps a sheathed sword in his left hand and pours a libation from a patera in his right over a flaming altar; at his feet, forepart of a humped bull; in field on left, ΘΕΜ|ΙϹΤΟΚΛΗ|Ϲ.

Æ. 23·77 grms.

Num. Chron. 1921, p. 19, no. 27 and pl. i.

11. THE LYKIANS; ANTIPHELLOS (?), 480–470 B.C.

Obv. Female head to left (Aphrodite?).
Rev. Owl to left (exactly reproducing contemporary Athenian tetradrachms); around, in Lykian script, T ä th th i v ä i b i.
Æ. 9·64 grms., "Babylonian" stater.
Ibid. 1936, p. 194, no. 43 (weight wrongly given) and pl. xiii. 6.

12. CYRENAICA

(*a*) *Kyrene, before c.* 450 B.C.

Obv. Silphium plant.
Rev. Head of Ammon to right, horned and bearded; in front, KVPA.
Æ. 14·78 grms. (cleaned), Euboic-Attic tetradrachm.
BMC Cyrenaica, p. 10, no. 43 and pl. v. 17.

(*b*) *Barke, second quarter of fifth century* B.C.

Obv. Similar.
Rev. Similar; in front, BAP.
Æ. 17·27 grms., Euboic-Attic tetradrachm.
Ibid., p. clxviii, no. 7b and pl. xxxiii. 12.

(*c*) *Kyrene and Euhesperides, c.* 450 B.C.

Obv. Similar; around, EYEΣ.
Rev. Similar; in front, KVPA.
Æ. 15·72 grms. (cleaned), Euboic-Attic tetradrachm.
Ibid., p. xlii, no. 60e and pl. vii. 19.

(*d*) *Barke and Teucheira, c.* 450 B.C.

Obv. Similar; T E.
Rev. Similar; BAPK; in field, T.
Æ. 16·16 grms., Euboic-Attic tetradrachm.
Ibid., p. 107, no. 50 and pl. xxxvii. 21.

(*e*) *Barke and Kyrene,* (?) *slightly later*

Obv. Similar; KVP.
Rev. Similar; BAP and B A in left and right upper corners.
Æ. 15·95 grms., Euboic-Attic tetradrachm.
Ibid., no. 49 and pl. xxxviii. 1.

13. AKRAGAS AND HIMERA

(*a*) *Himera, before* 480 B.C.

Obv. Cock to right, standing; above, VV; on right, HI.
Rev. Hen to right, standing.

Æ. 5·89 grms., Euboic-Chalkidian drachm (cf. C 4).
Traité, pl. lxxx. 14.

(*b*) *Akragas, c.* 480 B.C.

Obv. Eagle, to right, standing; AKPA.
Rev. Freshwater crab.

Æ. 8·65 grms., Euboic-Attic didrachm.
Ibid., pl. lxxviii. 8.

(*c*) *Himera under Akragas*

Obv. Cock, to left; on left, HIMEPA reversed.
Rev. Crab.

Æ. 8·43 grms., Euboic-Attic didrachm.
Ibid., pl. lxxx. 17.

14. SYRACUSE, DEMARETEION; AND IMITATIONS

(*a*) *Syracuse, celebration of Himera*

Obv. Quadriga, at the walk to right; Victory crowning the horses; in exergue, lion ramping to right.
Rev. Head of Artemis-Arethusa, to right, encircled by four dolphins; she wears the olive-wreath of victory; around, ΣYPAKOΣION.

Æ. 43·15 grms., Euboic-Attic dekadrachm, or Pentekontalitron.
Ibid., pl. lxxiv. 11.

(*b*) *Leontinoi, the same*

Obv. Similar, beneath the horses' chins, AP reversed.
Rev. Head of Artemis to right, wreathed (the scale is too small to determine the species) and encircled by four corn-grains; ΛEONTINON reversed.

Æ. 17·15 grms., Euboic-Attic tetradrachm.
Ibid, pl. lxxiii. 9.

(c) Kyme, in imitation, (?) after battle of Kyme

Obv. Head of nymph to right, closely imitating reverse of C 14(*a*).
Rev. Mussel-shell; above, corn-grain; around, **KVMAION** reversed.
Æ. 6·75 grms. (oxidized), Phokaic didrachm.
Ibid., pl. lxix. 6.

15. AITNA, BEFORE RESTORATION OF KATANE

(*a*)

Obv. Head of Silenos to right, with horse's ears, wreathed with ivy; beneath, a local variety of beetle; around, **AITNAION.**
Rev. Zeus Aitnaios, wearing long himation, seated to right on throne covered with a lion or panther skin; he holds in his right hand a winged thunderbolt, and leans his left upon a vine-stock; in field right, an eagle to right, perched on top of a fir-tree.
Æ. 17·24 grms., Euboic-Attic tetradrachm.
Num. Chron. 1883, pp. 165, 171 and pl. ix. 1.

(*b*)

Obv. Similar, without beetle or inscription.
Rev. Winged thunderbolt; **AITN.**
Æ. 0·71 grm., litra.
SNG ii (Lloyd), 888.

16. KATANE, AFTER RESTORATION

Obv. and *Rev.* Similar, but with **KATANE.**
Æ. 0·76 grm., litra.
Ibid. 889.

17. RHEGION

(a) Anaxilas, after 480 B.C.

Obv. Car with pair of mules at walk to right; driver, bearded, in ankle-length chiton, squats on a basket seat; in exergue, bay-leaf.
Rev. Hare, to right; around, **RECINON** reversed.
Æ. 17·43 grms., Euboic-Attic tetradrachm.
Ibid. 670.

(b) Restored democracy

Obv. Lion's head facing.

Rev. Bearded hero, resting left hand on hip and right on staff, seated left on stool; on left and right, RECI NOƧ; the whole framed in wreath of olive.

Æ. 17·18 grms., Euboic-Attic tetradrachm.

SNG ii (Lloyd), 676.

18. MESSENE–ZANKLE, *c.* 460 B.C.

(a)

Obv. Two mules in racing car at the walk, driven by bearded driver; beneath, bay-leaf.

Rev. Hare; MEƧƧENION.

N. 1·46 grm., Euboic-Attic diobol.

(N.B. The issue of a momentary gold coinage indicates a sudden and desperate emergency, such as might arise in an attempted restoration of exiles.)

JHS lxvi (1946), p. 20, no. 36.

(b)

Obv. Zeus to right, wearing chlamys and brandishing thunderbolt in left hand; in field on right, altar with palmette and volute.

Rev. Dolphin to left (the original type of Zankle); beneath, cockle-shell; above, DANKΛAION.

Æ. 17·07 grms., Euboic-Attic tetradrachm.

Ibid., no. 37 and pl. v.

(c)

Obv. Dolphin.

Rev. DAN.

Æ. 0·80 grm., litra.

Ibid., no. 38.

19. NEW SYBARIS, RESETTLEMENT UNDER THESSALOS; WITH TYPES OF LAOS AND POSEIDONIA

(a)

Obv. Bull (of Poseidonia) to left; above, MV reversed.

Rev. Acorn (of Laos); ΛAϟ.

Æ. 1·03 grm., Achaean sixth.
SNG (Copenhagen), Italy, part iii, 1398.

(*b*)

Obv. Similar, to right; ΛΑϟΟΝ reversed.
Rev. Two pateras; ΜVΒΑ reversed.
Æ. 0·75 grm., Achaean sixth.
Grose, *McClean Catalogue*, pl. 30. 18.

(*c*)

Obv. Poseidon, to right, brandishing trident to right; ΜVΒ reversed.
Rev. Raven (of Laos) to right.
Æ. 0·78 grm., Achaean sixth.
Ibid., pl. 38. 26.

(*d*)

Obv. Similar; in field on right, bird (raven?) flying; ΜVΒΑ.
Rev. Bull to right; ΜVΒ reversed.
Æ. 7·82 grms., Achaean stater.
SNG iv (Fitzwilliam), part i, 580.

(*e*)

Obv. Similar, with bird; ΜΥ.
Rev. Similar; ΜΥ.
Æ. 1·19 grm., Achaean sixth.
Ibid. 582.

(*f*)

Obv. Similar; ΠΟΜ.
Rev. Similar; ΜVΒ reversed.
Æ. 1·23 grm., Achaean sixth.
J. Babelon, *Coll. Luynes*, pl. xix. 540.

20. NEW SYBARIS, SETTLEMENT WITH ATHENIANS

Obv. Head of Athena to right, in olive-wreathed Attic helmet.
Rev. Bull to right with head turned back (reproducing the original type of Sybaris); on rump, Α; in exergue, ΣVΒΑΡ.
Æ. 2·53 and 1·12 grms., Achaean third and sixth.
SNG ii (Lloyd), 456 and 458 (rev. ΣVΒΑ).

21. THOURIOI

Obv. Similar; on right, above, Α.

Rev. Bull, standing to left; on rump, Α; in exergue, river-fish to left; above, ΘΟΥΡΙΩΝ.

Æ. 7·86 and 1·18 grms., Achaean stater and sixth.

SNG ii (Lloyd), 461 and 471.

22. HERAKLEIA IN LUCANIA, *c*. 430 B.C.

Obv. Head of Athena to right, bare; in background, her aegis.

Rev. Herakles, holding cup in right hand and club in left, seated to left on lion skin laid over a rock; on left, ΗΡΑΚΛΕΙΩΝ.

Æ. 7·55 grms., Achaean stater.

Ibid. 268.

23. ATHENIAN INFLUENCE IN ITALY, LAST THIRD OF FIFTH CENTURY B.C.

(*a*) *Kyme*

Obv. Head of Athena to right in laureate helmet, closely modelled on contemporary type of Thourioi.

Rev. Mussel-shell; above, dog standing on snake to left; around, ΚΥΜΑΙΟΝ.

Æ. 7·26 grms., Phokaic-Campanian didrachm.

SNG iv (Fitzwilliam), 115.

(*b*) *Neapolis*

Obv. Similar.

Rev. Man-faced bull going to left; above and below, ΝΕΟΠΟ-ΛΙΤΕΣ.

Æ. 6·09 grms., Phokaic-Campanian didrachm.

Ibid. 137.

(*c*) *The Campanians*

Obv. Similar.

Rev. Similar, to right; beneath, Μ; on right, water-bird (stork?); above, ΗΑΜΠΑΝΟ reversed.

Æ. 6·96 grms., Phokaic-Campanian didrachm.

Ibid. 102.

(*d*) *Velia*

Obv. Similar, to left; above, Β reversed.

Rev. Lion attacking stag to left; around, **ΥΕΛΗΤΩΝ.**
Æ. 6·93 grms., Phokaic-Campanian didrachm.
Ibid. 653.

(*e*) *Hyria*

Obv. Similar; bowl of helmet decorated with owl in addition to wreath.
Rev. As 23(*b*) (*Neapolis*); above, **ΥΡΙΝΑΙ.**
Æ. 7·05 grms., Phokaic-Campanian didrachm.
Ibid. 123.

(*f*) *Nola*

Obv. Similar, to right; behind neck, **ΛΕ** in monogram.
Rev. Man-faced bull, standing to right; above, **ΝΩΛΑΙΩΝ;** beneath, **ΛΕ** in monogram.
Æ. 7·30 grms., Phokaic-Campanian didrachm.
Ibid. 188.

INDEXES

(For explanation of italics, square brackets, etc. see Introduction p. xiv.)

I. ATHENS: EXTERNAL HISTORY

1. THE PERSIAN WAR UNDER SPARTAN LEADERSHIP

2. ATHENS' RELATIONS WITH SPARTA: TRANSFER OF HEGEMONY

5. Spartan commanders rejected: *Thuc. i. 95*^{6}; Diod. xi. 46^{5}.
6. Pausanias' acquittal and return to Byzantium: *Thuc. i. 95*^{5}, *128*^{3}; Nepos, Paus. 2^{6}–3^{1}; Aristod. 6^{2-3}. (For Pausanias' later career, see IV. 1.)
7. Spartan acceptance of transfer: *Thuc. i. 95*^{7}, cf. *75*^{2}, *92*; Plut. Arist. 23^{7}; Diod. xi. 50; *Xen. Hell. vi. 5*^{34}; cf. *Arist. Ἀθπ. 23*^{2}.

3. ATHENIAN CAMPAIGNS TO FALL OF THASOS

1. Capture of Byzantium: *Thuc. i. 131*^{1}; Plut. Cim. 6^{6}; (?) Simonides, fr. 89; cf. Ephoros, fr. 191^{40-2}; Diod. xi. 60^{2}; Justin ix. 1^{3}.
   Kimon and spoils of Byzantium and Sestos: Plut. Cim. 9^{3-6} (Ion, fr. 13); Polyaenus i. 34^{2}.
2. Eïon: *Thuc. i. 98*^{1}; *Her. vii. 107*; Ephoros, fr. 191^{43-5}; Diod. xi. 60^{2}; Plut. Cim. 7–8^{2}; Nepos, Cim. 2^{2}; Polyaenus vii. 24; Paus. viii. 8^{9}; Dem. xxiii. 199.
   The epigrams: Plut. Cim. 7^{4-6}; Aeschin. iii. 183–5.
   Colony to Strymon: Schol. Aeschin. ii. 31 (34); Plut. Cim. 7^{3}, 8^{2}; Nepos, Cim. 2^{2}.
   Other Persian garrisons in Thrace: *Her. vii. 106*.
3. Skyros and bones of Theseus: *Thuc. i. 98*^{2}; Ephoros, fr. $191^{46,\,(?)228}$; Diod. iv. 62^{4}, xi. 60^{2}; Plut. Cim. 8^{3-7}, Thes. 36^{1-4}; Nepos, Cim. 2^{5}; Paus. i. 17^{6}; Schol. Aristid. XLVI. iii, p. 688; Schol. Ar. Plut. 627.
4. Karystos: *Thuc. i. 98*^{3}; *Her. ix. 105*; cf. B 60^{27} (Tod 48).
5. Naxos: *Thuc. i. 98*^{4}, *137*^{2}; Ar. Vesp. 354–5; Plut. Them. 25^{2}; Nepos, Them. 8^{6}; Aristod. 10^{3}; cf. B 60^{75} (Tod 48).
6. Persian plans for counter-offensive: Plato, Menex. 241d; cf. I. 6^{7}.
7. Eurymedon: *Thuc. i. 100*^{1}; Ephoros, fr. 191^{62-118}; Diod. xi. 60^{3}–62; Plut. Cim. 12–13^{3} (Ephoros, fr. 192; Kallisthenes, fr. 15; Phanodemos, fr. 22); Nepos, Cim. 2^{2-3}; Aristod. 11^{2}; Justin ii. 15^{20}; Polyaenus i. 34^{1}; Plato, Menex. 241d; Lykourgos 72; Paus. i. 29^{14}; Suidas s.v. *Κίμων*; Euseb. (*f*).
   Epigrams (Simonides, frs. 103, 115, 116): Diod. xi. 62^{3}; Aristid. XLVI. ii, p. 209, XLIX. ii, p. 512; B 123.
   Dedication: Paus. x. 15^{4}.
   Karia and Lykia brought into Delian League: Ephoros, fr. 191^{56-61}; Diod. xi. $60^{1,\,4}$; cf. Plut. Cim. $12^{1,\,3-4}$; cf. Frontinus iii. 2^{5}.
   Peace with Persia: Plut. Cim. 13^{4} (Kallisthenes, fr. 16); Suidas s.vv. *Καλλίας*, *Κίμων*; Euseb. (*f*); (?) Plato, Menex. 241d–242a; (?) Lykourgos 73.
8. Operations in Thracian Chersonese: Plut. Cim. 14^{1}; B 9; cf. *Her. vii. 106*.
9. Revolt of Thasos: *Thuc. i. 100*^{2}–*101*; B $9^{43,\,74}$; Diod. xi. 70^{1}; Plut. Cim. 14^{2}, Them. 25^{2}; Nepos, Cim. 2^{5}; (?) Polyaenus ii. 33, viii. 67.
   Colony to Strymon and disaster at Drabeskos: *Thuc. i. 100*^{3}, *iv. 102*^{2}; Diod. xi. 70^{5}, xii. 68^{2}; *Her. ix. 75*; Schol. Aeschin. ii. 31 (34); Isokr. viii. 86; Paus. i. 29^{4-5}; (?) B 9; (?) cf. Nepos, Cim. 2^{2}.
   Macedonian interest in Strymon area: Plut. Cim. 14^{3}; *Her. v. 17*^{2}; cf. C 6–7.
10. (?) Other operations in Thrace: Pindar, fr. 36^{65-7}.

4. BREACH BETWEEN ATHENS AND SPARTA

1. Spartan promise of help to Thasos: *Thuc. i. 101*^{2}.
2. Athenians invited to Ithome: *Thuc. i. 102*$^{1-2}$; Plut. Cim. 16^{8-10} (Kritias, fr. B 52; Ion, fr. 14), 17^{3} (second summons); Diod. xi. 64^{2}; Ar. Lys.

1137–44 with schol. (Philochoros, fr. 117); *Xen. Ἀθπ. 3^{11}; Paus. i. 29^{8}, iv. 24^{6}; Justin iii. 6^{2}; cf. Perikleidas' son Athenaios, *Thuc. iv. 119^{2}.*

3. Athenians dismissed from Ithome: *Thuc. i.* 102^{3}; Plut. Cim. 17^{3}; Diod. xi. 64^{2}; Paus. i. 29$^{8-9}$, iv. 24$^{6-7}$; Justin iii. 6^{3}.
4. Athens breaks off Spartan alliance: *Thuc. i. 102^{4}*; cf. Diod. xi. 64^{3}.
5. Athenian alliance with Argos: *Thuc. i. 102^{4}*; Paus. i. 29^{9}, iv. 24^{7}; cf. Aesch. Eum. 287–91.
6. Athenian alliance with Thessaly: *Thuc. i. 102^{4}, ii. 22^{3}.*
7. Settlement of Messenians at Naupaktos: *Thuc. i. 103^{3}*; Diod. xi. 84$^{7-8}$; Paus. iv. 24^{7}, cf. 33^{2}; (?) B 25; cf. *B 106* (*Tod 24*) for Lokrians and Naupaktos.

   Messenians and Oiniadai: Paus. iv. 25.
8. Quarrel of Corinth and Megara, Megarian alliance with Athens: *Thuc. i. 103^{4}*; Diod. xi. 79$^{1-2}$; Plut. Cim. 17$^{1-2}$; cf. Andok. iii. 3.
9. (?) Athenian naval expedition: Plut. Cim. 15^{2}.
10. Athenians at Oinoe: Paus. i. 15^{1}, x. 10^{4}.
11. Athenians gain from Sparta's troubles generally: Schol. Ar. Lys. 1138 (Philochoros, fr. 117); cf. *Thuc. i. 118^{2}.*

5. FIRST PELOPONNESIAN WAR TO FIVE YEARS' TRUCE

1. Battle of Halieis: *Thuc. i. 105^{1}*; Diod. xi. 78$^{1-2}$; B 14^{3} (Tod 26); (?) Justin iii. 6$^{5-6}$.
2. Battle of Kekryphaleia: *Thuc. i. 105^{1}*; Diod. xi. 78^{2}; (?) B 15; (?) Justin iii. 6$^{6-7}$.
3. War with Aigina: *Thuc. i. 105$^{2-4}$, 108^{4}*; Diod. xi. 70$^{2-3}$, 78$^{3-4}$; B 14^{3} (Tod 26); (?) Justin iii. 6$^{6-7}$; cf. Andok. iii. 6; cf. Aeschin. ii. 173; cf. *Her. v. 89^{2}.*

   Athenian regulations for Aigina: B 24; cf. B 96(*a*).
4. Battles of Megara: *Thuc. i. 105^{3}–106*; Diod. xi. 79$^{3-4}$; B 14^{3} (Tod 26).
5. Spartan expedition to Phokis: *Thuc. i. 107^{2}*; Diod. xi. 79$^{4-6}$; Plut. Cim. 17^{4}; Aristid. XIII. i, p. 255.
6. Spartans in Boiotia: *Thuc. i. 107^{4}*; Diod. xi. 80^{2}, 81^{3}; Aristid. XIII. i, p. 256; cf. Justin iii. 6$^{10-11}$.
7. Battle of Tanagra: *Thuc. i. 107^{6}–108^{1}*; Diod. xi. 80$^{2-6}$; *Her. ix. 35^{2}*; Plut. Cim. 17$^{4-8}$, Per. 10$^{1-3}$; Aristod. 12^{1}; Plato, Menex. 242a–b; Aristid. XIII. i, p. 256; (?) Justin iii. 6$^{8-9}$; Paus. i. 29^{9}, iii. 11^{8}, (?) i. 29^{6} (but cf. Meritt, *Hesp.* xvi (1947), 147); cf. Nepos, Cim. 3^{2}.

   Boiotians at Tanagra: Plato, Alc. mai. 112c; Paus. i. 29^{9}, (?) 29^{6}; cf. Xen. Mem. iii. 5^{4}.

   Spartan dedication: Paus. v. 10^{4}; *B 112* (*Tod 27*).

   Athenian allies: *Thuc. i. 107$^{5, 7}$*; Diod. xi. 80^{1}; Paus. i. 29$^{7, 9}$, iii. 11^{8}, v. 10^{4}; B 18, *B 112* (*Tod 27*); *Her. ix. 35^{2}.*

   (?) Athenian epitaph for cavalry: B 17 (Simonides, fr. 117).

   Truce with Sparta: Diod. xi. 80^{6}.

   Kimon recalled to make peace with Sparta: Theopompos, fr. 88; Plut. Cim. 17^{8}–18^{1}, Per. 10^{4}; Nepos, Cim. 3^{3}; cf. Andok. iii. 3; cf. Aeschin. ii. 172.
8. Battle of Oinophyta: *Thuc. i. 108$^{2-3}$*; Diod. xi. 81^{4}–83^{1}; Aristod. 12^{2}; Plato, Menex. 242b; Aristid. XIII. i, p. 256; Polyaenus i. 35$^{1-2}$; (?) *B 19* (*Tod 43*), B 20; cf. Arist. Rhet. iii. 4^{3}. 1407^{a}3.
9. Boiotia after Oinophyta: Arist. Pol. 1302^{b}25; *Xen. Ἀθπ. 3^{11}; *Thuc.*

iii. 62^{5}, *iv. 92*^{6}, cf. *i. 111*^{1}; Diod. xi. 83^{1}; C 2, cf. C 1; cf. Plato, Menex. 242b.

10. Athenians in Phokis and Lokris: *Thuc. i. 108*^{3}; Diod. xi. 83$^{2-3}$; Polyaenus i. 35^{2}; Aristid. XIII. i, p. 256; (?) B 21 (Tod 39).
11. Expedition of Tolmides round Peloponnese: *Thuc. i. 108*^{5}; Diod. xi. 84, cf. Polyaenus iii. 3; Aeschin. ii. 75 with schol.; Paus. i. 27^{5}; Aristod. 15^{1}; Plut. Per. 19^{2}.
12. Expedition to Thessaly: *Thuc. i. 111*^{1}; Diod. xi. 83$^{3-4}$.
13. Perikles in Corinthian Gulf and Akarnania: *Thuc. i. 111*$^{2-3}$; Diod. xi. 85, 88$^{1-2}$; Plut. Per. 19$^{2-3}$; (?) Justin iii. 6$^{12-13}$.
14. Troizen in Athenian possession: *Thuc. i. 115*^{1}; Andok. iii. 3.
15. Hermione allied to Athens: B 29.
16. (?) Halieis captured by Spartans: *Her. vii. 137*^{2}.
17. Five Years' Truce: *Thuc. i. 112*^{1}; Diod. xi. 86^{1}; Theopompos, fr. 88; Plut. Cim. 18^{1}, Per. 10^{4}; Nepos, Cim. 3^{3}; Andok. iii. 3–5; Aeschin. ii. 172; cf. Ar. Ach. 187–90.
18. Peace between Sparta and Argos: *Thuc. v. 14*^{4}, *28*^{2}.

6. PERSIAN WARS AFTER EURYMEDON

1. Expeditions of Perikles and Ephialtes: Plut. Cim. 13^{4}.
2. Operations in eastern Mediterranean: Plut. Them. 31^{4}; Lykourgos 72.
3. Murder of Xerxes, accession of Artaxerxes: Ktesias 60–1; Ephoros, fr. 191$^{128-32, 119-27}$; Diod. xi. 69, 71^{1}; Justin iii. 1; Arist. Pol. 1311^{b}34; Euseb. (*a*).
4. Revolt of Baktra: Ktesias 62.
5. Reorganization of Persian kingdom: Diod. xi. 71^{2}.
6. Themistokles' arrival in Persia: *Thuc. i. 137*^{3}; see II. 2^{4}.
7. Proposed offensive against Greece under Themistokles: *Thuc. i. 138*^{2}; Diod. xi. 58^{2}; Plut. Them. 29^{3}, 31$^{3-5}$, Cim. 18$^{6-7}$; Nepos, Them. 10$^{2, 4}$; Aristod. 10^{4}–11^{1}; Schol. Ar. Eq. 84; Suidas s.vv. *Θεμιστοκλῆς*, *Κίμων*.
8. (?) Expedition by Kimon after Ithome: Plut. Cim. 15^{2}.
9. Revolt of Egypt: *Thuc. i. 104*, *109–10*; Ktesias 63–7; Diod. xi. 71$^{3-6}$, 74–5, 77$^{1-5}$; *Her. iii. 12*^{4}, *15*^{3}, *160*^{2}, *vii. 7*.
   Athenians and allies in Cyprus and Phoenicia: *Thuc. i. 104*^{2}; B 14$^{2-3}$ (Tod 26); Plato, Menex. 241e; Aristod. 11^{3}.
   Athenians and allies in Egypt; *Thuc. i. 104*, *105*^{3}, *109–10*; Ktesias 63–7; Diod. xi. 71$^{4-6}$, 74$^{2-6}$, 75^{4}, 77$^{2-5}$, xii. 3^{1}; B 14$^{2-3}$ (Tod 26); B 113 (Samians); Plato, Menex. 241e; Aristod. 11$^{3-4}$; Justin iii. 6^{6}; Plut. Them. 31^{4}; Isokr. viii. 86; Aelian, VH v. 10; cf. Aesch. Eum. 292–5.
   Athenians in Kyrene: *Thuc. i. 110*^{1}; Diod. xi. 77^{5}.
   Megabazos in Peloponnese: *Thuc. i. 109*$^{2-3}$; Diod. xi. 74$^{5-6}$.
10. Continuation of Egyptian revolt: *Thuc. i. 112*^{3}; *Her. iii. 15*^{3}; cf. Schol. Ar. Vesp. 718 (Philochoros, fr. 119).
11. Revolt of Megabyxos: Ktesias 68–72.
   Flight of Zopyros to Athens: Ktesias 74; *Her. iii. 160*^{2}.
12. (?) Arthmios of Zeleia: Krateros, fr. 14; Plut. Them. 6^{4}; Dem. ix. 41–4, xix. 271–2; Aeschin. iii. 258; Deinarchos ii. 24–5.
13. Kimon's expedition to Cyprus, and help sent to Egypt: *Thuc. i. 112*$^{2-4}$; Diod. xii. 3–4^{3}, 4^{6}; Plut. Cim. 18–19^{2} (Phanodemos, fr. 23), Per. 10$^{5, 8}$, (?) Them. 31^{4}; Nepos, Cim. 3^{4}; Aristod. 13^{1}; Isokr. viii. 86; Aelian, VH v. 10; Paus. i. 29^{13}; Suidas s.v. *Κίμων*; (?) *B 105*; (?) Simonides, fr. 103; (?) Plato, Menex. 241e.

14. Later relations with Egypt: Plut. Per. 37^{4}; Ar. Vesp. 718 with schol. (Philochoros, fr. 119) (Psammetichos' gift of corn); Plut. Per. 20^{3} (later Athenian designs); (?) Pollux ix. 91 (Kratinos, fr. 73); *Xen. Ἀθπ. 2^{7}.

15. Peace of Kallias: Diod. xii. 2^{1}, 4^{4-6}, 26^{2}; Plut. Cim. 13^{4-5} (Kallisthenes, fr. 16; Krateros, fr. 13), (?) cf. Per. 12^{1}; Aristod. 13^{2}; Suidas s.vv. Καλλίας, Κίμων; Plato, Menex. 241e–242a; Isokr. iv. 117–18, 120, vii. 80, xii. 59; Dem. xv. 29, xix. 273–4; Lykourgos 73; cf. Lysias ii. 56–7.
   Terms: add to above, for general limitation of king's authority, cf. *Thuc. viii.* 58^{2}; (?) Krateros, fr. 18: for three days' limit, and distance involved, Plut. Cim. 19^{4}; *Her. v.* 54^{2}; *Xen. Hell. iii.* 2^{11}: for Halys as boundary cf. Persian fort, *Her. v.* 52^{2}: for naval limitations cf. *Thuc. viii.* 56^{4}. Passages which have been used as evidence for tribute question: *Her. vi.* 42^{2}; *Thuc. viii.* 5^{5}; Isokr. iv. 120. Ionia later unfortified: *Thuc. iii.* 33^{2}, *viii.* 31^{3}, 35^{3}, 62^{2}, 107^{1}, cf. 16^{3}. Withdrawal from Cyprus: cf. Isokr. ix. 47; (?) B 105.
   Authenticity: Plut. Cim. 13^{4-5} (Kallisthenes, fr. 16; Krateros, fr. 13); Theopompos, frs. 153, 154.
   Kallias' embassy: *Her. vii.* *151*; Diod. xii. 4^{5}; Plut. Cim. 13^{5}; Aristod. 13^{2}; Dem. xix. 273; Suidas s.v. Καλλίας.
   Dated after Eurymedon: Suidas s.vv. Καλλίας, Κίμων; Euseb. (*f*); cf. Plut. Cim. 13^{4}; (?) Plato, Menex. 241e–242a; (?) Lykourgos 73.
   Dated after Kimon's expedition to Cyprus: Diod. xii. 4^{4}; Aristod. 13^{2}.
   Occasions when peace seems to be disregarded: *Thuc. i.* 115^{4}–116^{3}, *iii.* 31^{1}, 34^{2}, *iv.* 75^{1}, *v. 1*; Plut. Per. 20^{1-3}, 25^{3-4}, 26^{1}; *B 87* (*Tod 66*) (Ἀσπενδος, Κελένδερις, etc.). (These passages have also been used to show that the treaty never existed.)
   Athenian decree relating to Athena Nike: *B 31* (*Tod 40*).

16. Later Athenian embassies to Persia: Strabo i. 3^{1}. 47 (Damastes, fr. 8); Plato, Charm. 158a; cf. Ar. Ach. 65–7.

7. COLLAPSE OF ATHENIAN LAND EMPIRE

1. Sacred War: *Thuc. i.* 112^{5}; Plut. Per. 21^{2-3}; Aristod. 14^{1}; Schol. Ar. Av. 556 (Theopompos, fr. 156; Philochoros, fr. 34; Eratosthenes, fr. 38); Suidas s.v. ἱερὸς πόλεμος; (?) cf. *Her. i.* 51^{4}; (?) B 21 (Tod 39).

2. Revolt of Boiotia and battle of Koroneia: *Thuc. i. 113, iii.* 62^{5}, 67^{3}, *iv.* 92^{6}; Diod. xii. 6, 7^{1}; Plut. Per. 18^{2-3}, Ages. 19^{2}, Alc. 1^{1}; Aristod. 14^{2}; Paus. i. 27^{5}, 29^{14}; Plato, Alc. mai. 112c; Isokr. xvi. 28; Xen. Mem. iii. 5^{4}; (?) Theopompos, fr. 407.
   Athenian epitaph: B 50.
   Boiotia after revolt: Hell. Oxy. xi. 2–4; C 3, cf. C 2.

3. Revolt of Euboia: *Thuc. i.* 114^{1}; Diod. xii. 7; Plut. Per. 22^{1}; Aristod. 15^{2}; cf. Andok. iii. 3.

4. Spartan invasion and revolt of Megara: *Thuc. i.* 114^{1-2}; Diod. xii. 5^{2}, 6^{1}; Plut. 402a, Per. 22^{1}; *B 51* (*Tod 41*); Suidas s.v. Καλλίας.

5. Spartan withdrawal, allegations of bribery: *Thuc. i.* 114^{2}, *ii.* 21^{1}, *v.* 16^{3}; Diod. xii. 6^{1}, xiii. 106^{10}; Plut. Per. 22^{2}–23^{2} (Theophrastos); Ar. Nub. 859 with schol. (Ephoros, fr. 193); Suidas s.v. δέον; Timaios, fr. 100.

6. Recovery of Euboia: *Thuc. i.* 114^{3}; Diod. xii. 7, 22^{2}; Plut. Per. 23^{3-4}; Ar. Nub. 211–13 with schol. (Philochoros, fr. 118); Aristod. 15^{2}; cf.

B 53$^{76-8}$ (*Tod 42*); (?) *B 19* (*Tod 43*); for settlements with Chalkis, Eretria, Hestiaia see III. 4^{5}.

7. Thirty Years' Peace: *Thuc. i. 87*^{6}, *115*^{1}, *ii. 2*^{1}, *iv. 21*^{3}; Diod. xii. 7, 26^{2}, 28^{4}; Plut. Per. 24^{1}; Aristod. 15$^{3-4}$; Justin iii. 7^{1}; Euseb. (*h*); Paus. v. 23^{4}; Andok. iii. 6; Aeschin. ii. 174; cf. Ar. Ach. 194–5.
   Arbitration clause: *Thuc. i. 78*^{4}, *140*^{2}, *144*^{2}, *145*, *vii. 18*^{2}.
   Neutrals free to join either league: *Thuc. i. 35*^{2}, *40*^{2}, *cf. 44*^{1}.
   Position of Argos: Paus. v. 23^{4}.
   Autonomy of Aigina: *Thuc. i. 67*^{2}, *139*^{1}, *140*^{3}, cf. *144*^{2}; (?) cf. B 24.
   (?) Guarantee of free trade: *Thuc. i. 67*^{4}, cf. *144*^{2}.

8. ATHENS AND THE WEST

1. Themistokles' interest in West: *Her. viii. 62*^{2}; *Thuc. i. 136*^{1}; Plut. Them. 24$^{1, (?)7}$ (Stesimbrotos, fr. 3), 32^{2}; cf. Nepos, Them. 1^{2}.
2. Athenian treaty with Egesta: *B 22* (*Tod 31*).
3. Roman ambassadors at Athens: Dion. Hal. AR x. 51^{5}, 54^{3}, 57^{5}; Livy iii. 31^{8}, 32$^{1, 6}$; Cic. de Leg. ii. 25. 64; Euseb. (*g*). Cf. Hermodoros of Ephesos: Strabo xiv. 1^{25}. 642; Pliny, NH xxxiv. 5. 21.
4. Thourioi:
   Sybarites after fall of Sybaris: *Her. vi. 21*^{1}; Diod. xi. 48^{4}; Schol. Pindar, Ol. ii. 15 (29)b, d (Didymos, p. 215; Timaios, fr. 93b).
   Sybaris refounded: Diod. xi. 90$^{3-4}$, xii. 10^{2}; Strabo vi. 1^{13}. 263; C 19.
   Athenian reinforcement of New Sybaris: Strabo vi. 1^{13}. 263; C 20; cf. Diod. xii. 10$^{3-4}$.
   Thucydides at Sybaris: Vita anon. Thuc. 7.
   Expulsion of original Sybarites: Strabo vi. 1^{13}. 263; Diod. xii. 11$^{1-2}$, 22^{1}; Arist. Pol. 1303^{a}31.
   Foundation of Thourioi: Diod. xii. 9^{1}, 10$^{3-7}$; Strabo vi. 1^{13}. 263; Plut. *835c–d, Per. 11^{5}; Dion. Hal. Lys. 1; C 21; see also VI *Διονύσιος Χαλκοῦς*, *Ἱππόδαμος*, †*Καθάριος* (*Κλεανδρίδας*), *Λάμπων*, *Ξενόκριτος*, *Πλήξιππος* (*Λυσίας*). For other colonists, see VI *Ἐμπεδοκλῆς*, *Ἡρόδοτος*, and cf. Plato, Euthyd. 271c.
   Constitution: Diod. xii. 11^{3}. Laws of Charondas and Zaleukos: *Diod. xii. 11*^{4}*–21*; Ephoros, fr. 139. Laws of Protagoras: Diog. Laert. ix. 8. 50 (Herakleides Pontikos, p. 48).
5. Subsequent history of Thourioi:
   Wars with Taras: Antiochos, fr. 11; Diod. xii. 23^{2}; *B 121* (*Tod 49*).
   Foundation of Herakleia: Antiochos, fr. 11; Diod. xii. 36^{4}; cf. C 22.
   War with Terina: Polyaenus ii. 10^{1}.
   Relations with Kroton: Diod. xii. 11^{3}; Iamblichos, Vita Pyth. 35. 264.
   Wars with Lucanians: Polyaenus ii. 10$^{2, 4}$.
   Internal trouble: Diod. xii. 35$^{1-3}$.
   [Later relations with Athens: *Thuc. vii. 33*$^{5-6}$, *57*^{11}, cf. *vi. 104*^{2}, *viii. 35*^{1}; Dion. Hal. Lys. 1.]
6. Treaties with Rhegion and Leontinoi: *B 58–9 = 73–4* (*Tod 58, 57*); *Thuc. iii. 86*^{3}, *iv. 61*^{4}.
7. Wider Athenian ambitions in West: Plut. Per. 20^{4}–21^{1}, Alc. 17^{1}; cf. *Thuc. i. 44*^{3}.
8. Athenian trade: *Xen. *Ἀθπ.* 2^{7}; cf. Pliny NH xviii. 7. 65 (Sophokles, fr. 600).
9. Friendship with Messapian prince: *Thuc. vii. 33*^{4}.
10. Diotimos at Naples: Lykophron 732–7 with schol. (Timaios, fr. 98).
11. Athenian influence on Italian coinage: C 23.

12. Phormion in Akarnania: *Thuc. ii.* 68^{7-8}.
13. Spartan demand for ships from West: *Thuc. ii.* 7^{2}; Diod. xii. 41^{1}.

9. IONIA AND THE AEGEAN

1. Conditions in Ionia, etc.: B 116, cf. B 26 (Erythrai): Suidas s.v. Ἡρόδοτος; *B 111* (*Tod 25*) (Halikarnassos): C 11 (Lykia): *B 114* (*Tod 35*), 115 cf. B 30 (Miletos): *B 104* (*Tod 23*) (Teos).
2. Athenian cleruchies: Plut. Per. 11^{5-6}; Diod. xi. 88^{3}; for detail see III. 4^{9}.
3. Athenian colonies: (?) B 57 (Er . . .); (?) B 56 (unidentified).
4. Revolt of Samos: *Thuc. i.* 115^{2}–*117*, *viii.* 76^{4}; Diod. xii. 27–8; Plut. Per. 24^{1-2}, 25–8 (Stesimbrotos, fr. 8; Arist. fr. 577, 578; Ar. fr. 64; Ephoros, fr. 194, 195; Herakleides Pontikos, p. 89; Douris, fr. 67; Ion, fr. 16); Aristod. 15^{4}; Ar. Vesp. 281–4 with schol.; Arist. Pol. $1284^{a}38$, cf. Rhet. iii. 4^{3}. $1407^{a}1$; cf. Harpokr. s.v. Ἀσπασία (Douris, fr. 65, Theophrastos); cf. Eupolis, fr. 154; cf. Alexis, fr. 1; (?) Justin iii. 6^{12-13}.
   Athenian generals: Androtion, fr. 38; B 62^{41-6}; *Thuc. i.* 117^{2}; Ion, fr. 6; Schol. Ar. Pax 697; Aristod. 15^{4}.
   Treatment of prisoners: Photios s.v.v. Σαμίων ὁ δῆμος (Ar. fr. 64; Lysimachos, fr. 7; Douris, fr. 66), τὰ Σαμίων ὑποπτεύεις; Plut. Per. 26^{4} (Ar. fr. 64), 28^{2} (Douris, fr. 67); Aelian, VH ii. 9.
   Costs of siege: B 61 (Tod 50), 63; *Thuc. i.* 117^{3}; Diod. xii. 28^{3}; Isokr. xv. 111; Nepos Tim. 1^{2}; cf. Plut. Per. 28^{1}.
   Settlement after revolt: see III. 4^{5}.
   Threat of Persian intervention: *Thuc. i.* 115^{4-5}, $116^{1,3}$; Diod. xii. $27^{3,5}$; Plut. Per. 25^{3-4}, 26^{1} (Stesimbrotos, fr. 8); Schol. Ar. Vesp. 283.
   Threat of Peloponnesian intervention: *Thuc. i.* 40^{5}, 41^{2}, 43^{1}; (?) B 62^{7}.
   Perikles' funeral speech: Plut. Per. 8^{9} (Stesimbrotos, fr. 9), 28^{4-7} (Ion, fr. 16); Arist. Rhet. i. 7^{34}. $1365^{a}32$, cf. iii. 4^{3}. $1407^{a}1$; cf. *Her. vii.* 162^{1}.
   [Samians at Anaia: *Thuc. iii.* 32^{2}, *iv.* 75^{1}.]
5. Other areas affected: *Thuc. i.* 115^{5}, 117^{3}; restored, B 61^{18} (Tod 50); (?) *B* 60^{45} (*Tod 48*) (Byzantium); (?) *B* 60^{1} (*Tod 48*) (Chersonese).

10. MACEDON, THRACE, PROPONTIS, PONTOS

1. Alexander I of Macedon:
   [Relations with Persia: e.g. *Her. v.* 21^{2}, *viii.* 136^{1}.]
   Pursuit of retreating Persians, and dedication at Delphi: *Her. viii.* 121^{2}; *Dem. xii. 21; cf. Dem. xxiii. 200.
   Relations with Greeks: *Her. viii.* 136^{1}, 143^{3} (friendship with Athens) (cf. also C 7 n.); *Her. v.* 22^{2} (at Olympia); Harpokr. s.v. Ἀλέξανδρος (called φιλέλλην); Pindar, fr. 106a.
   Expansion of kingdom: *Thuc. i.* 137^{1} (Pydna): *Her. v.* 17^{2}; *Dem. xii. 21 (Strymon area): C 7, cf. C 6 (Bisaltai): cf. *Thuc. ii.* 100^{3}.
   Receives exiled Myceneans: Paus. vii. 25^{6}.
   Alleged bribery of Kimon: Plut. Cim. 14^{3}.
   Death: Marm. Par. 58. (N.B. The Marm. Par. and other chronographies date Perdikkas' death and Archelaos' accession impossibly early, and are unlikely to be right about Alexander I's death.)
2. Reception of exiled Hestiaians: Theopompos, fr. 387.
3. Athenian relations with Macedon generally: Dem. vii. 11–13.
4. Alketas' reign, and overthrow by Perdikkas: Plato, Gorg. 471a–b; cf. B 66^{52}.

5. Perdikkas' alliance with Athens: *Thuc. i. 57*^{2}; (?) B 66. For his quarrel with Athens in 432 B.C. see I. 11^{4}.
6. Philip's ἀρχή: *Thuc. ii. 100*^{3}. For *IG i*^{2}*. 53* see I. 11^{4} n.
7. Athenian activities in Thrace: see I. 3$^{2,\ 8-10}$.
8. Athenian colonies in north Aegean:

   Amphipolis: *Thuc. iv. 102*^{3}, cf. *103*$^{3-4}$, *106*^{1}, *108*^{1}, *v. 11*^{1}; Diod. xii. 32^{3}, 68^{2}; Schol. Aeschin. ii. 31 (34); Polyaenus vi. 53; Harpokr. s.v. Ἀμφίπολις (Androtion, fr. 33); cf. Steph. Byz. s.v. Ἀγνώνεια; cf. *ATL list 8, i. 105*.

   Brea: *B 55* (*Tod 44*); Hesych. s.v. Βρέα (Kratinos, fr. 395); Steph. Byz. s.v. Βρέα (Theopompos, fr. 145); cf. Plut. Per. 11^{5}.

   Neapolis: see *ATL i, p. 525, Νεάπολις ἀπ' Ἀθηνῶν.*
9. The Chalkidians: C 4.
10. Rise of the Odrysian Thracians: *Thuc. ii. 29*$^{1-4}$, *96–7*; *Her. iv. 80*; Xen. Anab. vii. 2^{22}; cf. C 5.

    Tribute from Greek cities: *Thuc. ii. 97*^{3}; [cf. *B 94*^{15} (*Tod 151*)].
11. Aristeides' death in Pontos: Plut. Arist. 26^{1}.
12. Perikles' expedition to Pontos: Plut. Per. 20$^{1-2}$.
13. Change of dynasty in Crimea: Diod. xii. 31^{1}, cf. 36^{1}.
14. Relations of Greeks, Scythians, and Thracians: *Her. iv. 78–80.*
15. Athenian trade with Pontos: *Xen. Ἀθπ. 2^{7}.
16. Athenian colonies in Propontis and Pontos:

    Astakos: Strabo xii. 4^{2}. 563; Memnon 12^{2}; (?) Diod. xii. 34^{5}.

    Amisos: Theopompos, fr. 389; Plut. Lucullus 19^{7}; Appian, Bell. Mithr. 83. [Cf. C 9.]

    Sinope: Plut. Per. 20^{2}.

11. BREAKDOWN OF THE PEACE

(See also II. 6, IV. 4)

1. Epidamnos and Corcyra: *Thuc. i. 24–55, 68*^{4}; Diod. xii. 30$^{2-5}$, 31^{2}–34^{1}; Plut. Per. 29$^{1-4}$; Aristod. 17; *B 72* (*Tod 55*).
2. (?) Phormion in Akarnania: *Thuc. ii. 68*$^{7-8}$.
3. Revolt of Poteidaia: *Thuc. i. 56–66, 68*^{4}, *71*^{4}, *139*^{1}, *140*^{3}, *ii. 2*^{1}; Diod. xii. 34$^{2-4}$, 37^{1}; Plut. Per. 29^{6}; Aristod. 18; (?) Polyaenus iii. 4^{1}.

   Battle of Poteidaia: *Thuc. i. 62–3*; Diod. xii. 34^{4}, 37^{1}; Aristod. 18; *B 76* (*Tod 59*); Plato, Charm. 153b, Symp. 220d–e; cf. Isokr. xvi. 29.

   Expenses of Poteidaia: *Thuc. ii. 13*^{3}; Schol. Ar. Plut. 1193; Diod. xii. 40^{2} (Ephoros, fr. 196); B 79$^{1-28}$.
4. Athens' quarrel with Perdikkas: *Thuc. i. 57, 59*^{2}, *61*^{3}, *62*^{2}; Diod. xii. 34^{2}; B 79$^{1-28}$. (N.B. *IG i*^{2}*. 53* (*SEG x. 46*), which has been thought to record an alliance between Athens and Philip, is omitted here as the reference to Philip is extremely doubtful: see Meritt, *AJP* lxviii (1947), 312.)
5. Megarian decrees: *Thuc. i. 67*^{4}, *139*$^{1-2}$, *140*$^{3-4}$, *144*^{2}, (?) cf. *42*^{2}; Diod. xii. 39$^{4-5}$ (Ephoros, fr. 196); Ar. Ach. 515–39 with schol. 532, Pax 605–11 with schol.; Suidas s.v. Ἀσπασία; Plut. 812d, Per. 29^{4}, 29^{7}–31^{1}; Aristod. 16$^{1-3}$; Euseb. (*j*); Andok. iii. 8; Aeschin. ii. 175.

   Murder of Anthemokritos: Plut. Per. 30$^{3-4}$; Paus. i. 36^{3}; *Dem. xii. 4.
6. Aigina: *Thuc. i.67*^{2}, *139*^{1}, *140*^{3}, *ii. 27*^{1}; Plut. Per. 8^{7}, 29^{5}; Arist. Rhet. iii. 10^{7}. 1411^{a}15; (?) *ATL Αἰγινῆται* (433/2 B.C.).
7. Athenian fear of Spartan aggression: *Thuc. i. 140*^{2}, *ii. 61*^{1}, cf. *i. 44*^{2}.
8. Athenian anxiety to avoid breach of treaty: *Thuc. i. 44*^{1}, *45*^{3}, *53*^{4} (Corcyra), *78*^{4}, *140*^{2}, *144*^{2}, cf. *vii. 18*^{2} (arbitration).

9. Embassies to and from Sparta: *Thuc. i.* 126^{2}, 128^{1}, *139, ii. 12*; Plut. Per. 30^{1}, 33^{1}.
10. Athenian allies in 431: *Thuc. ii.* 9^{4-5}, 22^{3}; Diod. xii. 42^{5}.

II. ATHENS: INTERNAL HISTORY

1. ATHENS AFTER PLATAEA AND MYKALE

1. Athenians return to Athens: *Thuc. i.* 89^{3}; Diod. xi. 39^{1}.
2. Rebuilding of city walls: *Thuc. i.* 90–3^{2}, cf. 69^{1}; Diod. xi. 39–40^{4}; *Arist. Ἀθπ.* 23^{4}; Plut. Them. 19^{1-3} (Theopompos, fr. 85); Nepos, Them. 6^{2}–7; Aristod. 5; Ar. Eq. 813, cf. schol. 84; Andok. iii. 38; Plato, Gorg. 455d–e. Cf. Judeich, *Topographie von Athen*² 124: part of the wall is visible at the Dipylon, photograph in Gardner, *Ancient Athens* 50.
3. Fortification of Peiraeus: *Thuc. i.* 93^{3-7}; Diod. xi. 41–3; Plut. Them. 19^{3-4}; Nepos, Them. 6^{1}; Aristod. 5^{4}; Ar. Eq. 813–16, 884–5; Suidas s.v. Θεμιστοκλῆς; Plato, Gorg. 455d–e, cf. 519a; cf. Andok. iii. 5; cf. Aeschin. ii. 173; Euseb. (*b*); (?) B 4. Cf. Judeich, *Topographie von Athen*² 144: the visible remains are mainly fourth-century.
4. New statue-group of tyrannicides: B 5 (Simonides, fr. 76); Marm. Par. 54; Lucian, Philops. 18. 46. For surviving copies cf. Richter, *Sculpture and Sculptors of the Greeks*², 197 and figs. 565–77.
5. Ascendancy of Areopagus: Arist. Pol. $1304^{a}20$, *Ἀθπ.* 23^{1-2}, 25^{1}; cf. Plut. Them. 10^{6-7} (Kleidemos, fr. 21).
6. Increase of democracy after Salamis: Arist. Pol. $1274^{a}12$, $1304^{a}22$; cf. Plut. Them. 19^{5}; cf. *Xen. *Ἀθπ.* 1^{2}.
7. Democratic policy ascribed to Aristeides: *Arist. Ἀθπ.* 23^{3}, *24*, cf. 28^{2}, 41^{2}; Plut. Arist. 22^{1}, cf. *Arist. Ἀθπ.* 26^{2}.
8. Democratic policy ascribed to Themistokles: *Arist. Ἀθπ.* 23^{3}, cf. 25^{3-4}, 28^{2}; Plut. Them. 3^{3}, 19^{5}, Cim. 10^{8}.
9. Political position of Xanthippos: *Arist. Ἀθπ.* 28^{2}; cf. Diod. xi. 42^{2}.
10. Opposition of Themistokles and Aristeides: Plut. Them. 3^{1-3} (Ariston), Arist. 2^{1-4} (Ariston), 3^{1-4}, 4^{3-4} (Idomeneus, fr. 7), 25^{10}, Cim. 5^{6}, 10^{8}; *Arist. Ἀθπ.* 23^{4}; Nepos, Arist. 1^{1-2}; Diod. xi. 42^{2}.
11. Association of Kimon with Aristeides: Plut. 790f–791a, 795c, Arist. 23^{1}, Cim. 5^{6}, 6^{3}, 10^{8}.
12. Naval policy of Themistokles continued: Diod. xi. 43^{3}; cf. Plut. Them. 4^{4}, 19^{3-6}.
13. Conflict in foreign policy:
    Themistokles' hostility to Sparta: Plut. Them. 20, Arist. 22^{2-4}; Cic. de Off. iii. 11. 49; cf. *Thuc. i. 92*.
    His previous popularity at Sparta: *Her. viii.* 124^{2-3}; *Thuc. i.* 74^{1}, 91^{1}; Plut. Them. 17^{3}.
    Kimon's pro-Spartan policy: Plut. Them. 20^{4}, Cim. 10^{8}, 14^{4}, 15^{4} (Eupolis, fr. 208), 16–17^{3} (Kritias, fr. B 52; Ion, fr. 14), Per. 9^{5}, 10^{4}, 29^{1}.
    Opposition of Kimon to Themistokles: Plut. Them. 5^{4}, 20^{4}, 24^{6} (Stesimbrotos, fr. 3), Arist. 25^{10}, Cim. 5^{5}, 10^{8}, 16^{2}.

2. FALL OF THEMISTOKLES, ASCENDANCY OF KIMON

1. Themistokles still in Athens: Plut. Them. 5^{5} (choregos for Phrynichos); (?) Aesch. Pers. 353–62, for date cf. Hypoth. Pers.

2. His ostracism and residence in Argos: *Thuc. i. 135*^{3}; Diod. xi. 55$^{1-3}$; Plut. Them. 22–3^{1}, cf. 18^{4}; Nepos, Them. 8$^{1-2}$; Aristod. 6^{1}; Plato, Gorg. 516d; (?) Cic. de Amic. 12. 42.
3. His trial for medism and exile: *Thuc. i. 135*$^{2-3}$; Diod. xi. 55$^{4-8}$, cf. 54$^{2-5}$; Plut. 605e, 805c, 855f (Ephoros, fr. 189), Them. 21$^{5-7}$ (Timokreon, frs. 2–3), 23, Arist. 25^{10}; Nepos, Them. 8$^{2-3}$; Krateros, fr. 11; Aristod. 10^{1}; Schol. Ar. Eq. 84 (= Suidas s.v. Θεμιστοκλῆς); Plato, Gorg. 516d; Dem. xxiii. 205; Cic. Brut. 10. 42, (?) de Amic. 12. 42.
4. His flight to Corcyra and Persia: *Thuc. i. 136–8*^{2}; Diod. xi. 56; Plut. Them. 24 (Stesimbrotos, fr. 3), 25 (Theopompos, fr. 86), 26, 27 (Charon, fr. 11; Ephoros, fr. 190; Deinon, fr. 20; Kleitarchos, fr. 33; Herakleides Kymaios, fr. 6; Phanias, fr. 9; Eratosthenes, fr. 27), 28–9^{4}; Nepos, Them. 8^{3}–10^{1}; Aristod. 10$^{1-4}$; Schol. Ar. Eq. 84; Suidas s.v. Θεμιστοκλῆς; Euseb. (*d*); Cic. Brut. 10. 42.
   Goods smuggled out of Attica, and execution of Epikrates: *Thuc. i. 137*^{3}; Plut. Them. 24^{6} (Stesimbrotos, fr. 3), 25^{3}.
5. His residence in Asia: *Thuc. i. 138*^{5}; Diod. xi. 57–8^{1}; Plut. Them. 29$^{5-11}$ (Neanthes, fr. 17; Phanias, fr. 10), 30, 31$^{1-3}$ (Theopompos, fr. 87); Nepos, Them. 10$^{2-3}$; Aristod. 10^{5}; Schol. Ar. Eq. 84 (Neanthes, fr. 17); Suidas s.v. Θεμιστοκλῆς; Athen. i. 29f; Paus. i. 26^{4}; Possis, fr. 1; Steph. Byz. s.v. Λάμψακος; C 10; cf. *ATL Λαμψακηνοί, Μυήσσιοι, Περκώσιοι, Σκάψιοι.*
6. His death: *Thuc. i. 138*^{4}; Diod. xi. 58$^{1-3}$; Plut. Them. 31$^{4-7}$; Nepos, Them. 10^{4}; Aristod. 10^{5}; Ar. Eq. 83–4 with schol. (Symmachos; Sophokles, fr. 178); Suidas s.v. Θεμιστοκλῆς; Euseb. (*d*); Cic. Brut. 10–11. 42–3 (Kleitarchos, fr. 34; Stratokles), de Amic. 12. 42.
   His burial in Attica: *Thuc. i. 138*^{6}; Plut. Them. 32$^{4-6}$ (Andok. fr. 3; Phylarchos, fr. 76; Diod. Per. fr. 35; Plato Com. fr. 183); Nepos, Them. 10^{5}; Paus. i. 1^{2}; Schol. Ar. Eq. 84.
   His later reputation in Athens: Ar. Eq. 813–16; *Thuc. i. 138*^{3}, *74*^{1}; Plato, Meno 93b–e; cf. Arist. Hist. An. vi. 15^{6}. 569^{b}10; cf. Paus. i. 26^{4}; cf. Suidas s.v. Θεμιστοκλέους παῖδες.
   Honours at Magnesia: *Thuc. i. 138*^{5}; Plut. Them. 32$^{4, 6}$; Nepos, Them. 10^{3}; cf. C 10(*b*).
   Honours at Lampsakos: B 122.
7. Kimon's position in Athens:
   Bones of Theseus: Plut. Cim. 8$^{5-7}$, Thes. 36^{3}; Paus. i. 17^{6}.
   Judging of tragedies: Plut. Cim. 8$^{7-9}$; cf. Marm. Par. 56.
   His liberality as a factor in politics: Theopompos, fr. 89: *Arist. Ἀθπ. 27*^{3}; Plut. Cim. 10 (Kratinos, fr. 1; Gorgias, fr. B 20; Kritias, fr. B 8), Per. 9^{2}; Schol. Aristid. XLVI. iii, p. 446.
8. Alterations in triremes: Plut. Cim. 12^{2}.
9. Kimonian buildings and public works:
   Hermai: Plut. Cim. 7^{4}–8^{2}; Aeschin. iii. 183–5.
   Theseion: Paus. i. 17^{2}; Diod. iv. 62^{4}; Harpokr. s.v. Πολύγνωτος (Artemon, fr. 13; Juba, fr. 21) (= Suidas s.v.); Schol. Ar. Plut. 627.
   Tholos: cf. Thompson, *Hesp.* Suppl. iv, esp. 44, 126.
   Pnyx: cf. Kourouniotes and Thompson, *Hesp.* i (1932), 90.
   South wall of Akropolis: Paus. i. 28^{3}; Plut. Cim. 13^{5}; Nepos, Cim. 2^{5}. Photographs, Hege and Rodenwaldt, *Die Akropolis*, pl. 7, 9.
   Foundation for Long Walls: Plut. Cim. 13^{6}.
   Stoa Poikile: Paus. i. 15$^{1-3}$, v. 11^{6}; Plut. Cim. 4$^{6-7}$ (Melanthios, fr. 1); Harpokr. s.v. Πολύγνωτος (Artemon, fr. 13; Juba, fr. 21) (= Suidas s.v.).

Paintings in Anakeion: Paus. i. 18^{1}; Harpokration s.v. *Πολύγνωτος* (Artemon, fr. 13; Juba, fr. 21) (= Suidas s.v.); Photios s.v. *Πολυγνώτου λαγώς*.

Planting of Academy and Agora: Plut. 818d, Cim. 13^{7}.

(?)Telesterion at Eleusis: cf. Noack, *Eleusis*, 93.

10. Institution of public funeral: Paus. i. 29^{4}, but cf. *Thuc. ii. 34*^{5}.

3. FALL OF KIMON, DEMOCRATIC REFORMS

1. Perikles' early career: Plut. Per. 7: Schol. Aristid. XLVI. iii, p. 446.
   Choregos for Aeschylus' Persai: B 7; cf. Hypoth. Aesch. Pers.
   Prosecution of Kimon: Plut. Cim. 14^{5} (Stesimbrotos, fr. 5), Per. 10^{6}; *Arist. Ἀθπ. 27*^{1}; (?) Schol. Aristid. XLVI. iii, p. 446.
2. Debate on Ithome expedition: Plut. Cim. 16$^{9-10}$ (Kritias, fr. B 52; Ion, fr. 14).
3. Reform of Areopagus: Arist. Pol. 1274^{a}7, *Ἀθπ. 25, 27*^{1}*, 35*^{2}; Plut. 812d, Cim. 10^{8}, 15$^{2-3}$, Per. 7^{8}, 9$^{3-5}$; Diod. xi. 77^{6}; Philochoros, fr. 64; Harpokr. s.v. *ὁ κάτωθεν νόμος* (Didymos, p. 313; Anaximenes, fr. 13); Paus. i. 29^{15}; Hypoth. Isokr. vii; cf. Aesch. Eum. 681–710, (?) 861–6.
   Transference of cases to popular law courts: *Arist. Ἀθπ. 25*^{2}; Plut. Cim. 15$^{2-3}$, Per. 9^{5}.
   Cases retained by Areopagus: Dem. xxiii. 22, 66; Philochoros, fr. 64b (murder): Lysias vii. 22 (sacred olives).
   Transference of *νόμων φυλακή*: *Arist. Ἀθπ. 25*^{2}, [cf. *3*^{6}, *4*^{4}, *8*^{4}]; [cf. Andok. i. 84].
   Institution of *νομοφύλακες*: Philochoros, fr. 64.
   First record of *γραφὴ παρανόμων*: [*Thuc. viii. 67*^{2}; *Arist. Ἀθπ. 29*^{4}; Dem. xxiv. 154].
4. (?) Competence of archons' courts restricted: *B 10*$^{15-19,\ cf.\ 9-11}$ (*Tod 32*); Bekker, Anecd. i, p. 246^{14}; Harpokr. s.v. *ἀνάκρισις*; [cf. *Arist. Ἀθπ. 3*^{5}, *56*^{6}, etc.].
5. Policy of state pay: *Arist. Ἀθπ. 24*, [cf. *62*^{2}]; *Xen. *Ἀθπ.* 1^{3,13}; Ar. Vesp. 684–5, Eccl. 303–10; Plato, Gorg. 515e; Plut. Per. 9$^{1-3}$, cf. 12$^{4-6}$.
   Jurors' pay: Arist. Pol. 1274^{a}8, *Ἀθπ. 24*^{3}, *27*$^{3-5}$, [*62*^{2}]; Ar. Vesp. schol. 88, 300–2 with schol.; Plut. Per. 9^{3}.
   Pay for council: [*Thuc. viii. 69*^{4}]; *Arist. Ἀθπ. 24*^{3}, [*62*^{2}]; Hesych. s.v. *βουλῆς λαχεῖν*.
   Pay to other magistrates: *Arist. Ἀθπ. 24*^{3}, [*62*^{2}]; B 13^{67}, 41$^{8-9}$ (epistatai); cf. Ar. Ach. 65–7 (ambassadors).
   Pay to army: *Arist. Ἀθπ. 24*^{3}, *27*^{2}; [*Thuc. iii. 17*^{4}, *v. 47*^{6}]; Ar. Vesp. 685; Plut. Per. 12^{5}; Paus. Att. fr. 307.
   Pay to navy: *Arist. Ἀθπ. 24*^{3}; [*Thuc. iii. 17*^{4}, *vi. 8*^{1}, *31*^{3}, *viii. 45*^{2}]; Ar. Vesp. 684–5; *Xen. *Ἀθπ.* 1^{13}; Plut. Per. 11^{4}, 12^{5}.
6. Ostracism of Kimon: Plut. Cim. 17^{3}, cf. 15^{3}, Per. 9^{5}; Nepos, Cim. 3^{1}; Plato, Gorg. 516d; cf. *B 97* (*Kerameikos*, iii. 51).
7. Murder of Ephialtes: Antiphon v. 68; *Arist. Ἀθπ. 25*^{4}; Diod. xi. 77^{6}; Plut. Per. 10$^{7-8}$ (Idomeneus, fr. 8).
8. Effect of hoplite losses; Arist. [Pol. 1303^{a}9], *Ἀθπ. 26*^{1}; cf. Isokr. viii. 86–8.
9. (?) Powers of Boule restricted: *Arist. Ἀθπ. 45*^{1}; cf. B 46$^{37-9}$.

4. KIMON'S OSTRACISM TO PEACE OF KALLIAS

1. Building of Long Walls: *Thuc. i. 107*^{1,4}, *108*^{3}, cf. *69*^{1}, *ii. 13*^{2}; Plut. Cim. 13^{6}; Aristod. 5^{4}; Andok. iii. 5; Aeschin. ii. 173; cf. *Xen. *Ἀθπ.* 2^{14,16}. Cf. Scranton, *AJA* xlii (1938), 525.

2. Oligarchic plot at time of Tanagra: *Thuc. i. 107*^{4,6}; cf. Plut. Cim. 17$^{4-7}$, Per. 10$^{1-3}$.
3. Recall of Kimon after Tanagra: Theopompos, fr. 88; Plut. Cim. 17^{8}–18^{1}, Per. 10^{4}; Nepos, Cim. 3$^{2-3}$; cf. Andok. iii. 3; cf. Aeschin. ii. 172.
4. Archonship opened to Zeugitai: *Arist. Ἀθπ. 26*^{2}.
5. κατὰ δήμους δικασταί: *Arist. Ἀθπ. 26*^{3}, [cf. *16*^{5}, *53*$^{1-2}$]; Pollux viii. 100.
6. Limitation of citizenship: *Arist. Ἀθπ. 26*^{4}; Krateros, fr. 4; Plut. Per. 37^{3}; Aelian, VH vi. 10; Suidas s.v. δημοποίητος. Cf. Psammetichos' gift of corn, and expulsion of non-citizens: Plut. Per. 37^{4}; Ar. Vesp. 718 with schol. (Philochoros, fr. 119).
7. Perikles' compact with Elpinike: Plut. Per. 10^{5}, cf. 812f; cf. Athen. xiii. 589e (Antisthenes).
8. Statue of Athena Promachos: Paus. i. 28^{2}; Dem. xix. 272, schol. iii. 25, schol. xxii. 13; (?) B 12; B 13. For copies see Richter, *Sculpture and Sculptors of the Greeks*^{2}, 214 and figs. 594, 596.

5. PEACE OF KALLIAS TO THUCYDIDES' OSTRACISM

(For Peace of Kallias see I. 6^{15})

1. Congress decree: Plut. Per. 17.
2. Use of tribute for buildings: Anon. Argent.$^{3-8}$ (see under Dem. xxii. 13); Plut. Per. 12$^{1-3}$; B 69$^{14-15}$.
3. Opposition to buildings: Plut. Per. 12$^{1-2}$, 14.
4. Changes in financial system:
   Promachos paid for by Kolakretai: B 13. iii^{30}.
   Main payments for Parthenon from Tamiai: *B 43* (e.g. *Tod 52*$^{17-20}$).
   Tamiai pay for military expeditions (no evidence before 440 B.C.): B 61 (Tod 50); *B 72* (*Tod 55*); B 79; [*B 88* (*Tod 64*)].
   Main reserve as ἱερὰ χρήματα τῆς Ἀθηνᾶς: *B 88* (*Tod 64*); cf. B 67 (Tod 51); (?) cf. Bekker, Anecd. i. 306^{7} (= Suidas s.v. ταμίαι).
5. Periklean buildings, etc.: Plut. Per. 8^{3}, 12–14; Isokr. xv. 234.
   Lemnian Athena: Paus. i. 28^{2}. For copies see Richter, *Sculpture and Sculptors of the Greeks*^{2}, 225 and figs. 614–16.
   Lay-out of Peiraieus by Hippodamos: Arist. Pol. 1267^{b}22; Harpokr. s.v. Ἱπποδάμεια (*Dem. xlix. 22*); Hesych. s.v. Ἱπποδάμου νέμησις; Photios s.vv. Ἱπποδάμεια, Ἱπποδάμου νέμησις; (?) B 4; cf. Isokr. vii. 66.
   Hephaistieion: cf. Dinsmoor, *Hesp.* Suppl. v.
   Parthenon: Plut. 351a, Per. 13^{7}; Strabo ix. 1^{12}. 395, 1^{16}. 396; Paus. viii. 41^{9}; Dem. xxii. 13 with Anon. Argent.; B *43* (*Tod 52*), (?) 67 B$^{2-3}$ (Tod 51 B); cf. B 41^{13}. Cf. Stevens, *Hesp.* Suppl. iii; photographs, Hege and Rodenwaldt, *Die Akropolis*.
   Chryselephantine statue of Athena Parthenos: Plut. Per. 13^{14}, 31$^{2-4}$; Strabo ix. 1^{16}. 396; Schol. Dem. iii. 25; Euseb. (*i*); Schol. Ar. Pax 605 (Philochoros, fr. 121); *B 44* (*Tod 47*), (?) cf. B 41^{13}; *Thuc. ii. 13*^{5}; Diod. xii. 39^{1}, 40^{3} (Ephoros, fr. 196); Aristod. 16^{1}; Suidas s.v. Φειδίας. For copies see Richter, *Sculpture and Sculptors of the Greeks*^{2}, 215 and figs. 595, 597–605.
   Building at Eleusis: B *40*, 41.
   Temple of Poseidon at Sounion: cf. Plommer *BSA* xlv (1950), 78.
   Odeion: Plut. Per. 13$^{9-11}$ (Kratinos, fr. 71); Vitruvius v. 9^{1}. Cf. Kastriotis, Ἐφ. Ἀρχ. (1922), 25.
   Lykeion: Harpokr. s.v. *Λύκειον* (Philochoros, fr. 37).
   Middle Wall: Plut. 351a, Per. 13$^{7-8}$ (Kratinos, fr. 300); Plato, Gorg.

455e with schol., cf. 519a; Harpokr. s.v. διὰ μέσου τείχους (Ar. fr. 556); Andok. iii. 7; Aeschin. ii. 174; cf. *B 43* (*IG. i². 343⁹⁰*)

Protective work on Akropolis: B 45.

Alphitopolis: Schol. Ar. Ach. 548.

Public baths, gymnasia, etc.: *Xen. Ἀθπ. 2[10]; cf. *Thuc. ii. 38¹*.

6. Boards of epistatai: B 13. ii[67–8], *23[59]*, 41.
7. Perikles as epistates: Plut. Per. 13[9]; Schol. Ar. Pax 605 (Philochoros, fr. 121), schol. 606; cf. Suidas s.v. Φειδίας; Harpokr. s.v. Λύκειον (Philochoros, fr. 37); Strabo ix. 1[12]. 395; Aristod. 16[1, 4]; Diod. xii. 39[1] (Ephoros, fr. 196) (ἐπιμελητής).
8. Cleruchies and colonies: see III. 4[9] (cleruchies), I. 8[4] (Thourioi), 9[3], 10[8, 16].
9. Opposition of Thucydides: Plut. 802c, Per. 6[2], 8[5], 11, cf. 12[1], 14, 16[3], Nic. 2[2]; *Arist. Ἀθπ. 28[2]*; Schol. Ar. Vesp. 947 (Idomeneus, fr. 1; Philochoros, fr. 120; Ammonios, fr. 1; Theopompos, fr. 91; Androtion, fr. 37); Aristid. XLVI. ii, pp. 159–60 with schol. iii, pp. 446–7; cf. Satyros, fr. 14.
10. His period of power: Plato, Meno 94d; *Arist. Ἀθπ. 28[5]*; Schol. Aristid. XLVI. iii, pp. 446–7; (?) Vita anon. Thuc. 6.
11. His ostracism: Plut. Per. 14[3], 16[3], cf. 6[3], (?) cf. 13[10] (Kratinos, fr. 71); Schol. Ar. Vesp. 947; (?) Vita anon. Thuc. 7; B 97 (Tod 45[1–12], (?) *Hesp.* x. 2). Exile and flight to Persia: Schol. Ar. Vesp. 947 (Idomeneus, fr. 1).
12. Panathenaic decree: Plut. Per. 13[11], cf. 1134a.
13. Earliest comedy: Arist. Poet. 5[3]. 1449b5.

    Restrictions on comedy: Schol. Ar. Ach. 67; cf. *Xen. Ἀθπ. 2[18]; [Ar. Ach. 377–8, 502–3].
14. (?) Corn shortage at Athens: B 47[6]; (?) cf. Plut. Per. 37[4]; (?) cf. Ar. Vesp. 718 with schol. (Philochoros, fr. 119).

6. ASCENDANCY OF PERIKLES

1. Perikles' position in Athens: *Thuc. ii. 65[8–9]*; Plut. Per. 15–16[3] (Com. adesp. fr. 60; Telekleides, fr. 42); Cic. de Or. iii. 34. 138.
2. His continuous strategia: Plut. Per. 16[3].

    στρατηγὸς δέκατος αὐτός: *Thuc. i. 116¹*, [*ii. 13¹*, cf. 65[4]].

    Two generals from same tribe: see Table 2.

    Normal election: [*Her. vi. 104²*; *Arist. Ἀθπ. 22²*, *61[1–2]*; Xen. Mem. iii. 4[1]; Aeschin. iii. 13; Dem. prooem. lv. 2].

    For strategoi with full powers (αὐτοκράτορες) cf. Plut. Arist. 8[1], 11[1]; *Thuc. vi. 8², 26¹*; *Xen. Hell. i. 4[20]*. For full powers given to other officials cf. e.g. *B 55* (*Tod 44[9]*); *B 67 A[9]* (*Tod 51 A*).
3. Buildings, etc.:

    Temple of Ares in Agora: cf. Dinsmoor, *Hesp.* ix (1940), 1.

    Propylaia: Plut. 351a, Per. 13[12]; Harpokr. s.v. Προπύλαια ταῦτα (Philochoros, fr. 36; Heliodoros, fr. 1) (= Suidas s.v.); Dem. xxii. 13 with Anon. Argent., schol. iii. 25; B *65* (*Tod 53*), 67 B[3, 9] (Tod 51 B); *Thuc. ii. 13³*; Schol. Ar. Plut. 1193; Diod. xii. 40[2] (Ephoros, fr. 196). Cf. Stevens, *Hesp.* v (1936), 443; photographs, Hege and Rodenwaldt, *Die Akropolis*, pl. 56–66.

    Athena Hygieia: B 78; Plut. Per. 13[13].

    Golden Nikai: B 67 B[3] (Tod 51 B).

    Water-supply: B 69.

    Temple and statue of Nemesis at Rhamnous: Paus. i. 33[2–3]; Strabo

ix. 1^{17}. 396; Suidas s.v. Ῥαμνουσία Νέμεσις. Cf. Orlandos, *BCH* xlviii (1924), 305; Plommer, *BSA* xlv (1950), 94.

Telesterion at Eleusis: Plut. Per. 13^{7}; Strabo ix. 1^{12}. 395. Cf. Noack, *Eleusis* 93, 139.

(?) Eleusinion ἐν ἄστει: *B 70*.

4. Building up of military power: Andok. iii. 5, 7; Aeschin. ii. 173–4; cf. *Thuc. i. 19, 23^{6}, 88, 118^{2}.*

Increase of Navy: *Thuc. ii. 13^{8}*, cf. *i. 116–17^{2}*; Diod. xii. 40^{4} (Ephoros, fr. 196); Xen. Anab. vii. 1^{27}; cf. *Xen. Ἀθπ. 2^{11-12}.

Training of Navy: Plut. Per. 11^{4}; *Xen. Ἀθπ. 1^{19-20}; cf. *Thuc. i. 142^{5-9}*.

Number of hoplites: *Thuc. ii. 13^{6}*, cf., e.g., *i. 107^{5}*; Diod. xii. 40^{4} (Ephoros, fr. 196); cf. *Xen. Ἀθπ. 2^{1}.

Cavalry and archers: Andok. iii. 5, 7; Aeschin. ii. 173–4; *Thuc. ii. 13^{8}*.

Work on dockyards and walls: Andok. iii. 7; Aeschin. ii. 174; *B 67 A^{31}* (*Tod 51*); cf. Plato, Gorg. 455d–e, 519a; cf. Isokr. vii. 66.

5. Building up of financial reserve:

Total of tribute transferred from Delos: Diod. xii. 38^{2}, 40^{1-2} (Ephoros, fr. 196), 54^{3}, xiii. 21^{3}; cf. Anon. Argent.$^{6-8}$ (see under Dem. xxii. 13); (?) cf. Isokr. viii. 82.

The reserve at its height: *Thuc. ii. 13^{3}*; Schol. Ar. Plut. 1193; Diod. xii. 40^{1-2} (Ephoros, fr. 196); Isokr. viii. 126, xv. 234; Dem. iii. 24; cf. Paus. i. 29^{16}.

Provision for maintaining reserve: *B 67 A^{2-7}* (*Tod 51 A*), 67 B^{22} (Tod 51 B).

Restrictions on expenditure, 434/3 B.C.: B 67 B (Tod 51 B).

Concentration on Akropolis of treasures of other gods, and appointment of treasurers: *B 67 A^{13-18}* (*Tod 51 A*), 67 B^{23-5} (Tod 51 B); cf. *Thuc. ii. 13^{5}*; cf. Parthenon inventories, *B 68*; cf. B 67 B^{26-9} (Tod 51 B), [B 81].

The reserve in 431 B.C.: *Thuc. ii. 13^{3-4}*; Schol. Ar. Plut. 1193; Diod. xii. 40^{2-3} (Ephoros, fr. 196); cf. Andok. iii. 7; cf. Aeschin. ii. 174.

Income at outbreak of war: *Thuc. ii. 13^{3}*; Diod. xii. 40^{2} (Ephoros, fr. 196); Xen. Anab. vii. 1^{27}.

6. Perikles' expectation of war: Plut. Per. 8^{7}, 23^{2} (Theophrastos); cf. *Thuc. i. 140^{2}*.

7. Expectation of war in 433 B.C.: *Thuc. i. 44^{2}*, cf. *33^{3}, 36^{1}, 42^{2}*; Plut. Per. 29^{1}.

8. Meton's reform of calendar: Diod. xii. 36^{2-3}; cf. Schol. Ar. Av. 997.

9. Decree on qualifications for entertainment in Prytaneion: B 71.

10. Diopeithes' decree against impiety: Plut. Per. 32^{2}.

11. Prosecutions of Perikles' friends:

Pheidias: Plut. Per. 31^{2-5}, 32^{6}; Diod. xii. 39^{1-2} (Ephoros, fr. 196); Aristod. 16^{1-2}; Ar. Pax 603–5 with schol. (Philochoros, fr. 121); cf. Suidas s.v. Φειδίας.

Anaxagoras: Plut. Per. $32^{2, 5}$; Diod. xii. 39^{2} (Ephoros, fr. 196); Satyros, fr. 14; (?) Diog. Laert. ii. 5. 19.

Aspasia: Plut. Per. $32^{1, 5}$ (Aeschin. Socr. fr. xi); Athen. xiii. 589e (Antisthenes).

12. Perikles' private motives for war: Diod. xii. 38^{2}–39^{3} (Ephoros, fr. 196); Aristod. 16^{4}; cf. Plut. Per. $30^{2, 4}$, 31^{1}, 32^{6}. For Aspasia cf. also: Ar. Ach. 530–9; Athen. xiii. 589d (Klearchos, fr. 35); Harpokr. s.v. Ἀσπασία (Douris, fr. 65; Theophrastos); Suidas s.v. Ἀσπασία; Euseb. (*j*).

III. THE ATHENIAN EMPIRE

(For events leading up to the establishment of the Delian League see I. 1, 2)

1. THE ORIGINAL CONSTITUTION OF THE LEAGUE

1. Programme of the League: *Thuc. i. 96*^{1}*, iii. 10*^{3}*, vi. 76*^{3}; cf. Ar. Vesp. 1091–101.
2. Oath of alliance: *Arist. Ἀθπ. 23*^{5}; Plut. Arist. 25^{1}.
3. Ship contributions: *Thuc. i. 96*^{1}*, 99*^{3}; Andok. iii. 38; Plut. Cim. 11.
4. Tribute assessment of Aristeides: *Thuc. i. 96, v. 18*^{5}; *Arist. Ἀθπ. 23*^{5}; Diod. xi. 47$^{1-2}$; Plut. Arist. 24, 26^{3}; Nepos, Arist. 3^{1}; Aristod. 7; Dem. xxiii. 209; Aeschin. iii. 258; *Andok. iv. 11; Paus. viii. 52^{2}; Anon. Argent.$^{7-8}$ (see under Dem. xxii. 13); Aelian, VH xi. 9.
5. Hellenotamiai: *Thuc. i. 96*^{2}; Andok. iii. 38; Xen. de Vect. 5^{5}; Antiphon v. 69–71.
6. League meetings at Delos: *Thuc. i. 96*^{2}*, 97*^{1}; cf. Diod. xi. 70^{4}.
   ἰσοψηφία: *Thuc. iii. 11*^{4}; [cf. Diod. xv. 28^{4}].
7. Autonomy: *Thuc. i. 97*^{1}*, iii. 11*^{1}*, cf. i. 98*^{4}.
8. Original extension of the League: *Thuc. i. 95*^{1}; cf. *Thuc. v. 18*^{5}.

2. SUBSEQUENT EXTENSION OF THE LEAGUE

1. Karystos: *Thuc. i. 98*^{3}.
2. Karia and Lykia: Ephoros, fr. 191$^{56-61}$; Diod. xi. 60^{1,4}; cf. Plut. Cim. 12$^{1,3-4}$; cf. Frontinus iii. 2^{5}.
3. Doros: Steph. Byz. s.v. (Krateros, fr. 1).
4. Aigina: *Thuc. i. 108*^{4}; Diod. xi. 78^{4}.
5. (?) Thrace and Hellespont: *Her. vii. 106*; Plut. Cim. 14^{1}.
6. (?) Extent of League in 472 B.C.: Aesch. Pers. 852–907.
7. (?) Lampsakos and Myous: *Thuc. i. 138*^{5}; Diod. xi. 57^{7}; Plut. Them. 29^{11}; Nepos, Them. 10^{3}; Aristod. 10^{5}; Schol. Ar. Eq. 84 (=Suidas s.v. Θεμιστοκλῆς); Athen. i. 29f; cf. *ATL Λαμψακηνοί, Μυήσσιοι*.
8. (?) Perkote and Palaiskepsis: Plut. Them. 29^{11} (Neanthes, fr. 17, Phanias, fr. 10); Schol. Ar. Eq. 84 (Neanthes, fr. 17); Athen. i. 29f; cf. *ATL Περκώσιοι, Σκάψιοι*.
9. Extent of the League in 431 B.C.: *Thuc. ii. 9*$^{4-5}$; Diod. xii. 42^{5}.
10. Fullest extension of Empire: Diod. xi. 85^{2} (455/4 B.C.); Dion. Hal. AR i. 3^{2}; [*B 87* (*Tod 66*) (425 B.C.); cf. Ar. Vesp. 707].

3. THE CHANGE FROM LEAGUE TO EMPIRE

1. Growth of Athenian imperialism: *Thuc. i. 19, 97*^{1}*, 98*^{4}*–99, iii. 10*^{3}*–11, vi. 76*^{3}; *Xen. *Ἀθπ.* 2$^{2-8}$; Andok. iii. 37–8; Diod. xi. 70$^{3-4}$, cf. 41$^{3-5}$; Plut. Cim. 11, Per. 7^{8} (Com. adesp. fr. 41); Nepos, Cim. 2^{4}; cf. B 33$^{8-9}$, 34$^{14-15}$, 80$^{2,14-15}$; cf. Aeschin. iii. 258.
2. Ship contributions converted to tribute: *Thuc. i. 19, 99*^{3}; Plut. Cim. 11, cf. Per. 12^{3}.
3. Special position of Chios, Lesbos, Samos: Arist. Pol. 1284^{a}38, *Ἀθπ. 24*^{2}; *Thuc. i. 19, iii. 10*^{5}*, 39*^{2}; Ar. Av. 880 with schol. (Theopompos, fr. 104; Eupolis, fr. 232; Thrasymachos, fr. B 3; Hypereides, fr. 194); cf. Plut. Ar. 23^{4}. See also III. 4^{3}.
4. Contribution of troops: [*Thuc. ii. 9*^{5}].
   In Hellespont (from Madytos, Byzantium, ? Kebrene): B 9^{34,98,37}.
   At Tanagra: *Thuc. i. 107*^{5}; Paus. v. 10^{4}; *B 112* (*Tod 27*).

(?) From Miletos: *B* 30^{10-22}.
[From Chios: Schol. Ar. Av. 880 (Eupolis, fr. 232).]
(?) From Keos: B 16^{13}.

5. Athenian control of Delian temple property: *B 77* (*Tod 54*).
6. Temple of Apollo on Delos begun but not completed: cf. Courby, *Exploration archéologique de Délos*, xii (1931).
7. Character of Athenian rule: *Thuc. i.* 68^{3}, *75–7, ii.* 8^{5}, 63^{2}, *v. 89,* 105^{2}, *vi.* 76^{3-4}, 82^{3}*–83*; Lysias ii. 55–7; Andok. iii. 37–8; Isokr. iv. 103–9, xii. 67–9; cf. Ar. Ach. 193, Pax 619–22.
8. [Second Athenian Confederacy, 377 B.C.: Diod. xv. 28^{3-4}, 29^{8}; *B 93* (*Tod 123*); cf. Xen. de Vect. 5^{6}.]

4. INTERFERENCE IN INTERNAL AFFAIRS OF ALLIES

1. General support of democracy: *Thuc. iii.* 47^{2}, 82^{1}; *Xen. Ἀθπ. $1^{14,16}$, 3^{10}; Ar. Ach. 642; Lysias ii. 56; Isokr. iv. 104–6, xii. 68; Arist. Pol. $1307^{b}22$; cf. Plato, Ep. vii. 332b–c.
2. Democracies established: B 26 (Tod 29) (Erythrai); B 49^{48} (Kolophon); *Thuc. i.* 115^{3}; cf. B 62 (Samos).
3. Some oligarchies tolerated: *Xen. Ἀθπ. 3^{11} (Boiotia, Miletos); *Thuc. viii.* 24^{4}, but cf. 38^{3} (Chios); *Thuc. iii.* 27^{2-3}, 47^{2-3} (Mytilene); *Thuc. i.* 115^{2-3} (Samos).
4. Revolts in general: *Thuc. i. 99*; Nepos, Cim. 2^{4}; Diod. xi. 70^{3-4}.
5. Settlements following revolt:
   Naxos: *Thuc. i.* 98^{4}.
   Thasos: *Thuc. i.* 101^{3}.
   Euboia (general): *Thuc. i.* 114^{3}; Diod. xii. 7; Ar. Nub. 211–13 with schol. (Philochoros, fr. 118); (?) Plut. Per. 7^{8} (Com. adesp. fr. 41); cf. Isokr. iv. 108–9; cf. Dem. xx. 115; cf. B 96 (*b*).
   Hestiaia–Oreos: *Thuc. i.* 114^{3}, cf. *vii.* 57^{2}; Diod. xii. 7, 22^{2}; Theopompos, fr. 387; Plut. Per. 23^{4}; Schol. Ar. Nub. 213 (Philochoros, fr. 118); B 54; cf. *ATL* Ἑστιαιῆς; cf. B 96 (*b*) $(i)^{6}$.
   Chalkis: *B 53* (*Tod 42*); Plut. Per. 23^{4}; cf. Aelian, VH vi. 1; cf. B 96 (*b*) $(i)^{3,11,22}$, (*b*) (ii); cf. *ATL* Χαλκιδῆς.
   Eretria: B 52; Hesych. s.v. Ἐρετριακὸς κατάλογος; cf. *ATL* Ἐρετριῆς; cf. B 96 (*b*) $(i)^{9,14}$.
   Samos: *Thuc. i.* 117^{3}; Diod. xii. 28^{3-4}; Plut. Per. 28^{1-3} (Douris fr. 67); B 62, 63; (?) cf. B 96 (*d*).
6. Regulations imposed by Athens (no literary evidence of revolt): B 26 (Tod 29), (?) cf. B 116 (Erythrai); B 30, cf. *115* (Miletos); B 49 (Kolophon); cf. *ATL* Ἐρυθραῖοι, Μιλήσιοι, Κολοφώνιοι.
7. Oaths of allegiance: B $26^{16-29,67-73}$ (Tod 29) (Erythrai); B 30^{73} (Miletos); B 49^{42-55} (Kolophon); *B* 53^{21-39} (*Tod 42*) (Chalkis); B 52^{7-12}, cf. *B* 53^{42} (*Tod 42*) (Eretria); B 62^{15-21} (Samos).
8. Oaths sworn by Athenians: B 52^{1-6} (Eretria); *B* 53^{3-20} (*Tod 42*) (Chalkis); B 62^{21-5} (Samos).
9. Cleruchies and colonies: Plut. Per. 11^{5-6}; Ar. Nub. 203 with schol.; Isokr. iv. 107–9; [cf. Diod. xv. 29^{8}].
   Andros: Plut. Per. 11^{5}; cf. *ATL* Ἄνδριοι.
   Brea: see I. 10^{8}.
   Chersonese: Diod. xi. 88^{3}; Plut. Per. 11^{5}, 19^{1}; cf. Andok. iii. 9; cf. Aeschin. ii. 175; cf. *ATL* Χερρονησῖται ἀπ' Ἀγορᾶς, Ἀλωποκοννήσιοι, Ἐλαιούσιοι ἐν Χερρονήσῳ, Λιμναῖοι ἐν Χερρονήσῳ, Μαδύτιοι, Σήστιοι; cf. *ATL list 8, ii. 108–9*; (?) cf. B 38, 60.

Euboia: Diod. xi. 88^{3}; Paus. i. 27^{5}; cf. Andok. iii. 9; cf. Aeschin. ii. 175; cf. Isokr. iv. 108; (?) cf. Plut. Per. 7^{8} (Com. adesp. 41).

Chalkis: Plut. Per. 23^{4}; cf. Aelian, VH vi. 1; cf. *ATL Χαλκιδῆς*.

Hestiaia–Oreos: *Thuc. i. 114^{3}*, cf. *vii. 57^{2}*; Diod. xii. 7, 22^{2}; Theopompos, fr. 387; Plut. Per. 23^{4}; cf. B 54; cf. *ATL Ἑστιαιῆς*.

(?) Kolophon: B 49$^{19-20, 40-1}$.

Naxos: Diod. xi. 88^{3}; Plut. Per. 11^{5}; Paus. i. 27^{5}; cf. Andok. iii. 9; cf. Aeschin. ii. 175; cf. *ATL Νάξιοι*.

(?) Lemnos: [*Thuc. vii. 57^{2}*]; cf. *ATL Λήμνιοι, Ἡφαιστιῆς οἱ ἐν Λήμνῳ, Μυριναῖοι ἐν Λήμνῳ*; cf. Paus. i. 28^{2}.

(?) Imbros: [*Thuc. vii. 57^{2}*].

10. Athenian officers and troops in allied states:

ἄρχοντες (general): B 39 (1), (3), (4), (10) (Tod 67); B 46$^{6-7}$; *Xen. *Ἀθπ.* 1^{19}; *Arist. Ἀθπ. 24^{3}*; [B 80$^{5-7}$, *89$^{45-6}$ (Tod 84)*; Ar. Av. 1049–50].

ἄρχοντες in individual states: B 30$^{4-7, (?)44, 64, 73}$ (Miletos); *Thuc. i. 115^{5}* (Samos); [Antiphon v. 47 (Mytilene); *B 91$^{19-20}$ (Tod 90)* (Skiathos)].

ἐπίσκοποι (general): B 46^{7}; Ar. Av. 1021–34 with schol.; Harpokr. s.v. *ἐπίσκοπος* (Antiphon, frs. 23, 30; Theophrastos, fr. 129); Suidas s.v. *ἐπίσκοπος*.

ἐπίσκοποι in individual states: B 26$^{13-14, 50}$ (Tod 29) (Erythrai).

κρυπτή: Bekker, Anecd. i, p. 273^{33}.

φρούραρχοι and *φροῦροι* (general): Isokr. vii. 65.

φρούραρχοι and *φροῦροι* in individual states: B 26$^{14-15, 38-9, 52, 55}$ (Tod 29) (Erythrai); B 30^{77} (Miletos); *Thuc. i. 115^{3}* (Samos); Ar. Vesp. 235–7 (Byzantium); Eupolis, fr. 233 (Kyzikos); (?) B 24$^{4, 10-11}$ (Aigina); cf. *B 53$^{76-9}$ (Tod 42)* (Euboia).

11. Imposition of Attic coins, weights, and measures: B 39 (Tod 67); cf. Ar. Av. 1039–42.

12. [Control of corn from Euxine: *B 82$^{34-41}$ (Tod 61)*; B 83, 84.]

5. THE TRIBUTE AFTER 454 B.C.

1. Transference of treasury to Athens: Diod. xii. 38^{2}, 40^{1} (Ephoros, fr. 196), 54^{3}, xiii. 21^{3}; Plut. Per. 12^{1}, cf. Arist. 25^{3}; Nepos, Arist. 3^{1}; Aristod. 7; Justin iii. 6^{4}.

2. Payment of *ἀπαρχή* to Athena: *ATL, list 1 (Tod 30)*; (?) cf. B 43; cf. *B 65 (Tod 53$^{12-13}$)*; (?) B 69$^{15-16}$; [cf. *B 82$^{7-8}$ (Tod 61)*].

Five districts: *ATL, lists 12–16*.

Four districts: *ATL, lists 17 ff.*; B 39 (9); B 46$^{26-8}$; [B 87$^{5-6}$ (Tod 66)]; cf. Plut. Per. 17^{2}.

3. Assessment:

Normal assessment in Panathenaic years: *B 82$^{8-9}$ (Tod 61)*; [B 87$^{26-33}$ (Tod 66)]; cf. *Xen. *Ἀθπ.* 3^{5}.

Extraordinary assessment in 443 B.C.: *ATL, list 12*.

[Assessment procedure in 425 B.C.: B 87 (Tod 66).]

τάκται: [restored, B 87$^{8-12, 14, 41}$ (Tod 66); *Andok. iv. 11].

Supervision by Boule: *Xen. *Ἀθπ.* 3^{5}; [B 87$^{17-20, 58-9}$ (Tod 66)].

Allies' opportunity to state their case: [B 87$^{12-16}$ (Tod 66)]; B 52$^{11-12}$, *53$^{25-7}$ (Tod 42)*; Harpokr. s.v. *ἐκλογεῖς* (Antiphon, fr. 52; Lysias, fr. 9); cf. Antiphon, fr. 50; (?) B 46$^{61 ff.}$.

[Special court for tribute cases: *ATL, list 25$^{iii. 60-1}$* (court of 1,500); B 87^{16} (Tod 66) (court of 1,000).]

Special forms of assessment: *ATL i, pp. 446–9*; Harpokr. s.v. συντελεῖς (Antiphon, fr. 56), ἀπόταξις (= Suidas s.v.) (Antiphon, fr. 55); *ATL i, p. 455* (*πόλεις ἃς οἱ ἰδιῶται ἐνέγραψαν φόρον φέρειν, πόλεις ἄτακτοι, πόλεις αὐταὶ φόρον ταξάμεναι*), *456* (*ταῖσδε ἔταξαν οἱ τάκται*), *449–50* (other special categories appearing later).

4. Collection and reception of tribute:
   Date of payment: Ar. Ach. 502–6 with schol. (Eupolis, fr. 240), schol. 378; cf. B 46^{19}.
   Supervision by Boule: *Xen. Ἀθπ. 3^{2}; B 46.
   Receipt by Hellenotamiai: *Thuc. i. 96*^{2}; *ATL, list 1* (*Tod 30*); B 46^{20}; Pollux viii. 114. By apodektai: Pollux viii. 97.
   Auditing by Logistai: *ATL, list 1*^{2} (*Tod 30*).
   Special seals for tribute collection: B 46^{11-16}.
   Parade of tribute (?) surplus: Isokr. viii. 82.
   [Appointment of allied Eklogeis: *B 86*; Harpokr. s.v. ἐκλογεῖς (Antiphon, fr. 52; Lysias, fr. 9); Bekker, Anecd. i, p. 245^{33}.]
   Collection of arrears: B $46^{24-5,\ (?)73-4}$; cf. *ATL, lists 2. i, 5. v, 8.* [In Peloponnesian War: cf. *Thuc. ii. 69*^{1}, etc.; Ar. Eq. 1070–2 with schol.]
   ἐπιφορά: *ATL i, pp. 450–3.*
5. General survey of tribute increase: Plut. Arist. 24^{4-5}; cf. Aristid. XLVI. ii, p. 199 with schol. iii, p. 510.

6. JUDICIAL RELATIONS WITH ALLIES

1. Penalty for death of an Athenian: B 33^{9-13}, $34^{16-17\text{ n.}}$, [80^{15-17}].
2. Calling of cases to Athens: *Xen. Ἀθπ. 1^{16-18}; *Thuc. i. 77*^{1}; Isokr. iv. 113, xii. 63, 66; cf. Ar. Av. 1046, 1422–5 with schol.
3. Relations based on συμβολαί: *Thuc. i. 77*^{1}; Bekker, Anecd. i, p. 436^{1} (Arist. fr. 419); Pollux viii. 63; (?) Antiphon v. 78.
   συμβολαί with individual allies: *B 10*$^{11-14}$ (*Tod 32*) (Phaselis); [B 85^{15-17} (Tod 63) (Mytilene); *B 90*$^{17-22}$ (*Tod 88*) (Selymbria); *B92*^{18} (*Tod 96*) (Samos)].
   συμβολαί, etc., generally: Harpokr. s.v. σύμβολα; Hesych. s.v. ξυμβολιμαίας δίκας; B 8^{41-3}; cf. *Dem. vii. 11–13; cf. e.g. *B 118*^{15} (*Tod 34*).
4. Restriction on death penalty in allied courts: Antiphon v. 47; cf. *B 53*$^{71-6}$ (*Tod 42*).
5. Judicial relations with individual states: *B 10* (*Tod 32*) (Phaselis); B $26^{29-38,\ 58-62}$ (Tod 29) (Erythrai); B 30 (Miletos); B 52 n. (Eretria); *B 53*$^{71-6}$, cf. *53*$^{4-11}$ (*Tod 42*) (Chalkis); B 54 (Hestiaia, Dion, Ellopia).
6. Tribute cases: see III. 5^{3}.
7. Cases arising from coinage decree: B 39 (2)–(4), (12).
8. Prosecution of oligarchs: *Xen. Ἀθπ. 1^{14}; [cf. Ar. Pax 639–40].

7. RELIGIOUS RELATIONS WITH ALLIES

1. ἀπαρχή of tribute to Athena: *ATL, list 1* (*Tod 30*); see also III. 5^{2}.
2. Attendance at Dionysia: Ar. Ach. 502–6 with schol. (Eupolis, fr. 240), schol. 378.
3. Obligations at Panathenaia:
   Erythrai: B 26^{2-8} (Tod 29).
   βοῦς καὶ πανοπλία from all allies: B 46^{41-3}; [B 87^{55-8} (Tod 66)]; cf. Brea, *B 55* (*Tod 44*$^{11-12}$).
4. τεμένη of Athenian gods in allied territory: Aelian, VH vi. 1 (Chalkis); B 96 (various); [*Thuc. iii. 50*^{2} (Mytilene)]; cf. Brea, *B 55* (*Tod 44*$^{9-11}$).

IV. PELOPONNESE, CRETE, KYRENE

1. FALL OF PAUSANIAS AND LEOTYCHIDAS

(For events leading up to transfer of hegemony to Athens, see I. 1–2)

1. Pausanias' return to Byzantium: *Thuc. i. 128*^{3}, *131*^{1}; Nepos, Paus. 3$^{1-3}$.
   Gongylos' rewards: Xen. *Hell. iii. 1*^{6}, cf. Anab. vii. 8^{8}.
2. Pausanias expelled from Byzantium: *Thuc. i. 131*^{1}; Plut. Cim. 6^{6}; (?) Simonides, fr. 89; cf. Ephoros, fr. 191$^{40-2}$; cf. Diod. xi. 60^{2}; cf. Justin ix. 1^{3}.
3. Spartan debate on loss of hegemony: Diod. xi. 50.
4. Sparta accepts transfer of hegemony: *Thuc. i. 95*^{7}, cf. *75*^{2}, *92*; Plut. Arist. 23^{7}; *Xen. Hell. vi. 5*^{34}; cf. *Arist. Ἀθπ. 23*^{2}.
5. Pausanias at Kolonai, his second recall: *Thuc. i. 131*; Nepos, Paus. 3$^{3-5}$.
6. His plots with helots and intention to gain absolute power: *Thuc. i. 132*^{4}; Nepos, Paus. 3^{6}; Arist. Pol. 1307^{a}2.
7. His detection and death: *Thuc. i. 132–4*; Diod. xi. 45; Nepos, Paus. 4–5; Plut. Them. 23^{4}, Cim. 6^{7}; Aristod. 8; Justin ii. 15$^{15-16}$; Paus. iii. 17$^{7-9}$; Polyaenus viii. 51; Schol. Ar. Eq. 84.
8. Spartans in Thessaly, and Leotychidas' exile: *Her. vi. 72*; Paus. iii. 5^{6}, 7$^{9-10}$; Plut. 859d, (?) Them. 20$^{1-2}$, cf. 21^{4} (Timokreon, fr. 1^{2}).
   Date of end of his reign: Diod. xi. 48^{2}, cf. xii. 35^{4}.
   Other Spartan activities in northern Greece: *Her. ix. 86–8* (Thebes); (?) Plut. 859d (Phokis); Plut. Them. 20$^{3-4}$; *Her. vii. 213*^{2} (Amphiktiony).

2. SPARTA WITHIN PELOPONNESE, TO HELOT REVOLT

1. [Relations with Arcadia before Plataea: *Her. vi. 74, ix. 37*^{4}.]
2. Elis and Mantineia, at and after Plataea: *Her. ix. 77*.
3. Synoikismos of Elis: Diod. xi. 54^{1}; Strabo viii. 3^{2}. 336, 337.
   Constitution of Elis: [*Thuc. v. 47*^{9}]; (?) Arist. Pol. 1306^{a}12; (?) B 124.
   Number of Hellanodikai: Paus. v. 9$^{4-5}$; Harpokr. s.v. Ἑλλανοδίκαι (Arist. fr. 492; Aristodemos, Eleios fr. 2); Schol. Pindar, Ol. iii. 12 (22)a (Hellanikos, fr. 113; Aristodemos, fr. 2); (?) B 124 (*a*)^{5}.
   Reduction of perioikic towns: *Her. iv. 148*^{4}.
4. Synoikismos of Mantineia: Strabo viii. 3^{2}. 337; cf. *Xen. Hell. v. 2*^{7}; cf. Diod. xv. 5^{4}.
   Constitution of Mantineia: [*Thuc. v. 29*^{1}, *47*^{9}]; (?) Arist. Pol. 1318^{b}21.
5. Themistokles at Argos, and Spartan measures against him: *Thuc. i. 135*$^{2-3}$, *136*^{1}, *137*^{1}; Diod. xi. 55$^{3-8}$, 56^{2}, cf. 54$^{2-4}$; Plut. Them. 23^{1,4}, 24^{2}; Nepos, Them. 8$^{2-3}$; Aristod. 6^{1}, 10$^{1-2}$.
6. Battle of Tegea: *Her. ix. 35*^{2}; Paus. iii. 11^{7}; (?) Polyaenus ii. 10^{3}; (?) Simonides, fr. 122.
   Position of Tegea: Strabo viii. 6^{19}. 377 (Argive alliance); Paus. v. 26^{5}; B 107 (Mikythos in Tegea).
7. Battle of Dipaea: *Her. ix. 35*^{2}; Paus. iii. 11^{7}, viii. 8^{6}; Isokr. vi. 99; (?) Polyaenus i. 41^{1}; (?) cf. Diod. xi. 65^{4}.
8. Spartan earthquake: *Thuc. i. 101*^{2}, *128*^{1}; Diod. xi. 63$^{1-3}$, 65^{4}; Plut. Cim. 16$^{4-6}$; Paus. i. 29^{8}, iv. 24^{6}; Polyaenus i. 41^{3}; Aelian, VH vi. 7; Ar. Lys. 1137–44 with schol. (Philochoros, fr. 117), cf. Ach. 510–11 with schol.
9. Helot revolt: *Thuc. i. 101*^{2}, *102*^{1}, *103*$^{1-3}$; Diod. xi. 63^{4}–64; Plut. Cim.

16[7]–17[3]; Paus. i. 29[8], iv. 24[5–7]; Justin iii. 6[1–11]; Ar. Lys. 1137–44 with schol. (Philochoros, fr. 117).

Battle at Stenyklaros: *Her. ix. 64*[2]. At Isthmos (? Ithome): *Her. ix. 35*[2]; Paus. iii. 11[8].

Allied help for Sparta: *Thuc. ii. 27*[2] (Aigina); *Xen. Hell. v. 2*[3] (Mantineia); *Thuc. iii. 54*[5] (Plataea). For Athens see I. 4[2].

Helot surrender and settlement at Naupaktos: *Thuc. i. 103*[1–3]; Diod. xi. 84[7–8], cf. 64[4]; Paus. iv. 24[7]–25[1], cf. 33[2]; (?) B 25.

Spartan dedication at Olympia: Paus. v. 24[3]; B 109.

10. Spartan difficulties in this period generally: Schol. Ar. Lys. 1138 (Philochoros, fr. 117); cf. *Thuc. i. 118*[2].

11. (?) Reorganization of Spartan army: [*Her. ix. 10*[1], *11*[3], *53*[2], *57* (army at Plataea organized by obai?); *Thuc. v. 66*[3]–*67*[1], *68* (army at Mantineia organized by morai?)].

Spartan xenagoi and allied states: [*Thuc. ii. 75*[3]; Xen. *Hell. iii. 5*[7], *iv. 2*[19], *v. 2*[7], cf. Resp. Lac. 13[4]].

3. ARGOS, TO ATHENIAN ALLIANCE

1. Slaves and perioikoi after Sepeia: *Her. vi. 83*[1], but cf. *92*[1–2]; Plut. 245f; Arist. Pol. 1303a6; cf. Paus. viii. 27[1].
2. Argos' medism: *Her. vii. 150–2, ix. 12.*
3. Tiryns and Mycenae in Persian wars: *B 98*[16, 19] (*Tod 19*); *Her. vii. 202, ix. 28*[4]; Diod. xi. 65[2]; Paus. v. 23[2].
4. Counter-revolution at Argos: *Her. vi. 83*; (?) cf. Pap. Oxy. 222[6, 31].
5. Wars with Tiryns: *Her. vi. 83*; Paus. ii. 17[5], 25[8], v. 23[3], viii. 27[1]; Strabo viii. 6[11]. 373.

   Tirynthians at Halieis: *Her. vii. 137*[2]; Steph. Byz. s.vv. Ἁλιεῖς (Ephoros, fr. 56), Τίρυνς; Strabo viii. 6[11]. 373; (?) Pap. Oxy. 222[42].
6. Themistokles at Argos: see IV. 2[5], II. 2[2].
7. Argos and Mantineia: Strabo viii. 3[2]. 337. Argos and Tegea: *Her. ix. 35*[2]; Paus. iii. 11[7]; Strabo viii. 6[19]. 377.
8. War with Mycenae: Diod. xi. 65; Paus. v. 23[3], vii. 25[5–6], viii. 27[1]; Strabo viii. 6[10]. 372, 6[19]. 377.
9. Argives at battle of Tegea: *Her. ix. 35*[2]; Paus. iii. 11[7].
10. Argos allied with Athens: *Thuc. i. 102*[4]; Paus. i. 29[9], iv. 24[7]; cf. Aesch. Eum. 287–91.
11. Quarrel between Corinth and Kleonai: Plut. Cim. 17[2].

    Relations of Kleonai with Argos: Strabo viii. 6[19]. 377; Paus. i. 29[7], vii. 25[6]; [*Thuc. v. 67*[2]].
12. Argive victory over Corinth: B 110.
13. Battle of Oinoe: Paus. i. 15[1], x. 10[4].
14. Argive constitution:

    King: *Her. vii. 149*[2]; *B 117*[43] (*Tod 33*).

    Later democracy: [*Thuc. v. 29*[1], *47*[9]].

    Ostracism: Arist. Pol. 1302b18; Schol. Ar. Eq. 855.

4. PELOPONNESE AFTER HELOT REVOLT

1. Temple of Zeus at Olympia: Paus. v. 10[2–3, 8]. Cf. Gardiner, *Olympia* 235; photographs, Hege and Rodenwaldt, *Olympia.*

   Pheidias' statue of Zeus: Paus. v. 10[2], 11[5]; Strabo viii. 3[30]. 353–4 (Kallimachos, fr. 196); Schol. Ar. Pax 605 (Philochoros, fr. 121). Cf. Richter, *Sculpture and Sculptors of the Greeks*[2], 218.

2. First Peloponnesian War: see I. 5, 7.
    Argives at Tanagra: *Thuc. i. 107*^{5}; Diod. xi. 80^{1}; Paus. i. 29^{9}, iii. 11^{8}, v. 10^{4}; B 18, *112* (*Tod 27*); *Her. ix. 35*^{2}.
3. Thirty Years' Peace between Sparta and Argos: *Thuc. v. 14*^{4}, *28*^{2}.
4. Argive embassy to Persia: *Her. vii. 151.*
5. Temple of Apollo at Bassai: Paus. viii. 41$^{7-9}$. Cf. Dinsmoor, *Metr. Mus. Stud.* iv (1933), 204.
6. Sparta refuses Perikles' invitation to congress: Plut. Per. 17^{4}.
7. Argos and Thirty Years' Peace between Athens and Sparta: Paus. v. 23^{4}.
8. Peloponnesians at Thourioi: Diod. xii. 10^{4}, 11^{3}.
9. Proposed Peloponnesian intervention in Samian revolt: *Thuc. i. 40*^{5}, *41*^{2}, *43*^{1}; (?) B 62^{7}.
10. Appeal from Lesbos: *Thuc. iii. 2*^{1}, *13*^{1}.
11. Corcyra, Poteidaia, etc.: see I. 11.
12. Spartan and Sikyonian envoys with Corcyreans to Corinth: *Thuc. i. 28*^{1}.
13. Spartan promise to help Poteidaia: *Thuc. i. 58*^{1}, *71*^{4}.
14. First League conference at Sparta: *Thuc. i. 67–88*; Diod. xii. 41^{1}, 42^{3}.
15. Second League conference at Sparta: *Thuc. i. 119–25*; (?) Diod. xii. 42^{3}.
16. Spartan reluctance to war in general: *Thuc. i. 69*$^{4-5}$, *84*, *118*^{2}; cf. Plut. Per. 29^{7}. Readiness for war in 433–431 B.C.: *Thuc. i. 33*^{3}, *36*^{1}, cf. *42*^{2}, *79*^{2}, *86–7*. Feelings about breach of treaty: *Thuc. i. 123*^{2}, *vii. 18*^{2}. Fear of Athenian aggression: *Thuc. i. 23*^{6}, *33*^{3}, *88*, *118*^{2}; Aristod. 19. Threat of Corinthian secession: *Thuc. i. 71*$^{4-7}$.
17. Peloponnesian lack of money: *Thuc. i. 80*^{4}, *141*^{3}, *142*^{1}; Diod. xii. 40^{5} (Ephoros, fr. 196). Proposal to use money from Olympia and Delphi: *Thuc. i. 121*^{3}, *143*^{1}.
18. Sparta and Persia: *Thuc. i. 82*^{1}, *ii. 7*^{1}; Diod. xii. 41^{1}.
19. Embassy to Delphi: *Thuc. i. 118*^{3}, cf. *123*^{2}.
20. Embassies to and from Athens: *Thuc. i. 126*^{2}, *128*^{1}, *139*, *ii. 12*; Plut. Per. 30^{1}, 33^{1}.
21. Spartan allies in 431 B.C. *Thuc. ii. 9*$^{2-3}$; Diod. xii. 42^{4}. Demand for ships from the West: *Thuc. ii. 7*^{2}; Diod. xii. 41^{1}.

5. CRETE

1. Civil code of Gortyn: *B 119* (*Tod 36*).
2. Stasis in Knossos: Schol. Pindar, Ol. xii inscr.
3. Treaty between Knossos and Tylissos: *B 117* (*Tod 33*).

6. KYRENE

1. The last two kings of Kyrene: *Her. iv. 163*^{2} (oracle to Arkesilas III); cf. Pindar, Pyth. iv. 64 (113)–65.
2. Battos IV: Arist. fr. 611^{17}.
3. Arkesilas IV: Arist. fr. 611^{17}; Pindar, Pyth. iv–v with schol.; (?) B 108; (?) C 12 (*a*)–(*b*).
    Internal trouble in Kyrene: Pindar, Pyth. iv, schol. inscr. a, 263 (467)–299, schol. 263 (467), schol. 270 (481)b, schol. Pyth. v. 10 (12)a.
    Colonization of Euhesperides: Schol. Pindar, Pyth. iv. 256 (455)e, schol. Pyth. v. 26 (34) (Didymos; Theotimos, fr. 1).
4. Fall of kingdom and institution of democracy: Arist. fr. 611^{17}, Pol. 1319^{b}19; Schol. Pindar, Pyth. iv inscr. b.
5. Relations of Kyrene, Barke, etc.: C 12 (*c*)–(*e*).
6. Remnants of Athenian expedition to Egypt: *Thuc. i. 110*^{1}; Diod. xi. 77^{5}.

V. WESTERN GREECE

I. THE DEINOMENID TYRANNY AT SYRACUSE

1. Chronology of tyranny: Arist. Pol. 1315^{b}34.
   Date of Gelon's accession: Diod. xi. 38^{7}; Marm. Par. 53, cf. 55; Paus. vi. 9$^{4-5}$; Dion. Hal. AR vii. 1$^{4-5}$.
   Date of Hieron's accession: Diod. xi. 38^{7}, cf. 66^{4}; Schol. Pindar, Pyth. i inscr., schol. Pyth. iii, inscr. b; Marm. Par. 55; Euseb. (*c*).
   Kamarina: *Thuc. vi. 5*^{3}; Schol. Pindar, Ol. v. 9 (19)a–c (Timaios, fr. 19; Philistos, fr. 15); *Her. vii. 156*^{2}.
2. Character of tyranny:
   Gelon's attitude to demos: *Her. vii. 156*$^{2-3}$.
   His offer to resign after Himera: Diod. xi. 26$^{5-6}$; Aelian, VH vi. 11, xiii. 37; Polyaenus i. 27^{1}.
   His popularity: Diod. xi. 26$^{4-6}$, 38$^{1, 4-5}$, 67$^{2-3}$; Plut. 551f–552a, Timol. 23^{8}.
   Deinomenid mercenaries: Diod. xi. 72^{3} (Gelon), 48^{3} (Hieron), 67^{5} (Thrasyboulos); see also VI *Ἀγησίας*, *Φόρμις*, (?) *Πραξιτέλης*.
   Transplantations of people: *Her. vii. 156*$^{2-3}$; cf. Diod. xi. 76$^{4-6}$; for Aitna see V. 2^{7}. Cf. Diod. xi. 49$^{3-4}$ (Theron).
   Character of Hieron's rule: Diod. xi. 67$^{3-4}$; Plut. 551f–552a. Hieron's police, etc.: Arist. Pol. 1313^{b}11, but cf. Plut. 522f; Epicharmos, fr. 35.
   Pindar and Bacchylides on Hieron: Pindar, Ol. i. 10 (16)–23, vi. 92 (156)–96, Pyth. ii. 57 (104)–61, 86 (157)–89b, iii. 70 (124)–71, 84 (150)–86; Bacchyl. iii. 10–14, v. 1–8, 31–6.
   Strategia as basis of power: Diod. xiii. 94^{5}; Polyaenus i. 27^{1}; cf. Bacchyl. v. 1–2; Schol. Pindar, Ol. ii. 15 (29)b, d (Didymos, p. 215; Timaios, fr. 93b), but cf. B 101.
   Cf. also Deinomenid dedications: Simonides, fr. 106; *B 102* (*Tod 22*). Coins: C 14(a).

2. SYRACUSE FROM HIMERA TO HIERON'S DEATH

1. Situation after Himera: Diod. xi. 24^{4}–26, 38^{1}.
   Peace terms: Diod. xi. 26^{2}; Schol. Pindar, Pyth. ii. 1 (2) (Theophrastos; Timaios, fr. 20); Plut. *175a, 552a.
   Gelon's dedications: Diod. xi. 25^{1}, 26^{7}; Paus. vi. 19^{7}; Athen. vi. 231f (Phanias, fr. 12; Theopompos, fr. 193); Simonides, fr. 106.
   Demareteia: Diod. xi. 26^{3}; Schol. Pindar, Ol. ii inscr., schol. 15 (29)d (Didymos, p. 215; Timaios, fr. 93b); C 14.
2. Relations with other western states: Diod. xi. 25^{5}–26^{1}, cf. 66^{1}.
   Hieron married to Anaxilas' daughter: Schol. Pindar, Pyth. i. 58 (112) (Philistos, fr. 50; Timaios, fr. 97).
   Hieron ruler of Gela: *Her. vii. 156*^{1}.
3. Gelon's death and burial: Diod. xi. 38$^{2-6}$; Schol. Pindar, Pyth. i inscr., schol. 46 (89)a (Arist. fr. 486).
4. Guardianship of Gelon's son: Arist. Pol. 1312^{b}9; Schol. Pindar, Nem. ix. 40 (95)a (Timaios, fr. 21).
5. Position of Polyzalos: Schol. Pindar, Ol. ii. 15 (29)b, d (Didymos, p. 215; Timaios, fr. 93b); Diod. xi. 48^{3}; B 101.
6. Polyzalos and Theron quarrel with Hieron: Schol. Pindar, Ol. ii. 15 (29)b–d (Didymos, p. 215; Timaios, fr. 93b; Kallimachos, fr. 43^{46}),

schol. 95 (173)d, f, i, k, schol. Pyth. ii. 72 (132)b, cf. Schol. Pyth. i. 52 (99)b; Diod. xi. 48^{3-8}. See also V. 4^{5}.

Expedition to Sybaris: Schol. Pindar, Ol. ii. 15 (29)b, d (Didymos, p. 215; Timaios, fr. 93b); Diod. xi. 48^{4}.

War with Sikels: Schol. Pindar, Ol. ii. 15 (29)c.

7. Foundation of Aitna: Pindar, Pyth. i inscr. with schol., 29 (56)–33, 58 (112)–70, schol. 61 (118), schol. 62 (120)b, Nem. i inscr. with schol. a (Didymos, p. 229), Nem. ix inscr. with schol., 1–2; Strabo vi. 2^{3}. 268 (Pindar, fr. 94); Diod. xi. 49^{1-2}, cf. 66^{4}, 67^{7}, 76^{3}; Vita Aeschyli 9; C 15.

8. Intervention for Lokroi: Pindar, schol. Pyth. i. 52 (99)a (Epicharmos, fr. 98), Pyth. ii. 18 (35)–20, schol. 19 (36)c, schol. 20 (38).

9. Battle of Cumae: Pindar, Pyth. i. 71 (137)–75, schol. 71 (137)c, schol. Pyth. ii inscr.; Diod. xi. 51; *B 102* (*Tod 22*); (?) C 14(*c*).

Colony at Pithekoussai: Strabo v. 4^{9}. 248.

Later danger from Carthage and Etruria: Pindar, Pyth. i. 71 (137)–72, schol. 71 (137)c, Nem. ix. 28 (66)–32, schol. 28 (67)b.

10. War with Akragas: Diod. xi. 53^{4-5}.

11. Intervention for Anaxilas' sons: Diod. xi. 66^{1-3}; cf. *Her. vii.* 170^{4}; cf. Paus. v. 26^{4}.

12. Hieron's court:

Aeschylus: Vita, 8–10, 18.

Bacchylides: Schol. Pindar, Pyth. ii. 72 (132)c; Aelian, VH iv. 15.

Epicharmos and Phormos: Arist. Poet. 5^{3}. $1449^{b}5$; Suidas s.vv. Ἐπίχαρμος, Φόρμος.

Pindar and Simonides: Eustathii prooem. 26 (see under Pindar); Aelian, VH iv. 15, ix. 1.

13. Temple of Athena: cf. Orsi, *MA* xxv (1918), 353.

14. Hieron's illness: Pindar, Pyth. i. 46 (87)–51, schol. 46 (89)a (Arist. frs. 486, 587), b; Plut. 403c; Aelian, VH iv. 15.

15. Hieron's death, and burial at Aitna: Diod. xi. 66^{4}; Strabo vi. 2^{3}. 268; Schol. Pindar, Ol. i, inscr. a.

Deinomenes completes his dedications: Paus. vi. 12^{1}, viii. 42^{8}.

3. DEMOCRACY AT SYRACUSE

1. Fall of Thrasyboulos: Diod. xi. 67–8^{7}, 72^{2}; Arist. Pol. $1312^{b}9$, $1315^{b}34$; Plut. 403c; Euseb. (*e*).

2. Fighting with mercenaries: Diod. xi. 72^{3}–73, 76^{1-2}; Arist. Pol. $1303^{a}39$; (?) Pap. Oxy. iv. 665.

3. Douketios and Syracusans attack Katane (Aitna): Diod. xi. 76^{3}.

Foundation of Aitna–Inessa: Diod. xi. 76^{3}; Strabo vi. 2^{3}. 268; [cf. *Thuc. iii.* 103^{1}, *vi.* 94^{3}].

4. General return of exiles and restoration of property: Diod. xi. 76^{4-6}; Arist. fr. 137.

Kamarina: *Thuc. vi.* 5^{3}; Diod. xi. 76^{5}; Schol. Pindar, Ol. v. 9 (19)a, b (Timaios, fr. 19).

Katane: C 16, cf. 15.

Megara: *Thuc. vi.* 94^{1}.

5. Tyndarides' attempt at tyranny: Diod. xi. 86^{4-5}.

6. Petalism: Diod. xi. 86^{5}–87.

7. Campaigns against Etruscans: Diod. xi. 88^{4-5}.

8. Douketios:

Rise to power: Diod. xi. 76^{3}, 78^{5}, 88^{6}–90^{2}.

Defeat and exile to Corinth: Diod. xi. 91–2^{4}, xii. 8^{1}.
Return to Sicily: Diod. xii. 8.
Death: Diod. xii. 29^{1}.
9. Syracusan war with Akragas: Diod. xii. 8, cf. 26^{3}.
10. War with Sikels: Diod. xii. 29$^{2-4}$.
11. Syracusan ambitions and preparations: Diod. xii. 30^{1}.
12. Athenian ambitions in West: Plut. Per. 20^{4}–21^{1}, Alc. 17^{1}; cf. *Thuc. i. 44*^{3}.
Athenian trade in West: *Xen. Ἀθπ. 2^{7}.
13. Spartan demand for ships from West: *Thuc. ii. 7*^{2}; Diod. xii. 41^{1}.

4. AKRAGAS, HIMERA, AND OTHER STATES OF SICILY

1. Akragas after Carthaginian war: Diod. xi. 25$^{2-5}$.
2. Character of Theron's rule: Diod. xi. 53^{2}.
3. Relations with Deinomenids: Schol. Pindar, Ol. ii inscr., schol. 15 (29)b–d (Didymos, p. 215; Timaios, fr. 93b), schol. Pyth. i. 52 (99)b, schol. 58 (112) (Philistos, fr. 50; Timaios, fr. 97).
4. Refoundation of Himera: Diod. xi. 49$^{3-4}$; C 13.
Thrasydaios at Himera: Diod. xi. 48^{6}.
5. Quarrel with Hieron: Schol. Pindar, Ol. ii. 15 (29)b–d (Didymos, p. 215; Timaios, fr. 93b; Kallimachos, fr. 43^{46}), schol. 95 (173)d, f, i, k, schol. Pyth. ii. 72 (132)b, cf. schol. Pyth. i. 52 (99)b; Diod. xi. 48$^{5-8}$.
Attempted revolt of Himera: Diod. xi. 48$^{6-8}$.
Hippokrates and Kapys: Schol. Pindar, Ol. ii. 5 (8)a (Hippostratos, fr. 2), schol. 95 (173)f, g, schol. Pyth. vi. 5a (Hippostratos, fr. 2).
6. Death of Theron, accession of Thrasydaios: Diod. xi. 53$^{1-3}$.
7. War with Syracuse, fall of Thrasydaios: Diod. xi. 53$^{4-5}$.
Himera independent: Pindar, Ol. xii inscr. with schol. a, 1–2 with schol. 1a.
8. General deposition of tyrants and return of exiles: Diod. xi. 68^{5}, 72^{1}, 76^{4}.
Fighting with mercenaries, etc.: (?) Pap. Oxy. iv. 665$^{12-23}$.
9. Empedokles and democracy at Akragas: Diog. Laert. viii. 2. 63–6 (Arist. fr. 66; Xanthos, fr. 30; Timaios, fr. 2, 134; (?) Simonides), 72 (Neanthes, fr. 78); Plut. 1126b.
10. Douketios and Akragas: Diod. xi. 91^{1,4}, cf. xii. 8^{3}.
11. War between Syracuse and Akragas: Diod. xii. 8, cf. 26^{3}.
12. Egesta: Diod. xi. 86^{2} (war with (?) Lilybaion); *B 22* (*Tod 31*) (alliance with Athens).
13. Selinous, victory *c.* 450 B.C.: *B 120* (*Tod 37*).
14. Leontinoi, alliance with Athens: *B 59 = 74* (*Tod 57*); *Thuc. iii. 86*^{3}, *iv. 61*^{4}.
15. Messene: see V. 5. Gela: see VII.

5. RHEGION AND MESSENE

1. Anaxilas' tyranny: *Her. vii. 165*; Justin iv. 2^{4}; C 17 (*a*).
Daughter married to Hieron: Schol. Pindar, Pyth. i. 58 (112) (Philistos, fr. 50: Timaios, fr. 97).
2. Anaxilas fortifies straits against Etruscans: Strabo vi. 1^{5}. 256–7.
3. Anaxilas and Lokroi: Schol. Pindar, Pyth. i. 52 (99)a (Epicharmos, fr. 98), schol. Pyth. ii. 19 (36)c, schol. 20 (38); cf. Pindar, Pyth. ii. 18 (35)–20.
4. Anaxilas' death, Mikythos' regency: *Her. vii. 170*^{4}; Diod. xi. 48^{2}; Justin iv. 2^{5}; cf. Dion. Hal. AR xx. 7^{1}.
5. Mikythos founds Pyxous: Diod. xi. 59^{4}; Strabo vi. 1^{1}. 253.

6. Mikythos and Taras defeated by Iapygians. *Her. vii. 170*^{3}; Diod. xi. 52$^{3-5}$.
7. Hieron's intervention, Mikythos' retirement: *Her. vii. 170*^{4}; Diod. xi. 66$^{1-3}$; Paus. v. 26$^{4-5}$.
   Mikythos' dedications: *Her. vii. 170*^{4}; Paus. v. 26$^{2-5}$; B 107.
8. Anaxilas' sons: Schol. Pindar, Pyth. ii. 20 (38); Dion. Hal. AR xx. 7^{1}; Athen. i. 3e (Simonides, fr. 19 n.).
   Leophron and Lokroi: Justin xxi. 3$^{2-3}$.
9. Expulsion of tyrants: Diod. xi. 76^{5}; C 17 (*b*).
10. (?) Restoration of exiles in Messene, *c.* 460 B.C.: C 18.
11. Settlement of mercenaries in Messene: Diod. xi. 76^{5}.
12. Alliance of Rhegion with Athens: *B 58 = 73* (*Tod 58*).

6. OTHER STATES OF ITALY

1. Hieron in Italy: see V. 2^{6} (Sybaris), 2^{8} (Lokroi), 2^{9} (Cumae), 2^{11}, 5^{7} (Rhegion).
2. Taras:
   Victories over Italians: Paus. x. 10^{6}, 13^{10}; B 99, 103.
   Defeat by Messapians: *Her. vii. 170*^{3}; Diod. xi. 52; Arist. Pol. 1303^{a}3.
   Democracy: Arist. Pol. 1303^{a}3.
   Wars with Thourioi: Antiochos, fr. 11; Diod. xii. 23^{2}; *B 121* (*Tod 49*).
   Foundation of Herakleia: Antiochos, fr. 11; Diod. xii. 36^{4}; cf. C 22.
3. Kroton:
   Pythagorean troubles: Polybios ii. 39$^{1-4}$; Iamblichos, Vita Pyth. 35. 263–4.
   Relations with Thourioi: Diod. xii. 11^{3}; Iamblichos, Vita Pyth. 35. 264.
4. Sybaris and Thourioi: see I. 8$^{4-5}$.
5. Sybaris on the Traeis: Diod. xii. 22^{1}.
6. Athens in Italy:
   Diotimos at Naples: Lykophron 732–7 with schol. (Timaios, fr. 98).
   Athenian trade: *Xen. Ἀθπ. 2^{7}; cf. Pliny NH xviii. 7. 65 (Sophokles, fr. 600).
   Influence on coin-types: C 23.
   Friendship with Messapian prince: *Thuc. vii. 33*^{4}.
7. The Campanians: Diod. xii. 31^{1}; C 23 (*c*).

VI. NAMES OF PERSONS

Ἀβρώνιχος Λυσικλέους, [at Thermopylae, *Her. viii. 21*]. Athenian envoy to Sparta: *Thuc. i. 91*^{3}.

Ἀγαρίστη Ἱπποκράτους, Perikles' mother: *Her. vi. 131*^{2}; Plut. Per. 3^{2}.

Ἄγγελος, expelled from Thessaly: Plut. 859d.

Ἀγελάδας, Argive sculptor: Paus. iv. 33^{2}, viii. 42^{10}, x. 10^{6}, 13^{10}.

Ἀγέλαος Ἀ[λκέτου], of Macedon: B 66^{53}.

Ἀγήσανδρος, Spartan ambassador to Athens: *Thuc. i. 139*^{3}.

Ἀγησίας, of Syracuse and Stymphalos: Pindar, Ol. vi inscr. with schol. b, 98 (165)–101.

Ἅγνων Νικίου Στειριεύς, origins: Kratinos Πλοῦτοι, Page, p. 200. General at Samos: *Thuc. i. 117*^{2}. Founder of Amphipolis: *Thuc. iv. 102*^{3}, cf. *v. 11*^{1}; Diod. xii. 68^{2}; Polyaenus vi. 53; Schol. Aeschin. ii. 31 (34); cf. Steph. Byz. s.v. Ἁγνώνεια. [Perikles' trial: Plut. Per. 32^{4}.]

Ἀγοράκριτος, Parian sculptor: Strabo ix. 1^{17}. 396; Suidas s.v. Ῥαμνουσία Νέμεσις.

Ἄδμητος, king of Molossoi: *Thuc. i. 136^{2}–137^{1}*; Diod. xi. 56$^{1-2}$; Plut. Them. 24$^{2-5}$; Nepos, Them. 8$^{3-5}$; Aristod. 10$^{1-2}$.
Ἀθηνάδης of Trachis, killed Ephialtes: *Her. vii. 213^{2}*.
Ἀθήναιος of Thespiai, honoured by Athens: B 48^{6}.
Ἀθηνόδωρος, Parian honoured by Athens: *B 35^{4}*.
Ἀθηνοκλῆς, leads colony to Amisos: Theopompos, fr. 389.
Αἰσιμίδης, Corcyrean commander: *Thuc. i. 47^{1}*.
Αἰσχίνης, at Brea: *B 55 (Tod 44^{30})*.
Αἰσχύλος Εὐφορίωνος Ἐλευσίνιος, Perikles and Persai: B 7, cf. hypoth. Pers. Defeat by Sophokles and voyage to Sicily: Plut. Cim. 8^{9}; Vita 8; cf. Marm. Par. 56. At Hieron's court: Vita 8–10, 18. In Athens, 458 B.C.: Hypoth. Agam. Death in Gela: Plut. Cim. 8^{9}; Vita 10–11; Marm. Par. 59.
Ἄκρων, Akragantine doctor: Diog. Laert. viii. 2. 65 (? Simonides).
Albus, Sp. Postumius, envoy to Athens: Livy iii. 31^{8}.
Ἀλέξανδρος Ἀμύντου, of Macedon, see I. 10^{1}. Sons, see Ἀλκέτας, Μενέλαος, Περδίκκας, Φίλιππος.
(?) Ἀλεξομενός of Abydos, honoured by Athens: B 34.
Ἀλκαμένης, sculptor: Paus. v. 10^{8}.
Ἀλκέτας Ἀλεξάνδρου of Macedon: Plato, Gorg. 471a–b; B 66^{52}.
Ἀλκιβιάδης (?) Κλεινίου Σκαμβωνίδης, decree for Aristeides' son: Plut. Arist. 27^{2}; Dem. xx. 115. (For identification, cf. Kirchner, *PA* ii, p. 442, but now *Hesp.* vii (1938), 361, xvii (1948), 194.)
Ἀλκιβιάδης Κλεινίου Σκαμβωνίδης, Perikles' ward: Plut. Alc. 1^{2}; Plato, Alc. mai. 104b, 118c, 122a, Protag. 320a; Isokr. xvi. 28. Advice to Perikles: Diod. xii. 38^{3} (Ephoros, fr. 196); Aristod. 16^{4}. At Poteidaia: Plato, Symp. 219e–220e; Isokr. xvi. 29. Cf. Κλεινίας Ἀλκιβιάδου, Κλεινίας Κλεινίου, Ἀρίφρων, Δεινομάχη, Ἀμύκλα, Ζώπυρος.
Ἄλκιμος Στρατώνακτος, banished from Miletos: *B 114^{1} (Tod 35)*.
Ἀλκμαίων, Ἀλκμέων Ἀγρυλῆθεν, Themistokles' enemy: Plut. 805c, Arist. 25^{10}. Cf. Λεωβώτης.
Ἀμῆστρις, wife of Xerxes: Ktesias 61, 70–2.
Ἀμῆστρις, mother of Achaimenides (?): Ktesias 67.
Ἀμύκλα, Alkibiades' nurse: Plut. Alc. 1^{3} (Antisthenes).
Ἀμύντας Φιλίππου, of Macedon: restored, B 66$^{52-3}$.
Ἀμυρταῖος, continues Egyptian revolt: *Thuc. i. 110^{2}, 112^{3}*; *Her. iii. 15^{3}*.
Ἄμυτις, Xerxes' mother: (?) Ktesias 67.
Ἄμυτις Ξέρξου: Ktesias 61, 70–2, 74.
Ἀναξαγόρας of Klazomenai, teacher of Themistokles: Plut. Them. 2^{5} (Stesimbrotos, fr. 1). Of Perikles: Plut. Per. 4^{6}–6, 8^{1}, 16$^{7-9}$; Isokr. xv. 235; Plato, Phaedr. 270a, Alc. mai. 118c; Cic. de Or. iii. 34. 138. Of Sokrates: Diog. Laert. ii. 5. 19. Trial, see II. 6^{11}. Cf. also Marm. Par. 60.
Ἀναξαγόρας, Aiginetan sculptor: Paus. v. 23^{3}.
Ἀναξίδημος, (?) Delian: *B 77^{6} (Tod 54)*.
Ἀναξικράτης, Athenian general: Diod. xii. 3^{4}.
Ἀναξίλαος Κρητίνου, of Rhegion, see V. 5$^{1-4}$. Personal relations, see V. 5$^{1, 8}$.
Ἀνδοκίδης Κυδαθηναιεύς, general in Megarid: *B 51^{7} (Tod 41)*. Thirty Years' Peace: Andok. iii. 6; Aeschin. ii. 174. At Samos: Androtion, fr. 38.
Ἀνδοκίδης Λεωγόρου, general at Corcyra: *Thuc. i. 51^{4}*. Ostrakon: *B 97 (Tod 45^{38})*.
Ἀνήριστος Σπερθίου, Spartan, seizes Halieis: *Her. vii. 137^{2}*.
Ἀνθεμόκριτος, see I. 11^{5}.
Ἀνταγόρας of Chios, opposes Pausanias: Plut. Arist. 23^{5}.
Ἀντικλῆς, Chalkis decree: *B 53$^{40, 70-1}$ (Tod 42)*.

Schol. Ar. Vesp. 947 (Idomeneus, fr. 1). Personal relations, see Ἀμῆστρις, Ἄμυτις, Ἀρτάριος, Δαρειαῖος, Μενοστάνης, Ῥοδογούνη.

Ἀρταπάνης, Ἀρτάπανος, receives Themistokles: Plut. Them. 27^{2-8} (Phanias, fr. 9; Eratosthenes, fr. 27). Murders Xerxes: Ktesias 60–1; Diod. xi. 69; Arist. Pol. $1311^{b}34$; Justin iii. 1.

Ἀρτάπανος, satrap of Baktria: Ktesias 62.

Ἀρτάριος Ξέρξου, satrap of Babylon: Ktesias 69–70.

Ἄρτας, Messapian prince: *Thuc. vii.* 33^{4}.

Ἀρταΰκτης Χεράσμιος, governor of Sestos: *Her. vii. 33, 78, ix. 116, 118–20.*

Ἀρτέμων of Klazomenai, at siege of Samos: Diod. xii. 28^{3}; Plut. Per. 27^{3-4} (Ephoros, fr. 194, Herakleides Pontikos, p. 89); Chamaileon, fr. 11; Ar. Ach. 850 with schol.; Hesych. s.v. περιπόνηρος Ἀρτέμων; cf. Pliny, NH vii. 56. 201.

Ἀρτοξάρης, negotiates with Megabyxos: Ktesias 70–1.

Ἀρτοξέρξης, see Ἀρταξέρξης.

Ἀρτύφιος Μεγαβύξου, in father's revolt: Ktesias 68.

Ἀρ[χέ]δη[μος?], Egesta treaty: *B* 22^{3-4} (*Tod 31*).

Ἀρχέλαος Ἀπολλοδώρου, verses for Kimon: Plut. Cim. $4^{1,10}$ (Panaitios, fr. 46). Teacher of Sokrates: Diog. Laert. ii. 5. 19.

Ἀρχέλαος Περδίκκου of Macedon: Plato, Gorg. 471a–b; B 66^{52}.

Ἀρχενα[ύτης], (?) general in 433/2: B 65 (IG i^{2}. 367^{5}).

Ἀρχέπτολις Θεμιστοκλέους Φρεάρριος: Plut. Them. 32^{1-2}.

Ἀρχέστρατος, Chalkis decree: *B* 53^{70} (*Tod 42*).

Ἀρχέστρατος Λυκομήδους, Athenian general: *Thuc. i.* 57^{6}; cf. B 79^{5} n.

(?) Ἀρχέστρατος, laws about Areopagus: *Arist. Ἀθπ.* 35^{2}.

Ἀρχέτιμος Εὐρυτίμου, Corinthian general: *Thuc. i.* 29^{2}.

Ἀρχίδαμος Ζευξιδάμου of Sparta, accession: *Her. vi.* 71^{1}; Diod. xi. 48^{2}, cf. xii. 35^{4}; Paus. iii. 7^{10}. (?) At Dipaia: Polyaenus i. 41^{1}. (?) At Corinth: Polyaenus i. 41^{2}. Spartan earthquake: Plut. Cim. $16^{4,6}$; Diod. xi. 63^{5}–64^{1}; Polyaenus i. 41^{3}. Opposition to Peloponnesian War: *Thuc. i. 80–5, ii.* 18^{3}; Plut. Per. 29^{7}. Marriage to Lampito: *Her. vi.* 71^{2}. Conversation with Thucydides: Plut. 802c, Per. 8^{5}. Friendship with Perikles: *Thuc. ii.* 13^{1}; Plut. Per. 33^{3}.

Ἀρχίππη Λυσάνδρου, wife of Themistokles: Plut. Them. 32^{1}.

Ἀρχιτέλης of Corinth, gold for Hieron: Athen. vi. 232b (Theopompos, fr. 193).

Ἀρχωνίδης of Herbita: Diod. xii. 8^{2}.

Ἀσία Θεμιστοκλέους: Plut. Them. 32^{3}.

Ἀσπαμίτρης, conspirator with Artapanos: Ktesias 60–1; cf. Μιθριδάτης.

Ἀσπασία Ἀξιόχου of Miletos, Perikles' mistress: Plut. Per. 24^{2}–5^{1} (Aeschin. Socr. fr. viii; Com. adesp. fr. 63; Kratinos, fr. 241; Eupolis, fr. 98); Plato, Menex. 235e with schol. (Diod. Per. fr. 40, Aeschin. Socr. fr. x; Kallias, fr. 15; Kratinos, fr. 241; Eupolis, fr. 98, 249, 274), 236a–d; Athen. xiii. 589e (Antisthenes); Suidas s.vv. Ἀσπασία, δημοποίητος; Harpokr. s.v. Ἀσπασία (Lysias, fr. 1 n.; Aeschin. Socr. fr. ix; Eupolis, fr. 98). Trial: Plut. Per. $32^{1,5}$ (Aeschin. Socr. fr. xi); Athen. xiii. 589e (Antisthenes). Responsibility for Samian and Peloponnesian Wars: Ar. Ach. 526–9; Plut. Per. 24^{2}, 25^{1}, 30^{4}; Athen. xiii. 589d (Klearchos, fr. 35); Suidas s.v. Ἀσπασία; Harpokr. s.v. Ἀσπασία (Douris, fr. 65, Theophrastos). Cf. Περικλῆς Περικλέους.

Ἀστερία of Salamis, Kimon's mistress: Plut. Cim. 4^{9} (Melanthios, fr. 1).

Ἀστύφιλος of Posidonia: Plut. Cim. 18^{3}.

Ἀτταγῖνος, Theban medizer: *Her. ix.* 86^{1}, *88.*

Αὖλις, expelled from Phokis by Spartans: Plut. 859d.

Δημοθάλης, (?) Delian: *B* 77^{5} (*Tod 54*).
Δημοκλείδης and Brea: *B* 55 (*Tod* 44$^{8, 34-5}$). General at Samos: B 62^{42} (*Δεμ[οκλείδες]*).
Δημόπολις Θεμιστοκλέους Φρεάρριος, return to Athens: Plut. Them. 32^{4} (Phylarchos, fr. 76); Suidas s.v. *Θεμιστοκλέους παῖδες*.
Διόγνητος, Chalkis decree: *B* 53^{2} (*Tod 42*).
Διοκλῆς Θεμιστοκλέους Φρεάρριος: Plut. Them. 32^{2}.
Διονύσιος, Argive sculptor: Paus. v. 26^{4}, 27^{2}.
Διονύσιος Χαλκοῦς, and Thourioi: Plut. Nic. 5^{3}; Photios s.v. *θουριομάντεις* (*Διον. Χαλκιδεύς*). Poems: Plut. Nic. 5^{3}.
Διοπείθης, decree against impiety: Plut. Per. 32^{2}. [(?) Cf. *B* 82$^{4-5}$ (*Tod 61*).]
Διότιμος Στρομβίχου Εὐωνυμεύς, at Corcyra: *Thuc. i.* 45^{2}; *B* 72^{9} (*Tod* 55). At Neapolis: Lykophron 732–7 with schol. (Timaios, fr. 98). Embassy to Persia: Strabo i. 3^{1}. 47 (Damastes, fr. 8).
Διόφαντος Ἀμφιτροπῆθεν, accuses Aristeides: Plut. Arist. 26^{3} (Krateros, fr. 12).
Διφιλίδης and Themistokles: Plut. Them. 5^{2}.
Δόρκις, Spartan admiral: *Thuc. i. 95*^{6}.
Δουκέτιος, Sikel ruler, see V. 3^{8}.
Δρακοντίδης Λεωγόρου Θοραιεύς, general at Corcyra: *B* 72$^{20-1}$ (*Tod* 55), cf. *Thuc. i. 51*^{4}. [Perikles' trial: Plut. Per. 32^{3}.]

Ἑλλάς, wife of Gongylos: Xen. Anab. vii. 8^{8}.
Ἐλπινίκη Μιλτιάδου, relation to Kimon and marriage with Kallias: Plut. Cim. 4$^{6-8}$, 15^{4} (Eupolis, fr. 208); Nepos, Cim. 1$^{2-4}$; Schol. Aristid. XLVI. iii, p. 446; Athen. xiii. 589e (Antisthenes). Intercedes for Kimon: Plut. Cim. 14^{5} (Stesimbrotos, fr. 5), Per. 10^{6}. Compact with Perikles: Plut. Per. 10^{5}, cf. 812f,; Athen. 589e (Antisthenes). Rebuke to Perikles after Samos: Plut. Per. 28$^{5-7}$. Tomb: Plut. Cim. 4^{3}.
Ἐμπεδοκλῆς Μέτωνος, political activity at Akragas, see V. 4^{9}. At Thourioi: Diog. Laert. viii. 2. 52 (Apollodoros, fr. 32; Glaukos, fr. 6). Teacher of Gorgias: Suidas s.v. *Γοργίας*.
Ἐπικράτης Ἀχαρνεύς, executed for helping Themistokles: Plut. Them. 24^{6} (Stesimbrotos, fr. 3).
Ἐπιξύης, satrap of Phrygia: Plut. Them. 30^{1}.
Ἐπιτέλης Σωναύτου Περγασῆθεν, dedication: B 27.
Ἐπιτέλης, Athenian general in Chersonese: B 60^{4} (Tod 48).
Ἐπίτιμος of Pharsalos: Plut. Per. 36^{5}.
Ἐπίχαρμος Τιτύρου ἢ Χειμάρου, Syracusan comic poet: Arist. Poet. 5^{3}. 1449^{b}5; Suidas s.v. *Ἐπίχαρμος*; Marm. Par. 55.
Ἐργοτέλης, pursues Themistokles: Plut. Them. 26^{1}.
Ἐργοτέλης of Knossos and Himera: Pindar, Ol. xii inscr. with schol., schol. 1a; Pap. Oxy. 222^{22}.
Ἑρμησίλεως, Athenian proxenos in Chios: Ion, fr. 6.
Ἕρμιππος Λύσιδος, comic poet, prosecutes Aspasia: Plut. Per. 32^{1}.
Ἑρμόδωρος of Ephesos, and Twelve Tables: Strabo xiv. 1^{25}. 642; Pliny, NH xxxiv. 5. 21.
Ἑρμόλυκος Εὐθύνου, killed at Karystos: *Her. ix. 105*.
Ἑστιαῖος, decree about Athena Nike: *B 31* (*Tod* 40^{14}).
Ἑτοιμαρίδας of Sparta, opposes war with Athens: Diod. xi. 50$^{6-7}$.
Εὐάγγελος, Perikles' steward: Plut. Per. 16^{6}.
Εὔδωρος, wrestling-master: Plato, Meno 94c.
Εὔθιππος Ἀναφλύστιος, Kimonian at Tanagra: Plut. Cim. 17^{6}.
Εὐθύδημος Κεφάλου: *Plut. 835d.

Εὐκράτης, Athenian general in Macedonia: B 79^{5}.
Εὐπτέρης, Delian archon, 434/3 B.C.: *B 77*$^{16, 18}$ (*Tod 54*).
Εὐριπίδης Μνησαρχίδου Φλυεύς, first victory: Marm. Par. 60.
Εὐρύβατος, Corcyrean commander: *Thuc. i. 47*^{1}.
Εὐρυπτόλεμος Μεγακλέους Ἀλωπεκῆθεν, Kimon's father-in-law: Plut. Cim. 4^{10}, 16^{1} (Diod. Per. fr. 37).
Εὐρυπτόλεμος (? identical with above), Perikles' cousin: Plut. Per. 7^{5}.
Εὔφημος of Kyrene: Schol. Pindar, Pyth. iv. 256 (455)e, schol. Pyth. v. 26 (34) (Didymos; Theotimos, fr. 1).
Ἐφιάλτης Εὐρυδήμου, Malian, condemnation and death: *Her. vii. 213*^{2}.
Ἐφιάλτης Σοφωνίδου, expedition beyond Chelidoniai: Plut. Cim. 13^{4}. Opposes Ithome expedition: Plut. Cim. 16^{9}. Reform of Areopagus, see II. 3^{3}. Murder, see II. 3^{7}. Political relation to Perikles: Plut. 812d, Per. 7^{8}, 9^{5}, 10^{7} (Idomeneus, fr. 8), cf. Cim. 15^{2}. Association with Themistokles: *Arist. Ἀθπ. 25*$^{3-4}$; Hypoth. Isokr. vii. Tomb: Paus. i. 29^{15}. Poverty and incorruptibility: Plut. Cim. 10^{8}; Aelian, VH xi. 9, xiii. 39. Cf. also Plut. Per. 16^{3}; Aelian, VH iii. 17.

Ζευξίδαμος Λεωτυχίδου of Sparta: *Her. vi. 71*^{1}; Paus. iii. 7^{10}.
Ζήνων of Elea, and Perikles: Plut. Per. 4^{5} (Timon, fr. 45), 5^{3} (Zeno, fr. A 17). Pythodoros and Kallias: Plato, Alc. mai. 119a.
Ζώπυρος Μεγαβύξου, in father's revolt: Ktesias 68. Flight to Athens: *Her. iii. 160*^{2}; Ktesias 74.
Ζώπυρος, Thracian, Alkibiades' tutor: Plato, Alc. mai. 122a; Plut. Alc. 1^{3}.

Ἡγησαγόρης Ζωιλότου of Samos: B 113^{5}.
Ἡγησίστρατος, Elean seer: *Her. ix. 37*.
Ἡγητορίδης of Thasos, and surrender to Athens: Polyaenus ii. 33.
Ἡγίας, Athenian sculptor: Paus. viii. 42^{10}.
Ἠλεῖος Κίμωνος Λακιάδης: Plut. Cim. 16^{1} (Stesimbrotos, fr. 6; Diod. Per. fr. 37), Per. 29^{2}.
Ἡρόδικος Χαρμαντίδου of Leontinoi, doctor: Suidas s.v. *Γοργίας*.
Ἡρόδοτος Λύξου, of Halikarnassos and Thourioi: Suidas s.v. Recitation at Athens: Diyllos, fr. 3; Euseb. (*h*).
Ἡρόφυτος of Samos, with Kimon at Byzantium: Plut. Cim. 9^{4}.

Θαλυκίδης of Thespiai, honoured by Athens: B 48^{5}.
Θαννύρας Ἰνάρου, treatment by Persians: *Her. iii. 15*^{3}.
Θεαίνετος, Tolmides' seer: Paus. i. 27^{5}.
Θεανώ, mother of Pausanias: Polyaenus viii. 51; but cf. Schol. Ar. Eq. 84.
Θεμιστοκλῆς Νεοκλέους Φρεάρριος, origins: Plut. Them. 1 (Phanias, fr. 6; Neanthes, fr. 2; Simonides, fr. 189 Edm.), Comp. Arist. cum Cat. 1^{4}; Nepos, Them. 1$^{1-2}$. Teachers: Plut. 795c, Them. 2$^{5-6}$ (Stesimbrotos, fr. 1). [Strategos *αὐτοκράτωρ* in 480 B.C.: Plut. Arist. 8^{1}.] Activities after Plataea and Mykale, see I. 1^{15}, II. 1. Reception at Olympia: Plut. Them. 17^{4}. Designs in West, see I. 8^{1}. Incident with Hieron at Olympia: Plut. Them. 25^{1} (Theophrastos, fr. 126). Fall, exile, and death, see II. 2$^{1-6}$. Decree about Arthmios: Plut. Them. 6^{3}. Association with Ephialtes: *Arist. Ἀθπ. 25*$^{3-4}$; Hypoth. Isokr. vii. Buildings, etc.: Plut. Them. 1^{4} (Simonides, fr. 189 Edm.) (Phlya), 22^{2} (Artemis), 31^{1} (statue of *ὑδροφόρος*); for walls of Athens and Peiraeus see II. 1$^{2-3}$. Choregos for Phrynichos: Plut. Them. 5^{5}. Statue in Athens, and personal appearance: Plut. Them. 22^{3}. Tomb, and honours in Magnesia, etc.,

see II. 2^6. Extent of his property: Plut. Them. 25^3 (Theopompos, fr. 86; Theophrastos), Comp. Arist. cum Cat. 1^4; Kritias, fr. B 45. Family: Plut. Them. $18^{7, 9}$, 32; Plato, Meno 93d–e; Paus. i. 26^4; Suidas s.v. Θεμιστοκλέους παῖδες. Character: *Thuc. i. 138*^{3}; Ar. Eq. 813–16, 884–5; Plato, Meno 93b, Gorg. 519a; Ephoros fr. 191^{1-35}; Diod. xi. 58^4–59; Plut. Them. 3–5, 18, and *passim*, Arist. 3^{1-2}, Cim. 9^1 (Ion, fr. 13).

Θεσπιεύς, Eleusis decree: B $41^{6, 35}$.

Θεσσαλὸς Κίμωνος Λακιάδης: Plut. Cim. 16^1 (Stesimbrotos, fr. 6; Diod. Per. fr. 37), Per. 29^2.

Θετταλός, refounds Sybaris: Diod. xi. 90^3, cf. xii. 10^2.

Θήρων Αἰνησιδάμου of Akragas, see V. 4^{2-6}. Parentage: Schol. Pindar, Pyth. vi. 5a (Hippostratos, fr. 2). Family relationships, see V. 4^3, and cf. Θρασυδαῖος, Δημαρέτη, Ξενοκράτης, Ἱπποκράτης, Κάπυς.

Θουκυδίδης Μελησίου Ἀλωπεκῆθεν, parentage, see Μελησίας. Relationship to Kimon: *Arist. Ἀθπ. 28*^{2}; Plut. Per. 11^1; Schol. Aristid. XLVI. iii, p. 446. Political career, see II. 5^{9-11}. Flight to Persia: Schol. Ar. Vesp. 947 (Idomeneus, fr. 1). Prosecution of Anaxagoras: Satyros, fr. 14. Conversation with Archidamos: Plut. 802c, Per. 8^5. Sons: Plato, Meno 94c. Character: Plato, Meno 94b–d; *Arist. Ἀθπ. 28*^{5}. Cf. Plut. Per. 16^3.

Θουκυδίδης Γαργήττιος: Schol. Ar. Vesp. 947.

Θουκυδίδης Παντιαινέτου (? identical with above) opponent of Perikles: Schol. Ar. Vesp. 947 (Theopompos, fr. 91).

Θουκυδίδης (? identical with above two), general at Samos: *Thuc. i. 117*^{2}.

Θουκυδίδης Στεφάνου: Schol. Ar. Vesp. 947 (Ammonios, fr. 1).

Θουκυδίδης, Thessalian: Schol. Ar. Vesp. 947; cf. *Thuc. viii. 92*^{8}.

Θρασύβουλος Δεινομένους of Syracuse, tyranny and fall, see V. 3^1. Cf. Simonides, fr. 106; Schol. Pindar, Ol. ii. 15 (29)b.

Θρασυδαῖος Θήρωνος of Akragas, rule at Himera and part in quarrel of Hieron and Theron: Diod. xi. 48^{6-7}; Schol. Pindar, Ol. ii. 15 (29)c, schol. Pyth. ii. 72 (132)b. Rule at Akragas and overthrow, see V. 4^{6-7}. Friendship with Pindar: Schol. Pindar, Pyth. ii. 72 (132)b.

Ἱεροκλῆς, Athenian seer: *B 53*^{66} (*Tod 42*); Ar. Pax 1046 with schol. (Eupolis, fr. 212).

Ἱέρων Δεινομένους of Syracuse, see V. 1, 2. Incident at Olympia: Plut. Them. 25^1 (Theophrastos, fr. 126). Themistokles' flight: Plut. Them. 24^7 (Stesimbrotos, fr. 3). Marriages: Schol. Pindar, Ol. ii. 15 (29)c, schol. Pyth. i. 58 (112) (Philistos, fr. 50; Timaios, fr. 97). Son, see Δεινομένης. Character, see V. 1^2; Aelian, VH iv. 15, ix. 1.

Ἱκέσιος, Parian honoured by Athens: *B 35*^{5}.

Ἰκτῖνος, architect: Strabo ix. 1^{12}. 395, 1^{16}. 396; Paus. viii. 41^9; Plut. Per. 13^7.

Ἴναρος, Ἰνάρως Ψαμμητίχου, revolt from Persia, see I. 6^9. Son: *Her. iii. 15*^{3}.

Ἰόλαος, Macedonian officer: *Thuc. i. 62*^{2}.

Ἱπποδάμας, Athenian general: B 14^{63} (Tod 26).

Ἱππόδαμος Εὐρυφῶντος, Milesian town-planner, at Peiraeus, see II. 5^5. At Thourioi: Hesych., Photios s.v. Ἱπποδάμου νέμησις.

Ἱπποκράτης (?) Ξενοδίκου, conspires against Theron, see V. 4^5.

Ἱππόνικος Καλλίου Ἀλωπεκῆθεν, first husband of Perikles' wife: Plut. Per. 24^8.

[Ἱππ]όνικο[ς], decree about water-supply: B 69^{1-2}.

Ἰσαρχίδας Ἰσάρχου, Corinthian at Leukimme: *Thuc. i. 29*^{2}.

Ἰσοδίκη Εὐρυπτολέμου, Kimon's wife: Plut. Cim. 4^{10} (Panaitios, fr. 46; Archelaos, p. 446), 16^1 (Diod. Per. fr. 37).

Ἰταλία Θεμιστοκλέους: Plut. Them. 32^2.

Κλεανδρίδας of Sparta, at Tegea: Polyaenus ii. 10^{3}. Bribed by Perikles: Schol. Ar. Nub. 859 (Ephoros, fr. 193); Suidas s.v. *δέον*; Timaios, fr. 100; Plut. Per. 22$^{2-3}$. At Thourioi: Antiochos, fr. 11; *Thuc. vi. 104*^{2}; Polyaenus ii. 10$^{1-2,\,4-5}$; Diod. xiii. 106^{10} (*Κλέαρχος*); (?) Photios s.v. *θουριομάντεις* (*Καθάριος*).

Κλέανδρος, Phigalean seer, at Tiryns: *Her. vi. 83*^{2}.

Κλέανδρος Ξεν - - -, Rhegine envoy: *B 73*^{2} (*Tod 58*).

Κλέαρχος, coinage decree: B 39 (12).

Κλέαρχος (for *Κλεανδρίδας*, q.v.): Diod. xiii. 106^{10}.

Κλεινίας Ἀλκιβιάδου Σκαμβωνίδης, killed at Koroneia: Plato, Alc. mai. 112c; Plut. Alc. 1^{1}; Isokr. xvi. 28.

Κλεινίας (? identical with above), decree about tribute: B 46^{5}.

Κλεινίας Κλεινίου Σκαμβωνίδης, Perikles' ward: Plato, Protag. 320e.

Κλεϊππίδης Δεινίου Ἀχαρνεύς, ostraka: *B 97* (*Tod 45*$^{13-37}$).

Κλειτοφῶν Θοραιεύς, general at Samos: Androtion, fr. 38.

Κλεονίκη of Byzantium, killed by Pausanias: Plut. Cim. 6$^{4-7}$; Paus. iii. 17$^{8-9}$; cf. Aristod. 8^{1}.

Κλεόφαντος Θεμιστοκλέους Φρεάρριος: Plato, Meno 93d–e; Plut. Them. 32^{1}; B 122^{15}.

Κλεόφρων Ἀναξιλάου, see *Λεώφρων*.

Κολώτης, sculptor: Pliny, NH xxxiv. 8. 87, xxxv. 8. 54.

Κόραξ, Syracusan orator: Arist. fr. 137.

Κόροιβος, architect: Plut. Per. 13^{7}; B 41^{26}.

Κορραγίδης of Thespiai, honoured by Athens: B 48^{4}.

Κορωνίδης of Byzantium, daughter killed by Pausanias: Aristod. 8^{1}; cf. *Κλεονίκη*.

Κράτης, beginnings of Attic comedy: Arist. Poet. 5^{3}. 1449^{b}5.

Κρατῖνος, colony to Strymon: Schol. Aeschin. ii. 31 (34).

Κρεσφόντης Στρατώνακτος, banished from Miletos: *B 114*^{2} (*Tod 35*).

Κρέων Σκαμβωνίδης, general at Samos: Androtion, fr. 38.

Κρίτιος, sculptor: Paus. i. 8^{5}; Lucian, Philops. 18. 46.

Κυραναῖος, sculptor: B 108^{2}.

Λακεδαιμόνιος Κίμωνος Λακιάδης: Plut. Cim. 16^{1} (Stesimbrotos, fr. 6; Diod. Per. fr. 37), Per. 29^{2}. Hipparch: B 20^{2}. At Corcyra: *Thuc. i. 45*^{2}; *B 72*^{8} (*Tod* 55); Plut. Per. 29$^{1-2}$.

Λάμαχος Ξενοφάνους (?) *Οἰῆθεν*, in Pontos: Plut. Per. 20^{1}.

†*Λαμπίδης Πειραιεύς*, general at Samos: Androtion, fr. 38.

Λάμπων, Athenian exegete: Ar. Av. 521 with schol.; Kratinos, frs. 57–8; Hesych. s.v. *ἀγερσικύβηλις* (Kratinos, fr. 62); Plut. Per. 6$^{2-3}$. At Thourioi: Diod. xii. 10$^{3-4}$; Plut. 812d; Schol. Ar. Av. 521, schol. Nub. 332; Photios, Hesych., Suidas s.v. *θουριομάντεις*.

Λαομέδων, entertained Kimon to dinner: Plut. Cim. 9^{1} (Ion, fr. 13).

Λάχαρτος of Corinth, and Kimon: Plut. Cim. 17$^{1-2}$.

Λέαγρος Γλαύκωνος ἐκ Κεραμέων, [dedication to Twelve Gods: B 2]. Killed in Thrace: *Her. ix. 75*; Paus. i. 29^{5}; Schol. Aeschin. ii. 31 (34).

Λέαγρος, choregos: B 64^{2}.

Λεόφρων Ἀναξιλάου, see *Λεώφρων*.

Λεωβώτης Ἀλκμαίωνος Ἀγρυλῆθεν, accuser of Themistokles: Plut. 605e, Them. 23^{1}; Krateros, fr. 11.

Λεωκράτης Στροίβου, [general at Plataea; Plut. Arist. 20^{1}]. Dedication: B 11 (Simonides, fr. 101). At Aigina: *Thuc. i. 105*^{2}; Diod. xi. 78^{4}. Cf. Plut. Per. 16^{3}.

Μεταγένης Ξυπεταιών, architect: Plut. Per. 13^{7}.
Μέτων Παυσανίου Λευκονοεύς, reform of calendar: Diod. xii. 36^{2-3}; Ar. Av. 997 with schol. (Kallistratos, Euphronios, fr. 94; Philochoros, fr. 122; Phrynichos, fr. 21).
Μέτων, father of Empedokles, trouble at Akragas: Diog. Laert. viii. 2. 72 (Neanthes, fr. 28), cf. viii. 2. 52 (Apollodoros, fr. 32).
Μητίοχος, friend of Perikles: Plut. 811f (Com. adesp. fr. 1325).
Μητρόβιος, and Kimon: Plut. Cim. 10^{4} (Kratinos, fr. 1).
Μιθριδάτης, conspirator with Artapanos: Ephoros, fr. 191^{130}; Diod. xi. 69^{1}; cf. *Ἀσπαμίτρης*.
Μιθροπαύστης, Persian noble: Plut. Them. 29^{7}.
Μικιάδης, Corcyrean general: *Thuc. i.* 47^{1}.
Μίκυθος Χοίρου of Rhegion, see V. 5^{4-7}.
Μίκων Φανομάχου, Athenian painter: Paus. i. 17^{3}, 18^{1}, vi. 6^{1}.
Μνησικλῆς, architect: Plut. Per. 13^{12}; Harpokr. s.v. *Προπύλαια ταῦτα* (Philochoros, fr. 36).
Μνησιπτολέμα Θεμιστοκλέους: Plut. Them. $30^{2, 6}$, 32^{2}.
Μνησίφιλος Φρεάρριος, "teacher" of Themistokles: Plut. 795c, Them. 2^{6}; cf. *Her. viii. 57–8.*
Μνήστρα, Kimon's mistress: Plut. Cim. 4^{9} (Melanthios, fr. 1).
Μυρωνίδης Καλλίου, [embassy to Sparta in 479 B.C.: Plut. Arist. 10^{10}. At Plataea: Plut. Arist. 20^{1}.] At Megara: *Thuc. i.* 105^{4}; Diod. xi. 79^{3}. Oinophyta, etc.: *Thuc. i.* 108^{2-3}; Diod. xi. 81^{4}–83^{3}; Aristod. 12^{2}; Polyaenus i. 35. In Thessaly: Diod. xi. 83^{3-4}; cf. *Thuc. i.* 111^{1}. Cf. Ar. Eccl. 303–10; Plut. Per. 16^{3}, 24^{10} (Eupolis, fr. 98); Diod. xi. 84^{2}.
Μῦς, sculptor: Paus. i. 28^{2}.

Ναξιάδης, Athenian casualty: B 60^{75} (Tod 48).
Νεοκλῆς Θεμιστοκλέους Φρεάρριος: Plut. Them. $32^{2, 4}$ (Phylarchos, fr. 76); Suidas s.v. *Θεμιστοκλέους παῖδες*.
Νησιώτης, sculptor: Lucian, Philops. 18. 46.
Νικίας Νικηράτου Κυδαντίδης, and Damon: Plato, Laches 180c. Cf. Plut. Nic. 2^{2}.
Νικίας, Syracusan orator: *Plut. 835d; restored, Dion. Hal. Lys. 1.
Νικογένης of Aigai, befriends Themistokles: Plut. Them. 26, 28^{5}.
Νικόδημος of Athens, marries Themistokles' daughter Sybaris: Plut. Them. 32^{2}.
Νικοκλῆς of Syracuse, Hieron's father-in-law: Schol. Pindar, Pyth. i. 58 (112) (Philistos, fr. 50; Timaios, fr. 97).
Νικομάχη Θεμιστοκλέους: Plut. Them. 32^{3}.
Νικόμαχος, decree about water-supply: B $69^{5, 13}$.
Νικομήδης Κλεομβρότου of Sparta, at Tanagra: *Thuc. i.* 107^{2}; Diod. xi. 79^{5}.

Ξανθῆς, (?) Delian: *B* 77^{3} (*Tod 54*).
Ξανθίας, wrestling-master: Plato, Meno 94c.
Ξάνθιππος Ἀρίφρονος Χολαργεύς, [embassy to Sparta in 479 B.C.: Plut. Arist. 10^{10}]. Command at Mykale and Sestos: *Her. viii.* 131^{3}, *ix.* 114^{2}, 120^{4}; Diod. xi. $37^{1, 5}$; Paus. viii. 52^{3}; cf. Plut. Them. 21^{4} (Timokreon, fr. 1^{1}). Political position: *Arist. Ἀθπ.* 28^{2}; cf. Diod. xi. 42^{2}. Family, see *Ἀγαρίστη, Ἀρίφρων, Περικλῆς.* Statue on Akropolis: Paus. i. 25^{1}.
Ξάνθιππος Περικλέους Χολαργεύς: Plato, Meno 94b, Protag. 314e; B 69^{14}; Plut. Per. 24^{8}; Aelian, VH vi. 10; cf. Arist. Rhet. ii. 15^{3}. $1390^{b}28$.

Quarrel with Perikles: Plut. Per. 36^{2-6} (Stesimbrotos, fr. 11), cf. 13^{16} (Stesimbrotos, fr. 10b); Athen. xiii. 589d (Stesimbrotos, fr. 10a).
Ξενοκλείδης Εὐθυκλέους, Corinthian commander: *Thuc. i. 46^{2}.*
Ξενοκλῆς Ἀφιδναῖος, choregos for Aeschylus' Oresteia: Hypoth. Aesch. Agam.
Ξενοκλῆς Χολαργεύς, architect: Plut. Per. 13^{7}.
Ξενοκράτης, relative of Theron: Schol. Pindar, Pyth. vi. 5a (Hippostratos, fr. 2).
Ξενόκριτος, at Thourioi: Diod. xii. 10^{3-4}; Photios s.v. *θουριομάντεις*. Prosecutes Thucydides: Vita anon. Thuc. 7.
Ξενοφῶν Εὐριπίδου Μελιτεύς, hipparch: B 20^{2}. General at Samos: Androtion, fr. 38; B 62^{45} (*Χσε[νοφõν]*).
Ξέρξης Δαρείου, dealings with Pausanias, see I. 1^{16}, IV. $1^{1, 7}$. With Themistokles: Diod. xi. 56^{6}; Plut. Them. 27^{1} (Ephoros, fr. 190; Deinon, fr. 20; Kleitarchos, fr. 33; Herakleides Kymaios, fr. 6). Murder, see I. 6^{3}.

Οἰνοχάρης Σωναύτου Περγασῆθεν, dedication: B 27.
Οἰόβαζος, Persian commander at Kardia: *Her. ix. 115, 118–19.*
Ὀκταμασάδης Ἀριαπείθους, Scythian, revolts against Skyles: *Her. iv. 80.*
Ὄλβιος, prophesies about Themistokles: Plut. Them. 26^{2}.
Ὀνάσιλος Ὀνασικύπρου, Cypriot doctor: *B 105.*
Ὀνάτας Μίκωνος, Aiginetan sculptor: Paus. vi. 12^{1}, viii. 42^{9-10}, x. 13^{10}.
Ὀποίη, wife of Ariapeithes: *Her. iv. 78^{2}.*
Ὀρέστης Ἐχεκρατίδου, Thessalian prince: *Thuc. i. 111^{1}.*
Ὄρικος Ἀριαπείθους, Scythian: *Her. iv. 78^{2}.*
Ὁρίσκος, naval commander in Egypt: Ktesias 64.
Οὐλιάδης of Samos, opposes Pausanias: Plut. Arist. 23^{5}.
Οὔλιος, emendation for *Ἠλεῖος*, q.v.
Οὔσιρις, defeated by Megabyxos: Ktesias 68, cf. 70.

Παιώνιος, Mendean sculptor: Paus. v. 10^{8}.
Πάναινος Χαρμίδου, painter: Paus. v. 11^{5-6}; Strabo viii. 3^{30}. 354; Pliny, NH xxxv. 8. 54.
Πανθοίδης of Chios, married Themistokles' daughter Italia: Plut. Them. 32^{2}.
[Παντ]ακλῆς, dramatic victory: B 64^{3}.
Πάραλος Περικλέους Χολαργεύς: Plato, Meno 94b, Protag. 314e; Plut. Per. 24^{8}, 36^{8-9}; Aelian, VH vi. 10; B 69^{13-14}; cf. Arist. Rhet. ii. 15^{3}. 1390b28.
Παρράσιος Εὐήνορος, painter: Paus. i. 28^{2}.
Παυσανίας Κλεομβρότου of Sparta, regent for Pleistarchos: *Thuc. i. 132^{1}*; Paus. iii. 4^{9}. Career after Plataea, see I. $1^{7, 14, 16}$, $2^{3, 6}$. Return to Sparta and death, see IV. $1^{1-2, 5-7}$. Statues at Sparta: *Thuc. i. 134^{4}*; Diod. xi. 45^{9}; Aristod. 8^{5}; Paus. iii. $17^{7, 9}$. Tomb: *Thuc. i. 134^{4}*; Paus. iii. 14^{1}; Nepos, Paus. 5^{5}. Son, see *Πλειστοάναξ*.
Παυσανίας, Macedonian: *Thuc. i. 61^{4}.*
Παύσιρις Ἀμυρταίου, treatment by Persians: *Her. iii. 15^{3}.*
Πεισιάναξ (?) *Ἀλωπεκῆθεν*, Stoa Poikile: cf. Plut. Cim. 4^{6}.
Περδίκκας Ἀλεξάνδρου of Macedon, accession: Marm. Par. 58. Reign, see I. 10^{4-5}. Quarrel with Athens, see I. 11^{4}. Cf. *Ἀλέξανδρος, Ἀλκέτας, Ἀρχέλαος, Μενέλαος, Φίλιππος*. Cf. also Dem. xxiii. 200.
Περικλείδας, Spartan envoy to Athens: Ar. Lys. 1138; Plut. Cim. 16^{8}; cf. *Thuc. iv. 119^{2}.*
Περικλῆς Ξανθίππου Χολαργεύς, birth: *Her. vi. 131^{2}*; Plut. Per. 3^{1-3}; cf. *Ἀγαρίστη, Ξάνθιππος*. "Teachers", see *Ἀναξαγόρας, Γοργίας, Δάμων, Ζήνων, Πρωταγόρας, Πυθοκλείδης*. Military career: Plut. Per. 7^{2} (beginnings), Cim. 13^{4} (expedition beyond Chelidoniai), Per. 10^{2} (Tanagra).

Expedition in Gulf of Corinth, see I. 5^{13}. Euboia, see I. $7^{3, 6}$. Samos, see I. 9^{4}. Pontos: Plut. Per. 20^{1-2}. Cleruchies, and Chersonese campaign, see III. 4^{9}. Perikles as general: Plut. Per. 8^{3}, 18, cf. 7^{2}; Justin iii. 6^{12}; cf. Frontinus iii. 9^{5}. Political career, see II. 3–6 *passim*. Decrees: Plut. Per. 10^{4} (cf. Cim. 17^{8}), 12^{5}, 13^{7} (Plato, Gorg. 455e), 13^{11}, 17, 20^{2}, 24^{1} (cf. 25^{1}), 29^{7} (cf. Ar. Ach. 530–4, Pax 609; *Thuc. i. 139*^{1}, *140*^{3}), 30^{2-3}, 37^{2-3} (cf. *Arist. Ἀθπ. 26*^{4}); Anon. Argent.^{5} (see under Dem. xxii. 13); (?) B 71^{3}; cf. Plut. Per. 7^{7} (Kritolaos, p. 373), 8^{7}. Oratory: Plato, Phaedr. 269e–270a; Arist. Rhet. i. 7^{34}. $1365^{a}32$, iii. 4^{3}. $1407^{a}1$, 10^{7}. $1411^{a}15$; Eupolis, fr. 94; Plut. 802c, Per. 7^{1}, 8 (Stesimbrotos, fr. 9), 15^{2-3}; Diod. xii. 38^{2}, 39^{5}, 40^{5-6} (Ephoros, fr. 196); Cic. de Or. iii. 34. 138. Buildings, see II. 5^{5}, 6^{3}. (?) Work on water-supply: B 69^{13} (*Περικλεῖ* restored). ἀθλοθέτης at Panathenaia: Plut. Per. 13^{11}. Ostrakon: B 97. Personal appearance: Plut. Per. 3^{3-7} (Kratinos, frs. 111, 240; Telekleides, fr. 44; Eupolis, fr. 93), 7^{1} (resemblance to Peisistratos). Statues, etc.: Paus. i. 25^{1}, 28^{2} (for copies cf. Richter, *Sculpture and Sculptors of the Greeks*^{2}, 231 and figs. 623–4); Plut. Per. 31^{3-4}. Tomb: Paus. i. 29^{3}. Property: Plut. Per. 15^{3}, 16^{3-7}, 33^{3} (cf. *Thuc. ii. 13*^{1}); Isokr. viii. 126. Marriage: Plut. Per. 24^{8}; cf. Plato, Protag. 314e. Family and personal affairs, see Ἀλκιβιάδης, Ἀσπασία, Ἱππόνικος, Ξάνθιππος, Πάραλος, Περικλῆς, Χρύσιλλα; for sons cf. also Arist. Rhet. ii. 15^{3}. $1390^{b}28$. Friends and agents, see Ἀρχίδαμος, Ἐφιάλτης, Κέφαλος, Μένιππος, Μητίοχος, Πρωταγόρας, Χαρῖνος. General estimates of character: e.g. *Thuc. ii. 65*; Eupolis, fr. 94; Plato, Alc. mai. 104b, Gorg. 515e, 519a, Meno 94b; Isokr. viii. 126; *Arist. Ἀθπ. 27–8*^{2}; Plut. 800c, 812c–d, Per. 2^{5}, 5 (Ion, fr. 15; Zeno, fr. A 17), 7, 9, 15–16, 36, 38–9, and *passim*; Aelian, VH iii. 17.

Περικλῆς Περικλέους Χολαργεύς: Plut. Per. 24^{10} (Eupolis, fr. 98), 37^{5}; Schol. Plato, Menex. 235e; Harpokr. (= Suidas) s.v. Ἀσπασία; Suidas s.v. δημοποίητος; Aelian, VH vi. 10.

Πετήσας, negotiates with Megabyxos: Ktesias 70.

Πίνδαρος of Thebes, at Hieron's court: (Pindar), Eustathii prooem. 26; Aelian, VH iv. 15, ix. 1.

Πισίνδηλις of Halikarnassos: Suidas s.v. Ἡρόδοτος.

Πισσούθνης Ὑστάσπου, and Samian revolt: *Thuc. i. 115*$^{4-5}$; Diod. xii. 27^{3}; Plut. Per. 25^{3-4}.

Πλείσταρχος Λεωνίδου of Sparta, under Pausanias' regency: *Thuc. i. 132*^{1}; Paus. iii. 4^{9}. Date of death: Diod. xiii. 75^{1}; cf. *Thuc. i. 107*^{2}; Paus. iii. 5^{1}.

Πλειστοάναξ Παυσανίου of Sparta, accession: Diod. xiii. 75^{1}; Paus. iii. 5^{1}. Regency of Nikomedes: *Thuc. i. 107*^{2}; Diod. xi. 79^{6}. Invasion of Attica: *Thuc. i. 114*^{2}, *ii. 21*^{1}; Plut. Per. 22^{1-2}; Suidas s.v. Καλλίας. Condemnation and exile: *Thuc. v. 16*^{3}; Plut. Per. 22^{3}; Schol. Ar. Nub. 859 (Ephoros, fr. 193); Suidas s.v. δέον.

Πλήξιππος, founding of Thourioi: Photios s.v. θουριομάντεις; cf. Λυσίας.

Πολέμαρχος Κεφάλου, at Thourioi: *Plut. 835d.

Πολυάλκης, Spartan envoy at Athens: Plut. Per. 30^{1}.

Πολύαρχος of Aigina, opposes fortification of Athens: Plut. Them. 19^{2}.

Πολύγνωτος Ἀγλαοφῶντος, Thasian painter: Plut. Cim. 4^{6-7} (Melanthios, fr. 1); Paus. i. 18^{1}, x. 25^{1}; Simonides, fr. 112; Harpokr. s.v. Πολύγνωτος (Artemon, fr. 13; Juba, fr. 21) (= Suidas s.v.); Photios s.v. Πολυγνώτου λαγώς.

Πολύευκτος Θεμιστοκλέους Φρεάρριος: Plut. Them. 32^{1}.

Πολύζηλος Δεινομένους of Syracuse, see V. 2^{5-6}. Cf. Simonides, fr. 106; Schol. Pindar, Ol. ii inscr., schol. 15 (29)b–d (Didymos, p. 215; Timaios, fr. 93b); B 101.

Postumius Albus, Sp., envoy to Athens: Livy iii. 31^{8}.
Πραξιτέλης Κρίνιος of Mantineia, Syracuse, and Kamarina: B 100.
Προνάπης Προναπίδου, hipparch: B 20^{2-3}. Dedication: B 36.
Πρωταγόρας Ἀρτέμωνος ἢ Μαιανδρίου, of Abdera, friendship with Perikles: Plut. Per. 36^{5}; cf. Plato, Protag. 314e. Legislates for Thourioi: Diog. Laert. ix. 8. 50 (Herakleides Pontikos, p. 48).
Πρωτέας Ἐπικλέους Αἰξωνεύς, general at Corcyra: *Thuc. i. 45^{2}*; restored, *B 72^{9} (Tod 55)*. (?) General in 435/4: B 65 (IG i^{2}. 365^{15}).
Πυθίων of Megara, guides Athenians from Pagai: *B 51^{2} (Tod 41)*.
Πυθόδωρος Ἰσολόχου, pupil of Zeno: Plato, Alc. mai. 119a.
Πυθόδωρος, pursues Themistokles: Plut. Them. 26^{1}.
Πυθοκλείδης, teacher of Perikles: Plut. Per. 4^{1} (Arist. fr. 401); Plato, Alc. mai. 118c.
Πυριλάμπης, defended by Thucydides: Vita anon. Thuc. 6.
Πυριλάμπης (? identical with above), friend of Perikles: Plut. Per. 13^{15}.
Πυριλάμπης Ἀντιφῶντος, embassy to Persia: Plato, Charm. 158a.
Πύρρος, Athenian sculptor: B 78^{2}.

Ῥαμφίας, Spartan envoy to Athens: *Thuc. i. 139^{3}*.
Ῥοδογούνη Ξέρξου: Ktesias 61.
Ῥοισάκης, offers money to Kimon: Plut. Cim. 10^{9}.
Romilius, T., proposes embassy to Athens: Dion. Hal. AR x. 51^{5}.
Ῥωξάνης, Persian chiliarch: Plut. Them. 29^{2}.

Σαρσάμας, satrap of Egypt: Ktesias 66.
Σάτυρος, king of Crimea: Diod. xii. 36^{1} (emendation).
Σέλευκος, king of Crimea: Diod. xii. 36^{1}.
Σθενελαΐδας, Spartan ephor: *Thuc. i. 85^{3}–87^{2}*.
Σιληνὸς Φώκου, Rhegine envoy: B 73^{3} (*Tod 58*), 75.
Σιμμίας, enemy of Perikles: Plut. 805c.
Σίμων, Aiginetan sculptor: Paus. v. 27^{2}.
Σιμωνίδης Λεωπρέπους of Keos, at Athens: Marm. Par. 54; Simonides, fr. 77; cf. Plut. Them. 5^{6-7}. At Hieron's court: (Pindar), Eustathii prooem. 26; Aelian, VH iv. 15, ix. 1. Reconciles Hieron and Theron: Schol. Pindar, Ol. ii. 15 (29)c–d (Didymos, p. 215; Timaios, fr. 93b). Death: Marm. Par. 57.
Σιτάλκης Τήρεω, king of Odrysian Thracians: *Her. iv. 80*; *Thuc. ii. 29^{1}, 96–7*.
Σκύλης Ἀριαπείθους, king of Scythians: *Her. iv. 78–80*.
Σοφοκλῆς Σοφίλλου Κολωνῆθεν, first victory: Marm. Par. 56; Plut. Cim. 8^{8-9}. Hellenotamias: *ATL, list 12*. General at Samos: Androtion, fr. 38; Aristod. 15^{4}; Schol. Ar. Pax 697; (?) Ion, fr. 6; cf. Plut. Per. 8^{8}; cf. Justin iii. 6^{12-13}.
Σπαράδοκος, Thracian: C 5; [cf. *Thuc. ii. 101^{5}*.]
Σπαργαπείθης, king of Agathyrsoi: *Her. iv. 78^{2}*.
Σπάρτακος, king of Crimea: Diod. xii. 31^{1}, 36^{1}.
Σπάρτων, Boiotian general at Koroneia: Plut. Ages. 19^{2}.
Στασίκυπρος, king of Idalion: *B 105*.
Στέφανος Θουκυδίδου Ἀλωπεκῆθεν, education: Plato, Meno 94c.
Στησαγόρας of Samos: *Thuc. i. 116^{3}*.
Στρόμβιχος Στρομβιχίδου, (?) father of Diotimos, dedication: B 3.
Σύβαρις Θεμιστοκλέους: Plut. Them. 32^{2}.
Sulpicius Camerinus, P., Roman envoy to Athens: Livy iii. 31^{8}.
Σύμμαχος, expelled from Thasos: Plut. 859d.

Σωκράτης Σωφρονίσκου Ἀλωπεκῆθεν: Diog. Laert. ii. 5. 19 (Alexandros, fr. 86); Marm. Par. 60; Plato, *passim*. At Poteidaia: Plato, Symp. 219e–220e, Charm. 153b.

Σωκράτης Ἀναγυράσιος, general at Samos: Androtion, fr. 38; restored B 62^{41}.

Σωσίας, hellenotamias: Antiphon v. 70.

Σῶσις Γλαυκίου, Leontine envoy: *B* 74^{5} (*Tod 57*).

Σωφάνης Εὐτυχίδου Δεκελεεύς, killed in Thrace: *Her. ix. 75*, [cf. *73–4*, *vi.* 92^{3}]; Paus. i. 29^{5}; [cf. Plut. Cim. 8^{1}.]

Τεισαμενὸς Ἀντιόχου, Elean seer: *Her. ix. 33–5*; Paus. iii. 11^{7-8}.

Τείσανδρος Ἐπιλύκου, Xanthippos' father-in-law: Plut. Per. 36^{2}. Ostrakon: *B 97* (*Tod* 45^{39}).

Τεισίας, Syracusan orator: Arist. fr. 137; *Plut. 835d; restored, Dion. Hal. Lys. 1.

Τήρης, king of Odrysian Thracians: *Her. iv.* 80^{1}; *Thuc. ii.* 29^{2-3}; Xen. Anab. vii. 2^{22}.

Τιθραύστης Ξέρξου, at Eurymedon: Diod. xi. 60^{5}; Plut. Cim. 12^{5} (Ephoros, fr. 192).

Τιμαγενίδης, Theban medizer: *Her. ix.* 86^{1}.

Τιμάνωρ Τιμάνθους, Corinthian commander: *Thuc. i.* 29^{2}.

Τιμήνωρ Ἀγαθοκλέους, Leontine envoy: *B* 74^{4-5} (*Tod 57*).

Τιμησίλεως, tyrant of Sinope: Plut. Per. 20^{1-2}.

Τιμοκρέων of Rhodes, and Themistokles: Plut. Them. 21^{3-7} (Timokreon, frs. 1–3).

Τισαμενός, *Τισίας*, see *Τεισαμενός*, *Τεισίας*.

Τληπόλεμος, general at Samos: *Thuc. i.* 117^{2}; B 62^{45} (*Τλεμπ[όλεμος]*).

Τολμίδης Τολμαίου, at Oinophyta: Aristod. 12^{2}. Expedition round Peloponnese, see I. 5^{11}. In Boiotia: Diod. xi. 85^{1}. Cleruchies: Diod. xi. 88^{3}; Paus. i. 27^{5}. Death at Koroneia, see I. 7^{2}. Statue: Paus. i. 27^{5}. Tomb: Paus. i. 29^{14}. Cf. Plut. Per. 16^{3}.

Τυνδαρίδης, *Τυνδαρίων*, attempted tyranny at Syracuse: Diod. xi. 86^{4-5}.

Ὑπατόδωρος, Theban sculptor: Paus. x. 10^{4}.

Ὑστάσπης Ξέρξου, satrap of Baktra: Diod. xi. 69^{2}.

Φαίαξ, aqueducts at Akragas: Diod. xi. 25^{3}.

Φαντοκλῆς, Brea decree: *B 55* (*Tod* $44^{32,\ 35-6}$).

Φάυλλος, Syracusan general: Diod. xi. 88^{4-5}.

Φειδίας Χαρμίδου, Periklean buildings and friendship with Perikles: Plut. Per. $13^{6,\ 14-15}$, 31^{2}. Statues of Athena, see II. 4^{8}, 5^{5}. Of Nemesis: Paus. i. 33^{3}; cf. Strabo ix. 1^{17}. 396; cf. Suidas s.v. *Ῥαμνουσία Νέμεσις*. Trial: Diod. xii. 39^{1-2}; Plut. Per. 31^{2-5}; Ar. Pax 605 with schol. (Philochoros, fr. 121); Suidas s.v. *Φειδίας*; Aristod. 16^{1-2}. Statue of Olympian Zeus, see IV. 4^{1}. Death in Elis: Schol. Ar. Pax 605 (Philochoros, fr. 121). Death in Athens: Plut. Per. 31^{5}. Cf. *Πάναινος*.

Φερενδάτης, at Eurymedon: Diod. xi. 61^{3}; Plut. Cim. 12^{5} (Ephoros, fr. 192); restored, Ephoros, fr. 191^{86}.

Φθία, wife of Admetos: Plut. Them. 24^{5}; cf. *Thuc. i.* 136^{3}.

Φίλιππος Ἀλεξάνδρου, rule in east Macedon: *Thuc. ii.* 100^{3}. Restored, B 66^{52}. Supported by Athens against Perdikkas: *Thuc. i.* 57^{3}, 59^{2}, 61^{4}. For *IG* i^{2}. *53* see I. 11^{4} n. Son, see *Ἀμύντας*.

Φόρμις of Mainalos and Syracuse: Paus. v. $27^{1-2,\ 7}$.

VII. NAMES OF PLACES, PEOPLES, ETC.

Αἴτνα, Gelon's projected temple: Diod. xi. 26^{7}. Hieron's foundation, see V. 2^{7}. Refoundation at Inessa, see V. 3^{3}. Douketios' attack: Diod. xi. 91^{1}. Aeschylus' Aitnaiai: Aesch. frs. 6–7, Vita 9. See VI *Δεινομένης, Χρόμιος*.

Αἰτωλοί, relations with Naupaktos: Paus. iv. 24^{7}, $25^{3,10}$.

Ἀκαδημία at Athens, planted by Kimon: Plut. Cim. 13^{7}.

Ἀκαρνᾶνες, relations with Naupaktos: Paus. iv. 25. Perikles' expedition, see I. 5^{13}. Congress decree: Plut. Per. 17^{2}. Phormion's expedition: *Thuc. ii. 68^{7-8}*. Position in 431 B.C.: *Thuc. ii. 7^{3}, 9^{4}, 68^{8}*. Cf. *Οἰνιάδαι*.

Ἀκράγας, see V. 4^{1-11}.

Ἀκραίφιον in Boiotia, coinage: C 2(*a*).

Ἄκτιον, Corinthian base: *Thuc. i. 29^{3}, 30^{3}*.

Ἁλίαρτος in Boiotia, coinage: C 2(*c*). Battle of Koroneia: Paus. i. 27^{5}.

Ἁλιεῖς, exiled Tirynthians, see IV. 3^{5}. First Peloponnesian War, see I. $5^{1,16}$.

Ἁλικαρνασσός: *B 111 (Tod 25)*; Suidas s.v. Ἡρόδοτος.

Ἁλικυαῖοι, emendation in Diod. xi. 86^{2}. [Treaty with Athens: cf. *B 22 (Tod 31)*.]

Ἄλκιμος in Peiraeus, Themistokles' tomb: Plut. Them. 32^{5} (Diod. Per. fr. 35).

Ἅλυς river, boundary in Peace of Kallias: Isokr. vii. 80, xii. 59; cf. *Her. v. 52^{2}*.

Ἀμισός, Athenian colony, see I. 10^{16}.

Ἄμμων, oracle consulted by Kimon: Plut. Cim. 18^{7}.

Ἀμπρακία, in Persian Wars: *Her. viii. 45, ix. 28^{5}; B 98^{33} (Tod 19)*; Paus. v. 23^{2}. Congress decree: Plut. Per. 17^{2}. Phormion's expedition: *Thuc. ii. 68^{7}*. Reinforcements to Epidamnos: *Thuc. i. 26^{1}*. Ships for Corinth: *Thuc. i. 27^{2}, 46^{1}, 48^{4}*. Allied to Sparta in 431 B.C.: *Thuc. ii. 9^{2-3}*; Diod. xii. 42^{4}.

Ἀμφικτίονες, condemnation of Ephialtes: *Her. vii. 213^{2}*. Plataean prosecution of Sparta: *Dem. lix. 98. Spartan proposal to expel medizers: Plut. Them. 20^{3-4}; cf. *Her. vii. 132^{1}*. Trial of Dolopians: Plut. Cim. 8^{4}. (?)Treaty with Athens: B 21 (Tod 39). Ἀμφικτυονὶς φυλή at Thourioi: Diod. xii. 11^{3}.

Ἀμφίλοχοι, Phormion's expedition: *Thuc. ii. 68^{7}*.

Ἀμφίπολις, colony after Eïon, see I. 3^{2}. At time of Thasos, see I. 3^{9}. Hagnon's colony, see I. 10^{8}.

Ἀμφισσεῖς, allied to Sparta in 431 B.C.: Diod. xii. 42^{4}.

Ἀνακεῖον at Athens, Polygnotos' paintings, see II. 2^{9}.

Ἀνακτόριον, in Persian Wars: *Her. ix. 28^{5}; B 98^{30} (Tod 19)*; Paus. v. 23^{2}. In Corcyra campaigns: *Thuc. i. 29^{3}, 46^{1}, 55^{1}*. Allied to Sparta in 431 B.C.: *Thuc. ii. 9^{2}*.

Ἄνδρος, (?) allied to Athens in 472 B.C.: Aesch. Pers. 887. Cleruchy: Plut. Per. 11^{5}; cf. *ATL* Ἄνδριοι.

Ἀντίκυρα, Ephialtes' death: *Her. vii. 213^{2}*.

Ἀπολλωνία, in Leukimme campaign: *Thuc. i. 26^{2}*.

Ἀργίλιοι, at Amphipolis: *Thuc. iv. 103^{3-4}*.

Ἄργος in early Pentekontaetia, see IV. 3. Spartan proposal to expel from Amphiktiony: Plut. Them. 20^{3}. In later Pentekontaetia, see IV. $4^{2-4, 7}$. Treaty between Knossos and Tylissos: *B 117 (Tod 33)*.

Ἄργος Ἀμφιλοχικόν, Phormion's expedition: *Thuc. ii. 68^{7}*.

Ἀρκάδες, war against Sparta, see IV. $2^{1, 6-7}$. See *Μαντίνεια, Τεγέα*. Ἀρκὰς φυλή at Thourioi: Diod. xii. 11^{3}.

Ἀρμενία, Artoxares' banishment: Ktesias 71.

Ἀρνασός: *B 30^{83}*.

Ἀστακός, Athenian colony: Strabo xii. 4^{2}. 563; Memnon 12^{2}; (?) Diod. xii. 34^{5}; cf. *ATL* Ἀστακηνοί.

Ἄφυτις, Phormion's base: *Thuc. i. 64^{2}*. [Later relations with Athens: B 83, 84.]

Γρύνειον, given to Gongylos: *Xen. Hell. iii. 1*^{6}.

Γύθειον, Themistokles' plot: Cic. de Off. iii. 11. 49. Burnt by Tolmides: Diod. xi. 84^{6}; Paus. i. 27^{5}; Aristod. 15^{1}; cf. *Thuc. i. 108*^{5}.

Δασκυλῖτις, Artabazos succeeds Megabates: *Thuc. i. 129*^{1}.

Δάτον, Athenian disaster: *Her. ix. 75*; Isokr. viii. 86; cf. *Δράβησκος*.

Δελφοί, Polygnotos' paintings in Lesche: Paus. x. 25^{1}; Simonides, fr. 112. Freed from Phokians before Tanagra: Plut. Cim. 17^{4}. Sacred War, see I. 7^{1}. Proposed use of treasures by Peloponnesians: *Thuc. i. 121*^{3}, *143*^{1}. See also *Ἀμφικτίονες*.

Oracles: Athens: Plut. Cim. 8^{6}, Thes. 36^{1}; Schol. Aristid. XLVI. iii, p. 688. Sparta: *Thuc. i. 134*^{4}; Diod. xi. 45$^{8-9}$; Nepos, Paus. 5^{5}; Paus. iii. 17^{9}; cf. Aristod. 8^{5} (Pausanias' statue); *Thuc. i. 103*^{2}; Paus. iii. 11^{8}, iv. 24^{7} (Ithome); *Thuc. i. 118*^{3}, cf. *123*^{1} (Peloponnesian War). Epidamnos: *Thuc. i. 25*^{1}, *28*^{2}. Thourioi: Diod xii. 10^{5}, 35^{3}. Promanteia of Sparta and Athens, inscribed on wolf: Plut. Per. 21^{3}.

Dedications: For Plataea: *Her. ix. 81*^{1}, cf. *viii. 82*^{1}; *Thuc. i. 132*$^{2-3}$; *B 98* (*Tod 19*); Paus. x. 13^{9}; Diod. xi. 33^{2}; Nepos, Paus. 1$^{3-4}$; Aristod. 4^{1}; *Dem. lix. 97–8; Simonides, frs. 102, 105, 107. Gelon and Hieron: Diod. xi. 26^{7}; Athen. vi. 231f (Phanias, fr. 12; Theopompos, fr. 193); Simonides, fr. 106. Polyzalos: B 101. Phormis: Paus. v. 27^{1}. Athens, for Eurymedon: Paus. x. 15^{4}. Argos, for Oinoe: Paus. x. 10^{4}. Syracusans, for Trinakia: Diod. xii. 29^{4}. Taras: Paus. x. 10^{6}, 13^{10}; B 99, 103. Cf. Knossos and Tylissos: *B 117*^{9} (*Tod 33*).

Pythian victories: Arkesilas IV: Pindar, Pyth. iv inscr. with schol. a, v inscr. with schol. Ergoteles: Schol. Pindar, Ol. xii inscr. Hieron: Pindar, Pyth. i inscr. with schol., ii inscr., iii inscr. with schol. Kallias: B 37. Xenokrates: Pindar, Pyth. vi inscr. Victors entertained in Prytaneion at Athens: B 71^{12,17}.

Δῆλος, treasury of Delian league: *Thuc. i. 96*^{2}; cf. III. 5^{1}. League council: *Thuc. i. 96*^{2}. Transference of treasury to Athens, see III. 5^{1}. Athenian administration of temple property: *B 77* (*Tod 54*); cf. III. 3^{6}.

Δίον and Hestiaia: B 54 (*IG*. i^{2}, 41^{15}).

Διοσιρῖται and Kolophon: B 49^{26}.

Δίπαια, Διπαιεῖς, battle: see IV. 2^{7}.

Δίπυλον, tomb of Anthemokritos: Plut. Per. 30^{3}.

Δόλοπες, medism: *Her. vii. 132*^{1}. Expulsion from Skyros: *Thuc. i. 98*^{2}; Diod. xi. 60^{2}; Plut. Cim. 8$^{3-5}$, Thes. 36^{1}; Nepos, Cim. 2^{5}.

Δόρισκος, Persian garrison: *Her. vii. 105–6*.

Δράβησκος, Athenian disaster: *Thuc. i. 100*^{3}, *iv. 102*^{2}; Diod. xii. 68^{2}, cf. xi. 70^{5}; Paus. i. 29^{4}; cf. *Δάτον*.

Δρέπανον, emendation in Diod. xii. 34^{5}.

Δωδώνη, oracle to Themistokles: Plut. Them. 28^{5}. Athenian dedication: B 15.

Δωριεῖς of Parnassos, war with Phokis: *Thuc. i. 107*^{2}; Diod. xi. 79$^{4-5}$.

Δωριεῖς, settled at Himera: Diod. xi. 49^{3}. *Δωρὶς φυλή* at Thourioi: Diod. xii. 11^{3}.

Δωριεῖς of Asia, congress decree: Plut. Per. 17^{2}. Allied to Athens in 431 B.C.: Diod. xii. 42^{5}. See *Κνίδος, Κῶς, Ῥόδος*.

Δῶρος in Phoenicia: Steph. Byz. s.v. (Krateros, fr. 1).

Ἐγεσταῖοι, alliance with Athens: *B 22* (*Tod 31*). War with †Lilybaion: Diod. xi. 86^{2}.

Εἵλωτες, Pausanias' plots: *Thuc. i. 132*$^{4-5}$; Nepos, Paus. 3^{6}. Suppliants killed at Tainaron: *Thuc. i. 128*^{1}; Schol. Ar. Ach. 510. Revolt from Sparta, see IV. 2^{9}.

Ζάγκλη, tyranny of Anaxilas, etc., see V. 5..
Ζάκυνθος, capture of Hegesistratos: *Her. ix.* 37^{4}. Tolmides: Diod. xi. 84^{7}. Help to Corcyra: *Thuc. i.* 47^{2}. Allied to Athens in 431 B.C.: *Thuc. ii.* 9^{4}, cf. 7^{3}.
Ζεφυρία Λοκρίς, rescue by Hieron, see V. 2^{8}. Cf. *Λοκρίς*.

'Ηδῶνες, *'Ηδωνοί*, massacre Athenian colonists: *Her. ix.* 75; *Thuc. i.* 100^{3}, *iv.* 102^{2-3}; Diod. xi. 70^{5}, xii. 68^{2}; Paus. i. 29^{4}.
'Ηετιώνεια in Peiraeus: Aristod. 5^{4}.
'Ηϊών, capture by Kimon and attempted colony, I. 3^{2}.
Ἦλις, late at Plataea: *Her. ix.* 77^{3}. Named on memorial: *B* 98^{27} (*Tod 19*); Paus. v. 23^{2}. Synoikism, constitution, etc., see IV. 2^{3}. Temple and statue of Zeus, see IV. 4^{1}. Help to Corinth: *Thuc. i.* 27^{2}, 46^{1}. Kyllene raided by Corcyra: *Thuc. i.* 30^{2}. Allied to Sparta in 431 B.C: *Thuc. ii.* 9^{3}. *'Ηλεία φυλή* at Thourioi: Diod. xii. 11^{3}. Cf. *'Ολυμπία*.
Ἤπειρος, Themistokles' flight: Plut. Them. 24^{2}.
Ἡραιον of Argos: Paus. ii. 17^{5}; Diod. xi. 65^{2}. Of Corcyra: *Thuc. i.* 24^{7}.
'Ηράκλεια in Pontos: Plut. Cim. 6^{6}.
'Ηράκλεια in Lucania: Antiochos, fr. 11; Diod. xii. 36^{4}; cf. C 22.

Θάσος, Symmachos expelled: Plut. 859d. Revolt from Athens, see I. 3^{9}.
Θεμιστοκλεῖον at Athens: Arist. Hist. An. vi. 15^{6}. $569^{b}10$.
Θέρμη, taken by Athens: *Thuc. i.* 61^{2}.
Θεσπιῆς, in Persian Wars: *Her. vii.* 132^{1}, *202*; *B* 98^{18} (*Tod 19*). Resettlement after Persian Wars: cf. *Her. viii.* 75^{1}. Athens honours certain Thespians: B 48; [cf. *Thuc. iv.* 133^{1}.]
Θεσσαλοί, medism: *Her. vii.* 6^{2}, 130^{3}. 132^{1}, *172*, *174*. Ephialtes: *Her. vii.* 213^{2}. Spartan expedition, see IV. 1^{8}. Greek fleet at Pagasai: Plut. Them. 20^{1-2}. Spartan attempt to expel from Amphiktiony: Plut. Them. 20^{3-4}. Complaint against Skyros: Plut. Cim. 8^{3-4}. Proxenoi at Athens: Plut. Cim. 14^{4}. Alliance with Athens: *Thuc. i.* 102^{4}, *ii.* 22^{3}. At Tanagra: *Thuc. i.* 107^{7}; Diod. xi. 80; Paus. i. 29^{9}. Athenian expedition: *Thuc. i.* 111^{1}; Diod. xi. 83^{3-4}. Congress decree: Plut. Per. 17^{3}. Founding of New Sybaris: Diod. xii. 10^{2}, but cf. xi. 90^{3}.
Θῆβαι, medism: *Her. vii.* 132^{1}, cf. *202*; *Thuc. iii.* 62^{1-4}; Diod. xi. 81^{1}. Greek action after Plataea: *Her. ix. 86–8*. Spartan attempt to expel from Amphiktiony: Plut. Them. 20^{3-4}. Tanagra, Oinophyta, etc., see I. 5^{7-9}. Revolt from Athens, see I. 7^{2}. Help to Corinth: *Thuc. i.* 27^{2}. Coinage: C 1 (*c*), 2 (*e*), 3. Cf. *Βοιωτοί*.
Θήρα, outside Athenian empire in 431 B.C.: *Thuc. ii.* 9^{4}; Diod. xii. 42^{5}.
Θησεῖον at Athens, see II. 2^{9}.
Θουριᾶται, join Helot revolt: *Thuc. i.* 101^{2}.
Θούριοι, see I. 8^{4-5}.
Θρᾷκες, Pausanias in Thrace: *Thuc. i.* 130^{1}. Persian garrisons: *Her. vii. 105–7*. Athenian colonies, see I. $3^{2,\,9}$, 10^{8}. Attacks on Chersonese: Plut. Per. 19^{1}, cf. Cim. 14^{1}. Relations with Scythians: *Her. iv. 80*. Rise of Odrysian kingdom, see I. 10^{10}. Tribute district *ἐπὶ Θρᾴκης*: *ATL lists 12 ff.*; cf. B 39 (9), 46^{28}, [87^{5} (Tod 66)]. Congress decree: Plut. Per. 17^{2}. Athenian allies *ἐπὶ Θρᾴκης*: Diod. xii. 42^{5}; *B 55* (*Tod* 44^{17}). Cf. *Ἀψίνθιοι*, *Βισάλται*, *'Ηδῶνες*, *'Οδρυσαί*.
Θρῖα, Pleistoanax' invasion: *Thuc. i.* 114^{2}, *ii.* 21^{1}; Suidas s.v. *Καλλίας*. *Θριάσιοι πύλαι* at Athens, Anthemokritos' tomb: Plut. Per. 30^{3}.
Θυνοί, defeat Teres: Xen. Anab. vii. 2^{22}.

Κάρυστος, war with Athens, see I. 3^{4}.

Καρχηδόνιοι, settlement after Himera, see V. 2^{1}. Later danger, see V. 2^{9}. Athenian designs: Plut. Per. 20^{4}.

Κατάνη, refoundation as Aitna, see V. 2^{7}. Hieron's death: Diod. xi. 66^{4}. Thrasyboulos sends for troops: Diod. xi. 67^{7}. Sikel attack and return of Katanaians: Diod. xi. 76^{3}; Strabo vi. 2^{3}. 268; C 16.

Καῦνος, Phoenician ships at time of Samian revolt: *Thuc. i.* 116^{3}.

(?) *Κεβρήνιοι*, casualties in Chersonese: B9^{37}.

Κεῖοι, in Persian Wars: *Her. viii.* 1^{2}, 46^{2}; *B* 98^{20} (*Tod 19*); Paus. v. 23^{2}. (?) Keian fighting for Athens: B 16^{13}.

Κεκρυφάλεια: battle, see I. 5^{2}.

Κελτική: Diod. xii. 26^{4}.

Κέρκυρα, and Themistokles: *Thuc. i.* 136^{1}; Plut. Them. 24^{1}; Nepos, Them. 8^{3}; Aristod. 10^{1}. Quarrel with Epidamnos, etc., see I. 11^{1}.

Κερύνεια, Mykenaian refugees: Paus. vii. 25^{6}.

Κεφαλληνία, Tolmides: Diod. xi. 84^{7}. Athenian embassy in 431 B.C.: *Thuc. ii.* 7^{3}. Cf. *Παλῆς*.

Κίλικες, ships at Eurymedon: Diod. xi. 60^{5}. Athenian operations: Lykourgos 72; Plut. Them. 31^{4}. Persian fleet for Egypt: Diod. xi. 75^{2}, 77^{1}. Cyprus expedition: *Thuc. i.* 112^{4}; Diod. xii. 3^{2-3}; Plut. Cim. 18^{6}. Diotimos: Strabo i. 3^{1}. 47 (Eratosthenes; Damastes, fr. 8).

Κιμμέριος Βόσπορος, change of dynasty: Diod. xii. 31^{1}, cf. 36^{1}.

Κιμωλία, battle of Megara: Diod. xi. 79^{4}.

Κίτιον, siege by Kimon: *Thuc. i.* 112^{3-4}; Diod. xii. 3^{3}; Plut. Cim. $19^{1,5}$ (Nausikrates); Nepos, Cim. 3^{4}; Aristod. 13^{1}; Suidas s.v. *Κίμων*. War with Idalion: *B 105*.

Κλεῶναι, helps Argos against Mykenai: Strabo viii. 6^{19}. 377. Mykenaian refugees: Paus. vii. 25^{6}. War with Corinth: Plut. Cim. 17^{2}. At Tanagra: Paus. i. 29^{7}; for Tod 28, see B 18. [Later relations with Argos: cf. *Thuc. v.* 67^{2}.]

Κνίδος, (?) allied to Athens in 472 B.C.: Aesch. Pers. 891. Starting-point for Eurymedon campaign: Plut. Cim. 12^{2}.

Κνωσσός in Crete, stasis: Schol. Pindar, Ol. xii inscr. Treaty with Tylissos: *B 117* (*Tod 33*).

Κολοφῶν, Athenian regulations: B 49.

Κολωναί, Pausanias' stay: *Thuc. i.* 131^{1}; Nepos, Paus. 3^{3}.

Κολωνός, Meton: Ar. Av. 997–8, with schol. (Kallistratos; Euphronios, fr. 94; Philochoros, fr. 122; Phrynichos, fr. 21).

Κόρινθος, Themistokles and Corcyra: Plut. Them. 24^{1}. In Persian Wars: *Her. vii. 202, viii.* 1^{1}, *43, ix.* 28^{3}; *B* 98^{6} (*Tod 19*); Paus. v. 23^{1}. Hieron's gold: Athen. vi. 232b (Theopompos, fr. 193). (?) Siege by Archidamos: Polyaenus i. 41^{2}. Defeat by Argos: B 110. Lachartes and Kimon: Plut. Cim. 17^{1-2}. War with Kleonai: Plut. Cim. 17^{2}. War with Megara: *Thuc. i.* 103^{4}; Diod. xi. 79^{1-2}; Plut. Cim. 17^{2}. First Peloponnesian War: *Thuc. i. 105–6,* 108^{5}; Diod. xi. 78^{1-2}, 79^{3-4}; *B* 112^{5} (*Tod 27*). Douketios' refuge: Diod. xi. 92^{4}, xii. 8^{1-2}. Revolt of Megara: *Thuc. i.* 114^{1}. Neutrality in Samian revolt: *Thuc. i.* 40^{5}, 41^{2}. Corcyra and Poteidaia, see I. $11^{1,3}$. Threat to secede from Sparta: *Thuc. i.* 71^{4-7}. Allied to Sparta in 431 B.C.: *Thuc. ii.* 9^{3}.

Κόρκυρα, see *Κέρκυρα*.

Κορώνεια, battle: see I. 7^{2}. Coinage: C 2 (*b*).

Κρᾶθις river, site of Sybaris: Diod. xi. 90^{3}.

Κραστός in Sicily, battle: Pap. Oxy. iv. $665^{13,15}$.

Κρήτη, see IV. 5.

Κρισαῖος κολπός, Spartan retreat cut off: *Thuc. i. 107*^{3}; Aristid. XIII. i, p. 255.

Κρότων, at Salamis: *Her. viii. 47*. Attack on Sybarites: Diod. xi. 48^{4}; cf. schol. Pindar, Ol. ii. 15 (29)b, d (Didymos, p. 215; Timaios, fr. 93b). Relations with New Sybaris: Diod. xii. 10^{2}. Pythagorean troubles, and relations with Thourioi, see V. 6^{3}.

Κτήσιον on Skyros: Plut. Cim. 8^{3}.

Κυάνεαι, Peace of Kallias: Diod. xii. 4^{5}; Plut. Cim. 13^{4}; Aristod. 13^{2}; Dem. xix. 273; Lykourgos 73; Suidas s.v. *Κίμων*.

Κύδνος river: Strabo i. 3^{1}. 47 (Eratosthenes, Damastes, fr. 8).

Κύζικος, Athenian garrison: Eupolis, fr. 233. Coinage: C 8.

Κύθηρα, captured by Tolmides: Paus. i. 27^{5}; Schol. Aeschin. ii. 75 (78).

Κύθνιοι, in Persian Wars: *Her. viii. 46*^{4}; *B 98*^{31} (*Tod 19*); Paus. v. 23^{2}.

Κυλλήνη, raided by Corcyra: *Thuc. i. 30*^{2}.

Κύμη in Aiolis, Themistokles' arrival in Asia: Plut. Them. 26^{1}.

Κύμη in Italy, battle, see V. 2^{9}. Coinage: C 14 (*c*), 23 (*a*).

Κύπρος, Pausanias' campaign: *Thuc. i. 94*^{2}, *128*^{5}; Diod. xi. 44^{2}; Nepos, Paus. 2^{1}. (?) Cities allied to Athens in 472 B.C.: Aesch. Pers. 892–5. Eurymedon campaign: Simonides, fr. 103^{5}; Diod. xi. 60$^{5-7}$, 61^{7}, 62^{3}; restored, Ephoros, fr. 191^{65}; Plut. Cim. 12^{5}; Nepos, Cim. 2^{2}; Polyaenus i. 34^{1}; Suidas s.v. *Κίμων*. Egyptian campaign: *Thuc. i. 104*^{2}; Diod. xi. 75^{2}; Aristod. 11^{3}; B 14^{2} (Tod 26); (?) Plato, Menex. 241E; (?) Plut. Them. 31^{4}. Kimon's last campaign, see I. 6^{13}. Samian revolt: Plut. Per. 26^{1} (Stesimbrotos, fr. 8). Cyprus after Peace of Kallias: Isokr. ix. 47. Athenian trade: *Xen. *Ἀθπ*. 2^{7}.

Κυρήνη, see IV. 6.

Κύρνος, Syracusan campaign against Etruscans: Diod. xi. 88^{5}.

Κύρνος in Karystos, battle: *Her. ix. 105*.

Κύρται, Megabyxos' exile: Ktesias 71.

Κυτίνιον in Doris: *Thuc. i. 107*^{2}; Diod. xi. 79^{4}.

Κῶς, Athenian sacred property: B 96 (*c*). Coinage decree: see *ATL ii, p. 63* and B 39 (10).

Κωτίλιον, temple of Bassai: Paus. viii. 41^{7}.

Λακεδαιμόνιοι, see IV. 1, 2, 4, and *passim*.

Λάμψακος, granted to Themistokles: *Thuc. i. 138*^{5}; Diod. xi. 57^{7}; Plut. Them. 29^{11}; Nepos, Them. 10^{3}; Aristod. 10^{5}; Schol. Ar. Eq. 84 (= Suidas s.v. *Θεμιστοκλῆς*); Athen. i. 29f; Steph. Byz. s.v.; cf. B 122. In Delian League: *ATL Λαμψακηνοί*.

Λᾶος, Sybarite remnants: *Her. vi. 21*^{1}. Resettlement of Sybaris: C 19 (*a*)–(*c*).

Λεβάδεια, battle of Koroneia: Xen. Mem. iii. 5^{4}.

Λεβέδιοι, and Kolophon: B 49$^{25-6}$.

Λεοντῖνοι, Demareteion: C 14 (*b*). Naxians and Katanaians transplanted: Diod. xi. 49^{2}. Athenian alliance: *B 59 = 74 (Tod 47)*; *Thuc. iii. 86*^{3}, *iv. 61*^{4}.

Λεοντοκέφαλον, Phrygian village: Plut. Them. 30^{1}.

Λέπρεον, in Persian Wars: *Her. ix. 28*^{4}; *B 98*^{34} (*Tod 19*); Paus. v. 23^{2}. Relations with Elis: *Her. iv. 148*^{4}.

Λέσβος, taken into Greek alliance: *Her. ix. 106*^{4}. Offers hegemony to Athens: Plut. Arist. 23^{4}. (?) Allied to Athens in 472 B.C.: Aesch. Pers. 883. Congress decree: Plut. Per. 17^{2}. Revolt of Samos: *Thuc. i. 116*$^{1-2}$, *117*^{2}; cf. Diod. xii. 27^{4}, 28^{2}; (?) Ion, fr. 6. Athenian treatment: *Thuc. i. 19, iii. 10–12, 39*^{2}, cf. *27*$^{2-3}$; Arist. Pol. 1284^{a}38, *Ἀθπ. 24*^{2}. Overtures to Sparta: *Thuc. iii. 2*^{1}, *13*^{1}. Cf. also B 35$^{15-16, 20}$.

Λέτανον, Athenian colony: Diod. xii. 34^{5}; cf. *Ἀστακός*, *Δρέπανον*.

Λευκανοί, wars with Thourioi: Polyaenus ii. 10^{2,4}.

Λευκάς, in Persian Wars: *Her. viii. 45, ix. 28*^{5}; *B 98*^{29} (*Tod 19*). Dispute between Corinth and Corcyra: Plut. Them. 24^{1}. Reinforcements to Epidamnos: *Thuc. i. 26*^{1}. Help to Corinth: *Thuc. i. 27*^{2}, *46*^{1}. Ravaged by Corcyra: *Thuc. i. 30*^{2}. Allied to Sparta in 431 B.C.: *Thuc. ii. 9*$^{2-3}$; Diod. xii. 42^{4}.

Λευκίμμη, battle: *Thuc. i. 29*^{4}–*30*^{1}; cf. Diod. xii. 31^{2}. Corcyrean base for Sybota: *Thuc. i. 47*^{2}, cf. *30*^{4}.

Λευκὸν τεῖχος at Memphis: *Thuc. i. 104*^{2}; Diod. xi. 74^{4}, 75^{4}, 77^{2}.

Λῆμνος, (?) allied to Athens in 472 B.C.: Aesch. Pers. 890. (?) Athenian cleruchy: [*Thuc. vii. 57*^{2}]; cf. III. 4^{9}. Lemnian Athena: Paus. i. 28^{2}. Samian hostages: *Thuc. i. 115*^{3,5}; Diod. xii. 27$^{2-3}$; Plut. Per. 25^{2}; (?) cf. B 62^{4}.

Λιβύη, Carthage and Gelon: Diod. xi. 24^{4}, 25^{5}; Schol. Pindar, Pyth. ii. 1 (2). Revolt of Egypt: *Thuc. i. 104*^{1}, *110*^{1}; Diod. xi. 74^{2}, 77^{5}; cf. Aesch. Eum. 292–5. (?) Peace of Kallias: Krateros, fr. 18. Gift of corn to Athens: Schol. Ar. Vesp. 718; cf. Plut. Per. 37^{4}. For Kyrene, see IV. 6.

† *Λιλυβαῖται*, war with Egesta: Diod. xi. 86^{2}.

Λοκρὶς Ζεφυρία, rescued by Hieron, see V. 2^{8}. Thrasyboulos' exile: Diod. xi. 68^{4,7}. War with Leophron: Justin xxi. 3$^{2-3}$.

Λοκροὶ 'Οζόλαι (*'Εσπέριοι*), and Naupaktos: *B 106*$^{10-11}$ (*Tod 24*); *Thuc. i. 103*^{3}; Paus. iv. 24^{7}. Congress decree: Plut. Per. 17^{2}. Sacred War: Aristod. 14^{1}. Cf. *Ἀμφισσεῖς, Οἰάνθεα, Χάλειον.*

Λοκροὶ 'Οπούντιοι (*'Υποκνημίδιοι*), medism: *Her. vii. 132*^{1}. Thermopylai and Artemision: *Her. vii. 203*^{1}, *viii. 1*^{2}. Colonists to Naupaktos: *B 106* (*Tod 24*). Hostages taken by Myronides: *Thuc. i. 108*^{3}; Diod. xi. 83$^{2-3}$; cf. Polyaenus i. 35^{2}; cf. Aristid. XIII. i, p. 256. Koroneia: *Thuc. i. 113*^{2}. Allied to Sparta in 431 B.C.: *Thuc. ii. 9*$^{2-3}$; Diod. xii. 42^{4}.

Λυγκησταί, guide Themistokles: Diod. xi. 56^{3}.

Λυδία, Persians and Kimon's prisoners: Plut. Cim. 9^{6} (Ion, fr. 13); Polyaenus i. 34^{2}. Themistokles and satrap: Plut. Them. 31$^{1-2}$. Athenian trade: *Xen. *Ἀθπ.* 2^{7}.

Λύκαιον, Pleistoanax' exile: *Thuc. v. 16*^{3}.

Λύκειον at Athens: Harpokr. s.v. (Philochoros, fr. 37).

Λυκία, brought into Delian League: Diod. xi. 60^{1,4}; cf. Ephoros, fr. 191$^{56-61}$; cf. Plut. Cim. 12^{1}. Coinage: C 11.

Μαγνησία ἐπὶ Μαιάνδρῳ, given to Themistokles: *Thuc. i. 138*^{5}; Diod. xi. 57^{7}, 58^{1}; Plut. Them. 29^{11}, 30^{6}, 31^{3,6}, 32^{3,6}; Nepos, Them. 10$^{2-4}$; Aristod. 10^{5}; Schol. Ar. Eq. 84 (= Suidas s.v. *Θεμιστοκλῆς*); Athen. i. 29f; Possis, fr. 1; C 10.

Μάγνητες, medism: *Her. vii. 132*^{1}.

Μάδυτος, execution of Artaÿktes: *Her. ix. 120*^{4}. Casualties at Kardia: B 9^{34}.

Μάζαρος river, Egesta and (?) Lilybaion: Diod. xi. 86^{2}.

Μαιναλία, battle of Dipaia: Paus. iii. 11^{7}. Phormis: Paus. v. 27$^{1-2,7}$.

Μακεδόνες, see I. 10$^{1-6}$, 11^{4}.

Μάκιστος, relations with Elis: *Her. iv. 148*^{4}.

Μαλιῆς, medism: *Her. vii. 132*^{1}. Congress decree: Plut. Per. 17^{3}.

Μαντίνεια, at Thermopylae: *Her. vii. 202*. Late for Plataea: *Her. ix. 77*$^{1-2}$. Synoikism and constitution, see IV. 2^{4}. Absent from Dipaia: *Her. ix. 35*^{2}; Paus. iii. 11^{7}, viii. 8^{6}. Help Sparta in Helot revolt: *Xen. Hell. v. 2*^{3}.

Μαρεία, Inaros' starting-point: *Thuc. i. 104*^{1}.

Μάριον in Cyprus, taken by Kimon: Diod. xii. 3^{3} (emendation).

Μεγάλη Ἑλλάς, Pythagoreans: Polybios ii. 39^{1}.

Μέγαρα, in Persian Wars: *Her. viii. 1^{1}, 45, ix. 28^{6}*; *B 98^{10} (Tod 19)*; Paus. v. 23^{2}. Refuge of Thrasydaios: Diod. xi. 53^{5}. Quarrel with Corinth and alliance with Athens, see I. 4^{8}. Battle, see I. 5^{4}. Athenians close Spartan retreat: Aristid. XIII. i, p. 256. Ravaged by Spartans: *Thuc. i. 108^{2}*. Revolt from Athens, see I. 7^{4}. Help to Corinth: *Thuc. i. 27^{2}, 46^{1}, 48^{4}*. Megarian decrees, see I. 11^{5}. Allied to Sparta in 431 B.C.: *Thuc. ii. 9^{2-3}*; Diod. xii. 42^{4}. Ostracism: Schol. Ar. Eq. 855.

Μέγαρα in Sicily, and Aitna: Schol. Pindar, Pyth. i. 62 (120)b. Territory retained by Syracuse: *Thuc. vi. 94^{1}*.

Μεθώνη in Messenia, Tolmides: Diod. xi. 84^{6}.

Μεθώνη in Thraceward district, [relations with Athens: *B 82 (Tod 61)*].

Μέμφις, in Egyptian revolt: *Thuc. i. 104^{2}, 109^{4}*; Diod. xi. 75^{4}, 77^{1}; B 113^{2} ([*Μέμ*]*φιος*).

Μέναι, Douketios moves to new site: Diod. xi. 88^{6}, cf. 91^{3} (emendation).

Μέναινον (? identical with above), founded by Douketios: Diod. xi. 78^{5}.

Μενδήσιον κέρας of Nile: *Thuc. i. 110^{4}*.

Μεσσάπιοι, defeat Taras and Rhegion: *Her. vii. 170^{3}*; cf. Diod. xi. 52; cf. Arist. Pol. 1303a3. Other wars: Paus. x. 10^{6}, cf. 13^{10}; B 99, cf. 103. Artas and Athens: *Thuc. vii. 33^{4}*.

Μεσσήνη in Sicily, see V. 5.

Μεσσήνιοι, Helot revolt, see IV. 2^{9}. At Naupaktos, see I. 4^{7}. Allied to Athens in 431 B.C.: *Thuc. ii. 9^{4}*; Diod. xii. 42^{5}.

Μηλιέες, see *Μαλιῆς*.

Μῆλος, in Persian Wars: *Her. viii. 46^{4}, 48*; *B 98^{21} (Tod 19)*; Paus. v. 23^{2}. Outside Athenian empire in 431 B.C.: *Thuc. ii. 9^{4}*; Diod. xii. 42^{5}.

Μίδεια, destroyed by Argos: Paus. viii. 27^{1}.

Μίλητος, tyrant expelled: Plut. 859d. Athenian regulations: B 30. Milesian laws: *B 114 (Tod 35), 115*. Athens supports oligarchs: *Xen. *Ἀθπ.* 3^{11}. Quarrel with Samos: *Thuc. i. $115^{2, 5}$, 116^{1}*; Diod. xii. 27^{1}; Plut. Per. 24^{1}, 25^{1}, cf. 28^{2} (Douris, fr. 67); Schol. Ar. Vesp. 283. Ostracism: Schol. Ar. Eq. 855.

Μινῴα in Sicily: Pap. Oxy. iv. 665^{18}.

Μολοττοί, see VI *Ἄδμητος*.

Μοργαντῖνα, captured by Douketios: Diod. xi. 78^{5}.

Μότυον of Akragas, Douketios: Diod. xi. $91^{1, 4}$.

Μουνυχία, fortification of Peiraeus: Aristod. 5^{4}; Schol. Plato Gorg. 455e.

Μυγδονία, Perdikkas and Chalkidians: *Thuc. i. 58^{2}*.

Μυκῆναι, in Persian Wars: *Her. vii. 202, ix. 28^{4}*; *B 98^{19} (Tod 19)*; Paus. v. 23^{2}; Diod. xi. 65^{2}. War with Argos, see IV. 3^{8}.

Μύκονος, (?) allied to Athens in 472 B.C.: Aesch. Pers. 884.

Μυοῦς, given to Themistokles: *Thuc. i. 138^{5}*; Diod. xi. 57^{7}; Plut. Them. 29^{11}; Nepos, Them. 10^{3}; Aristod. 10^{5}; Schol. Ar. Eq. 84 (= Suidas s.v. *Θεμιστοκλῆς*); Athen. i. 29f. In Delian League: *ATL Μυήσσιοι*.

Μύρινα, given to Gongylos: *Xen. Hell. iii. 1^{6}*.

Μυτιλήνη, Athenian treatment: *Thuc. iii. 10–12, 39^{2}*, cf. *27^{2-3}*. Samian revolt: Diod. xii. 27^{4}, 28^{2}; cf. *Thuc. i. 116^{1-2}, 117^{2}*. Overtures to Sparta: *Thuc. iii. 2^{1}, 13^{1}*. [Later relations with Athens: *B 85 (Tod 63)*.]

Νάξος, in Persian Wars: *Her. viii. 46^{3}*; *B 98^{23} (Tod 19)*; Paus. v. 23^{2}. (?)Allied to Athens in 472 B.C.: Aesch. Pers. 884. Subjection by Athens, see I. 3^{5}. Themistokles' flight: *Thuc. i. 137^{2}*; (?) Plut. Them. 25^{2}; Nepos, Them. 8^{6}; Aristod. 10^{3}. Cleruchy, see III. 4^{9}.

Νάξος in Sicily, and Aitna: Diod. xi. 49^{1-2}.

Ναύπακτος, east Lokrian colonists: *B 106 (Tod 24)*. Capture by Athens and settlement of Messenians, see I. 4^{7}. Allied to Athens in 431 B.C.: *Thuc. ii.* 9^{4}; Diod. xii. 42^{5}.

Νεάπολις in Italy, occupies Pithekoussai: Strabo v. 4^{9}. 248. Diotimos: Lykophron 732–7, with schol. (Timaios, fr. 98). Coinage: C 23 (*b*).

Νεάπολις ἀπ' Ἀθηνῶν, Athenian colony: *ATL i, p. 525 Νεάπολις ἀπ' Ἀθηνῶν.*

Νεῖλος river, in Egyptian campaign: *Thuc. i.* 104^{2}, cf. 109^{4}; Diod. xi. 74^{2}, cf. 77^{2}; restored, B 113^{1}.

Νεμέα, games claimed by Mykenai: Diod. xi. 65^{2}. Perikles defeats Sikyon: Plut. Per. 19^{2}. Victors at games: Pindar, Nem. i inscr., ix inscr. (Chromios); B 36 (Pronapes), 37 (Kallias). Victors entertained in Prytaneion at Athens: B $71^{12, 17}$.

(?) *Νέσσος* river, boundary in Peace of Kallias: Aristod. 13^{2}.

Νῆσοι, tribute district: *ATL, lists 12 ff.*, cf. B 39 (9), 46^{26}, [87^{5} (Tod 66)]. *Νησιῶτις φυλή* at Thourioi: Diod. xii. 11^{3}.

Νῆσος of Syracuse, occupied by Thrasyboulos: Diod. xi. 67^{8}, 68^{3}. By mercenaries: Diod. xi. 73^{1}, 76^{1}.

Νίσαια, long walls: *Thuc. i.* 103^{4}. Revolt of Megara: *Thuc. i.* 114^{1}. Thirty Years' Peace: *Thuc. i.* 115^{1}, *iv.* 21^{3}.

Νομαί, battle between Syracuse and Douketios: Diod. xi. 91^{3}. Cf. *Μεναί*.

Νούδιον, relations with Elis: *Her. iv.* 148^{4}.

Νῶλα, coinage: C 23(*f*).

'Οδρυσαί, rise of kingdom, see I. 10^{10}.

'Οζόλαι, see *Λοκροὶ 'Οζόλαι.*

Οἰάνθεα, treaty with Chaleion, etc.: *B 118 (Tod 34).*

Οἰνιάδαι, quarrel with Naupaktos: Paus. iv. 25. Perikles' attack: *Thuc. i.* 111^{3}; Diod. xi. 85^{2}, 88^{2}; Plut. Per. 19^{3}.

Οἰνόη, battle: Paus. i. 15^{1}, x. 10^{4}.

Οἰνόφυτα, battle, see I. 5^{8}.

Οἰταῖοι, congress decree: Plut. Per. 17^{3}.

'Ολυμπία, Themistokles applauded: Plut. Them. 17^{4}. Themistokles and Hieron: Plut. Them. 25^{1} (Theophrastos, fr. 126). Elean decrees: B 124. Number of Hellanodikai, see IV. 2^{3}. Abolition of *ἀπήνη*: Schol. Pindar Ol. vi inscr. b. Temple and statue of Zeus, see IV. 4^{1}. Proposed use of treasures: *Thuc. i.* 121^{3}, 143^{1}. Dedications: *Her. ix.* 81^{1}; Paus. v. 23^{1-2} (Plataea): Paus. vi. 9^{4}, 19^{7} (Gelon): Paus. vi. 12^{1}, viii. 42^{8-9}; *B 102 (Tod 22)* (Hieron): Paus. v. $27^{1-2, 7}$ (Phormis): B 100 (Praxiteles): *Her. vii.* 170^{4}; Paus. v. 26^{2-5}; B 107 (Mikythos): B 110 (Argos, from Corinth): Paus. v. 24^{3}; B 109 (Sparta, Helot revolt): Paus. v. 10^{4}; *B 112 (Tod 27)* (Sparta, for Tanagra): *B 121 (Tod 49)* (Taras).

Victories: Pindar, Ol. i inscr. with schol. a; Paus. vi. 12^{1}, viii. 42^{8}; Pap. Oxy. 222^{19} (Hieron); Pindar, Ol. ii inscr. with schol., iii inscr.; Pap. Oxy. 222^{18} (Theron); Pindar, Ol. v inscr. with schol. b (Psaumis), Ol. vi inscr. with schol. b (Agesias), Ol. xii inscr. with schol.; Pap. Oxy. 222^{22} (Ergoteles); schol. Pindar, Pyth. iv inscr. a (Arkesilas); Athen. i. 3e (Simonides, fr. 19 n.) (Leophron); B 37 (Kallias); cf. also Diod. xi. 48^{1}, 53^{1}, 65^{1}, 70^{1}, 77^{1}, 84^{1}, xii. 5^{1}, 23^{1}, 29^{1}, 33^{1}, 37^{1}; Pap. Oxy. 222. Victors entertained in Prytaneion at Athens: B $71^{12, 16}$.

Ὄλυνθος, synoikism: *Thuc. i.* 58^{2}; Diod. xii. 34^{2}. Battle of Poteidaia: *Thuc. i. 62–3.*

'Ομφάκη in Sicily: Pap. Oxy. iv. 665^{1}.

'Οπούντιοι, see *Λοκροὶ 'Οπούντιοι*.

'Ορνεαί, destroyed by Argos: Paus. viii. 27^{1}; [cf. *Thuc. vi. 7*.]

'Ορτυγία of Syracuse: Pindar, Ol. vi. 92 (157).

'Ορχομενός in Arcadia, in Persian Wars: *Her. vii. 202, ix. 28*^{4}; *B 98*^{12} (*Tod 19*); Paus. v. 23^{2}.

'Ορχομενός in Boiotia, revolt of Boiotia: *Thuc. i. 113*$^{1-2}$; (?) Theopompos, fr. 407. Coinage: C 1 (*d*).

Παγαί, see *Πηγαί*.

Παγασαί, Greek fleet winters: Plut. Them. 20^{1}.

(?) [*ἐμ Παιδ*]*νι*, Athenian operations: B 9^{37}.

Παλαιγάμβριον, given to Gongylos: *Xen. Hell. iii. 1*^{6}.

Παλαίσκηψις, given to Themistokles: Plut. Them. 29^{11} (Neanthes, fr. 17; Phanias, fr. 10); Schol. Ar. Eq. 84 (Neanthes, fr. 17); Athen. i. 29f. Cf. *ATL Σκάψιοι*.

Παλῆς of Kephallenia, in Persian Wars: *Her. ix. 28*^{5}. Help to Corinth: *Thuc. i. 27*^{2}.

Παλική, founded by Douketios: Diod. xi. 88^{6}, 90^{1}. Shrine of Palikoi: Diod. xi. 89; Aesch. frs. 6–7.

Παλίνουρος in Italy: Strabo vi. 1^{1}. 253.

Παλλήνη, (?) Athenian activity: Aesch. Eum. 295–6. Poteidaian wall: *Thuc. i. 56*^{2}. Athenians wall off: *Thuc. i. 64*.

Παμφυλία, battle of Eurymedon, see I. 3^{7}. Limit of Athenian empire: Dion. Hal. AR i. 3^{2}; cf. Plut. Cim. 12^{1}. Cf. *Φάσηλις*.

Πάπρημις in Egypt, defeat of Achaimenes: *Her. iii. 12*^{4}.

Παρθενών of Athens, see II. 5^{5}. Inventories: *B 68* (*Tod 69, 70, 78*).

Παρνασσός, Spartans and Phokis: Diod. xi. 79^{4}. Myronides: Diod. xi. 83^{2}.

Πάρος, (?) allied to Athens in 472 B.C.: Aesch. Pers. 884. Parians honoured by Athens: B 35.

Πάφος in Cyprus, (?) allied to Athens in 472 B.C.: Aesch. Pers. 893.

Πειραιεύς, fortification, see II. 1^{3}. Hippodamos, see II. 5^{5}.

Πειραιεύς, Athenian colony at Amisos, see I. 10^{16}.

Πεισιανάκτειος στοά, name of Stoa Poikile: Plut. Cim. 4^{6}.

Πελασγοί in Skyros: Diod. xi. 60^{2}; (?) Ephoros, fr. 191^{228}.

Πελληνῆς, allied to Sparta in 431 B.C.: *Thuc. ii. 9*$^{2-3}$.

Πελοπόννησος, see IV. 1–4 *passim*. Settlers at Aitna: Diod. xi. 49^{1}. Congress decree: Plut. Per. 17^{2}. Settlers at Thourioi: Diod. xii. 10^{4}, 11^{3}, 35^{2}. Athenian trade: *Xen. *Ἀθπ*. 2^{7}.

Περκώτη, given to Themistokles: Plut. Them. 29^{11} (Neanthes, fr. 17; Phanias, fr. 10); Schol. Ar. Eq. 84 (Neanthes, fr. 17); Athen. i. 29f. Cf. *ATL Περκώσιοι*.

Περραιβοί, medism: *Her. vii. 132*^{1}.

Πέρσαι, Spartan and Athenian operations, see I. 1, 3, 6 *passim*. Peace of Kallias, see I. 6^{15}. Spartan and Athenian embassies: see IV. 4^{18}, I. 6^{16}.

Πευκέτιοι, and Taras: Paus. x. 13^{10}; B 103.

Πηγαί, held by Athens: *Thuc. i. 103*^{4}, *107*^{3}; Andok. iii. 3. Perikles' expedition: *Thuc. i. 111*^{2}; Plut. Per. 19^{2}. Revolt of Megara: *B 51*^{6} (*Tod 41*). Given up by Athens: *Thuc. i. 115*^{1}, *iv. 21*^{3}.

Πίακος in Sicily: Steph. Byz. s.v.; cf. Diod. xii. 29$^{2-4}$ n.

Πιθηκοῦσσαι, Hieron's colony: Strabo v. 4^{9}. 248.

Πισίδαι, battle of Eurymedon: Diod. xi. 61^{4}; cf. Ephoros, fr. 191$^{94-101}$. Plot against Themistokles: Plut. Them. 30.

Πλαταιαί, in Persian Wars: *Her. vii. 132*^{1}, *viii. 1*^{1}, *44*^{1}, *ix. 28*^{6}; *B 98*^{17} (*Tod*

19); *Thuc. iii. 54*^{4}; Paus. v. 23^{2}. Memorials of battle, etc., see I. 1$^{4-5}$. Prosecution of Sparta: *Dem. lix. 98. Help Sparta against Helots: *Thuc. iii. 54*^{5}. Allied to Athens in 431 B.C.: *Thuc. ii. 9*^{4}.

Ποικίλη στοά, see II. 2^{9}.

Πόντος, Pausanias' dedication: *Her. iv. 81*^{3}; Nymphis, fr. 9. See I. 10$^{10-16}$.

Ποσειδωνία, and New Sybaris: C 19 (*a*), (*c*)–(*f*).

Ποτείδαια, in Persian Wars: *Her. ix. 28*^{3}; *B 98*^{28} (*Tod 19*); Paus. v. 23^{2}. Revolt from Athens, see I. 11^{3}.

Πριήνη, quarrel of Samos and Miletos: *Thuc. i. 115*^{2}; Diod. xii. 27^{1}; Plut. Per. 25^{1}. Cf. *ATL Πριανῆς*.

Προποντίς, (?) Athenian allies in 472 B.C.: Aesch. Pers. 876. Athenian colony, see *Ἀστακός*.

Προπύλαια of Athens, see II. 6^{3}.

Προσωπῖτις, Athenians besieged: *Thuc. i. 109*^{4}; Diod. xi. 77^{2}, xii. 3^{1}; Aristod. 11^{4}.

Πρυτανεῖον at Athens, qualifications for entertainment: B 71.

Πύδνα, Themistokles' flight: *Thuc. i. 137*^{1}; Plut. Them. 25^{2}; Nepos, Them. 8^{5}. Athenian siege: *Thuc. i. 61*$^{2-3}$.

Πύθια, see *Δελφοί*.

Πύλαι, Πυλαία, Amphiktiony: B 21$^{6, 15}$ (Tod 39).

Πυξοῦς, Mikythos' colony: Diod. xi. 59^{4}; Strabo vi. 1^{1}. 253.

Πύργος, relations with Elis: *Her. iv. 148*^{4}.

Ῥαμνοῦς, temple and statue of Nemesis, see II. 6^{3}.

Ῥήγιον, tyranny of Anaxilas, etc., see V. 5.

Ῥήνεια, Athenian administration of temple property, *B 77*$^{11, 20-1, 25}$ (*Tod 54*).

Ῥόδος, (?) allied to Athens in 472 B.C.: Aesch. Pers. 891. Congress decree: Plut. Per. 17^{2}. Cf. *Ἰάλυσος*.

Ῥωμαῖοι, embassy to Athens, see I. 8^{3}.

Σαλαμίς, Athenians return after Plataea: Diod. xi. 39^{1}; Dem. xxii. 13; cf. *Thuc. i. 89*^{3}; cf. *Her. viii. 41*^{1}.

Σαλαμίς in Cyprus, (?) allied to Athens in 472 B.C.: Aesch. Pers. 895. Battle: *Thuc. i. 112*^{4}; Diod. xii. 4$^{1-3}$; (?) cf. Simonides, fr. 103.

Σαλμακιτεῖς and Halikarnassos: *B 111*$^{2-3, 13}$ (*Tod 25*).

Σαμοθρᾴκη: Antiphon, fr. 50.

Σάμος, conference after Mykale: *Her. ix. 106*$^{2-4}$; Diod. xi. 37$^{1-3}$. Taken into alliance: *Her. ix. 106*^{4}. Offer hegemony to Athens: Plut. Arist. 23^{4}. (?) Allied to Athens in 472 B.C.: Aesch. Pers. 883. Proposal to move treasury: Plut. Arist. 25^{3}. Athenian treatment: Arist. Pol. 1284^{a}38, *Ἀθπ. 24*^{2}. Revolt from Athens, see I. 9^{4}. Settlement after revolt, see III. 4^{5}. Athenian sacred property: B 96 (*d*).

Σάρδεις, Themistokles and statue: Plut. Them. 31^{1}. Pissouthnes: *Thuc. i. 115*^{4}; Diod. xii. 27^{3}.

Σεισματίας at Sparta: Plut. Cim. 16^{5}.

Σελινοῦς, Syracusans ask help against Thrasyboulos: Diod. xi. 68^{1}. Victory: *B 120* (*Tod 37*). Cf. Diod. xi. 86^{2} n.

Σέριφος, in Persian Wars: *Her. viii. 46*^{4}, *48*.

Σερμυλιῆς, and Aristeus: *Thuc. i. 65*^{2}.

Σηστός, siege, see I. 1^{13}. Kimon and spoils: Plut. Cim. 9$^{3-6}$ (Ion, fr. 13); Polyaenus i. 34^{2}.

Σίγειον, Athenian operations: B 9$^{32, 99}$; (?) cf. Aesch. Eum. 398. Decree: B 28.

Σικελία, see V. 1–5 *passim*.

Τεύχειρα, and Barke: C 12 (*d*).

Τήιοι, public imprecations: *B 104* (*Tod 23*).

Τήνιοι, in Persian Wars: *Her. viii. 82*; *B 98*^{22} (*Tod 19*); Paus. v. 23^{2}. (?) Allied to Athens in 472 B.C.: Aesch. Pers. 885.

Τίγρις river, Diotimos' embassy: Strabo i. 3^{1}. 47 (Eratosthenes; Damastes, fr. 8).

Τίρυνς, at Plataea: *Her. ix. 28*^{4}; *B 98*^{16} (*Tod 19*); Paus. v. 23^{2}. Wars with Argos, etc., see IV. 3^{5}. See also *Ἁλιεῖς*, I. 5$^{1, 16}$.

Τραγία, *Τραγίαι*, Samian defeat: *Thuc. i. 116*^{1}; Plut. Per. 25^{5}.

Τράεις river, Sybarite exiles: Diod. xii. 22^{1}.

Τρινακίη, Syracuse defeats Sikels: Diod. xii. 29$^{2-4}$; cf. *Πίακος*.

Τριόπιον, starting-point for Eurymedon campaign: Plut. Cim. 12^{2}.

Τροία, Rhesos' bones: Polyaenus vi. 53.

Τροιζήν, in Persian Wars: *Her. viii. 1*^{2}, *43*, *ix. 28*^{4}; *B 98*^{14} (*Tod 19*); Paus. v. 23^{2}. Athenian return after Plataea: Diod. xi. 39^{1}; cf. *Thuc. i. 89*^{3}; cf. *Her. viii. 41*^{1}. In Athenian hands: Andok. iii. 3. Surrendered by Athens: *Thuc. i. 115*^{1}, *iv. 21*^{3}. Help to Corinth: *Thuc. i. 27*^{2}.

Τρῳάς, Pausanias at Kolonai: *Thuc. i. 131*^{1}; Nepos, Paus. 3^{3}.

Τύκη of Syracuse, Thrasyboulos and Syracusans: Diod. xi. 68^{1}.

Τυλισσός, treaty with Knossos: *B 117* (*Tod 33*).

Τυρόδιζα, (?) Athenian cleruchs: B 38^{9}.

Τυρρηνοί, *Τυρσηνοί*, raiders in Straits of Messina, Strabo vi. 1^{5}. 256–7. Battle of Cumae, see V. 2^{9}. Later Syracusan campaigns: Diod. xi. 88$^{4-5}$. Athenian designs: Plut. Per. 20^{4}.

Ὕβλα, and Douketios: Diod. xi. 88^{6}.

Ὕδρος, battle of Eurymedon: Plut. Cim. 13^{3}.

Ὑέλη, coinage: C 23 (*d*).

Ὑρία, coinage: C 23 (*e*).

Ὑσιαί, destroyed by Argos: Paus. viii. 27^{1}; [cf. *Thuc. v. 83*^{2}.]

Φάληρον, before building of Peiraeus: Diod. xi. 41^{2}; Nepos, Them. 6^{1}. Aristeides' tomb: Plut. Arist. 1^{2} (Demetrios, fr. 43), 27^{1}. Wall: *Thuc. i. 107*^{1}, *ii. 13*^{7}; Aristod. 5^{4}; Harpokr. s.v. *διὰ μέσου τείχους*; Schol. Plato, Gorg. 455e. Eleusinion: B 41$^{27, 33-4}$.

Φάρος, Egyptian revolt: *Thuc. i. 104*^{1}.

Φάρσαλος, Athenian expedition: *Thuc. i. 111*^{1}; Diod. xi. 83$^{3-4}$.

Φάσηλις, brought into Delian League: Plut. Cim. 12$^{3-4}$; cf. Steph. Byz. s.v. *Δῶρος* (Krateros, fr. 1). Judicial relations with Athens: *B 10* (*Tod 32*). Limit in Peace of Kallias: Diod. xii. 4^{5}; Aristod. 13^{2}; Isokr. iv. 118, vii. 80, xii. 59; Lykourgos 73; Suidas s.v. *Κίμων*.

Φθιῶται, see *Ἀχαιοὶ Φθιῶται*.

Φιγάλεια, Pausanias: Paus. iii. 17^{9}. Kleandros: *Her. vi. 83*^{2}. Bassai, see IV. 4^{5}.

Φλέγρα, (?) Athenian activity in Pallene: Aesch. Eum. 295–6.

Φλειοῦς, in Persian Wars: *Her. vii. 202*, *ix. 28*^{4}; *B 98*^{13} (*Tod 19*); Paus. v. 23^{2}. Help to Corinth: *Thuc. i. 27*^{2}.

Φλύα, Themistokles repairs shrine: Plut. Them. 1^{4} (Simonides, fr. 189 Edm.).

Φοίνικες, [ships withdrawn before Mykale: *Her. ix. 96*^{1}]. Eurymedon: *Thuc. i. 100*^{1}; Diod. xi. 60^{5}, 62^{3}; Plut. Cim. 12^{5}, 13^{3}; Nepos, Cim. 2^{2}; Aristod. 11^{2}; Simonides, fr. 103^{6}. Athenian operations in Phoenicia: Lykourgos 72. Operations in year of Halieis: B 14^{3} (Tod 26). Egyptian campaign: *Thuc. i. 110*^{4}; Diod. xi. 75^{2}, 77^{1}; B 113^{4}. Cyprus campaign: *Thuc. i. 112*^{4}; Diod. xii. 3^{3}; Plut. Cim. 18^{6}. Samian revolt: *Thuc. i. 116*$^{1, 3}$;

Diod. xii. 27^5; Plut. Per. 26^1; Schol. Ar. Vesp. 283. Treatment of Cyprus: Isokr. ix. 47.

Φοίνικες, Carthaginians: Pindar, Pyth. i. 72 (138), schol. 71 (137)c, Nem. ix. 28 (67), schol. 28 (67)b.

Φρίξαι, relations with Elis: *Her. iv.* 148^4.

Φρυγία, Epixyes satrap: Plut. Them. 30^1. Persians and Kimon's prisoners: Plut. Cim. 9^6 (Ion, fr. 13); Polyaenus i. 34^2.

Φωκεῖς, at Thermopylae: *Her. vii.* 203^1. Tyrant expelled: Plut. 859d. Spartan expedition, see I. 5^5. Athenian control: *Thuc. i.* 108^3, 111^1; Diod. xi. 83^3; Polyaenus i. 35^2; Aristid. XIII. i, p. 256; (?) B 21 (Tod 39). Congress decree: Plut. Per. 17^2. Sacred War, see I. 7^1. Allied to Sparta in 431 B.C.: *Thuc. ii.* 9^{2-3}; Diod. xii. 42^4.

Χαιρώνεια, Tolmides and Koroneia: *Thuc. i.* 113^1; Diod. xii. 6^1; Paus. i. 27^5; (?) Theopompos, fr. 407.

Χάλειον, treaty with Oianthea: *B 118* (*Tod 34*).

Χαλκιδεῖς, *Χαλκιδική*, coinage: C 4. Perdikkas: *Thuc. i.* 57^5, *58*, 62^3, 65^2; Diod. xii. 34^2, cf. 42^5. Phormion: Polyaenus iii. 4^1.

Χαλκίς in Euboia, in Persian Wars: *Her. viii.* 1^2, 46^2, *ix.* 28^5; *B* 98^{25} (*Tod 19*); Paus. v. 23^2. Revolt of Euboia: Schol. Ar. Nub. 213; cf. I. $7^{3, 6}$. Settlement after revolt, see III. 4^5. Hestiaia and Oropos: B 54 (*IG.* i², $40^{19-20, 23}$). Athenian sacred property: B 96 (*b*) $(i)^{3, 11, 22}$, (ii).

Χαλκίς in Aitolia: *Thuc. i.* 108^5.

Χειμέριον in Thesprotia, Corinthian base: *Thuc. i.* 30^3, 46^{3-4}, 48^1.

Χελιδονίαι islands, Perikles and Ephialtes: Plut. Cim. 13^4. Limit in Peace of Kallias: Aristod. 13^2; Dem. xix. 273; Suidas s.v. *Κίμων*; Plut. Cim. 13^4.

Χερρόνησος, Persians expelled: Plut. Cim. 14^1; cf. B 9. Cleruchy, see III. 4^9. (?) Campaign in 440/39 B.C.: B 60^1 (Tod 48).

Χίος, taken into Greek alliance: *Her. ix.* 106^4. Offers hegemony to Athens: Plut. Arist. 23^4. (?) Allied to Athens in 472 B.C.: Aesch. Pers. 883. Brings Phaselis over: Plut. Cim. 12^4; cf. *B* 19^{10-11} (*Tod 32*). Relations with Athens: *Thuc. i. 19*, *ii.* 9^{4-5}, *iii.* 10^5, *viii.* 24^4, but cf. 38^3; Arist. Pol. 1284ᵃ38, *Ἀθπ.* 24^2; Ar. Av. 880–1 with schol. (Theopompos, fr. 104; Eupolis, fr. 232; Thrasymachos, fr. B 3; Hypereides fr. 194); cf. *B* 10^{10-11} (*Tod 32*). Chians at Thourioi: Plato, Euthyd. 271c. Samian revolt: *Thuc. i.* 116^{1-2}, 117^2; Diod. xii. 27^4, 28^2; (?) Ion, fr. 6. Allied to Athens in 431 B.C.: *Thuc. ii.* 9^{4-5}.

Χοάσπης river, Diotimos: Strabo i. 3^1. 47 (Eratosthenes; Damastes, fr. 8).

Ὠιδεῖον, at Athens, see II. 5^5.

Ὠρεός, Hestiaia: Theopompos, fr. 387; Ar. Pax 1046–7; cf. *Ἑστιαία*.

Ὠρωπός, Hestiaia and Chalkis: B 54 (*IG.* i², 40^{20-2}).

TABLE 1

ATHENIAN ARCHONS 481–402 B.C.

Ol.	B.C.	*Archon*	
74^{4}	481/0	Ὑψιχίδης	*Arist. Ἀθπ. 22*^{8}.
75^{1}	480/79	Καλλιάδης	*Her. viii. 51*^{1}; *Marm. Par. 51*; *Diod. xi. 1*^{2}; *Dion Hal. AR ix. 1*^{1}; *Diog. Laert. ii. 5. 45*; etc.
75^{2}	479/8	Ξάνθιππος	*Marm. Par. 52*; *Diod. xi. 27*^{1}; Plut. Arist. 5^{10} (Ξανθιππίδην).
75^{3}	478/7	Τιμοσθένης	Marm. Par. 53; Diod. xi. 38^{1}; *Arist. Ἀθπ. 23*^{5}.
75^{4}	477/6	Ἀδείμαντος	Marm. Par. 54; Diod. xi. 41^{1}; Plut. Them. 5^{5}; Simonides, fr. 77^{1}.
76^{1}	476/5	Φαίδων	Diod. xi. 48^{1}; *Dion. Hal. AR ix. 18*^{1}; Plut. Thes. 36^{1}; Schol. Aeschin. ii. 31 (34).
76^{2}	475/4	Δρομοκλείδης	Diod. xi. 50^{1}.
76^{3}	474/3	Ἀκεστορίδης	Diod. xi. 51^{1} (Ἀκατεστορίδου).
76^{4}	473/2	Μένων	Diod. xi. 52^{1}; Hypoth. Aesch. Pers.
77^{1}	472/1	Χάρης	Marm. Par. 55; Diod. xi. 53^{1}; *Dion. Hal. AR ix. 37*^{1}.
77^{2}	471/0	Πραξίεργος	Diod. xi. 54^{1}.
77^{3}	470/69	Δημοτίων	Diod. xi. 60^{1}.
77^{4}	469/8	Ἀψεφίων	Marm. Par. 56 (Ἀψηφίωνος); Diod. xi. 63^{1} (Φαίωνος, Φαίδωνος); *Apollodoros, fr. 34* (*Diog. Laert. ii. 5. 44*); Plut. Cim. 8^{8} (Ἀφεψίων).
78^{1}	468/7	Θεαγενίδης	Marm. Par. 57; Diod. xi. 65^{1}; *Dion. Hal. AR ix. 56*^{1}; Hypoth. Aesch. Sept. (Θεαγένους); Schol. Ar. Lys. 1144; **Plut. 835a* (Θεογενίδης).
78^{2}	467/6	Λυσίστρατος	Diod. xi. 66^{1}.
78^{3}	466/5	Λυσανίας	Diod. xi. 67^{1}.
78^{4}	465/4	Λυσίθεος	Diod. xi. 69^{1}.
79^{1}	464/3	Ἀρχεδημίδης	Diod. xi. 70^{1}; *Dion. Hal. AR ix. 61*^{1}; Paus. iv. 24^{5} (Ἀρχιμήδους).
79^{2}	463/2	Τληπόλεμος	Diod. xi. 71^{1}.
79^{3}	462/1	Κόνων	Diod. xi. 74^{1}; *Arist. Ἀθπ. 25*^{2}.
79^{4}	461/0	Εὔθιππος	Marm. Par. 58; Diod. xi. 75^{1} (Εὐίππου v.).
80^{1}	460/59	Φρασικλῆς	Diod. xi. 77^{1} (Φιλοκλείδου, Φασικλείδου); *Dion. Hal. AR x. 1*^{1}; *Plut. 835c.
80^{2}	459/8	Φιλοκλῆς	Diod. xi. 78^{1}; Hypoth. Aesch. Agam.; *IG ii*^{2}*. 2318*^{41} ([Φιλο]κλέους); *Plut. 835c, *836a*.
80^{3}	458/7	Ἅβρων	Diod. xi. 79^{1} (Βίων); *IG ii*^{2}*. 2318*^{52}; (?) *B 22*^{3} (*Tod 31*) ([*há*]βρον).
80^{4}	457/6	Μνησιθείδης	Diod. xi. 81^{1}; *Arist. Ἀθπ. 26*^{2}; *Schol. Ar. Ach. 10* (Μνησίθεον).
81^{1}	456/5	Καλλίας	Marm. Par. 59 (Καλλέου); Diod. xi. 84^{1}; *Dion. Hal. AR x. 26*^{1}; *Schol. Ar. Ach. 10, schol. Nub. 971*; Schol. Aeschin. ii. 75 (78); *Vita Eurip. 1*.

Ol.	B.C.	*Archon*	
81^2	455/4	Σωσίστρατος	Diod. xi. 85^1.
81^3	454/3	Ἀρίστων	Diod. xi. 86^1; restored, *ATL*, *list* 1^3.
81^4	453/2	Λυσικράτης	Diod. xi. 88^1; *Arist.* Ἀθπ. 26^3; (?) Schol. Aeschin. ii. 31 (34); (?) B 26^2 (Λ[υσι]κ[ράτες]).
82^1	452/1	Χαιρεφάνης	*Dion. Hal. AR x.* 53^1.
82^2	451/0	Ἀντίδοτος	Diod. xi. 91^1; *Arist.* Ἀθπ. 26^4; B 28^5 (Ἀν[τίδοτος]).
82^3	450/49	Εὔθυνος	Diod. xii. 3^1 (Εὐθυδήμου); B $30^{63, 88}$; (?) Anon. Argent.[5] (see under Dem. xxii. 13) ([Εὐ]θυδήμο[υ]). (For similar variants, cf. Εὔθυνος, 426/5 B.C.)
82^4	449/8	Πεδιεύς	Diod. xii. 4^1.
83^1	448/7	Φίλισκος	Diod. xii. 5^1; *Dion. Hal. AR x. 61, xi.* 1^1.
83^2	447/6	Τιμαρχίδης	Diod. xii. 6^1.
83^3	446/5	Καλλίμαχος	Diod. xii. 7^1, 10^3.
83^4	445/4	Λυσιμαχίδης	Diod. xii. 22^1; Schol. Ar. Vesp. 718 (Philochoros, fr. 119).
84^1	444/3	Πραξιτέλης	Diod. xii. 23^1; *Plut. 835d.
84^2	443/2	Λυσανίας	Diod. xii. 24^1.
84^3	442/1	Δίφιλος	Marm. Par. 60; Diod. xii. 26^1; *Dion. Hal. AR xi.* 62^1; Hesych. s.v. Ἐρετριακὸς κατάλογος.
84^4	441/0	Τιμοκλῆς	Diod. xii. 27^1; Schol. Ar. Vesp. 283; *IG xiv.* 1097^3; restored, B 61^6 (Tod 50).
85^1	440/39	Μορυχίδης	Diod. xii. 29^1 (Μυριχίδου, Μυριοχίδου); Schol. Ar. Ach. 67, schol. Vesp. 283; *Suidas s.v.* Εὐθυμένης; *IG xiv.* 1097^{13}; restored, B 61^6 (Tod 50).
85^2	439/8	Γλαυκῖνος	Diod. xii. 30^1 (Γλαυκίδου); Schol. Ar. Ach. 67; *Hypoth. Eur. Alc.*
85^3	438/7	Θεόδωρος	Diod. xii. 31^1; Schol. Ar. Ach. 67, schol. Pax 605 (Philochoros, fr. 121, Πυθοδώρου); *IG xiv.* 1097^4.
85^4	437/6	Εὐθυμένης	Diod. xii. 32^1; Ar. Ach. 67 with schol.; *Suidas s.v.* Εὐθυμένης; Schol. Aeschin. ii. 31 (34); Harpokr. s.v. Προπύλαια ταῦτα (Philochoros, fr. 36); *IG* i^2. 363^3, 349^3 ([Εὐθυμέ]νος) (*B 65, 43*).
86^1	436/5	Λυσίμαχος	Diod. xii. 33^1 (Ναυσιμάχου); *Dion. Hal. Isokr. 1*; **Plut. 836f*; *Diog. Laert. iii. 3*; *IG xiv.* 1097^{12}.
86^2	435/4	Ἀντιοχίδης	Diod. xii. 34^1 (Ἀντιλοχίδου dett.); *IG xiv.* $1097^{1, 6}$.
86^3	434/3	Κράτης	Diod. xii. 35^1 (Χάρητος); *IG* i^2. 352^6 (*B 43, Tod 52*); *B* 77^{17} (*Tod 54*).
86^4	433/2	Ἀψεύδης	Diod. xii. 36^1; Schol. Ar. Av. 997 (Philochoros, fr. 122); *Ptolemy, Almag. iii. 2*; *B* 73^4 (*Tod 58*), 74^8 (*Tod 57*), 77^{22} (*Tod 54*); *IG* i^2. 353^7 (*B 43*); restored, *B* $72^{1-2, 13}$ (*Tod 55*).
87^1	432/1	Πυθόδωρος	*Thuc. ii.* 2^1; Diod. xii. 37^1; *Arist.* Ἀθπ. 27^2;

Ol.	B.C.	*Archon*	
			Schol. Ar. Pax 605 (Philochoros, fr. 121, Σκυθοδώρου), *schol.* 990 (*Philochoros, fr.* 123), schol. Av. 997 (Philochoros, fr. 122); Suidas s.v. *Μέτων*; *Hypoth. Eur. Med.*; *IG xiv.* 1097^5 (*Πυ[θοδώρου]*).
87^2	431/0	Εὐθύδημος	Diod. xii. 38^1; *Athen. v. 217a.*
87^3	430/29	Ἀπολλόδωρος	*Diod. xii.* 43^1; *Athen. v. 217a–b*; *Anon.* περὶ κωμῳδίας *iii. 43.*
87^4	429/8	Ἐπαμείνων	*Diod. xii.* 46^1 (Ἐπαμινώνδου); *Athen. v. 217e*; *Diog. Laert. iii. 3* (Ἀμεινίου, cf. 423/2 B.C.); *Hypoth. Eur. Hippol.* (Ἀμείνονος, Ἀμεινῶνος, Ἀμήνονος); B 81^{90-1} ([Ἐπαμεί]|νονος).
88^1	428/7	Διότιμος	*Diod. xii.* 49^1; *Anon.* περὶ κωμῳδίας *iii. 50* (Φιλοτίμου).
88^2	427/6	Εὐκλῆς	*Diod. xii.* 53^1 (Εὐκλείδου); *Schol. Ar. Eq. 237* (Εὐκλείδου), *schol. Vesp. 240* (*Demetrios* (?) *of Phaleron*); *Arist. Meteor. i.* 6^8. 343^b4; *Suidas, Photios s.v.* Σαμίων ὁ δῆμος.
88^3	426/5	Εὔθυνος	*Diod. xii.* 58^1 (Εὐθυδήμου); *Schol. Lucian, Tim. 30* (*Philochoros, fr. 128*); *Athen. v. 218b* (Εὐθυδήμου); *Vita anon. Thuc. 8*; *Hypoth. Ar. Ach.* (Εὐθύνου, Εὐθυμένους); *B* 88^5 (*Tod 64*).
88^4	425/4	Στρατοκλῆς	*Diod. xii.* 60^1; *Hypoth. Ar. Eq.*, *schol. Nub. 584*; *Strabo viii.* 4^2. *359*; B $87^{56-7, 59}$ (Tod 66), *88^{17} (Tod 64).*
89^1	424/3	Ἴσαρχος	*Diod. xii.* 65^1 (Ἴσαρχος, Ἵππαρχος); *Hypoth. v. Ar. Nub.*, *schol. 549*, *schol. Vesp. 210* (*Philochoros, fr. 129*), schol. 718 (Philochoros, fr. 130), *schol. Pax 990* (*Philochoros, fr. 123*); *Athen. v. 218d*; *B* 88^{25} (*Tod 64*).
89^2	423/2	Ἀμεινίας	*Diod. xii.* 72^1; *Hypoth. v. Ar. Nub.*, *schol. 31*, *schol. 549* (*Androtion, fr. 40*), *Hypoth. i. Vesp.*; *Athen. v. 218d*; *Schol. Lucian, Tim. 30*; restored, *B* 88^{37} (*Tod 64*).
89^3	422/1	Ἀλκαῖος	*Thuc. v.* 19^1, 25^1; *Diod. xii.* 73^1; *Schol. Ar. Nub. 549* (*Androtion, fr. 40*), *Hypoth. i. Pax*, *schol. 466* (*Philochoros, fr. 131*, Ἀλκήν, Ἀλκιβιάδου), *990*; *Schol. Aeschin. ii. 31* (*34*); *Athen. v. 218b, d*; *IG ii*^{2}. 2318^{120}; restored, *IG i*^{2}. 311^2.
89^4	421/0	Ἀριστίων	*Diod. xii.* 75^1 (Ἀρίστωνος); *Schol. Aeschin. ii. 175* (*186*) (Ἀρίστωνος); *Athen. v. 216d, f, 218d*; *IG i*^{2}. 82^{6-7}, 84^3, 311^9, 370^5; *ATL, list* 34^2.
90^1	420/19	Ἀστύφιλος	*Marm. Par. 61*; *Diod. xii.* 77^1 (Ἀριστοφίλου, Ἀριστοφύλου); *Athen. v. 218d*; *IG i*^{2}. 311^{16}, 370^{10}; *IG ii*^{2}. 4960^{12}.
90^2	419/18	Ἀρχίας	*Diod. xii.* 78^1; *IG i*^{2}. 311^{22-3}, restored 370^{13}; *IG ii*^{2}. 2319^{77}, 4960^{13}.

Ol.	B.C.	Archon	
90^3	418/17	Ἀντιφῶν	*Diod. xii. 80*^{1}; *IG i*^{2}. *94*^{3}, *370*^{14}, restored *302*^{1} (*Tod 75*); (?) *IG i*^{2}. *95*^{12} (cf. Woodhead, *Hesp.* xviii (1949), 82); *IG ii*^{2}. *2319*^{84}, *4960*$^{16-17}$.
90^4	417/16	Εὔφημος	*Diod. xii. 81*^{1}; *Athen. v. 216f–217b*; *IG i*^{2}. *96*^{3}, *149*^{4}; restored, *IG i*^{2}. *302*^{23} (*Tod 75*), *370*^{18}, *ii*^{2}. *4960*^{18}.
91^1	416/15	Ἀρίμνηστος	*Diod. xii. 82*^{1} (Ἀριστόμνητος, Ἀριστόμνηστος); *Isaios vi. 14*; *Hypoth. ii. Ar. Av.*; *Hesych. s.v.* Ἑρμοκοπίδαι; *ATL, list 39*$^{5-6}$; restored, *IG i*^{2}. *302*^{35} (*Tod 75*), *370*^{18}.
91^2	415/14	Χαρίας	*Diod. xiii. 2*^{1} (Χαβρίου); *Hypoth. i, ii. Ar. Av., schol. 766* (*Philochoros, fr. 134*), schol. 997, *schol. Plut. 179* (all read Χαβρίου); *IG i*^{2}. *770a*^{3}; *SEG x. 111*^{4}; restored, *IG i*^{2}. *302*^{51} (*Tod 75*), *IG ii*^{2}. *4960*^{21}.
91^3	414/13	Τείσανδρος	*Diod. xiii. 7*^{1} (Πισάνδρου, Πεισάνδρου); *IG ii*^{2}. *4960*$^{23-4}$ ([Τείσα]|νδρος), *6217*^{2} (*Tod 105*).
91^4	413/12	Κλεόκριτος	*Diod. xiii. 9*^{1}; *Plut. 835d (Κλεάρχου), *e*; *Hypoth. i. Ar. Lys*; *IG ii*^{2}. *4960*$^{27-8,\ 34-5}$.
92^1	412/11	Καλλίας Σκαμβωνίδης	*Diod. xiii. 34*^{1}; *Dion. Hal. Lys. 1*; **Plut. 835d, e*; *Arist.* Ἀθπ. *32*^{1}; *Hypoth. i. Ar. Lys., schol. 173* (*Philochoros, fr. 138*); *IG i*^{2}. *103*^{5}, restored *104*^{1}; *IG ii*^{2}. *4960*^{38}, *7404*^{1}.
92^2	411/10	Μνασίλοχος	*Arist.* Ἀθπ. *33*^{1}; *IG i*^{2}. *298*^{2} ([Μνασιλό]χου).
		Θεόπομπος	*Diod. xiii. 38*^{1}; *Arist.* Ἀθπ. *33*^{1}; *Lysias xxi. 1*; *Schol. Eur. Or. 371* (*Philochoros, fr. 139*); **Plut. 833d.*
92^3	410/09	Γλαύκιππος	*Diod. xiii. 43*^{1}; *Lysias xxi. 1*; *Dion. Hal. Lys. 21* (*Hypoth. Lys. xxxii*); *Schol. Ar. Plut. 972* (*Philochoros, fr. 140*); *Hypoth. Soph. Phil.*; *IG i*^{2}. *108*$^{5-6}$ (*B 89, Tod 84*), *109*$^{6-7}$, *110*^{1} (*Tod 86*), *110a*^{4}, *304A*^{1} (*Tod 83*); *IG ii*^{2}. *142*^{4}; *Tod 85*^{8}.
92^4	409/8	Διοκλῆς	*Diod. xiii. 54*^{1}; *Lysias xxi. 2*; *Schol. Eur. Or. 371* (*Philochoros, fr. 139*); **Plut. 851e*; *Schol. Ar. Plut. 179*; *IG i*^{2}. *115*^{2}, *372*$^{5-6}$.
93^1	408/7	Εὐκτήμων	*Marm. Par. 62*; *Diod. xiii. 68*^{1}; **Xen. Hell. i. 2*^{1}; *Schol. Arist. Eth. v. 10. 1134*^{b}*18* (*Androtion, fr. 44*); *IG i*^{2}. *118*^{5} (*B 91*, (*Tod 90*), *119*^{4}, *120*^{6}, *121*^{2}, *313*$^{2,\ 174}$, *374*^{1}, *398*^{2}.
93^2	407/6	Ἀντιγένης	*Marm. Par. 63*; *Diod. xiii. 76*^{1}; **Xen. Hell. i. 3*^{1}; *Dion. Hal. AR vii. 1*^{5}; *Hypoth. i, iii Ar. Ran., schol. 33, 694, 720* (*Hellanikos, fr. 172*; *Philochoros, fr. 141*), *1422*; *IG i*^{2}. *123*^{3}, (?) *105*^{3} (cf. Meritt, *AFD* 109), (?) *255*^{323} (*B 68*); *IG ii*^{2}. *1382*^{17}, *1401*^{3}.

Ol.	B.C.	*Archon*	
93³	406/5	Καλλίας Ἀγγελῆθεν	*Marm. Par. 64; Diod. xiii. 80¹; *Xen. Hell. i. 6¹; Dion. Hal. AR vii. 1⁵; Arist. Ἀθπ. 34¹; Andok. i. 77; Athen. v. 218a; Hypoth. ii Soph. Oed. Col.; Hypoth. i, iii Ar. Ran., schol. 405 (Arist. fr. 630), 694, 725; IG i². 124³, 255³²⁹ (B 68).*
93⁴	405/4	Ἀλεξίας	*Diod. xiii. 104¹; *Xen. Hell. ii. 1¹⁰; Lysias xxi. 3; Arist. Ἀθπ. 34²; IG ii². 1⁶ (=IG i². 126, Tod 96)*; restored, *IG i². 255³²³ (B68).*
94¹	404/3	Πυθόδωρος (ἀναρχία)	*Diod. xiv. 3¹; *Xen. Hell. ii. 3¹; Lysias vii. 9; Arist. Ἀθπ. 35¹, 41¹; *Plut. 835f.*
94²	403/2	Εὐκλείδης	*Diod. xiv. 12¹; Andok. i. 87–99; Lysias xxi. 4; Isaios vi. 47, viii. 43; Aeschin. i. 39 with schol.; Dem. xxiv. 42 with schol., 133–4, *xliii. 51, lvii. 30; Arist. Ἀθπ. 39¹; Athen. vii. 329c (Archippos, fr. 27), xiii. 577b; *Plut. 835f,* Arist. 1⁶; *Lucian, Hermot. 76, Catapl. 5; Suidas, Photios s.v. Σαμίων ὁ δῆμος*; etc. *IG ii². 1⁵⁷ (Tod 97¹⁷) 2⁷⁻⁸, 1370³.*

TABLE 2

ATHENIAN GENERALS 441/40–429/8 B.C.

441/0

I.	Σωκράτης Ἀναγυράσιος	Androtion, fr. 38.
II.	Σοφοκλῆς Σοφίλλου ἐκ Κολωνοῦ	Androtion, fr. 38.
III.	Ἀνδοκίδης Κυδαθηναιεύς	Androtion, fr. 38.
IV.	Κρέων Σκαμβωνίδης	Androtion, fr. 38.
V.	Περικλῆς Ξανθίππου Χολαργεύς	Androtion, fr. 38, cf. *Thuc. i. 116¹* Diod. xii. 27¹, Plut. Per. 25².
V.	Γλαύκων Λεάγρου ἐκ Κεραμέων	Androtion, fr. 38.
VI.	Καλλίστρατος Ἀχαρνεύς	Androtion, fr. 38.
VII.	Ξενοφῶν Εὐριπίδου Μελιτεύς	Androtion, fr. 38.
	Λαμπίδης Πειραιεύς	Androtion, fr. 38, cf. n.
	Γλαυκέτης † Ἀθηναῖος	
X.	Κλειτοφῶν Θοραιεύς	Androtion, fr. 38.

440/39

III.	Φορμίων Ἀσωπίου Παιανιεύς	*Thuc. i. 117².*
III.	Ἅγνων Νικίου Στειριεύς	*Thuc. i. 117².*
V.	Περικλῆς Ξανθίππου Χολαργεύς	*Thuc. i. 116¹*, etc.
IX.	Τληπόλεμος	*Thuc. i. 117².*
	Θουκυδίδης (? Πανταινέτου Γαργήττιος II)	*Thuc. i. 117²*, cf. VI. Θουκυδίδης.
	Ἀντικλῆς	*Thuc. i. 117².*
	(?) Ἐπιτέλης	B 60⁴ (Tod 48).

439/8

I.	[Σωκράτης Ἀναγυράσιος]	restored B 62^{41}.
II.	Δημ[οκλείδης]	B 62^{42}.
III.	[Φορμίων Ἀσωπίου Παιανιεύς]	restored B 62$^{42-3}$.
IV.	X.....^{10}....	B 62^{43}.
V.	[Περικλ]ῆς Ξανθίππου Χολαργεύς	B 62$^{43-4}$.
V.	Γλαύκων Λεάγρου ἐκ Κεραμέων	B 62^{44}.
VI.	[Καλλ]ί[στρατος Ἀχαρνεύς]	B 62^{44}.
VII.	Ξε[νοφῶν Εὐριπίδου Μελιτεύς]	B 62^{45}.
IX.	Τληπμ[όλεμος]	B 62^{45}.
X.	....	B 62^{46}.

438/7–436/5

435/4

(?) V.	Γ[λαύκων Λεάγρου ἐκ Κεραμέων]	B 65 (*IG* i^{2}. 365^{13}).
(?)VII.	[Πρω]τέας Ἐπικλέους Αἰξωνεύς	B 65 (*IG* i^{2}. 365^{15}).

434/3

433/2

I.	Διότιμος Στρομβίχου Εὐωνυμεύς	*B* 72^{9} (*Tod* 55); *Thuc. i.* 45^{2}.
V.	Περικλῆς Ξανθίππου Χολαργεύς	Plut. Per. 16^{3}.
V.	Γλαύκων Λεάγρου ἐκ Κεραμέων	*B* 72$^{19-20}$ (*Tod* 55); *Thuc. i.* 51^{4}.
VI.	Λακεδαιμόνιος Κίμωνος Λακιάδης	*B* 72^{8} (*Tod* 55); *Thuc. i.* 45^{2}; Plut. Per. 29$^{1-2}$.
VII.	Πρωτέας Ἐπικλέους Αἰξωνεύς	*Thuc. i.* 45^{2}; restored *B* 72^{9} (*Tod* 55).
VIII.	[Μεταγ]ένης Κοιλεύς	*B* 72^{20} (*Tod* 55).
X.	Δρακοντίδης Θοραιεύς	*B* 72$^{20-1}$ (*Tod* 55); all MSS. of *Thuc. i.* 51^{4} read Ἀνδοκίδης ὁ Λεωγόρου.
(?) III.	Φορμίων Ἀσωπίου Παιανιεύς	*Thuc. ii.* 68^{7}, *i.* 64^{2}.
	(?) Ἀρχέστρατος Λυκομήδους	*Thuc. i.* 57^{6}.
	(?) Καλλίας Καλλιάδου	*Thuc. i.* 61^{1}.
	(?) Ἀρχενα[ύτης]	B 65 (*IG*. i^{2}. 367^{5}).

432/1

II.	Σωκράτης Ἀντιγένους Ἁλαιεύς	*B* 79$^{31, 39}$; *Thuc. ii.* 23^{2}.
III.	Φορμίων Ἀσωπίου Παιανιεύς	restored B 79^{13}; *Thuc. i.* 64^{2}.
V.	Περικλῆς Ξανθίππου Χολαργεύς	*Thuc. ii.* 13^{1}, etc.
V.	Καρκίνος Ξενοτίμου Θορίκιος	*B* 79$^{31, 36, 38}$; *Thuc. ii.* 23^{2}.
VII.	Πρωτέας Ἐπικλέους Αἰξωνεύς	*B* 79^{31}; *Thuc. ii.* 23^{2}.
	Εὐκράτης	B 79^{5}.
	(?) Ἀρχέστρατος Λυκομήδους	*Thuc. i.* 57^{6}.
	(?) Καλλίας Καλλιάδου	*Thuc. i.* 61^{1}.
	(?) Κλεόπομπος Κλεινίου	*Thuc. ii.* 26^{1}.

431/0

II.	Σωκράτης Ἀντιγένους Ἁλαιεύς	see 432/1.
III.	Φορμίων Ἀσωπίου Παιανιεύς	*Thuc. ii.* 58^{2}.
V.	Περικλῆς Ξανθίππου Χολαργεύς	*Thuc. ii.* 31^{1}, 55^{2}.
V.	Καρκίνος Ξενοτίμου Θορίκιος	see 432/1.
VII.	Πρωτέας Ἐπικλέους Αἰξωνεύς	see 432/1.
	Κλεόπομπος Κλεινίου	*Thuc. ii.* 26^{1}.

430/29

III.	*Φορμίων Ἀσωπίου Παιανιεύς*	*Thuc. ii.* 69[1].
III.	*Ἅγνων Νικίου Στειριεύς*	*Thuc. ii.* 58[1].
V.	*Περικλῆς Ξανθίππου Χολαργεύς*	*Thuc. ii.* 59[3].
VII.	*Ξενοφῶν Εὐριπίδου Μελιτεύς*	*Thuc. ii.* 70[1], 79[1, 7].
	Ἑστιόδωρος Ἀριστοκλείδου	*Thuc. ii.* 70[1], cf. 79[1, 7].
	Φανόμαχος Καλλιμάχου	*Thuc. ii.* 70[1], cf. 79[1, 7].
	Κλεόπομπος Κλεινίου	*Thuc. ii.* 58[1].
	Μελήσανδρος	*Thuc. ii.* 69[1].

429/8

III.	*Φορμίων Ἀσωπίου Παιανιεύς*	*Thuc. ii.* 103[1].
V.	*Περικλῆς Ξανθίππου Χολαργεύς*	*Thuc. ii.* 65[4].
VI.	*Κλεϊππίδης Δεινίου Ἀχαρνεύς*	*Thuc. iii.* 3[2].

TABLE 3

TRIBUTE OF THE ATHENIAN EMPIRE, 453–431 B.C.

The following abbreviations have been used:

( ) tribute restored.
[ ] state restored.
[( )] both tribute and state restored.
X quota partly extant, showing irregular payment.
abs. absent from full panel.
? note at the end of district.

1 states listed at the end of the last column in 447, under the heading *Μ[ετὰ Διονύσια]*.
2 states paying *ἐπιφορά* (*ATL* i. 450–3).
3 states listed as *ἄτακτοι* (*ATL* i. 455).
4 states listed under the heading *πόλεις αὐταὶ φόρον ταξάμεναι* (*ATL* i. 455–6).
5 states listed under the heading *πόλεις ἃς οἱ ἰδιῶται ἐνέγραψαν φόρον φέρειν* (*ATL* i. 455).

For the principles on which this table has been compiled, see Introduction, pp. xvi–xvii.

TABLE 3: TRIBUTE OF THE ATHENIAN EMPIRE, 453–431 B.C.

For abbreviations see previous page.

I. IONIAN DISTRICT

	453	452	451	450	449	448	447	446	445	444	443
1. *Νισύριοι*	..	..	1·3000	..	..	..	..	..	(—)	..	..
2. *Λέρος*	3	..	..	..	..	..	..	..	..	..	..
3. *Τειχιοῦσσα*	(—)	..	..	..	..	..	..	..	..	..	..
4. *Μιλήσιοι*	..	..	(—)	..	10	..	..	(—)	..	..	..
5. *Μυήσσιοι*	..	..	1·3000	..	1	..	..	(1)	(—)	..	..
6. *Θερμαῖοι ἐξ 'Ικάρου*	(3000)	..	(3000)	3000	3000	..	(3000)	3000	..	..	..
7. *Οἰναῖοι ἐξ 'Ικάρου*	1·2000	1·2000	..	1·2000	(1)	..	(1)	1	4000	..	(4000)
8. *Πριανῆς*	..	1	..	..	1	..	(1)	[(1)]	(—)	..	..
9. *Μαιάνδριοι*	4000	..	(4000)	..	..	..	..	..	..	4000	..
10. *Μαραθήσιοι*	..	..	..	..	..	..	..	..	..	..	..
11. *Πυγελῆς*	..	..	..	..	..	..	..	..	(1)	..	(1)
12. *'Ισίνδιοι*	..	..	..	..	..	..	..	..	..	[1000]	..
13. *'Εφέσιοι*	[7·3000]	7·3000	7·3000	..	(7·3000)	..	..	7·3000	..	6	6
14. *Νοτιῆς*	2000	2000	2000	2000	2000	..	2000	[2000]	(2000)	..	..
15. *Διοσερῖται*	1000	1000	..	..	1000	..	1000	[1000]	..	..	..
16. *Λεβέδιοι*	..	..	..	3	(3)	..	[(3)]	[3]	1	..	(1)
17. *Κολοφώνιοι*	3	3	3	(3)	..	..	..	..	1·3000	(1·3000)	..
18. *Τήϊοι*	..	..	..	6	6	..	6	6	6	..	(6)
19. *Αἰραῖοι*	3	(3)	..	..	(3)	..	[3]	3	1	..	..
20. *'Ερυθραῖοι*	..	..	..	..	(—) 8·3300	..	(9)	8·4000 2000	..	..	7
21. *Βουθειῆς*	(—)	3	..	..	..	..	..	..	..	..	..
22. *Πτελεούσιοι*	..	..	..	..	..	..	..	..	..	..	..
23. *Σιδούσιοι*	..	..	..	..	..	..	..	..	..	..	..
24. *Πολιχναῖοι*	..	..	..	..	..	..	..	..	..	..	4000
25. *'Ελαιούσιοι*	..	..	..	..	..	..	..	..	..	..	100
26. *Κλαζομένιοι*	(1·3000)	(1·3000)	1·3000	1·3000	(1·3000)	..	1·3000	[(1·3000)]	(1·3000)	..	(1·3000)
27. *Φωκαιῆς*	..	..	3	3	..	..	(3)	3	1·5250	..	(1·5250)
28. *Κυμαῖοι*	..	..	12	12	..	..	[9]	9	9	..	9
29. *Μυριναῖοι*	..	..	1	1	1	..	[(1)]	1	1	..	(1)
30. *Γρυνειῆς*	..	1000	(1000)	..	..	..	1000	1000	(1000)	..	..

	442	441	440	439	438	437	436	435	434	433	432	431
1. Νισύριοι	[(1)]	1	..	1	[(1)]	..	..	..	..	..	(1)	..
2. Λέρος	..	..	..	..	..	..	..	..	..	..	..	..
3. Τειχιοῦσσα	..	..	..	..	..	..	..	..	..	..	..	..
4. Μιλήσιοι	5	(5)	..	5	[(5)]	(—)	..	..	..	..	(—)	(—)
5. Μυήσσιοι	(1)	(1)	(1)	1	[(1)]	..	..	..	..	..	..	1·3000
6. Θερμαῖοι ἐξ Ἰκάρου	[(3000)]	3000	(3000)	(3000)	[(3000)]	..	..	..	..	..	(3000)	3000
7. Οἰναῖοι ἐξ Ἰκάρου	[(4000)]	4000	..	(4000)	(4000)	..	..	..	..	..	1	(1)
8. Πριανῆς	(1)	[(1)]	..	abs.	..	..	..	..	..	..	..	..
9. Μαιάνδριοι	..	abs.	abs.	abs.	..	..	..	..	..	..	..	..
10. Μαραθήσιοι	[(3000)]	3000	..	abs.	[(3000)]	..	..	..	..	..	2000	2000
11. Πυγελῆς	(1)	(1)	(1)	1	[(1)]	..	..	..	..	..	(1·3000)	1·3000
12. Ἰσίνδιοι	1000	(1000)	1000	1000	[(1000)]	..	..	..	..	..	1000	1000
13. Ἐφέσιοι	6	(6)	6	6	(6)	..	..	..	..	..	7·3000	7·3000
14. Νοτιῆς	[(2000)]	2000	[2000]	2000[2]	[(2000)]	..	..	..	..	..	(2000)	2000
15. Διοσερῖται	[(500)]	500	..	500[2]	[(500)]	..	..	..	..	..	500	..
16. Λεβέδιοι	[(1)]	1	..	1	[(1)]	..	..	..	..	..	..	..
17. Κολοφώνιοι	[(1·3000)]	1·3000	(1·3000)	(1·3000)	[(1·3000)]	..	..	..	..	..	(3)	[3]
18. Τήϊοι	[(6)]	6	..	6	(6)	..	..	..	..	..	(6)	(6)
19. Αἰραῖοι	[(1)]	1	..	1	(1)	..	..	..	..	..	·(1)	1
20. Ἐρυθραῖοι	[(7)]	[(7)]	..	7	(7)	[(—)]	..	..	..	..	10·1100	10·1100
21. Βουθειῆς	[(1000)]	(1000)	..	[1000]	[(1000)]	[(—)]	..	..	..	..	..	..
22. Πτελεούσιοι	(100)	(100)	..	100	[(100)]	[(—)]	..	..	..	..	..	..
23. Σιδούσιοι	(500)	(500)	500	[500]	[(500)]	(—)	..	..	..	..	..	..
24. Πολιχναῖοι	(4000)	(4000)	4000	4000	(4000)	(—)	..	..	..	..	..	..
25. Ἐλαιούσιοι	(100)	[(100)]	100	100	[100]	[(—)]	..	..	..	..	..	..
26. Κλαζομένιοι	1·3000	(1·3000)	..	(1·3000)	(1·3000)	..	..	..	..	..	..	(—)
27. Φωκαιῆς	[(2)]	2	..	2	[(2)]	..	..	..	..	..	..	..
28. Κυμαῖοι	[(9)]	9	..	(9)[2]	(9)[2]	..	..	..	..	..	9	9
29. Μυριναῖοι	[(1)]	1	..	(1)[2]	(1)[2]	..	..	..	..	..	1	1
30. Γρυνειῆς	[(1000)]	1000	(1000)	1000	[(1000)]	..	..	..	..	..	[2000][2]	2000

I. IONIAN DISTRICT (*cont.*)

	453	452	451	450	449	448	447	446	445	444	443
31. *'Ελαιῖται*	1000	..	1000	1000	..	..	..	..	1000	..	1000
32. *Πιταναῖοι*	(1000)	1000	(1000)	1000	(1000)	..	[1000]	1000	1000	..	(1000)
33. *'Αστυρηνοὶ Μυσοί*	..	[500]	..	..	..	..	..	..	..	..	500
34. *Γαργαρῆς*	..	..	4500	..	..	..	4500	[(4500)]	..	..	..
35. *"Ησσιοι*	1	..	..	[(1)]	1	..	[1]	[(1)]	(1)	..	..

II. HELLESPONTINE DISTRICT

	453	452	451	450	449	448	447	446	445	444	443
TROAD											
1. *Λαμπώνεια*	1000	..	..	(1000)	..	..	1000	[(1000)]	1000	1000	1000
2. *Τενέδιοι*	..	..	4·3000	..	2·5280 1·3720	..	X	2·5280 3240 2160 2160	..	4·300	(4·3000)
3. *Νεάνδρεια*	2000	..	2000	(2000)	2000	..	..	..	2000	(2000)	..
4. *Κεβρήνιοι*	3	..	..	..	1·2700	..	[3]	[3]	..	..	..
5. *Σκάψιοι*	..	..	1	..	..	..	..	..	..	..	..
6. *Βηρύσιοι ὑπὸ τῇ "Ιδῃ*	1000	..	1000	..	(1000)	..	1000	[(1000)]	1000	..	..
7. *Γεντίνιοι*	..	..	500	..	500	..	500	500	500	(500)	500
8. *'Αζειοί*	..	..	400	[400]	..	..	..	..	..	..	..
HELLESPONT, *Asiatic shore*											
9. *Σιγειῆς*	..	..	..	..	1000	..	760	1000 240	..	(1000)	..
10. *Δαρδανῆς*	..	..	..	1·3000	2760	..	2760	[(1)] 3240	..	(—)	(—)
11. *'Αβυδηνοί*	[4·2260]	..	..	(—)	[(—)]	..	(—)	(—) (—)	..	4·0315	(—)
12. *'Αρισβαῖοι*	..	[2]	..	..	..	..	..	..	..	..	..
13. *Παλαιπερκώσιοι*	..	..	..	500	..	..	(500)	500	500	(500)	500
14. *Περκώσιοι*	..	..	1000	1000	..	..	1000	[(1000)]	1000	1000	1000

	442	441	440	439	438	437	436	435	434	433	432	431
31. Ἐλαιῖται	[(1000)]	(1000)	(1000)	1000	(1000)	..	..	..	..	..	(1000)	1000
32. Πιταναῖοι	[(1000)]	[(1000)]	(1000)	1000[2]	(1000)[2]	..	..	..	..	..	1000[2]	..
33. Ἀστυρηνοὶ Μυσοί	[(500)]	[(500)]	..	500[2]	(500)[2]	(—)	..	..	..	..	..	..
34. Γαργαρῆς	[(4660)]	4660	..	abs.	(4660)	..	..	..	..	..	..	..
35. Ἥσσιοι	abs.	abs.	..	abs.	..	..	..	..	..	..	..	..

II. HELLESPONTINE DISTRICT

	442	441	440	439	438	437	436	435	434	433	432	431
TROAD												
1. Λαμπώνεια	(1000)	1000	1000	1000[2]	..	..	..	..	abs.	(1400)[2]	1400[2]	..
2. Τενέδιοι	(2.5280)	2.5280	2.5280	[2.5020]	..	..	..	..	(2.5280)	..	2.5280	2.5280
3. Νεάνδρεια	abs.	2000	[2000]	2000	..	..	..	..	abs.	..	[2000]	2000
4. Κεβρήνιοι	abs.	abs.	..	..	..	..	..	..	abs.	..	abs.	..
5. Σκάψιοι	abs.	abs.	1	..	..	..	..	..	abs.	..	abs.	..
6. Βηρύσιοι ὑπὸ τῇ Ἴδῃ	abs.	abs.	..	..	..	..	..	..	abs.	..	abs.	..
7. Γεντίνιοι	abs.	abs.	..	..	..	..	..	..	abs.	..	abs.	..
8. Ἀζειοί	abs.	400	..	..	..	..	..	..	(400)	..	400	..
HELLESPONT, *Asiatic shore*												
9. Σιγειῆς	1000	1000	1000	1000	..	..	..	..	(1000)	..	[(1000)]	1000
10. Δαρδανῆς	(1)	1	1	1[2]	..	..	..	..	(1)	..	1	(1)
11. Ἀβυδηνοί	(—)	4	4	4	..	..	..	..	(—)	(—)	6	..
12. Ἀρισβαῖοι	[(2)]	2	2	..	..	..	..	..	abs.	..	abs.	..
13. Παλαιπερκώσιοι	500	[(500)]	500	500	..	..	..	..	abs.	..	[1500]	..
14. Περκώσιοι	1000	1000	..	1000	..	..	..	..	abs.	..	..	..

II. HELLESPONTINE DISTRICT (*cont.*)

	453	452	451	450	449	448	447	446	445	444	443
15. *Λαμψακηνοί*	..	(12)	..	12	12	..	5200	{ (—) 3600 }	..	..	(—)
16. *Παισηνοί*	..	..	1000	1000	..	..	1000	[(1000)]	[1000]	(1000)	..
HELLESPONT, *European shore*											
17. *Ἀλωποκοννήσιοι*	..	..	(—)	..	3240	..	..	..	(—)	[(—)]	(—)
18. *Χερρονησῖται*	18	18	18	..	13.4840	..	..	(—)	..	[(—)]	(—)
19. *Λιμναῖοι*	..	..	..	..	..	..	..	2000	(—)	[(—)]	[(—)]
20. *Ἐλαιούσιοι*	..	..	..	..	..	..	..	3000	(3000)	(3000)	(3000)
21. *Μαδύτιοι*	..	..	..	..	..	..	..	..	..	[(—)]	(—)
22. *Σήστιοι*	..	..	..	..	..	..	..	..	(—)	(—)	(—)
PROPONTIS, *Asiatic shore*											
23. *Παριανοί*	1	1	..	..	..	..	..	..	(—)	..	(—)
24. *Πριαπῆς*	..	..	500	..	..	..	(500)	500	500	500	..
25. *Ἀρπαγιανοί*	..	..	..	..	..	..	300	[(300)]	..	(300)	(300)
26. *Ζέλεια*	..	..	..	..	..	..	..	..	..	..	..
27. *Κυζικηνοί*	..	..	(—)	..	[(—)]	..	..	4320	..	..	..
28. *Ἀρτακηνοί*	(2000)	..	2000	..	[(2000)]	..	..	..	(2000	..	2000
29. *Προκοννήσιοι*	..	..	(—)	..	[(—)]	..	..	..	(—)	..	(—)
30. *Δασκύλειον*	500	..	(500)	..	500	..	..	..	..	..	..
31. *Βρυλλειανοί*	..	..	..	..	..	..	..	..	..	..	..
32. *Κιανοί*	1000	..	..	..	..	..	[1000]	1000	..	1000	1000
33. *Καλλιπολῖται*	..	..	..	..	..	..	..	..	..	..	..
34. *Βύσβικος*	..	..	..	..	..	..	..	..	..	..	..
35. *Μυσοί*	2000	..	..	..	..	..	..	..	..	..	..
36. *Ἀστακηνοί*	1.3000	1.3000	..	..	1000	..	..	..	..	1000	[1000]
37. *Χαλχηδόνιοι*	..	..	7.3010	..	3	..	9	9	..	9	(9)
PROPONTIS, *European shore*											
38. *Τυρόδιζα*	..	..	1000	..	..	..	..	..	500	500	..
39. *Νεάπολις*	..	..	..	..	..	..	..	..	..	..	..

	442	441	440	439	438	437	436	435	434	433	432	431
15. *Λαμψακηνοί*	(12)	12	12	..	..	..	..	..	(—)	..	X	..
16. *Παισηνοί*	abs.	abs.	1000	1000	..	..	..	..	(1000)[2]	..	1000	..
HELLESPONT, *European shore*												
17. *Ἀλωποκοννήσιοι*	(1000)	1000	1000	[1000]	..	..	..	..	2000	..	[2000]	[(2000)]
18. *Χερρονησῖται*	[(1)]	1	1	1	..	..	..	..	1	..	[1]	[(1)]
19. *Λιμναῖοι*	[(500)]	500	(500)	[(500)]	..	..	..	..	500	..	1000[2]	(1000)
20. *Ἐλαιούσιοι*	3000	[3000]	(3000)	[(3000)]	..	..	..	..	3000	..	[3000]	[(3000)
21. *Μαδύτιοι*	[(500)]	500	500	[500]	..	..	..	..	2000	..	[2000]	[(2000)]
22. *Σήστιοι*	[(500)]	500	500	.500]	..	..	..	..	1000	..	[(1000)]	[(1000)]
PROPONTIS, *Asiatic shore*												
23. *Παριανοί*	(2000)	2000	(2000)	2000	..	..	..	..	1	..	1	[(1)]
24. *Πριαπῆς*	abs.	500	500	500	..	..	..	..	(500)	..	[(500)]	..
25. *Ἀρπαγιανοί*	(300)	300	300	300	[300]	..	..	..	(300)	..	(300)	300
26. *Ζέλεια*	abs.	abs.	(—)	..	..	..	..	..	abs.	..	abs.	..
27. *Κυζικηνοί*	9	9	9	..	[9]	..	..	..	(9)	..	9	9
28. *Ἀρτακηνοί*	2000	2000	2000	..	[2000]	..	..	..	2000	..	2000	2000
29. *Προκοννήσιοι*	3	3	3	..	..	..	..	..	(3)	..	3	3
30. *Δασκύλειον*	abs.	abs.	..	..	..	..	..	..	abs.	(500)[2]	[500]	..
31. *Βρυλλειανοί*	abs.	abs.	..	..	..	..	..	..	abs.	..	3000	(3000)
32. *Κιανοί*	abs.	1000	..	1000	..	..	..	..	(1000)	..	[(1000)]	1000
33. *Καλλιπολῖται*	abs.	abs.	..	..	..	..	..	..	abs.	1000[4]	1000[4]	[1000][4]
34. *Βύσβικος*	abs.	abs.	..	..	..	..	..	..	abs.	3000[5]	..	..
35. *Μυσοί*	abs.	abs.	..	..	..	..	..	..	abs.	..	abs.	..
36. *Ἀστακηνοί*	abs.	abs.	..	..	..	..	..	..	abs.	..	abs.	..
37. *Χαλχηδόνιοι*	(9)	9	9	9	[9]	..	..	..	(—)	(6)[2]	6	(6)
PROPONTIS, *European shore*												
38. *Τυρόδιζα*	abs.	abs.	..	..	..	..	..	..	abs.	..	abs.	..
39. *Νεάπολις*	abs.	300	[(300)]	300	[300]	..	..	..	abs.	..	[300]	..

II. HELLESPONTINE DISTRICT (*cont.*)

	453	452	451	450	449	448	447	446	445	444	443
40. *Διδυμοτειχῖται*	1000	1000	..	..	..	..	1000	(1000)	1000	..	..
41. *Περίνθιοι*	..	..	(—)	..	{3.4930 6.1070}	..	..	..	..	..	(10)
42. *Δαυνιοτειχῖται*	..	..	(—)	..	..	..	[(1000)]	1000	1000	1000	..
43. *Σηλυμβριανοί*	..	..	..	(—)	[6]	..	6	(6)	..	(—)	(—)
44. *Βυζάντιοι*	..	..	(—)	..	15	..	X	{[(—)] 4.4800 3.5840}	..	..	[(—)]
45. ? *Εὐρυμαχῖται*	..	..	..	..	..	..	1000	1000	..	..	..

III. THRACEWARD DISTRICT

	453	452	451	450	449	448	447	446	445	444	443
WEST AND SOUTH OF CHALKIDIKE											
1. *Πεπαρήθιοι*	[3]	..	3	3	..	..	3	[(3)]	3	..	[(3)]
2. *Σκιάθιοι*	..	..	..	..	[1000]	..	..	..	1000	1000	1000
3. *Ἴκιοι*	..	..	..	1500	..	..	1500	1500	1500	..	1500
4. *Αἰσώνιοι*	..	..	..	1500	1500	..	[(1500)]	[(1500)]	[(1500)]	..	1500
5. *Μεθωναῖοι*	..	..	..	..	..	..	..	..	..	..	..
PALLENE											
6. *Ποτειδεᾶται*	..	..	..	..	..	..	..	..	[(6)]	6	6
7. *Ἀφυταῖοι*	..	..	3	3	..	..	3	3	1	1	[1]
8. *Νεοπολῖται Μενδαίων ἄποικοι*	3000	(3000)	..	3000	(3000)	..	3000	[(3000)]	3000	(3000)	3000
9. *Αἰγάντιοι*	..	..	..	3000	..	..	3000	3000	2000	2000	2000
10. *Θραμβαῖοι*	{ ..	..	..	.. }	{ ..	..	..	.. }	1000	1000	1000
11. *Σκιωναῖοι*	{ (6)	6	6	6 }	{ ..	..	..	.. }	6	6	6
12. *Μενδαῖοι*	..	..	8	8	..	..	15[1]	15	(—)	..	5

	442	441	440	439	438	437	436	435	434	433	432	431
40. *Διδυμοτειχῖται*	(1000)	1000	1000	1000	..	..	..	..	(1000)	..	1000	(1000)
41. *Περίνθιοι*	10	10	[10]	..	[10]	..	..	..	(10)	..	10	X
42. *Δαυνιοτειχῖται*	(1000)	1000	1000	1000	..	..	..	..	(1000)	..	1000	(1000)
43. *Σηλυμβριανοί*	(5)	5	5	..	[5]	..	..	..	900	..	900	(900)
44. *Βυζάντιοι*	15.4300	15.4300	[15.0460]	..	..	..	..	..	(—)	..	18.1800	..
45. ? *Εὐρυμαχῖται*	..	abs.	..	..	..	..	..	..	abs.	..	abs.	..

Note: *Εὐρυμαχῖται*, district uncertain (*ATL* ii. 85).

III. THRACEWARD DISTRICT

	442	441	440	439	438	437	436	435	434	433	432	431
WEST AND SOUTH OF CHALKIDIKE												
1. *Πεπαρήθιοι*	3	3	(3)	..	..	..	..	3	3	(3)	(3)	3
2. *Σκιάθιοι*	1000	[1000]	(1000)	1000	..	..	..	..	1000	1000	1000	1000
3. *Ἴκιοι*	1500	[1500]	1500	1500	..	1500	..	1500	[1500]	1500	(1500)	1500
4. *Αἰσώνιοι*	1500	(1500)	1500	(1500)	..	..	..	1500[2]	1500	..	(1000)	1000
5. *Μεθωναῖοι*	abs.	..	..	..	..	..	..	..	abs.	..	..	[3]
PALLENE												
6. *Ποτειδεᾶται*	6	(6)	[6]	6	..	..	..	(6)	6	(—)	15	abs.
7. *Ἀφυταῖοι*	1	(1)	1	(1)	..	..	..	..	3	..	..	3
8. *Νεοπολῖται Μενδαίων ἄποικοι*	3000	(3000)	(3000)	3000	(3000)	..	..	..	3000	3000	3000	3000
9. *Αἰγάντιοι*	2000	(2000)	2000	(2000)	..	..	..	[3000]	(3000)	..	(3000)	3000
10. *Θραμβαῖοι*	1000	..	(1000)	(1000)	..	..	..	[1000]	1000	..	(1000)	1000
11. *Σκιωναῖοι*	6	(6)	(6)	..	..	..	..	..	15	..	..	4
12. *Μενδαῖοι*	9	(—)	(—)	5	..	8	..	8	8	8	..	8

III. THRACEWARD DISTRICT (*cont.*)

	453	452	451	450	449	448	447	446	445	444	443
SITHONE											
13. *Σερμυλιῆς*	7.4320	{ (—) (—) }	..	5.5500	..	..	3[1]	3	[(5)]	5	5
14. *Γαλαῖοι*	..	..	..	..	..	..	..	{ (12)	..	..	..
15. *Τορωναῖοι*	(—)	..	..	..	..	..	7.5440	4.0560 } ..	6	..	6
16. *Σαρταῖοι*	..	..	..	..	..	..	..	..	..	..	..
17. *Σίγγιοι*	X	(—)	4	4	1.5000	..	2	(2)	2	2	[(2)]
18. *Πίλωρος*	..	..	..	..	..	..	..	..	..	..	..
ATHOS											
19. *Ἀκάνθιοι*	..	..	..	..	?	..	..	..	3	3	3
20. *Σαναῖοι*	{ 2.2000	(1)	..	..	(1)	..	[(2000)]	{ [(1)] 4000 }	4000	(4000)	[4000]
21. *Διῆς ἀπὸ τοῦ Ἄθω*	..	..	..	1	..	..	1	[(1)]	1	..	[(1)]
22. *Ὀλοφύξιοι*	.. }	..	..	2000	..	..	1500	[(—)]	2000	[2000]	2000
23. *Θύσσιοι*	..	..	4000	4000	1.3000	..	[(1.3000)]	1.3000	1	1	1
24. *Κλεωναί*	..	..	..	..	..	..	..	..	..	..	..
UPPER CHALKIDIKE											
25. *Στρεψαῖοι*	1	..	..	(1)	1	..	(1)	1	1	(1)	1
26. *Σερμαῖοι*	..	..	..	..	500	..	500	(500)	[(500)]	500	500
27. *Αἰνειᾶται*	..	..	(—)	(—)	(—)	..	[(—)]	[(—)]	3	..	3
28. *Δικαιοπολῖται Ἐρετριῶν ἄποικοι*	4	(—)	..	..	(—)	..	(—)	(—)	(—)	(—)	(—)
29. *Τινδαῖοι*	..	..	..	..	..	..	..	..	..	..	..
30. *Κίθας*	..	..	..	..	..	..	..	..	..	..	..
31. *Σμίλλα*	..	..	..	..	..	..	..	..	..	..	..
32. *Γίγωνος*	..	..	..	..	..	..	..	..	..	..	..
33. *Αἶσα*	..	..	..	..	..	..	..	..	..	..	..
34. *Αἰολῖται*	..	..	..	..	..	..	..	..	..	..	..
35. *Πλευμῆς*	..	..	..	..	..	..	..	..	..	..	..
36. *Σῖνος*	..	..	..	..	..	..	..	..	..	..	..
37. *Σπαρτώλιοι*	2	2	2	2	..	..	2	[2]	2	2	(2)
38. *Σκαψαῖοι*	..	..	1000	1000	1000	..	1000	(1000)	1000	(1000)	1000

	442	441	440	439	438	437	436	435	434	433	432	431
SITHONE												
13. *Σερμυλιῆς*	5	(5)	. .	(5)	. .	. .	. .	. .	4·3000	4·3000	. .	abs.
14. *Γαλαῖοι*	abs.	. .	. .	. .	. .	. .	. .	(800)	[800][3]	3000[4]	3000[4]	abs.
15. *Τορωναῖοι*	6	(6)	6	(6)	. .	. .	. .	. .	(6)	. .	. .	6
16. *Σαρταῖοι*	abs.	. .	. .	. .	. .	. .	. .	. .	abs.	1500[4]	1500[4]	[1500][4]
17. *Σίγγιοι*	2	(2)	. .	2	. .	. .	. .	. .	3	2	1	abs.
18. *Πίλωρος*	abs.	. .	. .	. .	. .	. .	. .	. .	abs.	600[5]	. .	. .
ATHOS												
19. *Ἀκάνθιοι*	3	(3)	. .	. .	. .	. .	. .	. .	3	. .	(3)	3
20. *Σαναῖοι*	4000	4000	(4000)	. .	. .	. .	. .	(1)	1	1	1	[1]
21. *Διῆς ἀπὸ τοῦ Ἄθω*	1	[1]	(1)	(1)	. .	. .	. .	(1)	1	(1)	(1)	1
22. *Ὀλοφύξιοι*	2000	[2000]	(2000)	. .	. .	. .	. .	2000	2000	. .	(2000)	2000
23. *Θύσσιοι*	1	[1]	. .	. .	. .	. .	. .	. .	1	(1)	1	1
24. *Κλεωναί*	abs.	. .	. .	. .	. .	. .	. .	. .	abs.	500[5]	500[5]	abs.
UPPER CHALKIDIKE												
25. *Στρεψαῖοι*	1	(1)	. .	(1)	. .	. .	. .	1	1	1	1	abs.
26. *Σερμαῖοι*	[(500)]	(500)	. .	500	(500)	. .	. .	. .	500	500	500	500
27. *Αἰνειᾶται*	3	(3)	. .	. .	. .	. .	. .	(3)	3	(3)	(3)	3
28. *Δικαιοπολῖται Ἐρετριῶν ἄποικοι*	(—)	(—)	(—)	(—)	. .	. .	. .	. .	1	. .	(1)	abs.
29. *Τινδαῖοι*	abs.	. .	. .	. .	. .	. .	. .	. .	abs.	. .	. .	. .
30. *Κίθας*	abs.	. .	. .	. .	. .	. .	. .	. .	abs.	. .	. .	. .
31. *Σμίλλα*	abs.	. .	. .	. .	. .	. .	. .	. .	abs.	3000[5]	. .	. .
32. *Γίγωνος*	abs.	. .	. .	. .	. .	. .	. .	. .	abs.	. .	. .	. .
33. *Αἶσα*	abs.	. .	. .	. .	. .	. .	. .	. .	abs.	. .	. .	. .
34. *Αἰολῖται*	abs.	. .	. .	. .	. .	. .	. .	. .	abs.	500[4]	500[4]	abs.
35. *Πλευμῆς*	abs.	. .	. .	. .	. .	. .	. .	. .	abs.	1000[4]	abs.	abs.
36. *Σίνος*	abs.	. .	. .	. .	. .	. .	. .	. .	abs.	1500[5]	[1500][5]	. .
37. *Σπαρτώλιοι*	2	2	(2)	. .	(2)	. .	. .	(2)	2	3·0500	3·0500	abs.
38. *Σκαψαῖοι*	1000	[1000]	. .	1000	1000	. .	. .	. .	abs.	. .	1000	abs.

III. THRACEWARD DISTRICT (*cont.*)

	453	452	451	450	449	448	447	446	445	444	443
39. *Φαρβήλιοι*	1000	..	..	..	1000	..	1000	(1000)	[(1000)]	(1000)	1000
40. *Χεδρώλιοι*	..	..	..	..	500	..	500	500	..	..	..
41. *'Οθώριοι*	..	..	..	..	..	..	[(500)]	[500]	[(—)]	..	..
42. *Στώλιοι*	..	(—)	(—)	(—)	4000	..	5000	5000	..	4000	(4000)
43. *Πολιχνῖται παρὰ Στῶλον*	..	(—)	..	..	..	..	..	..	..	..	..
44. *Μηκυβερναῖοι*	2.1880 (for 42–44)	(—)	..	..	1	..	[(1)]	1	4000	4000	4000
45. *Φηγήτιοι*	..	..	..	(—)	1600	..	1600[1]	(1600)	1000	1000	1000
46. *Σκαβλαῖοι*	..	..	..	(—)	3000	..	3000[1]	3000	2000	..	..
47. *'Ασσηρῖται*	..	..	..	2400	2400	..	2400	2400	2400	(2400)	..
48. *'Ολύνθιοι*	(2.4000) (for 46–48)	(—)	..	(—)	2	..	..	..	(2)	..	..
49. *Σταγιρῖται*	[1000]	..	..	..	1000	..	1000	1000	1000	1000	1000
50. *'Αργίλιοι*	?	..	..	..	..	..	..	..	1	1	1
51. *Βεργαῖοι*	..	..	2880	(—)	..	..	..	3240	..	..	..
52. ? *Μιλτώριοι*	..	..	..	..	..	..	..	..	..	..	..
53. ? *Πίστασος*	..	..	..	..	..	..	..	..	..	..	..
EAST OF STRYMON											
54. *Γαλήψιοι*	1.3000	(1.3000)	1.3000	..	(1.1200)	..	(1.1200)	1.1200	1.3000	..	..
55. *Νεάπολις παρ' 'Αντισάραν*	1000	..	..	..	1000	..	1000	1000	1000	1000	[(1000)]
56. *Θάσιοι*	3	..	3	3	..	..	(2.2760)	{ 3240 / (—) / (—) }	[(—)]	..	30
57. *Κυστίριοι*	..	..	..	..	..	..	..	..	..	..	..
58. *'Αβδηρῖται*	12.5120	..	15	..	15	..	14	{ 1 / [(15)] }	..	15	..
59. *Δίκαια παρ' Ἄβδηρα*	(3000)	..	3000	3000	3000	..	3000	3000	2000	2000	..
60. *Μαρωνῖται*	1.3000	1.3000	1.3000	1.3000	1.3000	..	(1.3000)	1.3000	1.3000	1.3000	1.3000
61. *Σαμοθρᾶκες*	..	(6)	6	6	6	..	(6)	6	[(6)]	6	6
62. *Αἴνιοι*	[12]	12	12	..	12	..	(12)	{ [(—)] / 1.2555 }	[(10)]	10	10

	442	441	440	439	438	437	436	435	434	433	432	431
39. *Φαρβήλιοι*	1000	(1000)	(1000)	..	..	..	..	(1000)	1000[3]	500[4]	500[4]	abs.
40. *Χεδρώλιοι*	abs.	..	..	..	..	..	..	..	500[3]	[1000][4]	1000[4]	abs.
41. *'Οθώριοι*	?	(700)	700	..	..	..	..	(700)	700[3]	500[5]	..	..
42. *Στώλιοι*	4000	4000	(4000)	..	..	1	..	..	abs.	1	..	abs.
43. *Πολιχνῖται παρὰ Στῶλον*	abs.	..	..	..	..	..	..	..	abs.	..	..	abs.
44. *Μηκυβερναῖοι*	4000	(4000)	(4000)	[4000]	..	..	..	(1)	1	(1)	1	abs.
45. *Φηγήτιοι*	1000	(1000)	1000	..	..	..	..	..	1000	(—)	(—)	abs.
46. *Σκαβλαῖοι*	[(2000)]	(2000)	(2000)	..	..	(3000)	..	3000	2000	3000	1500	abs.
47. *Ἀσσηρῖται*	(—)	(—)	..	..	..	(3000)	..	3000	3000	3000	3000	abs.
48. *'Ολύνθιοι*	(2)	(2)	2	2	..	..	..	..	2	..	[2]	abs.
49. *Σταγιρῖται*	1000	[1000]	1000	..	..	..	..	(1000)	1000[2]	..	..	1000
50. *Ἀργίλιοι*	1	(1)	(1)	(1)	..	1	..	..	abs.	..	1000	abs.
51. *Βεργαῖοι*	abs.	..	..	..	..	..	..	..	3120	..	3120	3120
52. ? *Μιλτώριοι*	abs.	..	..	..	..	..	..	..	1000[3]	3000[4]	3000[4]	abs.
53. ? *Πίστασος*	abs.	..	..	..	..	..	..	..	abs.	500[5]	..	..
EAST OF STRYMON												
54. *Γαλήψιοι*	3000	(3000)	..	(3000)	..	..	..	..	abs.	..	1000	1000
55. *Νεάπολις παρ' Ἀντισάραν*	1000	..	..	..	..	..	..	1000	1000	(1000)	1000	1000
56. *Θάσιοι*	abs.	..	..	(30)	..	..	..	..	(30)	30	30	30
57. *Κυστίριοι*	abs.	..	..	..	..	..	..	..	abs.	300[3]	..	abs.
58. *Ἀβδηρῖται*	abs.	(15)	..	..	..	..	..	(15)	15	..	15	10
59. *Δίκαια παρ' Ἄβδηρα*	abs.	[(—)]	..	(—)	..	..	..	..	(3000)	(3000)	..	3000
60. *Μαρωνῖται*	1·3000	(1·3000)	(1·3000)	..	..	..	..	10	10	10	(10)	abs.
61. *Σαμοθρᾶκες*	6	(—)	(—)	4	..	..	..	(6)	6	(6)	(6)	6
62. *Αἴνιοι*	10	[(10)]	10	10	..	..	..	4	abs.	..	..	abs.

Notes: *'Ακάνθιοι* (449). There is space for only one numeral in the quota. *ATL* (𐅅), implying a tribute of 5 talents. (X), a tribute of 10 talents is formally possible. *'Αργίλιοι* (453). The reading is clear, X𐅄, implying a payment of 10½ talents. *ATL* ii. 79 suggests a cutter's error for H𐅄 (a tribute of 1½ talents). *Μιλτώριοι*, *Πίστασος*. Sites unknown, probably in Chalkidike. *'Οθώριοι* (442). On the stone Δ⊢⊢||||, ? a cutter's error for Δ⊢|||| (as in 440), *ATL* ii. 82.

IV. KARIAN DISTRICT

	453	452	451	450	449	448	447	446	445	444	443
WESTERN KARIA, *coast and islands*											
1. *Λάτμιοι*	..	(1)	1	1	1	..	..	(1)	(1)	(1)	1
2. *Βολβαιῆς*	..	1030	..	..	..	..	..	..	(—)	..	..
3. *Πηδασῆς*	..	2	..	2	..	..	[(1)]	1	..	..	..
4. *Ἰασῆς*	..	..	..	..	1	..	..	1	(1)	(1)	..
5. *Βαργυλιῆς*	..	1000	..	1000	1000	..	1000	4000	..	1000	..
6. *Μύνδιοι*	..	500	500	500	500	..	500	(500)	[(500)]	500	500
7. *Πελειᾶται*	..	4000	(—)	..	3000	..	..	3000	(3000)	(3000)	(3000)
8. *Καρυανδῆς*	..	..	1000	..	500	..	..	500	(500)	..	500
9. *Καλύδνιοι*	..	..	1.3000	1.3000	(1.3000)	..	1.3000	[(1.3000)]	..	1.3000	..
10. *Ἀμόργιοι*	..	..	..	..	..	..	..	..	..	..	..
11. *Ἀστυπαλαιῆς*	..	(2)	2	..	..	..	[(2)]	2	..	..	[2]
12. *Κῷοι*	..	..	..	(—)	3.3360 1.2640	..	(3.3360)	(—) 3.3360 2160	..	..	..
13. *Τερμερῆς*	2.3000	..	2.3000	2.3000	2.3000	..	(2.3000)	(2.3000)	..	..	..
14. *Ἀλικαρνάσσιοι*	1.4000	..	1.4000	1.4000	(2)	..	(2)	2	..	1.4000	[1.4000]
15. *Ἀμυνανδῆς*	..	3050	..	..	..	..	..	..	..	..	3000
16. *Συαγγελῆς*	(—)	..	..	..	1	..	(1)	1	4500	1	[3000]
17. *Οὐρανιῆται*	..	1030	..	500	..	..	..	..	..	..	..
18. *Μαδνασῆς*	2	..	2	..	1	..	..	1	..	(1)	..
19. *Ληψιμάνιοι*	..	1030 (—)	1500	1500	..	..	[(—)][1]	(—)	(1000)	1000	1000
20. *Παργασῆς*	..	..	..	..	1000	..	..	..	[(500)]	500	[500]
21. *Κεράμιοι*	(1.3000)	..	1.3000	1.3000	..	..	(1.3000)	1.3000	..	(1.3000)	..
22. *Κασωλαβῆς*	(2500)	(2500)	(2500)	2500	2500	..	2500[1]	(2500)	..	..	..
23. *Πλαδασῆς*	..	..	..	..	..	..	2000	2000	..	..	..
WESTERN KARIA, *interior*											
24. *Παρπαριῶται*	..	..	..	1000	1000	..	1000	(1000)	1000	1000	1000
25. *Μυδονῆς*	(1500)	..	1500	..	..	..	1500	[(1500)]	1500	..	1500
26. *Θασθαρῆς*	..	..	..	500	..	..	500	(500)	..	..	(500)

	442	441	440	439	438	437	436	435	434	433	432	431
WESTERN KARIA, *coast and islands*												
1. *Λάτμιοι*	[(1)]	1	1	[(1)]	..	..	..	..	..	..	1	1
2. *Βολβαιῆς*	..	abs.	abs.	abs.	..	..	..	..	..	..	..	..
3. *Πηδασῆς*	..	abs.	abs.	abs.	..	..	..	..	..	..	..	..
4. *Ἰασῆς*	[(1)]	1	(1)	[1]	..	..	..	..	..	..	1	1
5. *Βαργυλιῆς*	[(1000)]	1000	1000	1000	..	..	..	..	..	..	..	..
6. *Μύνδιοι*	(500)	[(500)]	500	[(500)]	..	..	..	..	..	..	..	500
7. *Πελειᾶται*	(3000)	(3000)	3000	[(3000)]	..	..	..	..	..	..	(3000)	3000
8. *Καρυανδῆς*	(500)	500	abs.	(500)	..	..	..	..	..	..	..	500
9. *Καλύδνιοι*	(1.3000)	[(1.3000)]	1.3000	1.3000	..	..	..	..	..	..	1.3000	X
10. *Ἀμόργιοι*	..	abs.	abs.	abs.	..	..	..	..	..	1[4]	1[4]	[1][4]
11. *Ἀστυπαλαιῆς*	1.3000	[1.3000]	1.3000	1.3000	..	..	..	..	..	..	2	(2)
12. *Κῷοι*	(5)	[(5)]	5	(5)	..	..	..	..	..	..	5	3.4465
13. *Τερμερῆς*	(3000)	[(3000)]	3000	(3000)	..	..	..	..	..	..	(—)	..
14. *Ἁλικαρνάσσιοι*	[(1.4000)]	1.4000	1.4840	1.4000	(1.4000)	..	..	..	..	..	1.4000	1.4000
15. *Ἀμυνανδῆς*	..	..	..	..	..	..	..	..	..	..	..	..
16. *Συαγγελῆς*	[(1)]	[(1)]	1	1	..	..	..	..	..	..	..	1
17. *Οὐρανιῆται*	..	abs.	abs.	abs.	..	..	..	..	..	..	..	..
18. *Μαδνασῆς*	(1)	(1)	1	[(1)]	..	..	..	..	..	..	1	(1)
19. *Ληψιμάνιοι*	(1000)	1000	1000	1000	..	..	..	..	..	..	..	..
20. *Παργασῆς*	..	abs.	abs.	abs.	..	..	..	..	..	..	..	..
21. *Κεράμιοι*	1.3000	[1.3000]	1.3000	[(1.3000)]	..	..	..	..	..	..	..	(—)
22. *Κασωλαβῆς*	..	abs.	abs.	abs.	..	..	..	..	..	..	..	..
23. *Πλαδασῆς*	(2000)	2000	abs.	2000	..	..	..	..	..	..	..	..
WESTERN KARIA, *interior*												
24. *Παρπαριῶται*	[(1000)]	1000	(1000)	1000	..	..	..	..	..	..	..	..
25. *Μυδονῆς*	[(1500)]	[(1500)]	1500	[(1500)]	..	..	..	..	..	..	..	..
26. *Θασθαρῆς*	..	[(500)]	500	[(500)]	..	..	..	..	..	..	..	..

IV. KARIAN DISTRICT (*cont.*)

	453	452	451	450	449	448	447	446	445	444	443
27. *Ναξιᾶται*	?	..	(—)	(—)	..	..	500	(500)	..	500	(500)
28. *Ἀλινδῆς*	..	..	..	(—)	..	..	..	..	..	..	..
29. *Ναρισβαρῆς*	(1000)	..	..	1000	..	..	1000	1000	..	..	(1000)
30. *Θύδονος*	..	..	..	1000	..	..	..	..	..	..	..
31. *Ὑρωμῆς*	..	..	..	..	[(2500)]	..	..	2500	..	2500	..
32. *Ὑμισσῆς*	..	..	..	(—)	..	..	1200	1200	..	..	..
33. *Χαλκητορῆς*	..	..	..	2000	2100	..	2100	[2100]	..	2100	..
34. *Μυλασῆς*	..	..	..	..	1	..	..	1	(5200)	5200	..
35. *Κυδαιῆς*	..	..	..	400	(400)	..	400	[400]	..	..	..
36. *Κινδυῆς*	..	1	..	..	1	..	..	1	..	..	..
37. *Κᾶρες ὧν Τύμνης ἄρχει*	..	..	..	..	..	..	..	..	..	3000	..
38. *Κιλλαρῆς*	..	..	..	1000	..	..	..	..	..	..	..
39. *Ὑδισσῆς*	..	..	..	..	..	..	1	1	..	..	..
40. *Οὐλαιῆς*	..	1030	..	..	..	..	..	..	..	..	..
KARIAN CHERSONESE AND ISLANDS											
41. *Ἰδυμῆς*	..	1.0890	..	(—)	..	..	5200	(—)	..	2000	..
42. *Κυλλάνδιοι*	(2)	..	2	2	..	..	2	2	..	..	..
43. *Κυρβισσός*	2000	..	2000	2000	2000	..	2000	2000	2000	2000	..
44. *Κεδριᾶται ἀπὸ Καρίας*	(3000)	..	3000	(3000)	..	..	[(3000)]	3000	3000	3000	3000
45. *Αὐλιᾶται Κᾶρες*	500	500	(500)	500	500	..	500	(500)	[(500)]	..	(500)
46. *Ἐρινῆς*	..	4130	..	..	3240	..	..	..	1000	..	1000
47. *Κνίδιοι*	..	..	(—)	(—)	5	..	5	[5]	..	..	[3]
48. *Χῖοι Κᾶρες*	(—)	..	..	..	..	..	2000	2000	..	..	..
49. *Χαλκειᾶται*	..	..	..	..	3000	..	[(3000)]	3000	[2000]	2000	[(2000)]
50. *Βρυκούντιοι*	..	..	..	..	..	..	500	500	..	..	..
51. *Καρπάθιοι*	..	..	..	..	..	..	..	..	..	1000	..
52. *Ἐτεοκαρπάθιοι ἐκ Καρπάθου*	..	..	..	..	..	..	..	..	..	..	..
53. *Ἀρκέσσεια*	..	..	..	..	1000	..	[1000]	1000	..	..	..
54. *Κάσιοι*	..	..	..	..	..	..	..	..	..	..	..
55. *Οἰᾶται*	3300	..	(3300)	..	{ ..	..	..	..	..	..	.. }
56. *Λίνδιοι*	8.2700	..	(8.2700)	..	{ ..	..	10	(10)	..	6	(6) }

	442	441	440	439	438	437	436	435	434	433	432	431
27. *Ναξιᾶται*	500	500	500	[(500)]	..	..	..	..	..	..	500	(500)
28. *Ἀλινδῆς*	..	abs.	abs.	abs.	..	..	..	..	..	..	..	..
29. *Ναρισβαρῆς*	..	[(1000)]	1000	(1000)	..	..	..	..	..	..	..	..
30. *Θύδονος*	..	abs.	abs.	abs.	..	..	..	..	..	..	..	..
31. *Ὑρωμῆς*	[(2500)]	2500	(2500)	[2500]	..	..	..	..	..	..	..	..
32. *Ὑμισσῆς*	..	abs.	abs.	abs.	..	..	..	..	..	..	..	..
33. *Χαλκητορῆς*	[(2100)]	2100	2100	[(2100)]	..	..	..	..	..	..	..	..
34. *Μυλασῆς*	[5200]	5200	5200	[5200]	..	..	..	..	..	..	..	..
35. *Κυδαιῆς*	..	abs.	abs.	abs.	..	..	..	..	..	..	..	..
36. *Κινδυῆς*	(1)	[(1)]	abs.	1	..	..	..	..	..	..	..	..
37. *Κᾶρες ὧν Τύμνης ἄρχει*	..	[(3000)]	(3000)	3000	..	..	..	..	..	..	..	..
38. *Κιλλαρῆς*	..	abs.	abs.	abs.	..	..	..	..	..	..	..	..
39. *Ὑδισσῆς*	..	abs.	abs.	abs.	..	..	..	..	..	..	..	..
40. *Οὐλαιῆς*	..	abs.	abs.	abs.	..	..	..	..	..	..	..	..
KARIAN CHERSONESE AND ISLANDS												
41. *Ἰδυμῆς*	..	[(—)]	abs.	abs.	..	..	..	..	..	..	..	..
42. *Κυλλάνδιοι*	..	abs.	abs.	abs.	..	..	..	..	..	..	..	..
43. *Κυρβισσός*	..	abs.	abs.	abs.	..	..	..	..	..	..	..	..
44. *Κεδριᾶται ἀπὸ Καρίας*	3000	3000	3000	(3000)	..	..	..	..	..	..	..	2000
45. *Αὐλιᾶται Κᾶρες*	500	500	500	(500)	..	..	..	..	..	..	500	..
46. *Ἐρινῆς*	..	abs.	abs.	abs.	..	..	..	..	..	..	..	..
47. *Κνίδιοι*	3	[3]	3	[(3)]	..	..	..	..	..	..	..	(—)
48. *Χῖοι Κᾶρες*	..	abs.	abs.	abs.	..	..	..	..	..	..	..	..
49. *Χαλκειᾶται*	2000	2000	2000	(2000)	..	..	..	..	..	..	(2000)	2000[2]
50. *Βρυκούντιοι*	..	abs.	abs.	abs.	..	..	..	..	..	..	..	..
51. *Καρπάθιοι*	1000	[1000]	1000	[1000]	..	..	..	..	..	..	..	1000
52. *Ἐτεοκαρπάθιοι ἐκ Καρπάθου*	..	abs.	abs.	abs.	..	..	..	..	..	1000[4]	1000[4]	[1000][4]
53. *Ἀρκέσσεια*	1000	[1000]	1000	(1000)	..	..	..	..	..	..	..	1000
54. *Κάσιοι*	..	abs.	abs.	abs.	..	..	..	..	..	1000[4]	1000[4]	[1000][4]
55. *Οἰᾶται*	..	..	..	..	..	..	..	..	..	..	..	..
56. *Λίνδιοι*	6	6	6	[6]	..	..	..	..	..	..	10	10

IV. KARIAN DISTRICT (*cont.*)

	453	452	451	450	449	448	447	446	445	444	443
57. *Πεδιῆς ἐν Λίνδῳ*	..	..	..	..	..	..	(2000)	2000	..	100	..
58. *Ἰηλύσιοι*	..	..	(—)	(—)	10	..	[(10)]	10	..	..	(—)
59. *Καμειρῆς*	[9]	..	(9)	9	9	..	(9)	9	..	..	(—)
60. *Σύμη*	..	..	..	..	..	..	..	..	..	..	..
61. *Χερρονήσιοι*	..	..	3	(3)	3	..	3	3	..	..	2.4200
62. *Πύρνιοι*	..	..	1000	1000	1000	..	1000	1000	[(1000)]	..	1000
63. *Καρβασυανδῆς παρὰ Καῦνον*	(1000)	1000	1000	1000	1000	..	1000	(1000)	[(1000)]	..	(1000)
64. *Καύνιοι*	..	..	3000	3000	..	..	(3000)	(3000)	[(3000)]	..	[(3000)]
65. *Πασανδῆς ἀπὸ Καύνου*	..	..	..	3000	{ 3000 3000 }	..	..	..	[3000]	..	[(3000)]
EAST OF KAUNOS											
66. *Κλαυνδῆς*	..	..	..	..	..	..	..	..	..	..	(—)
67. *Τηλάνδριοι*	..	..	..	1	..	..	3000	(3000)	..	..	(3000)
68. *Κρυῆς ἀπὸ Καρίας*	[2000]	..	2000	2000	2000	..	2000	(2000)	2000	..	2000
69. *Ταρβανῆς*	1030	..	..	..	..	..	..	..	..	..	..
70. *Τελεμήσσιοι*	..	..	{ [(—)]	(—) }	..	..	..	..	1	..	..
71. *Λύκιοι*	..	..	(—) }	[(—)] }	..	..	..	..	10	..	..
72. *Φασηλῖται*	6	..	6	6	3	..	3	[(3)]	..	(3)	(3)
SITES UNKNOWN											
73. *Ἀρλισσός*	..	..	..	..	..	..	..	..	..	(—)	..
74. *Κοδαπῆς*	..	(1000)	..	1000	..	..	1000	[1000]	..	1000	..
75. *Πολιχναῖοι Κᾶρες*	..	..	..	1000	..	..	..	..	..	..	..
76. *Σαμβακτύς*	1.0400	..	1	..	..	..	..	..	..	..	..
77. *Σίλοι*	..	..	..	1500	..	..	..	..	..	..	..
78. *Ὑβλισσῆς*	..	..	..	1060	..	..	..	..	..	..	..
79. *Ὑλιμῆς*	..	..	..	..	(—)	..	[(—)]	[(—)]	..	..	..

	442	441	440	439	438	437	436	435	434	433	432	431
57. *Πεδιῆς ἐν Λίνδῳ*	100	[100]	100	[100]	..	..	..	..	..	..	5000	5000
58. *'Ιηλύσιοι*	6	[6]	6	[(6)]	..	..	..	..	..	..	6	6
59. *Καμειρῆς*	6	[6]	6	(6)	..	..	..	..	..	..	(6)	6
60. *Σύμη*	..	abs.	abs.	abs.	..	..	..	..	..	1800[5]	[1800][5]	[1800][5]
61. *Χερρονήσιοι*	(2.4200)	[(2.4200)]	2.4200	[(2.4200)]	..	..	..	..	..	..	3	3
62. *Πύρνιοι*	[(1000)]	1000	1000	[1000]	..	..	..	..	..	..	1000	..
63. *Καρβασυανδῆς παρὰ Καῦνον*	1000	1000	1000	(1000)	(1000)	..	..	..	..	..	(1000)	1000
64. *Καύνιοι*	3000	[(3000)]	[3000]	(3000)	..	(—)	..	..	..	..	(—)	..
65. *Πασανδῆς ἀπὸ Καύνου*	3000	3000	3000	(3000)	..	..	..	..	..	..	(—)	..
EAST OF KAUNOS												
66. *Κλαυνδῆς*	1	1	1	[(1)]	..	..	..	..	..	..	..	..
67. *Τηλάνδριοι*	3000	[(3000)]	3000	(3000)	..	..	..	..	..	..	(—)	..
68. *Κρυῆς ἀπὸ Καρίας*	2000	2000	2000	2000	..	..	..	..	..	..	[2000]	..
69. *Ταρβανῆς*	..	[(—)]	(—)	[(—)]	..	..	..	..	..	..	..	..
70. *Τελεμήσσιοι*	..	abs.	abs.	abs.	..	..	..	..	..	..	..	..
71. *Λύκιοι*	..	abs.	abs.	abs.	..	..	..	..	..	..	..	..
72. *Φασηλῖται*	3	[3]	3	[3]	..	..	..	..	..	..	6	6
SITES UNKNOWN												
73. *'Αρλισσός*	..	abs.	abs.	abs.	..	..	..	..	..	..	..	..
74. *Κοδαπῆς*	..	abs.	abs.	abs.	..	..	..	..	..	..	..	..
75. *Πολιχναῖοι Κᾶρες*	..	abs.	abs.	abs.	..	..	..	..	..	..	..	..
76. *Σαμβακτύς*	..	abs.	abs.	abs.	..	..	..	..	..	..	..	..
77. *Σίλοι*	..	abs.	abs.	abs.	..	..	..	..	..	..	..	..
78. *'Υβλισσῆς*	..	abs.	abs.	abs.	..	..	..	..	..	..	..	..
79. *'Υλιμῆς*	..	abs.	abs.	abs.	..	..	..	..	..	..	..	..

Note: *Ναξιᾶται* (453). [*Ναχσιᾶ*]*ται* Δ[Γ⊢IIII].

V. ISLAND DISTRICT

	453	452	451	450	449	448	447	446	445	444	443
EUBOIA											
1. Καρύστιοι	..	..	..	7.3000	5	..	5[1]	5	..	..	..
2. Στυρῆς	..	..	..	..	1	..	(1)	[(1)]	..	..	1
3. Γρυγχῆς.	..	..	..	1000	(1000)	..	1000	(1000)	..	..	1000
4. Ἐρετριῆς	..	..	..	..	..	..	(6)	(6)	..	..	..
5. Χαλκιδῆς	..	..	..	..	..	..	?	[(—)]	..	..	..
6. Διακρῆς ἀπὸ Χαλκιδέων	..	..	..	..	..	..	..	..	..	..	..
7. Ἀθῆναι Διάδες	..	..	[(—)]	..	(2000)	..	2000	[(2000)]	{ ..	4000	4000 }
8. Διῆς ἀπὸ Κηναίου	..	..	..	1000	(2000)	..	2000	2000	..	..	..
9. Ἑστιαιῆς	..	..	..	...	(—)	..	(—)	1000			
WEST AEGEAN											
10. Αἰγινῆται	30	30	30	..	[26.1200]	..	..	..	..	(30)	..
11. Κεῖοι	..	..	..	(—)	{ 4	..	4[1]	4	..	(4)	4 }
12. Κορήσιοι	..	..	..	2.1500	..	..	..	..	..	..	..
13. Κύθνιοι	..	..	..	..	3	..	3[1]	[(3)]	..	..	3
14. Σερίφιοι	..	..	..	2	(1)	..	1	1	..	(1)	1
15. Σίφνιοι	..	..	..	..	3	..	3	(3)	..	..	3
16. Ἰᾶται	1	1	1	..	840	..	[840]	(—)	..	(—)	..
17. Νάξιοι	..	..	..	..	?	..	6.4000	6.4000	..	(6.4000)	..
18. Πάριοι	..	..	..	..	16.1200	..	[16.1200]	16.1200	[(—)]	..	..
19. Μυκόνιοι	..	..	[1.3000]	1.3000	..	..	(1.3000)	[(1.3000)]	[1.3000]	(1.3000)	..
20. Ῥηναιῆς	..	..	..	1000	300	..	300	300	..	..	..
21. Σύριοι	..	..	1500	..	..	..	[(1000)]	[1000]	(1000)	..	..
22. Τήνιοι	..	..	..	..	3	..	3	3	..	(—)	..
23. Ἄνδριοι	..	..	..	12	6	..	6	(6)	..	..	6
EAST AEGEAN											
24. Λήμνιοι	..	..	9	..	..	..	..	..	..	..	..
25. Ἡφαιστιῆς οἱ ἐν Λήμνῳ	..	(—)	..	..	[3]	..	..	{ 2160 }	..	(—)	3
								{ 1.4640 }			
26. Μυριναῖοι ἐν Λήμνῳ	..	..	..	..	[1]	..	..	(—)	..	(—)	1.3000
27. Ἴμβριοι	..	..	..	..	..	..	..	3300	(—)	..	(—)

	442	441	440	439	438	437	436	435	434	433	432	431
EUBOIA												
1. *Καρύστιοι*	5	(5)	(5)	..	..	..	..	..	..	..	[(5)]	(5)
2. *Στυρῆς*	(1)	[(1)]	(1)	..	..	..	..	..	(1)	..	1	..
3. *Γρυγχῆς*	[1000]	1000	(1000)	[1000]	..	..	..	..	..	..	1000	(1000)
4. *'Ερετριῆς*	(3)	[3]	(3)	[3]	..	..	..	..	(3)	..	3	..
5. *Χαλκιδῆς*	(3)	[3]	(3)	[3]	..	..	..	..	(3)	..	3	..
6. *Διακρῆς ἀπὸ Χαλκιδέων*	abs.	abs.	abs.	..	..	..	..	..	..	800[5]	800[5]	[800][5]
7. *'Αθῆναι Διάδες*	2000	(2000)	(2000)	[2000]	..	..	..	..	..	..	2000	[2000]
8. *Διῆς ἀπὸ Κηναίου*	(2000)	(2000)	2000	[2000]	..	..	..	..	(2000)	..	2000	(2000)
9. *'Εστιαιῆς*												
WEST AEGEAN												
10. *Αἰγινῆται*	(30)	30	30	[(30)]	..	..	..	..	..	..	?	..
11. *Κεῖοι*	{ [4]	(4)	4	..	..	..	..	..	..	..	3	.. }
12. *Κορήσιοι*	{ ..	..	..	..	..	..	..	..	..	..	..	.. }
13. *Κύθνιοι*	[3]	[(3)]	3	..	..	..	..	..	..	..	3	..
14. *Σερίφιοι*	[1]	[(1)]	1	..	..	..	..	..	..	..	1	..
15. *Σίφνιοι*	[3]	[(3)]	3	..	..	..	..	..	..	..	3	..
16. *'Ιᾶται*	(3000)	[(3000)]	(3000)	[3000]	..	..	..	..	..	..	3000	..
17. *Νάξιοι*	[6.4000]	[(6.4000)]	6.4000	..	..	..	..	..	..	..	6.4000	..
18. *Πάριοι*	18	(18)	18	..	..	..	..	..	..	..	[(—)]	..
19. *Μυκόνιοι*	1	(1)	1	..	..	..	..	..	..	..	(1)	..
20. *'Ρηναιῆς*	(300)	[(300)]	(300)	[300]	..	..	..	..	..	..	300	..
21. *Σύριοι*	[(1000)]	1000	(1000)	[1000]	..	..	..	..	..	..	1500	..
22. *Τήνιοι*	[2]	(2)	2	..	..	..	..	..	..	..	2	..
23. *'Ανδριοι*	[6]	(6)	6	[6]	..	..	..	..	..	..	6	..
EAST AEGEAN												
24. *Λήμνιοι*	..	..	..	..	..	..	..	..	..	..	..	..
25. *'Ηφαιστιῆς οἱ ἐν Λήμνῳ*	(3)	3	3	[(3)]	..	..	..	..	(3)	..	[(—)]	..
26. *Μυριναῖοι ἐν Λήμνῳ*	(1.3000)	1.3000	1.3000	[(1.3000)]	..	..	..	..	(—)	..	[(—)]	..
27. *"Ιμβριοι*	(1)	1	1	[(1)]	..	..	..	..	[(1)]	..	[(1)]	..

Notes: *Χαλκιδῆς* (447). *ATL* ⊏̣ ; earlier editors X. See note on fr. 70, *ATL* i. 36. *Νάξιοι* (449). *ATL* [⊏ΗΡ⊏ΗΙΙΙ] [*Νάχσιο*]ι. Though the restoration of the name is highly probable, since the entry comes in a long list of island states, we do not restore the quota later normal, since a higher tribute may have been paid before the establishment of the cleruchy on Naxos. The precise date of the cleruchy is not known. *Αἰγινῆται* (432). The quota, [·]ḤΗΗΗ implies a payment of 14 or 9 talents.

INDEX TO TABLE 3

PRINTED IN GREAT BRITAIN
AT THE UNIVERSITY PRESS, OXFORD
BY VIVIAN RIDLER
PRINTER TO THE UNIVERSITY